1 MONTH OF
FREE
READING

at

www.ForgottenBooks.com

By purchasing this book you are
eligible for one month membership to
ForgottenBooks.com, giving you
unlimited access to our entire
collection of over 1,000,000 titles via
our web site and mobile apps.

To claim your free month visit:
www.forgottenbooks.com/free1024178

ISBN 978-0-331-18528-7
PIBN 11024178

Americanisch = Lutherische

Pastoraltheologie.

Von

C. F. W. Walther,

Professor der Theologie am Concordia-Seminar zu St. Louis, Mo.,
und Pfarrer der ev.-luth. Gemeinde daselbst.

5. Auflage.

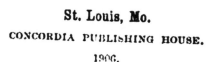

St. Louis, Mo.
CONCORDIA PUBLISHING HOUSE.
1906.

Vorerinnerungen.

———

Gegenwärtige Schrift ist ihrer Substanz nach der Wiederabdruck einer längeren Reihe von Artikeln, welche bereits in den Jahren 1865 bis 1871 unter der Ueberschrift „Materialien zur Pastoraltheologie" im eilften bis siebzehnten Jahrgang von „Lehre und Wehre", einem theologischen und kirchlich-zeitgeschichtlichen Monatsblatt, erschienen sind. Um das Buch nicht allzu voluminös und theuer zu machen, hat sich der Verfasser nur hie und da erlaubt, das Gegebene durch nöthig erscheinende Zusätze zu vermehren. Daß dennoch der Schrift der Name „Pastoraltheologie" gegeben worden ist, wolle der Leser mit der Absicht entschuldigen, den nun in Buchform mitgetheilten Bausteinen einen runden Buchtitel zu geben. Daß derselben aber das Prädicat „americanisch-lutherisch" ertheilt worden ist, dürfte keiner Entschuldigung bedürfen, indem bei der Auswahl des pastoraltheologischen Materials wirklich insonderheit das Bedürfniß eines americanisch-lutherischen Pfarrers das Maßgebende gewesen ist. Ein erwünschter Dienst ist hoffentlich denen, welche diese Arbeit gebrauchen, durch die Beigabe eines alphabetischen Sachregisters geleistet worden, welches Herr Pastor J. A. F. W. Müller in Berlin, Somerset Co., Pennsylvanien, zu verfertigen so freundlich gewesen ist.

Möge der HErr der Kirche auch auf diesen geringen Beitrag zu rechter Verwaltung des heiligen Predigtamts Seinen Segen legen. Der Verfasser hofft auf diesen Segen um so mehr, als derselbe nicht sowohl Eigenes gegeben, als vielmehr den in, zum Theil Vielen nicht mehr zugänglichen, Werken alter erfahrener Gottesgelehrter zerstreut sich findenden pastoraltheologischen Stoff für das gesteckte Ziel gesammelt hat.

St. Louis im Staate Missouri, im December 1872.

C. F. W. Walther.

Pastoraltheologie.

§ 1.

Pastoraltheologie ist der von Gott verliehene (θεόσδοτος), durch gewisse Hilfsmittel erlangte (acquisitus) praktische Habitus der Seele, vermöge dessen ein Kirchendiener befähigt ist, alle Verrichtungen, die ihm als solchem zukommen, giltig (rato) und auf eine rechtmäßige Weise (legitime) zu Gottes Ehre und zu Beförderung seiner und seiner Zuhörer Seligkeit zu vollziehen.

Anmerkung 1.

Zwar kann die Pastoraltheologie, wie die Theologie überhaupt, zu der Gattung der Lehren gerechnet werden, und selbst eine Art Bücher tragen den Namen derselben; in diesen Fällen nennt man aber dasjenige Pastoraltheologie, was dieselbe nur uneigentlich, relativ, d. h. nur in gewisser Beziehung, unter gewissen Umständen, zufälliger Weise (per accidens) ist, wenn sie nemlich gelehrt oder in Schrift verfaßt wird. Ehe dies aber geschehen kann, muß sie schon in der Seele eines Menschen vorhanden sein. Da es aber, um über eine Sache klar zu werden, vor allem nöthig ist, zu wissen, was dieselbe eigentlich, absolut, d. h. abgesehen von allen Beziehungen und Zufälligkeiten, wesentlich und ursprünglich (principaliter) ist, so stellen wir hier mit den älteren rechtgläubigen Lehrern unserer Kirche die Definition der Pastoraltheologie an die Spitze, wie sie subjectiv oder concretiv betrachtet beschaffen ist, d. h. wie sie einem Subject oder einem Concretum anhaftet, das mit Recht den Namen eines Theologen trägt. Wir nennen sie darum nicht eine Lehre oder ein Buch, was sie nur metonymisch ist (d. h. nach der Redefigur, nach welcher die Wirkung den Namen ihrer Ursache und das Enthaltende den Namen des darin Enthaltenen trägt), sondern einen Habitus.

Anmerkung 2.

Wenn wir die Pastoraltheologie erstlich einen **Habitus** nennen, so soll damit angezeigt werden, daß sie nicht blos eine Summe von Kenntnissen, sondern eine **Disposition** oder Beschaffenheit der Seele, eine dieselbe umwandelnde **Fertigkeit** in Absicht auf ihren Gegenstand sei. Es soll damit gleich im voraus der Begriff jener „**Geschicktheit**" (ἐξάρτισις) und „**Tüchtigkeit**" (ἱκανότης) angedeutet werden, welche der Apostel von einem Kirchendiener fordert, wenn er schreibt: „Daß ein **Mensch Gottes**" (ein Theolog, Luth. Walch V, 1086. f.) „sei vollkommen, zu allem guten Werk **geschickt**" (ἐξηρτισμένος), 2 Tim. 3, 17.; und: „Daß wir **tüchtig sind**" (ἡ ἱκανότης ἡμῶν = unsere Tüchtigkeit), „ist von Gott", 2 Kor. 3, 5.*)

Wenn wir zweitens die Pastoraltheologie einen **praktischen** Habitus nennen, so soll damit angezeigt werden, daß dieselbe kein theoretischer Habitus, keine **Wissenschaft** sei, die die Erkenntniß zu ihrem letzten Endzweck hat, und daß sie nicht nur im Allgemeinen um ihres **Zwecks** willen, der, wie der Zweck der Theologie überhaupt, in der Führung des Sünders durch den Glauben zur Seligkeit besteht, sondern auch in einem **engeren**, eminenten Sinne um ihres speciellen **Gegenstandes** willen, der in der Praxis, in der Thätigkeit, oder in den Amtsverrichtungen eines Kirchendieners, mit einem Worte im Kirchendienst (ministerium ecclesiasticum) besteht, praktisch sei; laut der bereits angeführten apostolischen Forderung, daß ein Mensch Gottes „zu allem guten Werk," welches sein Amt betrifft, nemlich, wie es im unmittelbar Vorhergehenden heißt, „zur Lehre, zur Strafe, zur Besserung, zur Züchtigung in der Gerechtigkeit" (2 Tim. 3, 16. 17.) aus Gottes Wort geschickt sei. Unter den neueren Theologen spricht sich der selige Dr. **Rudelbach** in einer durch den Druck veröffentlichten Vorlesung

---

*) Wenn Ebr. 5, 12. an die christlichen Ebräer der Anspruch gemacht wird, „weil denselben das Evangelium so lange geprediget worden, daß sie vielmehr **Lehrer**, als Schüler, sein sollten, da sie nemlich in Anbetracht der Zeit, die sie im Christenthum bereits verlebt haben, die **Lehrer**" (Luther: ‚Meister') „der Andern sein sollten" (Gerhard), und wenn hierauf V. 14. denen, welche diese Vollkommenheit erreicht haben, eine ἕξις d. i. ein habitus, eine Fertigkeit (Luther: „Gewohnheit") zugeschrieben wird, vermöge welcher sie „geübte Sinne haben zum Unterschied des Guten und des Bösen", so ist außer Zweifel, daß nach Gottes Wort die Theologie überhaupt zu der Gattung der Fertigkeiten (der ἕξεις, habitus) zu rechnen ist. Daher schreibt Joh. Fecht: „Daß die Theologie eine Fertigkeit und zwar eine praktische sei, erhellt deutlich aus Ebr. 5, 14. Denn zwar wird hier von der vollkommenen Erkenntniß aller Christen ‚in dem Wort der Gerechtigkeit', oder in der christlichen Lehre von der Erlangung der Gerechtigkeit in Christo JEsu, gehandelt; jedoch wenn dieselbe eine ‚Fertigkeit' derjenigen ist, die bei fleißiger Lesung und Betrachtung des Wortes durch Beistand des Heiligen Geistes ‚geübte Sinne' des Verstandes haben, so wird die Theologie selbst bei weitem mehr dieses Titels sich erfreuen, da dieselbe die Gerechtigkeit und Seligkeit nicht für sich allein zu erlangen, sondern auch andern einzupflanzen beabsichtigt." (Philocal. sacr. Rostochi 1708. p. 1.)

hierüber, wie folgt, aus: „Sie erinnern sich, daß wir die Theologie mit den Aeltern als einen **habitus practicus** bezeichneten; wir können diese Bestimmung nicht aufgeben; sie ist die lebendige Mitte unserer Betrachtung. Praktisch ist die Theologie durch und durch, praktisch durch die Wurzeln, Mittel und Bezüge. Aber berechtigt sind wir doch, jene Disciplinen (Katechetik, Keryktik, Liturgik) im engeren Sinne praktisch zu nennen, nicht als ob sie allein ins Werk gesetzt werden sollten, sondern weil sie hauptsächlich das Wort in unmittelbarer Bewegung darstellen. Weiterhin aber werden wir auch berechtigt sein, eine praktische Zusammenfassung — gleichsam eine Ausströmung, wo alle die Quellenbezüge zusammenlaufen — bei jeder Reihe der theologischen Disciplinen anzunehmen, und wie könnte diese bei der ersten Reihe anders ausgedrückt werden, als durch den Begriff Pastoralwissenschaft" (oder besser Pastoraltheologie)? *) „Diese vermittelt nun (und so überall bei der ausleitenden Disciplin) die Lehre mit dem Leben, trägt die Ergebnisse jener in dieses hinüber, und macht sie nicht erst lebendig (das müssen sie an sich sein, wenn sie rechter Art sind), sondern zeigt ihre lebendige Kraft." (S. Ueber den Begriff der Theologie und den der Neutestamentlichen Isagogik. In der „Zeitschrift" von Rudelbach und Guericke. Jahrg. 1848. Quartalheft 1. S. 27. 28.)

Wenn wir die Pastoraltheologie drittens einen von Gott verliehenen praktischen Habitus nennen, so soll damit angezeigt werden, daß dieselbe ein übernatürlicher, nicht durch menschliche Kraft und menschlichen Fleiß, sondern ein allein durch Wirkung des Heiligen Geistes zu erlangender Habitus sei, der den rechtfertigenden Glauben zur Voraussetzung habe und den nur ein in der Gnade Stehender, nur ein Wiedergeborner haben könne; wie denn der Apostel ausdrücklich sagt: „Wer ist hierzu tüchtig? — Nicht, daß wir tüchtig sind von uns selber, etwas zu denken als von uns selber; sondern daß wir tüchtig sind, ist von Gott; welcher auch uns tüchtig gemacht hat, das Amt zu führen des Neuen Testamentes." 2 Kor. 2, 16. 3, 5. 6. Daher denn u. A. Deyling in seiner Pastoraltheologie von derselben schreibt: „Sie heißt ein von Gott verliehener (θεόδοτος) Habitus, weil er die Heiligungs- und Amtsgaben in sich schließt, die nicht von einander getrennt werden dürfen. Beide Charismen und Gaben sind übernatürliche, deren Verleihung und Austheilung Gotte, von dem alle gute Gabe kommt, Jak. 1, 17., oder dem

---

*) „Nach diesem Begriff (der allerdings von den meisten früheren Auffassungen sich mehr oder weniger entfernt) ist die Pastoralwissenschaft zugleich die Gipfelung der" (im engeren Sinne) „praktischen Disciplinen.... In der Pastoralwissenschaft steht der Katechet, der Homilet, der Liturg in einer Person da, und bindet sich selbst fest an die Kirche und jede einzelne Person, Seele in derselben. Es ist der Grundbegriff, der dem trefflichen Werke J. L. Hartmanni Pastorale evangelicum (Norimb. 1732. 4.) zu Grunde liegt."

Heiligen Geiste ausdrücklich zugeschrieben wird, 1 Kor. 12, 4. 2 Kor. 3, 5. Die Amtsgaben haben ihren Ursprung von der beistehenden (adsistente) und lehrenden oder äußeren Gnade Gottes, die Heiligungsgaben aber, z. B. die Buße, der Glaube, die Heiligkeit des Lebens, sind von der einwohnenden und habituellen Gnade des Heiligen Geistes." (Institut. prud. past. ed. per Kuestner. Lips. p. 2.) So schreibt ferner Johann Gerhard: „Obgleich der Eifer in der Gottseligkeit von allen Christen überhaupt gefordert wird, so muß doch vor allem und in einer besondern Weise bei denen, welche sich der Theologie gewidmet haben und entweder das kirchliche Amt zu erlangen beabsichtigen oder dasselbe schon verwalten, Ehrbarkeit der Sitten, Rechtschaffenheit des Lebens und eine ernste und aufrichtige Gottseligkeit im Schwange gehen: 1. ‚Die Furcht des HErrn ist der Weisheit Anfang,‘ sagt der königliche Sänger Ps. 111, 10., was sein Sohn, der so weise König, Prov. 1, 7. 9, 10. wiederholt. Wo daher keine wahre Gottesfurcht, dieses Fundament aufrichtiger Gottseligkeit, ist, da hat auch die wahre und himmlische Weisheit nicht statt. 2. Jakobus unterscheidet Cap. 3, 15. zwischen der geistlichen und fleischlichen Weisheit. Jene nennt er die von oben herab kommende, und beschreibt sie so, daß sie sei keusch, friedsam, gelinde, sich sagen lassend, voll Barmherzigkeit und guter Früchte, unparteiisch, ohne Heuchelei; diese aber nennt er irdisch, menschlich (ψυχικήν) und teuflisch. Wo daher jene Früchte und jene der himmlischen Weisheit zugeschriebenen Eigenschaften nicht vorhanden sind, da hat auch die himmlische Weisheit selbst nicht statt. 3. ‚Die Weisheit kommt nicht in eine boshaftige Seele, und wohnet nicht in einem Leibe, der Sünde unterworfen,‘ spricht der Verfasser des Buches der Weisheit Cap. 1, 4. Wo daher den Sünden die Herrschaft gestattet wird, da hofft man vergeblich die himmlische Weisheit zu erlangen. 4. Der Heilige Geist ist jener wahre und innerliche Lehrer, der in alle Wahrheit leitet, Joh. 16, 13. 1 Joh. 2, 27. Der innerliche Lehrer hat seinen Lehrstuhl im Himmel. Nun aber wohnt dieser nicht in einem der Sünde unterworfenen Herzen. 5. Wer in der Finsterniß der Sünden wandelt und dieselbe liebt, kann nicht nach dem Lichte geistlicher Erkenntniß trachten; daher der Apostel mit großem Ernste 2 Kor. 4, 4. erklärt, daß der Gott dieser Welt die Sinne der Ungläubigen, nemlich derjenigen, welche die Finsterniß der Sünde lieben, verblende, daß sie nicht sehen das helle Licht des Evangelii von der Klarheit Christi. 6. Die wahre Theologie besteht mehr in der Gesinnung (in affectu), als in bloßer Erkenntniß. Scaliger behauptet, daß wir Gott dem Allerhöchsten durch die Güte ähnlicher seien, als durch die Weisheit. ‚Sie sagen, sie erkennen Gott, aber mit den Werken verleugnen sie es,‘ spricht der Apostel Tit. 1, 16. von den Pseudotheologen und Pseudochristen; hieraus wird unzweifelhaft geschlossen, daß die wahre und heilsame Erkenntniß Gottes nicht allein in Worten, sondern in Werken, nicht in dem bloßen Bekenntniß des Mundes, sondern auch in der Gesinnung des Herzens und in der Ausübung der That bestehe. 7. „Wache auf, der du schläfst, und stehe auf von den Todten, so wird dich Christus erleuchten,' spricht der Apostel Eph. 5, 14. Eine wahre und heilsame Erleuchtung kann also bei denen nicht statt haben, welche, von Seelen-Schlafsucht überwältigt, sich an den todten Werken der Sünde ergötzen. 8. „Die Welt kann den Geist der Wahrheit nicht empfangen,' Joh. 14, 17.; nun aber ist alles, was in der Welt ist, des Fleisches Lust, der Augen Lust und hoffärtiges Leben; wo man daher solchen Dingen noch fröhnt, da hat der Geist der Wahrheit keinen Raum. Moses konnte nicht zu Gott nahen, ohne vorher seine Schuhe ausgezogen zu haben, Exod. 3, 5. Das Volk Israel wurde zur Anhörung des Gesetzes nicht zugelassen, bis es sich gereinigt und vorbereitet hatte, Exod. 19, 10. So muß der, welcher der Theologie beflissen ist, das Kleid des alten Adams auszuziehen." (Methodus studii th. Jen. 1654. p. 14—17.) So schreibt daher auch Luther: „Falsche Christen können sich schmücken und decken unter großen, schönen Werken der Liebe. Aber Christum recht lehren und bekennen ist nicht möglich ohne Glauben. Wie St. Paulus 1 Kor. 12, 3. sagt: Niemand kann JEsum einen HErrn heißen, ohne durch den Heiligen Geist. Denn kein falscher Christ, noch Rottengeist, kann diese Lehre verstehen. Wie viel weniger wird er sie recht predigen und bekennen! ob er gleich die Worte mitnimmt und nachredet, aber doch nicht dabei bleibet noch rein läßet; prediget immer also, daß man greift, daß er's nicht recht habe, schmieret doch seinen Geifer daran, dadurch er Christo seine Ehre nimmt und ihm selbst zumisset. Darum ist das allein das gewisseste Werk eines rechten Christen, wenn er Christum so preiset und predigt, daß die Leute solches lernen, wie sie nichts, und Christus alles ist." (Zu Matth. 5, 16. Erl. A. XLIII, 82. 83.) Ferner schreibt Luther: „Ich erfahre es an mir selbst, sehe es auch täglich an anderen, wie schwer es ist, die Lehre des Gesetzes und Evangelii von einander zu sondern. Der Heilige Geist muß hier Meister und Lehrer sein, oder es wird kein Mensch auf Erden verstehen noch lehren können. Darum vermag kein Pabst, kein falscher Christ, kein Schwärmer diese zwei von einander zu theilen." (Sermon vom Unterschied zwischen dem Gesetz und Evangelium vom J. 1532. Erl. A. Bd. XIX, 238.) Endlich schreibt Luther: „Wenn ein Prediger Ehre und Reichthum suchet, so ist's unmöglich, daß derselbe recht predigen oder gläuben könne, wie der HErr Christus Joh. 5. auch sagt, da er spricht: Wie könnet ihr glauben, die ihr Ehre sucht bei den Leuten? Wer nach Ehre strebet im Predigtamte und will vor der Welt groß, gelahrt und weise gehalten sein, der ist ungläubig. So er denn selbst ungläubig ist, wie kann er denn recht predigen? Er muß ja alles schweigen, das ihm an seiner Ehre und Glimpf bei den Leuten schaden mag; und er wird seinen Aussatz und Gift immerdar in den Wein mengen und ihn verfälschen; wenn nun das mitgehet, so ist das Predigtamt nicht rein." (Ueber Matth. 21. vom J. 1538. Erl. A. XLIV, 266 f.)*)

Wenn die Pastoraltheologie in unserem Paragraphen ferner viertens ein durch gewisse Hilfsmittel erlangter Habitus genannt wird, so soll damit angezeigt werden, daß hier nicht von dem außerordentlichen theologischen Habitus gehandelt werde, welcher den Aposteln und Propheten durch unmittelbare Erleuchtung und Ausrüstung zu Theil geworden ist, sondern von jenem, zwar vom Heiligen Geiste gewirkten, aber mittelbar erlangten, den der Apostel im Sinne hat, wenn er schreibt: „Halte an mit Lesen... Laß nicht aus der Acht die Gabe, die dir gegeben ist durch die Weissagung, mit Handauflegung der Aeltesten. Solches warte, damit gehe um, auf daß dein Zunehmen in allen Dingen offenbar sei. Habe Acht auf dich selbst, und auf die Lehre, beharre in diesen Stücken. Denn wo du solches thust, wirst du dich selbst selig machen und die dich hören." 1 Tim. 4, 13—16. Ludwig Hartmann schreibt daher: „Was einst Tertullian mit Recht von den Christen gesagt hat: Christen werden nicht geboren, sondern gemacht (christiani non nascuntur, sed fiunt), das ist auch in Betreff treuer Diener und Lehrer der Kirche wahr, welche eine lange Vorbereitung und ein großes Studium nöthig haben, wenn sie geschickt in das so erhabene Amt eintreten sollen. Denn hier genügt bloßes persönliches Ansehen oder Ernst und Heiligkeit des Lebens nicht, es sind vielmehr auch theologische Kenntnisse erforderlich." (Pastorale ev. Norimb. 1697. p. 237.)

Daß endlich der in der Definition der Pastoraltheologie zugeschriebene allgemeine und besondere Zweck wirklich derselben eigen sei, sagt uns der Apostel, wenn er schreibt: „Was ihr thut, so thut es alles zu Gottes Ehre", 1 Kor. 10, 31., und: „Wo du solches thust, wirst du dich selbst selig machen und die dich hören", 1 Tim. 4, 16.

§ 2.

Um zu dem theologischen Habitus überhaupt, also auch zu dem pastoraltheologischen insonderheit zu gelangen, hierzu sind namentlich jene drei Stücke erforderlich, welche in das bekannte Luther'sche Ariom gefaßt sind: Oratio, meditatio, tentatio faciunt theologum.

---

*) Weit entfernt, daß mit diesen Aussprüchen der Lehre widersprochen werden soll, daß Wort und Sacrament auch aus Mund und Hand eines unbekehrten Predigers seine Kraft zu bekehren und selig zu machen behalte, so schreibt vielmehr derselbe Luther u. A.: „Wo solch Amt gehet und auf Christum weiset als auf den HErrn, das ist gewißlich des Heiligen Geistes Predigt, ob auch gleich der, so solch Amt führet, für seine Person den Heiligen Geist nicht hat, denn das Amt ist ohne Mittel des Heiligen Geistes." (Kirchenp. über die Ep. des 10. Sonnt. n. Tr. Erl. A. IX, 213.) So gewiß es nemlich ist, daß ein unbekehrter Prediger vielfach verkehrt lehren wird, so gewiß ist es doch auch, daß, so oft er das rechte Wort wirklich verkündigt, dasselbe in seinem Munde nicht zum todten Buchstaben oder kraftlosen Schall wird.

Anmerkung 1.

Also schreibt nemlich Luther: „Ueber das will ich dir anzeigen eine rechte Weise in der Theologia zu studiren, der ich mich geübet habe; wo du dieselbige hältst, sollst du also gelehrt werden, daß du selbst könnest (wo es noth wäre) ja so gute Bücher machen, als die Väter und Concilia; wie ich mich in Gott auch vermessen, und ohne Hochmuth und Lügen rühmen darf, daß ich etlichen der Väter wollt nicht viel zuvor geben, wenn es sollt Büchermachens gelten; des Lebens kann ich mich weit nicht gleich rühmen. Und ist das die Weise, wie der heilige König David (ohne Zweifel auch alle Patriarchen und Propheten gehalten) lehret im 119. Psalm; da wirst du drei Regeln innen finden, durch den ganzen Psalm reichlich fürgestellt, und heißt also: Oratio, meditatio, tentatio. — Erstlich sollst du wissen, daß die heilige Schrift ein solch Buch ist, das aller anderer Bücher Weisheit zur Narrheit macht, weil keines vom ewigen Leben lehret, ohne dies allein. Darum sollst du an deinem Sinn und Verstand stracks verzagen, denn damit wirst du es nicht erlangen, sondern mit solcher Vermessenheit dich selbst, und andere mit dir, stürzen vom Himmel (wie Lucifer geschah) in Abgrund der Höllen. Sondern knie nieder in deinem Kämmerlein und bitte mit rechter Demuth und Ernst zu Gott, daß er dir durch seinen lieben Sohn wolle seinen Heiligen Geist geben, der dich erleuchte, leite und Verstand gebe; wie du siehst, daß David in obgenanntem Psalm immer bittet: Lehre mich, HErr; unterweise mich; führe mich; zeige mir; und der Worte viel mehr; so er doch den Text Mosis und andere mehr Bücher wohl kannte, auch täglich hörte und las; noch will er den rechten Meister der Schrift selbst dazu haben, auf daß er ja nicht mit der Vernunft drein falle und sein selbst Meister werde. Denn da werden Rottengeister aus, die sich lassen dünken, die Schrift sei ihnen unterworfen und leichtlich mit ihrer Vernunft zu erlangen, als wäre es Marcolfus oder Aesopi Fabeln, da sie keines Heiligen Geistes, noch Betens zu dürfen. — Zum andern sollst du meditiren, das ist, nicht allein im Herzen, sondern auch äußerlich, die mündliche Rede und buchstabischen Worte im Buch immer treiben und reiben, lesen und wieder lesen, mit fleißigem Aufmerken und Nachdenken, was der Heilige Geist damit meinet. Und hüte dich, daß du nicht überdrüssig werdest, oder denkest, du habest es einmal oder zwei genug gelesen, gehört, gesagt, und verstehest es alles zu Grund; denn da wird kein sonderlicher Theologus nimmermehr aus, und sind wie das unzeitige Obst, das abfällt, ehe es halb reif wird. Darum stehest du in demselbigen Psalm, wie David immerdar rühmet, er wolle reden, dichten, sagen, singen, hören, lesen Tag und Nacht und immerdar; doch nichts, denn allein von Gottes Wort und Geboten. Denn Gott will dir seinen Geist nicht geben ohne das äußerliche Wort. Da richte dich nach; denn er hat's nicht vergeblich befohlen äußerlich zu schreiben, predigen, lesen, hören, singen, sagen 2c. —

Zum dritten ist da Tentatio, Anfechtung; die ist der Prüfestein; die
lehrt dich nicht allein wissen und verstehen, sondern auch erfahren, wie
recht, wie wahrhaftig, wie süß, wie lieblich, wie mächtig, wie tröstlich Gottes
Wort sei, Weisheit über alle Weisheit.   Darum siehest du, wie David in
dem genannten Psalm so oft klagt über allerlei Feinde, frevele Fürsten oder
Tyrannen, über falsche Geister und Rotten, die er leiden muß darum, daß
er meditirt, das ist, mit Gottes Wort umgeht (wie gesagt) allerlei Weise.
Denn sobald Gottes Wort aufgehet durch dich, so wird dich
der Teufel heimsuchen, dich zum rechten Doctor machen und
durch seine Anfechtung lehren, Gottes Wort zu suchen und
zu lieben; denn ich selber (daß ich Mäusedreck auch mich unter den Pfeffer
menge) habe sehr viel meinen Papisten zu danken, daß sie mich durch des
Teufels Toben so zuschlagen, zudränget und zuängstet, das ist, einen ziemlich
guten Theologen gemacht haben, dahin ich sonst nicht kommen wäre.   Was
sie dagegen an mir gewonnen haben, da gönne ich ihnen der Ehren, Sieg
und Triumph herzlich wohl, denn so wollten sie es haben. — Siehe, da hast
du Davids Regel; studirest du nun wohl diesem Exempel nach, so wirst du
mit ihm auch singen und rühmen in demselben Psalm V. 72.: Das Gesetz
deines Mundes ist mir lieber, denn viel tausend Stück Goldes und Silbers.
Item V. 98. 99. 100.: Du machst mich mit deinem Gebot weiser, denn
meine Feinde sind, denn es ist ewiglich mein Schatz. Ich bin gelehrter,
denn alle meine Lehrer, denn deine Zeugnisse sind meine Rede. Ich bin
klüger, denn die Alten, denn ich halte deine Befehle 2c. Und wirst erfahren,
wie schal und faul dir der Väter Bücher schmecken werden; wirst auch nicht
allein der Widersacher Bücher verachten, sondern dir selbst, beide,
im Schreiben und Lehren, je länger je weniger gefallen.
Wenn du hierher kommen bist, so hoffe getrost, daß du habest angefangen,
ein rechter Theologus zu werden, der nicht allein die jungen, unvollkommenen
Christen, sondern auch die zunehmenden und vollkommenen mögest lehren;
denn Christi Kirche hat allerlei Christen in sich, jung, alt, schwach, krank,
gesund, stark, frische, faule, alberne, weise. — Fühlest du dich aber, und lässest
dich dünken, du habest es gewiß, und kützelst dich mit deinen eignen Büchlein,
Lehren oder Schreiben, als habest du es sehr köstlich gemacht und trefflich
geprediget; gefället dir auch sehr, daß man dich für andern lobe; willst auch
vielleicht gelobet sein, sonst würdest du trauren oder ablassen — bist du der
Haar?   Lieber, so greife dir selber an deine Ohren, und greifest du recht, so
wirst du finden ein schön Paar großer, langer, rauher Eselsohren; so wage
vollends die Kost daran und schmücke sie mit güldenen Schellen, auf daß, wo
du gehest, man dich hören könnte, mit Fingern auf dich weisen und sagen:
Sehet, sehet! da gehet das feine Thier, das so köstliche Bücher schreiben und
trefflich wohl predigen kann! Alsdann bist du selig und überselig im
Himmelreich; ja, — da dem Teufel sammt seinen Engeln das höllische
Feuer bereitet ist.   Summa: laßt uns Ehre suchen und hoch-

müthig sein, wo wir mögen; in diesem Buch ist Gottes die Ehre allein, und heißt: Deus superbis resistit, humilibus autem dat gratiam. Cui est gloria in secula seculorum. Amen." (Gott widerstehet den Hoffärtigen, aber den Demüthigen gibt er Gnade. Welchem sei Ehre in alle Ewigkeit. Amen.) S. Vorrede zum ersten Theile seiner deutschen Schriften vom Jahre 1539. Erl. Ausg. LXIII, 403—406. In Bezug auf dieses Wort Luthers schreibt der selige Rudelbach: „Es ist Ihnen das große Wort Luthers bekannt: Oratio, meditatio, tentatio faciunt theologum. In diesem Worte ist unsere ganze theologische Methodologie enthalten. Es ist hier Nichts hinzuzufügen und Nichts hinwegzunehmen, wie bei einem jeden vom Geiste Gottes versiegelten Gedanken." (A. a. O S. 10.)

Anmerkung 2.

Was insonderheit die zweite Regel betrifft, daß die Meditation oder das Studiren zu Erlangung des theologischen Habitus nöthig sei, davon schreibt Luther in seiner Vorrede zu Spangenbergs Postille im Jahre 1542 u. A. Folgendes: „Wem ist solches offenbarlich, helle, klar Licht (nemlich das Wort von Christo) bekannt und angenehm? Ist's nicht Mysterium und heimlich genug, nicht allein den Papisten, sondern auch den Unsern, so sich fast Evangelisch rühmen? welche nicht anders meinen, wenn sie es einmal gelesen oder gehöret haben, sie seien so gar satt und genug, daß sie auch wohl alle Apostel lehren könnten, schweige ihre armen Pfarrherrn und Prediger. Solche halten, es sei kein Mysterium, noch tiefe Kunst, sondern ein Löffel voll Weisheit, den sie in Einem Schluck austrinken mögen. . . . Demnach ich wollte gerne sehen, daß dies und dergleichen Bücher (wie Spangenbergs) unter die Leute kommen, nicht allein solch Geheimniß zu offenbaren, sondern auch zuvorzukommen andern mehr falschen Büchern. Denn sie sind nicht alle rein, die jetzt schreiben, und will jedermann im Laden feil stehen, nicht daß er Christum und sein Geheimniß wolle offenbaren, sondern sein eigen Geheimniß und schöne Gedanken, die er über Christi Geheimniß hält, nicht will umsonst gehabt haben, damit er hoffet schier auch die Teufel zu bekehren, so er noch nie eine Mücke bekehret hat oder bekehren kann, wo nicht das Verkehren das Aergeste dran wäre. Aber gleichwohl sind wiederum etliche faule Pfarrherrn und Prediger auch nicht gut, die sich auf solche und andere mehr gute Bücher verlassen, daß sie eine Predigt draus können nehmen; beten nicht, studiren nicht, trachten nichts in der Schrift, gerade als müßte man Biblia darum nicht lesen. Brauchen solcher Bücher wie die Formulare und Calender, ihre jährliche Nahrung zu verdienen, und sind nichts denn Psittige (Papageien) oder Dolen, die unverständlich nachreden lernen; so doch unsere und solcher Theologen Meinung diese ist, sie damit in die Schrift zu weisen, und zu vermahnen, daß sie denken sollen

auch ſelbſt unſern chriſtlichen Glauben nach unſerm Tode zu
vertheidigen wider den Teufel, Welt und Fleiſch. Denn wir werden
nicht ewiglich an der Spitzen ſtehen, wie wir jetzt ſtehen. . . Darum heißt's:
wache, ſtudire, attende lectioni (halte an mit Leſen, 1 Tim.
4, 13.). Fürwahr, du kannſt nicht zu viel in der Schrift
leſen; und was du lieſeſt, kannſt du nicht zu wohl verſtehen;
und was du wohl verſteheſt, kannſt du nicht zu wohl lehren;
und was du wohl lehreſt, kannſt du nicht zu wohl leben.
Experto crede Ruperto (glaube es einem, der es erfahren hat). Der
Teufel iſt's, die Welt iſt's, unſer Fleiſch iſt's, die wider uns wüthen und
toben. Darum, lieben Herrn und Brüder, Pfarrherrn und Prediger,
betet, leſet, ſtudiret, ſeid fleißig! Fürwahr, es iſt nicht
Faulenzens, Schnarchens und Schlafens Zeit zu dieſer
böſen, ſchändlichen Zeit. Brauchet eurer Gabe, die euch vertrauet iſt,
und offenbaret das Geheimniß Chriſti." (Erl. A. Bd. LXIII, 370—372.)

§ 3.

Unter den menſchlichen Schriften, welche, nach der heil. Schrift
ſelbſt, der nöthigen meditatio dienen, ſind vor allen Luther's ſämmt-
liche Werke, in denen ſich aller Orten paſtoraltheologiſches Material
zerſtreut findet, und nach denſelben außer guten vollſtändigen
Paſtoraltheologieen diejenigen Schriften, welche einzelne
Theile derſelben behandeln oder dazu Beiträge liefern, ſowie die
caſuiſtiſchen Werke unſerer rechtgläubigen Theologen zu nennen.

Anmerkung 1.

Das wichtigſte Studium zur Erlangung der paſtoralen Geſchicktheit
und Tüchtigkeit iſt und bleibt das Studium der heiligen Schrift und in
derſelben noch inſonderheit das der ſ. g. Paſtoralbriefe des heiligen
Apoſtels Paulus. Mit Recht ſchreibt Luther in ſeiner Vorrede zu dem
1. Br. an den Timotheus: „Dieſe Epiſtel ſchreibet St. Paulus zum Für-
bilde allen Biſchöfen, was ſie lehren und wie ſie die Chriſtenheit in allen
Ständen regieren ſollen, auf daß nicht Noth ſei, aus eignem
Menſchendünkel die Chriſten zu regieren." Nichtsdeſtoweniger
würde aber derjenige gerade der heiligen Schrift zuwider handeln, welcher,
alle menſchliche Schriften verachtend, alles unmittelbar allein aus der erſteren
ſchöpfen wollte. Vgl. 1 Kor. 12, 7 ff. 14, 32.

Anmerkung 2.

Was die Wichtigkeit des Studiums der Schriften Luther's betrifft,
ſo erlauben wir uns einige von uns ſchon an einem anderen Orte mitgetheilten Zeugniſſe hier nochmals mitzutheilen. So urtheilt Melanchthon:

„Dr. Pomeranus ist ein Grammaticus, der die Worte des Textes durchforscht; ich bin ein Dialecticus und ziehe die Ordnung, den Zusammenhang, die einzelnen Glieder, die Schlußfolgerungen in Betracht; Dr. Jonas ist ein Redner und versteht die Dinge mit rednerischer Anmuth ins Licht zu setzen; Luther — ist Alles, mit ihm kann sich keiner von uns vergleichen."*) So schreibt ferner der Würtembergische Theolog Brentius: „Luther allein lebt in seinen Schriften, wir alle sind in Vergleich mit ihm gleichsam ein todter Buchstabe."**) So schreibt endlich der große Braunschweigische Theolog Urbanus Rhegius: „Luther ist ein solcher und ein so großer Theolog, wie kein Zeitalter einen ähnlichen gehabt hat... Ich will sagen, was ich denke: wir schreiben zwar alle und treiben die Schrift, aber mit Luthern verglichen — sind wir Schüler; dieß Urtheil fließt nicht aus der Liebe, sondern die Liebe aus dem Urtheil."***) So schreiben aber nicht nur alle erleuchteten Lehrer unserer Kirche von Luther's Schriften, nicht anders urtheilen von denselben auch die angesehensten Lehrer anderer Gemeinschaften. So schreibt unter anderen Calvin: „Das, bitte ich, wollet ihr euch zu Gemüthe führen: erstlich, was für ein großer Mann Luther sei und durch was für große Gaben er sich auszeichne, mit welchem Muthe, mit welcher Beständigkeit, mit welcher Geschicklichkeit, mit welcher durchdringenden Kraft zu lehren er bisher das Reich des Antichrists zu stürzen und zugleich die Lehre des Heils zu verbreiten beflissen gewesen ist. Ich pflege oft zu sagen: wenn er mich auch einen Teufel nennte, so würde ich ihm doch so viel Ehre erweisen, ihn für einen ausgezeichneten Knecht Gottes anzuerkennen.†) Derselbe Calvin, nachdem er in seinem Commentar zum Propheten Jesaias die Stelle C. 57, 1. auf Luther angewendet hatte, fährt dann fort: „Ich hielt dafür, vor allen dieses (Beispiel) anführen zu müssen, sowohl weil dasselbe ein jüngst vorgekommenes ist, als

---

*) „D. Pomeranus est grammaticus, et textus verba perpendit; ego sum dialecticus, et ordinem, contextum, membra, consequentias considero; D. Jonas est rhetor, et potest oratorio lepore res illustrare; Lutherus est omnia, cui conferri nemo nostrum· potest." (Nic. Selneccer. recit. de autorit. Lutheri et Phil. p. 323.)

**) „Solus Lutherus vivit in suis scriptis, nos omnes sumus collatione ipsius quasi litera mortua." (Löschers Unschuld. Nachr. 1718. S. 320.)

***) „Talis ac tantus theologus est Lutherus, ut nulla secula habuerint similem. Dicam, quod sentio: scribimus quidem passim et tractamus scripturas; sed Luthero collati discipuli sumus; hoc judicium non ex amore fluit, sed amor ex judicio." A. a. O.

†) „Haec cupio vobis in mentem venire: primum quantus sit vir Lutherus et quantis dotibus excellat, quanta animi fortitudine et constantia, quanta dexteritate, quanta doctrinae efficacia hactenus ad profligandum Antichristi regnum et simul propagandam salutis doctrinam incubuerit. Saepe dicere solitus sum: etiamsi me diabolum vocaret, me tamen hoc illi honoris habiturum, ut insignem Dei servum agnoscam." (Epp. ed. Beza ep. 57.)

auch weil es in einem so ausgezeichneten Herold des Evangeliums und
Propheten Gottes mehr einleuchtend sein sollte."*) Beza, bekanntlich
unter den Reformirten ein noch heftigerer Bestreiter der lutherischen Lehre,
als selbst Calvin (Jac. Andreä nennt Beza den „calvinischen Pabst"), muß
doch in seiner heftigen Schrift wider Brentius eingestehen: „Luther war ein
wahrhaft bewunderungswürdiger Mann; und wer in ihm den Geist Gottes
nicht merkt, der merkt nichts."**)   Johann Bunyan, der bekannte
englische Baptist, Verfasser der bekannten Erbauungsschrift „Des Christen
Pilgerreise" (gest. 1688), erzählt in seiner Selbstbiographie, daß er durch
das Lesen Luther's erst zu einem festen Glauben gekommen sei, und setzt dann
hinzu: „Mich deucht, ich müsse rund heraus sagen, daß ich dieses Buch
Lutheri, Erklärung der Epistel an die Galater, über alle Bücher (ausgenommen die heilige Schrift) setzen müsse, die ich je gesehen, weil es so
herrlich und bequem ist für ein verwundetes Gewissen." (Siehe: Bunyans
Schrift: „Das zarteste Herz der Liebe Christi." Anhang S. 84.) Gleicher-
weise bekennt auch der Stifter der methodistischen Gemeinschaft, John
Wesley, daß er, als er 1735 das erste Mal nach Georgien reiste, um die
Indianer zu bekehren, „selbst noch nicht bekehrt war" (Works Vol. III,
p. 55), daß er aber hernach bekehrt worden sei, als er in einer Versammlung,
welche die Herrnhuter an der Aldersgate Straße in London hielten, die
Vorrede Luther's zum Briefe Pauli an die Römer verlesen hörte! —
Selbst Papisten haben der Macht der Wahrheit nicht widerstehen und den
unvergleichlichen Werth der Schriften Luther's bekennen müssen.

Als dem Erasmus im Jahre 1520 ein Episcopat angeboten wurde,
wenn er wider Luther für die Päbstliche Auktorität die Feder ergreifen würde,
so antwortete er damals noch: „Luther ist zu groß, als daß ich wider ihn
schreiben könnte.   Luther ist zu groß, als daß er von mir verstanden werden
sollte.   Ja, Luther ist so groß, daß ich aus der Lesung eines Blättleins in
Luther's Schriften mehr lerne und Nutzen ziehe, als aus dem ganzen
Thomas."***)   Melanchthon schreibt in seiner Vorrede zum dritten Theil
der Wittenbergischen Ausgabe der lateinischen Werke Luther's: „Ich erinnere
mich, daß Erasmus Roterodamus habe zu sagen pflegen: es sei kein ge-
schickterer und besserer Ausleger unter allen, deren Schriften wir nach den

---

*) „Hoc (exemplum) potissimum referendum duxi, quod quum recens sit,
tum vero quod in tam insigni praecone evangelii et propheta Dei magis con-
spicuum esse debeat." (Opp. tom. 3. p. 363.)

**) „Fuit Lutherus vere mirabilis vir, in quo qui Spiritum Dei non sentit,
nihil sentit." Tract. adv. Brent. fol. 190.)

***) „Major est Lutherus, quam ut in illum ego scribam. Major est
Lutherus, quam ut a me intelligatur. Plane tantus est Lutherus, ut plus eru-
diar et proficiam ex lectione unius pagellae Lutheranae, quam ex toto Thoma."
(Gerhard. Conf. Cath. fol. 59.)

Aposteln haben." (S. Walch's Ausgabe XIV, 539.)*) Der berühmte päbstliche Gelehrte Andreas Masius (gest. 1573), der Mitherausgeber der großen Antwerpischen Biblia Regia, erklärte im Kloster Weingarten in einer großen Gesellschaft von Papisten und Lutheranern freimüthig: „Auf Einem Blatt Luther's sei mehr gründliche Theologie, als zuweilen in einem ganzen Buch eines Kirchenvaters."**) — Mehr dergleichen Zeugnisse für den durchaus unvergleichlichen Werth der Schriften Luther's von Leuten fast aller Confessionen aus allen Perioden, seit Luther geschrieben hat, anzuführen, leidet unser Zweck nicht, obwohl damit Folianten zu füllen wären.***) Luther's Werke sind eine fast unerschöpfliche Fundgrube für alle Zweige der Theologie, sie sind eine so reiche Schatzkammer, daß sie wohl allein eine große Bibliothek ersetzen, aber durch keine noch so große Büchersammlung ersetzt werden können. Aus voller Seele unterschreiben wir, was Professor Dr. Thomasius in der Vorrede zu dem ersten Theile seiner Dogmatik (Christi Person und Werk. Erlangen 1853.) schreibt: „Wir haben seit einiger Zeit, und mit Recht, wieder angefangen, auf unsere älteren Dogmatiker zurückzugehen; aber wir werden wohl thun, uns noch mehr als bisher in den Mann zu vertiefen, in dessen Herzen das Blut des evangelischen Glaubens am wärmsten und lebendigsten pulsirte; aus Luther ist, wie mich dünkt, noch unendlich Viel für die Neubelebung und Erfrischung unserer Dogmatik, von welcher man neuerdings gesagt hat, „„daß sie etwas kahl zu werden beginne""", zu gewinnen." — Wir erinnern noch an das Sprüchwort des grundgelehrten †) Altorfischen Professors Dr. Christoph Sonntags (gest. 1717): Quo propior Luthero, eo melior theologus. (S. Vitae theologor. Altorphinor., descript. a Zeltnero, p. 453.)

Unter denjenigen vollständigen Pastoraltheologieen, die sich uns durch eigenen Gebrauch erprobt haben, zeichnen wir namentlich folgende aus: „M. Conradi Portae Pastorale Lutheri d. i. Nützlicher und nöthiger Unterricht von den fürnehmsten Stücken des heiligen Ministerii. Für angehende Prediger und Kirchendiener aus Gottes Wort und Dr. M. Lutheri Schriften zusammengetragen. Mit Anmerkungen herausgegeben von M. Joh. Christoph Cramer. Jena, 1729." 8. Es ist dieses die vollständigste, mit vielen werthvollen Zusätzen von dem Herausgeber ver-

---

*) „Neminem esse interpretem dexteriorem omnium, quorum extant scripta post apostolos Luthero." (A. a. D.)

**) „Theologiae solidae plus esse in uno Lutheri folio, quam interdum in toto libro alicujus Patris." (Osiand. Centur. 16. hist. p. 837.)

***) Trotz des fast grenzenlosen Lobes aber, das Luthern und seinen Schriften gespendet worden ist, findet sich doch darunter kein Lob, wie das Calvin's, von dem der reformirte Jacob Verheiden im Jahre 1602 schrieb: "Ipsa a quo potuit virtutem discere virtus" d. i. von dem die Tugend selbst Tugend lernen konnte! (S. Elogia theologorum p. 80.) Heißt das nicht über Christum erhoben?

†) Die griechische Sprache redete er so fertig, wie seine Muttersprache.

mehrte, fünfte Ausgabe eines das erſte Mal 1582 erſchienenen Werkes. Es
iſt daſſelbe auch im Jahre 1842 bei Beck in Nördlingen wieder erſchienen,
jedoch ohne Cramer's Zuſätze und mit Weglaſſung des darin urſprünglich
befindlichen Anhangs von den Kirchengütern und den Vorſtehern. Wir erlauben uns hier zu wiederholen, was wir über dieſe Schrift bereits an einem
anderen Orte mitgetheilt haben. Der Verfaſſer dieſes Werkes, Conrad
Porta, im Jahre 1541 zu Oſterwick im Fürſtenthum Halberſtadt geboren,
wurde frühzeitig eine vater- und mutterloſe Waiſe, hielt ſich aber deſto eifriger
ſchon in ſeiner Jugend zu ſeinem himmliſchen Vater, fand daher, da er zugleich vorzügliche Gaben zeigte, bald die nöthige Unterſtützung, um, nachdem
er den erſten Grund ſeines Wiſſens in der Schule ſeiner Vaterſtadt gelegt
hatte, hierauf auch die lateiniſchen Schulen zu Quedlinburg und Eisleben
frequentiren zu können. Schon im Jahre 1562, als er noch Gymnaſiaſt in
letztgenannter Stadt war, kam er in Beſitz der Werke Luther's, las dieſelben mit großer Begierde und legte ſo ſchon hier den Grund zu jener ge-
ſunden, echt lutheriſchen Theologie, die ihn ſpäter ſo ausgezeichnet hat.
Seine akademiſchen Studien machte er in Roſtock, wo er Magiſter legens
wurde. Nach ſpäterer Verwaltung eines Rectorats in Oſterwick und eines
Conrectorats zu Eisleben wurde er hier im Jahre 1569 Diakonus und ſodann 1575 Paſtor und Conſiſtorialaſſeſſor, wobei er im daſigen Gymnaſium
noch Vorleſungen zu halten hatte.*) Sein Tod erfolgte ſchon im Jahre
1585. Porta war in Lehre und Leben ein ausgezeichneter Mann. Der
Mansfeldiſche Superintendent Hieronymus Mencelius ſchreibt in der Vorrede zur 2. Auflage des angezeigten Paſtorale von ihm: „Es iſt uns in
dieſer Grafſchaft ein ſonderliches großes Leid geſchehen an dem unverſehenen
tödtlichen Abgange dieſes fürtrefflichen Mannes, welcher nunmehr erſt zum
rechten Manne worden wäre, des nicht allein unſere Kirchen, ſondern auch
viele andere hätten genießen ſollen. Denn er war ein Mann von trefflichen,
hohen Gaben, eines guten Judicii und unverdroſſenen Fleißes zu leſen, zu
ſchreiben, zu predigen und zu aller Arbeit, welche unſer Amt fordert und mit
ſich bringt. Und war dabei nicht aufgeblaſen, ſtolz und hoffärtig, ſondern
demüthig, freundlich, dienſtfertig und jedermann willfertig. Ein ſonderlicher
Liebhaber des Friedens und der brüderlichen Einigkeit. Mit allen Collegen
hat er ſich ſehr wohl vertragen, und wo er etwa vermerket, daß Simultates
oder etwa ein Widerwille einfallen möchte, hat er mit Fleiß fürgebeuget und
zum Frieden gerathen und geholfen. Gegen andere Leute iſt er auch ein
ſolcher Mann geweſen, der allezeit ein aufrichtiges Gemüth hat bei ſich finden
laſſen, daß er geradezu gangen und einem jeden die Wahrheit, doch mit aller
Beſcheidenheit, geſagt. Daher iſt er auch männiglich ſehr lieb geweſen und

---

*) Dieſe ihm übergebene Junction war die Veranlaſſung zu der berühmten Oratio
continens adhortationem ad lectionem scriptorum Lutheri, 1584, welche Schul-
rede von der Hardt im Jahre 1708 wieder hat auflegen laſſen als ein „praeclarum
opusculum.“

hat mit seinem Abgange viele fromme Leute betrübet und ihnen ein sehnliches Verlangen nach ihm hinterlassen." Was Porta's Lehre betrifft, so war er, um es kurz und bestimmt zu sagen, ein treuer Schüler Luther's, der dessen Schriften nicht nur zu seinem Hauptstudium gemacht, sondern den Inhalt derselben auch in succum et sanguinem verwandelt hatte, und mit Luther's Geist, wie wenige, erfüllt war. Als die Flacianer unter Cyriacus Spangenberg's Anführung im Mansfeldischen die bekannten traurigen Verwirrungen anrichteten, stand unser Porta unbeweglich auf Seiten der rechtgläubigen Lutheraner. Er kehrte sich nicht daran, daß die Grafen zu Mansfeld am 5. Januar 1574 ein Mandat ergehen ließen, darin sie ihn und Fabricius wegen ihres Verharrens bei der reinen Lehre von der Erbsünde „falsche Lehrer" nannten und hinzusetzten: „Euch Fabricio, Porten und Krausen wollen wir hiermit ernstlich mandiret haben, daß ihr euch des Kirchenamtes in beiden unsern Kirchen St. Petri und Nicolai nicht mehr anmaßet; wie wir uns denn, da anders noch ein friedliebendes Blutströpfchen bei euch ist, zu geschehen gänzlich versehen." Nur die Verwendung der Fürstin Margaretha von Braunschweig schützte Porta vor der gedrohten Absetzung. Porta's „Pastorale Lutheri" nun endlich selbst betreffend, so gibt schon der Titel deutlich an, was darin zu suchen ist. Es zerfällt in 24 Hauptartikel, von dem, was zu rechter Führung des Amtes gehört, und in einen Anhang, der von nothwendiger Vermehrung und rechtschaffener Verwaltung der Kirchengüter Unterricht gibt. Die Hauptartikel handeln 1. von des heiligen Predigtamtes Würdigkeit und Hoheit, 2. vom Beruf der Prediger, 3. vom Studiren, 4. von der Prediger Gaben und ihrer Art zu lehren, 5. vom Lehren an ihm selber, 6. vom Strafen, 7. vom Trösten, 8. vom Vermahnen und Warnen, 9. vom Beten, 10. von ihrem Leben und Wandel, 11. von der Priester Ehe und Hausregierung, 12. von Ehesachen in gemein, 13. vom Taufen, 14. von Beichtsachen und vom Banne, 15. vom Sacramentreichen, 16. von der Fürsorge für die Armen, 17. von Schwermüthigen, Angefochtenen und Besessenen, wie mit denselben zu handeln, 18. von Kranken und von Uebelthätern, die das Leben verwirkt haben, zu besuchen und zu trösten, 19. vom Begraben, 20. von Unterhaltung und Besoldung der Prediger, 21. vom Widerstande und Creuz der rechtschaffenen Prediger, 22. vom Trost und Belohnung getreuer Prediger, 23. von untreuen Predigern, Rottengeistern, Schwärmern, ihrer Art und Eigenschaft, 24. von der untreuen und der falschen Lehrer, Ketzer und Rottengeister Strafe und Untergang. Diese Capitel umfassen in unserer Ausgabe 1039 Seiten, der Anhang 173. Kein anderes Buch gleicher Tendenz kann dem „Pastorale Lutheri" an die Seite gesetzt werden. Wer dieses Buch nicht gelesen hat, kann nicht sagen, daß er eine wahre Lutherische Pastoraltheologie gelesen habe. Der Kern dessen, was in Luther's schriftlichem Nachlaß Unterricht gibt zu rechter Führung des heiligen Predigtamtes in jeder Beziehung, das ist hier in vortrefflicher Ordnung und mit Luther's eigenen Worten, mit

Angabe des Ortes, wo das Citat zu finden iſt, gegeben. Zwar hat auch
Porta ſelbſt nicht Unbedeutendes hinzugethan, es ſind dies aber alles Früchte
der Schule Luther's, in welcher Porta ein ſo treuer Schüler war. Außerdem finden ſich in dem Werke auch köſtliche Goldkörner aus den Kirchen-
vätern, aus Brenz, Melanchthon, Weller, Amsdorf, V. Dietrich, Huberinus,
Regius, Heshuſius, Lucas Oſiander, Erasmus Sarcerius, Mörlin, Michael
Neander, aus den Kirchenordnungen, und endlich wichtige Reſponſa theologiſcher Facultäten. Unſer „Pastorale“ iſt daher auch in der lutheriſchen
Kirche mit ebenſo großen Freuden aufgenommen, als fort und fort überaus
werth gehalten und von den namhafteſten Theologen gerühmt und dringend
empfohlen worden. Porta ſagt ſelbſt in der Vorrede, er habe mit dem Werk
nicht geeilt, ſondern es erſt „etliche Jahre inne gehalten und zuvor vieler
langgeübter und wohlverdienter Theologen judicia et censuras in Aca-
demiis und fürnehmen Kirchen gebeten, welche beide ſchriftlich und mündlich
hiezu gerathen, daß dies Werk je eher je lieber einfältigen frommen Dienern
des Worts möchte durch offenen Druck mitgetheilt werden.“ Als es der
berühmte Lutherophilus Mich. Neander, Abt in Ilefeld, das erſte Mal in
die Hände bekommen hatte, ſchrieb er (im Oktober 1582) an den Verfaſſer:
„Höchſt angenehm iſt mir dein ganz ausgezeichnetes theologiſches Werk geweſen; Männer, die um die Gottſeligkeit und Wohlfahrt der Kirche eifern,
halten mit Recht dafür und fällen das Urtheil, daß nichts Aehnliches ans
Licht getreten iſt, ſeit der Zeit, daß theils die Alten, theils die Neuern etwas
dieſer Art für die Kirche zu ſchreiben verſucht haben. Hier müſſen die
römiſchen und die griechiſchen Schriftſteller weichen. Niemand kann es ſehen,
ohne es zu bewundern, werth zu achten, ſich anzuſchaffen und in der Bibliothek des großen Luther auf den erſten Platz zu ſtellen und dir für eine ſo
nützliche, ſo nothwendige Arbeit den höchſten, ja einen unſterblichen Dank zu
ſagen; was ich denn auch hiermit thue, nicht ſowohl in meinem, als im
Namen der Kirche und ganzen Nachkommenſchaft; und ich flehe zu Gott,
daß er ſelbſt dir für deine gottſelige Sorge um die Kirche wohlthun und dich
und dein Weib und dein ganzes Haus mit himmliſchem und zeitlichem Segen
erfüllen möge.“ Calov ſchreibt in ſeiner Paedia theologica von dem
Porta'ſchen Pastorale: „Dieſes ausgezeichnete Werk ſollten billig alle Candidaten des heiligen Miniſteriums um des gotterfüllten (entheum) Geiſtes
Luthers willen, davon es beſeelt iſt, ſich auf das höchſte empfohlen ſein
laſſen.“ Dieſe Zeugniſſe, die noch mit einer großen Anzahl ebenſo rühm-
licher vermehrt werden könnten, mögen genügen, einen jeden Prediger, der
dieſes Werk noch nicht beſitzt, zu locken, ſich daſſelbe anzuſchaffen und, wie der
alte Superintendent Freudemann zu Querfurt ermahnt, damit „nocturna
atque diurna manu“ umzugehen.

Ein zweites das Ganze der Paſtoraltheologie enthaltendes Werk iſt folgendes: „Pastorale evangelicum seu instructio plenior ministrorum verbi etc.
adornante Joh. Ludov. Hartmanno. Norimb. 1697.“ (1496 Seiten

in Quarto, exclus. die sehr ausführlichen Register.) Der Verfasser, geboren zu Rothenburg an der Tauber in Baiern am 3. Februar 1640, gestorben daselbst als Superintendent den 18. Juli 1684, gehörte zu den geistvollsten und eifrigsten Gottesgelehrten seiner Zeit. Sein Pastorale kam zuerst im Jahre 1678 heraus. Die angeführte Ausgabe ist die zweite, aus Hartmann's hinterlassenem eigenem Manuscript vielfach vermehrte, welcher im Jahre 1723 eine dritte, mit Noten und Citaten aus den Schriften Spener's, Seckendorf's, Brunnemann's, Strykk's, Böhmer's u. A. versehene und von dem Halleschen Professor Dr. J. Daniel Herrnschmid besorgte, gefolgt ist. Wir können es nur unterschreiben, wenn Deyling in seiner Pastoraltheologie von diesem Pastorale urtheilt: „Ein vollkommeneres Werk dieser Gattung gibt es nicht. Dieser durch und durch praktische Theolog hat damit ein vollständiges Pastoral-System geliefert." Nicht nur wird es kaum eine Frage geben, deren Beantwortung der praktische Prediger als solcher sucht, welche darin nicht gründlich beantwortet würde; sondern die ganze Behandlungsart ist auch so beschaffen, daß der Leser keine Seite lesen kann, ohne in dem Innersten seiner Seele ergriffen zu werden. Es ist darin alles Geist und Leben. Zwar ist der Styl nicht so durchsichtig, wie der eines Gerhard; fordert er aber auch mehr als gewöhnliche Aufmerksamkeit, so wird doch die nöthige Mühe durch den herrlichen Inhalt reichlich belohnt. Wenn Harleß in seiner theologischen Encyklopädie im Abschnitt von der Theologie des 17. Jahrhunderts schreibt: „Die Gebrechen der herrschenden Theologie traten am grellsten in den Werken über Pastoralthätigkeit heraus. Im genauesten Zusammenhange mit der übrigen üblichen Behandlungsweise der Theologie wurden das Casuistische und Kirchenrechtliche die Hauptmomente der Pastoralanweisung. Vgl. z. B. J. L. Hartmann. pastorale ev. Norimb. 1678." (S. 185. 186. 189.) — so ist uns dieses Urtheil kaum erklärlich. Allerdings werden in Hartmann's großem Werke über 800 betreffende Gewissensfragen beantwortet; wie aber darin ein Gebrechen der damaligen Theologie sich spiegeln solle, ist uns gerade bei Hartmann am wenigsten einleuchtend, da derselbe hierein die Hauptmomente der Pastoralanweisung nicht im Entferntesten gesetzt hat; und was das Kirchenrechtliche betrifft, so tritt dasselbe gerade in diesem Pastorale durchaus in den Hintergrund. Uebrigens haben wir schon in der 2. Anmerkung zu § 1. bemerkt, daß unter den Neueren hingegen der selige Dr. Rudelbach die Hartmann'sche Arbeit als ein „treffliches Werk" charakterisirt. — Eine dritte vortreffliche vollständige Pastoraltheologie ist: „Salomonis Deylingii Institutiones prudentiae pastoralis. Ed. per D. Chr. Wilh. Kuestnerum. Lips." (826 Seiten in Octavo.) Der Verfasser dieser Schrift, geboren zu Weyda im sächsischen Voigtlande 1677, gestorben als Superintendent und Professor der Theologie zu Leipzig 1755 (nachdem er vorher das Amt eines Superintendenten zu Pegau und die Generalsuperintendentur zu Eisleben verwaltet hatte), ist zwar besonders durch seine scharfsinnige und gelehrte Auslegung schwieriger Schriftstellen, (die namentlich in ſeinen bekannten Observ. sac. niedergelegt iſt) berühmt geworden, es hat ſich derſelbe jedoch zugleich als ein wahrhaft gottſeliger und praktiſcher Theolog ausgezeichnet. Das erſte Mal erſchienen die angeführten Institutiones im Jahre 1734. Zwar enthalten dieſelben manches das poſitive Recht der ſächſiſchen Landeskirche Betreffende, was hier in America keine unmittelbare Anwendung findet, allein dies macht den eigentlichen Kern dieſes vortrefflichen Buches nicht aus, welcher vielmehr darin beſteht, daß darin das eigentliche Weſen des heiligen Amtes dargeſtellt, die rechte Vorbereitung zu deſſen einſtiger geſegneter Verwaltung gezeigt, der gottgefällige Eintritt in daſſelbe gewieſen und die gewiſſenhafte Verrichtung aller Functionen des Amtes dargelegt wird. Von großem Werthe ſind die literar- und kirchenhiſtoriſchen, ſowie archäologiſchen Nachweiſe, die darin wie in keinem anderen Werke dieſer Art, durchgehends gegeben werden, damit der Leſer, wo nöthig, ſich weiter orientiren könne und die geſchichtliche Geneſis der wichtigſten das Amt betreffenden Einrichtungen kennen lerne. — Schließlich nennen wir noch eine vollſtändige brauchbare Paſtoraltheologie, welche unter allen hier zu nennenden nicht nur unſerer Zeit, ſondern allerdings auch gewiſſen Gebrechen derſelben am nächſten ſteht; es iſt folgende: „Paſtoral-Theologie von Dr. Chriſtoph Timotheus Seidel. Helmſtädt, 1749.“ (536 Seiten in Octav, mit Ausſchluß des Regiſters.) Der Verfaſſer, Sohn des bekannten Freundes Spener's und Probſtes in Berlin, Chriſtoph Matthäus Seidel's, iſt geboren den 20. September 1703 zu Schönberg in der Mark Brandenburg und als Profeſſor der Theologie und Generalſuperintendent zu Helmſtädt den 30. Mai 1758 geſtorben. In der bei ſeinem Leichenbegängniß von Chr. Wernsdorf aufgeſetzten „Memoria“ wird von ihm gerühmt: „In Wort und That zeigte er ſtets eine Liebe zu Beſcheidenheit und Milde, daß er jenes Muſter der Liebe und jenes höchſte Vorbild der Sanftmuth, JEſum Chriſtum, in ſeinen Augen zu tragen, in ſeinem Herzen zu haben ſchien.“ (Nova acta hist.-eccles. 2. Bd. 9. Thl. S. 89.) Hierbei bethätigte er aber nicht weniger einen aufrichtigen Eifer für Reinerhaltung der chriſtlichen Lehre. Von beidem iſt ſeine Paſtoraltheologie ein ſprechender Beleg. Das Gebrechen der Zeit, in welcher ſie erſchien, beſteht in dem mitunter faſt moraliſirenden Tone, der die Schriften auch der Rechtgläubigen jener Zeit charakteriſirt. Nichtsdeſtoweniger findet der junge Prediger darin die werthvollſten Winke zu rechter Verwaltung ſeines Amtes in jeder Beziehung. Wieder herausgegeben und mit vielen nützlichen Anmerkungen verſehen worden iſt dieſes Buch von F. E. Rambach. (Leipzig, 1769.) — Unter den, obwohl nicht vollſtändigen, doch die Hauptſachen der Paſtoraltheologie enthaltenden Schriften nennen wir noch: „D. Christiani Kortholti Pastor fidelis. Hamburgi, 1696.“ (356 in 12mo.) Der Verfaſſer, geboren im Jahre 1632 zu Borg auf der Inſel Fehmarn (Schleswig) und geſtorben als Profeſſor der Theologie zu Kiel im Jahre 1694, war ein Mann, der mit außerordentlicher Gelehrſamkeit ebenſo Eifer für reine Lehre wie für wahre Gott-

seligkeit verband. Selbst Seckendorf nennt ihn in seiner Historie des Lutherthums einen „höchst ehrwürdigen und um die Kirche Gottes ausnehmend verdienten Mann." Unter den zahlreichen, zum Theil sehr voluminösen, Werken
seines schriftstellerischen Fleißes ist auch die kleine Schrift „Pastor fidelis",
ein opus posthumum, ein Beleg dafür, welch ein trefflicher Theolog unser
Kortholt war. Es ist ein überaus liebliches Büchlein. Man kann es mit
Recht ein Pastorale in nuce nennen. In gedrängter und doch angenehmer
Kürze behandelt es alle die Annahme und Verwaltung des heiligen Amtes
betreffenden Hauptfragen. — Aehnlicher Art ist folgendes Werklein: „Spe-
cimen theologiae practicae h. e. manuductio, qua ratione minister
ecclesiae in omnibus casibus officio suo rite defungi queat, adornata a
D. Georg. Henr. Haeberling. Tubingae, 1690.' (343 Seiten in 8.)
Der Verfasser ist zu Stuttgart im Jahre 1644 geboren und im Jahre 1699
gestorben, war seit 1681 Professor in Tübingen und zuletzt Consistorialrath
und Stiftsprediger in seiner Geburtsstadt. Das Buch ist eine systematische
Darstellung der Pastoraltheologie, den bewährtesten Rath für die wichtigsten
Amtsverrichtungen enthaltend. Der Anhang, kurze Darstellung einer
Homiletik, dürfte der schwächste Theil des Buches sein. — Zu den vor-
züglichsten pastoraltheologischen Schriften ist ferner folgende zu rechnen:
„J. A. Quenstedii Ethica pastoralis. Wittebergae 1697." 8. Obwohl alle Theile einer Pastoraltheologie enthaltend, behandelt jedoch diese
Schrift vor allem die Pflichten eines Pastors als Prediger und als Vorbild
und gibt anhangsweise eine vortreffliche Anweisung zur Lectüre und zum
Excerpiren. — Ein ausgezeichnetes Compendium ist: J. Fechtii Instructio
pastoralis. Ed. 2. Rostochi et Lipsiae. 1722. 8. In gedrängter Kürze
gibt dieses Buch mehr, als manche andere voluminöse Werke. — Schließlich
nennen wir noch ein Werk, dessen wir bis jetzt nicht habhaft werden konnten,
für dessen Brauchbarkeit aber der Name des Verfassers spricht: „Joh.
Henr. Feustkingii" (geboren 1672 zu Stellau im Holsteinischen, gestorben 1713 als Oberhofprediger zu Gotha, vorher Professor zu Wittenberg)
„Pastorale evangelicum oder Unterricht, wie ein Prediger seine Kirchen-
arbeit führen soll. Wittenberg, 1699." 8.

Unter denjenigen Schriften, welche einzelne Theile der Pastoraltheologie
behandeln, nennen wir erstlich: „Der getreue Seelenhirte, von M. Nicolaus Haas. Leipzig, 1700." Neu herausgegeben ist diese Schrift bei
Fr. Dette in St. Louis, Mo. 1868. Der Verfasser, geb. 1665 zu Wun-
siedel in Baiern, starb als Pastor primarius zu Bautzen in der Oberlausitz
(Sachsen) 1715. Das Werk ist ein Unterricht in der Privatseelsorge.
Es zerfällt in drei Theile. Der erste Theil (270 Seiten in 8.) gibt Anleitung zu seelsorgerischer Behandlung der Kranken, der zweite (720
Seiten) zur Behandlung der Angefochtenen und der dritte (240 Seiten)
zur Behandlung der Gefangenen, Sterbenden und zur Hinrichtung
Vorzubereitenden. Es wird wohl kaum ein unter diese Rubriken gehöriger

Fall vorkommen, für welchen hier nicht dem Prediger das in den Mund
gelegt würde, was er dabei dem Betreffenden aus Gottes Wort vorzulegen
hat. Mehr als hundert Schriften hat Haas hierbei benützt. — Eine ähnliche ebenfalls deutsch geschriebene Schrift ist: „Gfr. Olearii collegium
pastorale. Leipzig, 1718.“ (Einschließlich das Register über 1000 Seiten
in 4.) Der zweite Titel lautet: „Anleitung zur geistlichen Seelen-Cur.“
Der Verfasser, geboren zu Leipzig 1672, gestorben ebendaselbst als Professor
der Theologie 1715, war ein grundgelehrter und scharfsinniger und dabei
von ganzem Herzen gottseliger Theolog. Von den beiden ersten Eigenschaften
desselben zeugen namentlich seine in classischem Latein geschriebenen höchst
originellen Observationes in Matthaeum und viele andere gelehrte Schriften
seiner Feder; von dem großen Schatze christlicher Erfahrung, den er besaß,
zeugt namentlich die angeführte pastoraltheologische Schrift.*) Das Werk .
zerfällt in vier Theile. Nach einer, allgemeine Erinnerungen enthaltenden,
Einleitung handeln die drei ersten Theile von der Seelencur in gesunden Tagen, und zwar 1. außer dem Stande der Anfechtung, 2. im
Stande der Anfechtung in Absicht auf die eigne Person und 3. um anderer
willen; der 4. Theil endlich handelt von der Seelencur bei Krankheiten und herannahendem Tode. Olearius' Werk unterscheidet
sich von dem vorhergenannten dadurch, daß es nicht sowohl Ansprachen, als
vielmehr Anleitung, Winke und Stoff dazu enthält. Ein vortrefflicheres
Repertorium für Privatseelsorge besitzen wir nicht. Pastor Löhe hat einen
Theil dieses Werkes wieder abdrucken lassen. Zwar gehört unser Olearius
zu denen, von welchen Spener gegen mehrere Angriffe in Schutz genommen
worden ist; daß aber ersterer weder dem eigentlichen Pietismus, noch dem
Indifferentismus gehuldigt habe, belegt schon seine Anweisung zur Seelencur
der in Absicht auf den Glauben Irrigen. — Zu der Gattung der letztgenannten Schriften gehört noch folgende: „Handbuch für Seelsorger,
publicirt von Joh. Ludwig Hartmann. Rothenburg, 1680.“ (826
Seiten in 8.) Der Verfasser ist der schon genannte Autor des „Pastorale
evangelicum.“ Von der Haas'ischen und Olearius'ischen Schrift unterscheidet sich unser „Handbuch“ dadurch, daß es für jeden Fall außer dem
Unterricht für den Seelsorger und den ihm in den Mund gelegten Ansprachen auch Stoff zu Unterredungen und Gebete, sowie einen Vorrath von entsprechenden Sprüchen und Exempeln enthält. Hartmann
nimmt den jungen unerfahrnen Prediger gleichsam bei der Hand, unterweist
ihn nicht nur, sondern thut demselben auch alles vor, was dieser ihm nach-
zuthun hat. — Eine Schrift ähnlicher Art ist: „Felicis Bidembachii
Manuale ministrorum ecclesiae. Stuttgartiae, 1659.“ Der Verfasser,

---

*) Charakteristisch für unsern Olearius ist, daß er, als sein früher Tod herannahte,
verordnete, man möge ihn ganz in der Stille begraben und auf sein Grab nur folgende
Worte setzen: „Hier liegt Dr. Gottfried Olearius, ein Leipziger Theolog. HErr, du
hast dich meiner erbarmt, wie du mir verheißen hattest.“

geboren 1564 zu Stuttgart, starb 1612 als Abt zu Maulbronn. Die Schrift ist, obwohl sie einen lateinischen Titel hat, deutsch geschrieben, kam das erste Mal 1603 heraus, später vermehrt mit lateinischen Dispositionen über die evangelischen und epistolischen Perikopen, sowie mit einem Verzeichniß von Texten zu Leichen- und Hochzeitsreden. Der wichtigste Theil ist der letzte, eine vortreffliche Anweisung zur Behandlung der Kranken, Schwermüthigen und zur Hinrichtung Vorzubereitenden enthaltend.

Was endlich die casuistischen Werke unserer rechtgläubigen Theologen betrifft, so verweisen wir hier zunächst auf die im vierten Jahrgang von „Lehre und Wehre" (S. 345—349) aufgeführten vier Hauptwerke dieser Art und auf das dort über dieselben Gesagte. Es sind folgende: 1. „Thesaurus consiliorum et decisionum d. i. vornehmer Universitäten, hochlöblicher Collegien, Consistorien, auch sonst hochgelehrter Theologen und Juristen Rath, Bedenken, Antwort, Belehrung, Erkenntniß, Bescheid und Urtheil in und von allerhand schweren Fällen, in Druck gegeben durch M. Georg. Dedekennum. Hamburg, 1623." Drei Volumina und ein Appendix in Folio. Später, im Jahre 1671, erschienen als Supplemente noch zwei von J. E. Gerhard und Chr. Grübel gesammelte Volumina zu Jena, ebenfalls in Folio. 2. „Consilia theologica Witebergensia d. i. Wittenbergische geistliche Rathschläge des theuren Mannes Gottes D. Mart. Lutheri, seiner Collegen und treuen Nachfolger. Angefertigt von der theologischen Facultät daselbst. Frankfurt am Main 1664." (1549 Seiten in Folio.) 3. „Opus novum quaestionum practico-theologicarum. Francofurti 1676." (Der Verfasser dieses Systems der Casuistik ist Dr. Joh. Nikolaus Misler; es umfaßt dasselbe 668 Seiten in Folio.) 4. „Tractatus de casibus conscientiae, elaboratus a Friderico Balduino. Wittenbergae 1628." (Unter allen Systemen der Casuistik das beste, umfaßt dieser Tractatus 1281 Seiten in Quarto.) — Nachträglich machen wir noch auf folgende Casuistiken aufmerksam: 1. „Liber conscientiae sive theologia conscientiaria, editore Joh. Conrado Dannhawero. Argentorati, 1679." Der Verfasser, geboren in Kundringen im Breisgau (Großherzogthum Baden) 1603, gestorben als Professor der Theologie in Straßburg 1666, ist der berühmte Lehrer Spener's. Was an unserm Dannhauer mehr zu bewundern sei, ob sein brennender Eifer für reine Lehre, oder für wahre Gottseligkeit, ob seine Gelehrsamkeit, oder sein Scharfsinn, ob seine Originalität, oder seine Gründlichkeit, ist kaum zu sagen. Unter den besten Theologen des 17. Jahrhunderts leuchtet er als ein Stern erster Größe. In vollkommenster Glaubens- und Lehreinigkeit mit denselben stehend, beobachtet er eine ihm allein eigenthümliche Weise der Lehrdarstellung, bei welcher alles, auch das bekannteste, neu und frisch erscheint und ebenso der Verstand, wie das Herz und die Phantasie beschäftigt wird. Wie hiervon namentlich seine köstliche Dogmatik (die er Hodosophie nennt) und seine geniale Christeis zeugt, so auch seine Casuistik. Auch die letztere ist gleich

seiner Dogmatik allegorisch dargestellt, nemlich als geistliche Medicinal-
wissenschaft; daher denn der erste Abschnitt als die geistliche Physiologie von
dem Gewissen überhaupt, der zweite als die geistliche Pathologie von den
Krankheiten des Gewissens, der dritte als die geistliche Diagnostik, Semiotik
oder Physiognomik von den Symptomen eines kranken Gewissens, und endlich
der vierte und fünfte als die allgemeine und specielle geistliche Therapeutik
von den Heilmitteln und dem Heilverfahren in den Gewissens-Krankheiten
handelt. Es ist wahr, der griechisch-lateinische, nur Dannhauer eigene Styl
mit seinen kurzen änigmatischen Aussprüchen, mysteriösen Anspielungen,
reichlichen Citaten aus seltenen christlichen Schriften und aus lateinischen
und griechischen Profanscribenten, Poeten und Prosaikern, dies alles erfordert
ein fleißiges Einlesen, ehe man Dannhauer's Schriften ohne Anstoß lesen
kann; allein hat man einmal die ersten Schwierigkeiten überwunden, so findet
man sich für den angewendeten Fleiß durch den reichen und herrlichen Inhalt
auf das reichlichste belohnt. Die angeführte Ausgabe des „Liber conscientiae" ist die zweite und umfaßt in zwei Theilen außer starken Registern
1725 Seiten in Quarto engen Druckes. 2. Zu unterscheiden von der genannten ist eine zweite kleinere casuistische Schrift desselben Verfassers:
„Theologia casualis. Gryphiswaldiae 1706." Zwar kann diese
Schrift als eine Art Epitome jener angesehen werden, doch enthält sie vieles,
was in jener nicht gefunden wird. Sie behandelt den casuistischen Stoff
nach den Locis der Dogmatik in einem Octavband von 522 Seiten. 3. Ein
ähnliches Verfahren treffen wir in folgender Schrift an: „Decisiones mille
et sex casuum conscientiae, aus vieler Theologen Schriften zusammen-
gezogen durch M. Ludovicum Dunte, weil. Diener göttlichen Wortes
in Reval. 3. Auflage. Ratzeburg 1664." Diese Schrift hat namentlich dem
Dedekennus und Misler als Quelle gedient. Sie umfaßt circa 1000 Seiten
in Quarto, ungefähr halb in deutscher und halb in lateinischer Sprache.
Werthvolle Beiträge zur Casuistik enthalten auch die von C. F. Börner gesammelten: „Auserlesene Bedenken der theologischen Facultät zu Leipzig.
Leipzig 1751." 4. Ebenso: „Casus conscientiae, qui in sex capitibus
doctrinae catechet. solent occurrere, decisi a D. G. Koenigio. Altorf.
1676." 4. Der brauchbaren Arbeiten Find's, Kesler's, Mengering's,
Eckard's und Bechmann's auf diesem Felde nicht zu gedenken. — Schließlich
machen wir noch darauf aufmerksam, daß nicht nur Brochmand in seinem
dogmatischen System jeden einzelnen Locus mit Lösung betreffender casuisti-
scher Fragen schließt, sondern daß überhaupt die größeren dogmatischen Werke
unserer Theologen, eines Gerhard, Hutter, Calov, Quenstedt,
namentlich in den Locis de lege, de ecclesia, de ministerio ecclesiastico,
de conjugio, de magistratu civili, de statu domestico, die wichtigsten
pastoraltheologischen Gegenstände gründlich abhandeln.

Von großem Werthe endlich sind gut geschriebene Biographieen
treuer Seelsorger und wahrer Theologen, deren es bekanntlich eine große

Anzahl gibt. Wir nennen hier nur, die bekannten übergehend, die vortreffliche Sammlung von Lebensbeschreibungen, die unter folgendem Titel erschienen ist: „Memoriae theologorum nostri seculi clarissimorum renovatae centuria curante M. Henningo Witten. Francofurti ad Moenum 1685." Es sind das über hundert zugleich Biographieen enthaltende lateinische Gedächtnißreden und Programme, an die sich jedesmal ein Verzeichniß der Schriften des Verstorbenen anschließt. Das Werk umfaßt über 2000 Seiten in Octavo.

§ 4. - ſ

Da, wie die Augsburgische Confession im 14. Art. nach Gottes Wort (Röm. 10, 15. Jer. 23, 21. Jak. 3, 1. Ebr. 5, 4. 5. vgl. den Anfang fast aller Episteln Pauli) lehrt, „niemand in der Kirche öffentlich lehren oder predigen oder Sacrament reichen soll ohne ordentlichen Beruf", so ist nach Erlangung der Amtstüchtigkeit das erste Erforderniß zu gottgefälliger und gesegneter Amtsführung, daß der Prediger dazu ordentlich berufen und dessen gewiß sei.

Anmerkung 1.

Ueber die Nothwendigkeit des Berufes erstlich zu gottgefälliger Amtsführung überhaupt schreibt Luther: „Zu einem guten Werk gehört ein gewisser göttlicher Beruf, und nicht eigene Andacht, welches man heißet eigene Anschläge. Es wird denen sauer, die gewissen Beruf von Gott haben, daß sie etwas Gutes ansahen und ausrichten, obwohl Gott bei ihnen und mit ihnen ist: was sollten denn die unsinnigen Narren thun, die ohne Beruf hinan wollen, dazu eitel eigene Ehre und Ruhm suchen! Wie es denn auch nicht anders möglich ist, wer ohne Gottes Beruf etwas vornimmt, daß er muß seine eigene Ehre suchen; denn er ist sein selbst Gott, lehret sich selbst, was zu thun ist, darf Gottes und seines Worts nichts dazu. Darum sind sie auch so glückselig, und gehet ihr Vornehmen vor sich, wie der Krebs gehet; wie man vor Augen siehet und täglich erfähret. Ich aber Doctor Martinus bin dazu berufen und gezwungen, daß ich mußte Doctor werden ohne meinen Dank, aus lauter Gehorsam; da habe ich das Doctoramt müssen annehmen und meiner allerliebsten heiligen Schrift schwören, und geloben, sie treulich und lauter zu predigen und lehren. Ueber solchem Lehren ist mir das Pabstthum in Weg gefallen und hat mir's wollen wehren; darüber ist es ihm auch gangen, wie vor Augen, und soll ihm auch noch immer ärger gehen und sollen sich meiner nicht erwehren. Ich will in Gottes Namen und Beruf auf dem Löwen und Ottern gehen und den jungen Löwen und Drachen mit Füßen treten, und das soll bei meinem Leben angefangen und nach meinem Tode ausgerichtet sein." (Glossen auf das vermeinte Kaiserliche Edict. Walch. Tom. XVI, 2061.)

Ferner schreibt Luther: „Nun ists je hoch vonnöthen, daß man die Stücke wohl wisse, wie ein jeder seines Berufs gewiß sein soll, um der giftigen teuflischen Schwärmergeister willen, welche also geschickt sind, daß sie über die Maßen hoch rühmen, wie sie vom Himmel herab berufen sein und vom Geist getrieben werden, betrügen mit solchem Geplärr viel Leute; wiewohl es eitel erstunken und erlogen Ding ist. Derhalben wir wohl bedürfen, daß wir unsers Berufs gewiß sein, auf daß ein jeder rühmen möge und mit Johanne dem Täufer frei sagen, Luk. 3, 2.: Das Wort des HErrn ist zu mir geschehen; daß ich nun predige, taufe und das Sacrament reiche, deß habe ich Befehl und bin dazu berufen und gefordert, daß ich's thun soll; denn Gottes Wort hat mich's geheißen, nicht in einem finstern Winkel, heimlich und verborgen, sondern durch eines Menschen Mund und Wort, der in einem ordentlichen Amt ist...*) Darum soll man den Beruf nicht für ein gering Ding halten. Es ist nicht genug, ob man gleich das reine und lautere Wort Gottes und rechtschaffene Lehre hat, sondern man muß des Berufs, daß der recht sei, auch gewiß sein. Denn wer unberufen von sich selbst einbricht, derselbe kommt gewißlich um nichts anders willen, denn daß er nur würgen und umbringen will, Joh. 10, 10. So gibt auch unser HErr Gott nimmermehr keinen Segen, Glück und Heil den Lehrern, so da ohne ordentlichen Beruf und Befehl von sich selbst auftreten. Und ob sie auch gleich bisweilen etwas Gutes und Rechtes zu Markte bringen, schaffen sie doch keinen Nutzen, noch Rath damit. Gleichwie unsere Rottengeister die Lehre vom Glauben auch im Munde führen, und richten aber doch nichts Fruchtbarliches damit aus; denn darauf allein ist alle ihre Mühe, Arbeit, Sorge und Fleiß gerichtet, daß sie den Leuten nur ihre irrigen Opiniones und Artikel einreden mögen.**) Nun müssen eben die, so einen rechten, gewissen und göttlichen, heiligen Beruf, dazu auch die gewisse, rechte und reine

---

*) Luther redet hier von den Berufenden als von solchen, die „in einem ordentlichen Amte" sind, offenbar nicht im Gegensatze zu einer ganzen Gemeinde, sondern zu Privatpersonen. Denn so schreibt er z. B. zu Matth. 9, 35—38: „Die andere Art (des Berufs) geschieht mittelbar durch Menschen, welche einen hohen Rang haben, oder in einem öffentlichen Amt und Ansehen stehen; gleichwie die Apostel ihre Nachfolger berufen haben und gleichwie sie auch noch von fleischlicher Gewalt und Obrigkeit oder Gemeinden berufen werden." VII, 116.

**) Ein Beleg hierzu sind auch unsere hiesigen bekehrungssüchtigen Sectenprediger, die Land und Meer durchziehen, Proselyten für ihre Secte sonderlich aus den Seelen zu machen, die schon durch den Dienst Anderer zur Erkenntniß Christi gebracht worden sind. Wird auch hie und da durch sie eine Seele aus ihrer natürlichen Sicherheit aufgeweckt, wie unaussprechlich groß ist aber die Verwirrung der Seelen, die sie dabei allenthalben anrichten, und wie verderblich das Aergerniß, das sie dabei der blinden Welt geben, die um derselben willen das ganze Christenthum für eine sinnlose und heuchlerische Schwärmerei hält! Wohl meint mancher, um des Guten willen, was diese Unberufenen hie und da stiften, daß dieselben nicht als Teufelsboten angesehen werden dürften, aber man bedenkt nicht, daß sich Satan durch das tausendfache Unheil, welches sie dabei allenthalben anstiften, dafür reichlich entschädige.

Lehre haben, viel und mannigfaltigen harten Kampf aushalten, und können dennoch kaum bestehen gegen so vielen und unaufhörlichen Listen des Teufels und der Welt Tyrannei: was sollte denn thun können, der seines Berufs allerdings ungewiß und deß Lehre dazu falsch und unrein ist! Darum ist dieses unser Trost, die wir jetzt dieser Zeit im Predigtamte sind, daß wir ja ein heilig und himmlisch Amt haben, dazu ordentlicher Weise und recht berufen, welches wir auch wider die höllischen Pforten wohl rühmen mögen. Dagegen ist's gar ein sehr greulich und schrecklich Ding, wenn das Gewissen also sagt: Ach HErr Gott, was hast du da gemacht; das und das hast du ohne Beruf und Befehl gethan! Da hebet sich denn ein solch Schrecken und Herzleid im Gewissen an, daß ein solcher unberufener Prediger wohl wünschen möchte, daß er das, so er lehret, sein Lebenlang noch nie gehört oder gelesen hätte. Denn der Ungehorsam macht alle Werke böse, sie seien sonst an sich selbst wie gut sie immer wollen, also, daß auch die allergrößten und besten Werke zu den allergrößten und ärgsten Sünden werden. So siehest du nun ja wohl, wie nützlich und hochnöthig dieser Ruhm von unserm Amt sei. Da ich vorzeiten noch ein junger Theologus und neuer Doctor war, däuchte mich nicht fein sein, daß St. Paulus in allen seinen Episteln so viel Rühmens und Geschrei von seinem Beruf machte, verstund aber gar nicht, was er für eine sonderliche Meinung und Ursachen darauf hätte... Denn ich wußte dazumal noch nicht, daß es so ein groß Ding wäre um das Predigtamt; wußte auch noch zur Zeit gar nichts, weder was die Lehre des Glaubens, noch was ein recht Gewissen wäre. Denn man lehrete auch dazumal nichts Gewisses davon, weder in Schulen, noch in Kirchen, sondern allenthalben hörte man anders nichts, denn nur eitel erdichtet lose Geschwätz der Sophisten, Kanonisten und was dem Meister von hohen Sinnen*) geträumet hatte. Darum war es nicht möglich, daß jemand hätte verstehen mögen, was und wie viel an diesem heiligen und geistlichen Rühmen von dem Beruf gelegen wäre, welcher fürnehmlich zu Gottes Ehre und folgends zum Preis unsers Amts, und darnach auch zu unserm Nutz und Sicherheit dienen soll." (Große Auslegung des Br. an die Gal., zu Gal. 1, 1. 2. Walch, Tom. VIII, 1578—82.) Ebendaselbst schreibt Luther: „Man muß auf solche Schwärmer und Rottengeister immerdar gute, fleißige Acht haben, welche also geschickt sind, daß sie meinen, wenn sie nur eine Predigt oder zwo gehöret, oder ein klein Büchlein oder zwei gelesen haben, so seien sie schon bereitan Meister über alle Meister und Jünger, ob sie gleich niemand dazu verordnet, berufen oder gesandt hat. Und dürfen auch wohl etliche ungelehrte Handwerksleute so dummkühne sein und solches großen, hohen, schweren und gefährlichen Amts sich leichtfertiglichen anmaßen und unterstehen, ungeachtet ob ihr

---

*) Magister sententiarum = Petrus Lombardus.

gleich keiner sein lebenlang noch niemals in einer rechten Anfechtung gewesen, vor Gottes Zorn und Gerichte noch nie mit Ernst und herzlich erschrocken, viel weniger aber seine Gnade geschmeckt hat." (Zu Gal. 1, 6. VIII, 1637.)

Ferner schreibt Luther: „Es hilft sie auch nicht, daß sie vorgeben, alle Christen sind Priester. Es ist wahr, alle Christen sind Priester, aber sie sind nicht alle Pfarrer. Denn über das, daß er ein Christe und Priester ist, muß er auch ein Amt und ein befohlen Kirchspiel haben. Der Beruf und Befehl macht Pfarrherren und Prediger. Gleichwie ein Bürger oder Laie mag wohl gelehrt sein, aber ist darum nicht Doctor, daß er in den Schulen öffentlich lesen möchte, oder sich solches Amts unterwinden, er werde denn dazu berufen. — Das habe ich müssen von den Schleichern und Meuchelpredigern, deren jetzt über die Maaßen viel sind, anzeigen, zu warnen alle Pfarrherrn und Obrigkeit, daß sie mit Fleiß darauf sehen, darzu ihr Volk vermahnen und gebieten, sich vor solchen Läufern und Buben zu hüten und sie zu meiden als des Teufels gewisse Boten. Es sei denn, daß sie gute Kundschaft und Zeugniß bringen ihres Berufs und Befehls von Gott zu solchem Werke in solch Kirchspiel. Sonst soll man sie nicht zulassen, noch hören, wenn sie gleich das reine Evangelium wollten lehren, ja, wenn sie gleich Engel und eitel Gabriel vom Himmel wären. Denn Gott will nichts aus eigener Wahl oder Andacht, sondern alles aus Befehl und Beruf gethan haben, sonderlich das Predigtamt, wie St. Petrus spricht, 2 Petr. 1, 21. Darum wollte auch Christus die Teufel nicht reden lassen, da sie doch ihn Gottes Sohn ausriefen und die Wahrheit sagten, Luk. 4, 34. 35. Mark. 1, 24. 25., denn er wollte solch Exempel, ohne Beruf zu predigen, nicht gestatten. So gedenke nun ein jeglicher, will er predigen oder lehren, so beweise er den Beruf und Befehl, der ihn dazu treibet und zwinget, oder schweige stille. . . . Hier sprichst du vielleicht zu mir: Warum lehrest du denn mit deinen Büchern in aller Welt, so du doch allein zu Wittenberg Prediger bist? Antwort: Ich habe es nie gerne gethan, thue es auch noch nicht gerne; ich bin aber in solch Amt erstlich gezwungen und getrieben, da ich Doctor der heiligen Schrift werden mußte ohne meinen Dank. Da fing ich an als ein Doctor, dazumal von päbstlichem und kaiserlichem Befehl, in einer freien, gemeinen hohen Schule, wie einem solchen Doctor nach seinem geschwornen Amte gebühret, vor aller Welt die Schrift auszulegen und jedermann zu lehren; habe auch also, nachdem ich in solch Wesen gekommen bin, müssen drinnen bleiben, kann auch noch nicht mit gutem Gewissen zurücke oder ablassen, ob mich gleich Pabst und Kaiser darüber verbanneten. Denn was ich habe angefangen als ein Doctor, aus ihrem Befehl gemacht und berufen, muß ich wahrlich bis an mein Ende bekennen, und kann nun fort nicht schweigen noch aufhören, wie ich wohl gerne wollte, und auch wohl so müde und unlustig bin über der großen unleidlichen Undankbarkeit der Leute. Wiewohl, wenn ich schon kein solcher Doctor wäre, so bin ich doch ein berufener Prediger und habe die Meinen wohl mögen mit Schriften lehren. So nun andere mehr solche meine Schriften auch begehret und mich darum gebeten haben, bin ich es schuldig gewesen zu thun, denn ich mich damit nirgend selbst eingedrungen, noch von jemand begehret oder gebeten, dieselbigen zu lesen; gleichwie andere fromme Pfarrherrn und Prediger mehr Bücher schreiben, und niemand wehren noch treiben zu lesen, und damit auch in aller Welt lehren und laufen, und schleichen doch nicht wie die losen unberufenen Buben in fremde Aemter ohne Wissen und Willen der Pfarrherrn, sondern haben ein gewiß Amt und Befehl, der sie treibet und zwinget." (Zu Pf. 8-, .. V, 1061—63.)

Ferner schreibt Luther: „Wenn du nun merkest bei dir ein Werk, das Gott nicht in dir wirket, so tritt es mit Füßen, und bitte Gott, daß er auch in dir zu Schanden mache alles, das er nicht selber wirket. Und wenn du mit einer Predigt könntest die ganze Welt selig machen, und hast den Befehl nicht, so laß es nur anstehen; denn du wirst den rechten Sabbath brechen und wird Gott nicht gefallen." (Zu 2 Mos. 20, 8—11. III, 1629.)

Weiter schreibt derselbe: „Niemand soll sich in ein öffentlich Amt ohne Gottes Beruf eindringen. Und wisset solches um der neuen Flattergeister willen, die sich eindringen und einschleichen, da sie doch Gott nicht dazu berufen noch geschickt hat; wollen Prediger sein und die Leute lehren ohne Erforderung und Beruf, Jer. 23, 21... Es ist nicht genug, daß man sich des Geistes rühme; Gott will es auch nicht haben, daß man denen gläube, die da vorgeben und sagen: Gläubet meinem Geiste; item die da sagen: Der Geist treibet mich, der Geist heißet es mich. Sonst stünden wir alle gleich auf einem Haufen, und keiner hörete den andern. Aber wo Gott berufet und treibet zum Predigtamt, da gehet denn das Werk von statten und reißet hindurch." (Zu 2 Mos. 3, 1. III, 1074. 5.)

Endlich schreibt Luther: „Kann der Teufel die Lehrer, so Gott selbst berufen, geordnet und geweihet hat, betrügen, daß sie falsch lehren und die Wahrheit verfolgen, wie sollt er denn durch die Lehrer, so er selbst, ohne und wider Gottes Befehl, treibet und geweihet hat, etwas Gutes und nicht vielmehr eitel teuflische Lügen lehren? Ich hab es oft gesagt und sage es noch, ich wollte nicht der Welt Gut nehmen für mein Doctorat. Denn ich müßte wahrlich zuletzt verzagen und verzweifeln in der großen und schweren Sache, so auf mir liegt, wo ich sie als ein Schleicher hätte ohne Beruf und Befehl angefangen. Aber nun muß Gott und alle Welt mir zeugen, daß ich's in meinem Doctoramt und Predigtamt öffentlich habe angefangen und bis daher geführet mit Gottes Gnade und Hilfe. Es geben wohl etliche für, St. Paulus habe 1 Kor. 14. einem jeglichen Freiheit gegeben, in der Gemeine zu predigen, auch wider den ordentlichen Prediger zu bellen, da er spricht V. 30.: Wenn's dem Sitzenden offenbar wird, soll der erste schweigen. Daher meinen die Schleicher, in welche Kirche sie kommen, da haben sie Macht

und Recht, die Prediger zu urtheilen und anders zu predigen. Aber das ist
weit, weit gefehlet. Die Schleicher sehen den Text nicht recht an und nehmen
draus, ja, bräuen drein, was sie wollen. St. Paulus redet an dem Ort
von den Propheten, die da lehren sollen, und nicht vom Pöbel, der da zuhöret.
Propheten aber sind Lehrer, so das Predigtamt in der Kirche haben. Warum
sollt einer sonst ein Prophet heißen? So laß den Schleicher nun vorhin
beweisen, daß er ein Prophet oder Lehrer sei in der Kirchen, dahin er kömmt,
und wer ihm daselbst solch Amt befohlen habe, so soll man ihn alsdann
hören nach St. Paulus Lehre. Wo er's nicht beweiset, so laß ihn laufen
zum Teufel weg, der ihn gesandt hat und geheißen, ein fremd Predigtamt zu
rauben in einer Kirchen, darein er auch nicht gehöret als ein Zuhörer oder
Schüler, schweige denn als ein Prophet und Meister." (Brief an Eberh.
von der Tannen, von den Schleichern und Winkelpredigern, vom Jahre 1531.
XX, 2080. f. Vergl. den ganzen herrlichen Brief.)

Außer Luther wollen wir hier nur noch Martin Chemnitz reden
lassen. Letzterer schreibt: „Es ist auch nützlich, zu erwägen, um welcher Ursachen willen so viel darauf ankomme, daß ein Kirchendiener einen rechten
Beruf habe. Es ist nicht dafür zu halten, daß dieses auf Grund einer
menschlichen Einrichtung oder aber nur um der Ordnung willen geschehe.
Es hat dies vielmehr die wichtigsten Ursachen, deren Erwägung vieles lehrt:
1. Weil das Amt des Wortes das Amt Gottes selbst ist, welches er selbst
durch ordentliche Mittel und Werkzeuge in seiner Kirche ausüben will
(Luk. 1, 70. Ebr. 1, 1. 2 Kor. 5, 20.), daher ist es durchaus nothwendig,
wenn du ein treuer Hirt der Kirche sein willst, daß du gewiß seist,
Gott wolle sich deines Dienstes gebrauchen und daß du ein
solches Werkzeug desselben seist. Denn so kannst du auch jene
Aussprüche der Schrift auf dich anwenden Jes. 59, 21. 2 Kor. 13, 3.
Luk. 10, 16. Joh. 1, 25. — 2. Damit das Amt recht und zu Erbauung der
Kirche verwaltet werde, dazu sind sehr viele geistliche Gaben, haupt-
sächlich aber göttliche Regierung und Beschirmung erforderlich.
Wer aber einen rechtmäßigen Beruf hat, kann Gott mit ruhigem Gewissen
anrufen und gewisse Erhörung erwarten, nach den Verheißungen 2 Kor. 3, 2.
1 Tim. 4, 14. — 3. Der hauptsächlichste Nerv des Amtes ist, daß Gott
mit seinem Geist und seiner Gnade bei dem Amte zugegen
und durch dasselbe wirksam sein will. Wer nun rechtmäßig zum
Amte berufen worden ist und dasselbe ordentlich verwaltet, der kann mit
Gewißheit dafür halten, daß auch ihn jene Verheißungen angehen Jes. 49, 2.
51, 16. Luk. 1, 76. 1 Tim. 4, 16. 1 Kor. 15, 58. 1 Kor. 16, 9. 2 Kor.
2, 12. Joh. 10, 3. — 4. Die Gewißheit göttlicher Berufung ist auch dazu
nütze, daß die Kirchendiener mit um so größerem Fleiß, Treue und
Munterkeit in der Furcht des HErrn ihr Amt thun und nicht leicht abgeschreckt werden. Ja, diese Lehre von der Berufung erweckt auch in den
Zuhörern wahre Ehrfurcht und Gehorsam gegen das Amt." (Locc.
theol. Part. III, l. de eccl. s. 4. fol. 120.)

Anmerkung 2.

Wie wichtig der ordentliche Beruf nicht nur für die Prediger selbst, sondern zum andern auch für die Gemeinde sei, an welcher das Amt verwaltet wird, also zu gesegneter Amtsführung, darüber spricht sich Luther an verschiedenen Orten seiner Schriften aus. Er schreibt: „Solches ist den Leuten nütze und noth, daß sie gewarnet und abgeschrecket werden von den Rottengeistern und solchen Unterschied zwischen den Predigern können machen: Dies ist unser Prediger, den uns Gott gegeben hat... Jener kommt herein geschlichen oder hat sich selbst eingedrungen ohne Befehl und diesen zu verachten, und weiß niemand, wer er ist oder was ihm zu trauen sei; darum wollen wir diesem, den uns Gott gegeben hat, zuhören und bei ihm bleiben. — Siehe, also kann man die rechte Lehre in der Leute Herzen behalten, daß sie bleiben bei dem, das ihnen Gott gegeben hat und sie erkannt haben. Und ist uns zum Exempel also geschrieben. Denn also müssen wir auch rühmen wider das Pabstthum und alle Rotten, daß uns Gott sein Wort und rechte Prediger desselben gegeben hat; und ob sie uns wohl verachten und verrammen als Ketzer, doch sind wir rechte Prediger und Christi Diener, dazu auch vom Pabst selbst berufen und zu lehren gesetzt, und sollen solchen Ruhm und Trotz nicht verachten;*) nicht daß wir davon etwas vor Gott besser sein, sondern daß unsere Lehre desto fester im Volke bleibe und nicht in Wanken oder in Zweifel gestellt werde. Denn wo wir selbst wanken und zweifeln wollten, ob wir rechte Prediger sein, so muß der ganze Hause hinnach wanken und der Sache ungewiß werden. Muß doch ein jeglicher Mensch in seinem Stande und Leben solchen Ruhm haben... Vielmehr muß es also sein im geistlichen Amt, welches gar Gottes Werk und Regiment, und doch jedermann dasselbe meistern und verachten will, wie es ihm gefället — daß man getrost wider solche freche Geister trotze auf Gottes Wort und Ordnung und sage: Schelte und verachte mich, wer da will, meiner Person halben, aber meines Amts halben sollst du mich dagegen ehren und heben, so lieb dir Christus und dein Heil und Seligkeit ist; denn du bist nicht mein Pfarrherr noch Prediger, sondern Gott hat mich dazu gesetzt, daß du das Evangelium von mir mußt empfahen und durch mein Amt zu Gottes Reich kommen." (Auslegung des 15. Cap. der 1. Ep. St. Pauli an die Korinther, gepredigt 1534. Zu 1 Kor. 15, 8—10. Walch, VIII, 1198—1200.) Von welcher Wichtigkeit für die Zuhörer es sei, daß sie des göttlichen Berufes ihres Predigers zu ihrem Pfarramt gewiß seien, ist hiernach nicht auszusprechen. Sind die Zuhörer davon überzeugt, so werden sie auch mit einem Prediger von geringeren Gaben, wenn er nur

---

*) Den Trotz, welchen Luther dem Pabst gegenüber, von dem er in das Amt eingesetzt war, hatte, kann daher auch ein Prediger einem ungläubigen Consistorium oder Patron oder einem solchen Kirchenvorstand, ja, seinen Gemeindegliedern gegenüber haben, wenngleich diese ihn erst in das Amt gerufen und gesetzt haben.

treu ist, herzlich zufrieden sein, nicht ihre Kirche verlassen und den Hoch-
begabten nachlaufen, sondern sich eben einfältig daran halten: unser Prediger
ist der gerade uns von Gott gegebene, durch den uns Gott in den Himmel
führen will, und es uns darum unter seiner Weide an nichts fehlen lassen
wird, was wir zu unserem Heile bedürfen.

An einer anderen Stelle schreibt Luther: „Darum ist den Leuten aufs
höchste vonnöthen, daß sie unsers Berufs gewiß sein, damit sie eigentlich
wissen, daß unsere Lehre Gottes eigen Wort sei. Derhalben rühmen wir sie
auch so herrlich, und ist also nicht ein eiteler und leichtfertiger, sondern ein
ganz heiliger Ruhm und Stolz, nur dem Teufel und der Welt zu Trotz
gerühmt, aber gegen unserm HErr Gott ist's eine rechte und wahrhaftige
Demuth." (Zu Gal. 1, 1. VIII, 1582.)

§ 5.

Bei der Frage des Berufs zu einem bestimmten Pfarramt kommt
zweierlei in Betracht: 1. ob derselbe ein giltiger (ratus), und 2. ob er
ein rechtmäßiger (legitimus, rectus) sei. Giltig ist er dann, wenn
er von denen ertheilt ist, welche dazu von Gott Recht und Macht haben;
rechtmäßig, wenn er auf rechtem Wege erlangt worden ist.

Anmerkung 1.

Daß die Giltigkeit eines Berufes davon abhänge, daß diejenigen,
welche denselben ausstellen, dazu von Gott Recht und Macht haben, dies liegt
in der Natur der Sache, bedarf daher keines Beweises. Daß aber eine jede
christliche Ortsgemeinde es sei, welche dieses Recht und diese Macht habe, hierüber vergleiche man namentlich folgende Schriften: „Grund und Ursache
aus der Schrift, daß eine christliche Versammlung oder Gemeinde Recht und
Macht habe, alle Lehre zu urtheilen, und Lehrer zu berufen, ein- und abzusetzen. Von Dr. M. Luther. 1523." (S. Walch's Ausgabe der Werke
Luther's Tom. X, 1794. ff. Erlanger Ausg. Thl. XXII, S. 140 ff.)
„Sendschreiben, wie man Kirchendiener wählen und einsetzen soll, an den
Rath und Gemeine der Stadt Prag." Von demselben. (Walch X,
1808. ff.) „Wer Gewalt, Fug und Recht habe, Prediger zu berufen. Von
Dr. Til. Heshusius. St. Louis, Mo., bei L. Volkening. 1862. 8."
Eine Zusammenstellung von Zeugnissen für diese Lehre aus den lutherischen
Symbolen und aus den Privatschriften der rechtgläubigen Lehrer unserer
Kirche siehe in: „Die Stimme unserer Kirche in der Frage von Kirche und
Amt. Erlangen. 1852." 2. Aufl. 1865. II. Th. 6. Thes. A. Wir
machen hier nur auf folgende Zeugnisse aufmerksam. So heißt es in den
Schmalkaldischen Artikeln: „Wo (ubicunque = wo nur immer)
die Kirche ist, da ist je der Befehl, das Evangelium zu predigen, darum
müssen die Kirchen die Gewalt behalten, daß sie Kirchendiener fordern,
wählen und ordiniren; und solche Gewalt ist ein Geschenk, welches der

Kirchen eigentlich von Gott gegeben und von keiner menschlichen Gewalt der Kirchen kann genommen werden, wie St. Paulus zeuget Ephes. 4., da er sagt: Er ist in die Höhe gefahren und hat Gaben gegeben den Menschen. Hierher gehören die Sprüche Christi, welche zeugen, daß die Schlüssel der ganzen Kirchen, und nicht etlichen sondern Personen gegeben sind, wie der Text sagt: Wo zween oder drei in meinem Namen versammelt sind, da bin ich mitten unter ihnen. Zum letzten wird solches auch durch den Spruch Petri bekräftigt: Ihr seid das königliche Priesterthum. Diese Worte betreffen eigentlich die rechte Kirchen, welche, weil sie allein das Priesterthum hat, muß sie auch die Macht haben, Kirchendiener zu wählen und ordiniren." Ferner schreibt daher Luther: „Wo eine heilige christliche Kirche ist, da müssen alle Sacramente sein, Christus selbst und sein heiliger Geist. Sollten wir nun eine heilige christliche Kirche sein und die größten und nöthigsten Stücke haben, als: Gottes Wort, Christum, Geist, Glaube, Gebet, Taufe, Sacrament, Schlüssel, Amt ꝛc., und sollten nicht auch das geringste Stücke haben, nämlich die Macht und Recht, etliche zum Amt berufen, die uns das Wort, Taufe, Sacrament, Vergebung (so bereit da sind) darreichten und darinnen dienten, was wäre das vor eine Kirche? Wo bliebe hier Christi Wort, da er spricht Matth. 18, 20.: Wo zween oder drei ꝛc.? Und abermal V. 19.: Wo zween unter euch eins werden auf Erden, warum es ist, das sie bitten wollen, das soll ihnen widerfahren von meinem Vater? Haben zween oder drei solche Gewalt, wie vielmehr eine ganze Kirche?" (Schrift von der Winkelmesse und Pfaffenweihe vom Jahre 1533. W. Tom. XIX, 1565). Nachdem Luther in seinem Brief an den Rath und Gemeine der Stadt Prag nachgewiesen hat, daß jeder Christ ursprünglich alle Rechte und Gewalten des Priesterthums hat, fährt er fort: „Doch dies alles haben wir allein von gemeinen Rechten und Macht aller Christen gesagt. Denn dieweil allen Christen alle Ding gemein sollen sein, die wir bisher erzählt haben, das wir auch bewährt und beweiset haben, so will's nicht gebühren einem, der sich von ihm selbst hervor wollte thun, und ihm allein zueignen, das unser aller ist. Unterwinde dich dieses Rechten und lege es auch an Brauch, sofern wo kein andrer ist, der auch ein solch Recht empfangen hat. Das erfordert aber der Gemeinschaft Recht, daß einer, oder als viel der Gemeinde gefallen, erwählet und aufgenommen werden, welche anstatt und im Namen aller derer, so eben dasselbige Recht haben, verbringe diese Aemter öffentlich, auf daß nicht eine scheusliche Unordnung geschehe in dem Volk Gottes und aus der Kirchen werde ein Babylon, in welcher alle Dinge ehrbarlich und ordentlich sollen zugehen, wie der Apostel gelehret hat 1 Kor. 14, 40. Es ist zweierlei, daß einer ein gemein Recht durch der Gemeine Befehl ausrichte, oder daß einer sich desselbigen Rechten in der Noth gebrauchte." (Walch X, 1857). Daher schreibt denn auch Luther an einer anderen Stelle: „Das ist der Beruf eines öffentlichen Amts unter den Christen. Wenn man aber unter den Haufen käme, da nicht Christen (Heiden) wären, da möchte man thun wie die Apostel, und nicht warten des Berufs. Denn man hat da nicht das Amt zu predigen; und einer spräche: Allhier sind nicht Christen, ich will predigen und sie unterrichten vom Christenthum, und es schlüge sich" (nun, nachdem die Predigt eine Anzahl Zuhörer zum Glauben gebracht hätte) „ein Haufe zusammen, erwähleten und berufeten mich zu ihrem Bischofe, da hätte ich einen Beruf." (Zu 2 Mos. 3, 1. III. 1079.) Wie es endlich selbstverständlich ist, daß, wenn eine Gemeinde schon Prediger hat, der Beruf eines noch weiter anzustellenden nur dann giltig ist, wenn diese bereits vorhandenen mitberufen, da eine solche Gemeinde eben nicht nur aus Zuhörern besteht, so ist es ebenfalls klar, daß ein Beruf auch dann giltig ist, wenn die Gemeinde denselben nicht unmittelbar, sondern durch Bevollmächtigte vollzieht. Daher denn Luther schreibt: „Solche Gewalt (des öffentlichen Predigtamtes) zu üben und ins Werk zu führen, gebührt nicht jedermann, sondern wer von dem Haufen oder dem, der des Haufens Befehl und Willen hat, berufen wird, der thut denn solch Werk (des öffentlichen Predigtamtes) anstatt und Person des Haufens und gemeiner Gewalt." (Widerspruch seines Irrthums ꝛc. wider Emser, vom Jahre 1521. XVIII, 1669). Wenn Luther endlich schreibt: „Geschähe es aber, daß mich etwa ein Bürger oder zween bäten, daß ich predigen sollte, soll ich solchem Beruf und Befehl nicht folgen" (zu Gal. 1, 1., im großen Commentar), so erklärt er sich hierüber an einer anderen Stelle, wie folgt: „Es folget auch nicht, daß darum ein jeder Bürger eine Pfarre aufrichten wolle in seinem Hause, denn solches ist keinem erlaubt; darzu ist ein großer Unterschied zwischen einer gemeinen und öffentlichen Versammlung und zwischen einem Hausgesinde; denn was ein Bürger in seinem Hause handelt, heißt heimlich gehandelt." (Brief an die Neunmänner zu Hervord vom Jahre 1532. W. **XXI**, 341.)

Diejenigen, welche sich das geringe Ansehen und die zum Theil große Verderbtheit der hiesigen Gemeinden bewegen lassen, an der Kraft und Giltigkeit des Berufes zu zweifeln, der von diesen Gemeinden ergeht, erinnern wir an folgende wichtige Zeugnisse. So heißt es erstlich im 7. Artikel der Apologie der Augsburgischen Confession: „Daß wir auch gar nicht zweifeln, daß eine christliche Kirche auf Erden lebe und sei, welche Christi Braut sei, obwohl der gottlose Haufe mehr und größer ist; daß auch der HErr Christus hie auf Erden in dem Haufen, welcher Kirche heißt,*) täglich wirke, Sünde vergebe, täglich das Gebet erhöre, täglich in Anfechtungen mit reichem, starkem Trost die Seinen erquicke und immer wieder aufrichte" (wir setzen dem analog hinzu: daß Gott darin giltig berufe): „so ist der tröstliche Artikel im Glauben gesetzt: Ich gläube eine katholische, gemeine, christliche Kirche." Die Apologie will sagen: damit man nicht zweifle daß

---

*) Was doch nur in einem uneigentlichen Sinne geschieht, da diesem Haufen viele beigemischt sind, die nicht zur Kirche gehören.

das, was ein gemischter, dem Ansehen nach unwissender und unheiliger Haufe nach Gottes Wort thut, vor Gott giltig sei, muß man an die katholische unsichtbare Kirche denken, die in dem Haufen verborgen liegt, die eigentlich die handelnde Person ist. So schreibt ferner Luther: „Hie (Matth. 18, 19. 20.) hören wir, daß auch zween oder drei, in Christi Namen versammelt, eben alles Macht haben, was St. Petrus und alle Apostel.*) Denn der HErr ist selbst da, wie er auch sagt Joh. 14, 23. Daher ist's kommen, daß oft Ein Mensch, der an Christum gegläubet, einem ganzen Haufen widerstanden hat, als Paphnutius in Concilio Nicäno und wie die Propheten den Königen Israel, Priestern und allem Volke widerstunden. Kurzum, Gott will unverbunden sein an der Menge, Größe, Höhe, Macht und was persönlich ist bei den Menschen, sondern will allein bei denen sein, die sein Wort lieben und halten, und solltens eitel Stallbuben sein. Was fragt er nach hohen, großen, mächtigen Herren? Er ist der Größeste, Höchste und Mächtigste allein. Wir haben hie den HErrn selbst über alle Engel und Creaturen, der sagt: sie sollen alle gleiche Gewalt, Schlüssel und Amt haben, auch zween schlechte Christen allein, in seinem Namen versammelt." (Wider das Pabstthum zu Rom vom Teufel gestift, vom Jahre 1545. W. XVII, 1346. f.) Mögen sich also hier keine hohen, angesehenen Personen, königliche Beamte, Consistorialräthe ꝛc., sondern nur Handwerksleute oder Farmer an dem Berufe betheiligen, das benimmt demselben seine Kraft und Giltigkeit nicht. Den Böhmen gibt daher Luther gegen die Anfechtung, daß ihr geringer und verderbter Haufe nicht göttlich giltig berufen könne, ebenfalls folgenden Trost: „Wenn aber euch ein solcher Zweifel ängsten und irren wollte, daß ihr gedächtet, ihr wäret nicht eine Kirche oder Volk Gottes, dazu sei meine Antwort: Die Kirche kann man an auswendigen Sitten nicht erkennen, man erkennt sie allein aus dem Wort Gottes. (Höre Paulum) 1 Kor. 14, 24. 25., da er also sagt: „„Der Ungläubige, so er unter die Gemeinde hineinginge, und sähe, daß sie weissagten (Gottes Wort auslegten und predigten), würde er fallen auf sein Angesicht, und bekennen, daß Gott wahrhaftig in euch wohnet."" Das ist aber bei euch gewiß, daß bei euch in vielen sei das Wort Gottes und die Erkenntniß Christi. Es sei aber, wie es wolle: da das Wort Gottes ist sammt der Erkenntniß Christi, da läuft es nicht leer, wie schwach sie immer gesehen werden in auswendigen Sitten, die es also haben. Denn die Kirche, ob sie schon schwach in Sünden ist, so ist sie doch nicht unchristlich, sondern christlich in dem Wort; sie sündigt wohl, aber sie bekennet und weiß das Wort und leugnet's nicht. Darum soll man dieselbigen, die also das Wort loben und bekennen, nicht verstoßen, wiewohl sie nicht scheinen oder gleißen mit wunderbarer Heiligkeit, so sie nur nicht offenbar in Lastern ein ver-

---

*) Mögen sich immerhin mit ihnen viele versammeln, die, weil sie ohne Glauben sind, es nicht im Namen JEsu thun.

stodt Leben führen. Derhalben ihr nicht zweifeln sollt, ob
bei euch die Kirche sei, so schon nur zehen oder sechs wären,
die also das Wort hätten. Denn alles, was dieselben thäten
in dieser Sache, auch durch Mitverwilligung der andern, so
noch nicht haben das Wort, noch sollte man gewißlich dafür
halten, Christus hätte es gethan, wo sie nur die Sache in
Demüthigkeit und mit Gebet, wie wir gesagt haben, handeln würden."
(W. X, 1870. f.) Dasselbe bezeugt V. E. Löscher, welcher also schreibt:
„Der Beruf geschieht von der ganzen Kirche oder Gemeine; derselben muß
nicht imputirt werden, was etliche oder die vornehmsten, oder auch wohl gar
die meisten Glieder in demjenigen sündigen, was sie auf göttlichen Befehl
und Ordnung thut. Was die innerliche Heiligkeit und Würdigkeit solcher
Handlung (einer Berufung) anlangt, so beruhet dieselbe subjective allein
auf den wahren, lebendigen Gliedmaßen der Kirche; und wenn davon
nur zwei noch übrig in der Gemeine wären, so ist Christus bei
ihrem suffragio (bei ihrem Abstimmen in einer Vocationssache) besonders
zugegen, Matth. 18, 20.; wie er um ihretwillen an solchem Ort noch seine
Kirche hat, also gehet auch in Ansehung derselben nicht das Geringste von
der innerlichen Heiligkeit und Pflicht der Berufenden ab. Gott führt in
dem Beruf sein Werk aus, es mögen die Werkzeuge ihre Pflicht dabei wohl
oder übel ausrichten. So wenig wir seine göttliche Regierung und kräftigen
Einfluß in dem Naturreiche leugnen oder in Zweifel ziehen dürfen, wenn wir
sehen, daß die Geschöpfe, sonderlich die Menschen, in dem, was sie unter
solchem concursu Gottes verrichten, mehr das Böse und die Sünde lieben
und intendiren, als das Gute: so wenig ziehet auch Gott sein Werk, Con-
currenz, Regierung und Verheißung gänzlich zurück, wo in seinem Gnaden-
reich etwas auf seinen Befehl und Ordnung geschieht, obgleich die Werkzeuge
keine andere als fleischliche Intention, so viel an ihnen ist, dabei hätten."
(Unschuld. Nachrr. 1715. S. 872. ff.) Ferner schreibt Spener: „Es
kann ein vitium in vocatione (Fehler in der Berufung) auf unterschiedliche
Art sein, daß dieselbe entweder non recta (nicht rechtmäßig) oder non rata
(nicht giltig) sei. Es heißt non rata diejenige, wodurch der Mensch wahrhaftig nicht zum Pfarrer wird, und deßwegen ist sie ganz ohne Effect. Als
wo einer von denjenigen berufen oder obtrudirt wird, die dessen nicht Macht
haben, die Gemeinde ihn deswegen auch nicht annimmt.*)
Non recta ist diejenige, dadurch zwar wahrhaftig einer der Gemeinde
gegeben wird, daß es aber auf eine solche Weise geschehen, als nicht hätte
geschehen sollen; als wo die Vocantes (Berufenden) aus Affecten und
andern fleischlichen Ursachen verfehlen; wo die Vocandi (die zu Berufenden)
nicht tüchtig sind, von ihrer Seite den Beruf erprakticiren, oder sonsten in
solchem Werk sich nicht nach Gottes Regel halten. Wollten wir alle Voca-

---

*) Wenn nemlich die Gemeinde einen solchen Eingedrungenen noch nachträglich
annimmt, so wird die Vocation damit auch nachträglich rata.

tiones non rectas, oder worinnen etwas Unziemliches untergelaufen, pro non ratis (für nicht giltige) achten, so würden fast infiniti conscientiae laquei (unendliche Gewissensstricke) daraus gemacht werden. Denn wo will man allezeit sagen, wie es mit eines jedweden Beruf hergegangen und ob nicht viel Menschliches von Seiten des Vocantis oder des Vocandi mit untergelaufen, oder wohl gar von beiden Seiten die göttlichen Regeln in mehreren Stücken überschritten worden seien! Es möchte eingewendet werden, es wäre auf's wenigste solche Vocatio nicht divina (göttlich), die nicht nach göttlicher Ordnung geschehen; es gehöre aber zu dem Predigtamt ein göttlicher Beruf. Hierauf wäre aber zu merken: es gehöre auch zu der Obrigkeit ein göttlicher Beruf, denn sie ist Gottes Dienerin, und doch ist solcher Beruf nicht allemal so, daß alles nach göttlicher Ordnung hergegangen wäre, sondern es ist vielmehr ein göttliches Verhängniß, und gehet auf die Weise her, daß nichts Göttliches dabei zu finden ist, als die Gewalt selbst. Also da wir von der Vocatione externa (von dem äußerlichen Berufe) reden (denn dieselbe wird hier attendiret, da die interna allein das Gewissen des Berufenen selbst angehet), so ist's ad ratum ministerii (zur Giltigkeit des Amts) genug, daß dieselbe von denjenigen geschehe, welche dessen von Gott Macht haben. Daher wird's eine vocatio (sofern was das Amt selbst gegen die Anvertrauten anlanget) divina, da es ein Effectus ist potestatis a Deo concessae (die Wirkung einer von Gott verliehenen Gewalt), obwohl non sine abusu exercitae (die jedoch nicht ohne Mißbrauch ausgeübt wurde)." (Bedenken, Hall. A. Tom. IV, S. 521. ff.) Ganz ähnlich redet August Hermann Francke. Derselbe schreibt: „Einer, der eine Vocation bekommt, ist nicht gehalten, zu untersuchen, ob er auch von dem Episcopo oder Patrono oder der ganzen Gemeine aus einer reinen Absicht berufen werde; er muß vielmehr auf sich selbst sehen, und erforschen, ob seine Absicht rein und Gott wohlgefällig sei. Wenn er eine Vocation nicht eher annehmen sollte, als bis er wisse, daß die Vocantes ihn aus wahrem Glauben zum Lehrer verlangten, so möchte er wohl nimmermehr einen Ruf annehmen können. Dieses ist um deßwillen zu erinnern, damit man nicht meine, wenn gesaget wird, daß man bei einer Vocation auch auf die Vocantes zu sehen habe, als ob man auf den Animum oder die Absicht der Vocantium zu attendiren habe; da man vielmehr nur darauf weisen will, daß die Vocantes solche sein müssen, die ein wirkliches Jus vocandi (Recht zu berufen) haben." (Collegium pastorale über Hartmanni pastorale ev. I, 404.)

Daß eine auf unrechtmäßige Weise erlangte Vocation darum nicht nothwendig eine ungiltige sei, hierüber spricht sich Johann Gerhard, wie folgt, aus: „Was die unrechtmäßige Vocation betrifft, so wird dieselbe auf zwiefache Weise genommen. Entweder wird sie nemlich der göttlichen entgegengesetzt, und so ist sie gar keine und verdient daher gar nicht den Namen einer Vocation, in welchem Falle die Unterscheidung zwischen einer rechtmäßigen und unrechtmäßigen Vocation mehr eine Unterscheidung der

Wortbedeutung, als der Sache ist. Eine in diesem Sinne unrechtmäßige Vocation ist die, wenn jemand in eigner Autorität und freventlich ohne Gottes Wink und Zustimmung das Lehramt an sich reißt. Oder sie leidet an einem Mangel, durch den sie jedoch nicht sogleich eine Vocation zu sein aufhört. Wenn z. B. jemand sich durch Geschenke die Gunst derjenigen verschafft, von denen er zum Amt vocirt wird, so handelt er soweit und in dieser Beziehung unrechtmäßig, doch hört darum seine Vocation nicht auf eine göttliche Vocation zu sein, vorausgesetzt, daß sich das Uebrige richtig verhält. So hatten im Pabstthum allein die Geistlichen, der Pabst nemlich mit seinen Bischöfen, das Recht die Kirchendiener zu berufen an sich gerissen, was unrechtmäßig, ja, tyrannisch war; indessen hörte doch die Vocation der Kirchendiener unter dem Pabstthum nicht auf, eine göttliche Vocation zu sein." (Loc. de ministerio eccl. § 75.)

Darüber, daß auch ein in einer irrgläubigen Kirche erhaltener Beruf, in welchem neben Gottes Wort auch Menschenlehre zu predigen auferlegt wurde, caeteris paribus (wenn sonst alles seine Richtigkeit hat) in Betreff des ersteren giltig sei, vergleiche die Schriften der Unseren über die Giltigkeit des Berufes, den Luther in der römischen Kirche erhalten hatte, namentlich die herrliche (von Löscher 1717 wieder herausgegebene) Schrift: D. Nicol. Hunnii Offenbarlicher Beweis, daß Dr. Martin Luther zu des Pabstthums Reformation rechtmäßig von Gott sei berufen worden. Wittenberg, 1628. Uebrigens schreibt Hülsemann ganz richtig: „Was wir von der Ordination der päbstlichen Priester gesagt haben, daß dieselbe zwar durch den beigefügten Befehl für Lebendige und Todte zu opfern geschändet (vitiari), aber nicht ungiltig gemacht werde, das ist immer mit der im Terte beigefügten Bedingung zu verstehen: wenn nur den zu Ordinirenden die Macht Gottes Wort zu lehren und die Sacramente zu verwalten vornehmlich ertheilt wird. Denn mangelt es an dieser Bedingung, so ist die Ordination nicht allein befleckt, sondern auch ungiltig." (Praelectt. ad Breviar. Cap. 19. Thes. 8.)

Anmerkung 2.

Daß der Beruf in ein Predigtamt nicht nur giltig, sondern auch rechtmäßig sei, dazu gehört vor allem, daß der Berufene sich nicht eingedrungen, eingeschlichen und auf krummen Wegen, durch Ueberredung, Benutzung parteiischer Gunst oder gar durch Bestechung, das Amt gesucht, sondern den ohne solches eigenes Zuthun an ihn ergangenen Beruf durch Andere dazu genöthigt, aus Gehorsam gegen Gott und aus Liebe zu dem Nächsten angenommen habe. Lassen wir hierüber wieder vor allen den in Gottes Wort und Wegen erfahrenen Luther reden. Selbiger schreibt: „Hieher gehören auch die, welche ihnen selbst bewußt sind, daß sie große Kunst bei sich tragen, und halten es für eine trefflich große Fährlichkeit, wenn sie Andere nicht lehren; geben für, sie begraben den Centner in die Erde, der ihnen befohlen ist, und meinen, sie müssen eines schweren Urtheils des HErrn mit jenem faulen Knechte gewärtig sein, Matth. 25, 18. 24. ff. Luk. 19, 20. ff. So mit lächerlichen Lügen betrügt der Teufel derselbigen Leute Gedanken und Phantasie; welche, aus diesem Vers (Ps. 8, 3.) unterwiesen, wissen sollen, daß wir die nicht sind, die da lehren, und daß nicht unser Wort zu lehren und zu predigen sei, sondern daß unser Mund allein seinem Worte diene, wenn er es haben will und uns dazu berufen wird. Er spricht hier: Du, du hast eine Macht zugerichtet, nicht sie, nicht wir. Also sagt das Evangelium Luk. 19, 13. ff. Matth. 25, 14. ff., daß der Herr, der über Land zog, seine Knechte gerufen habe und ihnen seine Güter eingethan und die Centner unter sie ausgetheilt habe. Derohalben so harre du nun auch, bis du gerufen wirst; indeß stehe nicht nach einem Predigtamte; bringe dich nicht selbst ein; denn deine Kunst wird dir den Bauch nicht zerreißen. Gott spricht im Propheten Jeremia 23, 32.: Ich sandte die Propheten nicht, noch liefen sie 2c. Diese Anfechtung bekümmert und ficht ihrer viel an, so sehr auch, daß sie ihres Berufes und Standes aus der Maaßen sehr verdreußt und gereuet. Der Teufel richtet solch Spiel mit ihnen an, auf daß er die unruhig mache, die da wohl angefangen haben, und sie zuletzt mit Verdruß und Faulheit verzehre. Darum, der da gerufen wird, der gebe seinen Mund dar und empfahe das Wort von Christo; er sei das Werkzeug, und nicht der Meister; der aber nicht gerufen wird, der bitte den Herrn der Ernte, daß er Arbeiter in seine Ernte sende, Matth 9, 38. . . . Daß wir aber gesagt haben, es soll niemand in der Gemeinde lehren, er sei denn dazu von Gott berufen, und daß jedermann bekannt sei, was das für ein Beruf Gottes sei, so merke eben darauf: Das ist Gottes Beruf, wenn einer über, ja, wider seinen Willen, durch die Gewalt seiner Oberherren,[*]) sie seien geistlich oder weltlich, zum Predigtamte gefordert oder gerufen wird. Denn es ist keine Gewalt ohne von Gott, wie St. Paulus Röm. 13, 1. sagt. Darum, was beide, Obrigkeit und Gewalt, gebeut, da ist kein Zweifel, denn es Gott selbst gebeut. Lieber, zweifle nicht daran, wenn dich Gott haben will, er wird dich wohl suchen, ja, er wird einen Engel vom Himmel herabschicken, der dich dazu führe" (wenn es nöthig würde). "Und ich halte, daß dies die Ursache sei, warum heutiges Tages weder Bischöfe, noch Pfaffen, noch Mönche das Wort in der Kirche lehren, daß schier ihrer keiner mehr sei, der da Gottes Berufung erwartet, sondern allzumal rennen und laufen sie nach den Pfarren und

---

*) Luther redet hier, wie es die damaligen Verhältnisse (1519) in seiner Umgebung verlangten. Es bedarf wohl keiner Erwähnung, daß das, was Luther oben von geistlichen Oberherren sagt, in America auf die das Berufungsrecht habenden Gemeinden seine Anwendung findet, denn was drüben die vom Staate gesetzten geistlichen Oberherren als Vormünder der Gemeinden thaten, das thun hier die unabhängig dastehenden Gemeinden kraft der ihnen ursprünglich gehörenden göttlichen Gewalt selbst. Vergleiche oben Luther Seite 24. Anmerkung 1.

Predigtstühlen, nach Präbenden und Lehen, nach Müßiggang und vollem
Bauche; also, daß jetzt zur Zeit entweder Verzweiflung oder
ein faul und gut Leben nicht allein Mönche, sondern auch
Bischöfe und Pfaffen macht.*) Diesen göttlichen Beruf wirst du
nicht besser verstehen, denn wenn du Achtung hast auf die Historien der heiligen
Schrift und aller heiligen Männer; denn die aus Gottes Beruf gelehret haben,
die haben allezeit groß Ding gethan, als der heilige Augustinus, Ambrosius
und vor ihnen der heilige Apostel St. Paulus." (Zu Pf. 8, 3. W. IV,
761. 767. f.)   Ganz ähnlich redet Luther in der Kirchenpostille über das
Evangelium am Tage Andreä: „Nun ist zweierlei Berufung zum Predigtamt; eine geschieht ohne Mittel von Gott; die andere durch die Menschen
und gleichwohl auch von Gott.   Der ersten soll man nicht glauben, es sei
denn, daß sie mit Wunderzeichen beweiset werde... Ja, wenn ihr uns gleich
Zeichen thut, wollen wir dennoch vorhin sehen, was eure Lehre ist, ob sie auch
mit dem Worte Gottes übereinstimme, denn es können falsche Propheten auch
Zeichen thun, wie Moses sagte zu den Juden 5 Mos. 13, 1—4. Die andere
Berufung geschieht durch Menschen und dasselbige doch auch von Gott, nemlich durch Mittel. Und das ist eine Berufung der Liebe; als, wenn
man einen aus dem Haufen erwählet zu einem Bischof oder Prediger, zu dem
man sich versiehet, er habe das Wort Gottes und könne es andern auch durch
seine Lehre und Predigt mittheilen. Da sehe man ja fleißig drauf,
daß allda nicht auch ein Schalksauge sei, daß man sich irgend
selbst eindringe zu predigen, es sei ums Bauchs willen oder
Ehre halber; denn es ist gefährlich, es wird auch nimmermehr wohl hinausgehen. Bist du gelehrt und verstehest Gottes Wort wohl, meinest auch,
du wolltest andern rechtschaffen und nützlich fürtragen: harre! will es Gott
haben, er wird dich wohl finden. Lieber, laß dir die Kunst nicht den Bauch
zureißen, Gott hat deiner nicht vergessen; sollst du sein Wort predigen, er
wird dich zu seiner Zeit wohl fordern. Setze ihm kein Ziel, Zeit oder
Stelle; denn wo du nicht hin willst, da wird er dich hintreiben,
und wo du gern sein wolltest, da sollst du nicht hinkommen.
Wenn du weiser und klüger wärest, denn Salomon und Daniel, doch solltest
du dafür fliehen, wie für der Hölle, daß du auch nur ein Wort redest, du
würdest denn dazu gefordert und berufen. Glaube mir, niemand wird
mit Predigen Nutz schaffen, denn der ohne seinen Willen
und Begierde zu predigen und zu lehren wird gefordert und
gedrungen. Denn wir haben nur Einen Meister; unser HErr JEsus
Christus der lehrt allein und bringt Frucht durch seine Knechte, die er dazu
berufen hat; wer aber unberufen lehret, der lehret nicht ohne Schaden beider,

---

*) Also gerade wie jetzt vielfach in America, wo auch viele, denen nichts gelingen
wollte, endlich aus Verzweiflung, oder, von Arbeitsscheu geplagt, aus purer Faulheit
Prediger werden, denen dann auch nicht nur unwissende Gemeinden, sondern sogar
gewissenlose Synoden die Thür zum Schafstall aufthun.

seiner und der Zuhörer, darum, daß Christus nicht bei ihm ist." (W. XI, 2549. 2555.)

Rechtmäßig berufen sind aber auch diejenigen nicht, welche erst unberufen kommen, aber es durch ihre Künste dahin gebracht haben, daß man sie hernach ordentlich berief; wie denn Luther zu 2 Mos. 3, 1. von den Schleichern schreibt: „Ja, sie können wohl hinter den Leuten herkommen und einher schleichen, und so lange waschen, daß man sie hernach erwählet und berufet; man kann die Leute mit Worten bald dahin bereden. Aber sie sind Diebe, Mörder und Wölfe, Joh. 10, 1." (W. III, 1077.) Einen dergleichen Beruf hatte Carlstadt, von dem Luther schreibt: „Daß er aber vorgibt, samt den Orlamündischen, er sei von ihnen erwählt zum Seelsorger, und also äußerlich berufen, antworte ich: Mir liegt nichts dran, daß sie ihn hernach erwählet haben. Ich rede von dem ersten Eingange. Er lege Briefe auf, daß die zu Orlamünde ihn haben von Wittenberg gefordert und sei nicht selbst hingelaufen. Lieber, wenn das berufen hieß, daß ich aus meiner Pflicht und Gehorsam liefe in die Stadt, und darnach so fein mich stellete und die Leute beredete, daß sie mich erwähleten und andere ausstießen, so sage ich, daß kein Fürstenthum so groß ist, ich wollte Fürst drinnen werden und die jetzigen heraus treiben. Wie leicht hat man ein Volk beredet! Das heißt nicht berufen; es heißt Rotten und Aufruhr treiben und Oberkeit verachten." (Wider die himmlischen Propheten. W. XX, 230.)

Es kann jedoch Fälle geben, in welchen das sich Anbieten nicht nur nicht wider das Gewissen ist und die Rechtmäßigkeit des Berufes nicht in Frage stellt, sondern nach 1 Tim. 3, 1. Jes. 6, 8. vielmehr das Kennzeichen eines wahren göttlichen Berufes ist. Hören wir auch hierüber unseren Reformator. Er schreibt: „Doch soll man die auch nicht verwerfen, die aus gottseliger guter Meinung den Muth fassen, daß sie weder nach ihrem Nutzen und Genieß, weder nach ihrem Lobe, noch gutem sanftem Leben trachten, sondern allein darnach stehen, daß sie Gottes Wort lehren und predigen mögen; wiewohl solche ein seltsamer Vogel sind; ja, man soll solche Männer loben, wie St. Paulus 1 Tim. 3, 1. sagt: Das ist gewißlich wahr, so jemand ein Bischofsamt begehret, der begehret ein köstlich Werk. Warum er aber also redet, setzet er bald hernach V. 2. ff. und spricht: Es soll aber ein Bischof unsträflich sein, Eines Weibes Mann, nüchtern rc., und was mehr daselbst folget. Solches alles gehöret einem Bischof zu. Der nun solches begehret, der begehret ein köstlich Werk. Denn ein solch Amt will haben einen, der da verachten kann Ehre, Leben und alle Güter; denn es ist ein Dienst der Wahrheit, die zuvor verkündigt hat und gesprochen Matth. 10, 22.: Ihr müsset gehasset werden von jedermann um meines Namens willen; welches, weil es kaum die leiden, die man mit Gewalt, ohne ihren Willen darzu zeucht, so hofft man umsonst, daß es der leiden werde, der von sich selbst darnach stehet, oder der nicht aus einer sonderlichen Gnade inwendig beweget wird, nach einem solchen Amte zu stehen." (Zu Ps. 8, 3. W. IV, 769. f.)

Anmerkung 3.

Auf die Frage, was diejenigen zu thun haben, deren Beruf zwar giltig, aber nicht rechtmäßig war, antworten unsere Theologen, nicht das Verlassen des Berufes, sondern Buße und Treue in dem aus Gottes Verhängniß erlangten Amte sei dann nöthig; vorausgesetzt natürlich, daß der so Berufene die schlechterdings nöthige Tüchtigkeit zur Führung des Amtes besitze. So schreibt Luther in seinem Briefe an die Böhmen: „Wer durch diese Larven (die päbstliche Priesterweihe) in das Predigtamt (in locum ministerii) kommen ist, der eile und ergreife nun das rechte Amt und verrichte nun sein Amt rein und würdiglich, verlasse das Amt Messe zu opfern, lehre dafür sein Volk das Wort Gottes und regiere seine Kirche wohl. Und verwerfe und verfluche von Herzen die Schmiere und alle Weihe, dadurch er eingangen war. Denn nicht vonnöthen ist, daß er darum auch die Stätte des Amts verlasse, wiewohl er unchristlicher und verkehrter Weise eingestiegen ist, so doch das Gemüth gebessert, und damit die Ungestalt seines Einganges verworfen und verdammet würde." (W. X, 1825. f.) So schreibt derselbe ferner: „Hier fragt sichs: Ob es erlaubt sei, sich selbst zu einem Beruf anzubieten? Die Antwort ist diese: Wenn es aus fleischlichem Sinn und Absicht, das ist, aus Ehrsucht oder Geiz geschieht, so taugt es ganz und gar nicht. Wiewohl, wenn einer auf diese Art ins Predigtamt gekommen, und nachgehends sich bekehrt, daß ein anderer Mann aus ihm wird, so ist es gut für ihn, wenn er darinnen bleibt." (VII, 116 f.) Hierüber schreibt auch A. H. Francke: „Die Juristen sagen: Multa sunt, quae impediunt matrimonium contrahendum, non solvunt tamen contractum (es gibt vieles, was eine einzugehende Ehe hindert, jedoch die eingegangene nicht auflöst). Welchen Canonem der Auctor (Hartmann) auf die Taufe applicirt.. Es muß dieses in sehr vielen casibus conscientiae (Gewissensfällen) den Ausschlag geben. Denn es folget nicht, daß deßwegen die Taufe müsse wiederholet werden, wenn sie zuerst so oder so conferirt ist, wo nur in den Substantialibus (wesentlichen Stücken) nicht gefehlet worden.. Ebenso verhält sichs mit dem Predigtamt, als auf dessen Führung diese Regel auch applicirt werden kann: Ad ministerium ecclesiasticum suscipiendum multa concurrere debent ex jure divino, quae autem, etiamsi non concurrerint initio, non propterea dissolvunt ministerium, nec irritum reddunt (bei der Annahme des Kirchenamtes muß nach göttlichem Rechte vieles zusammenkommen, was aber, wenn es auch im Anfange nicht hinzukam, darum das Amt nicht aufhebt noch ungiltig macht). Wenn es mit Eines seiner Vocation nicht richtig zugegangen und die Requisita nicht dabei gewesen sind, die billig hätten da sein sollen, so darf er um deßwillen nicht noch einmal ordinirt werden. Er hat auch keine Freiheit, daß er aus dem Lehramt hinaus laufe; sondern er muß, da er nun einmal darinnen ist, sich zu Gott wenden, wahre Buße thun, und also dahin sehen, daß unser HErr Gott dasjenige, was er anfangs un-

recht gemacht hat, durch seine Gnade noch verbessern möge.
Ob es nun gleich einem Solchen im Gewissen manche Noth machen wird,
der es so bei sich findet, so ist sein Amt darnach doch ratum coram Deo et
hominibus (giltig vor Gott und Menschen), wenn er noch in sich geht und
sich darin recht verhält. Ja, es ist auch schon vorher ratum, was die ex-
ternam administrationem officii (die äußerliche Amtsverwaltung) betrifft,
wenn es auch gleich vor Gott mit der Person noch nicht also stünde, wie es
billig sein soll und muß." (Collegium pastor. über Hartmanni past. ev.
II, 60. ff.)

Anmerkung 4.

Sonderlich hier in America besteht in vielen Gemeinden der Gebrauch,
daß die Prediger nur temporär (zeitweilig), nemlich entweder mit dem
Vorbehalt, beliebig wieder entlassen werden zu können, berufen werden, oder
daß man sie doch nur für einen bestimmten Termin, etwa auf ein oder mehrere
Jahre, oder „auf Aufkündigung" beruft, so daß sie von dem Tage der Aufkündigung an gerechnet nach einer festgesetzten Frist von dem Amte abzutreten
haben; wenn auch dies alles mit der Möglichkeit, für einen neuen bestimmten
Termin wiedergewählt zu werden. Weder ist aber eine Gemeinde berechtigt,
einen solchen Beruf auszustellen, noch ein Prediger befugt, denselben anzu-
nehmen. Ein solcher Beruf ist vor Gott weder giltig, noch rechtmäßig.
Er ist eine Unsitte. Er streitet erstlich wider die in Gottes Wort klar bezeugte
Göttlichkeit eines rechten Berufes zu einem Predigtamte in der Kirche
(Apostelg. 20, 28. Ephes. 4, 11. 1 Kor. 12, 28. Ps. 68, 12. Jes. 41, 27.).
Denn ist Gott eigentlich derjenige, welcher die Prediger beruft, so sind die
Gemeinden nur die Werkzeuge zur Aussonderung der Personen zu dem Werke,
dazu der HErr dieselben berufen hat (Apostelg. 13, 2.). Ist dies nun ge-
schehen, so steht der Prediger in Gottes Dienst und Amt, und keine Creatur
kann dann Gotte seinen Diener seines Amtes entsetzen oder ihn entlassen, es
sei denn, daß bewiesen werden könne, Gott habe ihn selbst seines Amtes entsetzt und ihn entlassen (Jer. 15, 19. vergl. mit Hos. 4, 6.), in welchem Falle
die Gemeinde den Prediger nicht eigentlich entsetzt oder entläßt, sondern nur
Gottes offenbar gewordene Entsetzung oder Entlassung ausführt. Thut die
Gemeinde jenes dennoch, so macht sie, das Werkzeug, sich zur Herrin des Amtes
(Matth. 23, 8. vergl. mit 2 Tim. 4, 2. 3.) und greift Gott in sein Regiment
und seinen Haushalt, mag sie nun hierbei schon vor oder bei dem Berufe hierüber willkürliche Bestimmungen machen, oder aber sich das hernach anmaßen
wollen. Der Prediger aber, welcher einer Gemeinde das Recht gibt, ihn also
zu berufen und nach ihrer Willkür zu entlassen, macht sich dadurch zu einem
Miethling, zu einem Menschenknecht. Ein solcher Beruf ist das gar nicht,
was Gott in Betreff des heiligen Predigtamtes geordnet hat, sondern eine
ganz andere Sache, die damit nichts zu thun hat. Er ist eben kein mittel-
barer Beruf Gottes durch die Kirche, sondern ein menschlicher Contract; er

ist kein Lebensberuf, sondern eine vorübergehende Function außerhalb der göttlichen Ordnung; eine wider die Ordnung Gottes gemachte Kirchen-, also Menschenordnung, oder vielmehr greuliche Unordnung. Er ist daher, wie gesagt, ohne alle Giltigkeit, null und nichts, und ein so Berufener nicht für einen Diener Christi und der Kirche anzusehen. Ein solcher Beruf widerstreitet aber auch zum andern dem Verhältniß, in welchem Gemeinde und Prediger nach Gottes Wort zu einander stehen sollen. Er widerstreitet nemlich erstlich der Ehre und dem Gehorsam, den die Zuhörer den Verwaltern des göttlichen Predigtamtes nach Gottes Wort zu erweisen haben (Luk. 10, 16. 1 Tim. 5, 17. 1 Theff. 5, 12. 13. 1 Kor. 16, 15. 16. Ebr. 13, 17.); denn hätten die Zuhörer jene angebliche Machtvollkommenheit wirklich, dann stünde es in ihrer vollen Gewalt, der von Gott geforderten Erweisung jener Ehre und jenes Gehorsams sich selbst zu entziehen. Nicht weniger ist aber jede Art eines blos temporären Berufes gegen die Treue und Beständigkeit bis zum Tode, die Gott von den Predigern fordert (1 Pet. 5, 1—4. 1 Tim. 4, 16. 1 Kor. 4, 1. ff.), sowie gegen die Rechenschaft, die der Prediger als Wächter über die Seelen von denselben einst geben soll (Ebr. 13, 17.). Endlich ist ein zeitweiliger Beruf auch sowohl wider die von dem HErrn den Aposteln anbefohlene und von denselben geübte Praxis, nach welcher sie, nemlich Gottes Geist durch sie, nicht die Zuhörer, zu bestimmen hatten, wie lange sie bei einer Gemeinde bleiben wollten und sollten (Luk. 9, 4. 5.), als auch wider die Praxis der Kirche in den Zeiten, wo nicht das Verderben in Lehre, Leben, Ordnung und Zucht eingedrungen war. Daß übrigens bei dem Bestehen jener Art des Berufs die Kirche nimmermehr recht versorgt, regiert, die rechte Zucht in derselben geübt, sie recht im Glauben und gottseligen Wesen gegründet, und fortgepflanzt werden könnte, bedarf keines Beweises; ein solcher Beruf thut aller Unordnung, Verwirrung, und allem Unheil durch die Widersprecher und durch menschengefällige und menschenfurchtsame Bauchdiener Thür und Thor auf.

Laffen wir nun hierüber noch einige unserer Lehrväter reden. So schreibt erstlich Luther in einem Briefe an Valentin Hausmann im Jahre 1532, als die Zwickauer, namentlich auf Mühlpfort's, des Stadtvogts, Betrieb, einen ihrer Prediger, Conrad Cordatus, wegen seiner Strafpredigten entlassen hatten: „Das könnet ihr selber wohl bedenken, wo ein Gutgeselle sein Lebenlang studiret, seines Vaters Gut verzehret und alles Unglück gelitten, sollte zu Zwickau ein Pfarrherr sein, wie sie sich haben hören lassen: daß sie sollten Herren sein und der Pfarrherr Knecht, der alle Tage auf der Schuckel säße; wenn Mühlpfort wollte, so bliebe er, wo nicht, so müßte er weg — nein, nein, lieber Herr, da sollt ihr's nicht hin bringen, oder sollt keinen Pfarrherrn behalten. Wir wollen es nicht thun, noch leiden, es sei denn, daß sie bekennen, sie wollen nicht Christen sein. Von Helden sollen und wollen wir's leiden, von Christen will es Christus selber nicht leiden. Wollen die zu Zwickau oder auch ihr selber, meine lieben Herrn und Freund, euren Bruder nicht nähren, das möget ihr wohl laffen. Chriſtus iſt etwas reicher, denn die Welt, ob er ſich wohl arm ſtellt. Es heißt: Esurientes implevit (die Hungrigen füllet er mit Gütern); dabei laſſen wir es bleiben, und die zu Zwickau es weiter treiben." (Walch's Ausg. XXI, 357. Erl. Ausg. LIV, 219.) So ſchreibt ferner Hieronymus Kromayer, Profeſſor zu Leipzig, geſtorben 1670: „Das Predigtamt kann von dem, welcher beruft, nicht nach Art eines Contractes auf gewiſſe Jahre oder mit dem Vorbehalt der Freiheit, den frei Berufenen wieder zu entlaſſen, übertragen werden, weil demjenigen, welcher beruft, nirgends von Gott die Gewalt, einen ſolchen Contract zu machen, ertheilt oder zugelaſſen iſt; daher kann weder der Berufende, noch der zu Berufende eine ſolche Vocation und Dimiſſion für eine göttliche halten." (Theol. positiv. P. II, p. 530.) Endlich ſchreibt Ludwig Hartmann: „Hieher gehört auch jene ſtreitige Frage, ob jemand ſeinen Dienſt oder ſeine Amtsarbeit der Kirche auf beſtimmte Jahre zuſagen könne. Wir ſagen nein: 1. Weil eine ſolche Berufung Gott, welcher beruft, verwegener Weiſe eine Friſt vorſchreibt, nach deren Ablauf er ſich von der Kirche, wie ſie ſich auch immer verhalten möge, verabſchieden wolle; wie es denn nicht die Sache eines Legaten iſt, ſeinem Herrn vorzuſchreiben, wie lange er ihn vertreten ſolle. 2. Weil fleiſchliche Rathſchläge dabei ſind, welche hier weit entfernt ſein ſollen; denn ein ſolcher denkt, wenn die Sache nicht nach Herzenswunſch ausfallen, noch Schätze zu ſammeln oder viele Widerwärtigkeiten zu ertragen ſein ſollten, dann werde er ſich aus dieſen Labyrinthen leicht herauswickeln. 3. Um ſehr vieler Nachtheile willen: denn wenn die Treue eines Paſtors der Kirche ſehr angenehm wäre, würde ſie deſſelben unverſehens beraubt; auch weil durch jene häufige Veränderung die Kirchengüter bekanntlich ſehr verringert werden. Wenn man nun ferner fragt, ob es erlaubt ſei, einen Diener des Worts unter der beſtimmten Bedingung, wie lange, zu berufen, ſo daß, wenn der Patron den Paſtor nicht länger hören und dulden wolle, er fortgehen und an einen andern Ort wandern müßte? ſo antworte ich: Wir ſind Diener Gottes und dieſes Amt iſt Gottes, zu dem wir von Gott, obgleich durch Menſchen, berufen werden; dieſes heilige Werk muß daher auf heilige Weiſe, nicht aber nach menſchlicher Willkür behandelt werden. Einen Schafhirten und Kuhhirten können die Menſchen auf eine Zeit miethen, und wenn ihr Dienſt nicht weiter gefällt, zur beſtimmten Zeit, aber nicht immer, wenn ſie wollen, entlaſſen: aber mit einem Seelenhirten ſo zu handeln, iſt in keines Menſchen Macht. Auch kann der Diener des Worts ſelbſt auf ſolche Weiſe das heilige Amt nicht annehmen, will er nicht ein Miethling werden. Gewiß würden die, welche ſo berufen würden, das Amt nicht fleißig und treulich verrichten, ſondern Schmeichler werden und das, was den Leuten gefällt, ſagen, oder ſie müßten ſtündlich gewärtig ſein, daß ihnen der Dienſt aufgeſagt würde." (Pastorale evang., pag. 104.) Vergl. Brochmandi System. univers. th. Loc. 31. c. 3, cas. 7. Part. II, fol. 372. So ſchreibt endlich die theologische Facultät zu Wittenberg, als ein „Schul-Cantor" ohne Weiteres entlassen werden sollte, im Jahre 1638: „Die Vocationes zu Kirchen- und Schuldiensten, da einer dem andern ein Vierteljahr die Loskündigung ohne andere erhebliche Ursachen thun solle, werden in unseren lutherischen Kirchen ganz nicht gebilliget." (Consil. theol. Witebergensia. III, 55. a.) *)

So wenig übrigens ein gewissenhafter Prediger einen temporären Beruf annehmen kann, so wenig darf er sich aber auch dazu verbindlich machen lassen, unter allen Umständen bei einer Gemeinde bis an seinen Tod zu verbleiben. Hierüber schreibt Dr. Joh. Nikolaus Misler, weiland Professor zu Gießen, gestorben 1683: „Sich für sein ganzes Leben an Eine Ortsgemeinde zu verkaufen, stößt die ganze Lehre des Evangeliums von der rechtmäßigen Berufung der Prediger um und schneidet Gott die Macht ab, seine Diener nach seinem Gutdünken zu Arbeiten seines Weinbergs anderwärts hin zu versetzen; dieses Vornehmen ermangelt jedes Grundes des Wortes Gottes und seiner christlichen Kirche. Zugleich benimmt es einem Prediger alle Gewalt, auch um der wichtigsten und gerechtesten Ursachen willen oder auch um des Gewissens willen sich von einem ungöttlichen Joche loszuwickeln, also, daß dem Prediger keine Freiheit bliebe zu widersprechen oder mit Lot auf Gottes Befehl aus Sodom auszuwandern, wenngleich die gegenwärtige bürgerliche Obrigkeit entweder abgeschafft würde, oder in eine gottlose und tyrannische ausartete, oder auch greuliche Mißbräuche, Ketzereien und Abgöttereien befehlen würde. Auf so lange aber kann man einer Gemeinde seinen Dienst zusagen, so lange man bei ihr mit gutem Gewissen bleiben und sein Amt der rechten Freiheit des Heiligen Geistes gemäß verwalten könne. Manche geben zwar vor, dieses in der guten und

---

*) Diejenigen Prediger machen sich jedoch dessen keinesweges schuldig, das Amt auf Grund temporären Berufs zu führen, welche, ohne das Amt, zu dem sie einen ordentlichen regelmäßigen Beruf haben, aufzugeben, mit Bewilligung ihrer Gemeinde einer anderen gleichsam leihweise eine Zeitlang dienen. Ueber diesen Fall hat Chr. H. Zeibich eine eigene Schrift herausgegeben unter dem Titel: „Schediasma de theologis ad tempus commodatis." (Leipzig. 1709. 4.) In einer Recension dieser Schrift schreibt Löscher: „Er (Zeibich) zeigt § 6., welche Theologos er sub commodatis ad tempus verstehe, nemlich die von ihrer Gemeinde mit dem Vorsatz wiederzukommen hinweggegangen und einer andern Kirche, welcher sie vor andern gute Dienste leisten können, auf eine gewisse Zeit geliehen worden, damit sie derselben Kirchwesen recht einrichten können. Beruft sich anbei § 7. auf exempla sacra Samuelis, Eliae, Elisaei, des Heilandes selbst und seiner Apostel, Petri, Pauli, auch Barnabä. Nach deren und der Reformation Zeiten sind die Exempla Lutheri, N. Amsdorfii, Ph. Melanchthonis, Justi Jonä, Casp. Crucigeri, Bugenhagii, der bald anfangs des Evangelii von Wittenberg aus nach Braunschweig auf ein Jahr lang geliehen worden," u. s. w. Zeibich erklärt aber ausdrücklich, daß er nicht von denen rede, „die auf eine gewisse Zeit sich zur Kirchen-Arbeit, so zu reden, dingen lassen, welches eine Miethlings-Art sei." (Unschuld. Nachrr. Jahrg. 1709. S. 412. f.)

gottseligen Absicht zu thun, damit häufige und leichtfertige Umzüge vermieden werden möchten, dieses Vorgeben aber ist ein leeres und die Sache wider Gottes Wort." (Opus novum quaestt. practico-theol. fol. 491.)

Anmerkung 5.

Endlich ist es nicht nur sündlich und gefährlich, ein Amt ohne giltigen und rechtmäßigen Beruf sich anzumaßen, es ist auch sündlich und gefährlich, einen giltigen und rechtmäßigen Beruf aus menschlichen Rücksichten auszuschlagen (Jer. 1, 4—8. Exod. 4, 10—14.); dies wird auch durch das Gefühl der eigenen Untüchtigkeit und Unwürdigkeit nicht gerechtfertigt, denn „wer ist hierzu tüchtig?" 2 Kor. 2, 16. Am herrlichsten redet hiervon Luther, der in Uebereinstimmung mit seiner ganzen Theologie auch den Beruf zum heiligen Predigtamt auf das allgemeine Gebot zurückführt: „Liebe deinen Nächsten als dich selbst." Er schreibt u. a. Folgendes*): „Der andere (mittelbare) Beruf bedarf keiner Zeichen. Als: ich predigte allhier zu Wittenberg nimmermehr, wenn ich von Gott dazu nicht gezwungen und durch den Churfürsten zu Sachsen erfordert wäre, daß ich es thun müßte. Also ist es mit einem andern auch. Denn wenn mich die Leute zwingen und dringen wollen, und ich kann es thun, oder ich kann es gleich nicht thun, das man von mir begehret, so thue ich, so viel als ich kann. Da treibet er durch Menschen, und so stehet auch Gottes Gebot da, daß mich der Heilige Geist auch berufet und spricht 3 Mos. 19, 18.: du sollst den Nächsten lieben als dich selbst. Es soll kein Mensch ihm alleine leben, sondern sollen dem Nächsten auch dienen. Dies Gebot ist über alle geschlagen, über mich und über dich. Wenn mich dasselbige Gebot ergreift und mir vorgehalten wird, so hilft kein Wehren, es wäre denn, daß ich mich so lange wehren wollte, bis ich drüber in Gottes Ungnade käme. Dieser Beruf ist nun durch Menschen, und doch auch von Gott bestätigt; darum gedenke und diene Gott darinnen, sonst kommen andere über zwergfeld einher geplumpet, und dringen sich in Aemter, darein sie nicht berufen, auch nicht darum gebeten noch ersuchet sind. Der andere Beruf, so durch Menschen geschiehet, ist zuvor bestätiget durch den Befehl Gottes auf dem Berg Sinai 3 Mos. 19, 18. 5 Mos. 6, 5.: Liebe Gott, und den Nächsten als dich selbst. Wenn dich dies Gebot treibet, so bedarfst du keines Zeichens, denn Gott hat es zuvor befohlen, und ich muß es thun. Nun nehmen die Leute dies Gebot und halten mir es für: diesen Spruch haben mir Moses und Gott im Himmel bestätiget, wenn ich demselbigen folge. Also predige ich ohne alle Zeichen, und ist dennoch der Beruf Gottes, denn er gehet aus dem Gebot der Liebe daher, und wird von Gott gezwungen." (Auslegung über etliche Capp. des 2. B.

---

*) Es dienen diese Aussprüche Luther's zugleich zum Troste derer, die bereits im Amte sind und darin von ihrer Untüchtigkeit und Unwürdigkeit angefochten werden.

Mosis vom Jahre 1524—1526. Walch III, 1076 ff. Erl. A. XXXV, 58 ff.) Darüber, daß Gott den stotternden Moses berief und daß sich dieser wegen seines Stotterns dem Berufe entziehen wollte, schreibt Luther ebendaselbst: „Wenn Gott so klug wäre, als wir sind, so hätte er alle Dinge besser angefangen, denn sonst geschehen. Denn allhier nimmet er zu diesem schweren, hohen Werke einen, der nicht wohl reden kann, wie es denn Moses selbst bekennet; noch spricht Gott zu ihm: Gehe hin und richte es wohl aus. Welches eben also lautet, als wenn ich zum Blinden sagte, daß er wohl sehen, und zu einem Lahmen, daß er wohl laufen, und zu einem Stummen, daß er wohl reden sollte. Könnte Gott nicht einen andern finden, den er zu diesem Werke gebrauchte? Aber es ist darum geschrieben, daß wir lernen sollen, wie Gott gesinnet sei. **Was da gilt vor der Welt, das achtet er nicht; er verwirft und verstößet, was andere zu sich reißen; was andere lieben und aufheben, das wirst er weg; und was der Teufel nicht mag, das nimmt er an.** Er gibt dem Mosi eine rechte Antwort und spricht: Du bist klug und ein feiner Geselle; es sind Sticherlinge; als sollte er sagen: Meinest du, daß ich nicht wisse, daß du stammelst, und als hörte ich es nicht? — Also dünket es uns; denn wir meistern immerdar Gott in seinen Werken, gleich als wenn wir zum allerersten die Fehler, Mängel und Gebrechen sähen, Gott aber sie nicht säße. Was lieget daran, will Gott sagen, ob du taub, blind oder stumm seist? Wie denn? wenn ich es dich heiße, und gebiete dir etwas, kann ich dich nicht alsdann sehend, hörend und redend machen? Wer ist, der mit dir redet? Es ist nicht Kunz Schuster, sondern der, welcher den Blinden die Augen und Gesichte, den Tauben die Ohren und Gehör gibt und die Unberedten beredt machen kann, wiederum die großen Schwätzer zu Stummen machet. Und du wolltest mir Ziel und Maß setzen, der du nicht reden kannst, da ich dich doch darum erwählet habe, daß du nicht reden kannst! Wenn du wohl reden könntest, so solltest du dich des noch wohl überheben. Auf daß sie nun sehen, daß ich der Mann sei, der solches thue, und nicht du, so gebrauche ich dich Stammelnden zu diesem Werke. Denn wenn einer also geschickt wäre, als Gabriel und alle Engel, und ihn Gott nicht berufte, so würde er doch nichts ausrichten. Gott machet Beredte und Stumme. Wiederum, ist einer unberedt, und Gott beruft ihn, so führet er es hinaus, er sei wie er wolle, auf daß die Welt sehe, wir sind es nicht, die es treiben, sondern Gott thut es... Darauf sehen wir nicht und denken nicht daran, daß Gott so nahe sei, und sollte wohl daran zweifeln, daß mir Gott einen Mund gemacht habe, sondern meinen, es sei die Sprache uns angeboren. Aber es ist niemand auf Erden, der ein Wort reden könnte, wenn es Gott nicht gäbe. Wir schlagen es in den Wind, und meinen, wir haben es pur plumpsweise. — Nun ist Moses von Gott gefangen und auf allen Seiten beschlossen. Noch spricht er: Ich mag es nicht thun, und zeucht nichts mehr an, denn daß er spricht: Mein HErr, sende, welchn du senden willst; als sollte er sagen: Sende einen andern, wenn du willst, ich bin es zufrieden, allein sende mich nur nicht. Als nun Moses aus seinem eignen Sinne und Willen diesen Beruf weg-werfen will, da wird der HErr sehr zornig über Mosen und sprach: Ey, weiß ich denn nicht, daß dein Bruder Aaron, aus dem Stamme Levi, beredt ist? 2c. (2 Mos. 4, 14—17.) Da muß Moses weichen... Gott hat mit vielen Worten mit Mose gehandelt, daß es schier Sünde und Schande ist." (A. a. O. Walch III, 1129—32. Erl. A. XXXV, 102—104.)

In Betreff derjenigen, welche den Beruf darum ausschlagen, weil sie sich sonderlich zur Verwaltung des heiligen Abendmahls zu u n g e s ch i ck t und u n w ü r d i g halten, schreibt L u t h e r endlich: „Es ist auch nichts, daß jemand wollte fürwenden, er wäre ungeschickt seines schwachen Glaubens, gebrechlichen Lebens oder kalter Andacht halben. Sie sollen auf ihren Beruf und Amt sehen, ja, aufs Wort Gottes, das sie berufen hat; sind sie unrein oder un-geschickt, so ist doch das Amt und der B e r u f oder das Wort rein und geschickt genug. Und so sie gewiß glauben, daß sie berufen sind, so sind sie auch an ihnen selbst durch solchen Glauben geschickt genug. Denn wer da gläubet, er sei zum Kirchenamt berufen, der glaubt gewißlich auch daneben, daß sein Amt und Werk und er selbst in solchem Amte a n g e n e h m und g e r e ch t sei. Glaubt er aber solches nicht, so ist's auch gewiß, daß er nicht glaubt, daß sein Beruf und Amt ihm von Gott b e f o h l e n sei. Welche nun zweifeln, daß sie berufen sein in solch Amt, die lasse man nur weit davon bleiben, denn sie taugen nichts. Welche aber gewiß sind, daß sie solch Amt haben, von Gott ihnen befohlen, die sollen auf solchen Beruf fröhlich und getrost hinangehen, unangesehen ihre Geschicklichkeit oder Ungeschicklichkeit. Denn: Fides vocationis habet conjunctam necessario fidem justifi-cationis, cum sit in verbum vocantis Dei fidens ac praesumens" (d. i. der Glaube des Berufs hat nothwendig den Glauben der Rechtfertigung bei sich, da er ein auf das Wort des berufenden Gottes trauender und sich vermessender ist). „Welcher nun seinen Beruf gläubet, der wird freilich Andacht, Lust und Durst genug haben, cum sit impossibile, eum non sentire vim gratiae, qui certus est de sua vocatione" (d. i. da es unmöglich ist, daß der die Kraft der Gnade nicht empfinden sollte, welcher seiner Berufung gewiß ist). „Denn ein solcher kann ja nicht sagen: Ich will hingehen und ehebrechen oder sonst übel thun; sondern muß also sagen: Ich will hingehen und meines Amts pflegen. Was ist aber das a n d e r s, denn s o v i e l: Ich will meinem Gott gehorsam sein und meinem N ä ch s t e n d i e n e n? Solcher Wille aber ist ja Andacht, Lust fromm zu werden und Gutes zu thun oder sich zu bessern. Es wäre denn, daß nicht Andacht oder Lust zu heißen sei, wenn ich willens wäre, Gott gehorsam zu leisten. Wohl ist's wahr, daß, welcher außer solchem Wort seines Berufs und Glauben seines Amtes will mit seinen Gedanken sich prüfen und geschickt machen oder ungeschickt richten, daß derselbige nichts thut, denn auf ein menschlich Werk und Fühlen sich bauet. Die müssen denn wohl klagen, daß sie nicht allezeit geschickt sind, ja, sie sind allezeit ungeschickt. Haben wir doch bisher den Laien geprediget, sie sollen nicht auf ihre eigne Geschicklichkeit oder Ungeschicklichkeit beten oder Sacrament nehmen, regieren oder dienen, oder sonst etwas Gutes thun; sondern allewege Gottes Verheißen, Rufen oder Locken fassen, und darauf thun und schaffen, was verhanden ist: wie sollten denn die Kirchendiener, die Gott durchs Wort beruft und geschickt macht (so sie das glauben), ungeschickt sein!" (Schreiben an Lazarum Spenglern, wie es mit den Messen zu halten und worinnen der Kirchendiener Zwang und Geschicklichkeit bestehen soll. Vom Jahre 1528. Walch. X, 2780—82. Erl. A. LIV, 32. 33.)

§ 6.

Ein lutherischer Candidat kann den Beruf an eine Gemeinde als deren Seelsorger endlich nur dann als einen giltigen und rechtmäßigen mit unverletztem Gewissen annehmen, wenn die Gemeinde zugleich erklärt: 1. als eine rechtgläubige, evangelisch=lutherische Gemeinde bedient sein zu wollen, 2. sich daher zu den Schriften des Alten und Neuen Testamentes als Gottes Wort, und 3. zu den Symbolen der evangelisch=lutherischen Kirche (namentlich zu Luther's kleinem Katechismus und der ungeänderten Augsburgischen Confession) als ihrem Bekenntniß öffentlich zu bekennen und darnach das Amt unter sich geführt wissen zu wollen, sowie 4. in Betreff der Bekenntnißceremonien sich der rechtgläubigen lutherischen Kirche conformiren, 5. reine Kirchen= und Schulbücher einführen, 6. zum heiligen Abendmahle sich vorher anmelden, und endlich 7. überhaupt dem Worte Gottes (mag dasselbe nun öffentlich oder sonderlich getrieben werden) in Lehre, Ermahnung, Trost und Strafe unter sich freien Lauf lassen und demselben sich unterwerfen zu wollen.

Anmerkung 1.

Es ist unrecht, wenn der Vocirte die vocirende Gemeinde über den Empfang und die Aufnahme ihres ihm zugefertigten Vocationsschreibens längere Zeit ohne Kunde läßt; vielmehr sollte der Empfänger eines solchen Schreibens den Eingang desselben der betreffenden Gemeinde sogleich umgehend melden, auch wenn er sich in Betreff der Annahme des Berufs noch nicht definitiv entscheiden könnte, und von Zeit zu Zeit wiederholt die Gemeinde von dem Stande der Berufsangelegenheit in Kenntniß setzen, falls er genöthigt wäre, mit seiner Entscheidung zu zögern.

Anmerkung 2.

Zwar kann es ohne Verletzung des Gewissens geschehen, daß ein Rechtgläubiger auf Erfordern auch einer irrgläubigen oder grundsätzlich gemischten

Gemeinde Gottes Wort predige, nicht aber, daß er der Pastor derselben, als solcher, werde und daher auch das heilige Abendmahl ihren Gliedern reiche; denn dadurch würde der Rechtgläubige nicht nur selbst in die Gemeinschaft falschen Glaubens eintreten, sondern auch dem falschen Bekenntniß durch das Sacrament, so viel an ihm ist, das göttliche Siegel aufdrücken, wider 2 Kor. 6, 14. ff. 1 Kor. 1, 10. Röm. 16, 17. 2 Joh. 10. 11. Röm. 4, 11. Es gilt dies auch nicht nur von solchen Gemeinden, welche als Ganzes ein falsches Bekenntniß haben, sondern auch von solchen, welche sich zwar als Gesammtheit den rechtgläubigen Namen gefallen lassen wollen, in denen aber auch erklärte Falschgläubige das Recht der Gliedschaft haben sollen. Von dem Falle, daß ein Prediger das heilige Abendmahl ebensowohl denen reicht, welche an das Geheimniß desselben erklärtermaßen nicht glauben, wie denen, die es zu glauben bekennen, spricht daher L u t h e r in seiner Warnungsschrift an die zu Frankfurt vom Jahr 1533: „Und in Summa, daß ich von diesem Stücke komme, ist mirs erschrecklich zu hören, daß in einerlei Kirchen oder bei einerlei Altar sollten beider Theil einerlei Sacrament holen und empfahen, und ein Theil sollte glauben, es empfahe eitel Brod und Wein, das andere Theil aber glauben, es empfahe den wahren Leib und Blut Christi. Und oft zweifle ich, obs zu glauben sei, daß ein Prediger oder Seelsorger so verstockt und boshaftig sein könnte, und hiezu stillschweigen, und beide Theile also lassen gehen, ein jegliches in seinem Wahn, daß sie einerlei Sacrament empfahen, ein jegliches nach seinem Glauben &c. Ist aber etwa einer, der muß ein Herz haben, das da härter ist, denn kein Stein, Stahl noch Demant, der muß freilich ein Apostel des Zornes sein. Denn Türken und Juden sind viel besser, die unser Sacrament leugnen und frei bekennen; denn damit bleiben wir unbetrogen von ihnen und fallen in keine Abgötterei. Aber diese Gesellen müßten die rechten hohen Erzteufel sein, die mir eitel Brod und Wein gäben, und ließen michs halten für den Leib und Blut Christi, und so jämmerlich betrögen. Das wäre zu heiß und zu hart; da wird Gott zuschmeißen in Kurzem. Darum, wer solche Prediger hat, oder sich deß zu ihnen versiehet, der sei gewarnt vor ihnen, als vor dem leibhaftigen Teufel selbst." (Erlanger Ausg. XXVI, 304. Walch XVII, 2446.) Hierbei hat Luther allerdings nur zwinglianisch-gesinnte Prediger im Auge, denn in der That scheint es unmöglich zu sein, daß derjenige eine solche sacrilegische Union eingehen sollte, welcher an die Gegenwart des Leibes und Blutes Christi im heiligen Abendmahle wirklich glaubt; geschähe es aber, reichten nemlich Prediger rechten Bekenntnisses Christi Leib und Blut, und ließen sie umgekehrt eine Anzahl ihrer Communicanten es für eitel Brod und Wein halten, so wäre der Greuel nur um so größer.

A n m e r k u n g 3.

Zwar besteht das Wesen einer rechtgläubigen Gemeinde nicht in ihrem Namen, sondern in ihrem Bekenntniß zur reinen Lehre; allein nachdem in diesem letzten Theil der Weltzeit Gott die reine Lehre seines Wortes allein durch sein auserwähltes Rüstzeug Luther seiner Kirche wieder geschenkt hat und die Feinde dieser Lehre diejenigen, welche sich zu ihr bekennen, mit dem Namen „Lutheraner" und die Gemeinschaft derselben mit dem Namen der „lutherischen Kirche" belegt haben und beides so der Unterscheidungsname der Rechtgläubigen geworden ist, so dürfen sich jetzt die Rechtgläubigen des lutherischen Namens so wenig schämen, wie einst die rechtgläubigen Juden des Namens eines Israeliten (Joh. 1, 47.) und die rechtgläubigen Christen des Namens eines Athanasianers, obwohl Israel und Athanasius ebensowohl Menschennamen sind wie Luther.*)   Es ist verkehrt, sich dagegen selbst auf Luther's bekannte Protestation zu berufen, sich nach seinem Namen zu nennen (s. Treue Vermahnung an alle Christen, sich vor Aufruhr und Empörung zu hüten, vom Jahre 1522.   Walch X, 420. f.   Erlanger Ausgabe XXII, 55.).   Welcher Lutheraner sollte diese Protestation nicht von Herzen unterschreiben, wenn man damit anzeigen will, daß er anstatt an Christum an Luther glaube und einer sectirerischen Lehre anhange?**)   Wenn man uns aber darum Lutheraner nennt, weil wir glauben, was Luther nach Gottes Wort gelehrt hat, und wenn wir selbst unseren Glauben allein dann deutlich und rund bekennen können, so wir uns Lutheraner nennen, so würden wir uns mit dem lutherischen Namen auch der von uns erkannten Wahrheit schämen; wie denn derselbe Luther, welcher den Feinden gegenüber gegen die Benennung der Christen nach seinem Namen protestirt hatte, an einer anderen Stelle mit Berufung auf 2 Tim. 1, 8. vor der Lossagung von seinem Namen als vor Verleugnung der göttlichen Wahrheit warnt, wenn nemlich die Frage: Bist du ein Lutheraner? nichts anderes heißen soll, als: Glaubst du, was Luther gelehrt hat? (s. Von beider Gestalt des Sacraments 2c., ebenfalls vom Jahre 1522. Erl. A. XXVIII, 316 f.   Walch XX, 136. f.)***)   Daher denn auch

---

*) Daß es ein arger Mißverstand sei, wenn man aus 1 Kor. 1, 10. beweisen wolle, es sei unrecht, wenn sich die Rechtgläubigen Lutheraner nennen, zeigt Friedrich Balduin in seinem Commentar zu den Paulinischen Briefen zu jener Stelle gründlich und ausführlich.

**) Luther schreibt in seiner Schrift: „Wider das blinde Verdammniß der 17 Artikel," vom Jahre 1524: „So haben wir je so einen schmählichen und schändlichen Namen für der Welt, als freilich in tausend Jahren niemand gehabt. Welchen man kann Lutherisch oder Evangelisch heißen, da meinen sie, sie haben ihn mehr denn zehnmal teuflisch geheißen; der muß denn auch mehr denn Einer Höllen werth sein." (Erlang. A. XXIX, 77. f.   Walch XXI, 130.)

***) „Ich sehe, daß eine gute Vermahnung noth ist, zu thun an die, so jetzt der Satan anfähet zu verfolgen; unter welchen etliche sind, die meinen, sie wollen der Fährlichkeit damit entlaufen, wenn man sie angreift, daß sie sagen: Ich halt's nicht mit dem Luther, noch mit Jemand, sondern mit dem heiligen Evangelio, und mit der heiligen oder römischen Kirche; so lasse man sie mit Frieden, und behielten doch im Herzen meine Lehre für evangelisch, und blieben dabei.   Wahrlich, solch Bekenntniß hilft sie nicht und ist

Luther schon im Jahre 1524 selbst geweissagt hat: „Wiewohl ichs nicht gerne habe, daß man die Lehre und Leute lutherisch nennet, und muß von ihnen leiden, daß sie Gottes Wort mit meinem Namen also schänden, so sollen sie doch den Luther, die lutherische Lehre und Leute lassen bleiben und zu Ehren kommen; wiederum, sie und ihre Lehre unter-gehen und zu Schanden werden, obs auch aller Welt leid wäre und alle Teufel verdrösse... Denn wir wissen, wes das Wort ist, das wir predigen." (s. Ein christlicher Trostbrief an die Miltenberger. Erl. A. XLI, 127 f. Walch V, 1858. f.)

Hiermit soll übrigens jedoch nicht geleugnet werden, daß Umstände ein-treten können, unter welchen das Bekenntniß zum lutherischen Namen nicht zur conditio sine qua non der Versorgung einer Gemeinde mit Wort und Sacrament gemacht werden darf.*) So gibt Luther u. A. dem evangelisch gesinnten Stadtrath von Regensburg, wo die Papisten noch großen Einfluß auf das Volk hatten, noch im Jahre 1534 folgenden Rath: „Eure Fürsichtig-keit fleißige (sich), der (Art) Prediger zu bekommen, so das Evangelium oder heilige Schrift mit Stille und Ruge lehren; so werden sie nicht irren und Gott wird Gnade dazu geben. Unsere Confession zu Augsburg ist gut dazu und so rein, daß auch unsere Feinde sie müssen loben und Kaiserliche Majestät

---

ebensoviel, als Christum verleugnet. Darum bitte ich, dieselben wollten sich ja wohl vor-sehen. Wahr ist's, daß du ja bei Leib und Seel nicht sollst sagen: Ich bin lutherisch oder päbstisch; denn derselben ist keiner für dich gestorben, noch dein Meister, sondern allein Christus, und sollst dich einen Christen bekennen. Aber wenn du es dafür hältst, daß des Luthers Lehre evangelisch, und des Pabstes unevangelisch sei, so mußt du den Luther nicht so gar hinwerfen; du wirfst sonst seine Lehre auch mit hin, die du doch für Christus Lehre erkennest. Sondern also mußt du sagen: der Luther sei ein Bube, oder Heiliger, da liegt mir nichts an; seine Lehre aber ist nicht sein, sondern Christus selbst. Denn du siehest, daß die Tyrannen nicht damit umgehen, daß sie nur den Luther umbringen, sondern die Lehre wollen sie vertilgen; und von der Lehre wegen tasten sie dich billig an, und fragen dich, ob du lutherisch heißt. Hier mußt du wahrlich nicht mit Rohrworten reden, sondern frei Christum bekennen, es hab' ihn Luther, Claus oder Georg gepredigt. Die Person laß fahren, aber die Lehre mußt du bekennen. Also schreibt auch St. Paulus an Timotheum I. 1, 8.: ‚Schäme dich nicht des Zeugnisses unseres HErren, noch meiner, der ich um seinetwillen gebunden bin.‘ Wenn hie Timotheo genug gewesen wäre, daß er das Evangelium bekennete, hätte ihm Paulus nicht geboten, daß er sich sein auch nicht schämen sollte: nicht als der Person Pauli, sondern als der um des Evangelii willen gebunden war. Wo nun Timotheus gesagt hätte: Ich halte es nicht mit Paulo, noch mit Petro, sondern mit Christo, und wußte doch, daß Petrus und Paulus Christum lehr-ten, hätte er doch Christum selbst damit verleugnet. Denn Christus spricht Matth. 10. von denen, die ihn predigen: ‚Wer euch aufnimmt, der nimmt mich auf; wer euch ver-achtet, der verachtet mich.‘ Warum das? Darum, daß sie seine Boten (die sein Wort bringen) also halten, darum ist's gleich als wenn er selbst und sein Wort also gehalten würden."

*) Dies ist sonderlich dann anfänglich der Fall, wenn der Prediger einer falsch-gläubigen Gemeinde, z. B. einer päbstlichen, reformirten, unirt-evangelischen, metho-distischen ꝛc., zur Erkenntniß käme.

unverdammt aufs Concilium geschoben hat, welches ja ein Zeichen ist, daß sie recht sei.   Aber solches schreibe ich, daß E. F. das Evangelion fördern bei euch wohl können, ob unser und unserer Confession und Lehre als Lutherischen Namens geschwiegen würde, sondern aus dem Text der Schrift den Leuten fürgeprediget, daß sie lernen, es sei Christus und seiner Apostel selbst Lehre und unter derselben Namen, ohne aller Menschen Namen, gerühmet würde, wie sie sich denn also finden läßt in den Evangeliis und Episteln St. Pauli." (Erl. A. LV, 57. f.)

Anmerkung 4.

Wie schon in der apostolischen Kirche diejenigen, welche getauft und in die christliche Gemeinde aufgenommen werden wollten, das apostolische Symbolum für das ihrige öffentlich erklären mußten, den schon damals aufgestandenen falschen Lehrern und Secten gegenüber, so ist jetzt, wenn eine Gemeinde für eine rechtgläubige angesehen werden soll, ebenso, ja, in noch höherem Grade nöthig, daß sie das Bekenntniß der rechtgläubigen Kirche dieser Zeit ebenfalls für das ihrige öffentlich erkläre.   Da jedoch nicht erwartet werden kann, daß alle Glieder jedes der Symbole der evangelisch-lutherischen Kirche kennen, so genügt es, daß eine Gemeinde sich zu Luthers Katechismus und zur ungeänderten Augsburgischen Confession bekenne. Daher heißt es denn in der Concordienformel: „Weil diese hochwichtigen Sachen auch den gemeinen Mann und Laien belangen, welche ihrer Seligkeit zu Gutem dennoch als Christen zwischen reiner und falscher Lehre unter-scheiden müssen, bekennen wir uns auch einhellig zu dem kleinen und großen Katechismus Dr. Luther's, wie solche von ihm geschrieben und seinen Tomis einverleibt worden, weil dieselbigen von allen der Augsburgischen Confession verwandten Kirchen einhellig approbiret, angenommen und öffentlich in Kirchen, Schulen und Häusern gebraucht worden sein und weil auch in den-selbigen die christliche Lehre aus Gottes Wort für die einfältigen Laien auf das richtigste und einfältigste begriffen und gleichergestalt nothdürftiglich er-kläret worden."   An einer anderen Stelle werden diese Katechismen genannt die „Laien-Bibel, darin alles begriffen, was in heiliger Schrift weitläuftig gehandelt und einem Christenmenschen zu seiner Seligkeit zu wissen von-nöthen ist."   Die Augsburgische Confession aber wird ebendaselbst genannt „ein rein christlich Symbolum, bei dem sich dieser Zeit rechte Christen nächst Gottes Wort sollen finden lassen."

Daß auch der Vocirte sich von der Gemeinde auf Gottes Wort und das kirchliche Bekenntniß verpflichten lasse, ist er erstlich derselben als eine Gewähr schuldig, daß er ihr nicht seine Weisheit, sondern die reine christliche Lehre öffentlich und sonderlich predigen und nicht über ihren Glauben herrschen wolle, es ist diese Verpflichtung auch dem Vocirten selbst für seine Amtsführung von großem Vortheil, indem er sich darauf gegen Angriffe in der Gemeinde aufstehender falscher Geister berufen und damit viele unnöthige und schädliche

Disputationen in der Geburt ersticken kann.   Ueber den Ursprung und die Bedeutung der Verpflichtung der Prediger auf die Symbole innerhalb der lutherischen Kirche vergleiche das Referat über die Frage: „Warum sind die symbolischen Bücher unserer Kirche von denen, welche Diener derselben werden wollen, nicht bedingt, sondern unbedingt zu unterschreiben?" In den Verhandlungen der vierten Sitzungen der Synode von Missouri ꝛc. westlichen Districts im Jahre 1858, von welchem Referat auch ein Separatabdruck erschienen und in der Buchhandlung der Synode zu St. Louis, Mo., zu haben ist; es findet sich dasselbe auch im 14. Jahrgang des „Lutheraner."*)

Anmerkung 5.

In dem 7. Artikel der Augsburgischen Confession heißt es: „Dieses ist genug zu wahrer Einigkeit der christlichen Kirche, daß da einträchtiglich, nach reinem Verstand das Evangelium geprediget und die Sacramente dem göttlichen Wort gemäß gereicht werden.   Und ist nicht noth zu wahrer Einigkeit der christlichen Kirche, daß allenthalben gleichförmige Ceremonien, von Menschen eingesetzt, gehalten werden."   So heißt es ferner im 10. Artikel der Concordienformel: „Demnach gläuben, lehren und bekennen wir, daß die Gemeine Gottes jedes Ortes und jeder Zeit, derselbigen Gelegenheit nach, guten Fug, Gewalt und Macht habe, dieselbigen (Mittelдinge) ohne Leichtfertigkeit und Aergerniß, ordentlicher und gebührlicher Weise zu ändern, zu mindern und zu mehren, wie es jederzeit zu guter Ordnung, christlicher Disciplin und Zucht, evangelischem Wohlstand und zu Erbauung der Kirche am nützlichsten, förderlichsten und besten angesehen wird; wie man auch den Schwachen im Glauben in solchen äußerlichen Mittelдingen mit gutem Gewissen weichen und nachgeben könne, lehret Paulus Röm. 14, 21. und beweiset es mit seinem Exempel Act. 16, 3. 21, 26. 1 Kor. 9, 19." Es wäre daher durchaus unevangelisch und unlutherisch, wenn ein Candidat den Beruf einer Gemeinde nur unter der Bedingung annehmen wollte, daß dieselbe alle jemals in der evangelisch-lutherischen Kirche in Gebrauch gekommenen Ceremonien und Einrichtungen annehmen wollte. **)

---

*) Uebrigens war es nicht die lutherische, sondern die Zwinglische Kirche, welche zuerst Lehrverpflichtung eingeführt hat.   Ranke berichtet: „Hierauf (nach der zu Zürich 1523 gehaltenen Disputation) ward den Seelsorgern befohlen, nicht wider die Artikel zu predigen, welche in der Disputation den Sieg behalten hatten.   Zwingli verfaßte eine Anleitung für sie, die ihnen unter öffentlicher Autorität bekannt gemacht wurde, und als das erste aller symbolischen Bücher der evangelischen Kirche betrachtet werden kann." (Deutsche Geschichte im Zeitalter der Reformation. III, 63.)

**) Zu den in unserer evangelisch-lutherischen Kirche gebräuchlichen Mittelдingen rechnen unsere alten rechtgläubigen Theologen u. A. folgende: Bilder, Fest- und Feiertage, Figural- und Orgelmusik in der Kirche, Altargesang; bei der Taufe: dreimalige Begießung, Taufe durch Laien, auch durch Frauen im Nothfalle, das Creuzeszeichen, das Westerhemd, die Teufelsentsagung, der Exorcismus, Frage der Pathen nach dem Glauben ꝛc.; bei der Abendmahlsverwaltung: ungesäuertes Brod in Gestalt von Oblaten,

Es wäre dies papistisch, antichristisch; wie es denn in der Apologie heißt: „Die Widersacher ziehen den Daniel an, der da sagt: Es werden Greuel und Verwüstung in der Kirche stehen, und deuten dieses auf unsere Kirchen derhalben, daß die Altäre nicht bedeckt seien, nicht Lichter drinnen brennen und dergleichen. Wiewohl es nicht wahr ist, daß wir solche äußerliche Ornamente alle weg thun; dennoch, so es schon also wäre, redet Daniel nicht von solchen Dingen, die gar äußerlich sind und zur christlichen Kirche nicht gehören, sondern meinet viel eine andere, greulichere Verwüstung, welche im Pabstthum stark gehet, nemlich von Verwüstung des nöthigsten, größten Gottesdienstes, des Predigtamts, und Unterdrückung des Evangelii.. Ueber das, wo unsere Widersacher ihre Kerzen, Altartücher, Bilder und dergleichen Zier für nöthige Stücke und damit Gottesdienst anrichten, sind sie des Antichristes Gesinde, davon Daniel sagt, daß sie ihren Gott ehren mit Silber, Gold und dergleichen Schmuck." (Artikel von der Messe.) Nichts desto weniger aber kann der Fall eintreten, daß durch Annahme oder Abschaffung auch eines Mitteldings die Wahrheit indirect verleugnet werden würde. Ein Beispiel hierzu haben wir in der Geschichte des heiligen Apostels Paulus. Während nemlich derselbe u m d e r S c h w a c h e n w i l l e n an T i m o t h e u s die Beschneidung vollzog, die damals noch ein freies Mittelding war, Act. 16, 3., so ließ er sich dadurch, daß f a l s c h e L e z r e r darauf als auf etwas Nothwendiges drangen, auch den T i t u s zu beschneiden, dazu schlechterdings nicht bewegen, „auf daß," schreibt er den Galatern, „d i e W a h r h e i t d e s E v a n g e l i i b e i e u c h b e s t ü n d e." (Gal. 2, 3—5.) Wenn also die F e i n d e d e r r e i n e n Lehre darauf als auf etwas Nothwendiges bringen, daß ein freies Mittelding von den Rechtgläubigen entweder a b g e s c h a f f t oder e i n g e f ü h r t werde, dann gilt es nicht mehr allein das freie Mittelding, sondern die Wahrheit des Evangeliums, insonderheit den hohen Artikel von der christlichen Freiheit, den hiermit die Feinde angreifen und zu dessen thatsächlicher Verleugnung sie die Rechtgläubigen versuchen. Wer in solchem Falle ihnen weicht, macht nicht von seiner Freiheit in Mitteldingen Gebrauch, sondern gibt dieselbe vielmehr damit Preis. Als daher Carlstadt darauf als auf etwas Nöthiges drang, daß das In die Höhe heben (E l e v a t i o n) der Hostie abgeschafft würde, da schrieb L u t h e r : „Wiewohl ichs vorhatte, das Aufheben auch abzuthun,

---

der Altar, Austheilung des Brodes, ohne dasselbe zu brechen, das Reichen der Elemente in den Mund, das Knieen beim Empfang, die Krankencommunion in Privathäusern ꝛc.; in Betreff des Predigtamtes die Einrichtung von Ueber- und Unterordnung, s. g. Priesterkleider, Privatbeichte ꝛc.; lateinische Gesänge; Verneigung bei Nennung des Namens JEsu; das Perikopensystem; Lichter und Crucifix auf dem Altare; Eintheilung der ersten Tafel der heiligen 10 Gebote in 3, der zweiten in 7; der Anfang des Gebetes des HErrn in der Wortstellung „Vater unser," sowie die 7. Bitte mit den Worten: „Erlöse uns vom Uebel" u. s. w. Vergleiche Collegii adiaphoristici disputt. 1. Balth. Meisneri. Wittebergae 1616. — J. Bened. Carpzovii Isagog. in libros symb. Lips. 1675. p. 1597 s.

so will ichs doch nun nicht thun zu Trotz und wider noch eine Weile dem
Schwärmergeist, weil ers will verboten und als eine Sünde gehalten und
uns von der Freiheit getrieben haben. Denn ehe ich dem seelmörderischen
Geist wollte ein Haarbreit oder einen Augenblick weichen, unsere Freiheit zu
lassen (wie Paulus lehrt Gal. 5, 1.), ich wollte ehe noch morgen so ein
strenger Mönch werden und alle Klösterei so fest halten, als ich gethan habe.
Es ist hier kein Scherz mit der christlichen Freiheit, die wollen wir so rein
und unversehrt haben, als unsern Glauben. Sie hat unserm lieben, ge-
treuen Heiland und HErrn JEsu Christ zu viel gestanden; so ist sie uns auch
allzu noth; wir mögen ihr bei Verlust unserer Seligkeit nicht gerathen."
(Wider die himmlischen Propheten. Walch XX, 255. Erl. A. XXIX,
194. f.) Weil Carlstadt es auch zur Sünde machen wollte, das heilige
Abendmahl ein Sacrament zu nennen, schrieb Luther ferner: „Lieber,
laß dirs nicht geringe Ding sein, verbieten, da Gott nicht verbeut, christliche
Freiheit brechen, die Christus Blut gekostet hat, die Gewissen mit Sünden
beladen, da keine ist. Wer das thut und thun darf, der darf auch alles Uebel
thun, ja er verleugnet damit schon alles, was Gott ist, lehret und thut, sammt
seinem Christo; daß kein Wunder ist, ob er im Sacrament auch schlecht Brod
und Wein haben wolle, und noch mehr Unglück anrichte. Was sollte der
Teufel Gutes thun? Darum höre zu, mein Bruder: du weißest, daß wir
bei der christlichen Freiheit, als bei einem jeglichen Artikel des Glaubens,
sollen Leib und Leben lassen, und alles das thun, was man dawider verbeut, und alles lassen, was man dawider gebeut, wie St. Paulus
Gal. 5, 1. lehret. Weil denn dieselbige christliche Freiheit über diesem
Wörtlein und Namen ‚Sacrament' Noth leidet, bist du hinfort schuldig,
diesen Teufels-Propheten zu Trotz und wider das Abendmahl Christi ein
Sacrament zu heißen; und wo du bei ihnen bist oder zu ihnen
kommst, mußt du es ein Sacrament heißen; nicht daß dirs deines Gewissens halben noth sei, sondern daß es noth ist, die christliche Freiheit zu
bekennen, und nicht erhalten und nicht gestatten, daß der Teufel da ein Gebot,
Verbot, Sünde oder Gewissen mache, da Gott keine haben will. Wo du aber
solche Sünde lässest machen, so ist kein Christus mehr, der sie wegnehme.
Denn mit solchem Gewissen verleugnet man den rechten Christum, der alle
Sünde wegnimmt. Darum stehest du, wie in diesen geringen Dingen nicht
geringe Fahr stehet, wenn man damit auf die Gewissen will. Gleich als
wenn dir verboten würde, Fleisch zu essen auf einen Fischtag, so mußt du
es essen; wenn dirs auf einen Fleischtag geboten würde, mußt du es
nicht essen. Wenn dir die Ehe verboten würde, mußt du ehelich werden,
oder ja so stellen, als thätest du es gerne; und so fort, wo man Gebot, Verbot, Sünde, gute Werke, Gewissen und Fahr machen will, da Gott Freiheit
haben will und nichts gebeut noch verbeut, mußt du über solcher Freiheit fest
halten und immer das Widerspiel thun, bis du Freiheit er-
haltest." (A. a. O. Walch S. 278. Erl. A. S. 214. f.) Vergleiche

hierüber den 10. Artikel der Concordienformel. Als daher einst das berüchtigte unionistische Interim von den Lutheranern die Annahme mehrerer bereits abgeschaffter Ceremonien forderte, ließen sich ganze Schaaren lieber aus Amt und Vaterland vertreiben, als daß sie dem Ansinnen hätten Folge leisten sollen. Als die Reformirtgesinnten in Anhalt im Jahre 1590 die Abschaffung des Exorcismus durchsetzen wollten, ließ sich der gottselige J. Arnd lieber seines Amtes entsetzen, als daß er den Feinden der reinen Lehre hätte willfahren sollen.

Was nun die s. g. Bekenntnißceremonien betrifft, so lassen sich dieselben nach dem Bemerkten nicht für alle Fälle aufzählen. Was zu einer Zeit und an einem Orte eine Bekenntnißceremonie ist, kann zu anderer Zeit und an einem anderen Orte keine dergleichen sein. Kommt das Bekenntniß der Lehre und die Behauptung der christlichen Freiheit nicht in Gefahr, so steht jeder Kirche der Gebrauch oder Nichtgebrauch irgend eines Mitteldinges frei, vorausgesetzt, daß weder in dem einen noch in dem anderen Falle die Liebe verletzt und die gute Ordnung und Erbauung der Kirche gestört wird. Zu den Ceremonien, von denen gegenwärtig eine wahre evangelisch-lutherische Kirche und deren Prediger nirgends abgehen kann, ohne das Bekenntniß der reinen Lehre zu schwächen, gehört ohne Zweifel u. a. namentlich die Unterlassung des Brodbrechens im heiligen Abendmahle, sowie der Gebrauch des apostolischen Glaubensbekenntnisses und die Teufelsentsagung bei der heiligen Taufe. Wollte eine Gemeinde sich hierin der rechtgläubigen evangelischlutherischen Kirche nicht conformiren, so könnte daher ein lutherischer Candidat ihre Vocation nicht mit unverletztem Gewissen annehmen. So entschied daher im Jahre 1626 die Wittenbergische Facultät: „Es finden sich zweierlei Ceremonien in calvinischen Kirchen, sonderlich bei der Administration des heiligen Abendmahls: etliche werden von ihnen selber für freie Mitteldinge gehalten, als, einen hölzernen oder steinernen Tisch haben, das gesegnete Brod mit Hand oder mit dem Mund empfahen, am Tisch sitzen und herumgehen ꝛc., in welchen Ceremonien ein lutherischer Prediger eine Zeitlang, bis die Zuhörer besser informirt werden, ohne Verletzung seines Gewissens sich wohl accommodiren kann; dieweil es bloße Ceremonien sind, darunter keine Irrthum in der Lehre verborgen liegen. Darnach aber finden sich solche Ritus, welche von den Calvinisten nicht für freie Mitteldinge, sondern für ganz nothwendige Stücke gehalten werden, als da ist das Brodbrechen; darinnen die analogia sacramentalis versteckt, und eben darum so hoch von den Calvinisten urgirt wird, weil sie dafür halten, solche Fraction sei ein nothwendiges Stück des Abendmahls, so ohne dasselbe zerstümmelt sei und für ganz nicht könne gehalten werden. Weil denn bei dieser Ceremonie ein grober Irrthum mit unterläuft, darinnen die Zuhörer durch so willige Accommodation des lutherischen Pastoris verstärkt werden, so halten wir dafür, daß ein lutherischer Lehrer sich den calvinischen Zuhörern, so lange sie in ihrer Meinung verharren und sich nicht wollen weisen lassen, wegen dieser

Ceremonien nicht accommodiren könne... Damit man ihres Irrthums sich nicht theilhaftig mache oder sie darinnen verstärke. In den übrigen Ritibus aber, daran wenig gelegen und die sie selber für freie Mitteldinge halten, kann man sich leichter accommodiren." (Wittenbergische geistliche Rathschläge rc. II, 127 f.)

Anmerkung 6.

Daß die Vocation nur einer solchen Gemeinde mit unverletztem Gewissen angenommen werden könne, welche reine Kirchen- und Schulbücher einzuführen zu wollen erklärt, bedarf keiner weiteren Erörterung. Derjenige Prediger wäre ohne Zweifel kein Seelsorger, sondern würde zum Seelenmörder, der ruhig zusehen und gestatten wollte, daß seine Gemeinde aus Gesangbüchern sänge und daß die Kinder derselben aus Schulbüchern unterrichtet würden, worin das Seelengift falscher Lehre enthalten wäre. Hat die Gemeinde noch keine ganz reinen Bücher dieser Art, so genügt natürlich unter Umständen, daß ihr das Falsche darin nachgewiesen und sie davor gewarnt werde, sie selbst aber sich bereit erkläre, dieselben baldmöglichst mit durchaus reinen zu vertauschen. Ein merkwürdiges Beispiel rechtschaffener Bekenntnißtreue der Zumuthung gegenüber, die calvinischen Psalmen Lobwassers singen zu lassen, ist mitgetheilt in der Zeitschrift „Lehre und Wehre" Jahrg. XVII, S. 366—373.

Anmerkung 7.

Im 25. Artikel der Augsburgischen Confession erklärt unsere Kirche: „Diese Gewohnheit wird bei uns gehalten, das Sacrament nicht zu reichen denen, so nicht zuvor verhöret (nisi antea exploratis) und absolvirt sind." Ferner heißt es in der Apologie im Artikel von der Messe: „Das Sacrament wird denjenigen gereicht, die es begehren, doch also, daß sie erst verhört und absolvirt werden." Daß es wider das Gewissen wäre, den Beruf einer Gemeinde anzunehmen, die sich zu persönlicher Anmeldung zum heiligen Abendmahl nicht verstehen wollte, ist darum unbestreitbar, weil die Prediger nach Gottes Wort 1. nicht bloß Lehrer, sondern auch Hirten, Bischöfe (Aufseher), Wächter über die Seelen sein sollen und daher dafür zu sorgen haben, daß keine Seele sich das heilige Abendmahl zum Gerichte genieße; 2. weil sie, was insonderheit die heiligen Sacramente betrifft, nicht bloße Austheiler, sondern Haushalter über dieselben (1 Kor. 4, 1.) und daher, so viel von ihnen abhängt, für den Mißbrauch derselben verantwortlich sind; 3. weil sie endlich nach Christi ausdrücklichem ernsten Befehle und treuer Warnung (Matth. 7, 6.) das Heiligthum nicht den Hunden geben und ihre Perlen nicht vor die Säue werfen dürfen. Hierüber ausführlicher zu sprechen, wird sich weiter unten Gelegenheit finden, wenn von dem rechten Verhalten des Predigers in Absicht auf die Beichtmeldungen die Rede sein wird. Vorläufig verweisen wir auf einige im „Lutheraner" hierüber erschienene Aufsätze; dieselben finden sich Jahrgang IV, 161 ff., V, 79., VII, 86 ff.

Anmerkung 8.

Anschluß der Gemeinde an eine Synode sollte nicht zur Bedingung der Annahme des Berufes derselben gemacht werden, ebenso wenig aber darf der Berufene die ihm etwa gestellte Bedingung eingehen, nicht Glied einer Synode zu werden. Ersteres würde wider die Freiheit der Gemeinde, letzteres wider die des Berufenen streiten.

Anmerkung 9.

Einer Anzahl Personen, die der rechten Erkenntniß noch ermangeln und doch einen lutherischen Prediger berufen wollen, könnte und sollte, ehe denselben ein solcher zuzusagen wäre, etwa Folgendes als das Minimum der an sie zu stellenden Anforderungen zur Unterschrift vorgelegt werden:

„Wir, die unterzeichneten Lutheraner in und um . . . . ., erklären hiermit Folgendes:

1. Wir sind Willens, zu einer evangelisch-lutherischen Gemeinde zusammenzutreten, zu welcher nur solche gehören können und sollen, welche Lutheraner sein wollen.

2. Wir sind entschlossen, uns einen Prediger zu berufen, welcher uns das Wort Gottes, wie es in der heiligen Schrift enthalten und in den öffentlichen Bekenntnißschriften der evangelisch-lutherischen Kirche erklärt und ausgelegt und namentlich in dem kleinen Katechismus Dr. Martin Luther's (und in der ungeänderten Augsburgischen Confession) summarisch enthalten ist, rein und lauter predigen und die heiligen Sacramente nach Christi Einsetzung verwalten, und sein ganzes Amt nach dem Worte Gottes treu führen und ausrichten soll.

3. Wir wollen unseren Prediger nicht als einen Menschen-Knecht auf ein oder zwei Jahre miethen, sondern denselben, wie die Bibel es vorschreibt, als einen Diener Christi ordentlich berufen; daher wir ihn so lange für unseren Prediger anerkennen wollen, als derselbe recht lehrt, unanstößig lebt und sein Amt treulich verwaltet. Doch behalten wir uns vor, wenn derselbe ein falscher Lehrer werden, oder ärgerlich wandeln, oder sein Amt muthwillig veruntreuen sollte, daß wir ihn in christlicher Ordnung abzusetzen Macht haben.

4. Wir sind bereit, uns aus Gottes Wort belehren zu lassen und auch die nöthigen christlichen Zurechtweisungen daraus anzunehmen, wollen auch überhaupt unseren Prediger nicht hindern, in allen Stücken seines Amtes zu verfahren, wie Gottes Wort es vorschreibt.

5. Wir wollen uns, so oft wir zum heiligen Abendmahle zu gehen entschlossen sind, vorher bei dem Pfarrer anmelden lassen und des Jahres wenigstens einmal uns bei ihm persönlich anmelden.

6. Wir wollen, daß bei uns in Kirche und Schule nur richtige Bücher gebraucht und etwa vorhandene unrichtige baldmöglichst mit richtigen vertauscht werden."

§ 7.

Zwar ist es gut, daß die Angelegenheit der Salarirung vor Annahme des Berufs aufs reine gebracht und die Anforderungen, welche die Gemeinde an den Dienst des Neuberufenen macht, festgestellt werden; doch muß hierbei der Neuberufene alles vermeiden, wodurch er den Schein des Geizes und ein Miethling zu sein auf sich laden könnte. Um späteren möglichen Mißverhältnissen zu begegnen, ist es rathsam, daß der Berufene sich ein schriftliches, von den Vertretern der Gemeinde in deren Auftrag und Namen unterzeichnetes Vocations= diplom aushändigen lasse, in welchem auch die Zusage des nöthigen Unterhalts ausgesprochen und die hauptsächlichsten an ihn gestellten An= forderungen specificirt sind.   1 Kor. 16, 3.

Anmerkung 1.

Ueber die Sache der Salarirung der Prediger schreibt Friedrich Balduin in seinem Commentar zu Pauli Briefen: „Den Dienern des Wortes ist es erlaubt, von der Gemeinde, welcher sie dienen, Sold für ihre Arbeiten zu verlangen, was St. Paulus mit sechs Gründen in unserem Texte (1 Kor. 9, 1—14.) lehrt.   Es gibt auch unter den Frommen Niemanden mehr, der daran zweifeln sollte, wollte man nicht die Diener des Wortes durch Hunger tödten und damit zugleich das Predigtamt selbst aufheben. Denn sie können sich nicht auf andere Weise ihren Unterhalt verschaffen, ja, es ist schimpflich, wenn die Lehrer der Kirche sich noch außerdem mit Handarbeiten beschäftigen, worüber man die ausführliche Stelle Sirach 39 ff. nachsehen mag.   Der Gehalt der Diener des Wortes ist von der Gemeinde zu begehren, der sie ihren Dienst leisten.   Hierbei ist es zwar billig, daß man öffentliche Cassen (Aerarien) habe, in welchen die Gemeindeeinkünfte gesammelt werden und woraus zur Unterhaltung des Amtes, was nöthig ist, entnommen werde; indeß fordert die Billigkeit, daß die Zuhörer auch privatim gegen ihre Lehrer freigebig seien; denn ‚welcher pflanzet einen Weinberg, und isset nicht von seiner Frucht?‘ 1 Kor. 9, 8. Und ‚der unterrichtet wird mit dem Worte, der theile mit allerlei Gutes dem, der ihn unterrichtet,‘ Gal. 6, 6.; besonders weil die Zeiten nach und nach schwerer werden, und keine Hoffnung ist, daß aus den öffentlichen Cassen eine Erhöhung des Gehaltes erzielt werden könne.   Man darf auch nicht meinen, daß solche den Dienern des Wortes gereichte Gaben Almosen seien oder die Menschen bestechen, sondern es ist die schuldige Vergeltung für die Arbeiten und eine Sache der Nothwendigkeit, wenn das Predigtamt erhalten werden soll.   Denn wenn die Prediger Mangel leiden, so muß auch das Predigtamt selbst Schaden leiden.   Obgleich nun über die Größe des Gehaltes eines Kirchendieners nichts Gewisses bestimmt werden kann, so müssen doch beide Extreme vermieden werden: einestheils daß man ihnen das Nothwendige nicht entziehe; anderntheils aber auch, daß von Seiten der Kirchendiener nicht zu viel verlangt werde. Denn sie müssen bedenken, daß ihnen die Salarien nicht zum Luxus, sondern zur Nothdurft gegeben werden. Denn nicht alle Kosten des Krieges werden auf Einen Soldaten gewendet, sondern jeder läßt sich an seinem Solde genügen; nicht der ganze Weinberg ist zu verschlingen, sondern von den Früchten des Weinberges zu essen; nicht die Haut ist den Schafen abzuziehen, sondern von der Milch der Heerde zu essen. 1 Kor. 9, 7. Jedoch daß die Nothdurft nicht zu eng eingeschränkt werde, so ist zu wissen, daß nicht nur der Diener des Wortes, sondern auch seine Familie zu ernähren ist, und zwar so, daß sie in Krankheiten und nach dem Tode des Gatten und Vaters zur Genüge haben. Denn was der Mensch säet, das wird er ernten. Gal. 6, 7. Wer da kärglich säet, der wird auch kärglich ernten; und wer da säet im Segen, der wird auch ernten im Segen. 2 Kor. 9, 6. Wenn aber die Zuhörer ihre Pflicht in Absicht auf die Vergeltung der Arbeit nicht thun, so soll der Diener des Wortes das Schuldige nicht streng (morose) eintreiben, sondern nach dem Vorbilde Pauli von seinem Rechte etwas nachlassen, nach Phil. 4, 11—13." (Commentar. in omnes epp. S. Pauli, p. 404.) Kurz zuvor hatte Balduin den Einwurf, daß ja Christus sage: „Umsonst habt ihr es empfangen, umsonst gebt es auch", Matth. 10, 8., u. A. mit folgenden Worten aufgelöst: „Der Heiland redet bei Matthäus nicht von der Predigt, sondern von der Gabe der Wunder, wie die unmittelbar vorhergehenden Worte zeigen: ‚Machet die Kranken gesund‘ ꝛc. Denn Gott hat nicht gewollt, daß die Wunder für Geld verkauft werden, was daher der Prophet Elisa an seinem Diener Gehasi nicht dulden konnte, 2 Kön. 5, 20 ff.*) Doch darf man nicht meinen, daß die Annahme eines Gehaltes eine Verkaufung des Evangeliums sei, wie die Wiedertäufer einwenden. Denn der Gehalt wird nicht für die Lehre gegeben, mit der alle Schätze der Welt nicht zu vergleichen sind, sondern für die Arbeit des Kirchendieners, welcher, da er auf andere Weise für sich und die

---

*) Luther löst diese Stelle anders und ohne Zweifel noch gründlicher auf, wenn er schreibt: „Uns ist befohlen, daß wir lehren, trösten und absolviren sollen alle, die es annehmen und gläuben, und empfangen dieselben solche Güter von uns alle umsonst, nach dem Spruch Matth. 10, 8. Wie aber die Christen das Predigtamt umsonst genießen, also sollen sie auch wiederum die Diener umsonst nähren, unterhalten und sie schützen, wie St. Paulus saget Gal. 6, 6. Item 1 Tim. 5, 17. Und Christus selbst spricht Matth. 10, 10.: Ein Arbeiter ist seiner Speise werth. Item, der HErr sagt im Propheten Jesaia 19, 22. 23., daß die Fürsten und Könige der Kirche werden Gaben geben. Diese Gaben aber sind nicht Bezahlungen, Kaufen oder Verkaufen. Denn täglicher Unterhaltung, Essens und Trinkens bedürfen wir, aber damit wird die Absolution nicht bezahlet. Denn wer könnte die bezahlen? Was sind hundert oder tausend Gülden gegen dieser unermeßlichen großen Gabe der Vergebung der Sünden?... Dieweil aber solche große, überschwängliche Gabe nicht kann anders ausgetheilet werden, denn durch Menschen, so Nahrung und Speise haben müssen, muß man sie ja nähren und unterhalten. Das ist aber keine Bezahlung für die Gabe, sondern für ihre Mühe und Arbeit." Zu Gen. 23, 3. 4. Walch I, 2432 f.

Seinen sich seinen Lebensunterhalt nicht verschaffen kann, nach Recht und Billigkeit auf diese Weise seinen Bedarf empfängt." (Ib. p. 401.)

Anmerkung 2.

So wünschenswerth es ist, daß der Gehalt des Neuberufenen und die damit verbundenen Emolumente sogleich fixirt werden, damit derselbe seinen Haushalt auch sogleich darnach einzurichten wisse, so sollte er doch auf ein Fixum nicht dringen, sondern nur die Erklärung der Gemeinde begehren, daß sie ihm das Nöthige darreichen wolle nach Gal. 6, 6. 1 Kor. 9, 7—15. Luk. 10, 4—8. Er dringe auch nicht auf Accidentien oder s. g. Stolgebühren,*) nehme aber dieselben an, wenn sie angeboten werden; nur die Stipulirung des Beichtgeldes ist ohne dringende Noth nicht zu rathen. Für Krankenbesuche aber nehme er schlechterdings nichts an, indem er sonst kaum den Lästerungen entgehen wird, so oft er einen Wohlhabenden in seiner Krankheit besucht. Jedenfalls thut ein Neuberufener am besten, wenn er die Besoldungssache durch Amtsbrüder, den Visitator, überhaupt durch Andere in Ordnung bringen läßt. Vor allem aber vergesse er nie, daß nicht Menschen, sondern der HErr, dessen Knecht er ist, für sein und der Seinigen armes Leben sorge und daß, je geringer sein Lohn in dieser Welt ist, eine desto schönere Krone ihm dort beigelegt sei, so er Glauben halte bis ans Ende. Wir erinnern hier an die schönen Worte Luthers: „Siehe doch die Pfarrherrn auf den Dörfern hin und wieder an, wie ihrer so viel erbärmlicher Weise von Hungers und Durstes halben schier verschmachten müssen; haben oft nicht, daß sie ihren Kindlein ein Hemd kaufen... Es ist kein Ernst, kein Fleiß, kein Herz da zur Gottseligkeit, denn es nimmt sich derselben niemand mit Ernst und von Herzen an... ‚Die Aeltesten, die wohl fürstehen, die halte man zwiefacher Ehren werth.‘ 1 Tim. 5, 17. Ja, wahrlich sind sie zwiefacher Ehren werth. Aber wo das? Antwort: Bei Gott; bei der Welt aber achtet man sie, als die des Schwerts, des Galgens, der Hölle, oder wo noch etwas Betrübteres wäre, werth seien. Was fragen wir denn darnach? Wir, so der undankbaren Welt dienen, haben die Verheißung und Hoffnung des Himmelreichs, und wird die Erstattung und Vergeltung dieses unsers Jammers so groß sein, daß wir auch uns sehr schelten werden, daß wir, um solcher Verachtung und Undankbarkeit willen der Welt, uns jemals eine Thräne oder Seufzer haben entfallen lassen. Warum, werden wir sagen, haben wir nicht noch etwas Schwereres erlitten? Hätte ich doch nimmermehr gegläubet,

---

*) Stolgebühren nennt man, was für solche Casualien zu entrichten ist, die vom Prediger in der Stola d. i. in seinem Amtskleid verrichtet zu werden pflegen, als Taufen, Trauungen, Hauscommunionen, Grabreden, Leichenpredigten u. s. w., um welcher nicht regelmäßigen, sondern zufälligen Amtshandlungen willen sie auch Accidentien heißen.

daß eine solche große Herrlichkeit im ewigen Leben sein würde, denn sonst wollte ich deffen keine Scheu getragen haben, wenn ich auch noch viel mehr hätte leiden sollen." Zu Gen. 39, 5. 6. Walch II, 1812 f. Erl. lat. IX, 235.

Der Neuberufene sei endlich auch mit geringer eigener Hausung zufrieden, die immer beffer ist, als das Wohnen bei einer Familie, sonderlich wenn er verheirathet ist oder sich bald zu verheirathen gedenkt. So schreibt Luther im Jahre 1531 an den Pfarrer Bernhard von Dölen: „Wegen der Ehe lobe ich euren Vorsatz. Sehet aber zu, daß das Pfarrhaus erst aufgebaut sei, damit ihr alsdann mit der Frau allein da wohnet. Denn es ist ein unerträglich Ding, mit der Frau in eines andern Herrn Hause zu herbergen." Walch XXI, 1233.

§ 8.

Zwar macht weder das Examen, welchem ein zum Predigtamt Berufener vor einer dazu bestellten Commission außerhalb der berufenden Gemeinde sich unterwirft und das er besteht, noch die von ebenfalls dazu bestellten Personen außerhalb derselben empfangene Ordination die Vocation erst giltig; allein beide Handlungen gehören zu den heilsamsten Ordnungen der Kirche und haben, sonderlich die letztere, u. A. den wichtigen Zweck, die Vocation als eine von der ganzen Kirche für rechtmäßig und göttlich erkannte öffentlich zu bestätigen. Wer daher außer dem Falle der Noth die eine oder andere unterläßt, handelt schismatisch, und gibt zu erkennen, daß er zu denen gehöre, welche sich die Gemeinden nach ihren eigenen Lüsten selbst aufladen, nachdem ihnen die Ohren jücken, 2 Tim. 4, 3.

Anmerkung 1.

Wenn der Apostel von den Diakonen sagt: „Dieselbigen lasse man zuvor versuchen" (δοκιμαζέσθωσαν πρῶτον = sollen erst geprüft werden), „darnach lasse man sie dienen, wenn sie unsträflich sind" (1 Tim. 3, 10.), so gilt das offenbar in noch höherem Grade von den Presbytern, denen das Amt des Wortes anvertraut werden soll, deren Prüfung der Apostel indirect für nöthig erklärt, wenn er schreibt: „Was du von mir gehöret haft durch viele Zeugen, das befiehl treuen Menschen, die da tüchtig sind auch andere zu lehren", 2 Tim. 2, 2. Laffen wir hierüber Ludwig Hartmann reden. Derselbe schreibt: „Vor der Ordination ist ein Examen oder eine Exploration der zu Ordinirenden erforderlich, und zwar ist sie der Ordinations-Handlung um der Würde des Amts und um des Heils der Gemeinde willen nothwendig vorauszuschicken, 2 Tim. 2, 2. Denn derjenige darf nicht zum Lehrer bestellt werden, welcher selbst noch nicht gelernt hat, was er Andere lehren soll; noch sind einem Jeden ,bald' (leicht, unbedacht, ohne Weiteres) die Hände aufzulegen, 1 Tim. 5, 22.; was dann geschieht,

wenn Böse, oder Ungelehrte und Untüchtige zum Amt ordinirt, so in ihrer
Unwissenheit und Gottlosigkeit bestätigt, ihre Verwegenheit, auf einen so
hohen Gipfel ohne Federn fliegen zu wollen, auf diese Weise gutgeheißen und
für die Gemeinde selbst durch solche unnütze Arbeiter schlecht gesorgt wird.
Ein solches rechtes Cramen wird durch eine sorgfältige und zwar hinreichende
nach Gottes Wort angestellte Untersuchung vollzogen, durch die erforscht
werden soll, ob die zu ordinirende oder auch zu vocirende Person sowohl
o r t h o d o x in Betreff des Glaubens, als auch zum heiligen Amte t ü c h t i g
sei 1. in Betreff der nöthigen Ausbildung und Wissenschaft, 2. in Betreff
der Gnade, die Schrift auszulegen, und der Amtsgaben, welche zur Erbauung
dienen, 3. in Betreff der Gottseligkeit und Heiligkeit des Lebens. Die Sache
klarer zu machen, will ich dieselbe mit des seligen T a r n o v s" (Professors der
Theologie in Rostock, gestorben 1633) „Worten ausdrücken, welcher u. A.
sagt: Zweierlei ist es, wovon wir sagen, daß es von einem jeden zu berufenden
Diener des göttlichen Wortes gefordert werden müsse: F ä h i g k e i t und W i l l e.
Mit dem Worte F ä h i g k e i t befassen wir dreierlei: 1. Die σύνεσις oder die
K e n n t n i ß der ganzen im Katechismus und in den Locis communibus oder
theologicis enthaltenen christlichen Lehre und der Fundamente oder Haupt-
zeugnisse der Schrift, auf die die Hauptstücke erbaut sind; denn wer nicht
versteht, was er sage oder was er setze, der ist Andere zu lehren nicht geschickt,
nach dem Zeugniß des Apostels 1 Tim. 1, 7. 2. Die δύναμις ἑρμηνευτική
oder die Gabe und T ü c h t i g k e i t, auch Andere zu lehren (2 Tim. 2, 2.),
die derjenige, welcher zu berufen ist, in dem Maße haben soll, daß er nicht
nur selbst halte ob dem Wort, das gewiß ist und lehren kann, sondern daß er
auch mächtig sei zu ermahnen durch die heilsame Lehre und zu strafen die
Widersprecher, Tit. 1, 9., das ist, die wahre Lehre des Glaubens vorzutragen,
die Besserung der Sitten in der Gerechtigkeit, die Bestrafung falscher Lehrsätze
und die Züchtigung der Laster (nach den vier Endzwecken der Schrift, 2 Tim.
3, 16.) anzustellen, auch die von Anfechtungen und Trübsalen Heimgesuchten
mit Trost aufzurichten, Röm. 15, 4. 3. Ein ἀνεπίληπτος καὶ ἀνέγκλητος βίος
(1 Tim. 3, 2. Tit. 1, 6.), das ist, ein u n s t r ä f l i c h e s und u n t a d e l i g e s
Leben, das von Verbrechen und Schandthaten, die an einem Diener des
Wortes nicht zu dulden sind, frei und mit allen Tugenden geschmückt sei, die
ihm zur Selbstdarstellung als eines Christen (Gal. 5, 6. 2 Pet. 1, 5—7.)
und zur Erbauung Anderer nöthig sind. Mit dem Worte W i l l e n befassen
wir zweierlei: 1. Das B e g e h r e n, der K i r c h e z u d i e n e n, 1 Tim. 3, 1.,
und zwar nicht ein erzwungenes oder durch die Noth erpreßtes, sondern freiwilliges und aus dem Eifer hervorgegangenes, die Ehre Gottes und das Heil
der Menschen zu befördern, nicht um Gewinns willen oder aus Herrschsucht,
1 Pet. 5, 2. 3. 2. B e s t ä n d i g k e i t in treuer Verwaltung des einmal über-
nommenen Amtes und aller Theile desselben, 1 Kor. 4, 2., wozu der Fleiß,
die Gabe Gottes durch die rechten Mittel zu erwecken und zu vermehren,
2 Tim. 1, 6., welche sowohl an andern Stellen, als 1 Tim. 4, 12. 13. dar-

gelegt werden, und die Geduld in Mühseligkeiten und Trübsalen gehört, die einem Pastor, als einem guten Kriegsmann, aufs höchste nöthig ist, 2 Tim. 2, 1.'" (Pastoral. ev. Lib. I, c. 8. p. 130 s.)

Auf die Frage: "Ist derjenige für hinreichend mit den zum Amte nöthigen Gaben ausgerüstet zu achten, welcher die lateinische Sprache einigermaßen gelernt hat und eine aus fremden Schriften geschöpfte Predigt aus dem Gedächtnisse hersagen kann?" antwortet der dänische Theolog Brochmand: "Keinesweges. Denn 1. soll einem wahren Diener des göttlichen Wortes das ganze Wort Gottes durchaus bekannt sein, Mal. 2, 7. Matth. 13, 52. 2 Tim. 1, 13. 3, 14. 15. 17. Zum Andern soll ein Diener des göttlichen Wortes in der heiligen Schrift so bewandert sein, daß er dieselbe auf seine Zuhörer mit Rücksicht auf Zeit, Ort, verschiedene Umstände weislich anzuwenden versteht, nach jenem Ausspruch Pauli 2 Tim. 2, 15.: Befleißige dich, Gott zu erzeigen einen rechtschaffenen und unsträflichen Arbeiter, der da recht theile das Wort der Wahrheit. Zum Dritten, wer des heiligen Amtes für würdig geachtet werden soll, muß in Gottes Wort solche Fortschritte gemacht haben, daß er von dem, was er lehrt, wenn es von ihm gefordert wird, Rechenschaft geben und den Widersprechern das Maul stopfen könne, wie Paulus Tit. 1, 9. erinnert." Derselbe antwortet auf die Frage: "Können diejenigen, welche im Examen nicht mit der für das heilige Amt nöthigen und hinreichenden Kenntniß der Artikel des Glaubens und der heiligen Schrift ausgerüstet befunden werden, nichtsdestoweniger ordinirt und zum heiligen Amte zugelassen werden, aber mit der Bedingung, daß sie Fleiß und Sorgfalt im Lernen heilig versprechen?" also: "Durchaus nicht. Denn zum Ersten, gestattet Paulus nicht, daß jemand mit dem heiligen Amte betraut werde, welcher nicht tüchtig zu lehren und mächtig ist, denen, welche der Wahrheit widersprechen, das Maul zu stopfen, 1 Tim. 3, 2. Tit. 1, 9. Zum Andern, erinnert der Geist Gottes ausdrücklich, daß sich derjenige fremder Sünden theilhaftig mache, welcher einer nicht hinreichend tüchtigen Person die Hände auflege, 1 Tim. 5, 22. Zum Dritten, bezeugt es die Erfahrung nur zu häufig, daß diejenigen, welche unausgebildet zum heiligen Amte zugelassen worden sind, in ihrer Ungebildetheit bleiben, mögen sie immerhin Fleiß im Lernen versprochen haben. Zum Vierten, was wollen wir Gott antworten, wenn viele von den Zuhörern verloren gingen, ehe der Pastor das gelernt hat, was er Anderen einprägen soll? Ezech. 33, 1. ff." (System. univers. th. Loc. 30, c. 3. Tom. II, fol. 372. 375.) Hieraus ist denn zu ersehen, welch' eine unbiblische, gewissenlose und seelenverderbliche Sache das hier noch immer in manchen Synoden befolgte s. g. Licensirungssystem sei, nach welchem man diejenigen, die man um ihrer Unerprobtheit oder mangelhaften Amtstüchtigkeit willen nicht zum Amte zu ordiniren wagt, nur eine s. g. Licenz gibt, auf Grund welcher sie an einer Gemeinde auf Probe arbeiten sollen.

Anmerkung 2.

Daß die Ordination der zum Amt Berufenen mit Handauflegung nicht göttlicher Einsetzung, sondern allein eine apostolisch kirchliche Ordnung sei, bedarf keines Beweises, da ihr Gebrauch zwar in der Schrift erwähnt wird, die Schrift aber von einer göttlichen Einsetzung dieses Gebrauches schweigt. Wenn es sich aber um eine göttliche Stiftung handelt, gilt der Beweis a silentio allerdings, wie aus der Polemik gegen die römische Kirche und ihre auf die Tradition zurückgeführten angeblichen Sacramente und Lehren zu ersehen ist. Die Ordination ist ein Adiaphoron, ein Mittelding, macht die Vocation und das Amt nicht, sondern bestätigt beides nur, wie die kirchliche Copulation die Ehe nicht macht, sondern die bereits geschlossene Ehe nur kirchlich bestätigt. Unsere Kirche bekennt daher in den Schmalkaldischen Artikeln: „Diese Worte (1 Pet. 2, 9.) betreffen eigentlich die rechte Kirchen, welche, weil sie allein das Priesterthum hat, muß sie auch die Macht haben, Kirchendiener zu wählen und ordiniren. Solches zeugt auch der gemeine Brauch der Kirche; denn vor Zeiten wählet das Volk Pfarrherrn und Bischöfe; dazu kam der Bischof am selben Ort, oder in der Nähe gesessen, bestätiget den gewählten Bischof durch Auflegen der Hände, und ist dazumal die Ordinatio nichts anders (nil nisi) gewesen, denn solche Bestätigung." (Anhang 2. fol. 157. b.) Daher schreibt auch Luther anderwärts: „Es liegt daran, ob die Kirche und der Bischof eins sind, und die Kirche den Bischof hören und der Bischof die Kirche lehren wolle. So ist's geschehen. Auflegung der Hände, die segnen, bestätigen und bezeugen solches, wie ein Notarius und Zeugen eine weltliche Sache bezeugen und wie der Pfarrherr, so Braut und Bräutigam segnet, ihre Ehe bestätiget, oder bezeuget, daß sie zuvor sich genommen haben und öffentlich bekannt." (Exempel einen rechten christlichen Bischof zu weihen, vom Jahre 1542. Walch XVII, 156.) Daß dies aber die Lehre aller rechtgläubigen Lehrer unserer Kirche immer gewesen sei, darüber mag man die angeführten Zeugnisse derselben vergleichen in der Schrift: „Die Stimme unserer Kirche in der Frage von Kirche und Amt. 2. Auflage. Erlangen bei Deichert, 1865." Theil 2, These 6. B. Daselbst wird zugleich belegt, daß dies auch die Lehre der alten Kirche war, daher dieselbe denn auch, wie die lutherische Kirche, die absolute Ordination verwarf, das heißt, eine Ordination ohne vorgängige von derselben zu bestätigende Vocation und die in der Meinung geschieht, daß eine Person durch die Ordination in den s. g. geistlichen Stand aufgenommen und so, als ein geweihter Priester, erst wahlfähig werde.

Auch über die Heilsamkeit und relative Nothwendigkeit der Ordination finden sich in der angezeigten Schrift sehr beherzigenswerthe Darlegungen unserer Theologen. Hier mögen nur noch die Worte des ernsten Kämpfers für lutherische Orthodoxie, Johann Fecht's (Professors der Theologie in Rostock, gestorben 1716), über diesen Punct folgen: „Die

Ordination ist ein kirchlicher Gebrauch, welcher um seiner Zwecke willen, deren er hauptsächlich drei hat, mit Recht sehr hoch gehalten wird. Denn 1. ist sie ein öffentliches Zeugniß, daß dieser Candidat des Amtes tüchtig und würdig erfunden worden sei, daß ihm die Seelen der Menschen anvertraut werden können. 2. Dieser Gebrauch macht den Candidaten selbst öffentlich gewiß, daß er rechtmäßig berufen sei und daher der Kirche für das heilige Amt verbindlich gemacht werde. 3. Die ganze Gemeinde betet über ihn, daß seine der Kirche nöthigen Gaben vermehrt und ihm der Muth, Gott beständig zu dienen und für das Heil der Seelen zu sorgen, verliehen werde. Hiernach ist die Frage zu entscheiden, was von der Nothwendigkeit dieses Gebrauchs zu halten sei? Es sind nemlich hierbei zwei Extreme zu vermeiden. Erstlich, daß man ihr nicht mit den Papisten eine absolute Nothwendigkeit andichte, nach denen dieser Gebrauch dem Menschen einen Charakter aufdrückt, daß er aus einem Weltlichen ein Geistlicher, aus einem Laien ein Kleriker werde, d. i., daß er die heiligen Verrichtungen vollziehen, insonderheit die Sacramente bewerkstelligen (conficere) könne. Daher sie auch Nichtberufene ordiniren, damit dieselben, wenn sie berufen werden, ihre Aemter sogleich antreten können. Zum Andern, daß man sie nicht mit den Calvinisten gering achte, gleich als ob an ihr nichts gelegen sei. Denn wenn wir nicht einmal eine Ehe für eine wahrhaft christliche Ehe halten, die nicht durch öffentliche Einsegnung geweiht worden ist, wie viel weniger das heilige Amt? Hieraus folgen zwei Regeln: 1. Daß ein Berufener, wenn ein Nothfall es fordert oder wenn er um eines Hindernisses willen nicht sogleich ordinirt werden könnte, sowohl das Amt zu predigen, als die Sacramente zu verwalten, verrichten könne, und in solchem Falle die Gemeinde unterrichtet werden sollte, daß diese Dinge nicht von der Ordination abhängen, als einem Mittel, einen heiligen Charakter aufzuprägen, ohne welchen der Diener die heiligen Verrichtungen nicht vollziehen könnte. 2. Daß außer dem Falle der Noth ein Nichtordinirter, obwohl Berufener, diese Handlungen nicht ohne Weiteres verrichten solle, nicht weil sie, einmal geschehen, nicht giltig wären, sondern daß man Anderen nicht Ursache zu Aergerniß gebe, als ob man in einer so heiligen und wichtigen Sache die Gebete Anderer nicht nöthig habe und in das Amt fallen könnte, wie die Thiere auf das Futter fallen. Das ist auch die Ursache, warum jene Sitte, die sich vordem in Straßburg behauptete, daß die Pastoren oft erst einige Jahre nach dem Antritt ihres Amtes ordinirt wurden, abgeschafft worden ist." (Instructio pastoralis. Cap. 5, § 1. 2. p. 47. s.) Daher schreibt auch Dannhauer: „Wer ist der Ordnung feind, der diesen Gebrauch (der Ordination) hoffärtig verachtet? Er ist weder friedliebend, weil er wider die Kirche ist, noch gewissenhaft, weil er die Mittel für nichts achtet, welche zur Beruhigung des Gewissens dienen; sondern ein eigensinniger Kopf." (Liber conscientiae. P. 1. p. 1006.) Chr. Tim. Seidel erinnert: „Mit der Handlung der Ordination pflegt an den meisten Orten verknüpft zu sein, daß unmittelbar darauf dem Candidaten das heilige

Abendmahl gereicht wird, um den Candidaten dadurch zu erinnern, daß er bei seinen Gemeinden nichts wissen solle, ohne allein Christum den Gekreuzigten, daß er denselben durch seine Lehre und Leben verkündigen, und nicht allein für seine Person in der Vereinigung Christi verbleiben, sondern auch die ihm anvertraute Gemeinde zu derselben führen solle." (Pastoraltheologie, herausgegeben von F. E. Rambach. Leipzig 1769. S. 37.) Damit der zu Ordinirende sein Gemüth lediglich auf die wichtige heilige Handlung richten könne, predigt er am Tage seiner Ordination in der Regel nicht.

Anmerkung 3.

Wo möglich sollte die Ordination immer in der Gemeinde vollzogen werden, in die der Ordinand eintritt; konnte das nicht geschehen, so ist es um so wichtiger, daß sich der Ordinirte bei seiner Gemeinde öffentlich einführen lasse. Ueber den ersten Punct schreibt Luther an Myconius im Jahre 1535: „Wir schicken euren Johannes, den ihr berufen und erwählet, und den wir examinirt und öffentlich vor der Gemeinde durch Gebet und Lob Gottes zu eurem Mitarbeiter geordnet und bestätigt haben auf Befehl unseres Fürsten, wieder zurück, obwohl Dr. Pommer ungern daran gegangen, als welcher noch die Meinung hat, daß ein jeder in seiner Gemeinde zu ordiniren sei von seinen Presbytern. Welches endlich geschehen wird, wenn jene neue Sache und die Ordination tiefer einwurzeln und der Gebrauch gemeiner und beständiger werden wird." (Walch XXI, 1432.) Von der Einführung, Installation oder Investitur*) schreibt Ludwig Hartmann: „Wie die Vocation den Diener des Wortes erwählt, die Confirmation" (die in den Staatskirchen gebräuchliche Beeidigung und Belehnung mit den Pfarrprivilegien) „den Erwählten anerkennt, die Ordination den Anerkannten bestätigt, so stellt die Investitur den Erwählten, Anerkannten und Bestätigten dem Volke dar. Es ist nemlich die Investitur der kirchliche Act, durch den der vocirte und ordinirte Kirchendiener der Gemeinde, welcher er vorgesetzt wird, dargestellt und feierlich eingeführt wird, unter andächtigen Gebeten, mit denen das Amt des Kirchendieners Gott empfohlen wird, sowie mit ernsten Ermahnungen, durch welche sowohl der neue Pastor, als auch die Zuhörer ihrer Pflicht erinnert und dieselben eifrig zu erfüllen verpflichtet werden. . . . Wie die ganze kirchliche Verwaltung auf die Schultern der Prediger des Wortes fast allein fällt und gewälzt wird, so ist es eine Sache von nicht geringer Wichtigkeit, daß, wenn sie zu ihrem Amte inaugurirt und der Gemeinde öffentlich vorgestellt werden, sowohl sie selbst ihrer Pflicht gegen die Gemeinde, als diese wiederum ihrer Pflicht gegen jene treulich erinnert und beiden, um welch' eine schwere und ernste Sache es sich handle, dargelegt werde. Denn es ist nur zu bekannt, daß Kirchendiener nicht selten hier mehr

---

*) Investitur hat ihren Namen daher, daß bei dieser Gelegenheit der Ordinirte das Amtskleid (vestis clerica) erhielt.

auf Ehre, Ruhe und Einnahme sehen, als daß sie die zu dem Amte, dem sie
gewidmet und womit sie bekleidet werden, gehörigen Stücke, die hohe Würde,
Schwierigkeit, Arbeiten und Beschwerden desselben so, wie es recht wäre,
erwägen; daß aber viele Gemeinden diese Sache wenn auch nicht gerade für
etwas Lächerliches, doch das Amt für ein nothwendiges Uebel halten, mit
welchem und ohne welches man nicht leben könne." (Pastoral. ev. Lib. I,
c. 12. p. 174. s.) Seidel erinnert: „Außen vor der Kirche pflegt sich die
ganze Gemeinde zu versammeln, um ihrem neuen Prediger Glück zu
wünschen. Man erlangt in der Stunde eine Gewalt über ihre Seelen,
wenn man sie mit der größten Liebe anhört und sie von seiner Treue kürzlich
versichert. Ueberhaupt muß man sich im Voraus in die Gemüthsverfassung
setzen, daß man an diesem Tage gegen niemanden Widerwillen oder eine
unfreundliche Geberde blicken lasse. Da muß man von nichts als Liebe
wissen." A. a. O. S. 43. Wie oben schon angedeutet, kann und sollte
jedoch die erstmalige Introduction mit der Ordination, wenn letztere vor der
Gemeinde geschieht, verbunden werden. Während jedoch bei Versetzungen die
Ordination nicht wiederholt zu werden pflegt, wird hingegen die Investitur
so oft wiederholt, so oft der Prediger ein neues Amt antritt. Vergleiche
Gerhardi Loc. de minist. § 170.

Anmerkung 4.

Sowohl mit der Ordination als mit der Einführung ist in der evangelisch-lutherischen Kirche die Verpflichtung des Antretenden auf
die symbolischen Bücher derselben verbunden. Vergleiche das oben
§ 6. Anmerkung 4. Gesagte, sowie den auch in Pamphletform erschienenen
Aufsatz im „Lutheraner" Jahrgang V, Nr. 11.: „Warum sollen wir an
den Bekenntnißschriften unserer evangelisch-lutherischen Kirche auch noch jetzt
festhalten?" Hier möge nur noch eine Anmerkung Platz finden, welche
Friedrich Eberhard Rambach, der sonst nichts weniger als rigoros
war, zu dem Texte der Pastoraltheologie Seidel's hinzufügt: „Ueber diesen
Gebrauch unserer Kirche ist in den neuern Zeiten zur Ungebühr und also
auch aus Unverstand kritisirt worden. Daher Folgendes hierbei zu bemerken:
1. Wir halten die symbolischen Bücher nicht für den Glaubensgrund, als
welcher allein die heilige Schrift ist; sondern nur für die Richtschnur unseres
Bekenntnisses vom Glauben, und durch eine schriftliche Erklärung, nach
diesem Bekenntniß zu lehren, verlangen wir nur eine Versicherung, daß unsere
Kirche in ihren Lehrern redliche Diener und Hirten, nicht aber Füchse und
Wölfe bekomme. Es wird hiezu keiner schlechterdings gezwungen, und wenn
ihm die Unterschrift bedenklich ist, so kann er wegbleiben und eine andere
Lebensart suchen. Hat er sich aber einmal dazu erklärt, und er weicht nachher von derselben ab, so kann er den Charakter eines ehrlichen Mannes nicht
behaupten, oder er muß abdanken und sein Amt niederlegen. 2. Unsere
symbolischen Bücher sind kein Werkzeug des Vorwitzes und Vergreifung an

anderer Menschen Gewissen, sondern sie sind aus Noth abgefaßt worden. Die Augsburgische Confession mußte auf Befehl Carls V. unter mancher augenscheinlicher Gefahr abgefaßt werden; die Schmalkaldischen Artikel wurden aus Noth aufgesetzt, um auf dem vom Pabst zu Mantua angesetzten Concilio übergeben zu werden, und die beiden Catechismi Lutheri wurden ihm durch die schreckliche Unwissenheit des Volks und unverantwortliche Nachlässigkeit der römischen Clerisei abgedrungen. Und eben dieses können wir auch von der Formula Concordiae sagen, die oft von ungewaschenen Zungen lüderlich durchgezogen wird, die aber eben dadurch Unwissenheit und Leichtsinn verrathen. Was ist denn für Böses daran, wenn christliche und evangelische Obrigkeiten eine schriftliche oder auch eidliche Erklärung zu diesen Büchern begehren und nicht jeglichem Phantasten gestatten wollen, nach eigenem Gefallen Neuerung zu machen? Die Gewissensfreiheit gestattet freilich nicht, jemanden zur wahren Religion zu zwingen; aber sie erfordert auch nicht, jedem Freiheit zu gestatten, schändliche Lehren auszustreuen und Verwirrung in der Kirche anzurichten." A. a. O. S. 38. Ebenso gewissenlos würde es aber auch sein, wenn ein Candidat sich auf die Bekenntnisse der Kirche verpflichten lassen wollte, um nur in das Amt zu kommen, ohne dieselben gelesen, nach Gottes Wort geprüft und sich von der Wahrheit ihres Inhalts in rebus und phrasibus überzeugt zu haben.

Anmerkung 5.

Nach empfangener Ordination sollte sich der in das Amt Eingetretene bei nächster Gelegenheit an eine rechtgläubige Synode anschließen. Thäte er dies bei dazu sich ihm darbietender Gelegenheit nicht, so würde er damit einen sündlich independentistischen, schismatischen Geist verrathen, wider Ephes. 4, 3. 1 Kor. 1, 10—13. 11, 18. 19. Sprüchw. 18, 1. Vergleiche die Schrift: „Die rechte Gestalt einer vom Staate unabhängigen evang.-lutherischen Ortsgemeinde. St. Louis, Mo. 1863." S. 212—217. Noch ärger, als separatistisches Alleinstehen, ist es freilich, wenn ein Prediger, der sich entweder aus unlauteren Gründen an keine der vorhandenen Synoden anschließen mag oder um seiner Unwürdigkeit oder Untüchtigkeit willen in keiner derselben Aufnahme finden würde, eine eigene Synode aus zweideutigen Charakteren oder doch eben so unfähigen Männern, wie er selbst ist, zu bilden, ja wohl sich zu ihrem Haupte aufzuwerfen und auf diesem Wege dem Vorwurf des Separatismus zu entgehen sucht.

§ 9.

An einem rechten Anfange der Amtsverwaltung ist überaus viel gelegen. Die **Anzugs-** oder **Antrittspredigt** muß der Gemeinde hauptsächlich zweierlei sagen: 1. was dieselbe von ihrem Erwählten zu erwarten habe, und 2. was dieser von ihr erwarte; dieses alles zwar ohne Schmeichelei und profane captatio benevolentiae, in christlichem Ernst

und heiliger Wahrhaftigkeit, aber in evangelischer gewinnender Freund=
lichkeit und in herzlicher unverstellter Demuth. Am füglichsten beginnt
die Predigt mit einem Gebete um Gottes Hilfe und Segen für den An=
tretenden selbst, und schließt mit einer brünstigen Fürbitte für die Ge=
meinde, und zwar so, daß darin alle Alter und Stände und alle Amts=
handlungen Gott besonders vorgetragen werden.

Anmerkung 1.

In einer Anzugspredigt auf die Bedeutung derselben keine Rücksicht zu
nehmen, und ohne alle Beziehung auf das neue Verhältniß, in welches der
Prediger zur Gemeinde damit eintritt, nur die betreffende Perikope auszulegen,
wäre ohne Zweifel verkehrt. Die erschienene Gemeinde erwartet es mit Ver=
langen, daß der neue Prediger sich über jenes Verhältniß ausspreche, und
würde getäuscht und unbefriedigt die Kirche verlassen, unterließe dies der
Antretende. Es würde derselbe damit eine Gelegenheit versäumen, einen
besonders gesegneten Zug zu thun und sogleich im Anfang einen guten
Grund für seine künftige Amtswirksamkeit zu legen. Ueber Anzugspredigten
schreibt Christoph Tim. Seidel: „Der neue Prediger sorgt dafür, daß
der Tag der Anzugspredigt der Gemeinde und allen Eingepfarrten acht Tage
vorher von der Kanzel bekannt gemacht werde. Der Endzweck der Anzugs=
predigt ist, daß sich der neue Prediger selbst seiner Gemeinde darstelle und
sein Lehramt anfange. In der Anzugspredigt würde also zu beobachten sein:
1. Man erwählet einen Hauptsatz, der mit dem Endzweck der Rede genug=
sam übereinkommt. 2. In der Anwendung erzählt man die Art und Weise,
wie man zu der Vocation gelangt sei; man versichert die Gemeinde seiner
beständigen Treue, Liebe und Sorgfalt; man bittet sich mit beweg=
lichen Worten ihre Gegenliebe und Vertrauen aus; man beschließt
endlich die Predigt mit einem Gebete für die ganze Gemeinde und
ruft Gott um seinen Beistand zu einer gesegneten Amtsführung an.
3. Es würde gegen die Klugheit sein, in der Anzugspredigt von vielen
Neuerungen und Veränderungen zu reden, die man zu machen ge=
sonnen sei. Dies ist der gewisseste Weg, ein Mißtrauen in den Gemüthern
gegen sich zu erwecken. 4. Man hütet sich vor allen Versprechungen, zu
denen man seines Amts wegen nicht verbunden ist. Die Zuhörer bemerken
dergleichen sehr genau, und wenn es nachher nicht erfüllt werden kann, so hat
man daran beständigen Vorwurf. 5. Man hütet sich vor allzu scharfen
Redensarten und vor Drohungen; denn diese erbittern und entfernen
die Gemüther so sehr von dem angehenden Lehrer, als die Versicherungen
einer väterlichen Liebe und Sorgfalt dieselben zu ihm neigen. 6. Man hütet
sich vor Lobeserhebungen seiner eigenen Person; diese bringen gewiß Ver=
achtung zuwege." (Pastoraltheologie. Herausgegeben von F. E. Rambach.
Leipzig. 1769. S. 46. f.) Adam Struensee schreibt über denselben
Gegenstand: „Die Anzugspredigten haben den besondern Zweck, daß ein

neuangehender Prediger sich einen Eingang bei seiner Gemeinde verschafft und seine Zuhörer zur Liebe und zum Vertrauen gegen seine Person, auch zum Gehorsam gegen die ihnen vorzutragenden Wahrheiten erweckt, damit sie durch seinen Dienst ermuntert werden, mit ihm zur seligen Ewigkeit hinzueilen, und Lehrer und Zuhörer solchergestalt vor dem Throne Gottes in unaufhörlicher Freude beisammen sein mögen. In der Anwendung kann der Prediger theils der besondern Vorsehung Gottes gedenken, durch welche er als ein Lehrer zu der Gemeinde geführt worden ist; theils die Wichtigkeit des Lehramts und die damit verknüpfte schwere Verantwortung sich und seiner Gemeinde zu Gemüthe führen und sich das Gebet seiner Zuhörer ausbitten, damit er nach Gottes Sinn dasselbe führen möge; theils mit allem Ernst zu erkennen geben, daß er nicht Menschen, sondern Gott zu gefallen sich werde angelegen sein lassen; theils mit wenigem berühren, wessen er sich zu seiner Gemeinde versehe, und wie herzlich er wünsche, daß alle Hindernisse der Erbauung aus dem Wege geräumt und die heilsamen Wahrheiten an ihren Seelen zu ihrem ewigen Heile kräftig werden mögen. In der ganzen Anzugspredigt muß aus allen Worten, Mienen und Bewegungen ein großer Liebesaffect hervorleuchten, der mit Wehmuth über die Gottlosen, mit Verabscheuung der Heuchelei, mit Leutseligkeit gegen die Betrübten und Bußfertigen und mit Aufrichtigkeit gegen die Begnadigten verknüpft ist." (Anweisung zum erbaulichen Predigen. Halle 1756. S. 414. ff.) Außer diesem allem dürfte es von Segen sein, wenn sich der neuantretende Prediger auch auf das Bekenntniß der rechtgläubigen lutherischen Kirche beriefe, darauf er nicht nur bei seiner Vocation und Ordination feierlich verpflichtet worden sei, sondern das auch das Bekenntniß seines eigenen Glaubens sei, bei welchem er in Lehre und Praxis durch Gottes Gnade zu bleiben gedenke, was auch immer geschehen möge.

Anmerkung 2.

Das Zweckmäßigste ist, daß der Antretende, wenn es sich irgend thun läßt, seiner ersten Predigt die Perikope des betreffenden Sonntags zu Grunde lege. Will sich dies nicht schicken, so eignen sich u. a. folgende schon wiederholt von gottseligen Predigern zu diesem Zwecke gebrauchte Texte: Röm. 1, 16. 17.; 15, 29—33.; 1 Kor. 1, 21—25.; 2, 1—5.; 4, 1. 2.; 2 Kor. 1, 24.; 4, 5. 6.; 5, 17—21.; 1 Thess. 2, 13.; Apostelg. 26, 22—29.; Joh. 17, 20. 21. Als der gottselige Professor J. A. Dietelmair im Jahre 1744 am 19. Sonntage nach Trinitatis das Amt eines Diakonus in Nürnberg antrat, war sein Thema über das Evangelium des Sonntags: „Die Erkenntniß des Heils in Vergebung der Sünden, als die eigentliche Absicht des Amtes der Boten des Friedens." Als der fromme Siegmund Basch sein Amt als Oberhofprediger in Hildburghausen im Jahre 1751 am Sonntage Exaudi antrat, war sein Thema auf Grund der betreffenden evangelischen Perikope: „Das Zeugniß von JEsu die vornehmste Verrichtung seiner

Knechte." Als der ausgezeichnete, von dem ebenso genialen, als bitteren Feinde des Evangeliums Lessing mit Schmach bedeckte, Theolog J. Melch. Göze im Jahre 1750 am 1. Sonntage nach Trinitatis sein Amt in Magdeburg antrat, war sein Thema über die Epistel des Sonntags: „Die Verkündigung der göttlichen Liebe das angenehmste Geschäft eines evangelischen Predigers." (In der Einleitung spricht er u. a. Folgendes: „Zwei Stücke sind es, auf welche ein evangelischer Prediger bei dem Vortrage des göttlichen Wortes sonderlich sehen muß: er muß Gesetz und Evangelium predigen. Er muß beides in der rechten Ordnung predigen. Er muß beides recht verbinden, aber auch zu seiner Zeit gehörig zu theilen wissen. Ich weiß, daß auch ich schuldig bin, das Gesetz zu predigen und dem Gottlosen Zorn und Fluch vorzuhalten, damit er sich warnen lasse von seinem gottlosen Wesen. Ich werde diese Pflicht nicht versäumen. Wäre es mir wohl zu rathen, daß ich heuchelte, daß ich suchte Menschen gefällig zu sein, und darüber meine Hände mit Blut befleckte, welches der HErr, der gerechte Richter, an jenem Tage von mir fordern würde? HErr, laß dieses ferne von mir sein! ... Indessen werde ich doch diesen Theil meiner Amtsarbeit allemal mit innigster Wehmuth meiner Seele beobachten. Dagegen werde ich mit Freuden das Evangelium des Friedens verkündigen... Denn es ist und bleibt die angenehmste Beschäftigung eines evangelischen Lehrers, die Liebe Gottes den Seelen anzupreisen.") Als J. Ph. Fresenius sein Amt als Senior Ministerii zu Frankfurt am Main am Sonntage Invocavit 1749 antrat, stellte er über den freien Text: 2 Kor. 5, 19—21., „die evangelische Natur des Predigtamtes" dar, und zwar 1. den evangelischen Grund desselben — die Versöhnung Gottes mit dem Menschen, 2. den evangelischen Zweck desselben — die Versöhnung des Menschen mit Gott, und 3. die evangelischen Mittel, welche dieses Amt anwendet, seinen Zweck zu erreichen — die Predigt von der Versöhnung. Im Eingange geht er von dem Spruche Jes. 40, 2. aus. Als endlich Spener am 2. Sonntage nach Trinitatis im Jahr 1691 sein Amt als Probst in Berlin antrat, führte er erst über das Evangelium des Sonntags die Lehre von der Seligkeit aus, 1. nach ihrer Ursache, 2. ihrer Art, und 3. den Personen, welche sie erlangen, und zeigte sodann: 1. was er von seinen Zuhörern fordere, nemlich a. ihn für einen von Gott Gesandten zu erkennen, b. nicht sowohl ihm, als dem, in dessen Namen er zu ihnen komme, zu gehorchen und c. für ihn zu beten; 2. wessen sich die Zuhörer zu ihm zu versehen hätten, nemlich a. daß er ihnen allen Rath Gottes zu ihrer Seligkeit verkündigen, b. ihnen ein Vorbild zu sein sich bestreben und c. für sie bitten werde. Den Eingang nahm er aus Ps. 34, 9.

Anmerkung 3.

Seidel macht noch die nicht unnöthige Bemerkung, daß der anziehende Prediger der Gemeinde die mit seinem Anzuge verbundenen Lasten möglichst zu erleichtern suchen sollte, namentlich was Reise- und Transportkosten, Herrichtung der Pfarrgebäude und dergleichen betreffe.

§ 10.

Hat der neue Prediger sein Amt angetreten, so ist es seine Pflicht, die ersten Wochen oder nach Umständen die ersten Monate zu einem Theile dazu anzuwenden, daß er sämmtliche in seine Parochie gehörige Familien und einzelne Personen besuche, um mit ihnen persönlich bekannt zu werden. (Apostelg. 20, 20. ["öffentlich und sonderlich," δημοσία καὶ κατ' οἴκους = von Haus zu Haus] 1 Thess. 2, 11. Joh. 10, 3. Hesek. 34, 16. 1 Tim. 5, 1—3. Ephes. 4, 11. ["Hirten"]). Unter allen hat er zuerst die Kranken zu besuchen (Matth. 25, 36. Jak. 5, 14.), sowie diejenigen, welche Alters oder Schwachheit halber den öffentlichen Gottesdienst nicht besuchen konnten. Ueberhaupt aber darf er hierbei keine Person übersehen, vielmehr sollte er alsbald einer jeden seine Aufmerksamkeit zuwenden, und so zu erkennen geben, daß er für jede einzelne Seele die Sorge eines Hirten in seinem Herzen trage und die Armen, die Leute geringeren Standes nicht geringer achte, als die Reichen und Vornehmen. Jak. 2, 1—9. Dabei muß er selbst denen mit einem gewissen Maaß von Zutrauen entgegen kommen, die den Eindruck eifriger Christen nicht machen. 2 Tim. 2, 24. 1 Kor. 9, 19—23. Sogleich eine scharfe Prüfung aller Seelenzustände anzustellen, wäre nicht am Ort; nur wo man unaufgefordert darauf eingeht, sich aufzuschließen, da soll auch der neue Prediger dem geäußerten Bedürfnisse entgegen kommen. Findet der Prediger eine Schule vor, so sollte er dieselbe schon in den ersten Tagen der ersten Woche besuchen. Joh. 21, 15. 1 Joh. 2, 13.

Anmerkung 1.

Da wir später veranlaßt sein werden, von den seelsorgerischen Hausbesuchen ex professo zu handeln, so theilen wir hier nur mit, was Seidel von der Pflicht des neu Angetretenen in dieser Beziehung sagt. Er schreibt: „In den nach der Anzugspredigt folgenden Tagen ist es die Pflicht des Lehrers, daß er seine Gemeinde kennen lerne. Hierzu werden folgende Vortheile dienen: 1. Man besucht nach der Ordnung ein jedwedes Haus und beobachtet die Aufführung, welche ein jeder Einwohner bezeigt, als auch die äußerlichen Umstände, aus welchen man von ihrer Lebensart urtheilen kann. 2. Man erkundigt sich bei solcher Besuchung insbesondere, ob sie Bibeln, Gesangbücher u. s. w. haben. 3. Man läßt die Kinder durch den Schulmeister alle miteinander zusammenrufen, um den Zustand derselben zu erforschen, und hält an dieselben eine bewegliche Ermunterungsrede. 4. Man bestellt die Knechte und Mägde auf eine gewisse Zeit zu sich auf die Pfarre, und ermahnet dieselben zur Sorge für das Beste ihrer Seelen, und erbietet sich, solches mit aller Treue zu befördern. 5. Man bestellet die Hirten, die einem nicht oft zu Gesichte kommen, des Morgens früh oder des Abends spät zu sich, und gibt ihnen eine gleichmäßige Anweisung. 6. Man besucht ohne allen Anstand die Kranken und diejenigen, die in besonderen Seelenumständen stehen. 7. Man läßt insbesondere diejenigen aus der Gemeinde zu sich rufen, welche vor andern wegen ihres bösen Wandels berüchtigt sind, und redet denselben mit den allerbeweglichsten Worten zu, sich zu bessern. 8. Man bekümmert sich um die Armen und Nothleidenden, und ist entweder nach seinem Vermögen selbst gegen sie gutthätig oder verschafft ihnen andere Hilfe. 9. Man sucht diejenigen, die in Feindschaft und Prozessen leben, zu versöhnen. Weil man ihre Umstände vorher nicht gekannt hat, und sie also keinen Verdacht der Parteilichkeit auf uns werfen können, so findet man in ihren Gemüthern desto eher Eingang. 10. Man sucht diejenigen Kirchensachen, welche bei der Vacanz liegen geblieben sind, mit der möglichsten Geschwindigkeit abzuthun." (Pastoraltheologie, herausgegeben von F. E. Rambach. Leipzig. 1769. S. 47. f.) Im Folgenden räth Seidel noch, „die Aeltesten der Gemeinde zu sich zu rufen und ihren Rath zu begehren." S. 49.

Anmerkung 2.

Der neu angetretene Prediger gestatte es nicht, viel weniger befördere er es, daß ihm von Gemeindgliedern über andere Gemeindeglieder Ungünstiges zugetragen und er etwa vor ihnen gewarnt werde. Nur zu oft sind gerade diejenigen, welche sich anfänglich am meisten an den Prediger heran drängen und den größten Eifer zur Schau tragen, die ersten, welche, wenn sie vom Wort getroffen werden, abfallen, dem Prediger feind werden und das ihnen geschenkte Vertrauen mißbrauchen. Ueberhaupt hüte sich der Prediger sogleich von vornherein vor der Versuchung, sich eine ecclesiola in ecclesia (ein heiliges auserwähltes Häuflein im Haufen), wie einst die Pietisten, sammeln zu wollen, und den Schein zu geben, daß er allein diejenigen, die sich im Eifer hervorthun, für rechte Christen und für seine eigentliche Gemeinde ansehe. Vergleiche 1 Kor. 1, 10—13. Wer nicht im Bann ist, muß es merken, daß sein Pastor auch ihn für sein liebes Schäflein anerkenne. Sowohl das Werk Gottes, als Unlauterkeit verbirgt sich oft so sehr, daß der Prediger, welcher zu viel auf den äußeren Schein sieht, nur zu leicht gerade diejenigen für die besten Christen ansehen kann, die es am wenigsten sind, und gerade diejenigen für Todte, Unerweckte, in denen Gott schon sein Gnadenwerk herrlich begonnen hat.

Anmerkung 3.

Ein Zeichen sehr verächtlicher Gesinnung würde es sein, wenn der neu angetretene Prediger sich auf Kosten seines zwar gebrechlichen, aber rechtschaffenen Vorgängers bei seiner Gemeinde in Ansehen zu setzen suchte, dessen Weise tadeln und nicht gern seinem Vorgange folgen würde. Seidel schreibt: „Hat man einen Vorfahren gehabt, der bei der Gemeinde beliebt gewesen ist, so trachte man ja in dessen Fußstapfen zu treten, wo es mit gutem

Gewissen geschehen kann. Man bemerke auf der anderen Seite die Fehler seines Vorfahren, und beurtheile aus denselben, was man thun müsse, um sich die Liebe der Gemeinde zuwege zu bringen. Dieses kann (und soll) geschehen, ohne der Person seines Vorfahren zu gedenken, oder denselben wegen seiner Fehler durchzuziehen." (A. a. D. S. 49.) Findet aber der neu angetretene Prediger an seiner Gemeinde schon einen Collegen vor, so hat er mit höchstem Ernst und Fleiß darüber zu wachen, daß er nichts thue, sich bei der Gemeinde etwa in größere Gunst und Achtung zu setzen und dem Collegen die Herzen ab- und sich zuzuwenden, daß er hingegen alles thue, mit seinem Mitarbeiter die Einigkeit im Geist zu halten durch das Band des Friedens. Denn mit Recht schreibt Basilius: „Die rechte Hand bedarf nicht so sehr der linken, als die Kirche der Eintracht bedarf." Ist endlich der neue Pastor etwa nur als Hilfsprediger angestellt, so muß er mit um so größerem Fleiße darauf bedacht sein, sich nicht über den, dem er zur Hilfe gesetzt ist, zu erheben und durch Besser-wissen-wollen, wohl gar durch heimliches oder öffentliches Entgegenarbeiten seinen Senior zum Seufzen zu bewegen, das Amt ihm zu erschweren, anstatt ihm dasselbe zu erleichtern, und seine Wirksamkeit zu lähmen, anstatt dieselbe zu fördern. So gottmißfällig dies ist, so gewiß rächt sich dies seiner Zeit.

Anmerkung 4.

Daß der Prediger sogleich nach seinem Anzuge die Schule zum Gegenstande seiner Sorge zu machen habe, liegt auf der Hand. Dr. Johannes Fecht, Professor der Theologie zu Rostock (gestorben 1716), schreibt hierüber: „Da die Schulen die Seminarien (Pflanzschulen) der Kirche sind, so erhellt hieraus von selbst, daß aus dem Mangel der Schulen der Kirche selbst ein unersetzlicher Verlust erwachse. Daher der Pastor der Kirche mit höchster Sorge darauf bedacht sein muß, daß die in den seiner Pastoralsorge übergebenen Orten befindliche Schule geschickten Lehrern anvertraut werde. Wo aber die Dörfer nicht so beschaffen sind, daß sie einen Schullehrer nähren können, so hat er sich wenigstens zu bemühen, ehrbare Gemeindeglieder zu finden, welche die Jugend während des Winters unterrichten, indem er sie durch eine, wenn auch geringe, Vergeltung aus der Kirchencasse zu dieser Arbeit einladet. Denn ohne Hilfe der Schulen kann die göttliche Erkenntniß und Gottseligkeit auf keine Weise gepflanzt werden, also, daß viele Pastoren, wo keine Schulmeister zu haben waren, diese so nothwendige, so heilsame Arbeit, von ihrem Gewissen dazu getrieben, auf sich genommen haben, namentlich in der Winterzeit. Wo aber Schulen errichtet sind, da ist die Visitation derselben von Seiten des Pastors durchaus nothwendig. Theils damit der Schulmeister zu unermüdlichem Fleiße aufgemuntert, theils damit ihm die Art und Weise und der Weg, wie er die Unterweisung treulich und mit Frucht anzustellen habe, gewiesen, theils daß sonderlich das Mangelhafte am katechetischen Unterrichte ergänzt, theils endlich daß die Jugend selbst angeſtachelt werde, täglich größere Fortſchritte zu machen. Der Paſtor der Kirche darf ſich den Ekel an der beſchwerlichen Arbeit nicht abſchrecken laſſen, daß er nicht häufig ganze Stunden lang unter den Kleinen in der Schule ſitzen ſollte; er darf auch nicht blos dem Unterricht des Lehrers zuhören, ſondern muß ſelbſt Hand an das Werk legen, die Fleißigen loben und die Trägen ſchelten. Denn ſo legt er einen feſteren Grund zu der ſpäter in der Kirche ſelbſt vorzunehmenden katechetiſchen Unterweiſung. Ebenſo muß er täglich bemüht ſein, die ſorgloſen Eltern aufzuwecken, welche oft wenig für ihre Kinder beſorgt ſind, mögen dieſe immerhin wie die Thiere ohne alle Erkenntniß Gottes aufwachſen. Er muß denſelben nemlich vor Augen ſtellen die Rechenſchaft, die ſie Gott einſt zu geben haben werden, und den göttlichen Fluch, der ſich über ihr ganzes Hausweſen ergießen werde, wenn ſie hier ihre Pflicht verſäumen, und hingegen den Segen, wenn ſie ihre Kinder in der Furcht des HErrn auferziehen, dazu ſie hauptſächlich in der Schule angeleitet werden. Zwar ſcheint auf den erſten Anblick dieſer Theil des Paſtor-Amtes von geringer Wichtigkeit zu ſein, aber deſſen ſei nur gewiß, daß man aus dieſem Theile vor allem einen wahren Paſtor der Kirche von einem Miethling, und einen Paſtor nur dem Namen nach von einem wirklichen unterſcheiden könne, denn wie kann der, welcher für den Grund keine Sorge trägt, um das Gebäude ſelbſt ernſtlich beſorgt ſein?" (Instructio pastoralis, ed. a G. F. Fechtio, fil. Ed. 2. 1722. p. 199. sq.)

Anmerkung 5.

Drei Winke für den neu angetretenen Paſtor mögen hier noch Platz finden. Erſtlich, er verreiſe nicht ohne die dringendſte Noth in dem erſten Halbjahr; zum andern, hüte er ſich, wenn er ſich nicht aus eigenen Mitteln die nöthigen häuslichen Einrichtungen beſchaffen kann, unbedacht zu dieſem Zwecke mehr Schulden zu machen, als unbedingt nöthig iſt, und auch das nöthige Anlehen mache er, wenn irgend möglich, nicht bei ſeinen eigenen Gemeindegliedern; und endlich drittens, lege er ſogleich ein Seelenregiſter und ſ. g. Kirchenbuch an, wenn ſolches noch nicht vorhanden iſt.

§ 11.

Die wichtigſte aller Amtsverrichtungen jedes Paſtors iſt die öffentliche Predigt. Auf dieſe hat derſelbe daher den größten Fleiß zu wenden. Die wichtigſten Erforderniſſe der öffentlichen Predigten ſind aber folgende: 1. daß ſie nichts als Gottes Wort und zwar rein und lauter enthalten (1 Pet. 4, 11. Apoſtg. 26, 22. Röm. 12, 7. Jer. 23, 28. 2 Tim. 2, 15.); 2. daß Gottes Wort darin recht angewendet werde (2 Tim. 3, 16. 17.); 3. daß darin den Zuhörern der

ganze Rath Gottes zu ihrer Seligkeit verkündigt werde (Apostg. 20,
20. 26. 27.); 4. daß dieselben dem speciellen Bedürfniß der Zuhörer entsprechend seien (Luk. 12, 42. 1 Kor. 3, 1. 2. Ebr. 5, 11. —
6, 2.); 5. daß sie zeitgemäß seien (Matth. 16, 3.); 6. daß sie wohl
geordnet (Luk. 1, 3.), und endlich 7. daß sie nicht allzulang seien.
— Was sonst über die rechte Predigtweise zu sagen sein möchte, gehört in
die Disciplin der Homiletik.

Anmerkung 1.

Mag ein Prediger ein noch so guter Liturg sein, noch so begabt, eine
Gemeinde zu regieren, oder auch Privatseelsorge zu üben ꝛc., dies alles kann
die rechte Predigt nimmermehr ersetzen. Diese ist und bleibt das Hauptmittel einer gesegneten Verwaltung des heiligen Amtes. „Es ist", heißt es
in der Apologie der Augsburgischen Confession im 24. Artikel von der Messe,
„kein Ding, das die Leute mehr bei der Kirchen behält, denn die gute Predigt."
Ferner im Artikel von der Beichte: „Wollt ihr die Kirche bei euch erhalten,
so müßt ihr darnach trachten, daß ihr recht lehren und predigen lasset; damit
könnt ihr einen guten Willen und beständigen Gehorsam anrichten."

Anmerkung 2.

Es kann sich daher ein Pastor keiner größeren Untreue in seinem Amte
schuldig machen und durch nichts mehr gereicht ihm sein hohes heiliges Amt
nur zu um so größerer Verdammniß, als wenn er nicht den höchsten Fleiß
mit Meditiren, Lesen und Beten darauf wendet, seiner Gemeinde jederzeit
das Beste zu geben, was er geben kann.*) Vor allem in Absicht auf die

---

*) Augustinus schreibt: „Wer sagen wollte, die Menschen hätten sich nicht darum
zu bekümmern, was und wie sie lehren möchten, da der Heilige Geist die Lehrer selbst
mache, der könnte auch sagen, wir dürften auch nicht beten, weil Christus sagt: Euer
himmlischer Vater weiß, was ihr bedürfet, ehe ihr darum bittet." (De doctrina chri-
stiana. IV, 16.) Sarcerius schreibt: „Es ist eine große Frechheit, Frevelmuth
und Vermessenheit, ja eine schwere Sünde, großes Zornes und Strafe Gottes würdig,
ja eine Verachtung Gottes und seines Worts, und ein Zeichen, daß da keine Furcht Gottes
sein muß, wo man Zeit hat, auf Predigten zu studiren, und man auf die Predigten nicht
studirt, sondern auf die Canzel läuft wie eine Sau zum Troge ꝛc. Und ist nichts gesagt,
daß einer hierin seine Kunst und Geschicklichkeit, ja Uebung und Erfahrung fürwenden
will; denn, sei so gelehrt, wie du kannst, und hast so lange gepredigt, als es immer sein
mag: noch will es studirt sein." (Pastoral. f. 43.) Quenstedt schreibt: „Sonderlich
anfänglich ist das Gerathenste, die ganze Predigt Wort für Wort aufzuschreiben, und
Jüngeren und wenig Geübten ist es nicht nur nützlich, sondern auch nothwendig, sowohl
zu größerer Zuversichtlichkeit, als zur Erlangung eines Vorrathes an Worten, sowie um
des Gedächtnisses willen. Im Fortgang der Zeit aber, achte ich, kann eine Aenderung
gemacht werden. Geübtere und mit einem Vorrath von Sachen und Worten Aus-
gerüstete mögen, sonderlich wenn es wegen sonstigen Beladenseins mit Geschäften nicht
anders möglich ist, die Hauptsachen, die Argumente der einzelnen Theile, die Zeugnisse
und Beispiele sorgfältig aufschreiben und zugleich die der Sache angemessensten Worte
beifügen." (Ethic. pastoral. p. 113. sq.)

öffentliche Predigt des Wortes gilt der erschreckliche Ausspruch des Propheten:
„Verflucht sei, der des HErrn Werk lässig thut." Jer. 48, 10. Wehe daher
dem Prediger, welcher entweder aus Trägheit und Scheu vor Anstrengung,
oder aus Menschenfurcht, oder aus Menschengefälligkeit, oder aus Ruhmsucht,
oder weil er sich die Zeit durch Allotria wegnimmt (geschehe dies nun aus
Leidenschaft für andere Beschäftigungen, oder aus Geiz, oder aus Ehrsucht),
sich bei seinen Predigten nicht nach seinem Text und nach dem Bedürfniß
seiner Zuhörer, sondern darnach richtet, worüber er am leichtesten ohne sonderliche Vorbereitung ein Stündchen reden, etwas aus dem Aermel schütteln
und so diese ihm obliegende Arbeit ohne Mühe und Anstrengung abmachen,
oder womit er am wenigsten anstoßen, oder am meisten gefallen und als
„Canzelredner" glänzen könne! Allotria, durch welche sich der Prediger die
nöthige Zeit zur Vorbereitung auf seine Predigten und zur Erfüllung seiner
sonstigen Amtspflichten nicht wegnehmen lassen darf, sind u. a. Ackerbau,
Viehzucht, Gärtnerei, Weinbau, Doctorei, Musik, Malerei, gelehrte Studien,
Schriftstellerei und andere Steckenpferde; von Dingen hier nicht zu reden,
welche mit dem Amte eines Predigers schlechterdings unverträglich sind, z. B.
gewohnheitsmäßiges Jagen, Fischen, Besuch von Trinkhäusern und anderen
öffentlichen Vergnügungsplätzen, Handelsgeschäfte, politische Wirksamkeit
und dergleichen. Näheres hierüber später, wenn wir auf das Capitel von
dem Leben und Verhalten des Predigers kommen. Wir erinnern hier nur
noch an die 6. Betrachtung des ersten Theils von „Gotthold's Siech- und
Siegesbette" von Christian Scriver über Eifer und Fleiß im Werke des
HErrn, die wir bereits im 7. Jahrgang des „Lutheraner" Nr. 15. mitgetheilt haben.

Anmerkung 3.

Das erste Erforderniß einer Predigt ist, daß sie nichts als
Gottes Wort und zwar rein und lauter enthalte. „Ein Prediger",
schreibt Luther, „muß nicht das Vater unser beten, noch Vergebung der
Sünden suchen, wenn er gepredigt hat (wenn er ein rechter Prediger ist),
sondern muß mit Jeremia sagen und rühmen Jer. 17, 16.: HErr, du weißest,
daß, was aus meinem Munde gangen ist, das ist recht und dir gefällig; ja,
mit St. Paulo, allen Aposteln und Propheten trotziglich sagen: Haec dixit
Dominus, das hat Gott selbst gesagt. Et iterum: Ich bin ein Apostel
und Prophet JEsu Christi gewesen in dieser Predigt. Hier ist nicht noth,
ja nicht gut, Vergebung der Sünde zu bitten, als wäre es unrecht gelehret;
denn es ist Gottes, und nicht mein Wort, das mir Gott nicht vergeben soll
noch kann, sondern bestätigen, loben, krönen, und sagen: Du hast recht
gelehret, denn ich hab durch dich geredet, und das Wort ist mein. Wer
solches nicht rühmen kann von seiner Predigt, der lasse das
Predigen nur anstehen; denn er leugt gewißlich und lästert
Gott." (Schrift wider Hans Wurst [d. i. Herzog Heinrich zu Braun-

schweig] vom Jahre 1541. Walch's Ausgabe, Tom. XVII, 1685.) Zur
Reinheit der Lehre gehört aber auch, daß das Wort der Wahrheit „recht
getheilt", daß nemlich Gesetz und Evangelium wohl unterschieden
werde, 2 Tim. 2, 15. Wer dem Gesetz durch das Evangelium seine Schärfe
und dem Evangelium durch das Gesetz seine Süßigkeit nimmt; wer so lehrt,
daß die Sicheren getröstet und die über ihre Sünden Erschrockenen noch mehr
erschreckt werden; wer die vom Gesetz Getroffenen anstatt auf die Gnadenmittel, nur auf das Gebet um Gnade weist; wer bei der Auslegung des
Gesetzes, seiner Forderungen und Drohungen, es so darstellt, als ob Gott
nach dem Gesetz sich damit begnüge, daß der Christ thue, so viel er vermöge,
die Schwachheiten aber übersehe, und das Evangelium so darstellt, als ob es
nur ein Trost für die schon Frommen sei; wer durch die Forderungen,
Drohungen und Verheißungen des Gesetzes die Unwiedergebornen zu guten
Werken zu bewegen sucht, und von denjenigen, welche noch ohne Glauben
sind, Ablegung der Sünde, Liebe Gottes und des Nächsten fordert; wer einen
besondern Grad der Reue verlangt und nur die tröstet, welche schon andere
Menschen geworden sind; wer nicht glauben können mit nicht glauben
dürfen verwechselt und dergleichen: ein solcher theilt das Wort der Wahrheit nicht recht, sondern vermengt und vermischt Gesetz und Evangelium mit
einander; seine Lehre ist daher, wenn er auch sonst Gesetz und Evangelium
predigt, ja auch in rechter Unterscheidnng richtig definirt, eine falsche.
Luther schreibt daher in seinem „Sermon vom Unterscheid zwischen dem
Gesetz und Evangelio" vom Jahre 1532: „Darum ist hoch vonnöthen, daß
diese zweierlei Worte recht und wohl unterschieden werden; daß, wo das nicht
geschieht, kann weder das Gesetz noch Evangelium verstanden werden, und
müssen die Gewissen in Blindheit und Irrthum verderben. Denn das
Gesetz hat sein Ziel, wie weit es gehen und was es ausrichten soll, nemlich
bis auf Christum, die Unbußfertigen schrecken mit Gottes Zorn und Ungnade.
Desgleichen hat das Evangelium auch sein sonderlich Amt und Werk,
Vergebung der Sünden betrübten Gewissen zu predigen. Mögen darum
diese beide ohne Verfälschung der Lehre nicht in einander
gemenget, noch eins für das andere genommen werden. Denn
Gesetz und Evangelium sind wohl beide Gottes Wort, aber nicht einerlei
Lehre.... Darum welcher diese Kunst, das Gesetz vom Evangelio zu scheiden,
wohl kann, den setze obenan und heiße ihn einen Doctor der heiligen Schrift.
Denn ohne den heiligen Geist ist es ohnmöglich, diesen Unterschied zu treffen.
Ich erfahre es an mir selbst, sehe es auch täglich an andern, wie schwer es ist,
die Lehre des Gesetzes und Evangelii von einander zu sondern. Der Heilige
Geist muß hier Meister und Lehrer sein, oder es wird kein Mensch auf Erden
verstehen noch lehren können. Darum vermag kein Papist, kein falscher
Christ, kein Schwärmer diese zwei von einander zu theilen.... Die Kunst
ist gemein: bald ist es geredt, wie das Gesetz ein ander Wort
und Lehre sei, denn das Evangelium; aber practice (in der

Anwendung) zu unterscheiden und die Kunst ins Werk zu setzen, ist Mühe und Arbeit." (Erlanger Ausgabe XIX, 236 ff.) Daher kommt es denn, daß viele Predigten trotz alles christlichen Geredes, das sie enthalten, doch durch und durch falsch sind.

Anmerkung 4.

Das zweite Erforderniß einer Predigt ist, daß Gottes Wort darin auch recht angewendet werde. Worin die nöthige rechte Anwendung desselben bestehe, das sagen uns namentlich die zwei Stellen der heiligen Schrift: 2 Tim. 3, 16. 17.: „Denn alle Schrift von Gott eingegeben ist nütze zur Lehre, zur Strafe, zur Besserung, zur Züchtigung in der Gerechtigkeit, daß ein Mensch Gottes" (ein Diener Gottes) „sei vollkommen, zu allem guten Werk geschickt;" und Röm. 15, 4.: „Was aber zuvor geschrieben ist, das ist uns zur Lehre geschrieben, auf daß wir durch Geduld und Trost der Schrift Hoffnung haben." Gottes Wort ist also in den Predigten namentlich in fünffacher Weise anzuwenden, oder, um mit unseren Alten die griechische Bezeichnung zu behalten, nicht nur didaskalisch (zur Lehre), sondern auch elenchtisch (zur Strafe oder Widerlegung der Irrlehre), epanorthotisch (zur Besserung oder zur Bestrafung der Sünden), pädeutisch (zur Züchtigung d. i. zur Erziehung oder Ermahnung) und paralletisch (zum Troste) zu gebrauchen. Es soll hiermit nicht gesagt sein, daß jede Predigt oder jeder in der Predigt vorkommende Hauptgegenstand nach dieser Topik der Application eingetheilt und in dieser Reihenfolge regelmäßig angewendet werden, sondern daß diese vom heiligen Geiste selbst angegebenen fünf Usus des Wortes Gottes jeder Predigt desselben zu Grund liegen sollten. Mit Recht schreibt Joh. Jak. Rambach: „An die bekannten fünf Usus binden sich einige Prediger dergestalt, daß sie es für eine Todsünde halten, wenn sie einen davon (einmal) nicht berühren; weil sie meinen, das sei keine vollkommene Predigt, die nicht ihre fünf Usus habe, und darinnen man nicht: 1. ein wenig lehre, 2. ein wenig die Ketzer widerlege, 3. ein bißchen strafe, 4. ein bißchen ermahne, 5. ein bißchen tröste. Sie meinen, weil Paulus 2 Tim. 3, 16. sagt, alle Schrift sei nutz zur Lehre, zur Strafe, zur Besserung, zur Züchtigung, und weil er noch Röm. 15, 4. hinzusetzt, daß wir durch Trost der Schrift Hoffnung haben sollen, so müßten sie dann nothwendig alle Texte der heiligen Schrift durch alle fünf Usus hindurchführen, wenn es auch heißen sollte: De omnibus aliquid, et de toto nihil (von Allem etwas, und von dem Ganzen nichts), und sollten sie auch den usum elenchticum mit Haaren herbeischleppen und alte vermoderte Ketzer von den Todten auferwecken. Ueber dieses werden die Zuhörer des Dinges so gewohnt, daß sie keine Attention mehr haben, weil sie wissen, daß ihr Pfarrherr immer auf einer Leyer, die mit fünf Saiten bezogen ist, spielt; daher sie durch sein Lehren, durch sein Widerlegen, durch sein Strafen, Ermahnen und Trösten nicht mehr afficirt werden; zumal wenn das alles ohnedem auf eine schläfrige Art geschieht und kein Affect und Leben dabei ist. Zuweilen aber schickt sich solches ungezwungen, daß alle fünf Usus sua sponte (von selbst) aus einem Evangello fließen; aber der Lehrer muß doch allezeit prüfen, was die Materien, der Zustand der Auditorum und andere Umstände erfordern und leiden. Die Klugheit muß also den Ausspruch thun, ob man mehr als Einen Usus nehmen und welchen man sonderlich urgiren, welchen man weglassen, oder nur kürzlich berühren soll." (Erläuterung über die Praecepta homiletica. 2. Ausgabe. Gießen, 1746. S. 204 f.)

a. Der didaskalische oder der Usus zur Lehre ist derjenige, welchen der heilige Apostel allen anderen voranstellt. Er ist auch unter allen der wichtigste. Er ist die Grundlage der anderen vier Usus. Mag eine Predigt noch so reich an Ermahnungen, Bestrafungen und Tröstungen sein, ist sie dabei ohne Lehre, so ist sie doch eine leere, magere Predigt, deren Ermahnungen, Bestrafungen und Tröstungen wie in der Luft schweben. Es ist nicht auszusagen, von wie vielen Predigern und wie viel in dieser Beziehung gesündigt wird. Kaum hat der Prediger seinen Text und Lehrgegenstand berührt, so fängt er auch schon an zu ermahnen, oder zu strafen, oder zu trösten. Seine Predigt besteht fast aus nichts als Fragen und Exclamationen, Seligpreisungen und Weherufen, Aufforderungen zur Prüfung und Bearbeitungen des Gemüths und Gewissens, so daß der Zuhörer, immer im Gemüth und Gewissen angefaßt, zu gar keiner ruhigen Ueberlegung kommen kann. Weit entfernt aber, daß solches Predigen besonders zu Herzen gehen und wahres Leben wirken sollte, so ist es vielmehr dazu angethan, die Leute todt zu predigen, den etwa vorhandenen Hunger nach Brod des Lebens zu ertödten und methodisch Ueberdruß und Ekel an Gottes Wort zu wirken. Es muß nothwendig jedem Zuhörer widerlich werden, wenn er immer und immer, ohne daß zuvor der Grund durch Lehre gelegt ist, sich ermahnt, oder gestraft, oder auch salzlos getröstet sieht. Es ist freilich leichter, dies aus dem Stegreife so zu thun, daß die Predigt doch den Anschein hat, lebendig und kräftig zu sein, als eine Lehre deutlich und gründlich darzulegen. Und daß jenes leichter ist, mag wohl bei manchen die Hauptursache sein, daß sie so wenig Lehre predigen, daß sie meist selbst schon solche Themata wählen, die die Kenntniß der Sache bei den Zuhörern schon voraussetzen und daher schon nur praktische Anwendung des Gegenstandes versprechen. Bei vielen liegt aber der Grund hievon ohne Zweifel auch darin, daß sie, weil sie selbst keine gründliche Kenntniß der geoffenbarten Lehren haben, dieselbe natürlich auch anderen nicht gründlich darlegen können. Noch andere aber mögen endlich wohl auch darum so wenig Lehre in ihren Predigten treiben, weil sie in dem Wahne stehen, ausführliche Lehrdarstellungen seien zu trocken, ließen die Zuhörer kalt, dienten nicht zur Erweckung, Bekehrung und einem wahren lebendigen und thätigen Herzens-Christenthum. Es ist dies aber ein großer Irrthum. Gerade die in der Schrift uns Menschen zur Seligkeit geoffenbarten ewigen Gedanken des Herzens Gottes, gerade diese von der Welt her

verschwiegen gewesenen, aber durch der Propheten und Apostel Schriften uns
kund gemachten göttlichen Wahrheiten, Rathschlüsse und Glaubensgeheimnisse
sind der himmlische Same, der in die Herzen der Zuhörer gesenkt werden muß,
soll in denselben die Frucht einer wahren Buße, eines ungefärbten Glaubens
und einer aufrichtigen, thätigen Liebe hervorwachsen.   Wahres Wachsthum
einer Gemeinde in christlichem Wesen ist ohne an gründlicher Lehre reiche
Predigten nicht möglich.   Wer es daran fehlen läßt, ist in seinem Amte nicht
treu, mag er immerhin durch sein stetes eifriges Ermahnen, ernstes Strafen
oder sonderlich evangelisch sein wollendes Trösten das Ansehen haben, als ob
er sich in treuer Sorge für die ihm anvertrauten Seelen verzehrte.   Kurz,
der erste Usus des Wortes Gottes ist der „zur Lehre" (2 Tim. 3, 16.),
die erste nothwendige unerläßliche Eigenschaft eines Bischofs,
als Predigers, ist, daß er „lehrhaftig" sei (1 Tim. 3, 2. 2 Tim. 2, 24.),
das erste Amt in der Kirche ist das des Lehrens, worauf das des Ermahnens folgt (Röm. 12, 7. 8.), das wichtigste Erforderniß einer Predigt
nach dem, daß dieselbe nur Gottes reines Wort enthalte, ist daher auch, daß
sie reich an Lehre sei.   Das höchste Muster auch in dieser Beziehung ist
der Brief St. Pauli an die Römer, der erst nach Zugrundelegung der Lehre
in den ersten eilf Capiteln die praktische Anwendung folgen läßt. •

   b. Daß der elenchtische oder der Usus zur Strafe d. i. zur Widerlegung der Irrlehre ebenfalls zur rechten Anwendung des Wortes
Gottes gehöre, sagt nicht nur der Apostel 2 Tim. 3, 16. ausdrücklich, wir
sehen dies auch aus dem Beispiel aller Propheten und Apostel und unseres
HErrn JEsu Christi selbst.   So oft wir jene und den HErrn selbst mit dem
Lehren beschäftigt finden, so oft sehen wir sie damit auch das Wehren
verbinden, und zwar nicht nur in Betreff grober Irrlehren (1 Kor. 15, 12 ff.),
sondern auch feinerer (Gal. 5, 9.), und nicht nur in freundlicher (Gal. 4,
10—12.), sondern auch in sehr ernster und heftiger Weise (Gal. 1, 8. 9.
Phil. 3, 2.), nicht nur in Absicht auf die Sache, sondern auch in Absicht auf
die Personen, nemlich nicht nur in Absicht auf die falschen Lehren, sondern auch
in Absicht auf die falschen Lehrer, und zwar ohne, und mit Nennung ihres
Namens, sowohl des Namens ihrer Secte, als ihrer Person (1 Joh. 4, 1. Gal. 5,
10. Matth. 16, 6. Offb. 2, 15. 2 Tim. 2, 17. Nominalelenchus!). Von
jedem Prediger wird daher gefordert, daß er „halte ob dem Wort, das gewiß ist
und lehren kann, auf daß er mächtig sei zu ermahnen durch die heilsame Lehre
und zu strafen die Widersprecher. Denn", fährt der Apostel fort, „es sind viele
freche und unnütze Schwätzer und Verführer, sonderlich aus der Beschneidung"
(die wider den Glauben auf die Werke und wider das Evangelium auf das Gesetz dringen), „welchen man muß das Maul stopfen." (Tit. 1, 9—11.) Wer
zwar die reine Lehre vorträgt, aber die derselben entgegenstehende falsche Lehre
nicht straft und widerlegt, vor den Wölfen in Schafskleidern d. i. vor den falschen Propheten nicht warnt und sie nicht entlarvt, der ist kein treuer Haushalter
über Gottes Geheimnisse, kein treuer Hirt der ihm anvertrauten Schafe, kein

treuer Wächter auf den Zinnen Zions, sondern nach Gottes Wort ein
Schalksknecht, ein stummer Hund, ein Verräther.　Wie viele Seelen dadurch
verloren gehen und wie sehr dadurch die Kirche Schaden leidet, daß der Lehrelenchus nicht geübt wird, liegt zu klar am Tage, als daß es eines Beweises
bedürfte.　Nicht nur wird die rechte Lehre meist erst dann recht gefaßt, wenn
zugleich der Gegensatz klar geworden ist, die falschen Lehrer suchen auch ihren
Irrthum so listig mit dem Schein der Wahrheit zu umgeben, daß Einfältige
ohne vorher erfahrne Warnung trotz ihrer Liebe zur Wahrheit nur zu leicht
betrogen werden.　Vergeblich versucht der Prediger seine Hände in Unschuld
zu waschen, weil er die Wahrheit gepredigt habe, wenn er nicht zugleich vor
dem Irrthum, und zwar unter Umständen auch mit Nennung des Namens
der Irrgeister, gewarnt hat, wenn seine Schafe entweder noch während seiner
Amtsverwaltung oder doch, nachdem er sie verlassen mußte, eine Beute reißen-
der Wölfe in Schafskleidern werden.　Luther schreibt: „Widersprecht den
muthwilligen Geistern, sonst ist euer Bekenntniß nur ein Larvenwerk und
nichts nütze.　Wer seine Lehre, Glauben und Bekenntniß für wahr, recht
und gewiß hält, der kann mit andern, so falsche Lehre führen oder derselben
zugethan sind, nicht in Einem Stalle stehen, noch immerdar gute Worte dem
Teufel und seinen Schuppen geben.　Ein Lehrer, der zu den Irrthümern stille schweigt, und will gleichwohl ein rechter Lehrer
sein, der ist ärger, denn ein öffentlicher Schwärmer, und thut
mit seiner Heuchelei größern Schaden, denn ein Ketzer, und
ist ihm nicht zu vertrauen: er ist ein Wolf und ein Fuchs, ein Miethling und ein Bauchdiener rc., und darf Lehre, Wort, Glauben, Sacrament,
Kirchen und Schulen verachten und übergeben: er liegt entweder mit den
Feinden heimlich unter Einer Decke, oder ist ein Zweifler und Windfaher,
und will sehen, wo es hinauswolle, ob Christus oder der Teufel obsiegen
werde; oder ist ganz und gar bei sich selbst ungewiß, und nicht würdig, daß
er ein Schüler, will geschweigen ein Lehrer heißen solle, und will niemand
erzürnen, noch Christo sein Wort reden, noch dem Teufel und der Welt wehe
thun."　(Walch XVII, 1477.)

　　c. So nöthig aber die Anwendung des Wortes Gottes zur Bestrafung
der falschen Lehre ist, ebenso nöthig ist die Anwendung desselben auch zur
Bestrafung der Sünden oder der epanorthotische Gebrauch des
Wortes Gottes.　Hiervon schreibt Luther in seiner Vorrede zur Kirchenpostille vom Jahre 1543: „Welcher Pfarrherr oder Prediger nicht
strafet die Sünde, der muß mit fremden Sünden zum Teufel
fahren, wenn er gleich seiner eignen Sünden halben, so ihm
vergeben sind, ein Kind der Seligkeit ist."　(Walch XI, Vorr.
S. 40.)　Hierbei erinnern wir nur an zwei allgemeine Regeln in Betreff des
Strafens der Sünden.*)　Die erste Regel entnehmen wir der Schrift von

---

*) Beiläufig erinnern wir auch an die Regel Rambach's: „Einem Studiosus theo-
logiae, dem eigentlich die Cura (Seelsorge) der Gemeine nicht aufgetragen worden oder

Lukas Osiander über die rechte Art und Weise zu predigen. Er schreibt: „In der ganzen Darstellung hat man sich wohl zu hüten, nicht ohne Ursache bitter, viel weniger aber giftig zu sein, damit man die Gemüther der Zuhörer nicht ohne Noth erbittere und sich entfremde. Denn Bestrafungen können ernst, und doch frei von Bitterkeit sein; unzeitige Rauhigkeit der Rede läßt auf ein rauhes, mürrisches und ungütiges Gemüth schließen. Eine bescheidene und dabei ernste Rede aber überwindet schneller des Zuhörers Herz. Denn der Zuhörer, der noch nicht unverbesserlich ist, sieht dann ein, daß der Kirchendiener nicht aus persönlicher Leidenschaft, sondern um seines Amtes willen etwas streng sei, und merkt, daß man ja nur sein Heil im Auge habe. Muß man jedoch nothwendiger Weise etwas in rauherer Form vorstellen, so muß man die Worte, von denen man erwartet, daß sie empfindlich sein werden, in seiner Disposition sorgfältig schriftlich aufzeichnen, damit man sie abwägen könne, ehe man sie vorträgt, und außerdem noch darum, damit niemand ihnen eine falsche Auslegung gebe, indem er ihnen entweder etwas hinzufügt oder abbricht. Denn der Kirchendiener kann darnach heilig und theuer versichern, daß weder mehr noch weniger und keine andern Worte, als die von ihm aufgezeichneten, über seine Lippen gegangen seien." (De ratione concionandi, p. 71.) Eine andere das Strafen der Sünden betreffende allgemeine Regel gibt Luther in folgenden Worten eines Briefes an Hausman in Zwickau vom Jahre 1527: „Es ist mir gesagt, auch durch N. angezeigt, wie eurer Prediger einer sich auf der Canzel anfahe ungeschickt zu machen und greife die Person des Raths an unordentlich; welches denn dem Pöbel gefällt. Und funkelt also der Geist noch immer mit zu, der eigene Ehre und Anhang sucht.*) Derhalben ist meine freundliche Bitte, Ihr auch samt dem Rath wollet Einsehen hie haben, daß uns nicht abermals der Schlaf und Hinlässigkeit zu schaffen gebe. Ihr wisset ja wohl von Gottes (Gnaden), daß solch Strafen der Person gehöret nirgend hin, denn unter die Sammlung der Christen.**) Nun habt Ihr ja noch keine Sammlung verordnet, wie wir hoffen, daß sie durch die Visitation soll angerichtet werden; dazu wenn schon die Sammlung geordnet wäre, so wäre doch solch Schelten nicht recht, weil St. Paulus sagt: Einen Alten schilt nicht, sondern ermahne ihn als einen Vater, und Christus

---

dem auch der Zustand derselben nicht bekannt ist, der hat sich billig vor einer scharfen und speciellen Epanorthosis zu hüten; desgleichen auch ein fremder Prediger, der nur eine Gastpredigt thut." A. a. D. S. 215. Ersterer thut gut, sich selbst aller Anreden in der zweiten Person möglichst zu enthalten.

*) Luther deutet hier auf die Vorgänge mit Münzer und den s. g. himmlischen Propheten in Zwickau hin.

**) Luther meint hiermit Gemeindeversammlungen, an denen nur die Theil nehmen können, welche „mit Ernst Christen sein wollen" (Walch XI, 841. X, 271. 273.), und wo die Sachen der Kirchenzucht verhandelt werden.

Matth. 18. zuvor will ermahnet haben insonderheit. Welcher Geist diese Ordnung nicht hält, der hat nichts Gutes vor. Aber in der öffentlichen theatrali concione (in der Versammlung, da alles ohne Unterschied hinzulaufen kann), da Christen und Unchristen bei einander stehen und zuhören, wie in der Kirchen geschieht, soll man auch insgemein strafen und allerlei Unglauben und Untugend, auch niemand sonderlich ausmalen. Denn es ist eine gemeine Predigt, soll auch gemein bleiben und niemand vor andern beschämen und roth machen, bis sie abgesondert und in die Sammlung kommen, da man ordentlicher Weise vermahnet, bittet und strafet. Hat er aber ja Lust zu strafen öffentlich, so thue ers denen, die ihn öffentlich am ersten antasten, wie ich den Papisten und Schwärmern thue. Sonst halte er inne, und mache keinen Anhang, noch Verachtung der Personen. Denn solch Strafen bessert niemand, kützelt den Pöbel und büßet dem Strafer seine Lust." (W. **XXI**, 167 f.) Anderwärts schreibt Luther hierüber: „Es sind viel geängstete und hitzige Prediger, die da brennen und hitzig sind und mit dem Kopf hindurch wollen; wissen nicht, daß es ein ander Ding sei um das Pflanzen und Begießen und ein ander Ding um das Gedeihen geben, 1 Kor. 3, 6. 7. Sobald als sie es gesagt haben, wollen sie, es soll auch gethan sein; denen es nicht so fast darum zu thun ist, daß sie begehren gehöret zu werden deswegen, daß sie Gottes Wort sagen, als daß sie Sager des Worts sind; wollen also, daß da mehr gelobet werde das Werkzeug, denn der, des Wort sie rein, ohne allen ihr Gesuch predigen sollen. Aus denselbigen sind auch diese ein Stück, welche mit erlesenen und wohlbedachten Worten ihnen selbst vorsetzen, jetzt diese, jetzt jene zu stechen und zu beißen, und bald zu bekehren; da es denn aus wunderlichem Rathe Gottes geschiehet, daß sie nichts weniger ausrichten und schaffen, denn eben das, das sie gedacht haben. Denn der Mensch fühlet von Natur, daß das Wort wider und auf ihn mit List ist zugerichtet und mit menschlichem Koth beschmeißt, wie Ezechiel C. 4, 12. sagt, d. i. mit menschlicher böser Begierde und Neigungen befleckt; darum hat er einen Ekel und Grauen dafür und wird vielmehr erbittert, denn daß er sollte bekehret werden. Denn aber wird der Mensch mehr beweget, wenn er keine List des Lehrers und Predigers, sondern das Wort frei und rechtschaffen höret predigen; denn er will, daß das Wort frei und rechtschaffen unter den Haufen in der Gemeinde soll geprediget werden, und soll rühren und treffen diejenigen, die der Prediger selbst nicht weiß noch kennt; wie wir deß viel Exempel hin und wieder lesen. Derohalben gehöret uns zu, daß wir allein den Mund dem Worte leihen, Gott aber gehört, das Vollbringen und das Gedeihen zu geben.... Darum so sollen wir dieses närrische Vertrauen hinweglegen, als wollten wir etwas durch das Wort in den Zuhörern mitwirken, sondern wir sollen uns vielmehr im Gebet befleißigen, daß Gott alleine, ohne uns sein Wort kräftig und thätig mache in den Zuhörern, welches Wort er in und durch den Prediger und Lehrer redet." (Zu Ps. 8, 3. vom Jahre 1519. IV, 763—65.)

d. Zwar ist der größte Mangel einer Predigt, wenn darin Gottes Wort nicht vor allem zur Lehre angewendet wird, doch fehlt derselben auch dann nicht eine Nebensache, sondern ein wesentliches Stück, wenn Gottes Wort darin nicht auch „zur Züchtigung in der Gerechtigkeit" oder zu jener Erziehung, die durch Ermahnung geschieht, pädeutisch gebraucht wird. Selbst die meisten Christen sind nemlich, da sie alle das Fleisch noch zu einem guten Theile an sich tragen, so beschaffen, daß auch die herrlichsten und reichsten Lehrpredigten an ihnen zu einem großen Theile spurlos vorübergehen, wenn der Predigende nicht fort und fort mit dem Lehren das Ermahnen verbindet, nicht nur den rechten Gebrauch zeigt, sondern dazu auch auf das beweglichste zu reizen sucht. Wiederum aber sind alle wahre Christen so beschaffen, daß man mit einer dringenden Ermahnung, so zu sagen, alles bei ihnen ausrichten kann. Gerade darum richten so viele Prediger so wenig bei ihren Christen aus, wenn sie zu guten Werken bewegen oder von unrechtem Wesen abbringen wollen, daß sie, anstatt zu ermahnen, fordern, gebieten, drohen und strafen. Sie ahnen nicht, welche mächtige Waffe sie haben, und nicht gebrauchen. Rechtschaffene, wenn auch mit mancherlei Gebrechen behaftete Christen wollen ja Gottes Wort nicht verwerfen; sie wollen ja gern dem leben, der für sie gestorben ist; sie wollen ja der Sünde, der Welt und dem Teufel nicht mehr dienen, möchten vielmehr so gerne ganz erneuert werden nach dem Ebenbilde ihres Gottes: hören sie daher in dem ermahnenden Prediger die Stimme ihres gnädigen Gottes, so wollen und können sie sich nicht darwider setzen. Auch hierüber mag unser Luther reden. Er schreibt über die Epistel des 19. Sonntags nach Trinitatis in der Kirchenpostille: „Das ist abermal eine Vermahnung an die Christen, daß sie ihrem Glauben auch Folge thun durch gute Werke und neues Leben. Denn ob sie wohl durch die Taufe Vergebung der Sünden haben, so hanget doch noch der alte Adam an ihrem Fleisch, der sich immer regt mit bösen Reigungen und Lüsten, beide zu weltlichen Lastern und zu geistlichen; daß, wo sie solchen nicht widerstehen und wehren, da verlieren sie wieder den empfangenen Glauben und Vergebung der Sünden, und werden hernach ärger, weder sie zuvor gewesen sind; fahen an, Gottes Wort zu verachten und zu verfolgen, so sie dadurch gestrafet werden; ja, auch die, so es gerne hören und werth haben, und im Vorsatz sind, darnach zu leben, dennoch bedürfen sie des täglichen Ermahnens und Reizens. So gar stark und zähe ist die alte Haut des sündlichen Fleisches, und der leidige Teufel so mächtig und schalkhaftig, wo er ein wenig Raum gewinnet; da er eine Klaue kann einsetzen, da dringet er ganz hinnach, bis er den Menschen wieder in das vorige alte verdammliche Wesen des Unglaubens, Gottes Verachtung und Ungehorsams versenket. Darum ist das Predigtamt in der Kirche noth, nicht allein für die Unwissenden, die man lehren soll, als den einfältigen, unverständigen Pöbel und das junge Volk, sondern auch für die, so da wohl wissen, wie sie glauben und leben sollen, sie zu erwecken und zu ermahnen, daß sie sich täglich wehren, und nicht faul noch verdrossen und müde werden in dem Kampf, den sie auf Erden müssen haben mit dem Teufel, ihrem eigenen Fleisch und allen Lastern. Darum treibet auch St. Paulus solche Ermahnung so fleißig an seinen Christen, daß es auch schier scheinet, als thue er ihm zu viel, daß er allenthalben so heftig ihnen solches einbläuet, gerade als wären sie so unverständig, daß sie es nicht selbst wüßten, oder so unachtsam und vergessen, daß sie es ungeheißen und ungetrieben nicht thäten. Aber er weiß auch, daß, obwohl die Christen angefangen haben zu glauben und in dem Stande sind, darinnen die Frucht des Glaubens sich beweisen soll, so ist es darum nicht so bald gethan noch vollendet; daß es hier nicht gilt, also sagen und denken: Ja, es ist genug, daß die Lehre gegeben ist; darum, wo der Geist und Glaube ist, da werden die Früchte und guten Werke von ihnen selbst folgen. Denn obwohl der Geist da ist und, wie Christus sagt, willig ist und auch wirket in denen, die da glauben, so ist doch auch dagegen das Fleisch, das ist schwach und faul, dazu der Teufel nicht feiert, daß er möge dasselbe schwache Fleisch durch Anfechtung und Reizung wieder zu Fall bringen ꝛc. Darum muß man die Leute nicht also hingehen lassen, als dürfte man nicht vermahnen noch treiben durch Gottes Wort zu gutem Leben. Nein, du darfst hier nicht nachlässig und faul sein; denn das Fleisch ist schon allzu faul, dem Geist zu gehorchen;•ja, es ist allzu stark, demselben zu widerstehen, wie St. Paulus anderswo gesagt, Gal. 5, 17.: Das Fleisch gelüstet wider den Geist ꝛc., daß ihr nicht thut, was ihr wollt. Darum muß Gott hier auch thun, wie ein guter, fleißiger Haushalter oder Regent, wo er einen faulen Knecht oder Magd oder unfleißige Amtleute hat (wenn sie auch sonst nicht böse noch untreu sind); der muß nicht denken, daß es damit ausgerichtet sei, daß er einmal oder zwei befohlen hat, was sie thun sollen, wo er nicht selbst immer ihnen auf dem Rücken lieget und treibet. Also ist es mit uns auch noch nicht dazu kommen, daß unser Fleisch und Blut daher ginge und spränge in eitel Freuden und Lust zu guten Werken und Gehorsam gegen Gott, wie der Geist gerne wollte und der Glaube weiset; sondern wenn er sich gleich immer mit ihm treibet und bläuet, so kann er es doch kaum fortbringen; was sollte denn geschehen, wenn man wollte solch Vermahnen und Treiben lassen anstehen und gleichwohl hingehen und denken (wie viel sichere Christen thun): Ja, ich weiß selbst wohl, was ich thun soll, habe es vor so viel Jahren und so oft gehöret, ja, auch andern gelehret! ꝛc., daß ich halte, wo man ein Jahr schwiege mit Predigen und Vermahnen, so würden wir ärger werden, denn keine Heiden sind." (Erlanger Ausgabe, Band IX, S. 306. ff.) Wie aber die Ermahnung, die sich nur an Christen richten kann, beschaffen sein solle, zeigt Paulus, wenn er Röm. 12, 1. an die Christen in Rom schreibt: „Ich ermahne euch, lieben Brüder, durch die Barmherzigkeit Gottes", wozu Luther Folgendes bemerkt: „Er (Paulus) spricht nicht: Ich gebiete euch; denn er predigt denen, die schon Christen und fromm sind durch den Glauben im

neuen Menschen, die nicht mit Geboten zu zwingen, sondern zu ermahnen
sind, daß sie williglich thun, was mit dem sündlichen alten Menschen zu thun
ist. Denn wer es nicht williglich thut, allein aus freund-
lichem Ermahnen, der ist kein Christ; und wers mit Gesetzen
erzwinget von den Unwilligen, der ist schon kein christlicher
Prediger noch Regierer, sondern ein weltlicher Stockmeister.
Ein Gesetztreiber bringet mit Dräuen und Strafen; ein Gnadenprediger
locket und reizet mit erzeigter göttlicher Güte und Barmherzigkeit; denn er
mag keine unwilligen Werke und unlustigen Dienst; er will fröhliche und
lustige Dienste Gottes haben. Wer sich nun nicht läßt reizen und locken mit
solchen süßen lieblichen Worten von Gottes Barmherzigkeit, uns in Christo
so überschwenglich geschenket und gegeben, daß er mit Lust und Liebe auch
also thue, Gott zu Ehren, seinem Nächsten zu Gute, der ist nichts und ist
alles an ihm verloren. Wie will der mit Gesetzen und Dräuen weich und
lustig werden, der vor solchem Feuer himmlischer Liebe und Gnade nicht
zerschmelzet und zerfleußt? Es ist nicht Menschen Barmherzigkeit, sondern
Gottes Barmherzigkeit, die uns gegeben ist, und die St. Paulus will von
uns angesehen haben, uns zu reizen und zu bewegen." (Kirchenpostille über
die Epistel des 1. Epiphaniassonntags, Erl. A., VIII, 5. f.)

e. Wenn der Apostel Röm. 15, 4. schreibt: „Was aber zuvor geschrieben
ist, das ist uns zur Lehre geschrieben, auf daß wir durch Geduld und
Trost der Schrift Hoffnung haben", so geht hieraus endlich hervor,
daß, wie der Gebrauch des Wortes Gottes zur Lehre die Grundlage, der
Gebrauch desselben zu Trost und Hoffnung das stete Ziel aller Predigten
sein müsse. Der wahre Christ ist kein in so ungestörter seliger Ruhe und
Freude schwelgender Mensch, wie er leider! nur zu häufig durchaus unwahr
in Predigten unerfahrener oder schwärmerischer Prediger dargestellt wird.
Vielmehr muß jeder wahre Christ durch viele innere und äußere Trübsal in
das Reich Gottes eingehen. Er befindet sich öfter in Zuständen der Trost-
losigkeit, als heiterer Gewißheit. Gar schlecht verwaltet daher ein Diener
Christi und ein Hirte seiner Schafe sein Amt, wenn der so oft beschwerten
und bekümmerten Herzens zur Kirche eilende Christ auch da den Trost nicht
findet, dessen er so sehr bedarf und darnach ihn so sehr verlangt. Die
Predigten, die leer an allem Trost für einen Kreuzträger und Angefochtenen
sind, sind keine wahren evangelischen Predigten. Dieselben müssen aber nicht
nur Trost enthalten gegen Sündenangst und Gewissensnoth, sondern auch
gegen allerlei Jammer dieses Lebens. Ein Prediger darf nicht denken,
jeder wahre Christ müsse so geistlich, so himmlisch gesinnt und stark sein, daß
er gegen die irdische Noth unempfindlich sei und dagegen keines sonderlichen
Trostes bedürfe. Vielmehr muß ein Prediger ein väterliches, ja, ein mütter-
liches Herz gegen seine Zuhörer haben (1 Kor. 4, 15. 1 Thess. 2, 7. vergl.
Jes. 66, 13.), und daher die Ursachen zu allerlei Sorgen und Bekümmer-
nissen nicht darnach abmessen, wie sie an sich sind, sondern wie sie den ihm

anvertrauten schwachen oder doch zuweilen schwach werdenden Christen sind. Er muß bedenken, daß dem Christen nichts gefährlicher ist, als weltliche Traurigkeit und Schwermuth, und daß daher Satan, dieser Trauergeist, fort und fort darnach trachtet, die Christen darein zu stürzen und zu versenken; daß hingegen der Trost das Hauptmittel ist, die Christen willig zu machen zum eifrigen Lauf in der Heiligung, in allen guten Werken; wie denn David spricht: „Wenn du mein Herz tröstest, so laufe ich den Weg deiner Gebote", Ps. 119, 32.   Ein evangelischer Prediger muß sich auch dadurch nicht abhalten lassen, reichlich Trost zu spenden, daß er an seinen Christen so viele Gebrechen sieht.   Diese Gebrechen heilt er nicht durch gesetzliches Treiben, sondern (obwohl er es dagegen auch an Vorhaltung der Forderungen und Drohungen des Gesetzes nicht fehlen lassen darf) vor allem durch wahren evangelischen Trost.   Man betrachte nur, wie Christus mit seinen gebrechlichen Jüngern und wie die Propheten und Apostel mit ihren gebrechlichen, aber aufrichtigen Zuhörern umgehen.   Sie greifen dieselben wohl zuweilen hart an, aber das Vorherrschende in ihrer Behandlung ist freundliches Zureden und Trösten.   Ist doch das ganze Evangelium nichts als eine fröhliche Botschaft, eine große Trostpredigt in allen ihren Theilen.   Daher denn in unserer Concordienformel der Kanon aufgestellt wird: „Welcher die Lehre von der gnädigen Wahl Gottes also führet, daß sich die betrübten Christen derselben nicht trösten können, sondern dadurch zur Verzweiflung verursachet, oder die Unbußfertigen in ihrem Muthwillen gestärket werden, so ist ungezweifelt gewiß und wahr, daß dieselbige Lehre nicht nach dem Wort und Willen Gottes, sondern nach der Vernunft und Anstiftung des leidigen Teufels getrieben werde.   Denn, wie der Apostel zeuget, alles, was geschrieben ist, das ist uns zur Lehre geschrieben, auf daß wir durch Geduld und Trost der Schrift Hoffnung haben; da uns aber durch die Schrift solcher Trost und Hoffnung geschwächet oder gar genommen, so ist gewiß, daß sie wider des Heiligen Geistes Willen und Meinung verstanden und ausgelegt werde.", (Art. 11. Wiederholung.)   Gibt es doch keinen Spruch der Schrift, dem ein rechter evangelischer Prediger nicht reichen Trost für gläubige Christen abgewinnen könnte.   Ein rechtes Meisterstück findet sich davon in der eben angezogenen Concordienformel.   In dem Artikel vom freien Willen wird daselbst die Stelle Phil. 2, 13.: „Gott ists, der in euch wirket, beides das Wollen und Vollbringen, nach seinem Wohlgefallen", erst zum Beweise dafür angeführt, daß der Mensch von Natur und aus eigenen Kräften keinen freien Willen zu den vor Gott guten Werken habe, und dann hinzugesetzt: „Welcher lieblicher Spruch allen frommen Christen, die ein kleines Fünklein und Sehnen nach Gottes Gnade und der ewigen Seligkeit in ihrem Herzen fühlen und empfinden, sehr tröstlich ist, daß sie wissen, daß Gott diesen Anfang der wahren Gottseligkeit in ihrem Herzen angezündet hat, und wolle sie in der großen Schwachheit ferner stärken, und ihnen helfen, daß sie in wahrem Glauben bis ans

Ende verharren." (Art. 2. Wiederholung.) Solcher Meisterstücke tröstlicher Application sind namentlich Luthers und Hieronymus Wellers Schriften voll, von denen ein Prediger es sonderlich lernen kann, wie mit den Müden zu rechter Zeit zu reden sei, während jene Männer dies von dem HErrn JEsu selbst und von den Propheten und Aposteln, und zwar in eigener lebendiger Erfahrung gelernt haben; denn ohne eigene Erfahrung des Trostes in allen innerlichen und äußerlichen Nöthen ist es unmöglich, ein rechter Trostprediger zu werden (2 Kor. 1, 3—7.) und dem ausdrücklichen Befehle Gottes nachzukommen: „Tröstet, tröstet mein Volk, spricht euer Gott; redet mit Jerusalem freundlich, und prediget ihr, daß ihre Ritterschaft ein Ende hat, denn ihre Missethat ist vergeben." Jes. 40, 1. 2.

Das dritte Erforderniß der Predigt ist: daß darin den Zuhörern der ganze Rath Gottes zu ihrer Seligkeit verkündigt werde. Dieses geht erstlich aus der insonderheit an die Prediger gerichteten ernsten göttlichen Mahnung hervor: „Ihr sollt nichts dazu thun, noch davon thun", 5 Mos. 12, 32., sowie daraus, daß „alle Schrift" nicht nur von Gott eingegeben, sondern auch „nütze sei zur Lehre" rc., 2 Tim. 3, 16. vergl. Matth. 4, 4. Röm. 15, 4. Wir sehen dies auch an dem Beispiele des heiligen Apostels Paulus, der allein damit bewies, daß er „rein" sei „von aller Blut", daß er ihnen allen „nichts verhalten" hatte, daß er nicht „verkündiget hätte alle den Rath Gottes" und „das da nützlich ist", und ihnen beides bezeugt hatte, „die Buße zu Gott und den Glauben an unsern HErrn JEsum Christum", Apostelg. 20, 26. 27. 20. 21.

Hiernach ist es erstlich ein wesentlicher Mangel, wenn ein Prediger zwar nur biblische, aber nicht alle biblischen zur Seligkeit geoffenbarten Lehren seinen Zuhörern vorträgt, oder wenn er zwar nach und nach alle erwähnt, aber manche derselben nie in einiger Vollständigkeit, nach ihrem Zusammenhange mit dem Lehrganzen und nach ihrer Wichtigkeit für Glauben und Leben, gründlich darlegt. Da ein Prediger sein Herr weder über den Glauben seiner Zuhörer, noch über das Wort, sondern nur Haushalter über Gottes Geheimnisse und ein Diener des Wortes ist (2 Kor. 1, 24. 1 Kor. 4, 1. Luk. 1, 2.), so ist jede Verschweigung einer Lehre der heiligen Schrift ein unverantwortlicher Raub, den er an seinen Zuhörern begeht. Es ist daher anzurathen, daß sich der Prediger schon am Anfange jedes Kirchenjahres einen Plan mache, die Sonn- und Festtags-Perikopen so zu benutzen, daß, bei Hinzurechnung anderer Gelegenheiten zum Vortrag gewisser wichtiger Wahrheiten, während eines Jahres wo möglich jeder Fundamental-Artikel des christlichen Glaubens seinen Platz finde. Hat ein aufmerksamer Zuhörer einen Prediger vielleicht schon jahrelang gehört, ohne über wichtige Dinge, die zu christlichem Glauben und Leben gehören, Aufschluß erhalten zu haben, so gereicht das dem Prediger zu einem nicht geringen Vorwurf. Hat ein Prediger z. B. nie einen gründlichen Unterricht gegeben über die Nächstenliebe, über die christliche Freiheit, über die Mitteldinge, über brüderliche Bestrafung, Bann- und Kirchenzucht, über Rechte der Gemeinde und des Amtes, über die letzten Dinge, über die Pflichten der Unterthanen gegen die Obrigkeit, der Kinder gegen die Eltern, der Dienstboten und Lehrlinge gegen ihre Herrn, der Frauen gegen ihre Männer und umgekehrt, über die Verbindlichkeit der Verlobung, über die Ehe, über die ehehinderlichen Verwandtschaftsgrade, über die Nothwendigkeit der elterlichen Einwilligung, über die Erziehung und Ausbildung der Kinder in Haus und Schule, über das Morgen-, Tisch- und Abendgebet, über den Hausgottesdienst, über den Wucher, über die Eingebung der heiligen Schrift, über Kirche und Secte, über Wesen, Brauch und Nutzen der Sacramente, über Anfechtungen, über die Sünde in den heiligen Geist, über die Gnadenwahl, über christliche Vollkommenheit u. s. w., so kann es durch des Predigers Schuld geschehen, daß manche seiner Zuhörer aus Unwissenheit auf die gefährlichsten Irrwege gerathen, und er kann nicht mit Paulus rühmen, daß er rein sei von aller Blut.

Ein anderer hieher gehöriger Mangel ist der, wenn ein Prediger zwar fleißig predigt, daß man glauben solle, aber dabei nicht zeigt, wie man zu solchem Glauben gelangen könne. Dieser, leider! jetzt überaus häufig vorkommende Mangel wird schon in dem Unterricht für die Visitatoren vom Jahre 1528 gerügt, wenn es daselbst sogleich nach dem Vorworte heißt: „Nun befinden wir an der Lehre unter andern vornehmlich diesen Fehl, daß, wiewohl etliche vom Glauben, dadurch wir gerecht werden sollen, predigen, doch nicht genugsam angezeiget wird, wie man zu dem Glauben kommen soll, und fast alle ein Stück christlicher Lehre unterlassen, ohne welches auch niemand verstehen mag, was Glauben ist oder heißet. Denn Christus spricht Luk. am 3. Cap. B. 8 und Luk. 24, 27., daß man predigen soll in seinem Namen Buße und Vergebung der Sünden. Aber viel sagen jetzt und allein von Vergebung der Sünde, und sagen nichts oder wenig von Buße; so doch ohne Buße keine Vergebung der Sünden ist; es kann auch Vergebung der Sünden nicht verstanden werden ohne Buße. Und so man die Vergebung der Sünden prediget ohne Buße, folget, daß die Leute wähnen, sie haben schon Vergebung der Sünden erlanget, und werden dadurch sicher und furchtlos. Welches denn größerer Irrthum und Sünde ist, denn alle Irrthümer vor dieser Zeit gewesen sind, und fürwahr zu besorgen ist, wie Christus spricht Matth. 12, 45. Luk. 11, 26., daß das Letzte ärger werde, denn das Erste. Darum haben wir die Pfarrherren unterrichtet und vermahnet, daß sie, wie sie schuldig sind, das Evangelium ganz predigen und nicht ein Stück ohne das andere. Denn Gott spricht 5 Mos. 4, 2., man soll nichts zu seinem Wort, oder davon thun. Und die jetzigen Prediger schelten den Pabst, er habe viel Zusatz zu der Schrift gethan, als denn, leider! allzu wahr ist; diese aber, so sie Buße nicht predigen, reißen ein groß Stück von der Schrift, und sagen dieweil vom Fleischessen und dergleichen geringen Stücken. Wiewohl sie auch nicht zu schweigen sind zu rechter Zeit um der Tyrannei willen, zu vertheidigen die christliche Freiheit: was ist aber dies anders, denn, wie Christus spricht Matth. 23, 24., Mücken seigen und Kameel verschlucken? Also haben wir sie vermahnet, daß sie fleißig und oft die Leute zur Buße vermahnen, Reu und Leid über ihre Sünde zu haben und zu erschrecken vor Gottes Gericht; und daß sie auch nicht das große und nöthige Stück der Buße nachlassen, denn beide, Johannes und Christus, die Pharisäer um ihre heilige Heuchelei härter strafen, denn gemeine Sünder. Also sollen die Prediger an dem gemeinen Mann die groben Sünden strafen, aber wo falsche Heiligkeit ist, viel härter zur Buße vermahnen." (Walch X, 1912. ff.)

Ein dritter hieher gehöriger Mangel ist, wenn ein Prediger zwar immer und immer von Buße und Glauben, aber nicht von der Nothwendigkeit der guten Werke und der Heiligung predigt, oder doch über die guten Werke, christlichen Tugenden und die Heiligung keinen gründlichen Unterricht gibt. Eine ausführliche, anschauliche, ruhige Beschreibung eines wahrhaft christlichen Lebens und Verhaltens wirkt mehr, als ein stetes bloßes drohendes und warnendes Versichern der Nothwendigkeit desselben. Hierüber schreibt Luther: „Meine Antinomer predigen sehr fein und (wie ich nicht anders denken kann) mit rechtem Ernst von der Gnade Christi, von Vergebung der Sünden und was mehr vom Artikel der Erlösung zu reden ist. Aber dies Consequens (diese Schlußfolge) fliehen sie wie der Teufel, daß sie den Leuten sagen sollten vom dritten Artikel, der Heiligung, d. i. vom neuen Leben in Christo. Denn sie meinen, man solle die Leute nicht erschrecken noch betrüben; sondern immer tröstlich predigen von der Gnade und Vergebung der Sünden in Christo, und beileibe ja meiden diese oder dergleichen Worte: Hörest du es, du willst ein Christ sein, und gleichwohl ein Ehebrecher, Hurenjäger, volle Sau, hoffärtig, geizig, Wucherer, neidisch, rachgierig, boshaftig bleiben ꝛc.; sondern so sagen sie: Hörst du es, bist du ein Ehebrecher, ein Hurer, ein Geizhals, oder sonst ein Sünder — gläubest du nur, so bist du selig, darfst dich vor dem Gesetz nicht fürchten, Christus hats alles erfüllt. Lieber, sage mir, heißt das nicht Antecedens concedirt, und Consequens negirt (den Vordersatz zugegeben und den daraus folgenden Schlußsatz verneint)? Ja, es heißt, eben in demselben Christum wegnehmen und zu nichte machen, wenn er am höchsten gepredigt wird. Und ist alles eitel Ja und Nein in einerlei Sachen. Denn solcher Christus ist nichts und nirgend, der für solche Sünder gestorben sei, die nicht nach Vergebung der Sünden von den Sünden lassen und ein neues Leben führen. Also predigen sie fein auf Nestorianische und Eutychische Dialectica (Schlußkunst) Christum also, daß Christus sei, und sei es doch nicht, und sind wohl seine Osterprediger, aber schändliche Pfingstprediger. Denn sie predigen nichts de sanctificatione et vivificatione Spiritus Sancti, (d. i.) von der Heiligung (und Lebendigmachung) des Heiligen Geistes, sondern allein von der Erlösung Christi, so doch Christus (den sie doch predigen, wie billig) darum Christus ist oder Erlösung von Sünden und Tod erworben hat, daß uns der Heilige Geist soll zu neuen Menschen machen aus dem alten Adam, daß wir der Sünden todt und der Gerechtigkeit leben, wie St. Paulus lehret Röm. 6, 2. ff., hie auf Erden anfahen und zunehmen und dort vollbringen. Denn Christus hat uns nicht allein Gratiam, die Gnade, sondern auch Donum, die Gabe des Heiligen Geistes, verdienet, daß wir nicht allein Vergebung der Sünden, sondern auch Aufhören von den Sünden hätten, Joh. 1, 16. 17. Wer nun nicht aufhöret von Sünden, sondern bleibt im vorigen bösen Wesen, der muß einen andern Christum von den Antinomern haben. Der rechte Christus ist nicht da, und wenn alle Engel schreien eitel Christus! Christus! — und muß mit seinem neuen Christo verdammt werden." (Schrift von den Conciliis und Kirchen vom Jahre 1539. Walch XVI, 2741. f.) Will man übrigens ein wahrhaft christliches Leben nach seinem inneren Grund und nach seiner äußeren Darstellung gründlich schildern lernen, so hat man, nächst der heiligen Schrift selbst, ein herrliches Muster in dem Episteltheile der Kirchenpostille Luther's.

So sehr jedoch Vorgenanntes gegen die Pflicht des Predigers ist, den ganzen Rath Gottes seinen Zuhörern zu verkündigen, so handelt doch derjenige noch unverantwortlicher und zu noch größerem Schaden für seine Zuhörer gegen diese Pflicht, welcher mehr Gesetz, als Evangelium, predigt, nicht das Evangelium in seinen Predigten vorherrschen und nicht die trostreiche Lehre von der Rechtfertigung eines armen Sünders aus Gnaden durch den Glauben an JEsum Christum ohne des Gesetzes Werke den goldenen Faden sein läßt, der sich durch alle seine Predigten hindurchzieht. Ein jeder christlicher Prediger soll mit dem Apostel Paulus sagen können: „Gott hat auch uns tüchtig gemacht, das Amt zu führen des neuen Testaments; nicht des Buchstabens, sondern des Geistes." 2 Kor. 3, 6. Er soll „das Werk eines evangelischen Predigers" thun (2 Tim. 4, 5.) und es sich daher zu seiner Hauptaufgabe machen, von Christo zu zeugen (Joh. 15, 27.). Wer entweder vorherrschend moralisirt, oder, weil er selbst die Kraft des Evangeliums noch nicht erfahren hat und selbst als ein Knecht unter dem Gesetze steht, keinen Muth hat, das Evangelium in seinem ganzen Reichthum und in seiner überschwänglichen Trostesfülle vor seinen Zuhörern fort und fort auszuschütten; wer vielmehr besorgt ist, daß er damit die Seelen sicher machen und zur Hölle führen werde, und daher das Evangelium immer so verclausulirt, daß der arme Sünder es nicht wagt, frisch zuzugreifen; wer, so oft er vom Glauben redet, immer sogleich mit allerhand Warnungen vor Selbstbetrug und vor zu frühem Glauben bei der Hand ist, aber nicht darauf bedacht ist, den Glauben in das Herz hinein zu predigen — der meint wohl oft, so am sichersten vor Verstümmelung des Wortes Gottes und vor Verwahrlosung der Seelen sich zu bewahren, aber gerade ein solcher Prediger macht sich vor allen der Verstümmelung des Wortes Gottes und der unverantwortlichsten Verwahrlosung durch Christum theuer erkaufter Seelen schuldig. Weit entfernt, daß der, welcher den Trost des Evangeliums nur spärlich spendet und das Gesetz vorwalten läßt, dadurch sonderlich lebendigen Glauben und wahrhaft christliches Leben befördern sollte, so hindert er es vielmehr dadurch nur. Ein rechter christlicher Prediger sollte vielmehr Luthern folgendermaßen nachsprechen können: „In meinem Herzen (und Predigten!) herrschet allein und soll auch herrschen dieser Artikel, nemlich der Glaube an meinen lieben HErrn Christum, welcher aller meiner geistlichen und göttlichen Gedanken, so ich immerdar Tag und Nacht haben mag, der einige Anfang, Mittel und Ende ist."*) (Vorrede zu seiner größeren Auslegung des Briefes St. Pauli an die Galater. Walch VIII, 1524.) Dieser Gegenstand ist zu umfassend, um hier nur einigermaßen genügend behandelt werden zu können; wir verweisen daher auf die Verhandlungen über ein Referat von der Rechtfertigung in der Versammlung der Synode von Missouri westlichen Districts im Jahre 1859, das sich auch im 16. Jahrgang des „Lutheraner" abgedruckt vorfindet, auch in Pamphletform im Verlag unserer Synode erschienen ist.

Dazu, daß ein Prediger den ganzen Rath Gottes zur Seligkeit seinen Zuhörern verkündige, gehört aber endlich noch dieses, daß jede einzelne Predigt, die er hält, so viel von der ganzen Ordnung des Heils enthalte, daß ein Mensch, wenn er auch nur diese einzige Predigt hörte, dadurch den Weg zur Seligkeit erfahren könnte. So sehr es die Begierde des Hörens ertödtet, wenn ein Prediger immer mit denselben Worten von den drei Gliedern der Heilsordnung, Buße, Glaube, Heiligung, redet, so ist es doch nöthig, daß jeder Predigt diese Ordnung zu Grunde liege; daß also nie ganz allein von dem einen Stücke ohne alle Andeutung der anderen nothwendigen Glieder der Heilsordnung die Rede sei, nur daß, indem der Prediger in diesem Sinne immer „einerlei" lehrt (Phil. 3, 1.), dieses Einerlei in der mannichfaltigsten Form vorgetragen werden sollte. Als einst ein Prediger von einem seiner Zuhörer deßwegen zur Rede gesetzt wurde, daß er in jeder Predigt auf seinen, wie er es nannte, Lieblingsgegenstand, die Heilsordnung, komme, antwortete er demselben: „Ich denke immer, diese Predigt könnte die letzte sein, die entweder ich halte, oder die der eine und der andere vielleicht seinem Abschied nahe Mensch aus meiner Gemeinde hörte. Da will ich denn nicht die letzte Gelegenheit versäumen, den Sünder zur Buße zu rufen und auf JEsum Christum hinzuweisen, damit nicht eine der mir von Gott

---

*) "In corde meo iste unus regnat articulus, scilicet fides Christi; ex quo, per quem et in quem omnes meae diu noctuque fluunt et refluunt theologicae cogitationes." (Ed. Erlang. lat. Tom. I, p. 3.) „In meinem Herzen herrscht jener einzige Artikel, nemlich der Glaube an Christum, aus welchem, durch welchen und in welchen alle meine theologischen Gedanken Tag und Nacht hervor fließen und zurück fließen."

befohlenen Seelen mich dereinst vor seinem Richterstuhl verklagen und sagen könnte: Ich war einst, ich war das letzte Mal in deiner Predigt, mit der stillen Frage in meinem Herzen: Was soll ich thun, daß ich selig werde? Aber du hast mir diese Frage nicht beantwortet!" — In keinem Lande der Erde ist diese Regel wichtiger, als hier in diesem Lande der Einwanderung und eines wahren Nomadenlebens vieler Bewohner desselben. Unter diesen Verhältnissen geschieht es überaus häufig, daß der Prediger eine Seele unter seinen Zuhörern hat, die ihn nur einmal hört, und dann auf und davon geht, entweder in die Wüste hinaus oder in ein Labyrinth der verschiedensten Secten; wie wichtig ist es da, daß solche Seelen, wenn immer sie Gott in die Kirche eines rechtgläubigen Predigers führt, darin so viel hören, als ihnen zum Seligwerden schlechterdings nöthig ist!

Anmerkung 5.

Das vierte Erforderniß rechter Predigt ist, daß dieselbe dem speciellen Bedürfniß der Zuhörer entsprechend sei.

Zwar schreibt der heilige Apostel: „Predige das Wort, halte an, es sei zu rechter Zeit, oder zur Unzeit; strafe, drohe, ermahne mit aller Geduld und Lehre. Denn es wird eine Zeit sein, da sie die heilsame Lehre nicht leiden werden", 2 Tim. 4, 2. 3.; es wäre aber ein arger Mißverstand, daraus schließen zu wollen, daß also ein Prediger seine Pflicht thun könne, wenn er auch weder Zeit und Gelegenheit, noch den Zustand seiner jedesmaligen Zuhörer berücksichtige. Der Apostel will vielmehr mit jenem „es sei zu rechter Zeit, oder zur Unzeit" nur dieses sagen, daß ein Prediger, wenn es das Heil der Seelen und Gottes Ehre verlangt, also wenn und wo immer die rechte Zeit dazu ist, das Wort Gottes predigen und nicht verschweigen solle, möge es nun den Menschen lieb oder leid sein, ihnen gelegen oder ungelegen, rechtzeitig oder unzeitig erscheinen. Es ist dies die Auslegung Augustin's, welcher schreibt: „Halte an zu rechter Zeit; wenn du aber auf diese Weise nichts ausrichtest, zur Unzeit. Und magst du demjenigen, welcher nicht gern hört, was wider ihn gesagt wird, immerhin als ein unzeitiger Prediger erscheinen, so mußt Du es doch wissen, daß es für ihn rechte Zeit sei." Calov, welcher dieses in seiner Biblia illustrata zu unserer Stelle anführt, fährt daher fort, es dürfe also „die geistliche Klugheit keineswegs hintangesetzt werden, welche die Verschiedenheit der Zuhörer und Zeiten nicht unberücksichtigt läßt, sondern stets auf das bedacht ist, was den Zuhörern zuträglich und heilsam ist, Luk. 12, 42. Denn ein so gutes Wort zu seiner Zeit (Sprüchw. 15, 23.) ist nicht dasjenige, welches nach dem fleischlichen Sinne der Zuhörer, sondern welches nach dem geistlichen Urtheile der Pastoren ein gelegenes ist."

Mag ein Prediger immerhin Gottes Wort rein und lauter predigen und dasselbe zur Lehre, zur Strafe, zur Besserung, zum Trost und zur Züchtigung in der Gerechtigkeit anwenden, so kann er doch seine Hände nicht in

Unschuld waschen, wenn er das Maß hierzu nicht von dem individuellen Zustande seiner Gemeinde nimmt. Eben darum hat ja Gott ein persönliches öffentliches Predigtamt eingesetzt, damit das Wort Gottes je nach der verschiedenen Beschaffenheit der Menschen angewendet werde. Die Vergegenwärtigung des besonderen Zustandes und der daraus hervorgehenden besonderen Bedürfnisse der Gemeinde, welcher das Wort Gottes vorgetragen werden soll, ist daher ein Hauptstück der Vorbereitung eines Pastors auf seine Predigten. Die Vergleichung des Textes mit dem, was der eigenen Gemeinde noth thut, mit den Mängeln und Gebrechen, an denen sie leidet, mit den Gefahren, in denen sie schwebt, muß nicht nur die Auswahl des Themas, sondern auch die ganze Art der Behandlung desselben bestimmen. Dasselbe Wort Gottes enthält der Brief St. Pauli an die Römer und der an die Ebräer, aber wie verschieden ist die Auswahl der Gegenstände und die Form der Darstellung in diesen zwei Episteln je nach dem Bedürfnisse derer, an welche die eine und die andere gerichtet ist! Allenthalben verkündigt der große Heidenapostel Paulus denselben Rath Gottes zur Seligkeit, aber wie ganz anders tritt er z. B. in der Philosophen-Stadt Athen (Apostelg. 17, 15—34.), als in Jerusalem, und hier vor dem Volke, als vor dem hohen Rathe (Apostelg. Cap. 21—23.), auf! Wie thöricht es sei, im Predigen keine Rücksicht auf Zeit, Ort und Personen zu nehmen, veranschaulichte Luther einst durch ein grobes Exempel. In seinen Tischreden lesen wir nemlich: „Was sich schickt und bequem ist, nach Gelegenheit der Zeit, Orts und Personen, soll man lehren und predigen. Nicht wie ein Pfarrherr einmal geprediget hatte, es wäre unrecht und wider Gott, daß ein Weib ihrem Kinde eine Amme hielte. Und damit hatte er die ganze Predigt zubracht, da er doch eitel arme Radespinnerinnen in seiner Pfarre hatte, welche diese Vermahnung nichts anging. Wie auch der gewest ist, der in einem Hospital unter alten Weibern viel vom Ehestande sagte, lobte denselben und vermahnte sie dazu." (Erlanger A., Bd. LIX, 266.)

Was vorerst die Anwendung des Wortes Gottes zur Lehre betrifft, so muß sich auch hierin das Was? und das Wie? nach dem Erkenntnißstand der Gemeinde richten. Ist dieselbe noch ganz unwissend, oder doch noch ganz „unerfahren in dem Wort der Gerechtigkeit", so muß ihr „Milch gegeben werden, und nicht starke Speise", so müssen ihr „die ersten Buchstaben der göttlichen Worte" gelehrt und „Grund gelegt" werden „von Buße der todten Werke, vom Glauben an Gott, von der Taufe" u. s. w.; denen aber, welche „durch Gewohnheit haben geübte Sinne zum Unterschiede des Guten und des Bösen", muß starke Speise zu ihrer Förderung gegeben werden, daß sie immer mehr ein „vollkommener Mann" werden in Christo und nicht mehr „Kinder" sein, die sich „wägen und wiegen lassen von allerlei Wind der Lehre, durch Schalkheit der Menschen und Täuscherei, damit sie uns erschleichen zu verführen." Ebr. 5, 11. — 6, 2. vergl. 1 Kor. 3, 1. 2. Ephes. 4, 13. 14. Daher schreibt Luther in seiner Vorrede zum Briefe an die Römer: „Eine

jegliche Lehre hat ihre Maße, Zeit und Alter", und in seiner
Antwort auf die Frage: „Ob auch jemand ohne Glauben verstorben selig
werden möge?" kommt er auf die Lehre von Gottes heimlichen Gerichten und
setzt hinzu: „Darum ist mein Rath, E. G. sehe hier darauf, wer und mit
welchem diese Sache gehandelt werde, und schaffe sie darnach, daß sie reden,
oder stille davon schweigen.   Sind es Naturvernünftige, hohe, verständige
Leute, so meiden sie nur bald diese Frage; sind es aber einfältige, tiefe, geistliche und versuchte Menschen im Glauben, mit denen kann man nichts nütz-
lichers, denn solches, handeln.   Denn wie der starke Wein den Kindern der
Tod ist, also ist er den Alten eine Erquickung des Lebens. Darum kann
man nicht allein allerlei Lehre mit jedermann handeln."
(Walch X, 2317.)   Einer noch ganz unwissenden Gemeinde eine subtile
Auseinandersetzung der Lehre von der Mittheilung der göttlichen Eigenschaften, von der Gnadenwahl und dergleichen, oder einer noch ganz unerfahrenen Gemeinde eine ausführliche Beschreibung der hohen geistlichen Anfechtungen zu geben, oder vor einer noch in manchen Stücken im Gewissen
gefangenen oder im Gegentheil zur Fleischesfreiheit geneigten Gemeinde so
von allen Sachen der christlichen Freiheit zu sprechen, wie es nur von tief
gegründeten Christen recht verstanden werden kann, dies alles wäre höchst
verkehrt.   Solchen Gemeinden müssen vor allem die Elemente des Christenthums vorgetragen, Glaube und Liebe gelehrt werden.   Als einst ein evangelischer Prediger in Oelsnitz im Voigtlande, ohne erst Grund gelegt zu
haben, vor seinen noch in Papismus gefangenen Zuhörern u. a. rücksichtslos so von der päbstlichen Ohrenbeichte geredet hatte, daß die Zuhörer dadurch
ganz irre geworden waren, da schrieb Luther von ihm: „Diesem Prediger
mangelt, daß er zu hoch anhebt, und wirft die alten Schuhe weg, ehe er neue
hat, und will den Most in alte Fässer fassen; das ist nicht fein. Er sollte
das Volk säuberlich vornan vom Glauben und Liebe lehren.
Diese Lehre (von den Mißbräuchen) wäre Zeit genug über ein Jahr, wenn
sie zuvor Christum wohl verstünden.   Was ists, daß man das
unverständige Volk so geschwinde angreift?   Ich habe zu Wittenberg wohl
drei Jahr geprediget, ehe ichs ins Volk gebracht habe, und diese wollens auf
eine Stunde ausrichten.   Sie thun uns Leid genug, solche Ehrsüchtige.   Ist
derohalben meine Bitte, ihr wollet dem Schösser zu Oelsnitz sagen, daß er
dem Prediger befehle, säuberlich anzufahen und fürs erste Christum recht
predigen, oder lasse sein Schwärmen anstehen und mache sich davon; sonderlich
aber, daß er die Beichte unverboten und ungestraft lasse mit der Absolution.
Ich sehe wohl, daß ein unbescheidener Kopf ist, der einen Rauch gesehen hat,
weiß aber nicht, wo es brennet, und hat hören läuten, aber nicht zusammen
schlagen."   (Walch XV, 2499. f.)   Obgleich jedoch in den Gemeinden,
welche eine größere Anzahl gegründeterer, kenntnißreicherer und erfahrener
Christen in sich haben, ein Prediger zuweilen „die Lehre vom Anfang christlichen Lebens lassen und zur Vollkommenheit fahren" (Ebr. 6, 1.) soll, so

darf er doch erstlich nie vergessen, daß auch in seiner Gemeinde Leute sind, die
der Milch bedürfen, die er daher vor allen zu berücksichtigen habe, sondern er
hat sich auch überhaupt davor zu hüten, nach hohen Dingen zu haschen, oder
doch in hohen, dem Volke unverständlichen Worten die göttlichen Wahrheiten
vorzutragen. „Verflucht und vermaledeiet seien alle Prediger",
sprach einst Luther, „die in der Kirche nach hohen, schweren und
subtilen Dingen trachten und dieselben dem Volk fürbringen
und davon predigen, suchen ihre Ehre und Ruhm, wollen Einem oder
zweien Ehrgeizigen zu Gefallen thun. — Wenn ich allhie predige, lasse ich
mich aufs tiefste herunter, sehe nicht an die Doctores und Magistros, deren
in die vierzig drinne sind, sondern auf den Haufen junger Leute, Kinder und
Gesinde, davon in die hundert oder tausend da sind; denen predige ich, nach
denselbigen richte ich mich, die dürfens. Wollens die Andern nicht hören, so
stehet die Thür offen! Darum, mein lieber Bernharde, befleißige dich, daß
du einfältig, vernehmlich, lauter und rein predigest und lehrest. . . .
Griechisch, Hebräisch, Lateinisch in Predigten mit einsprengen und ausgießen,
ist eine lautere Hoffart, die sich nicht an diesem Ort und Zeit gebühret und
reimt; allein geschiehts, auf daß die armen, unverständigen Laien sich verwundern und sie loben. Ei, sprechen sie, das ist ein wohlgelehrter und
beredter Mann; ob sie wohl nichts davon verstehen, noch daraus lernen.
Ein solcher ehrsüchtiger Mensch war Doctor Carlstadt. Es sind unzeitige
und unreife Heiligen solche stolze Nasewesen und Klüglinge." (Erlang. A.,
Bd. LIX, 272. ff.) Wir können nicht unterlassen, hier noch ein ausführlicheres Zeugniß Luther's gegen die in der Lehre hoch fahrenden Prediger
mitzutheilen. Es schreibt nemlich derselbe in der Vorrede zu seiner Auslegung des Propheten Sacharja vom Jahre 1527 folgendermaßen: „Es hat
uns Gott, der allmächtige Vater, zu dieser Zeit viel trefflicher, gelehrter Leute
gegeben, die gar mächtiglich die heilige Schrift handeln, beide, im Neuen und
Alten Testament. Er helfe uns auch, und gebe Gnade, daß wirs erkennen
und Dank sagen, Amen. Daneben finden sich auch täglich mehr leichtfertige
Geister, die ihrer Kunst kein Ende wissen, wiewohl, als St. Paulus sagt, sie
noch nicht wissen, wie sie wissen sollen. Dieselbigen fahren hoch her, oben-
aus und nirgendan, gerade, als hätten sie die gemeine Lehre vom Glauben,
Liebe und Kreuz längst an den Schuhen zurissen; fallen auf Figuren, heimliche Deutungen und Allegorien, und kützeln sich selbs mit feinen Gedanken,
daß sie gleich löcken und springen; wie vor Zeiten Origenes und Hieronymus
auch thäten, welche die Welt voll Allegorien gemacht, und doch wenig der gemeinen nützlichen Lehre dargegeben haben; damit dem Lästerer Porphyrio*)
redliche Ursachen gegeben wurden, die Christen zu spotten, als wäre ihre Lehre
eitel solch Deutelwerk. Also will auch itzt ein Jeglicher ein neuer Deutel-
meister sein. Dieser nimmt Daniel, jener Apocalypsin für, und so fortan,
entweder was am schwersten ist, oder was am allermeisten Allegorien hat; da

---

*) Neuplatoniker, gestorben 305.

wollen sie ihre Kunst beweisen, aber ganz und gar nichts achten, wie nützlich sie dem armen gemeinen Mann, sondern, wie kunstreich und herrlich sie lehren können, und sind, Gott Lob, nu alle hochgelehrte Doctores, die unser nichts bedürfen. Und wenn sie gleich lange und viel deuten, so haben sie doch nichts Gewisses, darauf man bauen möchte. Nu wäre solchs ihr trefflich Ding noch wohl zu leiden, wenn sie dasselbige bei sich selbs, oder je bei den Gelehrten trieben, und daneben auch dem ungelehrten Pöfel sein Theil gäben, das ist, die einfältige Lehre vom Glauben Christi. Denn ich täglich befinde, daß gar wenig Prediger itzt sind, die das Vater Unser, den Glauben, die zehen Gebot recht und wohl verstehen und lehren können für das arme Volk; und dieweil sie in Daniel, Hosea, Apocalypsis und dergleichen schweren Büchern doch herfliegen, indeß gehet der arme Pöfel hin, höret zu und gaffet auf solche herrliche Gäukeler, mit großem Wunder. Wenns Jahr um ist, so können sie weder Vater Unser, noch Glauben, noch zehen Gebot; welches doch die fürnehmsten Stück sind, als der alte, rechte, christliche Katechismus oder gemeiner Unterricht für die Christen. Ich weiß nicht, wie viel solcher Wäscher nützer für dem armen Volk sind, denn die vor Zeiten von Aristotel und geistlichem Recht predigten. Der Art sind auch itzt etliche Schwärmer, die große Kunst und Geist rühmen von den alten Historien der Biblien. Es müsse der Tabernakel Mosi und Priesterkleider herfür rc. Es sei noch dahinten imago et veritas, und weiß nicht, wie viel hohes, großen, treffenlichen Dinges fürhanden ist: damit sie Nichts thun, denn sperren dem fürwitzigen Pöbel das Maul auf, gerade, als wäre es geringe Ding, daß uns offenbart ist, wie wir durch Christum sind erlöset und selig worden von Sünden und vom Tode; daß wir wissen, wie Gotts Gebot zu halten sind, und das Kreuz und Verfolgung zu tragen sei rc. Nein, Solchs ist Nichts, das können sie fein; ja, gleichwie die Gans den Psalter. Ich hab selbs (das sag ich fürwahr) bei zehen solcher hoher Propheten für mir gehabt, welche mich immer haben wollen hohe Ding und den allergeistlichsten Geist lehren; und wenn ichs denn nicht annehmen, sondern bei dem schlechten gekreuzigten, einfältigen Christo bleiben wollt, wurden sie zornig, giengen weg, und richten Rotten an. Darum bitte ich, und vermahne bei aller christlichen Treue Jedermann, beide, Lehrer und Schüler: erstlich, daß man die nicht verachte, so die Schrift auslegen und die schweren Bücher wohl handeln und geben können, denn Paulus spricht, man solle die Weissager nicht verachten, noch die Geister dämpfen, alleine, daß sie es doch thun an den Orten und für den Personen, da es nütz und noth ist; wie Paulus die Colosser lehret, daß ihre Rede solle nütze sein, da es noth ist: aber die Deutler, die alle ihre Kunst auf Allegorien stellen, welche freilich nicht viel Nutzes, sondern großen Ruhm (als ich sorge) suchen, nicht groß achte. Denn ohn solche Kunst kann man wohl Christen sein, und selig werden, weil sie nichts oder gar selten etwas Gewisses deuten. Die besten und nützlichsten Lehrer aber, und den Ausbund halte man die, so den Katechismus wohl treiben können, das ist, die das Vater Unser, zehen Gebot und den Glauben recht lehren; das sind seltsame Vögel. Denn es ist nicht groß Ruhm noch Schein bei Solchen; aber doch großer Nutz, und ist auch die nöthigste Predigt, weil drinnen kurz begriffen ist die ganze Schrift, und kein Evangelion ist, darin man Solchs nicht lehren künnte, wenn mans nur thun wollt, und sich des gemeinen armen Mann annähme zu lehren.   Man muß ja dem Pöbel solch kurz Ding immer fürbläuen, als Vater Unser, zehn Gebot und Glauben, und darnach in allen Evangelien und Predigten drauf dringen und treiben: sie lernen dennoch (leider) wenig gnug davon; und wie St. Paulus spricht, kehren sie sich von der Wahrheit zu den Mährlein." (Erlanger A., Bd. XLII. 109. ff.)

Zum andern muß ein Prediger auch in Betreff des Strafens oder der Widerlegung der falschen Lehre mit großem Bedacht auf das specielle Bedürfniß der Gemeinde, welcher er predigt, Rücksicht nehmen.   In einer Gemeinde, welche die rechte Lehre noch nicht kennt, schon viel gegen falsche Lehren zu polemisiren, kann nur schädlich wirken.   Entweder wird eine solche Gemeinde, weil sie die Wichtigkeit der Lehrreinheit noch nicht einsehen kann, gegen den Prediger als einen lieblosen Zänker und Streitkopf mit Widerwillen erfüllt und so gerade von der reinen Lehre abgeschreckt und für die falsche Lehre mit Sympathie erfüllt; oder sie wird dadurch fanatisirt und zu einem unverständigen Eifer gegen die Secten gebracht werden und leicht ihr Christenthum und Lutherthum, anstatt in den wahren, lebendigen Glauben, in Zelotismus für Orthodoxie und für die Gebräuche der rechtgläubigen Kirche setzen.   Ein bewunderungswürdiges Denkmal seelsorgerischer Weisheit und Klugheit sind in dieser Beziehung die Predigten, welche Luther nach seiner Zurückkunft von der Wartburg in Wittenberg hielt, wo Carlstadt durch seine unverständige Polemik alles in die größte Verwirrung gesetzt, die einen mit Mißtrauen gegen das so herrlich begonnene Werk der Reformation erfüllt, die anderen zu bilderstürmerischem Radicalismus entflammt hatte. — Sodann hat aber auch ein Prediger in Betreff des Lehrelenchus daran zu denken, daß es seines Amtes nicht ist, gegen alle nur erdenklichen Irrlehren und Ketzereien in seinen Predigten zu Felde zu ziehen, daß er vielmehr nur auf diejenigen Rücksicht zu nehmen, sie zu erwähnen und zu widerlegen habe, die entweder schon in seiner Gemeinde einigen Eingang gefunden haben, oder mit deren Eindringen dieselbe doch bedroht ist.   Ein unnöthiges und unvorsichtiges Bekanntmachen mit entweder fingirten oder längst begrabenen, oder doch die eigene Gemeinde nicht anfechtenden Irrlehren kann leicht eine ganz andere, als die gesuchte, Wirkung thun, dieselben nemlich erst in Kopf und Herz mancher Zuhörer bringen, nach dem alten Erfahrungssatz: „De haeresi ignota apud imperitam plebem disserere, est eandem serere", d. h. Von unbekannter Ketzerei vor dem unerfahrenen Volke reden, heißt, dieselbe einreden.   Als der Prediger Aureus sehr scharf gegen die päbstlichen Ceremonien in einer in der Erkenntniß noch jungen Gemeinde geeifert hatte, schrieb ihm Luther im Jahre 1526: „Ich habe von euch gehört, wie ihr das Wort etwas strenge handelt, und bin gebeten worden, euch zu ermahnen. Wenn ihr es denn leiden wollt, so bitte ich, daß ihr, was wichtig ist, zuerst lehrt, nemlich **Glaube und Liebe** treibet. Denn wenn die nicht wurzeln, was wollen wir uns mit tollen Ceremonien zerplagen, dadurch nichts herauskommt, als daß wir des thörichten Pöbels Gemüther, so von Leichtigkeit und Neugierigkeit unbeständig sind, ohne Frucht, ja mit Schaden der Ehre Gottes und seines Worts kitzeln(!).. Verachtet die nicht, von denen ihr nicht wisset, was für Leute sie werden mögen, sondern locket sie freundlich und demütig.. **Es wird nicht lebendig werden, das nicht vorher gestorben ist.**" (Walch, XXI. 1007. f.) Endlich heißt es in den chursächsischen Generalartikeln: „Zum achten, sollen die Pfarrer auch der **Gelegenheit ihrer Pfarrkinder wohl Acht nehmen;** weil es gemeiniglich auf den Dörfern einfältige und göttlicher Sachen, besonders der Religionsstreite, unerfahrene Leute sind, daß sie dieselben nicht mit unnöthigem Gezänke der Lehre oder Personen halben verärgern, noch dieselbigen auf der Kanzel ohne Noth erregen; dadurch den einfältigen Leuten allerlei Nachdenken gemacht und also mehr bei ihnen abgebrochen und zerstöret, denn aufgebauet und gebessert werden mag. Sondern sie sollen ihnen den **Grund göttlicher, reiner Lehre** vermöge Gottes Worts und ihres christlichen Catechismi einfältig vortragen und vor widerwärtiger Lehre treulich warnen; gleichwohl jederzeit dieser **Vorsichtigkeit und Bescheidenheit** gebrauchen, wenn es die Nothdurft erfordert, daß etliche mit falscher Lehre eingenommen wären oder sie sonst, die Leute vor unreiner Lehre zu warnen, derselben Ungrund anzeigen mit klaren Zeugnissen der Schrift und, wie sie wider die Einfalt des christlichen Catechismi streiten, genugsam widerlegen und die Personen, so damit eingenommen, mit dem Geist der Sanftmuth wiederzubringen sich befleißigen sollen." (Dritter Generalartikel fol. 299.) Nachträglich bemerken wir hier noch, daß ein Prediger, wenn er die falschen Lehren der Irrgeister und die Gründe, womit dieselben ihre Irrthümer zu befestigen suchen, seinen Zuhörern vorlegen zu müssen meint, erst wohl zu überlegen habe, ob er auch im Stande sei, dieselben **gründlich** zu widerlegen. Wer hierbei die Kosten nicht überschlägt, kann mit seiner oberflächlichen Polemik unberechenbaren Schaden anrichten. **Frigide**, sagt Luther, et pigre confutare, quid est aliud, quam bis confirmare? d. i. kalt und faul widerlegen, was ist das anders, als zweimal bestätigen? (Jen. V. 375.)

Was zum dritten die Berücksichtigung des speciellen Bedürfnisses der eigenen Gemeinde in Betreff der Anwendung des Wortes Gottes zur Besserung und Züchtigung oder zur Bestrafung der Sünden und Ermahnung betrifft, so ist die Hauptregel, daß ein Prediger zwar alle Sünden, aber sonderlich diejenigen strafen soll, die in seiner Gemeinde vor andern im Schwange gehen. Daher Luther in der Vorrede zu seinem kleinen

Katechismus schreibt: „Insonderheit treibe das Gebot und Stücke am meisten, das bei deinem Volke am meisten Noth leidet; als, das siebente Gebot vom Stehlen mußt du bei Handwerkern, Händlern, ja, auch bei Bauern und Gesinde heftig treiben; denn bei solchen Leuten ist allerlei Untreu und Dieberei groß; item, das vierte Gebot mußt du bei den Kindern und gemeinem Mann wohl treiben, daß sie stille, treu, gehorsam, friedsam sein; und immer viel Exempel aus der Schrift, da Gott solche Leute gestraft und gesegnet hat, einführen.   Insonderheit treibe auch daselbst die Obrigkeit und Eltern, daß sie wohl regieren und Kinder ziehen zur Schule, mit Anzeigen, wie sie solches zu thun schuldig sind und, wo sie es nicht thun, welch eine verfluchte Sünde sie thun; denn sie stürzen und verwüsten damit beide, Gottes und der Welt Reich, als die ärgsten Feinde beide, Gottes und der Menschen; und streich wohl aus, was für greulichen Schaden sie thun, wo sie nicht helfen Kinder zu ziehen zu Pfarrherrn, Predigern, Schreibern ꝛc.; daß Gott sie schrecklich darum strafen wird; denn es ist Noth, hie zu predigen; die Eltern und Obrigkeit sündigen jetzt hierin, daß nicht zu sagen ist; der Teufel hat auch ein Grausames damit im Sinne.   Zuletzt, weil nun die Tyrannei des Pabstes ab ist, so wollen sie nicht mehr zum Sacrament gehen und verachtens.   Hie ist abermals Noth, zu treiben; doch mit diesem Bescheid: wir sollen Niemand zum Glauben oder Sacrament zwingen, auch kein Gesetz, noch Zeit, noch Stätte stimmen; aber also predigen, daß sie sich selbst ohne unser Gesetz dringen und gleichsam uns Pfarrherrn zwingen, das Sacrament zu reichen...   Wenn du aber solches nicht treibest, oder machest ein Gesetz und Gift daraus, so ist es deine Schuld, daß sie das Sacrament verachten: wie sollten sie nicht faul sein, wenn du schläfst und schweigest?   Darum, siehe darauf, Pfarrherr und Prediger, unser Amt ist nun ein ander Ding worden, denn es unter dem Pabst war; es ist nun ernst und heilsam worden. Darum hat es nun viel mehr Arbeit, Fahr und Anfechtung, dazu wenig Lohn und Dank in der Welt; Christus aber will unser Lohn selbst sein, so wir treulich arbeiten." So weit Luther.   Ein Prediger muß auch bedenken, daß ohne Berücksichtigung der speciellen Bedürfnisse seiner Gemeinde auch mit dem eifrigsten und ernstlichsten Strafen wenig oder nichts ausgerichtet ist. Straft er z. B. in einer Gemeinde, in welcher viel Erkenntniß ist, zwar die Sünden hart, aber etwa die groben und die gerade am wenigsten in seiner Gemeinde hervortreten, so macht er damit leicht nur um so mehr Heuchler, als Bußfertige.   Es zeigt sich nicht selten, daß gerade diejenigen, denen er nie scharf genug predigen kann, die schlechtesten Christen sind, die das scharfe Strafen immer für Andere, nicht für sich begehren und daher, wenn sie einmal selbst getroffen werden, alsobald über des Predigers „fleischlichen Eifer" und daß er es auf sie „gemünzt" gehabt habe, klagen, und ihm feind werden. Ist aber endlich eine Gemeinde nach der großen Mehrzahl ihrer Glieder noch roh und unwissend, so wäre es verkehrt, z. B. über Dinge, die sie bei ihrem ungeschärften Gewissen noch nicht für Sünde erkennen können, als Tanz und dergleichen, ohne Rücksicht auf den Stand der Erkenntniß der Leute so zu eifern, als wären dies die eigentlichen, die schlimmsten und erschrecklichsten Sünden, um deren Abthuung es sich vor allem handle. Fernere Regeln, das Strafen der Sünden in Predigten betreffend, sind: Man strafe nie so, daß es das Ansehen gewinnt, als wolle man über die Gemeinde herrschen und als achte man sich selbst für einen großen und über die Sünder erhabenen Heiligen; man brauche dabei nie gemeine Schimpfworte oder lieblose, ironische, sarkastische Reden und strafe nie so, daß es den Anschein gewinnt, als wolle man die öffentliche Predigt, bei welcher niemand widersprechen darf, dazu niederträchtiger Weise mißbrauchen, sein Müthchen an seinen Gegnern zu kühlen und sie ungestraft zu beleidigen; man strafe nicht öffentlich am Sonntag, was man im Laufe der vorherigen Woche durch Zuträgereien erfahren hat; so oft man etwas hart strafen muß, so erkläre man den Zuhörern, wie man leider genöthigt sei, so harte Worte zu brauchen, bitte sie, sich dadurch nicht erbittern zu lassen, sondern zu bedenken, daß man es um Gottes strengen Gebotes (Hesek. 3, 17. ff.) und um ihrer Seligkeit willen thun müsse, und berufe sich auf das Zeugniß des Gewissens der Zuhörer und mache dieselben so selbst zu Richtern zwischen sich und ihnen; man sei um Gottes willen unparteiisch (wie denn Luther schreibt: „Das sind giftige und fährliche Prediger, die ein Theil allein für sich nehmen, schelten die Herren, auf daß sie den Pöbel kitzeln und den Bauern hofieren, wie der Münzer, Carlstadt und andere Schwärmer, oder wiederum, den Pöbel allein schelten, daß sie den Herren heucheln und wohldienen, wie unsere Widersacher; sondern es heißt: alle beide Theile in Einen Topf gehauen und Ein Gericht daraus gemacht, Einem wie dem Andern.   Denn das Predigtamt ist nicht ein Hofdiener oder Bauernknecht, es ist Gottes Diener und Knecht und sein Befehl gehet über Herrn und Knecht." Ueber Ps. 82, 1. Erl. A. **XXXIX**, 237); man bedenke, daß alle Strafe meist nichts wirkt, als Lästerung, wenn man auch nur den Schein gibt, in der Sünde (z. B. des Geizes, der Hoffart, der Modesucht, der Unversöhnlichkeit, der Unmäßigkeit 2c.) selbst zu liegen, die man straft, nach dem alten Verse: Turpe est doctori, si culpa redarguit ipsum, d. i., dem Lehrer ist es schimpflich, wenn seine eigene Schuld ihn widerlegt; endlich hüte man sich, daß man nicht, wenn die Gemeinde in einem sehr verderbten Zustande zu sein scheint, in ein gewohnheitsmäßiges Strafen gerathe; worüber der alte Theodor Schnepf schreibt: „Macht aus dem Strafen kein Handwerk.. Wenns täglich geschiehet, so gewohnets man endlich, gibt nichts darauf und spricht: der Prediger kann nichts, denn stets keifen und schelten; er hält seinen Brauch also, man darf sich nicht dran kehren." (Hartmann. Pastoral. p. 608.)

Was endlich die Berücksichtigung der speciellen Bedürfnisse der eigenen Gemeinde in Betreff der Anwendung des Wortes Gottes zum Troste betrifft, so ist zwar erstlich außer allem Zweifel, daß unter allen Umständen das tröstliche Evangelium der vorherrschende Inhalt der Predigten eines

evangelischen Predigers sein müsse; zum andern aber ist es auch ebenso gewiß,
daß in Gemeinden, in denen noch viel fleischliches, sicheres und ungeschlachtes
Wesen, oder Selbstgerechtigkeit und falsche Heiligkeit herrschend ist, dem süßen
Evangelio die ernsteste, schärfste, das Verderben des Menschen klar aufdeckende
und das Gewissen erschreckende Predigt des Gesetzes immer voraus und neben-
her gehen müsse. So nöthig es ist, eine zumeist aus aufgeschreckten Sündern
bestehende Gemeinde besonders fleißig auf die grüne Aue des Evangeliums
zu führen und ihr alle Quellen des Trostes in Christo zu öffnen, so verkehrt
und seelengefährlich ist es, in Herrnhutischer Weise ungebrochne, ihr tiefes
Verderben noch nicht erkennende Leute allein durch das Evangelium und
durch rührende Darstellung des leidenden und blutenden Heilandes zur Buße
und zum Glauben bringen zu wollen. Ein herrliches Exempel ist auch hier
wieder L u t h e r. Zwar herrscht in allen seinen Predigten bis zu seinem
Tode die süße Lehre von der Rechtfertigung eines armen Sünders durch den
Glauben allein aus Gnaden offenbar vor; es ist jedoch nicht zu leugnen,
daß Luthers Predigten in f r ü h e r e r Z e i t den Trost des Evangeliums noch
reichlicher und ausführlicher spenden, als in späterer Zeit. Als Luther auf-
trat, fand er ein Volk vor, welches, so unwissend es war, doch darum zum
größten Theile in gesetzlicher Furcht vor Gott, Tod, Ewigkeit, Gericht und
Hölle dahin ging, weil ihm fast gar kein Evangelium, sondern lauter Gesetz
gepredigt, das Evangelium selbst in ein Gesetz und der Heiland in einen
furchtbaren Richter verkehrt, und neben dem göttlichen Gesetz eine unerträg-
liche Last von Menschengesetzen aufgelegt worden war. Daher war denn
auch Luther's Predigt zu dieser Zeit vor allem darauf gerichtet, nicht zu
strafen und zu verwunden, sondern zu trösten und zu heilen. Als aber
später das Evangelium die Leute von der Last des Pabstes erlös't hatte und
nun viele anfingen, die evangelische Freiheit zum Deckel der Bosheit zu
machen, da hören wir Luther'n in seinen Predigten viel häufiger strafen und
drohen, als früher. Als sich die Antinomer mit Luther's Beispiel aus
früherer Zeit beschönigen wollten, trat ihnen derselbe daher mit großem
Ernste entgegen und zeigte, wie nur die Berücksichtigung der speciellen Bedürfnisse seiner anfänglichen und späteren Zuhörer die Ursache der Verschiedenheit seiner Predigtweise in früherer und späterer Zeit gewesen sei.
Er schreibt: „Es gehet uns die Kirche und Christus selbst, dazu auch die
Gerechtigkeit nichts an, wo nicht erst die schädliche Vermessenheit überwunden und getödtet ist. Darum sind die Antinomer billig werth, daß
ihnen jedermann feind sei, welche sich mit unserm Exempel aufhalten und
vertheidigen wollen; so doch die Ursach am Tag ist, warum wir im Anfang
also von Gottes Gnade gelehret haben. Der verfluchte Pabst hatte die
armen Gewissen mit seinen Menschensatzungen gar unterdrücket, hatte alle
rechte Mittel, Hilfe und Trost, damit die armen verzagten Herzen wider die
Verzweifelung hätten mögen gerettet werden, hinweggenommen; was sollten
wir denn dazumal anders thun, denn die unterdrückten und beschwerten

Herzen wiederum aufrichten und ihnen den rechten Trost vorhalten? Wir
wissen aber auch wohl, daß man anders reden muß mit denen, die da satt,
zart und fett sind. Wir waren dazumal alle verstoßen und sehr geplaget.
Das Wasser in der Flaschen war aus, das ist, es war kein Trost vorhanden.
Wir lagen wie die Sterbenden, gleichwie Ismael unter dem Strauch.
Darum waren uns solche Lehrer vonnöthen, die uns Gottes Gnade vor-
hielten, und lehreten, wie wir uns erquicken möchten. Die Antinomer aber
wollen haben, daß man die Lehre von der Buße schlecht mit der Gnade anfangen soll; ich aber habe den Proceß nicht so gehalten. Denn ich wußte
wohl, daß Ismael erst ausgetrieben und verzagt worden war, ehe denn er
vom Engel den Trost gehöret hat. Derohalben habe ich dem Exempel nach-
gefolget, und niemand getröstet, denn nur allein die, so zuvor Reu und Leid
über ihre Sünde gehabt und an ihnen selbst verzaget hatten, welche das
Gesetz erschrecket, der Leviathan überfallen und gar bestürzt gemacht hatte."
(Commentar zum 1. Buch Mose, zu 21, 15. 16. Walch I, 2143. ff.)

Anmerkung 6.

Das fünfte Haupterforderniß der Predigten ist, daß dieselben auch
zeitgemäß seien.

Es bedarf wohl kaum der Erwähnung, daß hiermit nicht gesagt sein
solle, der Prediger müsse sich in seinen Predigten, was Inhalt und Form
betreffe, immer nach dem herrschenden Geist und Geschmack seiner Zeit richten
und daher in einer Zeit, da man die heilsame Lehre nicht leiden wolle, den
Leuten predigen, nachdem ihnen die Ohren jucken, gewisse für veraltet an-
gesehene und sonderlich anstößig gewordene Lehren des Wortes Gottes verschweigen, oder doch so modificiren, daß das Wort Gottes den Tugendstolzen
nicht mehr ein Aergerniß und den Vernunftstolzen nicht mehr eine Thorheit
sei. Das sei ferne! Wehe dem Prediger, welcher sich in dieser Weise in die
Zeit schickt! Unter zeitgemäßen Predigten verstehen wir vielmehr das gerade
Gegentheil. Keine Zeit bringt bessere Menschen hervor, als die andere.
In jeder Zeit liegen die Menschen in jenem angebornen unaussprechlichen
sündlichen Verderben, aus dem ihnen durch nichts, als durch das reine und
ganze Wort Gottes, geholfen werden kann. Aber in jeder Zeit prägt sich
das allgemeine Verderben in besonderer Weise aus. Jede Zeit hat ihre besonders hervortretenden und, so zu sagen, zur Mode gewordenen Vorurtheile,
Irrthümer, Sünden, Laster und Gefahren. Jede Zeit hat daher auch ihre
besonderen Bedürfnisse. Und eben deßwegen hat Gott nicht nur sein ge-
schriebenes Wort, als Quelle, Kanon und Stern aller Lehre, gegeben, sondern
auch ein persönliches Predigtamt gestiftet, damit jenes sein Wort, welches die
Arznei für die Seelenkrankheiten aller Zeiten enthält, auf alle jedesmaligen
Zustände und Verhältnisse der Menschen angewendet werde. Das Predigtamt soll das Licht der Welt sein, welches alle eindringende Finsterniß ver-
treibt, das Salz, welches der um sich greifenden geistlichen Fäulniß der Welt

wehrt, der Damm und die Mauer, welche dem eindringenden Strom des Verderbens Grenzen setzt. Zeitgemäß predigt daher derjenige, welcher sich nicht damit begnügt, daß seine Predigten nur das reine Wort Gottes enthalten, sondern darin fort und fort auf die Vorurtheile, Irrthümer, Sünden, Laster und Gefahren eine besondere Rücksicht nimmt, die in seiner Zeit herrschen, und von denen er voraussetzen kann, daß davon auch seine Zuhörer, als Kinder seiner Zeit, berührt, gefährdet oder angesteckt sind. Wer daher immer dieselben Predigten halten wollte, die ein ausgezeichneter Knecht Gottes der Vorzeit zu unaussprechlichem Segen seiner Zeit gehalten hat, der würde nicht thun, was sein Amt gerade von ihm in seiner Zeit verlangt. Je zeitgemäßer ein Prediger der Vorzeit Gottes Wort vorgetragen hat, um so weniger können seine Predigten jetzt zeitgemäß sein; denn wenn gleich noch heute die Menschen dieselben verlornen und verdammten Sünder sind, die sie vor Jahrhunderten, die sie immer waren, so leidet doch unsere Zeit an gewissen eigenthümlichen geistlichen Krankheiten, die einer entsprechenden Behandlung bedürfen. Einen zeitgemäßeren Prediger hat es wohl nicht gegeben, als unsern Luther. Die fortwährende Rücksichtnahme auf den Pabst, auf die Möncherei und Nonnerei, auf die selbsterwählten Werke und dergleichen, in seinen Predigten, mag jetzt auf manchen den Eindruck machen, als habe Luther darin der Sache zu viel gethan; aber sie ist gerade ein Zeugniß dafür, wie ernstlich Luther darauf bedacht war, nicht nur Gottes Wort rein zu predigen, sondern damit gerade dem Verderben seiner Zeit entgegen zu arbeiten. Luther'n folgt daher ein Prediger in dieser unserer Zeit nur dann, wenn er es ihm ablernt, so auf die gegenwärtige Zeit eine besondere Rücksicht zu nehmen, wie Luther die seinige einst berücksichtigte.*) An die Stelle des Pabstes ist jetzt die Vernunft getreten; an die Stelle der Möncherei und Nonnerei die Tugend mit ihren geheimen Gesellschaften; an die Stelle der selbsterwählten Werke des Fastens, Kasteiens, der Ablaßlösung, der Wallfahrten, der Messen u. s. f. die Werke des Humanismus und der Philanthropisterei, der Temperenz und Abstinenz; an die Stelle des Aberglaubens der Unglaube, die Religionsspötterei, der Rationalismus, der Atheismus und Materialismus; an die Stelle der Menschenautorität und Vergötterung der s. g. Heiligen der Freiheitsschwindel, die Selbstvergötterung und Vergötterung des Genies. Wollen wir daher Luther's treue Schüler sein, so müssen wir in unseren Predigten, Schriften und Zeitblättern ebenso immer

---

*) Wir wollen es jedoch damit nicht tadeln, wenn der anfangende Prediger mit einer gewissen Aengstlichkeit zunächst Luther's oder eines anderen Musterpredigers Predigten wiedergibt, wenn er es mit der Absicht thut, auf diese Weise endlich auf eigenen Füßen stehen und gehen zu lernen. Ach, wie viele Gemeinden würden ganz anders geistlich versorgt werden, wenn viele Prediger, welche jetzt ihnen ihren christlichklingenden Gallimathias vortragen, dafür eine Predigt von Luther, Veit Dietrich oder einem anderen alten Theologen, Wort für Wort memoriter vortrügen! Sie hätten sich dessen viel weniger zu schämen, als ihrer ungewaschenen Salbaderrien.

und immer usque ad nauseam auf die jetzigen Schäden und Gefahren und auf den jetzt herrschenden Geist der Zeit Rücksicht nehmen, wie Luther dies in Absicht auf den eigenthümlichen geistigen Zustand seiner Mitwelt gethan hat. Wir Prediger sind vor allen für das unangefochtene Verderben unserer Zeit verantwortlich. Wer soll dagegen zeugen und dagegen arbeiten, wenn wir es nicht thun, die dasselbe allein im Lichte des Wortes Gottes durchschauen und allein mit der allmächtigen Waffe des Wortes Gottes siegreich bekämpfen können? Darum sollen wir in dieser unserer Zeit unsere Stimme gegen die Irrthümer und Sünden unserer Zeit wie eine Posaune erheben, und nichts darnach fragen, wenn uns auch dieses Zeugniß nichts einträgt, als Spott, Hohn und Verfolgung der Welt, ja, wenn es auch scheint, als ob wir durch unser rücksichtsloses Eifern gegen das, was jetzt alle Welt für edel, für einen Fortschritt, für eine Errungenschaft der Civilisation achtet, die Ausbreitung der Kirche und also die Rettung der Seelen nur aufhielten. Wehe dem Prediger, welcher deswegen die empfindlichen Wunden und Geschwüre dieser Zeit nicht berührt, sondern schweigt! Doppeltes Ach und Wehe aber über das Haupt des Predigers, der sich bei sonst guter Erkenntniß des Wortes Gottes von dem Geist und den Fortschritts-Ideen dieser Grundsuppe aller Zeiten hat anstecken lassen und mit den Fortschritts-Männern unserer Zeit geistliche Hurerei treibt, und anstatt sich denselben mit eiserner Brust entgegen zu werfen, mit ihnen für den Anbruch der Zeit der Erlösung aus aller „Barbarei", des vollen Lichtes, der vollen Freiheit und Gleichheit schwärmt und agitirt! — Es ist wahr, wir armen paar Prediger werden die Sündfluth der letzten Zeit nicht aufhalten; sie wird laut der Weissagungen der heiligen Schrift endlich alles bedecken und verschlingen, bis der HErr selbst dem Jammer ein ewiges, schreckliches und tröstliches Ende machen wird durch die Erscheinung seiner Zukunft; aber wehe uns, wenn wir in die brausenden Stürme und Wogen hinein nicht Gottes Donnerstimme haben erschallen lassen „zu einem Zeugniß" über Gottes Feinde und zu einem Rettungsruf für alle, die sich noch retten lassen wollen! Denn wo das Salz dumm wird, womit soll man salzen?

Anmerkung 7.

Das sechste und siebente Haupterforderniß einer Predigt ist endlich, daß sie auch wohl geordnet und nicht allzulang sei.

a. Es ist zwar wahr, was Spener irgendwo schreibt, daß diejenigen, welche nur um die regelrechte Form der Predigt besorgt sind, denjenigen gleichen, „welche sich nur im Nähen der Schuhe üben, aber um das Leder nicht sorgen und dann Papier nehmen müssen." Es ist zwar ferner wahr, daß nicht die Kunst, die Zuthat des Predigers, sondern das in der Predigt enthaltene Wort Gottes die Kraft hat, die Zuhörer wirklich zu erbauen, nemlich auf Christum, den Felsen des Heiles. Allein wie die zur Seligkeit der Menschen in Gottes Wort geoffenbarte Gesammtlehre und jeder besondere

Theil derselben, jeder Locus und Glaubensartikel ein wunderbar herrlich geordnetes, zusammenhängendes Ganze bildet, so gebührt es auch dem Prediger des Wortes Gottes, dasselbe nicht wie dürres Holz zu spalten, sondern in seiner wundervollen Ordnung und in seinem lebendigen Zusammenhange vorzutragen, so viel er immer dies durch Gottes Gnade vermag. Thut er das nicht, ist seine Predigt nichts, als eine ungeordnete zusammenhangslose Sammlung und Zusammenstoppelung göttlicher Wahrheiten, so mag zwar wohl der werthe Heilige Geist diese oder jene Wahrheit doch in das Herz dieses und jenes Zuhörers bringen und darin zur Frucht kommen lassen, der Prediger aber selbst hindert seine Zuhörer, so viel an ihm ist, daß die Predigt ihr seliges Ziel an denselben erreiche. Während eine lichtvolle Ordnung das klare Verständniß der göttlichen Wahrheit fördert, die Aufmerksamkeit erweckt und dazu beiträgt, daß der Zuhörer das ihm Vorgetragene leichter behält, so richtet Unordnung in der Predigt nothwendig Verwirrung in dem Zuhörer an, wirkt Unaufmerksamkeit, Zerstreuung, ja, Verdruß, und hindert denselben, sich das Gehörte wieder zu vergegenwärtigen. Eine Predigt soll nicht ein Allerlei gottseliger Gedanken sein, sondern, wie sie ein bestimmtes Ziel zu verfolgen hat, sei es nun vor allem rechte Erkenntniß, oder Aufweckung aus dem Sündenschlafe, oder Trost, Friede und Freude, oder ein heiliger Entschluß, so soll sie auch Eine Hauptwahrheit insonderheit behandeln, auf die sich alles, was die Predigt enthält, beziehen und deren Auseinandersetzung und Einprägung alles dienen muß. Dieses ist aber ohne eine gute natürliche Anordnung des ganzen Stoffes, im Ganzen wie im Einzelnen, nicht möglich. Es ist daher auch eine Sache der Erfahrung, daß Predigten, welche Vielerlei und dieses ungeordnet enthalten, selbst wenn sie viel Herrliches in sich fassen, in der Regel weniger Eindruck machen und wirken, als wohl geordnete, eine strenge Einheit bildende Predigten, die jener Fülle entbehren. Kurz, Gott ist ein Gott der Ordnung, der nicht nur alles selbst in weisheitsvoller Ordnung thut, sondern auch den menschlichen Geist so gebildet hat, daß er in einer bestimmten Ordnung zu erkennen und darum auch so gelehrt zu werden das unabweisliche Bedürfniß hat.

b. Was die nöthige Kürze der Predigt betrifft, so mögen hierüber noch folgende Stellen aus Luther's Tischreden hier Platz finden: „Etliche plagen die Leute mit allzu langen Predigten, da es doch um das Gehör gar ein zärtlich Ding ist, wird eines Dings bald überdrüssig und müde. Wiewohl Doctor Pommer immerdar diesen Spruch anzeucht und zum Deckel nimmt seiner langen Predigten: Wer aus Gott ist, der höret Gottes Wort (Joh. 8, 47.), aber doch ist Maß in allen Dingen gut. — Eines guten Redners Amt und Zeichen ist, daß er aufhöre, wenn man ihn am liebsten höret, und meinet, er werde erst kommen; wenn man ihn aber mit Ueberdruß und Unwillen höret, und wollte gerne, daß er aufhörete und zum Ende und Beschluß käme, das ist ein böses Zeichen. Also auch mit einem Prediger; wenn man sagt: Ich hätte ihm noch wohl länger mögen zuhören, so ist's gut; wenn man aber sagt: Er war in das Waschen kommen und konnte nimmermehr aufhören, so ist's ein bös Zeichen." (Erlanger Ausgabe, Band LIX, 222. s. 242.)

Anmerkung 8.

Noch eins ist es, was wir in Absicht auf die Predigt zu erinnern nicht unterlassen dürfen. Es gibt viele Predigten, von denen man nicht sagen kann, weder daß sie falsche Lehre enthalten, noch daß darin gegen irgend eines der genannten Haupterfordernisse entschieden verstoßen sei, und denen doch eine der wichtigsten Eigenschaften einer guten Predigt fehlt. Sie treffen das Herz und Gewissen der Zuhörer nicht. Sie sind wohl logisch, aber nicht biblisch-psychologisch angelegt und geordnet. Ihre Pfeile gehen entweder, so zu sagen, über die Köpfe der Zuhörer hinweg, oder, wenn sie auch den Zuhörer erfassen, so halten sie ihn doch nicht fest und lassen ihn, wie ein hie und da offenes Netz die beschlossenen Fische, wieder entschlüpfen. Sie erschüttern, oder sie erwecken Wohlgefallen und angenehme Gefühle, oder sie erzeugen heilsame Zweifel, oder sie erfüllen mit Bewunderung — aber sie bringen den Zuhörer nicht zu einem bestimmten Entschluß. Daß aber eine Predigt, so viel dabei an ihr liegt, diesen Erfolg habe, dazu gehört himmlische Weisheit; das kann aus keiner Homiletik, das muß durch eigene lebendige Erfahrung im Christenthum erlernt und jedesmal erbeten werden. Daher Melanchthon in seiner großen Demuth gesagt hat: „Predigen ist keine Kunst, sonst könnte ich es auch." Wer nicht selbst ein im täglichen Verkehr mit Gott stehender Christ ist, der an sich selbst des menschlichen Herzens Tücke und Schlangenwindungen und bodenloses Verderben, sowie die Art der Arbeit des Heiligen Geistes an seiner eigenen Seele erfahren hat und noch täglich erfährt; oder wer doch nicht betet, wenn er an seinen Text geht, um, den Inhalt desselben mit dem Zustande seiner Zuhörer vergleichend, den zu erwählenden Hauptgegenstand zu finden, nicht betet, wenn er sodann an die Ausführung geht, nicht betet, wenn er memoriren will, nicht betet, wenn er die Kanzel besteigen will, kurz, die rechte Predigt sich nicht von Gott jedesmal erbettelt und darnach nicht mit Gebetsstimmung gesalbt auftritt — der kann auch keine rechte Predigt, wie sie sein soll, liefern. Es mag sein, daß nach einer so, wie gesagt, geborenen und gehaltenen Predigt niemand ausruft: Das war eine Predigt! daß vielmehr die nicht verhärteten Gemüther nur still das Gotteshaus verlassen, am liebsten mit keinem Menschen davon reden, aber desto mehr mit Gott davon zu reden sich gedrungen fühlen; aber weit entfernt, daß diese Wirkung keine kräftige sein sollte, so ist das gerade die beste, die jede haben sollte. Große Lobeserhebungen sind häufig geradezu ein verdächtiges Zeichen. Sie endigen nur zu oft mit — nichts.

§ 12.

Zu giltiger Vollziehung der Taufe gehört, daß der Täufling im Namen des Vaters und des Sohnes und des Heiligen Geistes in das Wasser getaucht, oder damit begossen, oder damit anhaltend besprengt werde.

Anmerkung 1.

Ungiltig wird die Taufe nicht, wenn das Wort „Gott" einmal oder dreimal (nemlich zu dem Namen jeder Person) hinzugesetzt wird. Es ist jedoch beides unnöthig und sollte daher lieber nicht geschehen. Ungiltig macht ferner die Taufe auch die Formel der griechischen Kirche nicht: „Der Knecht (oder die Magd) Gottes N. N. wird getauft im Namen des Vaters 2c." Jedoch ist die in unserer Kirche gebräuchliche Formel in der ersten Person: „Ich taufe dich 2c.", ohne Zweifel passender und Matth. 28, 19. 3, 11. allein vollkommen entsprechend. Deyling schreibt hierüber: „Es ist der christlichen Freiheit überlassen: ob der Täufer nach der Sitte der lateinischen Kirche activ sage: ‚Ich taufe dich im Namen des Vaters, und des Sohnes, und des Heiligen Geistes‘, oder mit der griechischen Kirche in der dritten Person des Passivs: ‚Es wird getauft der Knecht (die Magd) Gottes N. N. im Namen des Vaters, und des Sohnes, und des Heiligen Geistes, jetzt und immerdar und in alle Ewigkeit, Amen.‘ Aus Bescheidenheit wollen die griechischen Priester dabei nur hinzugedacht wissen: ‚Durch mich‘, oder: ‚Von mir‘. Der erste Theil der Formel: ‚Ich taufe dich‘, gehört nemlich nicht zur Substanz der Taufe. Es ist auch in den Worten der Einsetzung nicht ausgedrückt, in welcher Person, ob in der ersten, oder dritten, der Kirchendiener taufen solle. Indessen ist doch die in der abendländischen Kirche und bei uns angenommene Formel passender und entspricht der Schrift bei Matthäus Cap. 3, 11. Denn auch die nur Dabeistehenden können sagen: ‚Der Knecht Gottes wird getauft‘. Um so weniger darf man die Kirche durch unzeitige Aenderung der angenommenen Formel verwirren und die Worte also vortragen: ‚Ich taufe dich im Namen Gottes des Vaters, und Gottes des Sohnes, und Gottes des Heiligen Geistes‘. Denn ‚es geziemt sich nicht, daß wir klüger, als Christus, unser Meister, sein wollen‘, wie Fecht in seiner Instructio pastoralis c. 12. § 2. S. 110. erinnert." (Instit. prud. past. Ed. Kuestner. p. 365. f.)

Was die Taufformeln „im Namen Christi", oder „im Namen des HErrn", oder „im Namen der heiligen Dreieinigkeit", betrifft, so ist zwar eine damit vollzogene Taufe nicht schlechterdings für eine Nicht-Taufe zu halten, diese Formeln aber jedenfalls als höchst bedenkliche zu meiden. Ueber die Giltigkeit einer mit jenen Worten ertheilten Taufe schreibt Luther: „Ich halte dafür, wenn er spricht: ‚Im Namen‘, daß er dadurch meine die Person des Stifters. Daß es nicht allein heiße, den Namen des HErrn fürwenden oder im Werke anrufen, sondern das Werk

selbst als ein fremdes, anstatt und im Namen eines andern vollbringen.
Matth. 24, 5. Röm. 1, 5. Dieser Meinung gehe ich so gar gerne nach,
dieweil das sehr reichlich tröstet und den Glauben kräftig hilft stärken, wissen,
daß man getauft sei nicht von einem Menschen, sondern von der Dreieinigkeit
selbst, durch einen Menschen, der bei uns in derselben Namen es verrichte.
Dadurch höret auf der unnütze Zank, da sie über der Form*) der Taufe
(also nennen sie die Worte selbst) zanken; indem die Griechen sagen: ‚Es
werde getauft ein Diener Christi‘; die Lateiner: ‚Ich taufe‘; item, andere,
die mit rechtem Ernst und Eifer plaudern und verdammen, wenn also gesaget
würde: ‚Ich taufe dich im Namen JEsu Christi‘. Welchergestalt die Apostel
getaufet haben, wie wir in den Geschichten der Apostel lesen;**) und wollen,
daß hinfort keine Art oder Form gelten solle, denn diese: ‚Ich taufe dich im
Namen des Vaters, und des Sohnes, und des Heiligen Geistes, Amen.‘
Aber sie zanken vor die lange Weile. Denn sie nichts beweisen und bringen
allein ihre Träume vor. Die Taufe mag geschehen auf diese oder jene Weise,
nur daß sie nicht in dem Namen eines Menschen, sondern in dem Namen
des HErrn verrichtet werde, so macht sie gewiß selig.“ (Büchlein von der
babylonischen Gefängniß der Kirchen vom Jahre 1520. Walch's A. XIX,
72. f.) So schreibt ferner Brentius: „Manche meinen, Christus habe hier
(Matth. 28, 19.) die Taufe so eingesetzt, daß sie auch mit diesen Worten:
‚Ich taufe dich im Namen des Vaters, und des Sohnes, und des Heiligen
Geistes‘, ertheilt werden müsse, und wenn man diese Worte nicht gebrauche,
so meinen sie, es sei keine wahre Taufe. Diese halten dafür, wenn gesagt
werde: ‚Im Namen‘, so heiße das so viel, als: ‚Mit diesen Worten‘. Es
ist daher zu bemerken, daß in der Taufe diese gebräuchlichen Worte: ‚Ich
taufe dich im Namen des Vaters, und des Sohnes, und des Heiligen Geistes‘,
allerdings beizubehalten seien, und daß niemandem zuzulassen sei, daß er
diese Worte nach seiner Willkür und muthwillig ändere und in der Taufe
sich nach seinem Gutdünken anderer Worte bediene. Denn es liegen sehr
wichtige Ursachen vor, deren Aufzählung hier überflüssig ist, warum der
Gebrauch dieser Worte sorgfältig beizubehalten sei. Und doch muß man
diesen Gebrauch auch recht verstehen. Denn Christus hat den Grund seiner
Taufe nicht auf gewisse bestimmte Buchstaben, Sylben oder Redeweisen gestellt,
noch uns an gewisse Worte gebunden. Denn er hat nicht eine magische
Handlung eingesetzt, die an eine bestimmte Form der Worte und Geberden
(ritus) gebunden ist; sondern er hat himmlische Sacramente eingesetzt, welche
auf seinem Sinn und Willen, der uns durch diese oder jene Worte bezeichnet
ist, stehen. Denn als Christus den Befehl gab, alle Heiden zu taufen, redete

---

*) „Form“ in der Bedeutung von dem, was eine Sache zu der Sache macht, die sie
ist, oder was derselben ihr Wesen gibt.

**) Von dieser Meinung, daß die Apostel so getauft haben, scheint Luther später ab-
gekommen zu sein.

er mit seinen Jüngern hebräisch oder syrisch. Wie nun? Wäre die Taufe
an gewisse Buchstaben und Sylben gebunden, so wäre es offenbar nur erlaubt, in hebräischer oder syrischer Sprache zu taufen. Doch damit hat es
gute Wege. Wie Christus sein Evangelium am Pfingsttage in allen Sprachen
der Völker bekannt gemacht hat, so will er auch, daß seine Sacramente in
denjenigen Sprachen ertheilt werden, welche von den Zuhörern und von
denen, die die Sacramente empfangen, verstanden werden können und in
welchen der Sinn des Evangeliums recht erkannt wird. Wenn daher jemand
nach Hersagung des apostolischen Symbolums in der Taufe zu dem Täufling
diese Worte sagen würde: ,So habe ich denn das Bekenntniß deines Glaubens
aus deinem Munde vernommen, daß du glaubest an Gott den Vater, allmächtigen Schöpfer Himmels und der Erden, und an seinen eingebornen
Sohn, unseren HErrn JEsum Christum, und an den Heiligen Geist; auf
dieses Bekenntniß und auf diesen Glauben tauche ich dich in das Wasser oder
begieße ich dich mit Wasser, damit du durch dieses Zeichen gewiß seist, daß du
in JEsum Christum und in die Gemeinschaft aller seiner Güter eingepflanzt
bist; gehe hin in Frieden' — so wäre diese Taufe ohne Zweifel eine wahre
Taufe, weil sie das enthält, was zur Taufe nothwendig ist, und weil der
Sinn der Worte Christi öffentlich ausgedrückt ist, obwohl der Schall der
Worte selbst ein wenig verändert worden zu sein scheint. — Dieses habe ich
darum hinzufügen zu müssen erachtet, nicht weil eine Veränderung der gebräuchlichen Worte: ,Ich taufe dich im Namen des Vaters ꝛc.', zu gestatten
wäre, sondern damit man die Worte Christi recht verstehe und die magischen
Handlungen von der Consecration der himmlischen Sacramente wohl unter-
scheiden lerne." (Catechismus, pia et utili explicatione illustratus.
Francof. 1551. p. 55—57). Ueber die Formel ,im Namen Christi', deren
Gebrauch, nach der Meinung der meisten lutherischen Theologen, die Tauf-
handlung ungiltig macht, schreibt der Leipziger Theolog J. A. Scherzer:
„Wir bemerken, daß die im Namen Christi vollzogene Taufe Apostelg. 2, 38.
10, 48. 19, 5. die hochheilige Dreieinigkeit nicht ausschließe. Denn das
Bekenntniß Christi ist ein Bekenntniß der ganzen Dreieinigkeit. Weil jedoch
Christus ausdrücklich sagt, man solle taufen im Namen des Vaters, des
Sohnes und des Heiligen Geistes, Matth. 28, 19., so kann niemand mit
Recht diese Formel mißbilligen; obwohl wir die Meinung derjenigen ver-
werfen, welche behaupten, daß ein im Namen Christi Getaufter bedingungs-
weise wieder zu taufen sei." (System. theol. 1689. p. 356. cf. 358. 359.)
Deyling, welcher ohne Zweifel mit Recht den Ausdruck ,im Namen Christi,
im Namen des HErrn" in der Apostelgeschichte nicht für die Angabe der
gebrauchten Taufformel, sondern der Vollmacht, in welcher die Taufe
vollzogen wurde, nimmt, schreibt über die Taufe mit den Worten: „Im
Namen der heiligen Dreieinigkeit", Folgendes: „Wir gestehen zwar, daß der
Substanz oder Kraft der Taufe nichts entgehen würde, wenn jemand im
Namen der Dreieinigkeit taufte, da der Vater, Sohn und Heiliger Geist die

glorreiche und allerheiligste Dreieinigkeit ist; doch hatte Christus ohne Zweifel wichtige Ursachen, um welcher willen er die Namen der einzelnen Personen in dieser Initiations-Formel ausgedrückt, und gewollt hat, daß sie auch ausdrücklich erwähnt werden. Von derselben nach seinem Privaturtheil abzugehen, ist daher einem Diener des Wortes nicht erlaubt." (A. a. O. S. 366.) Es bedarf wohl keiner Erwähnung, daß auch wir hier nicht darum zeigen, warum gewisse Verschiedenheiten in der Form die Taufe nicht schlechterdings ungiltig machen, damit der Prediger hierin nach seiner Willkür handle, sondern damit er wisse, welche angeblich von Andern Getaufte von ihm als Getaufte anzuerkennen seien, oder nicht.

Endlich nehmen auch Solöcismen (grammatische Verstöße), deren sich der Täufer bei der Vollziehung einer Taufe etwa schuldig gemacht hat, derselben ihre Kraft und Giltigkeit nicht, wenn sie sonst richtig vollzogen wurde. Gerhard schreibt hierüber: „Es fragt sich hier, ob eine Taufe für giltig zu halten sei, wenn der eine oder andere Buchstabe oder eine Sylbe in den Worten verändert werde. Ich antworte: Wenn der Sinn unversehrt und unverfälscht bleibt, und nichts mit Absicht verfälscht wird, so ist eine solche Taufe für eine rechtmäßige zu halten, denn Christi Verordnung ist nicht sowohl vom Schalle, als vom Sinne der Worte zu verstehen. Aventinus erzählt im 3. Buch seiner Annalen bei dem Jahre Christi 745: Ein der lateinischen Sprache unkundiger Presbyter in Bayern hatte einen Knaben ‚in nomine Patria, Filia et Spiritua Sancta‘ getauft. Bonifacius, Bischof von Mainz, ließ den Knaben noch einmal taufen. Der Salzburgische Bischof Virgilius und Sidonius, Pontifer zu Lorch bei den Bojern, wollten die Taufe für giltig angesehen haben. Es entstanden die größten Unruhen. Pabst Zacharias schlichtete den Streit, und bestätigte Virgil's Meinung." (Loc. de bapt. § 93.)

Auf die Frage, ob zu sagen sei „im Namen" oder „in den Namen", antwortet Gerhard: „Jede von beiden Formeln findet sich in der Schrift; die erstere (εἰς τὸ ὄνομα) Matth. 28, 19. 1 Kor. 1, 13., die andere (ἐν τῷ ὀνόματι) Apostelg. 2, 38. 10, 48. In unserer Kirche ist es heutzutage Brauch, zu sagen ‚im Namen‘, von welcher Gewohnheit ohne Ursache nicht Andern zum Anstoß abgegangen werden sollte." A. a. O.

Anmerkung 2.

Die Materie der Taufe betreffend, schreibt Deyling: „Es kommt nichts darauf an, ob das Taufwasser aus einer Quelle, aus einem Flusse, aus dem Meere oder aus einem Teiche geschöpft, ob es Regen- oder Thau-Wasser, warmes, kaltes oder laues sei, weil sich hierüber in der heiligen Schrift keine Bestimmung findet. *) Genug, wenn man wahres, sowohl natür-

---

*) Als Melchior Frenzel, Pfarrer in Ronneburg, sich wehrte, mit warmem Wasser zu taufen, und darüber Unruhen erregte, schrieb ihm Luther: „Daß Ihr saget, warm Wasser wäre kein rein Element, sondern schon mit Feuer vermengt, da weiß ich nicht, wo

liches, als reines, Wasser anwendet, welches die reinigende Kraft der
Taufe vorzustellen geeignet ist. Welche an die Stelle desselben eine andere
Flüssigkeit setzen, und z. B. künstliches, Muscaten- oder Rosen-
wasser anwenden, auf welche Thorheit zuweilen die Vornehmen und Reichen
aus Hoffart kommen, oder Wein, Milch oder Bier unter dem Vorwande,
es sei ein Nothfall, gebrauchen wollen, diesen ist zu bedeuten, daß das Sacrament auf diese Weise verfälscht wird, weil zum Wesen der Taufe wahres
Wasser erforderlich ist, da dieselbe ein Wasserbad ist im Worte Ephes. 5,
26. Joh. 3, 5. Apostelg. 8, 36. 10, 49.*) Darum als ein hebräischer
Jüngling einst (um das Jahr 141), weil es in der Wüste an Wasser fehlte,
durch dreimalige Begießung seines Hauptes mit Sand getauft worden war,
gab Dionysius, Bischof von Askalon, mit vollem Rechte das Urtheil ab, daß
derselbe aufs neue zu taufen sei, sendete daher denselben sogleich an den Jordan
und ließ ihn dort taufen. Wir sehen hieraus, daß die Alten eine solche Taufe,
als eine unrichtige, verworfen haben, weil sie ohne Wasser vollzogen worden
war. Zwar befindet sich in den Sammlungen des kanonischen Rechtes ein
Decret unter dem Namen des „Pabstes‘ Siricius (gestorben 398), welches
dahin lautet, daß einem Presbyter, welcher in der Noth, damit der Kranke
nicht Gefahr laufe (ohne Taufe zu sterben), mit Wein taufe, deßwegen keine
Schuld zugemessen werden könne; allein Antonius Augustinus und Baluzius
haben bemerkt, daß dieses nicht ein Decret des Siricius, sondern Stephanus II.
sei, welcher erst in der Mitte des achten Jahrhunderts gelebt hat. Die erste
Kirche hat fort und fort verneint, daß ohne Wasser giltig getauft werden
könne. Auch unsere evangelische Kirche verneint es, daß die Taufe ohne
wahres Wasser ertheilt werden könne. Ich wundere mich daher, daß die
Scholastiker Lauge oder eine andere Flüssigkeit substituirt haben und daß
(der Reformirte) Th. Beza im 2. Briefe an Till (Vol. III. Tractat. theol.
p. 196.) hat schreiben können: „Ich meine mit jeder anderen Flüssigkeit nicht
weniger richtig zu taufen, als mit Wasser.‘ Denn es ist nicht mehr erlaubt,
eine Taufe ohne Wasser, als ein Abendmahl ohne Brod und Wein zu er-

---

Ihr Euren Verstand habt. Denn auf diesen Schlag würde ich auch sagen müssen, kalt
Wasser wäre kein rein Element, sondern mit Erde vermengt, weil die Weltweisen die Erde
für kalt und trocken halten. Ein anderer wird auch sagen, ein feucht Wasser sei kein rein
Element, weil die Feuchtigkeit ordentlich bei der Luft sei. Lasset also die Possen fahren.‟
(Werke, Walch'sche Ausgabe, Tom. XXI, 1351.)

*) In den Tischreden Luther's kommt zwar eine Stelle vor, nach welcher derselbe
Bier und Milch im Nothfall als Substitut für das Wasser gelten zu lassen scheint
(Walch XXII, 848.); allein diese Tradition beruht jedenfalls auf einem Mißverständniß;
denn so spricht Luther z. B. in seiner 1540 zu Dessau gehaltenen Predigt: „Laß ihn (den
Täufer) gleich gottlos und ungläubig sein, .. so er nur die Einsetzung Christi hält, und
nimmt dazu nicht Wein, Bier, Lauge, oder ein ander Ding, sondern
Wasser mit zugethanem Wort Gottes, so heißet und ist es eine Taufe. Denn hier ist
alles, so zu dem Wesen der Taufe gehöret, nemlich natürlich Wasser, mit dem Worte, aus
Gottes Gestift und Befehl.‟ (Walch VII, 1015. Erl. A. XIX, 81.)

dichten. Denn so bald ein wesentlicher Theil abgethan ist, so kann das Wesen des Ganzen nicht unversehrt bleiben. Uebrigens wenn dem natürlichen Wasser zufällig etwas von fremder Flüssigkeit, z. B. Oel oder Salbe, beigemischt ist, so geht damit der Unversehrtheit der Taufe nichts ab." (A. a. O. S. 360. ff.) Als es im Jahre 1542 ruchbar wurde, daß eine Hebamme zu Cahla und an anderen Orten Kinder angeblich getauft habe „allein mit Gottes Wort ohne Wasser", da erklärte Luther mit Bugenhagen in einem Schreiben an den Churfürsten, daß solches Vornehmen gewiß „aus einer falschen Lehre komme", rieth eine strenge Untersuchung an, wies nach, daß die Handlung nichts als eine Verspottung Gottes sei, und hieß die Kinder taufen. (Man lese das herrliche Schreiben selbst nach in Walch's Ausgabe Bd. X, S. 2614—2617. Erlanger Ausgabe Bd. LXIV, S. 316 ff.) Endlich schreibt Hollaz: „Durch den Ausdruck ‚reines Wasser‘ wird das gemischte, schmutzige und trübe, dergleichen die Lauge ist, mit Brod- und Fleischstücken vermischte Brühe, salziges und ähnliches Wasser ausgeschlossen. Es wird aber nicht eine völlige und gänzliche Reinheit verstanden, welcher nichts von einem anderen Elemente anhaftet, sondern die gewöhnliche oder natürliche. Daher ist mit solcher Sorgfalt das Unreine von dem Taufwasser abzusondern, mit welcher die Menschen schmutziges Wasser zu meiden pflegen, wenn es zum Waschen und Trinken dienen soll." (Exam. theol. P. III. s. 2. c. 4. q. 7. p. 1084.) Um unerfahrener Prediger willen sei hierbei nur noch bemerkt, daß weder zu heißes, noch zu kaltes Wasser gebraucht werden sollte, aus leicht zu errathenden Gründen.

Anmerkung 3.

Da das im Urterte der Einsetzungsworte gebrauchte Wort βαπτιζειν (baptizein) jede Art von Waschen bedeutet [Mark. 7, 4. *)], und da durch die äußere Form der Taufe nicht nur das Begrabenwerden in den Tod (Röm. 6, 3. 4.), sondern auch das Abwaschen von Sünden (Apg. 22, 16.), die Ausgießung des Heiligen Geistes (Tit. 3, 5. 6.) und das Besprengtwerden mit Christi Blut (Ebr. 10, 22. vergl. 2 Mos. 24, 8. Ebr. 9, 19. 1 Kor. 10, 2.) bedeutet werden soll; da auch in der Taufe durch die Application des Wassers nicht die Abwaschung des Leibes bewirkt (1 Petr. 3, 21.), sondern nur die dadurch vermittelst des Wortes bewirkte Abwaschung der Seele angedeutet werden soll; und da endlich die Kraft der Taufe nicht im Wasser verborgen liegt**), daher viel Wasser nicht mehr

---

*) Zu behaupten (wie die Wiedertäufer und Socinianer thun), daß βαπτιζειν wegen seines Stammwortes immer nur untertauchen bedeute, ist ebenso verkehrt, als behaupten, daß das Wort handeln um seines Stammwortes willen nur eine Thätigkeit vermittelst der Hand bezeichnen könne.

**) In den Schmalkaldischen Artikeln bekennen wir Lutheraner daher: „Darum halten wir nicht mit Thoma und den Prediger-Mönchen, die des Worts (Gottes Einsetzung) vergessen, und sagen, Gott habe eine geistliche Kraft ins Wasser gelegt, welche die Sünde durchs Wasser abwasche." Th. III, Art. 5.

Kraft hat, als wenig: so ist bei jeder dieser genannten Formen die Taufe caeteris paribus (wenn sonst alles seine Richtigkeit hat) giltig. Wie das Untertauchen nicht zu verwerfen ist, obgleich dasselbe weniger deutlich das Abwaschen und Besprengtwerden mit dem Blute Christi andeutet, so ist auch das Begießen und anhaltende Besprengen nicht zu verwerfen, obgleich durch diese Formen weniger deutlich das Begrabenwerden in den Tod angedeutet wird. Es hat sich jedoch ein Diener der rechtgläubigen Kirche derselben um so mehr in der bei ihr gebräuchlich gewordenen Form zu conformiren, als die Wiedertäufer noch heute aus diesen Adiaphoris (Mitteldingen), wider Gottes Wort und Wahrheit und wider die christliche Freiheit insonderheit, wesentliche Bestandtheile der Taufe machen wollen. Gal. 2, 4. 5. Mit Absicht ist übrigens im Paragraphen nicht von jeder Art der Besprengung gesagt worden, daß dieselbe eine giltige Taufform sei, sondern von der anhaltenden. Ist das Besprengen so geschehen, daß man kaum weiß, ob dem Täufling wirklich Wasser applicirt worden sei, so ist eine solche angebliche Taufe nicht für giltig anzusehen. In der Constitution des geistlichen Consistoriums zu Wittenberg, welche Luther mit mehreren anderen Theologen aufgesetzt hat, heißt es: „Der Mißbrauch, da etliche die Kinder nicht ins Wasser tauchen, noch sie damit begießen, sondern streichen ihnen allein ein Tröpflein auf den Leib oder an die Stirn, soll keinesweges gehalten werden." (Siehe Porta's Pastorale Lutheri, Cap. Vom Taufen. § 1. Cramer's Ausg. S. 632. f.) In einem bestimmten vorgekommenen Falle schrieb daher die Leipziger theologische Facultät im Jahre 1708 in einem deswegen ertheilten Bedenken u. a. Folgendes: „Nun aber hat im gegenwärtigen Casu der Pastor, so die Taufe verrichtet, nur die zwei vordersten Finger ausgestreckt, einmal ins Wasser getaucht oder getunkt, und mit denselben hernach dem Kinde von dem Kinne an bis hinauf an die Stirne gefahren, und hierbei nach dreimaliger Bewegung der Hand (welches vielleicht, wiewohl sehr ungereimt, die dreimalige Besprengung hat heißen sollen) die Worte gesprochen: Ich taufe dich im Namen des Vaters 2c. Sintemal dem Kinde mit zwei nassen Fingern übers Gesicht fahren, nicht das Kind taufen, und dreimal die Hand über dessen Kinn und Stirne bewegen, nicht dessen Haupt mit Wasser besprengen, sondern in re tam seria (in so ernster Sache) gaukeln und nichts, was zur Sache gehört, verrichten heißt.*) Wenn demnach der Kirchschreiber, ingleichen die drei Pathen bei ihrer Aussage beharren, und daß bei diesem Actu keine dreimalige Besprengung mit Wasser, das mit der hohlen Hand geschöpft wurde, sondern nur aufs höchste eine oberflächliche und von keinem der Umstehenden

---

*) „Nun hat zwar der Pfarrer, da er Amts wegen zur Rede gesetzt worden, einmal über das andere bejahet, wie er nicht zwei, sondern alle Finger ausgestreckt, eingetauchet und also die nasse Hand nicht ohne Wasser auf die Stirne geleget: allein die ausgestreckten Finger ins Wasser tauchen und die nasse Hand auf die Stirne des Kindes legen, heißt wiederum nicht taufen oder das Kind mit Wasser besprengen, sondern nur mit Wasser beschmieren oder befeuchten."

bemerkte Befeuchtung der Stirn gewesen sei, eidlich vor der Obrigkeit be-
kräftigen: so ist dieser Actus für keine vollkommene Taufe zu halten, und
fordert demnach die Nothdurft, dieses Kind (sowohl solches wegen seiner
Seligkeit, benebenst dessen Eltern, in gute Sicherheit zu setzen, als auch das
gegebene öffentliche Aergerniß gänzlich abzuthun) als ungetauft anzunehmen
und es zur Taufe (so privatim im Hause, wo nicht öffentlich, kann verrichtet
werden) von neuem aufzufordern, also, wie man alle Ungetaufte zur Taufe
zu fordern und zu taufen pflegt. Dem unvorsichtigen Pastor aber kann,
gestalten Sachen nach, wegen seines unbesonnenen und ärgerlichen Verfahrens
ein ernstlicher Verweis und Vermahnung, hinfüro sich bei dergleichen heiligen
Handlungen behutsamer aufzuführen, wo er nicht der Suspension oder andern
Strafe gewärtig sein wolle, gegeben werden." (Auserlesene Bedenken der
theologischen Facultät zu Leipzig. Von Dr. C. F. Börnern. Leipzig, 1751.
in 4. S. 343. ff.) Der Prediger sollte daher jedesmal darauf bedacht sein,
seine hohle Hand mit Wasser gehörig zu füllen und damit den Täufling
reichlich zu begießen. (Vergleiche Deyling's Institut. prud. past. P. III,
c. 3. § 26. p. 372.: "Eine reichlichere Begießung mit Wasser sollte billig
angewendet werden, damit dadurch die Abwaschung des Sündenschmutzes
abgebildet und vor Augen gestellt werde. Apostelg. 22, 16.")

Auf die Frage: "Soll die Eintauchung oder Begießung eine dreimalige oder einmalige sein?" antwortet Gerhard: "Dieses halten
wir für ein Adiaphoron. In der ersten Kirche war die dreimalige Unter-
tauchung gebräuchlich. Tertullian schreibt in seiner Schrift wider Praxeas:
,Nicht einmal, sondern dreimal werden wir bei jeder einzelnen Person, des
Vaters, des Sohnes und des Heiligen Geistes, eingetaucht'... In unseren
Kirchen wird ebenfalls die dreimalige Begießung beobachtet; und doch
,gereicht der heiligen Kirche, die in Einem Glauben steht, die verschiedene
Gewohnheit nicht zum Vorwurf; denn weil in drei Persönlichkeiten Ein
Wesen ist, so kann es durchaus nicht tadelhaft sein, ein Kind in der Taufe
dreimal oder einmal einzutauchen, weil in den drei Eintauchungen die
Trinität der Personen, und in Einer die Einheit der Gottheit bezeichnet
werden kann', wie Isidorus von Sevilla und Lombardus schreiben. ...
Gregor berichtet im ersten Buch seiner Episteln, in der 41. an Leander: ,Als
die Arianer zur Bezeichnung dreier Naturen der drei Personen sich dreimaliger Eintauchung bedienten, so sei an deren statt in Spanien Eine Eintauchung angenommen worden.'" (Loc. de bapt. § 97.)

Auf die Frage: "Soll die Eintauchung oder Begießung eine totale
sein, d. i. der ganze Leib gewaschen werden?" antwortet Gerhard: "Auch
dieses ist ein Adiaphoron, da sich in den Einsetzungsworten keine Vorschrift
darüber findet; da ferner in der sacramentlichen Handlung zwischen dem
Geben und der Art des Gebens, zwischen dem Nehmen und der Art des
Nehmens zu unterscheiden ist; da endlich der Zweck der Taufe nicht das
Abthun des Unflaths am Fleisch ist, so daß darum der ganze Leib gewaschen

und gerieben werden müsse, sondern die Wiedergeburt und die geistliche
Reinigung von aller Unreinigkeit der Sünde. Obgleich aber jene Wiedergeburt den ganzen Menschen betrifft, so ist es doch nicht nöthig, daß der
ganze Leib mit dem Wasser der Taufe abgewaschen werde, da die Kraft wieder-
zugebären nicht vom Wasser kommt, sondern vom Heiligen Geiste, der durch
das vermittelst des Wortes geheiligte Wasser kräftig wirkt, und daher die
Wiedergeburt des ganzen Menschen durch die Abwaschung eines Gliedes des
Leibes mit dem Wasser der Taufe vom Heiligen Geiste bewirkt wird; wie dies
oben an dem Beispiel der Beschneidung erklärt worden ist. Das Volk wurde
mit dem Blute des Bundes besprengt, so daß damit alle besprengt hießen,
obwohl nicht der ganze Leib eines jeden besprengt wurde. 2 Mos. 24. Die
Scholastiker fragen ferner, welches Glied des Leibes mit dem Wasser zu
besprengen sei. Richardus antwortet, ‚vor allen das Haupt oder Angesicht,
weil darin die Sinne ihren Sitz haben, sodann die Brust, weil sie der Sitz
des Herzens ist‘. In Comp. theol. verit. heißt es: ‚Die Abwaschung soll
an dem vorzüglicheren Theile des Leibes geschehen, nemlich am Haupte.‘
Mit Recht setzt jedoch die Summa angelica unter dem Worte ‚Taufe‘
Cap. 4. Fr. 2. hinzu: ‚Allgemeiner hält man dafür, wie auch immer jemand
mit Wasser begossen werde, so sei er getauft, und die Begießung, wie sparsam
sie auch immer im Nothfalle gewesen sein möge, genüge.“ L. c. § 98. 99.)
Von der alten Kirche berichtet richtig Deyling: „Die Alten gingen nicht
leicht von der Untertauchung ab, außer wenn ein Märtyrer im Kerker
oder ein bettlägeriger Kranker (Klinikus), der in Todesgefahr schwebte, zu
taufen war, wo das im Bett ertheilte Sacrament durch Besprengung
geschah, welche Taufe keiner der Alten als eine ungiltige und unrechtmäßige
verwarf... Im Abendlande und besonders in den kälteren Gegenden schien
die Untertauchung der Kinder gefährlich zu sein. Daher trat nach und nach
eine Aenderung ein, weil die Eintauchung des ganzen Leibes in das Wasser
nirgends in der Schrift geboten ist.“*) (Instit. prud. past. p. 371.)
Ein Zeuge für die auch in der ältesten Kirche vorkommende Taufe mit
Besprengung oder Begießung im Nothfall und für die Anerkennung, welche
dieselbe bei den Rechtgläubigen als eine legitime genoß, ist Cyprian († 258),
welcher in seinem Briefe an Magnus u. a. folgendermaßen schreibt: „Du
hast auch gefragt, liebster Bruder, was ich von denen hielte, die in Krankheit
und Siechthum zu Gottes Gnade kommen, ob sie für rechte Christen zu halten

---

*) Zwar wollen die Wiedertäufer, wenn sie die Untertauchung für ein wesentliches
Stück der Taufe erklären, Luther zu ihrem Patron machen, indem sie folgende Worte
desselben vom Jahre 1520 anführen: „Ich wollte, man tauche die, so da getauft sollen
werden, gar in das Wasser, wie das Wort lautet und das Geheimniß bedeutet.“ Aber
die unmittelbar folgenden Worte Luther's lassen die Wiedertäufer weg. Luther fährt
nemlich also fort: „Nicht daß ich es für nöthig achte, sondern daß es schön
wäre.“ (Hall. Tom. XIX, 80.) Was die Bedeutung des Wortes „taufen“ betrifft,
so schreibt Luther im Jahre 1542: „Das Wörtlein ‚taufen‘ bringet mit sich Wasser, denn
es heißet baden, oder eintauchen, oder naß machen mit Wasser.“ (X, 2615. f.)

seien, indem sie mit dem heilsamen Wasser nicht gewaschen, sondern nur begossen (perfusi) worden sind. In diesem Stück verwehrt unsere Scheu und Bescheidenheit keinem, daß nicht ein jeglicher halte, was er will, und was er hält, thue. Wir, soviel unser geringer Verstand davon faßt, halten dafür, daß in keinem die göttlichen Wohlthaten verstümmelt und geschwächt, noch da etwas weniger zu Theil werden könne, wo mit dem vollen Glauben sowohl des Gebenden als des Empfangenden das hingenommen wird, was aus den göttlichen Gaben geschöpft wird. Denn nicht so werden in dem heilsamen Sacrament die Mackel der Sünden abgewaschen, wie in dem leiblichen und irdischen Bad der Schmutz der Haut und des Leibes, daß sowohl der Seife, als der Salze und der anderen Mittel, desgleichen eines Fasses und Wasserständers noth sei, damit das Leibchen abgewaschen und gereinigt werden könne. Anders wird die Brust des Gläubigen gewaschen, anders das Herz eines Menschen durch die Verdienste des Glaubens gereinigt. Wenn die Noth drängt und Gott seine Verzeihung gewährt, gibt in den heilsamen Sacramenten die göttliche Abkürzung den Gläubigen das Ganze. Und es soll keinen beunruhigen, daß man die Kranken nur besprengt oder begossen (aspergi vel perfundi) werden sieht, während sie des HErrn Gnade erlangen, da die heilige Schrift durch den Propheten Ezechiel sagt und spricht: ‚Und will rein Wasser über euch sprengen, daß ihr rein werdet von aller eurer Unreinigkeit, und von allen euren Götzen will ich euch reinigen. Und ich will euch ein neu Herz und einen neuen Geist in euch geben.‘ Desgleichen 4 Mose: ‚Wer nur irgend einen todten Menschen anrühret, der wird sieben Tage unrein sein. Der soll sich hiemit entsündigen am dritten Tage und am siebenten Tage, so wird er rein; und wo er sich nicht am dritten Tage und am siebenten Tage entsündiget, so wird er nicht rein werden. Und solche Seele soll ausgerottet werden aus Israel, darum, daß das Sprengwasser nicht über ihn gesprenget ist.‘ Und wiederum: ‚Und der HErr redete mit Mose und sprach: Nimm die Leviten aus den Kindern Israels und reinige sie. Also sollst du aber mit ihnen thun, daß du sie reinigest: Du sollst Sündwasser auf sie sprengen.‘ Und abermals: ‚Zum Sprengwasser: denn es ist ein Sündopfer.‘ Woraus erhellet, daß sie auch die Besprengung (aspersionem) mit Wasser gleich als das heilsame Bad erlangen." Im Folgenden sagt Cyprian, daß so Getaufte „Clinici" genannt zu werden pflegten. (D. Caecilii Cypriani Opp. repurg. per Des. Erasm. Basil. 1530. p. 132.)

Anmerkung 4.

Ueber die Art der Vollziehung der Taufhandlung in Absicht auf die dabei zu beobachtenden Geberden schreibt Chr. Tim. Seidel: „Der Prediger fasset das zu taufende Kind auf seinen linken Arm dergestalt, daß das Haupt des Kindes in der linken Hand ruhet, so daß das Angesicht desselben gen Himmel gekehrt ist. Der Körper des Kindes liegt auf dem Arme des Predigers; man wird aber sehr wohl thun, wenn man denselben so viel als

möglich zwischen der linken Seite und dem linken Arm einschließt, damit man
nicht Gefahr läuft, ein solches Kind fallen zu lassen, welches Unvorsichtigen
gar leicht widerfahren kann.　An einigen Orten ist es gebräuchlich, daß die
Bademutter das Kind dem Prediger zuträgt und er, ohne solches anzurühren,
die Taufe verrichtet.　Es geht dadurch dem Wesentlichen der Taufe nichts
ab; wir halten aber dafür, daß es sich für den Prediger selbst besser schickt,
die Lämmer Christi in seine Arme zu sammeln." F. E. Rambach, der
Seidel's Pastoraltheologie 1769 wieder herausgegeben hat, macht zu Obigem
die Bemerkung: „Es wird nicht an allen Orten das zu taufende Kind auf
einerlei Art von dem Prediger gehalten.　Denn an einigen Orten geschieht
es so, daß das Kind das Gesicht dem Taufbecken und Wasser zukehrt; anderwärts aber, daß das Gesicht des Kindes dem Prediger und Gevattern zuge-
kehrt ist.　Darüber aber muß kein Streit angefangen werden.　Wie es des-
falls an einem Orte üblich ist, so hält er es auch.　Denn die Ursache, die
von jener Stellung angeführt wird, ist ebenso gut, als die, die man von der
letztern angibt." (Pastoraltheologie, herausgegeben von F. E. Rambach.
S. 119. f.)

§ 13.

Auf die Frage nach dem Object der Taufe, oder wen der Prediger
zu taufen habe, ist zu antworten: 1. alle ungetauften Erwachsenen,
welche es begehren, wenn sie die zur Seligkeit nothwendige Erkenntniß
haben und den rechten Glauben mit Wort und That bekennen (Apostelg.
2, 41. 8, 27—39.); 2. alle ungetauften Kinder, obgleich sie vermöge
ihres Alters noch nicht fähig sind, selbst von ihrem Glauben Rechenschaft
oder Red und Antwort zu geben, wenn sie von denen zur Taufe gebracht
werden, welche über sie elterliche Gewalt haben (Marc. 10, 13—16.
Apostelg. 2, 39.), vorausgesetzt, daß letztere nicht einer anderen Parochie
zugehören (1 Pet. 4, 15.).

Anmerkung 1.

Der Prediger sollte, ehe er eine Taufe vollzieht, immer fragen und untersuchen, ob das zu taufende Individuum noch nicht getauft sei.　Es ist nicht
nur vorgekommen, daß angebliche Proselyten, um schändlichen Gewinns
willen, sich haben wiederholt taufen lassen; zuweilen verschweigen auch Eltern
die an ihrem Kinde geschehene Nothtaufe, theils weil sie die Taufe durch einen
ordentlichen Prediger in ihrer Unwissenheit für sicherer und kräftiger ansehen,
theils aus anderen unlauteren Gründen.

Anmerkung 2.

Für noch nicht getauft sind nicht nur die angeblich, aber offenbar
nicht nach Christi Einsetzung oder Vorschrift (siehe den vorhergehenden Paragraphen) Getauften, sondern auch alle diejenigen anzusehen:

a. welche von solchen Ketzern getauft sind, die das, was zum Wesen der Taufe gehört, mit ihrer Gemeinschaft öffentlich leugnen, und b. deren Taufe ungewiß ist.

a. Zwar gehört zum Wesen der Taufe weder der Glaube noch die rechte Absicht (intentio) des Täufers oder des zu Taufenden (Röm. 3, 3.), sondern allein Wort und Wasser, nach dem Augustinischen Satze: „Accedat verbum ad elementum, et fit sacramentum" (Tract. 80. in Joh.); daher es denn scheinen möchte, als ob die Taufe jedes Ketzers, wenn derselbe nur Wasser applicirt und dabei die Formel gebraucht hätte: „Ich taufe dich im Namen des Vaters und des Sohnes und des Heiligen Geistes", eine wirkliche, giltige und kräftige Taufe sein müsse. Allein nicht der Schall der in der heiligen Schrift enthaltenen Worte ist das Wort Gottes, sondern der damit ausgedrückte Sinn. Käme es auf den Schall an, so wären nur die Worte des hebräischen und griechischen Grundtextes Gottes Wort. Wie aber die Worte einer Bibelübersetzung Gottes Wort enthalten, wenn sie nur den Sinn des Urtextes wiedergeben, so predigt hingegen derjenige Gottes Wort nicht, welcher sich zwar in der Bibel stehender Wörter, Zeichen und Laute bedient, aber dieselben erklärtermaßen in einem anderen Sinne gebraucht, als sie in der Bibel gebraucht werden. Die articulirten Laute haben ihre Bedeutung nicht an sich, sondern je nachdem es nicht nur die Art der Sprache, sondern auch der Gebrauch in einer Gegend und in einer Gesellschaft von Menschen mit sich bringt. Nicht nur haben z. B. die lateinischen Wörter laus, haut, heu, bis rc. eine ganz andere Bedeutung als die gleichlautenden der deutschen Sprache, auch viele gleichlautende deutsche Worte haben in verschiedenen Gegenden verschiedene Bedeutungen je nach provinziellem Gebrau und Uebereinkommen. Tauft daher ein ketzerischer Prediger zwar mit denselben Lauten, wie rechtgläubige Prediger, lehrt er aber mit seiner ganzen Gemeinschaft öffentlich, daß er unter Vater verstehe einen Gott, der nicht in drei Personen bestehe, unter dem Sohn Gottes einen puren Menschen, unter dem Heiligen Geiste den Geist der Zeit und der Aufklärung oder doch nur eine angebliche Eigenschaft oder Wirkung Gottes, daß er also mit jenen Lauten nicht auf die hochheilige Dreieinigkeit taufe, ein solcher ketzerischer Prediger tauft nicht nur ohne Glauben, sondern auch ohne Gottes Wort; den Laut desselben behält er wohl, aber zur Bezeichnung eines ganz anderen Sinnes. Daher denn die angebliche Taufe aller Prediger antitrinitarischer Gemeinschaften ebensowenig wie eine Taufe zu Scherz und Spott für eine wahre Taufe anzuerkennen ist und die von denselben angeblich Getauften erst zu taufen sind. So schreibt daher Friedrich Balduin (gestorben 1627): „Mögen sie (die Arianischen) immerhin die Worte der Einsetzung beibehalten, so wäre doch auf den Schall der Worte nicht zu achten, da wir denselben keine magische Kraft beilegen, sondern auf jenen wahren Sinn, welchen Christus in der Einsetzung der Taufe beabsichtigte. In den Gemeinden der Arianer, welche den Artikel von der Dreieinigkeit umstoßen, ist also keine wahre Taufe; daher denn diejenigen, welche bei denselben die Taufe empfangen haben, für Nichtgetaufte anzusehen sind. Daher Damascenus im vierten Buche vom orthodoxen Glauben, Cap. 5. schreibt: ‚Ein jeder, welcher nicht auf die hochheilige Dreieinigkeit getauft worden ist, muß wieder getauft werden.‘ Um derselben Ursache willen wurden einst die Paulianisten *) wieder getauft, weil sie in den Gemeinden der Samosatenianer getauft waren, welche den Artikel von der Dreieinigkeit leugneten; wie in dem 19. Kanon des Nicänischen **) und im 8. des Arelatensischen Concils sich findet." (Tractat. de cas. consc. p. 200. sq.) So schreibt ferner Paul Tarnov (gestorben 1633): „Man fragt, ob die Ketzer eine wahre Taufe verwalten? Ich antworte mit einer doppelten Unterscheidung, erstlich der Ketzerei, zum andern des Subjects, dem dieselbe anhaftet. Denn die eine Ketzerei verstößt gegen die wesentlichen Stücke der Taufe, wie die der Antitrinitarier, Arianer, Photinianer, Macedonianer, Manichäer, Valentinianer, und ähnlicher, welche die Dreieinigkeit, in deren Namen die Taufe zu ertheilen ist, verleugnen und verlästern; die andere verstößt gegen den Zweck und die Wirkung der Taufe, wie die der Calvinisten; die dritte thut, außer diesem Irrthum von Zweck und Wirkung der Taufe, zu den Ceremonien derselben noch menschliche Traditionen hinzu, wie die der Papisten. Von diesen können die beiden letzteren, weil sie die wahre Taufe in den wesentlichen Stücken nicht ändern, rechtmäßig taufen; die ersteren aber nur dann, wenn der Irrthum und die Ketzerei privatim und insgeheim (oder doch mit Widerspruch, mindestens ohne Einstimmung der Gemeinde) nur von dem Prediger oder von Wenigen gehegt wird; wenn er aber frei öffentlich grassirt und die ganze Kirche einnimmt, so kann der Diener derselben keinesweges die wahre und rechtmäßige Taufe verwalten. Der Beweisgrund, auf welchem dieses unser Urtheil beruht, ist dieser: Welcherlei der Glaube einer Kirche von den wesentlichen Stücken dieses Artikels ist, solcherlei ist auch die Taufe derselben, wie aus der Einsetzung Matth. 28, 19. und aus dem 78. Briefe des Basilius erhellt. ‚Wir müssen‘, spricht er, ‚zwar so getauft werden, wie wir empfangen haben; aber auch so glauben, wie wir getauft werden; aber auch so preisen, wie wir geglaubt haben, nemlich den Vater und den Sohn und den Heiligen Geist.‘ Nun ist aber der Glaube jener ketzerischen Kirchen, von denen gesagt worden, in den

---

*) So genannt von Paul von Samosata (daher auch Samosatenianer), um 260 Bischof von Antiochien, Monarchianer. Seine Lehre war, Christus sei ἄνθρωπος ψιλός, τῶν δὲ προφητῶν ἀρετῇ κρείττων, ein bloßer Mensch, an Tugend besser und mehr, als die Propheten.

**) In diesem Kanon heißt es: „Was die Paulianisten betrifft, die sich zur rechtgläubigen Kirche wenden, so müssen sie durchaus getauft werden." Fuchs macht hierzu die Bemerkung, daß Athanasius den Anhängern Pauls von Samosata das Zeugniß gebe, daß sie im Namen des Vaters und des Sohnes und des Heiligen Geistes getauft haben. Siehe Bibliothek der Kirchenversammlungen von Fuchs, Bd. I, S. 409.

wesentlichen Stücken nicht der wahre; also auch nicht ihre Taufe. Dieselbe Beweisführung hat ihre Giltigkeit auch im Gegentheil in Betreff einer rechtgläubigen Kirche und deren ketzerischen Dieners. Denn die Taufe ist ein Gut der Kirche, nicht des Dieners. Dieser gibt daher, sofern er ungläubig und ketzerisch ist, das öffentliche und gemeine Gut der rechtgläubigen Kirche, als der Mutter, nicht sein privates und persönliches." (Thesaur. consil. von Dedekennus, Vol. II. P. 2, fol. 29.) Dasselbe erklärt auch Fecht, und zeigt, daß Athanasius, wenn er von den Arianern sage, sie tauften nicht auf den Vater und Sohn, sondern auf den Schöpfer und ein Geschöpf, damit nicht sagen wolle, daß die Arianer die Taufformel so verändert und verstümmelt, sondern in diesem veränderten Sinne getauft haben, obgleich sie die von Christo gebrauchte Formel beibehielten. (S. Philocalia sacra. Thes. ex th. patrist. p. 219. sq.) Hiernach ist zu berichtigen, was Gerhard im Locus de bapt. § 25. von der Taufformel der Arianer schreibt. Endlich schreibt Deyling über diesen Punct: „Wer wenigstens dem äußerlichen und öffentlichen Bekenntniß nach ein Lutheraner ist und die Person eines lutherischen Predigers darstellt, der gibt nicht seine, sondern Gottes und der Kirche Taufe. Und sein Taufen wird nicht für die Privathandlung des Dieners, sondern für eine öffentliche Handlung der Kirche gehalten. Anders steht die Sache bei dem, welcher die Taufe in dem Cötus der Arianer, oder Photinianer, oder Sabellianer u. dergl., die das Geheimniß der Dreieinigkeit umstoßen, empfangen hat. Denn obgleich sie die vom Heiland vorgeschriebene Formel gebrauchen und das Kind im Namen des Vaters und des Sohnes und des Heiligen Geistes mit Wasser taufen, so verfälschen und vernichten sie doch mit ihrer Meinung und im Namen ihrer Kirche und durch ihr öffentliches Lehrbekenntniß einen Wesenstheil des Sacraments. Denn ein Anhänger des Arius erkennt drei nach ihrem Wesen unter sich verschiedene und ungleiche Personen der Trinität an. Der Sabellianer versteht unter Vater, Sohn und Heiligen Geist nicht so viele Personen, sondern nur drei Bezeichnungen Einer Person. Daher muß ein Socinianer, wenn er zu unserer Kirche kommt, allerdings das heilige Bad empfangen, wenn er auch bei den Seinen mit Anwendung der gewöhnlichen Formel die Taufe schon erhalten hat. Hornbeck versichert freilich in seinem Apparat zu den socinianischen Streitigkeiten S. 78., daß diese Sectirer in Siebenbürgen auf Befehl des Fürsten im Namen des Vaters und des Sohnes und des Heiligen Geistes ihre Taufe vollzogen haben. Allein das Hersagen der Worte der Einsetzung genügt nicht, sondern es wird erfordert, daß es in einer (hierüber) recht glaubenden Kirche geschehe, an welche Christus seine Wohlthaten gebunden hat, Matth. 16, 18. 19. Die Secte der Socinianer aber ist keine wahre (wirkliche) Kirche." (Inst. prud. past. ed. Kuestner. p. 347. sq.) Eine höchst merkwürdige, mit vielen den Socinianismus beleuchtenden gelehrten Anmerkungen versehene, belehrende „Rede bei der Taufe eines vormaligen Socinianers im Jahre 1755 zu Hamburg", findet sich im 22. Theile

der Paſtoralſammlungen von J. Ph. Freſenius. — Was hier von der
Taufe der Socinianer geſagt iſt, gilt natürlich auch von der Taufe der
Swedenborgianer, Unitarier, Campbelliten, ſ. g. freireligiöſen Gemeinſchaften
und ähnlicher nicht zur Chriſtenheit gehöriger Rotten. — Hätte ſich ein
Menſch in der Noth ſelbſt getauft, ſo wäre dies für keine rechtmäßige
Taufe anzuerkennen, da, wie ſich niemand ſelbſt gebären kann, ſich alſo auch
niemand ſelbſt taufen kann, wie unſere meiſten Theologen richtig bemerken;
während Gerhard im Locus de bapt. § 66. die Sache auf ſich beruhen
läßt, wohl nicht unrichtig aber im folgenden Paragraphen behauptet, daß
auch die von einem noch nicht Getauften in der Noth richtig vollzogene Taufe Giltigkeit habe. .

b. Zwar ſoll ein Prediger diejenigen nicht ſogleich taufen, welche darüber, ob ſie getauft worden ſeien, in Zweifel gerathen; iſt aber darüber
abſolut keine Gewißheit zu erlangen, ſo ſind die in Zweifel Stehenden als
Ungetaufte zu taufen; alſo nicht, wie die Papiſten thun, welche hierbei
ſprechen: „Wenn du N. N. noch nicht getauft biſt, ſo taufe ich dich im
Namen ꝛc.“, denn dies iſt keine Taufe nach Chriſti Ordnung, ſondern mit
Bedingung. Selbſt wenn eine ſolche Perſon, ohne es zu wiſſen, ſchon getauft
wäre, ſo würde dieſe nochmalige Taufe doch nicht für eine Wiedertaufe anzuſehen ſein. Leo ſagt richtig: „Das kann nicht die Schuld der Wiederholung
aufladen, wovon man nicht weiß, daß es ſchon einmal geſchehen war.“*)
Und Kromayer bemerkt: „Es iſt beſſer, die Taufe zu wiederholen, als über
die einmal empfangene in Zweifel zu ſein.“ Luther ſchreibt daher: „Mit
Findelkindern muß man es ebenſo halten (ſie nemlich taufen); obgleich der
Zettel mit angehängt iſt, und meldet, daß das Kind getauft worden, ſo iſt
doch ſolche Taufe, die ohne Zeugen der Kirche gegeben worden, kein öffentlich
Zeichen oder Sacrament. Man kann es auch nicht gewiß glauben, weil
man es nicht beweiſen kann.“ (Brief an J. Schreiner, vom Jahre 1539.
Walch **XXI**, 1289.) Ferner ſagt Luther in den Tiſchreden: „Es mag
ſolche Taufe für keine Wiedertaufe geachtet werden, denn die Wiedertäufer
fechten allein an die öffentliche Kindertaufe. — Iſt es aber Sache, daß ein
Weib mit der Geburt ſo gar übereilet würde und das Kind ſo ſchwach wäre,
daß es zu beſorgen, es möchte verſcheiden und ſterben, ehe ſie jemand könnte
dazu berufen: in dieſem Fall mag ſie das Kind allein taufen; ſtirbt es denn,
ſo iſt es wohl geſtorben und hat die rechte Taufe empfangen, welches die
Mutter in keinen Zweifel ſetzen ſoll. · So aber das Kindlein am Leben
bleibet, ſoll die Mutter von ſolcher ihrer Taufe keinem Menſchen nichts vermelden, ſondern ſtillſchweigen und nochmals das Kind
nach chriſtlicher Ordnung und Brauch zur öffentlichen Taufe bringen. Und
dieſe andere Taufe ſoll und mag für keine Wiedertaufe gerechnet werden, wie
auch oben von den Findelkindern geſagt iſt; denn ſie allein darum geſchieht,

---

*) „Non potest in reiterationis crimen venire, quod nescitur esse factum.“

daß der Mutter, als einiger Person, sonderlich in solcher wichtigen Sache, daran der Seelen Seligkeit gelegen, gar nicht mag geglaubt werden, und solche ihre Taufe kein Zeugniß hat; darum der öffentlichen Taufe hoch von nöthen." (Erlanger Ausg. Bd. LIX, 56. f.) Weiter unten sagt Luther von der bedingten Taufe: „Und in dem sollen sich die Priester wohl fürsehen und hüten, daß sie nicht cum conditione, si tu non es baptisatus (mit der Condition und dem Anhang, so du nicht getauft bist) täufen; denn es ist ein unleidlicher Mißbrauch gewest, damit die erste und andere Taufe ungewiß wird, und heißt nicht mehr, denn also: ist die erste Taufe unrecht, so ist doch diese recht. Soll nun die erste nicht recht sein und gelten, welche ist's denn? Ich weiß nicht. Wir lassen's geschehen, daß Gott denen, die also getauft sind, solchen Mißbrauch zu gute halte; aber nun die Wahrheit so helle am Tage ist, wollen wir's machen nach Christ' Befehl, wie gesaget ist, damit unser Glaube könne bestehen." (Seite 58.) Man vergleiche hierüber die weitläuftigere Auseinandersetzung in einem Briefe an Link in Walch XXI, 1195. f.

Anmerkung 3.

Elterliche Gewalt, auf Grund welcher die zur Taufe gebrachten Kinder zu taufen sind, hat auch die Mutter allein, wenn auch der Vater das Kind nicht taufen lassen will, 1 Kor. 7, 14., Pflegeeltern oder Stief- und Adoptiveltern, Erziehungs-Vormünder, Herren von Sclavenkindern, abgefallene, gebannte oder irrgläubigen Bekenntnissen angehörende Eltern, vorausgesetzt, daß letztere nicht erklären, ihre Kinder in ihrem Irrthum erziehen zu wollen. Hartmann schreibt hierüber: „Es ist recht, nicht allein den Kindern der Christen, sondern auch der Ungläubigen die Taufe zu ertheilen, wenn sie in die Gewalt der Christen kommen und Hoffnung vorhanden ist, daß sie in wahrem Glauben und Gottseligkeit werden erzogen werden. In solchem Fall werden nemlich von Ungläubigen Geborne gewissermaßen ein Theil und Eigenthum der Gläubigen, unter deren Obhut, als ihrer nunmehrigen Eltern, sie stehen; und da sie von denselben zur Taufe gebracht werden, so werden sie dem Hause der Christen, das ist, der Kirche mit Recht einverleibt, ebenso wie Christenkinder; in ähnlicher Weise, wie einst nicht nur die zur Familie Abrahams gerechnet wurden, welche von Abraham abstammten, sondern auch das daheim geborne und erkaufte Gesinde, welche nicht weniger, als Abrahams Kinder und Nachkommen, das Siegel des göttlichen Bundes, die Beschneidung, empfingen. So lange jedoch die Kinder der Ungläubigen bei ihren Eltern bleiben, so dürfen sie nicht wider deren Willen getauft werden und eine christliche Obrigkeit wagt nicht, sich die Gewalt anzumaßen, den hie und da unter den Christen wohnenden Juden ihre Kinder zu entreißen und dieselben zu taufen. Denn die Taufe ist die Aufnahme und das Siegel der Aufnahme in den evangelischen Bund, welchen Gott durch den Mittler

Christus mit uns, die wir an Christum glauben, geschlossen hat, daher es sich gebührt, daß allein diejenigen getauft werden, von denen Hoffnung ist, daß sie in der wahren Gottseligkeit und in dem, was zum evangelischen Bunde gehört, werden auferzogen werden. Dies kann aber von den zur Taufe weggenommenen Kindern und die nach Ertheilung derselben wieder der Gewalt ihrer Eltern zurückgegeben werden müssen, nicht gehofft werden. Augustinus erzählt, daß vornehme Matronen einst junge Kindlein von den Barbaren erkauften zu dem Zwecke, dieselben taufen zu lassen und so für Christum und die Kirche zu gewinnen. Dieses konnte erlaubt sein, da jene Kinder der Gewalt ihrer Eltern, und zwar mit deren Zustimmung, gänzlich entnommen wurden und in die Gewalt derjenigen kamen, von denen sie hernach erzogen und gelehrt werden konnten. Wenn sich heutzutage dasselbe zutrüge, so wäre auch dasselbe erlaubt. So lange aber die, welche dem Glauben und evangelischen Bunde fremd sind, seien es nun Juden, oder Heiden, ihre Kinder für sich behalten, so darf denselben das Sacrament der Taufe keineswegs ertheilt werden. Ja selbst wenn Kinder der Ungläubigen durch das Kriegsglück oder durch einen anderen Zufall in die Gewalt der Christen gekommen sind, und keine Hoffnung oder wenigstens nicht wahrscheinlich ist, daß sie unter derselben bleiben, sondern in kurzem in die Hände der ungläubigen Eltern zurückkehren werden, so darf man sie nicht der Taufe würdigen; denn solchen die Taufe ertheilen, ist nichts anderes, als das Sacrament der Entheiligung preisgeben. — Allerdings hat Gott nicht gewollt, daß der Glaube ausgebreitet und die Sacramente jemandem ertheilt werden mit Verletzung des Elternrechtes, indem er sah, daß sonst eine große Verwirrung folgen und das Evangelium zugleich mit den Sacramenten den Heiden verhaßt gemacht werden würde; daher die Apostel Eltern ihre Kinder nie wider deren Willen entrissen haben; wenn aber irgendwo ein Kind durch einen Zufall, durch Schiffbruch oder auf andere Weise, aus der Gewalt seiner Eltern käme und die Eltern entweder durchaus nichts von ihm wüßten oder alle Hoffnung aufgeben müßten, es wieder zu erlangen, dann ist das Kind allerdings zu taufen. So ist auch, wenn nur ein Theil der Eltern, selbst wenn es nur die Mutter wäre, einstimmt, obgleich der Vater dagegen ist, doch die Taufe zu ertheilen, weil auch Paulus 1 Kor. 7, 14. versichert, daß von solchen Eltern geborne Kinder, von denen nur ein Theil gläubig ist, ‚heilig‘ seien. Endlich wenn die Taufe einem Kinde wider den Willen der Eltern schon ertheilt ist, dann ist dieselbe nichts desto weniger giltig und kräftig, wenn alle wesentlichen Stücke der Taufe vorhanden gewesen sind, wozu der Wille der Eltern nicht so schlechterdings erforderlich ist; indem hier die Regel der Rechtsgelehrten statt hat: Es gibt vieles, was eine erst einzugehende Ehe hindert, die eingegangene aber nicht auflöst; ebenso gehört nemlich mehreres zur Ertheilung der Taufe, was die ertheilte nicht ungiltig macht. Daher kann auch ein Diener des Wortes die Kinder der Ketzer taufen, wenn diese nemlich nicht protestiren, daß sie die in ihrer elterlichen

Gewalt behaltenen Kinder in jener Ketzerei auferziehen würden und, wenn keine Aenderung in der Taufhandlung begehrt wird. In der Ketzerei ist aber ein Unterschied zu machen, und zu berücksichtigen, ob dieselbe entweder wesentliche Stücke der Taufe selbst betrifft, oder nicht wesentliche. Nicht den Kindern jener Ketzer, sondern dieser ist die Taufe zu ertheilen, weil die Kinder derjenigen Ketzer, welche die wesentlichen Stücke der Taufe beibehalten, in der Kirche geboren sind; denn wo eine wahre Taufe ist, da ist auch eine wahre Kirche; jedes in der Kirche geborne Kind ist aber zu taufen. Daher sind auch die Kinder eines noch in der Parochie wohnenden Apostaten zu taufen, da Taufverweigerung kein rechtmäßiges Mittel ist, einen Menschen zurückzuführen und zu bekehren, und der Sohn die Missethat des Vaters nicht tragen soll, Ezech. 18, 20. Ja, auch die Kinder der Gebannten sind zur Taufe zuzulassen, was auch immer besonders Starre aus den Reformirten dagegen belfern mögen." (Pastoral. ev. p. 639—641.) Weitläufiger handelt von der Taufe der Kinder Abgefallener (zum Pabstthum), die noch in der Gemeinde wohnen, und Gebannter Tarnov in Dedekennus Vol. I, 2. fol. 65. f. Von der Taufe der Kinder der Calvinisten siehe das Excerpt aus den Wittenberger Consilien in „Lehre und Wehre" I, 30—33. Thesen über den ganzen Gegenstand siehe ebendaselbst III, 326. f.

Auf die Frage: „Ob Judenkinder in einem Alter von 12—14 Jahren auf ihr Begehren auch wider ihrer Eltern Willen zu unterrichten und zu taufen sind?" antwortet die theologische Facultät zu Wittenberg im Jahre 1623 in einem von ihr geforderten Bedenken also: „Wenn weder die jüdischen Eltern selbst, noch ihre Kinder in der Christen Gewalt sind, soll auch kein Christ ihnen ihre Kinder mit Gewalt nehmen, unterweisen und taufen, denn wir haben dessen keinen Befehl, noch Exempel in der ersten apostolischen Kirche. Und die Verheißung Gottes gehet zwar auch die an, so ferne sind, aber die, so der HErr herzu rufen wird. Apostelg. 2, 39. Wenn aber die Kinder selbst kommen und Unterricht im christlichen Glauben begehren, obgleich solches ihren Eltern zuwider, sollen wir sie doch aufnehmen, unterweisen, und allen Vorschub thun, daß sie zur heiligen Taufe gebracht werden mögen. Denn daß sie sich also freiwillig bei den Christen zur Institution begeben, ist anstatt des Berufs zu halten, dadurch unser HErr Gott sie zu uns gebracht und sie selbst von ihren Eltern, nicht anders als wie Abraham aus seines Vaters Hause, ausgegangen sind. Darum wir sie auch als die Unsern aufnehmen und zum Christenthum zu fördern schuldig sind. Dieses halten wir also Gottes Wort gemäß." (Consil. theol. Witeberg. II., f. 115.)

Anmerkung 4.

Auch lebendige Mißgeburten sind zu taufen, wenn sie ein menschliches Haupt haben; zusammengewachsene Kinder doppelt. Deyling bemerkt hierüber: „Auch unzeitige Geburten, wenn sie menschliche Gestalt haben und lebendig sind, sind zu taufen. In Betreff von Mißgeburten ist die Sache zuweilen sehr zweifelhaft. Hier hat man sich nach dem Urtheil der Aerzte zu richten und den Fall seinen Vorgesetzten anzuzeigen und von denselben, was zu thun sei, zu erwarten. Wenn einer ungestalten Geburt eine vernünftige Seele inwohnt und die vornehmlichsten Glieder, z. B. das Haupt, menschliche Gestalt haben, so ist sie ohne Zweifel mit dem heiligen Bade zu versehen. Was ist aber zu thun, wenn das Geborne die Gestalt eines Doppelmenschen hat? Dann fragt es sich, ob es nur einmal, oder zweimal zu taufen sei? Wenn nicht genau und gewiß zu erkennen ist, ob zwei Menschen leiblich zusammengefügt seien, so ist es gerathener, die Taufe nur einmal zu ertheilen. Dies muß aber zweimal geschehen, wenn es ganz offenbar ist, daß das Monstrum zwei Seelen habe; daß aber dieselben vorhanden seien, hält man dafür, wenn die Leiber großentheils gesondert sind und nur an dem einen oder anderen Theile zusammenhängen und auch verschiedene Thätigkeiten haben, so daß z. B. ein Leib schläft, während der andere wacht, der eine lacht und fröhlich ist, während der andere Thränen vergießt und unwillig ist; was Anzeigen einer doppelten Person sind, obgleich etwa das Zusammengewachsensein der Füße und des Rückens nur Ein Individuum darstellt... Francisci beschreibt in seiner ‚Schaubühne‘ gleich am Anfange ein zweiköpfiges Monstrum, wovon das eine Haupt zuweilen gebetet, das andere Flüche ausgestoßen haben soll." (Instit. prud. past. p. 356. sq.) Ein mehreres hierüber ist zu lesen im Dedekennus Vol. I, 2. fol. 62—64.

Anmerkung 5.

Gerade hier in America, wo so viele ohne Taufe oft ein ziemliches Alter erreichen, ist die Frage von besonderer Wichtigkeit, bis zu welcher Altersstufe Kinder ohne vorgängigen vollständigen Unterricht, wie derselbe bei Erwachsenen erforderlich ist, getauft werden können. Hier für jeden Fall das Jahr anzugeben, ist nicht möglich. Auf die Frage: „Bis wie weit sich die Jahre der Unschuld erstrecken, und im wie vielsten Altersjahre in den Kindern der Gebrauch der Vernunft und die Thätigkeit der Unterscheidung anfange, oder, was auf dasselbe hinausläuft, in welchem Alter getaufte Kinder vorsätzlich zu sündigen anfangen, so daß sie das Urtheil des göttlichen Zornes und die Schuld verdammender und Todsünden auf sich laden?" antwortet Leonhard Hutter: „Diese Frage hat schon viele verschiedentlich beschäftigt. Griechische Theologen setzten als den Termin oder als das Ende der Jahre der Unschuld das zwölfte Altersjahr an, bewogen durch das Beispiel Christi, welcher ebenfalls erst im zwölften Jahre seines Alters den Gebrauch seines Verstandes an den Tag gelegt, während der übrigen vorangegangenen Jahre aber sich gleichsam innerhalb der geheimen Leitung der Natur gehalten habe. Mit Recht hat aber Gregorius in seinem Dialogus 4, 10. die Meinung jener Theologen mit dem Beispiele eines Knaben widerlegt, welcher in einem Alter von fünf Jahren um ausgestoßener Lästerungen Gottes willen von bösen

Geistern so lange elendiglich gequält worden ist, bis er seine Läster-Seele ausgehaucht hatte. Man wird daher richtiger verfahren, wenn man bei dem Stillschweigen der Schrift in diesem Stücke auch stillschweigt, und nicht vorwitzig einen bestimmten Alterstermin feststellt. Ja, wir halten dafür, daß ein solcher gar nicht festgestellt werden könne, sonderlich da wie die Beschaffenheit der Gemüthsarten (ingeniorum), so auch die Art und Weise der Erziehung so ganz verschieden ist, und häufig die Bosheit dem Alter voraneilt, oder die allzu große Nachsicht der Eltern und die stumme Macht böser Exempel selbst den zartesten Knäblein bester Art die abscheulichsten Laster einpflanzt, was die Erfahrung selbst hinlänglich bestätigt." (Loc. comm. p. 348.) Aehnliches findet sich in einem Artikel über diesen Gegenstand im Dedekennus, der, wie folgt, schließt: „Es ist wahr, daß wir nicht wissen, wie die im Kindesalter Stehenden glauben; aber wenn die Jahre der Unterscheidung gekommen sind, können und sollen sie in der wahren Erkenntniß Christi unterrichtet werden, daß sie Rechenschaft darüber geben können. Und obgleich sie das, was von Christo zu wissen nöthig ist, nicht so völlig verstehen, wie die Erwachsenen, so hat doch Gott an ihrem Lallen ein größeres Gefallen. Und so ist denn kein geringer Unterschied zwischen Kindern von zwei, drei, vier oder fünf Jahren und sieben- und zehnjährigen Knaben, welche der Lehre und Unterweisung fähig sind und bei denen jener Spruch seine Anwendung findet: Der Glaube kommt aus dem Gehör." (Dedekennus' Thesaur. Vol. I, 2. f. 82.) Endlich schreibt Luther: „Was also getauft lebet und stirbet bis in das siebente oder achte Jahr, ehe denn es die Hurenkirche des Pabstes verstehet, ist gewißlich selig geworden." (Schrift wider Hans Wurst. Walch XVII, 1674.) Reden hiernach unsere Theologen zu ihrer Zeit also von der Zeit der Unterrichts- und vollen Zurechnungsfähigkeit getaufter Kinder, so ist klar, daß es noch viel schwieriger ist, in Absicht auf die ungetauften Kinder in unserer greulichen Zeit einen bestimmten Alterstermin festzusetzen, wann Kinder ohne vorgängigen Unterricht getauft werden können. Im Allgemeinen dürfte so viel gesagt werden können, daß kleinere zu taufende Kinder, welche zwar einiges, aber noch nicht des vollen Unterrichts in allen Hauptstücken fähig sind, zwar so viel über die Bedeutung der Taufe erst unterrichtet werden sollten, als sie fassen können, jedoch, wenn sie nicht schon offenbar boshaft sind, ohne Rücksicht darauf zu taufen und daher die Fragen an die Pathen zu richten und von diesen an der Kinder statt zu beantworten seien.

Anmerkung 6.

So bald eine zu vollziehende Taufe angemeldet wird, sollte der Prediger die dieselbe betreffenden Data, Tag und Stunde der Geburt des Täuflings, den oder die Namen desselben, sowie Namen, Stand und gegenwärtigen Wohnort des Vaters und der Mutter, und endlich die Namen der erwählten Pathen, tabellarisch und sauber in das Kirchenbuch der Ge-

meinde einschreiben, mit Ausnahme der Angabe der Zeit der Vollziehung der Taufe, was erst, nachdem dieselbe geschehen, nachzutragen ist.
Ein Prediger, welcher hierin nicht sorgfältig ist, ladet damit eine große Verantwortung auf sich, da nach einiger Zeit sein Kirchenbuch den einzig sicheren
Beleg dafür liefern kann, daß der Täufling wirklich die Taufe erhalten habe.

§ 14.

Zu den in unserer Kirche beobachteten Taufgebräuchen gehört:
1. eine Erinnerung in Betreff der Erbsünde; 2. die Namengebung;
3. der sog. kleine Exorcismus; 4. das Zeichen des Creuzes; 5. Gebete
und Segensspruch; 6. der große Exorcismus; 7. die Verlesung von
Mark. 10, 13—16.; 8. die Handauflegung; 9. das Vaterunser; 10. die
Entsagung sammt dem apostolischen Glaubensbekenntniß; 11. der Gebrauch der Pathen; 12. die Anlegung des Westerhemdchens; 13. der
Segensspruch.

Anmerkung 1.

Ueber die Taufgebräuche im Allgemeinen schreibt Joh. Gerhard:
„Die bei Verwaltung der Taufe gewöhnlichen Ceremonieen und Gebräuche
theilen wir in drei Classen ein: 1. einige sind von Gott gebotene;
2. einige von den Aposteln frei angewendete; 3. einige von kirchlichen
Personen hinzugefügte. In Betreff derselben im Einzelnen sind folgende
Regeln zu beobachten: 1. Die von Gott eingesetzten Taufgebräuche sind
von den von den Aposteln angewendeten und von kirchlichen Personen um
Wohlanständigkeit, Ordnung und gottseliger Erinnerung willen hinzugefügten sorgfältig zu unterscheiden. Denn jene sind zum Wesen gehörige
und nothwendige, diese aber zufällige und in gewisser Weise freie. Christus
hat geboten, im Namen des Vaters, des Sohnes und des Heiligen Geistes zu
taufen, Matth. 28, 19.; wo immer daher nach Christi Befehl und apostolischem
Vorbild im Namen des Vaters, des Sohnes und des Heiligen Geistes mit
Wasser begossen wird, da wird die wahre und rechtmäßige Taufe verwaltet,
mögen immerhin die von Menschen erdachten äußerlichen Ceremonien nicht
hinzukommen..; 2. die von den Aposteln bei Verwaltung der Taufe frei
angewendeten Gebräuche, obgleich sie nicht in demselben Grade nothwendig
sind, wie die von Gott eingesetzten der ersten Gattung, sind jedoch von den
blos kirchlichen Gebräuchen zu unterscheiden, und sorgfältig zu beobachten.
Aus der Geschichte der Apostel schließt man, daß sie bei Verwaltung der Taufe
Erklärungen der Lehre von den Sacramenten, Ermahnungen, Gebete, Danksagungen ꝛc. angewendet haben, Apostel. 2, 38. ff. 8, 37. ff. Diese Gebräuche
behalten wir auch in unseren Kirchen bei, weil die Sacramente nicht bloße
und müßige Schauspiele, sondern dazu eingesetzt sind, sowohl den Glauben
zu stärken, als auch die Verheißung deutlicher zu erklären; daher ist die Lehre

von dem Wesen, dem Gebrauche und der Wirksamkeit derselben den Gegenwärtigen aus Gottes Wort in der ihnen bekannten Sprache vorzulegen und zu erklären, damit sie auf den rechten und heilsamen Empfang der Sacramente aufmerksam gemacht werden. Doch ist zu merken, in der Schrift wird zwar gezeigt, woraus die Erklärungen, Ermahnungen, Gebete, Danksagungen zu nehmen seien, nemlich aus der Einsetzung und Lehre von der Taufe, wie sie in Gottes Wort überliefert wird, es wird aber keine bestimmte in Worte gefaßte Form vorgeschrieben, sondern dieses, wie es die Umstände zur Erbauung erfordern, frei gelassen, wenn nur der Grund behalten wird. 3. Die von kirchlichen Männern hinzugefügten Gebräuche sind Mitteldinge, daher sie nicht schlechterdings zu verwerfen, aber auch nicht in dem Grade nöthig sind, wie die von Gott gebotenen Gebräuche. In jenen von Gott weder gebotenen noch verbotenen Gebräuchen (in ritibus adiaphoris) ist die Freiheit festzuhalten, welche Christus theuer erkauft und seiner Kirche verliehen hat, also nemlich, daß man sie ohne die Meinung, sie seien nöthig, in Freiheit beobachtet und daß sie nach Anordnung und mit Zustimmung der Kirche, sonderlich wenn sie nützlich zu sein aufhören, ihren heilsamen Zweck nicht erreichen und in Mißbrauch und Aberglauben ausarten, abgeschafft und verändert werden können. Jedoch ist bei dieser Abschaffung Aergerniß zu meiden und daher Veränderung dieser Gebräuche nicht der leichtfertigen Willkür jeder Privatperson zu gestatten, sondern dem öffentlichen Urtheil der Kirche zu überlassen. Wenn darum falsche Brüder solche Gebräuche, welche ihrer Natur nach zu den Mitteldingen gehören, dem Glauben entsprechend und durch die Autorität der Kirche empfohlen sind, welche ferner die Nothwendigkeit und Wirksamkeit der Taufe den Einfältigen deutlicher machen und zur Erbauung der Kirche dienen, ohne Grund und ohne vorgängige Unterweisung der Zuhörer, mit öffentlichem Aergerniß abschaffen und durch diese Abschaffung wider die christliche Freiheit streiten, so widersteht man ihnen mit Recht. Gal. 5, 1. Kol. 2, 16." (Loc. th. de bapt. § 255. 256.)

Anmerkung 2.

Die Namengebung betreffend, schreibt Deyling: „Es ist eine sehr alte Sitte, welche noch heute nicht mit Unrecht beibehalten wird, daß den Kindern bei der Taufe, wie einst bei der Beschneidung geschehen, Namen gegeben werden, damit sie daran eine Erinnerung der empfangenen Taufe haben und der dabei mit Gott eingegangene Bund, sowie die Einschreibung ihres Namens in das Buch des Lebens, Phil. 4, 3., den Getauften fort und fort ins Gedächtniß gerufen werde. Der Kirchendiener hat daher zuzusehen, daß er den Namen des Kindes nicht weglasse oder einen männlichen Namen einem Mägdlein und umgekehrt gebe.*) Ist dies jedoch aus Nachlässigkeit

---

*) Damit dies nicht geschehe, ist es rathsam, die Namen des zu taufenden Kindes deutlich auf einen Streifen Papier zu schreiben und letzteren so in die Agende einzulegen, daß man bei Verlesung des Formulars die Namen bequem ablesen kann. Hat man

geschehen und der Name in der Taufe von dem Täufer etwa ausgelassen, die
Taufe selbst aber nach ihren wesentlichen Stücken vollständig ertheilt worden,
so darf sie nicht wiederholt werden.   Den Eltern ist daher die Erinnerung
zu geben, daß durch die bloße Auslassung der Namengebung der Taufe des
Kindes nichts benommen sei und daß dem Kinde von ihnen der Name privatim gegeben werden könne.   Wollten sich aber die Eltern damit nicht
beruhigen, so ist das Kind in die Kirche zu tragen, das geschehene Versehen
vor den Pathen und anderen Zeugen anzuerkennen und dem Kinde der Name
öffentlich zu geben, oder, wenn man sich in Betreff des Geschlechts versehen
hat, mit einem dem Geschlechte entsprechenden .Namen zu vertauschen."
(Institut. prud. past. P. III. c. 3. § 19. p. 359.)   Seidel macht die
nicht überflüssige Bemerkung: „Der Lehrer selbst hat dabei dieses zu bedenken:
1. daß er den Eltern und Gevattern vor allen Dingen zuredet, den Kindern
christliche, vernünftige und solche Namen zu geben, bei denen sie eine heilsame
Erinnerung haben können." (Pastoraltheologie Th. 1. Cap. 6. § 8. S. 121.)
Einem unserer Amtsbrüder im alten Vaterlande kam es vor, daß der Nacht-
wächter seines Dorfes von ihm begehrte, sein Kind Rinaldo Rinaldini zu
taufen; was ersterer natürlich absolut abschlug. Vergl. Gerhard l. c. § 260,
wo die Bedeutung und Wichtigkeit der Namengebung bei der Taufe näher
erörtert wird.

Anmerkung 3.

Ueber das Bezeichnen des Täuflings mit dem heiligen Creuze schreibt
Gerhard: „Das Creuzeszeichen wird über Stirn und Brust des Kindes
gemacht, was schon einstmals bei der Taufe gebräuchlich gewesen ist, wie
Tertullian in seinem Buche von der Auferstehung des Fleisches bezeugt.   Es
geschieht dies nicht aus Aberglauben oder um irgend einer übernatürlichen
Wirksamkeit willen, sondern zu einem Zeugniß, daß die Aufnahme zu Gnaden
und die Wiedergeburt zum ewigen Leben dem getauften Kinde allein kraft
des Verdienstes des gekreuzigten Christus feststehe; es erinnert auch daran,
daß das Kind in die Zahl derjenigen aufgenommen werde, welche an den
gekreuzigten Christus glauben, und daß der alte Mensch in ihm durch die
Taufe zu kreuzigen (Röm. 6, 6.), sowie daß es auch selbst in diesem Leben
dem Creuze unterworfen sein werde.   Der gekreuzigte Christus war einst den
Heiden eine Thorheit (1 Kor. 1, 23.), daher sie die Christen zum Spotte
Creuzheilige (crucis religiosos) nannten, wie Tertullian in seiner Apologie
Cap. 16. bezeugt.   Um daher zu zeigen, daß sie sich des Creuzes Christi nicht
schämten, bezeichneten sich die Christen damit mitten auf der Stirn."   (L. c.
§ 261.)   Rudelbach bemerkt in seiner Schrift: „Die Sacraments-Worte"
(1837): „Unter allen semantischen Gebräuchen (Oleum, Chrisma, die an-

---

mehrere Kinder zu gleicher Zeit zu taufen, so ordnet man es so, daß immer die Knaben
zuerst und dann die Mägdlein, beide aber nach der Reihenfolge des Alphabets getauft
werden.

gezündeten Kerzen u. s. w.) behielt unsere Kirche mit sicherem apostolischem Tact allein diesen (der Creuzesbezeichnung) bei, weil, so wie die Lehre vom Creuze das ganze Christenthum befaßt, also das Creuzeszeichen, wie Augustin treffend bemerkt, das Zeichen ist, was allen Christen bekannt, als das Feld- und Bannerzeichen, worunter sie streiten sollen. Es wird also dieses Zeichen nicht blos (wie es in der Sächsischen Agende von 1812 heißt) ‚zur Erinnerung‘ gegeben, ‚daß JEsus Christus für uns am Creuze gestorben ist‘ (es müßte denn die ‚Erinnerung‘ hier sehr emphatisch genommen werden), sondern als allgemeines Symbolum.“ S. 53.

Anmerkung 4.

Ueber den den Gebeten sich anschließenden Segensspruch bemerkt Rudelbach: „Ehe der Täufling mit den Pathen an’s Baptisterium trat, geleitete ihn, nach alter Sitte, noch auf der Schwelle im ‚Segenshause‘, wie die Alten deshalb die Vorhalle nannten, der Davidische Segensspruch aus Ps. 121: ‚Der HErr behüte deinen Ausgang und Eingang von nun an bis in Ewigkeit.‘ Man muß gestehen, es ist die einzige schickliche Stelle, wo dieser Wunsch aufgenommen werden kann; er steht aber auch gerade da am rechten Platze, wo die Kirche mit dem Taufbunde sich dem Täuflinge öffnet. Die Verschiebung dieser Stelle, wie in der neuen Sächsischen Agende, wo dieser Segenswunsch zum Beschluß der Taufe erscheint, ist nicht zu billigen.“ A. a. O. S. 54. f.

Anmerkung 5.

Was den sogenannten Exorcismus betrifft, so unterscheidet man den kleinen, der in den Worten besteht: „Fahr aus, du unreiner Geist, und gib Raum dem Heiligen Geist“; und den großen, mit den Worten: „Ich beschwöre dich, du unreiner Geist, bei dem Namen des Vaters und des Sohnes und des Heiligen Geistes, daß du ausfahrest und weichest von diesem Diener JEsu Christi N. N., Amen.“ Ueber beide Exorcismen bemerkt Rudelbach: „So gewiß die Entsagung wesentlich zur Taufe gehört, und apostolisch-kirchliche Einrichtung ist, so gewiß ist der Exorcismus bei der Taufe nur eine eingedrungene kirchliche Sitte, und dem Wesen nach der Taufe ganz fremd. Im Neuen Testamente wird die Gabe, Teufel auszutreiben, als ein Zeichen angegeben, das denen folgen sollte, die an JEsum glaubten (Mark. 16, 17.); es kommen jüdische Exorcisten vor, die den Namen JEsu zu magischen Künsten mißbrauchten (Apostelg. 19, 13.); der Apostel Paulus treibt den Wahrsagergeist aus einem Mädchen im Namen JEsu aus (Apostelg. 16, 18.): es ist aber auch nicht die leiseste Spur von Verbindung des Exorcismus mit der Taufe vorhanden. Ebenso weiß die alte Kirche bis tief ins vierte Jahrhundert hinein nichts von einem Exorcismus bei der Taufe. Tertullian ist so weit entfernt, den Exorcismus und die Abrenuntiation mit einander zu verwechseln, daß er vielmehr beides aufs sorgfältigste unterscheidet; an vielen

Stellen schreibt er den Gläubigen dieser Zeit die Gabe zu, die Dämonen aus den Besessenen zu vertreiben; aber überall, wo er von der Taufe redet, ... kennt er nur die Entsagung. Dasselbe ist der Fall bei Cyprian, der zwar in einer bekannten und oft besprochenen Stelle des Exorcismus, aber nur bei der Taufe von Energumenen (Besessenen) erwähnt. Origenes kennt die Abrenuntiation bei der Taufe, wie alle Kirchenlehrer, den Exorcismus bei Energumenen nur als eine durch die einfachsten gläubigen Gebete von den Einfältigen verrichtete Handlung. In den apostolischen Constitutionen wird die Entsagung als ein wesentliches Stück bei der Taufe erfordert (§ XII.), der Exorcismus aber auf Besessene bezogen, und dabei die ausdrückliche Verordnung gegeben, daß Besessene gereinigt werden müssen, ehe sie zur heiligen Taufe zugelassen werden können. Wenn wir nun mit diesem Gesammt-Resultate der drei ersten christlichen Jahrhunderte die Zeugnisse der Kirchenschriftsteller aus dem Ausgange der vierten und aus dem fünften Jahrhunderte vergleichen, besonders des Basilius M., Augustin, Gregor Naz., die die Verbindung des Exorcismus mit der Taufe als einen fast allgemeinen Kirchenritus bezeichnen, so ist es klar, daß jener von der Taufe der Energumenen auf die Taufe überhaupt im vierten Jahrhundert übertragen worden sei, namentlich um die Wirksamkeit der göttlichen Gnade und die Tiefe des menschlichen Verderbens noch klarer und anschaulicher darzustellen. Als Luther zuerst sein ‚Taufbüchlein‘ 1523 ausgehen ließ, behielt er den doppelten Exorcismus bei, offenbar wohl nicht blos um der Carlstadtschen Händel willen, sondern vielmehr nach dem Hauptgrundsatze, der ihn auch hier leitete, daß man nichts mit Gewalt abthun dürfe, wodurch das Evangelium keinen Schaden leide. Sein Standpunkt war völlig der Augustinische, wonach ‚vom Teufel besessen‘ und ‚ein Kind der Sünde und Ungnade sein‘ als einerlei galt; die ganze Beschwörung faßte er als eine bewegliche Klage der Kirche auf, die in dem Täufling ein neues Glied dem Reiche des Bösen entreißen und dem HErrn darbringen wollte. (Siehe Vorrede zum Taufbüchlein.) Nach Luther's Vorgang ging der Exorcismus in viele alte lutherische Agenden, namentlich in die Wittenbergische über, während die Oberländischen Städte, Frankfurt, Ulm, Straßburg u. a., denselben nie aufnahmen." (A. a. O. S. 34 ff.) Uebrigens steht schon in dem „Agendbüchlein von Vitus Dietrich" vom J. 1543 in dem Abschnitt: „Wie man taufen soll", bei dem ersten Exorcismus folgende Glosse am Rande: „Dieses kann man ohne Sünde auslassen, wer da will, denn es ohne das im Gebet hernach folget ... das Gebet aber (so darauf folget) soll man in keine Wege auslassen." (Acta hist.-eccles. Bd. X, Seite 234.) Bekanntlich wurde auch gerade deswegen das Taufbüchlein Luther's nicht mit in das Concordienbuch als integrirender, verbindlicher Bestandtheil aufgenommen, weil sonst die Pfälzer und Würtemberger Kirchen das Concordienbuch nicht angenommen haben würden, da sie nicht an den Exorcismus gebunden sein wollten. (Siehe die Ausgabe des Concordienbuchs von Reineccius in der Note auf S. 584—588.) Joh. Gerhard spricht seine Ueberzeugung in Betreff des Exorcismus u. A. in folgenden Worten aus: „Man hat sich zu hüten, 1. daß diese Ceremonie nicht für einen wesentlichen und nothwendigen Theil der Taufe angesehen werde; 2. daß man dabei nicht an eine leibliche Besessenheit des Kindes denke, da sie nur eine geistliche Gefangenschaft in dem Reiche des Satans andeutet...; 3. daß der Gebrauch des Exorcismus nicht für effectiv gehalten werde, gleich als ob das Kind kraft jener Worte aus dem Reich des Satans befreit würde, da doch dies dem Sacrament der Taufe ausschließlich zuzuschreiben ist, sondern nur für significativ... Was die durch den Exorcismus dargestellte Sache selbst, sowie die Erklärung der bei dieser Ceremonie gebrauchten Worte betrifft (daß sie nemlich eine Erinnerung und ein Zeugniß von der geistlichen Gefangenschaft des Kindes in dem Reiche des Satans, von dem jammervollen Zustande, in welchen wir durch den Fall der ersten Eltern versetzt worden sind, von der heilsamen Wirksamkeit der Taufe ꝛc. ist), so kann dieselbe, da sie dem Glauben ähnlich ist, nicht schlechterdings verworfen werden: da indessen die Worte etwas hart sind und ohne jene Erklärung eine gewisse Besessenheit des Kindes andeuten, wovon durch jene Ceremonie Befreiung verschafft werde, daher ‚hat‘, wie Dr. Chemnitz in seinen Locis redet, ‚die Kirche die Freiheit, daß sie jene Lehre von der Erbsünde, von der Macht und dem Reiche des Satans und von der Wirksamkeit der Taufe mit anderen, der Schrift angemesseneren Worten darlege und erkläre‘... Daß aber die Kirche diese Freiheit, eine gleichgiltige Ceremonie abzuschaffen, mit der That am Exorcismus beweise, dürfte um nicht zu verachtender Ursachen willen nicht unnüß sein.“ (Loc. de bapt. § 264—266.) Leonhard Hutter endlich schreibt: „Wenn die lutherischen Kirchen außer dem Fall der Verfolgung und des Bekenntnisses*), ihrer Freiheit sich bedienend, mit Einstimmung des ganzen Volkes, nachdem dasselbe hierüber richtig und gründlich unterwiesen worden, den Exorcismus abschaffen würden, wie denn unsere Kirchen allerdings mit vollstem Rechte dafür halten, daß sie die Freiheit haben, diesen Gebrauch abzuschaffen: dann würde allerdings keine Privatperson das Recht haben, den Gebrauch des Exorcismus in die Kirche wieder von neuem einzuführen.“ (Thesaur. Dedekenni, Appendix ad Vol. I. f. 207. s.) Nun ist zwar der Exorcismus innerhalb unserer deutsch-lutherischen Kirche zumeist nicht in der Weise abgeschafft worden, welche Hutter hier mit Recht als die allein richtige bezeichnet; vielmehr ist jene Ceremonie mit dem Eindringen des Indifferentismus und Rationalismus meist in der

---

*) Bekannt ist, daß der gottselige Arndt in einem solchen Fall des Bekenntnisses, als die Feinde der Wahrheit auf Abschaffung des Exorcismus drangen, sich im Jahre 1590 zu Badeborn im Anhaltischen lieber absetzen, als zur Abschaffung dieser Ceremonie sich zwingen ließ.

unordentlichsten Weise gefallen; da aber dieselbe offenbar zu denjenigen
Ceremonieen gehört, die, um nicht auf Mißverstand zu führen, erst einer Erklärung bedürfen, so ist sie zwar da, wo sie noch besteht, nicht mit Haß abzuschaffen, noch weniger aber dürfte darauf hinzuarbeiten sein, daß sie wieder
eingeführt werde.

Anmerkung 6.

Der Gebrauch der Pathen (sponsores oder fidejussores, griechisch
ἀνάδοχοι [Bürgen], susceptores [die aus der Taufe „heben"], Gevattern) ist
uralt. Schon Tertullian nimmt von diesem Institut einen Grund gegen
die Kindertaufe. Er schreibt: „Quid enim necesse est, sponsores etiam
periculo ingeri?" d. i.: Wozu ist es nöthig, (damit) auch die Pathen in
Gefahr zu setzen? (De bapt. c. 18.) Zu dem Amte derselben sind nicht
zuzulassen Gebannte, Lästerer, Feinde der Kirche, notorische Ungläubige und
Lasterhafte, auch noch nicht communicirende Kinder. Was die letzteren
betrifft, so heißt es in der chursächsischen Kirchenordnung, in den General-
Artikeln von der Taufe: „Nachdem auch an etlichen Orten ein Mißbrauch
eingerissen, daß junge Leute, die selbst noch Kinder sein, zu Pathen gebeten
werden, so die Kinder nicht halten können, auch die Ursache nicht verstehen,
was der Pathen Amt auf sich trägt: sollen hinfüro die Pfarrer und Kirchendiener deshalben das Volk erinnern und ermahnen, solche Gevattern zu bitten
und bei der heiligen Taufe zu stellen, die des Alters und Verstandes sein, daß
sie solchen Actum mit Ernst verrichten können, und deswegen niemand aufs
wenigste unter fünfzehn Jahren zulassen." (fol. 509.) Zwar hat der
Prediger darauf hinzuwirken, daß nur rechtschaffene Lutheraner dazu erwählt
werden, und damit dies geschehe, seine Gemeinde daran zu gewöhnen, daß
ihm die zu vollziehende Taufe vor Einladung der Gevattern gemeldet werde;
jedoch, sind wohlgesinnte Andersgläubige bereits eingeladen oder treten sie
schon an den Taufstein, so soll sie der Prediger nicht abweisen, ihnen so eine
öffentliche Beschämung bereiten und in ihnen dadurch einen dauernden Widerwillen gegen unsere Kirche und unser Ministerium erwecken. Denn so unrecht
es ist, daß Lutheraner eine Pathenstelle in irrgläubigen Kirchen übernehmen
und somit am Gottesdienst der Falschgläubigen Theil nehmen*), so wenig
ist es gewissensverletzend, wohlgesinnten Andersgläubigen in dem bezeichneten
Falle zu erlauben, daß sie Zeugen für unsere rechtmäßig vollzogene Taufe

---

*) Melchior Bischoff, Hofprediger zu Coburg, gestorben 1614, hat hierüber einen
eigenen ausführlichen Tractat geschrieben. J. Gerhard gibt Gründe dafür und dawider
und setzt hinzu: „Es ist auf die Umstände Rücksicht zu nehmen und gottselige Vorsicht
anzuwenden, daß man nicht den Schein gebe, mit den Gegnern in einem geheimen Ein-
verständniß zu stehen, oder den Glauben der Schwachen verwirre." (L. c. § 269.) In
den sächsischen General-Artikeln heißt es: „Keinem unserer Religion Verwandten ist zu
rathen, daß er bei einer papistischen Taufe stehen und hiermit ihren papistischen Greuel,
so sie bei der heiligen Taufe treiben, bestätigen soll." (Art. 10.)

seien. So schreibt die wittenbergische theologische Facultät im Jahre 1624 in einem Bedenken: „Obwohl in der Kirche alles ordentlich und ehrlich zugehen soll, dahero dem Prediger gebühret, zuzusehen, daß keine Zerrüttung auch in den Kirchenceremonieen einreiße, welches dann geschehen würde, wenn man einen jeden, auch gottlosen und verruchten Menschen zur Gevatterschaft und einem ehrlichen Begräbniß lassen wollte; jedoch halten' wir dafür, daß, was die Calvinisten anlangt, ein Unterschied zu machen. Denn etliche sind ganz desperat, die nicht allein groben und ungeheuren Irrthümern beipflichten, sondern auch halsstarrig darinnen verharren, andere verführen und unsere Kirche und Kirchendienst verspotten und lästern; oder es sind solche Leute, die zwar um die Lehre sich so eifrig nicht bekümmern, aber sonst gottlos und ärgerlich leben. Solche Leute soll man zur Gevatterschaft nicht zulassen, auch, so sie also unbußfertig dahin sterben, keines ehrlichen Begräbnisses würdigen; denn gleichwie keine Gemeinschaft ist zwischen Christo und Belial, also soll auch kein rechter Christ mit solchen Leuten solche Gemeinschaft haben, daß er sie zu seiner Kinder Taufpathen erwähle. Ja, St. Paulus will auch, daß wir mit einem solchen Menschen, der sich lässet einen Bruder nennen, und ist ein Abgöttischer, auch nicht essen sollen. 1 Kor. 5. Ist derowegen dieser Personen halber die Sache klar und richtig. Darnach aber sind etliche, die zwar zum Calvinischen Glauben sich bekennen, aber von Andern verführt sind; sie aber verführen niemand, sondern sind vielmehr bereit, der gezeigten Wahrheit zu weichen; leben auch sonst unärgerlich. Solche, gleichwie sie von der Obrigkeit neben Andern, der reinen evangelischen Lehre Zugethanen in einer Stadt geduldet werden, also kann auch ein Prediger mit ihnen Geduld haben; und ob zwar besser wäre, daß die Eltern zu ihren Kindern solche Gevattern bäten, die ihrer Religion gänzlich zugethan, dazu sie auch von den Predigern nicht unbillig angehalten werden: jedoch wenn solche Gevattern schon gebeten wären, könnte man sie ohne Aergerniß von der Taufe nicht abstoßen." (Consil. theol. Witebergens. 1664. Th. II. fol. 128 ff.) In der chursächsischen Kirchenordnung von 1580 lesen wir: „Weil sich auch zuträgt, daß etliche Personen, so noch der Zeit der Papisten Aberglauben in vielen Stücken zugethan, wann sie zur Gevatterschaft gebeten, daß sie bei der heiligen Taufe abgetrieben werden; dadurch sie so viel desto mehr wider die reine Lehre der Evangelii verbittert, so dagegen, wann sie zugelassen, vermittelst der Wirkung Gottes des Heiligen Geistes nicht allein ihrer selbst, sondern auch anderer mehr Verführten Bekehrung daraus erfolget. Demnach denn die Verordnung der Gevattern nicht ein göttlicher Befehl, sondern aus guten und erheblichen Ursachen von Menschen verordnet, sollen die Pfarrer und Kirchendiener in solchem Fall vernünftig und vorsichtig handeln, und nicht bald jemand, der nicht ein öffentlicher Lästerer Gottes und seines heiligen Worts, da er gleich in einem oder mehr Artikeln sich noch der Zeit nicht finden könnte, von der heiligen Taufe abhalten; sondern sich Christi Spruch erinnern, da er saget: ‚Wer

mit uns ist, der ist nicht wider uns', auf das erste mal sich an dem genügen
lassen, daß solche Person durch ihre Gegenwart mit der That unsere heilige
Taufe für christlich und recht erkennet... Gleichwohl aber (soll man) dar-
neben nicht unterlassen, solche Personen ihres Irrthums halben mit aller
Sanftmuth fürzunehmen, zu berichten und dafür zu warnen und abzumahnen,
und also die Gradus der Vermahnung halten." (Generalartikel X., f. 308 ff.)
In den Consilien von Felix Biedembach finden sich hierüber ausführliche
Bedenken von Heerbrand und Schnepf. (Bd. II. S. 185 ff.) Ein
gleiches Urtheil geben Joh. Gerhard l. c. § 269 u. Deyling in seinen
Institut. prud. past. P. III. c. 3. § 30. und A. ab.

Auf die Frage: Wie viel Pathen anzunehmen seien? antwortet
Gerhard: „An einigen Orten wird einer, an anderen aber drei, an
anderen auch mehr eingeladen. Obgleich aber der Vollständigkeit und
Wirksamkeit der Taufe aus der Zahl der Pathen nichts zugeht noch abgeht,
und es daher eine gleichgiltige Sache ist, eine oder mehrere einzuladen, so ist
doch kein Aergerniß zu geben und hat man sich nach der Gewohnheit jeder
Kirche ehrerbietig zu richten. Vor allem aber ist Lurus zu meiden, worauf
es bei der Einladung mehrerer Pathen gemeiniglich hinaus geht. Um der
Sicherheit des Zeugnisses und um der Nothwendigkeit der Erziehung willen,
daß nemlich nach dem Absterben der Eltern oder des einen und anderen
Pathen das Kind gottselig erzogen werden könne, scheint es besser zu sein,
drei anstatt eines zu nehmen. Num. 35, 30. Deut. 17, 6. 19, 5." (l. c.)
Matth. 18, 16.

Es ist rathsam, beim Verlesen des Taufformulars den Pathen ein
Zeichen zu geben, wenn sie zu antworten haben. Thun sie dies nicht,
so hat man sie ausdrücklich, wiewohl freundlich, daran zu erinnern, was sie zu
thun haben. Verweigern sie aber hartnäckig, z. B. auf die Abrenuntiations-
fragen, zu antworten, so ist ihnen am Schluß zu erklären, daß sie unter
diesen Umständen nicht als Pathen in das Kirchenbuch eingeschrieben werden
können.

Zwar ist es nicht absolut zu verwerfen, daß die Eltern selbst Pathenstelle bei der Taufe ihrer Kinder vertreten, aber als unpassend zu widerrathen
und möglichst zu verhindern, da es eben das Amt der Pathen ist, wo nöthig,
die Stelle der Eltern als compatres (Mit-Väter, Gevattern) zu vertreten.
Aus dem sermo 264. des Cäsarius von Arelate sehen wir zwar, daß im
5. und 6. Jahrhundert häufig Eltern als Sponsores ihrer Kinder fungirten;
das Mainzer Concil von 813 hat sich jedoch in Can. 55. dagegen erklärt.
(Siehe Guericke's Archäologie, S. 296.)

Unter Umständen Vicepathen zuzulassen, ist unbedenklich. Als
Luther im Jahre 1534 Fürst Joachim von Anhalt zu Gevattern bat, machte
er demselben selbst den Vorschlag, einen Stellvertreter zu bestimmen.
(Walch. XXI, 377 ff.)

Anmerkung 2.

Ueber die Entsagung und das Glaubensbekenntniß bei der Taufe schreibt Rudelbach u. A. Folgendes: „Was zur kirchlichen Giltigkeit erforderlich ist, begriff die Kirche von jeher unter zwei Stücken, nemlich: ‚die Entsagung des Teufels (abrenuntiatio) und das Bekenntniß des christlichen Glaubens.‘ Daß diese Stücke organisch mit dem Taufworte verbunden seien, und es zu jeder Zeit also in der Kirche gehalten worden, ist unsere Aufgabe zu zeigen, dann aber auch von der urkundlichen Form derselben zu sprechen. Als jene Tausende auf dem Pfingstfeste zu Jerusalem .. die versammelten Apostel fragten: ‚Ihr Männer, lieben Brüder, was sollen wir thun?‘ da antwortete Petrus ihnen: ‚Thut Buße, und lasse sich ein jeglicher taufen auf den Namen JEsu Christi zur Vergebung der Sünden.‘ Offenbar stellt er also, nachdem er den einzigen Weg der Erlösung gezeigt, vor der Einverleibung ins Reich Christi durch die Taufe noch die μετάνοια, die ‚Umkehr von den todten Werken‘, wie die apostolische Schrift es auch bezeichnet, als eine unerläßliche Forderung an alle Aufzunehmende. Wie könnten wir auch daran zweifeln, da es in dem ganzen Charakter, der ganzen Oekonomie des Christenthums liegt? Ist nicht die Taufe ihrem Wesen nach ein Bund mit Gott, worin er sich uns zum Vater gibt, auf daß wir seine Kinder werden? Schließt ein solcher Bund aber nicht sowohl den Glauben an den Bundes-Gott, als das Wandeln vor seinem Angesichte ein? (1 Mos. 17, 1.) Wie würde auch sonst das Taufwort seinen ganzen Inhalt erlangen, wenn es nicht hinwiese auf ein Bekenntniß zu dem dreieinigen Gott, in dessen Namen wir getauft werden? Und wie können wir mit dem Herzen glauben, wenn wir nicht zuvor allem ungöttlichen Wesen entsagt haben? .. Es war ja der Zweck des Kommens Christi in die Welt, ‚die Werke des Teufels zu zerstören‘, und wenn wir als Erlösete dieses lebendig erfaßt haben, so werden wir leicht sehen, daß so wie das Taufwort den Glauben voraussetzt, so setzt der Glaube an den Erlöser die offenbare Entsagung des ganzen Reichs der Finsterniß und seines Fürsten voraus ... Die Forderung des Christenthums liegt klar vor, und daß die älteste Kirche hierin die apostolische Praxis stetig ausgedrückt habe, können wir nicht bezweifeln, ohne alle historische Gewißheit wankend zu machen. Es ist wahr, die erste ausdrückliche Erwähnung einer Entsagungs-Formel kommt erst bei Tertullian in der bekannten Stelle seiner Schrift de corona militis c. 3. vor. Allein, wenn die ungläubigen Theologen weiter daraus folgern: Also ist die Entsagung bei der Taufe keine apostolische Einrichtung, so würden sie dadurch nur einen gänzlichen Mangel an Urtheilskraft verrathen, wenn man nicht wüßte, daß ein ganz anderes Interesse sie triebe, wider diese Formel — ein Zeugniß des lebendigen Christenthums — anzukämpfen. Vergegenwärtigen wir uns den Stand der Sache! Tertullian schrieb seine Schrift de cor. mil. nach seinem Uebergange zum Montanismus im Jahre 201. Er erwähnt der Entsagung bei der Taufe nicht als einer Sache, die weiterer Erklärung bedürfe, sondern die offenkundig vorliege, und woraus man also Schlüsse zu ziehen berechtigt sei. Nun wird man aber wohl nicht behaupten wollen, daß er die Sache erdichtet habe, sondern das, was gegen das Ende des zweiten Jahrhunderts allgemeine kirchliche Giltigkeit erlangt hatte, mußte unstreitig schon im ersten als apostolische Einrichtung bekannt sein. So stehen wir an der Grenze des apostolischen Zeitalters, und wie wäre es wohl denkbar, daß irgend ein Kirchenlehrer aus der ersten oder zweiten apostolischen διαδοχή (Folge) solches erfunden hätte, in einer Zeit, wo noch unmittelbare Apostel-Schüler (wie Polykarp, der Jünger Johannis) lebten — und diese, ja die ganze Kirche hätte einer solchen Erdichtung oder unkirchlichen Privatmeinung nicht laut und feierlich widersprochen? Nein, im Gegentheil, das Zeugniß Tertullian's, wohl erwogen, muß alle, die aus der Geschichte der Kirche den Grund der Kirche selbst untergraben, die Bollwerke des Christenthums niederreißen wollen, auf den Mund schlagen. Aber auch bei noch älteren Kirchenlehrern wird der aufmerksame Beobachter wenigstens Spuren der Entsagung bei der Taufe als einer grundchristlichen Einrichtung finden. Wie wird man, fragen wir, ‚das Gelübde eines christlichen Lebens‘ erklären, welches, nach Justinus Martyr, alle Täuflinge in Verbindung mit dem Glaubensbekenntnisse ablegen mußten? (Apol. I, c. 61.) Doch wir brauchen wahrlich dieser Zeugnisse nicht, da die Sache als solche schon durch das Zeugniß der Apostel selbst ins Licht gestellt ist, so daß offenbar weiter nur von der Formel als solcher die Rede sein kann. Uebrigens möchte es nicht überflüssig sein, daran zu erinnern, daß nach der Praxis der ältesten Kirche die Täuflinge bei der Entsagung zuerst nach Westen, darauf, nachdem sie entsagt hatten und zum Bekenntnisse schritten, nach Osten sich kehrten — jenes eine Bezeichnung des Fürsten der Finsterniß, dieses der Sonne der Gerechtigkeit. (Hieronymus in Amos. 6, 14. Ambros. de initiatis c. 2.) Die urkundliche Form der Entsagung ist bekanntlich diese: ‚Entsagest du dem Teufel, und allem seinem Wesen, und allen seinen Werken?‘ welche eigentlich — wie auch in allen ältern lutherischen Kirchenbüchern ausgedrückt ist — eine dreifache Frage an den Täufling enthält, und eine dreifache Antwort erheischt.*) Das Wesentliche bei dieser Form ist, daß nicht nur der Sünde und den Werken der Finsterniß überhaupt, sondern auch dem Urheber derselben, dem Teufel, namentlich entsagt werde; und wir dürfen also von dieser Form nicht abgehen, ohne unsere Gemeinschaft mit der allgemeinen, heiligen Kirche aufzugeben... Dieses ist also das Feststehende bei der Entsagungsformel, worauf alle Varietäten, die wir bei den alten Kirchenlehrern antreffen, zurückgeführt werden können. So z. B. heißt es in der

---

*) Daß die Form der dreifachen Frage und Antwort hier wie im Glaubensbekenntnisse — mit Beziehung auf die heilige Dreieinigkeit — altkirchlich, ist bekannt. Vergleiche Ambros. de Sp. S. lib. II., c. 10. R.

schon angeführten Stelle Tertullian's, daß die Täuflinge ‚dem Teufel, und seinem Gepränge (pompae), und seinen Engeln‘ entsagen... Nach Cyrill von Jerusalem werden die Täuflinge angewiesen, mit ausgestreckten Händen zu entsagen ‚dem Satan und allen seinen Werken, und allem seinem Gepränge, und allem seinem Dienste.‘"*) Im Gegensatz zu allen älteren kirchlichen Entsagungsformeln stehen die Paraphrasen (Umschreibungen) in mehrern neuern Agenden... Der Kitzel des Pelagianismus war es, der den Teufel aus den Liturgicen wie aus den Gesangbüchern austreiben wollte; wo er nicht erwähnt wird, meinte man, da denkt auch niemand an die Sünde, die Fleischeslust u. f. w. als Werke des Teufels, sondern sieht sie höchstens als ein zufälliges Unglück oder gar als einen nothwendigen Durchgangspunkt für die Tugendübung an." (Die Sacrament-Worte S. 25—32.) Vergleiche Luther's Kirchenpostille Walch XI, 834 f.

Anmerkung 8.

Der Pastor hat sich vorzusehen, daß nicht durch seine Schuld eine Laien-Nothtaufe nothwendig werde, seine Gemeinde daher zu ermahnen, daß sie mit der Taufe eile**), und wenn er zur Vollziehung derselben aufgefordert wird, selbst des Nachts, ohne Murren Folge zu leisten. Ist eine Nothtaufe erfolgt, so wird nach Anleitung der Agende ihre Richtigkeit öffentlich untersucht und nach deren Vorschrift feierlich bestätigt. (Luther's Werke. Walch XXI, 1288 f.) Die Gemeinden, und namentlich die Hebamme, sind daher über rechte Vollziehung der Nothtaufe zu unterrichten und auf den betreffenden Anhang unseres Gesangbuchs hinzuweisen. — Uebrigens ist selbst da, wo sonst der Exorcismus in Brauch ist, bei Bestätigung der Taufe der Exorcismus der Natur der Sache nach nicht nachzuholen. „Solch Kind aber", heißt es in Luther's Tischreden, „das zuvor getauft ist (die Nothtaufe erhalten hat), soll man alsdenn hernach nicht exorcisiren oder beschwören, auf daß wir nicht den Heiligen Geist, der gewißlich bei dem Kinde ist, bösen Geist heißen." (XXII, 858.) — Die Gemeinde ist zu gewöhnen, daß sie die zu Taufenden zur Kirche bringe, wo, so es möglich ist, ein Tauflied zu

---

*) Ἀποτάσσομαί σοι σατανᾶ καὶ πᾶσι τοῖς ἔργοις σου καὶ πάσῃ τῇ πομπῇ σου καὶ πάσῃ τῇ λατρείᾳ σου. Mystag. catech. I. § 2. 4. Unter dem „Pompe" des Satans meint Tertullian de spectac. c. 4., seien vor allen die prunkvollen heidnischen Schauspiele, nach Ambrosius de sacram. I, 2. überhaupt die Welt und ihre fleischlichen Lustbarkeiten zu verstehen.

**) Luther schreibt: „Man muß, so viel es sein kann, dem Aufschub der Taufe entgegen sein, damit nicht aus dieser Gewohnheit endlich eine Regel gemacht werde, sich der Taufe beständig zu enthalten." (XXI, 1339.) Diese Erinnerung ist wohl nirgends nöthiger, als gerade hier, wo die verderbliche Secte der Wiedertäufer eine so große Verbreitung und einen so mächtigen Einfluß hat. Wir haben hier die feste Ordnung gemacht, daß außer dem Fall der Noth jedes Gemeindeglied sein neugebornes Kind spätestens am zweiten Sonntag nach dessen Geburt taufen zu lassen habe.

singen ist. Auf Abschaffung der Haustaufen, außer dem Fall der Noth, sollte der Prediger mit allem Ernste hinwirken, nicht nur um der Taufe selbst, sondern auch um der edlen Zeit willen, die dem Prediger durch viele Taufen in den Häusern geraubt wird.

Anmerkung 9.

Je öfter ein Prediger die Taufe zu vollziehen hat, je größer ist die Gefahr, daß er diese hochheilige Handlung nicht mit der rechten Andacht vollziehe. Ein jeder sollte sich daher gesagt sein lassen, was Luther im Vorwort zu seinem Taufbüchlein schreibt: „Ich bitte aber aus christlicher Treue alle diejenigen, so da taufen, Kinder heben und dabei stehen, wollten zu Herzen nehmen das treffliche Werk und den großen Ernst, der hierinnen ist. . . Ich besorge, daß darum die Leute nach der Taufe so übel auch gerathen, daß man so kalt und lässig mit ihnen umgangen und so gar ohne Ernst für sie gebeten hat in der Taufe.“ Vor allem sollte der Prediger die zum Wesen der Taufe gehörenden Worte nicht schläfrig, sondern mit feierlich erhobener Stimme aussprechen.

Anmerkung 10.

Für erfolgte glückliche Geburt eines Kindes innerhalb der Gemeinde und für glückliche Endigung der Wochen von Seiten der Mutter, wenn dieselbe zur Gemeinde gehört, sollten die Gemeindeglieder öffentlich in der Kirche danken und Fürbitte thun zu lassen gewöhnt werden.

§ 15.

Da ein Prediger nicht nur Lehrer, sondern auch Hirt, Bischof und Wächter (Eph. 4, 11. 1 Tim. 3, 1. Ebr. 13, 17. Ez. 3, 17—21.), nicht nur Austheiler der heiligen Sacramente, sondern auch Haushalter über dieselben (1 Kor. 4, 1.) sein soll, und den ernstlichen Befehl hat, das Heiligthum nicht den Hunden zu geben und seine Perlen nicht vor die Säue zu werfen (Matth. 7, 6.), so hat er die heilige Pflicht, auf vorherige persönliche Anmeldung derjenigen, welche das heilige Abendmahl empfangen wollen, zu halten und dieselbe zu einer Exploration treulich und weislich zu benutzen. (Vergl. oben § 6. Anm. 7.)

d Communion

Anmerkung 1.

Was vorerst die Nothwendigkeit der sogenannten Beichtmeldungen betrifft, so möge hierüber hier ein Aufsatz Platz finden, welcher im vierten Jahrgang des „Lutheraner“ No. 21. sich findet. Es hat derselbe die Ueberschrift: „Etwas über die Sitte, bei der Feier des heiligen Abendmahls auch solche Leute, die nicht gebeichtet hatten, zur Theilnahme einzuladen.“ Dem Aufsatz ist als Motto der Ausspruch des Chrysostomus vorangestellt: „Eher will ich selbst Leib und Leben lassen, als zugeben, daß der Leib des HErrn jemandem unwürdig gegeben werde; und eher will ich mein Blut vergießen lassen, als gestatten, daß sein allerheiligstes Blut einem Unwürdigen gereicht werde." (Hom. 83. in Matth.) Der Aufsatz selbst ist folgender:

Nicht wenige Prediger dieses Landes pflegen, so oft sie die Feier des heiligen Abendmahles anstellen, sich zuvor an alle Versammelte zu wenden und alle, selbst die gegenwärtigen Glieder anderer Confessionen nicht ausgenommen, zur Theilnahme aufzufordern. Insonderheit benutzen dieses Mittel die hiesigen deutschen Methodistenprediger, um bei den hier zerstreut wohnenden deutschen Protestanten Eingang zu finden. Die letzteren haben oft jahrelang der öffentlichen Predigt und des Abendmahlsgenusses entbehren müssen; kommt nun einmal ein Methodistenprediger in ihre Einsamkeit, und predigt er ihnen nicht nur, sondern macht er ihnen auch nicht die mindeste Schwierigkeit, eine Abendmahlsfeier unter ihnen anzustellen und einen jeden ohne weiteres dazu anzunehmen, so hat er damit die Leute meist schon für sich gewonnen. Er gebraucht sich des heiligen Abendmahls als eines Köders, nemlich als eines wohlfeilen Mittels, die Seelen in das Netz seiner Schwärmerei und Sectirerei zu locken. Aber möchten nicht auch viele sogenannte „lutherische" Prediger eine ähnliche Praxis (Handlungsweise) befolgen! Wir haben jedoch, leider! in Erfahrung gebracht, daß nicht wenige selbst von den lutherisch sich nennenden Predigern (in der Meinung, daß dies recht evangelisch sei), wenn sie den heiligen Tisch zur Sacramentsverwaltung gerüstet haben, nun alles, was nur kommen will, zu dieser Gnadenspende herzurufen und ohne Prüfung ihres Glaubens und Lebens zulassen; ja, es ist zu fürchten, daß viele so handeln aus dem unlauteren Grunde, um unter den Gliedern aller Parteien für recht „liebe, weitherzige" Männer angesehen und als solche gerühmt zu werden; es ist zu fürchten, daß viele das heilige Sacrament darum jedermann Preis geben und selbst offenbar Gottlosen reichen, weil sie auch bei den Gottlosen gut stehen, den Zorn und Haß der Welt nicht auf sich laden und ihre etwa einträgliche Pfarrstelle nicht verlieren wollen. Denn es ist freilich wahr, kaum gibt es in der ganzen Seelsorge etwas, was einem treuen Diener der Kirche mehr Noth macht, als wenn er in Zulassung zum heiligen Abendmahl gewissenhaft handeln will. Uebernimmt ein rechtgläubig-lutherischer Prediger eine neue Gemeinde, und will er nun kein Glied derselben zum Tische des HErrn lassen, als bis er einen jeden einzelnen gesprochen und aus seinem eigenen Munde vernommen hat, daß er wisse, was das heilige Abendmahl sei, daß er sich für einen armen Sünder erkenne, daß er an Gottes Wort von Herzen glaube, daß er nach Gnade und Vergebung der Sünden in Christi Blut herzlich verlange, daß er auch den ernstlichen Vorsatz habe, Christo in einem heiligen, von der Welt unbefleckten Leben nachzufolgen und dergleichen, auf welch' einen harten Widerstand stößt er dann gewöhnlich sogleich! wie viele Feinde macht er sich dann gewöhnlich sogleich damit! wie selten geht es dann ohne entstehende Spaltungen ab! wie oft sieht er sich dann genöthigt, sogleich seinen Wanderstab weiter fortzusetzen, und sich noch nachsagen zu lassen, er habe über die Gemeinde herrschen wollen! —

Wie? thut denn auch wohl ein Prediger recht daran, wenn er lieber Alles über sich ergehen läßt, ja lieber sein Amt aufgibt, als daß er jedermann ohne Prüfung zum heiligen Abendmahle zulassen sollte? Ist die Freigebigkeit vieler Prediger hiesigen Landes in dieser Beziehung wirklich so tadelhaft? Wir antworten: Ja! Um aber hierüber recht urtheilen zu können, ist nöthig, daß man vorerst bedenke, was es eigentlich für eine Bewandniß mit dem heiligen Abendmahle habe.

Es ist damit ganz anders bewandt, als mit der Predigt des göttlichen Wortes. Das Wort nemlich ist nicht nur dazu gegeben, einen Gläubigen im Glauben zu erhalten, sondern auch den Menschen erst aus seinem Sündenschlafe zu erwecken, ihn zur Erkenntniß seiner Sünden, zur Buße und zum Glauben zu bringen und zu bekehren; ja ohne das Wort ist dies alles unmöglich. Von der Predigt des Wortes kann und darf daher freilich niemand zurückgewiesen werden, denn das hieße, ihm die einige Thür der Gnaden verschließen. Nicht so verhält sich's mit dem heiligen Abendmahl; durch dasselbe soll ein Mensch nicht erst zur Buße und zum Glauben gebracht, sondern darin gestärkt werden; durch dasselbe soll ein Mensch nicht erst Gnade erlangen und ein Christ werden, sondern die durch das Wort erlangte Gnade soll ihm dadurch versiegelt und er im Christenthum erhalten, bewahrt und gefördert werden; durch diese Speise soll ein Mensch nicht erst zum Leben aus Gott erweckt, sondern, wenn er bereits geistlich lebendig ist, genährt und erquickt werden. Wer daher das heilige Abendmahl würdig und zu seinem Heile genießen will, der muß schon vorher zur Buße und zum Glauben gekommen sein; der muß schon vorher Gnade erlangt haben und ein wahrer Christ geworden, schon vorher zum Leben aus Gott erweckt und wiedergeboren sein*) Daher das heilige Abendmahl nur der genießen soll, der bereits durch das Bad der Wiedergeburt, nemlich durch die heilige Taufe, ein Kind Gottes geworden ist; wie im Alten Testamente nur derjenige an dem Genusse des Osterlammes theilnehmen durfte, welcher schon durch das Sacrament der Beschneidung in den göttlichen Gnadenbund aufgenommen worden war. Das heilige Abendmahl genießen, ist an und für

---

*) Hierüber schreibt Luther in seiner Kirchenpostille: „Also hat auch Christus gethan: die Predigt hat er lassen in Haufen gehen, über jedermann, wie hernach auch die Apostel, daß es alle gehört haben, Gläubige und Ungläubige; wer es erwischte, der erwischte es. Also müssen wir auch thun. Aber das Sacrament soll man nicht also unter die Leute in Haufen werfen, wie der Pabst gethan hat. Wenn ich das Evangelium predige, weiß ich nicht, wen es trifft; hier aber soll ich es dafür halten, daß es den getroffen habe, welcher zum Sacrament kommt; da muß ich es nicht in Zweifel schlagen, sondern gewiß sein, daß der, dem ich das Sacrament gebe, das Evangelium gefasset habe und rechtschaffen gläube, gleich als wenn ich einen täufe; wie auch der nicht soll zweifeln, der es nimmt, oder der da wird getauft." (Am Ostertag, vom Empfang des heiligen Sacraments.)

sich nichts Gutes; es kommt vielmehr darauf an, wie man es genießt. Es wirkt nicht ex opere operato! Es ist nicht einer Arzenei gleich, die man nur einnehmen darf, daß sie wirke; es ist vielmehr eine Schatzkammer, deren Schätze allein durch die Hand des Glaubens genommen, erfaßt und festgehalten werden können. Wer keinen Glauben hat, genießt zwar auch das wirkliche und ganze Sacrament, er genießt nemlich nicht blos Brod und Wein, sondern in, mit und unter diesen Elementen den Leib und das Blut JEsu Christi als ein köstliches Unterpfand der Gnade und Vergebung wirklich und wahrhaftig mit seinem Munde; aber von dem darin liegenden Segen für das Heil seiner Seele geht er leer aus; denn was kann ein noch so köstliches und werthvolles Pfand einem Menschen helfen, und wie kann es ihm zur Versicherung einer Sache dienen, wenn er nicht glaubt, daß es ein so köstliches und werthvolles Pfand sei? — Doch wer das heilige Abendmahl ohne den rechten Glauben und daher unwürdig genießt, der wird nicht nur der darin liegenden Gnade nicht theilhaftig, sondern er findet darin anstatt der Gnade — Zorn, anstatt des Lebens — Tod, anstatt des Segens — Fluch; er wird, wie St. Paulus schreibt, „schuldig an dem Leibe und Blute des HErrn; er isset und trinket ihm selber das Gericht, damit, daß er nicht unterscheidet den Leib des HErrn." Erschrecklich ist also die Sünde, die derjenige begeht, und furchtbar das Verderben, welches derjenige auf sich herab zieht, welcher das heilige Abendmahl unwürdig genießt; und diejenigen, welche sagen: „man müsse doch froh sein, daß die Leute noch zum heiligen Abendmahl kämen", offenbaren damit, wie traurig es um ihre Erkenntniß von diesem heiligen Sacramente steht.

Eine andere Eigenthümlichkeit des heiligen Abendmahls, wie überhaupt der heiligen Sacramente, ist, daß es zu den Charakteren, zu den Feldzeichen der Kirche und zu den Siegeln der Lehre und des Glaubens gehört. (Röm. 4, 11. vergl. 1 Kor. 10, 21. Exod. 12, 48.) In welcher Kirche man daher an dem heiligen Abendmahle Theil nimmt, zu der Kirche und deren Lehre bekennt man sich. Eine innigere brüderliche Gemeinschaft kann es nicht geben, als in welche man mit denen tritt, in deren Gemeinschaft man das heilige Abendmahl genießt. „Denn", sagt der heilige Apostel, „so oft ihr von diesem Brode esset, und von diesem Kelch trinket, sollt ihr des HErrn Tod verkündigen, bis daß er kommt", 1 Kor. 11, 26., und: „Ein Brod ist es, so sind wir viele Ein Leib; dieweil wir alle Eines Brodes theilhaftig sind." 1 Kor. 10, 17. Es ist also ein großer Unterschied, ob man in einer fremden kirchlichen Gemeinschaft einmal die Predigt mit anhört, und ob man da an der Feier des heiligen Abendmahls theilnimmt. Die Predigt kann man da wohl zu Zeiten mit anhören, vielleicht um die Lehre einer solchen Partei kennen zu lernen, ohne dadurch an falschgläubigem Gottesdienste theilzunehmen; hingegen die heilige Communion ist ein Act des Bekenntnisses; communicirt man in einer fremden Kirche, so schließt man sich an dieselbe thatsächlich an, tritt als Zeuge für die Lehre derselben auf und erklärt die Glieder derselben für seine Glaubensbrüder und Glaubensschwestern.

Closed Com. 1. müssen sich anmelden

Was ist nun, dies vorausgesetzt, von der Sitte zu halten, bei der Feier des heiligen Abendmahls alle Gegenwärtigen ohne Unterschied zur Theilnahme einzuladen und ohne Prüfung zuzulassen? — Daß dies Prediger thun, welche selbst nicht glauben, daß im heiligen Abendmahl der Leib und das Blut des Sohnes Gottes gegenwärtig sei und von allen Communicanten genossen werde, Prediger, welche das heilige Abendmahl für ein bloßes Erinnerungs-Abendessen, für eine bloße Ceremonie halten, wie die Reformirten, Methodisten und die meisten Unirtevangelischen, dies ist ganz natürlich; aber wenn solche so handeln, die lutherische Prediger sein wollen und von der Wahrheit der lutherischen Lehre vom heiligen Abendmahl überzeugt sind, das ist unverantwortlich.

Solche Prediger handeln erstlich wider das Gebot Gottes: „Mache dich nicht theilhaftig fremder Sünden." 1 Tim. 5, 22. Denn wer eine Sünde hindern kann, und er hindert sie nicht nur nicht, sondern leistet ihr selbst Vorschub, der macht sich derselben theilhaftig. Nun könnten jene Prediger wohl gar oft die schreckliche Sünde des unwürdigen Abendmahlsgenusses hindern, aber sie thun dies theils aus Menschenfurcht, theils aus Menschengefälligkeit nicht nur nicht, sondern leisten jener Sünde durch ihre leichtsinnigen Einladungen auch noch Vorschub; o wie schrecklich wird darum einst ihre Verantwortung sein! Wie werden sie einst erschrecken, wenn ihnen Gott alle die Schuld an dem Leibe und Blute Christi, welche die ohne alle Prüfung von ihnen zugelassenen unbußfertigen, un- und falschgläubigen Menschen auf sich geladen haben, als ihre eigene anrechnen wird! Gewiß, wenn unwürdige Communicanten einst verdammt werden, so werden diejenigen, die sie dazu verlockt haben, eine zehnfache Verdammniß erleiden müssen. Luther schreibt in dem Unterricht für die Kirchenvisitatoren: „Man soll auch Niemand zum heiligen Sacrament gehen lassen, er sei denn von seinem Pfarrherrn insonderheit verhört, ob er zum heiligen Sacrament zu gehen geschickt sei? Denn St. Paulus spricht 1 Kor. 11, 27., daß die schuldig sind an dem Leibe und Blute Christi, die es unwürdiglich nehmen. Nun unehren das Sacrament nicht allein, die es unwürdig nehmen, sondern auch die es mit Unfleiß Unwürdigen geben."

Hierzu kommt, daß sich ein Prediger dadurch insonderheit schwer versündigt, indem er dadurch ein untreuer, sorg- und gewissenloser Seelsorger wird. Einem jeden Prediger gilt das Wort des HErrn im Propheten Hesekiel, Cap. 3, 17. 18.: „Du Menschenkind, ich habe dich zum Wächter gesetzt über das Haus Israel; du sollst aus meinem Munde das Wort hören, und sie von meinetwegen warnen. Wenn ich dem Gottlosen sage: Du mußt des Todes sterben; und du warnest ihn nicht, und sagst es ihm nicht, damit sich der Gottlose vor seinem gottlosen Wesen hüte, auf daß er lebendig bleibe: so wird der Gottlose um seiner Sünde willen sterben, aber sein Blut will ich von deiner Hand fordern." Einem jeden Prediger gilt ferner das zu Petro gesprochene Wort des HErrn, Matth. 16, 19.: „Ich will dir des

Himmelreichs Schlüssel geben. Alles, was du auf Erden binden wirst, soll auch im Himmel gebunden sein; und alles, was du auf Erden lösen wirst, soll auch im Himmel los sein." Einem jeden Prediger gilt das apostolische Wort: „Befleißige dich Gott zu erzeigen einen rechtschaffenen und unsträflichen Arbeiter, der da recht theile das Wort der Wahrheit. Und strafe die Widerspenstigen; ob ihnen Gott dermaleins Buße gäbe, die Wahrheit zu erkennen, und wieder nüchtern würden aus des Teufels Strick, von dem sie gefangen sind zu seinem Willen." (2 Tim. 2, 15. 25. 26.) Von allen rechtschaffenen Predigern heißt es: „Sie wachen über eure Seelen, als die da Rechenschaft geben sollen." Ebr. 13, 17. Von allem dem, was einem Prediger hierdurch als Seelsorger obliegt, thut derjenige das Gegentheil, welcher jedermann ohne Prüfung zum heiligen Abendmahle hinzu läßt. Er soll dem Gottlosen verkündigen: „Du mußt sterben", aber durch die Zulassung desselben zur Gnadentafel spricht er zu ihm: „Du sollst leben." Er soll die Unbußfertigen binden, und er löst sie. Er soll die Widerspenstigen strafen, daß sie zur Buße kommen, und er spricht ihnen Recht, daß sie sich nur desto mehr verstocken. Er soll über die Seelen wachen, und er erweist sich als ein „stummer Hund, der", wie Jesaias Cap. 56, 10. sagt, „nicht strafen kann, ist faul, liegt und schläft gerne." Er soll den Seelen aus Sünde und Verdammniß helfen, und er stärkt sie in ihrer Unbußfertigkeit, und stürzt sie nur immer tiefer in Sünde, Gottes Zorn, Tod, Hölle und Verdammniß. Ach, gewiß, wenn ein Prediger auch sonst noch so eifrig ist, behütet er die Seelen, so viel an ihm ist, nicht davor, daß sie das allerheiligste Sacrament nicht unwürdig genießen, so wird dieses Eine ihn schon verwerflich machen und ein schweres Gericht über ihn als einen Miethling, als einen treulosen Seelsorger, ja als einen Seelenverderber herabziehen. Daher schreibt Luther in seiner unvergleichlichen „Vermahnung an die Pfarrherrn, wider den Wucher zu predigen", vom Jahre 1540: „Wenn solche Wucherer zürnen wollen, daß du sie nicht absolvirest, noch das Sacrament reichest, noch begrabest . . . . so sprich: Dir sei verboten erstlich von Gott, daß du keinen Wucherer sollt für einen Christen halten. . . Und wie käme ich dazu, daß ich sollte meine Seele für dich und zu dir setzen, und mit deiner Sünde mich verdammen, so du ein solcher Filz bist. . . Auch so hilft dichs nicht, und verdammt mich, wenn ich dich gleich absolvire. Denn Gott und der Kaiser nehmens doch in ihrem Recht nicht an. Darum so thue Buße und recht; wo nicht, so kannst du ebensowohl ohne mich und meine Absolution einfältig zum Teufel fahren, als daß du mit meiner Absolution zweifältig zum Teufel fährest, und dazu mich, ohne meine Schuld, durch deine Schuld mitnimmst. Nein, Gesell, es heißt, fahre du hin, ich bleibe hier; ich bin nicht Pfarrherr, daß ich mit jedermann zum Teufel fahre, sondern daß ich jedermann mit mir zu Gott bringe."

Freilich hat aber ein Prediger auch zu bedenken, daß er von Gott zu einem „Haushalter über Gottes Geheimnisse" bestellt ist. 1 Kor. 4, 1. Ein Haushalter kann aber mit dem, das ihm anvertraut ist, ohne schwere

Verantwortung nicht nach Belieben schalten und walten; er hat sich vielmehr nach der Instruction zu richten, die er für seine Amtsverwaltung erhalten hat. Eine solche, und zwar die gemessenste Instruction für die rechte Verwaltung des heiligen Sacraments aber haben wir Prediger in der heiligen Schrift. Mit klaren Worten ist uns darin vorgeschrieben, wer zu demselben zugelassen werden könne, wer nicht. Unter anderen sagt Christus: „Ihr sollt das Heiligthum nicht den Hunden geben, und eure Perlen sollt ihr nicht vor die Säue werfen, auf daß sie dieselbigen nicht zertreten mit ihren Füßen, und sich wenden und euch zerreißen." Matth. 7, 6. Ferner sagt Christus: „Höret er die Gemeine nicht, so halte ihn als einen Heiden und Zöllner." Matth. 18, 17. Ferner schreibt St. Paulus: „So jemand ist, der sich läßt einen Bruder nennen, und ist ein Hurer, oder ein Geiziger, oder ein Abgöttischer, oder ein Lästerer, oder ein Trunkenbold, oder ein Räuber; mit demselbigen sollt ihr auch nicht essen. Thut von euch selbst hinaus, wer da böse ist." 1 Kor. 5, 11. 13. Ferner schreibt derselbe Apostel: „So aber jemand nicht gehorsam ist unserm Wort, den zeichnet an durch einen Brief, und habt nichts mit ihm zu schaffen, auf daß er schamroth werde." 2 Theſſ. 3, 14. Endlich schreibt Johannes in seinem zweiten Briefe: „So jemand zu euch kommt, und bringet diese Lehr nicht, den nehmet nicht zu Hause und grüßet ihn auch nicht. Denn wer ihn grüßet, der machet sich theilhaftig seiner bösen Werke." (Vers 10. 11. vergleiche: 2 Theſſ. 3, 6. Röm. 16, 17. 1 Tim. 6, 3—5. 2 Tim. 3, 1—5. Tit. 3, 10. 11. 2 Kor. 6, 14—18.) Hiernach sollen Christen mit keinem offenbaren Sünder, mit keinem Verächter der christlichen Gemeine, mit keinem, der sich nicht strafen lassen will, und mit keinem Ungläubigen oder Falschgläubigen so umgehen, als ständen sie mit ihm in glaubensbrüderlicher Gemeinschaft. Hiermit hat denn ein jeder Prediger die gemessene Instruction, die ihm Gottes Wort über die Sacramentsverwaltung gibt; denn es ist offenbar, alle diejenigen, mit denen die Christen keine glaubensbrüderliche Gemeinschaft halten und die sie von sich ausschließen sollen, sollen auch nach Gottes Wort zu dem Genuſſe des Sacramentes nicht zugelassen werden, durch welches die allerinnigste glaubensbrüderliche Gemeinschaft ausgedrückt und gestiftet wird. Was thun also die Prediger, welche alle ohne Unterschied zulassen? Sie beweisen sich als untreue, leichtfertige Haushalter über Gottes Geheimnisse, sie greifen Gott dem HErrn in sein Amt und werfen sich zu Herren über sein heiliges Sacrament auf, dessen Diener sie allein sind. Wehe ihnen, wenn sie nicht in Zeiten in sich gehen, immer und ewiglich! Es wird ein Tag kommen, da werden sie es schrecklich büßen müssen, daß sie dem HErrn seine Güter umgebracht und sie zu ihren unlauteren Zwecken gemißbraucht haben. Da wird der HErr sie vor sich fordern und ihnen zurufen: „Wie höre ich das von dir? Thue Rechnung von deinem Haushalten; denn du kannst hinfort nicht mehr Haushalter sein." Luk. 16, 1. 2.

Aber, werden nun vielleicht manche sagen, was soll ein Prediger thun, damit er sein Gewissen rette? Hierüber will ich nun noch schließlich unsern Luther reden lassen. Derselbe schreibt nemlich in seiner Schrift: „Christliche Weise, zum Tische Gottes zu gehen", vom Jahre 1523 also: „Hierin soll man eben die Weise oder Ordnung haben, die man bei der Taufe hält, nemlich, daß erstlich dem Bischof oder Pfarrherrn angezeigt werde, wer die sind, so das Sacrament empfahen wollen, und sie selbst sollen bitten, daß er ihnen das heilige Sacrament wolle reichen, auf daß er ihre Namen kenne, und was sie für ein Leben führen, wissen möge. Darnach, ob sie gleich darum bitten, soll er sie doch nicht eher zulassen, sie haben denn Antwort geben ihres Glaubens, und sonderlich auf die Frage Bericht gethan: Ob sie verstehen, was das Sacrament sei, was es nütze und gebe, und wozu sie es wollen brauchen, nemlich, ob sie die Worte vom Sacrament mit ihrer Auslegung auswendig sagen können; und anzeigen, daß sie darum zum Tisch des HErrn gehen, daß sie, der Sünden halben mit beschwertem Gewissen oder Todesfurcht oder mit einer anderen Anfechtung des Fleisches, der Welt oder des Teufels geplaget, hungern und dürsten nach dem Wort der Gnade und Seligkeit, vom HErrn selbst zu empfahen durch das Amt des Dieners, auf daß sie getröstet und gestärket werden; wie denn Christus solches aus unaussprechlicher Liebe gegeben und eingesetzt hat in diesem Abendmahl, mit diesen Worten: Nehmet hin und esset ꝛc.

„Ich achte aber, daß genug sei, daß der, so das Sacrament begehret, einst (einmal) im Jahre auf die Weise gefragt und erforschet werde, ja, es möchte derselbe so verständig sein, daß er nur einmal sein Leben über, oder gar nicht gefraget dürfte werden. Denn wir wollen mit dieser Ordnung das verhüten, daß nicht zugleich Würdige und Unwürdige zum Tisch des HErrn laufen; wie wir bisher unter dem Pabstthum gesehen, da man anders nichts gesucht hat, denn allein das Sacrament zu empfahen. Vom Glauben aber, Trost und rechten Brauch und Nutz des Sacraments ist weder Rede noch Gedanken gewest, ja sie haben auch die Worte vom Sacrament, nemlich das Brod des Lebens, mit großem Fleiß verborgen; ja, mit höchster Unsinnigkeit damit umgegangen, daß die, so das Sacrament empfahen, ein Werk thäten, das von wegen eigener Würdigkeit gut wäre, nicht daß sie den Glauben erhielten und stärkten durch Christi Güte. Wir aber wollen die, so auf obengemeldete Stücke nicht zu antworten wissen, allerdings von der Gemeinschaft dieses Sacraments ausgeschlossen und abgesondert haben, als die, so des hochzeitlichen Kleides mangeln.

„Darnach, so der Pfarrherr oder Bischof siehet, daß sie dies alles verstehen, soll er auch darauf Acht haben, ob sie mit ihrem Leben und Sitten solchen ihren Glauben und Verstand beweisen — denn auch der Satan das alles verstehet, davon auch reden kann —, das ist, so er siehet einen Hurer, Ehebrecher, Trunkenbold, Spieler, Wucherer, Afterreder, oder sonst mit anderem öffentlichem Laster berüchtiget, den soll er allerdings vom Abendmahl ausschließen, er beweise denn mit kündlichem Anzeigen, daß er sein Leben geändert und gebessert hat. Den andern aber, die zuweilen fallen und wiederkehren, und ihnen leid ist, daß sie gefallen sind, soll man nicht allein das Sacrament nicht versagen, sondern wissen soll man, daß es eben um derselben willen vornemlich eingesetzt ist, daß sie dadurch erquicket und gestärket werden. Denn wir fehlen alle mannigfaltiglich, Jak. 3, 2., und trägt billig einer des andern Last, weil einer dem andern beschwerlich ist, Gal. 6, 2. Denn ich rede hier von den Verächtern, die unverschämt ohne Furcht sündigen, und rühmen doch nichtsdestoweniger große Stücke vom Evangelio.

„Von der heimlichen (Privat-) Beichte vor der Communion halte ich noch, wie ich bisher gelehret habe, nemlich, daß sie weder noth ist, noch gefordert soll werden, doch nütze und mit nichten zu verachten." (Siehe Luther's Werke. Hall. Ausg. X, 2764—67.)

Dasselbe übrigens, was hier Luther privatim ausspricht, finden wir auch in unseren öffentlichen Bekenntnißschriften. So heißt es z. B. im 25. Artikel der Augsburgischen Confession: „Diese Gewohnheit wird bei uns gehalten, das Sacrament nicht zu reichen denen, so nicht zuvor verhört und absolvirt sind." Ferner in der Apologie im 15. Artikel: „Bei uns braucht das Volk das heilige Sacrament willig, ungedrungen alle Sonntage, welche man erst verhöret, ob sie in christlicher Lehre unterrichtet seien, im Vater unser, im Glauben, in zehen Geboten etwas wissen oder verstehen."

So weit der bezeichnete Aufsatz.

Beichtanmeldung ist übrigens insonderheit da nöthig, wo die Privatbeichte nicht in Uebung ist, die u. a. eben um des willen, was die Beichtanmeldungen bezwecken sollen, in unserer Kirche beibehalten wurde. So schreibt z. B. die theologische Facultät zu Wittenberg unter dem 15. Juni 1619: „Wir leugnen nicht, daß man solche Privatbeichte nicht in allen rechtgläubigen Kirchen gebrauchet, da gleichwohl auch Vergebung der Sünden und würdiglicher Gebrauch des heiligen Abendmahls ist, daher der Beichtstuhl zu keinem dieser Ende angeordnet worden; es befinden sich aber fürnehmlich dieser Verordnung drei Ursachen, als: 1. daß der Prediger und Seelsorger Gelegenheit habe, mit einem jeglichen, so zum Tische des HErrn zu gehen vorhabend ist, insonderheit zu reden; von ihm zu vernehmen, wie er dagegen geschickt sei, ob er sich recht und genugsam prüfe; ob er in der Lehre genugsam berichtet, sich mit seinem Nächsten versöhnet, etwa auch grobe Sünden, damit er behaftet gewesen, abzustellen ernstlich gedenke; und also, ob er ihn sicherlich admittiren könne; da auch in dem einen und dem andern ein Defectus fürliefe, derselbe durch Unterricht und Vermahnung möge erstattet werden. 2. Da der Zuhörer ein sonderbares Anliegen hätte oder anderen Mangel bei sich befände, deswegen er mit seinem Seelsorger sich zu unterreden und Bericht bei ihm zu holen begehrte, derselbe im Beichtstuhl, da er sein Gewissen fürnemlich prüfen und examiniren solle, am besten Anlaß haben könne. 3. So wird auch im Beichtstuhl einem bußfertigen Sünder die Gnade Gottes und Vergebung der Sünden, so durch Christum geschieht, insonderheit applicirt, welches sonst im Worte insgemein allen Gläubigen widerfährt." (Consil. Witebergens. II, 139.)

Anmerkung 2.

Eine treuliche und weisliche Benutzung des Institutes der Beichtmeldung besteht namentlich darin, daß der Prediger dabei lediglich das Heil und die Seligkeit dessen, welcher communiciren will, im Auge habe und vor allem Folgendes explorire: 1. ob die betreffende Person Gottes Wort für Gottes Wort halte; 2. ob sie die zur Seligkeit nöthigen Stücke wisse; 3. ob sie sich für einen armen Sünder erkenne, allein Christi Verdienstes sich tröste und nicht in einem bösen Vorsatz stehe (Ps. 66, 18.) oder mit irgend jemandem noch unversöhnt sei (Matth. 5, 23. 24.); 4. ob sie an das Geheimniß des heiligen Abendmahls glaube und darin Vergebung, sowie Stärkung im Glauben und in der Gottseligkeit suche; 5. ob sie überhaupt sich zur lutherischen Kirche und Lehre, wie letztere in dem kleinen Katechismus Luther's niedergelegt ist, als zu der rechten christlichen Kirche und Lehre bekenne. Der Prediger hat sich hierbei mit allem Fleiße zu hüten, daß er nicht durch eine feierliche Amtsmiene und falsches Pathos die Blöden zurückschrecke und die Widerwilligen reize, und daß er aus dem freundlichen Gespräche nicht ein rigoroses Examen und eine Marter mache. Je nach Umständen muß der Prediger das Nöthige zu erfahren suchen, ohne daß der Explorirte den Eindruck davon bekommt, daß er explorirt werde. Je größere Vorurtheile in einer neuen Gemeinde gegen die ihr fremd gewordene Einrichtung der Beichtmeldung sich vorfinden, um so mehr muß der Prediger alles vermeiden, wodurch den Gliedern der Gemeinde diese Einrichtung verdächtig und widerwärtig werden könnte. Um Gegner derselben, die es aus Unverstand u. s. w. sind, zu gewinnen, muß es sich der Prediger nicht verdrießen lassen, dieselben, wenn sie durchaus nicht zu ihm kommen wollen, selbst zu besuchen und hierbei die nöthige Exploration in rücksichtsvollster Weise anzustellen. Luther schreibt an Pfarrer Balth. Thüringen in Coburg: „Ich habe dem Pfarrer geschrieben, er solle die Unwissenden nicht durch lange Prüfungen martern, wenn sie zum heiligen Abendmahl gehen wollen, doch nicht ganz unversucht und unverhört zulassen. Denn daß man sie unversucht zulassen wollte, ist nichts nütze. Wir tadeln die Widersacher, daß sie dem Bauche dienen; die Unsern aber sind hart und hängen dem Zorn nach. Ich bitte euch demnach um Gottes willen, daß ihr euch auf's höchste bemühet, daß das Evangelium bescheidentlich gelehrt werde." (Walch's A. Bd. XXI., S. 1348.) Ein Greuel ist es, wenn ein Prediger die Beichtmeldungen dazu benützt, geheime Sünden oder Familienangelegenheiten auszuforschen und Angebereien zu befördern.

Anmerkung 3.

Es ist nicht nur nicht nöthig, Jeden vor jeder Communion zu exploriren (es genügt, dies von Zeit zu Zeit zu thun, etwa des Jahres einmal), da die Exploration nicht auf einem Gesetz, sondern lediglich auf dem Bedürfniß der Seelen beruht; es kann auch bei gewissen, bekanntermaßen kenntnißreichen und rechtschaffenen, bewährten Christen die eigentliche Exploration ganz unterbleiben. So schreibt z. B. Luther: „Neben dieser Freiheit behalten wir die Weise, daß ein Beichtkind erzähle etliche Sünde, die ihn am meisten drücken. Und das thun wir nicht um der Verständigen willen; denn unser Pfarrherr, Caplan, M. Philipps und solche Leute, die wohl wissen, was Sünde ist, von denen fordern wir der keines. Aber weil die liebe Jugend täglich daher wächst und der gemeine Mann wenig versteht, um derselben willen halten wir solche Weise, auf daß sie zu christlicher Zucht und Verstand erzogen werden. Denn auch solch (Privat-) Beichten nicht allein darum geschieht, daß sie Sünde erzählen, sondern daß man sie verhöre, ob sie das Vater Unser, Glauben, zehen Gebote und was der Katechismus mehr gibt, können. Denn wir wohl erfahren haben, wie der Pöbel und die Jugend aus der Predigt wenig lernet, wo sie nicht insonderheit gefragt und verhöret wird. Wo will man aber das besser thun und wo ist's nöthiger, denn so sie sollen zum Sacrament gehen? Wohl ist das wahr, wo die Prediger eitel Brod und Wein reichen für das Sacrament, da liegt nicht viel an, wem sie es reichen oder was die können und gläuben, die es empfahen... Aber weil wir gedenken Christen zu erziehen und hinter uns zu lassen und im Sacrament Christi Leib und Blut reichen, wollen und sollen wir solch Sacrament niemand nicht geben, er werde denn zuvor verhöret, was er vom Katechismus gelernt, und ob er wolle von Sünden lassen, die er dawider gethan hat... Denn weil ein Pfarrherr soll ein treuer Diener Christi sein, muß er, so viel ihm möglich ist, das Sacrament nicht vor die Säue und Hunde werfen, sondern hören, wer die Leute sind. Betrügen sie denn ihn und sagen nicht recht, so ist er entschuldigt und sie haben sich selbst betrogen." (Warnungsschrift an die zu Frankfurt vom Jahre 1533. XVII, 2449. ff.) Oben ist Luther's Erklärung bereits angeführt worden: „daß es genug sei, daß der, so das Sacrament begehrt, einmal im Jahr auf die Weise gefragt und erforscht werde, ja, es möchte derselbe so verständig sein, daß er nur einmal sein Leben über oder gar nicht dürfte gefragt werden."

Anmerkung 4.

Ergeht über die sich Anmeldenden ein böses Gerücht oder werden sie ausdrücklich eines Vergehens beschuldigt, so ist dies denselben zwar vorzuhalten, sie aber, wenn sie das ihnen Beigemessene leugnen und ihre Schuld nicht sonst, etwa durch mehrere Zeugen, erwiesen ist, nach dem Grundsatz: „De occultis non judicat ecclesia", nicht vom Abendmahl zu suspen-

diren, sondern als Unschuldige zu behandeln. Auch solche, welche einen prä-
sumtiv rechtmäßigen, gerichtlichen Prozeß, namentlich mit Nicht-Brüdern,
führen, sind wohl vor aller Rachsucht und Unversöhnlichkeit ernstlich zu
warnen, aber um desselben willen nicht vom heiligen Abendmahl abzuweisen.
So schreibt die theologische Facultät zu Wittenberg in einem Falle,
als zwei die Communion Begehrende wider einander zeugten und der wahre
Thatbestand nicht ermittelt werden konnte: „Aus Eurem an uns gethanen
Schreiben vernehmen wir, was für ein intricatus casus Euch vorkommen ist,
nach dem ein Mann bei Euch bezüchtigt wird, als habe er außer der Ehe mit
einer Person Unzucht getrieben, welches diese Person ihm vor der Obrigkeit
und dem Ministerium nicht allein zuleget, sondern sich auch als eine leid-
tragende Sünderin angibt und mit bußfertigem Herzen um Vergebung bittet,
das heilige Abendmahl begehret und der Kirchencensur sich gehorsamlich
unterwirft, auf die Verweigerung aber auf Christum, den obersten Bischof,
provocirt. Der bezüchtigte Mann aber leugnet auf unterschiedliche Vermahnung auch vor der Obrigkeit constanter, und weil er in Mangel der
Zeugen mit Recht nicht überwiesen werden kann, bittet er ebenmäßig, ihn für
einen Christen zu achten und ad sacra zu verstatten. Darüber die Herren
unser Gutachten begehren, wessen sie sich auf beiden Theilen zu verhalten
haben.“

„Ob nun wohl aus der Herren Bericht nicht eigentlich zu vernehmen,
ob diese Sache zum ordentlichen Prozeß vor dem rechtmäßigen Richter gediehen ist, in welchem Fall den Herren unverborgen ist, daß pendente lite
(so lange der Prozeß noch unentschieden ist) solchen Personen die gesuchte
Beichte und Absolution nicht zu versagen; jedoch halten wir dafür, daß auch
deffen ungeachtet beide Personen auf vorgehende genugsame Verwarnung und
ihr inständiges Anhalten wohl könnten ad sacra zugelassen werden, wofern
nicht starke Vermuthungen vorhanden, daß der bezüchtigten Mannsperson
Unrecht geschehe. Wo solche Vermuthung nicht ist, da ist die Weibsperson
für eine arme bußfertige Sünderin zu halten, welcher man, sonderlich dieweil
sie auf Verweigerung an Christum provocirt, die Absolution und das heilige
Abendmahl nicht versagen kann, sonderlich weil sie sich auch der Kirchenbuße
gehorsamlich unterwerfen thut. Der Mannsperson aber könnte man in
Gegenwart der Obrigkeit desto schärfer zureden, daß dieselbe nicht das heilige
Abendmahl zum Scheindeckel gebrauche, wie Etliche pflegen, sondern wisse,
daß es ihm zwar solle gereicht werden, er würde es aber an jenem Tage schwer
verantworten müssen, so er in seinem Herzen sich schuldig befinde. Sonsten
weil über ihn noch gar nicht ausgeführet ist, so kann ihn auch die bloße Anklage und das daher entstandene böse Geschrei von den Sacris nicht ausschließen. Empfähet er das Abendmahl unwürdig, so hat der Prediger, der
ihn genugsam gewarnet und in sein Herz nicht sehen kann, keine Schuld
daran. Verborgene Sünden kann das Ministerium nicht richten, bloßer
Verdacht kann auch keinen vom Sacrament stoßen. Die Heuchler kennet

Gott am besten, der sie zu seiner Zeit wird zu finden wissen. Datum Wittenberg, den 21. April 1624." (Consil. II, 125.)

In Betreff des Falles, daß über einen sich Anmeldenden ein böses Gerücht geht, schreibt J. L. Hartmann: „Wir sagen, daß kein Verdacht hinreichend ist, einen Menschen gänzlich vom heiligen Abendmahl abzuweisen; wir reden aber von einem verdächtigen Menschen, den man auch fleißig geprüft hat, aber die That beharrlich leugnet. Denn nicht immer ist Einer des Verbrechens schuldig, dessen er durch ein Gerücht beschuldigt wird. Sodann ist es eine irrige Voraussetzung, daß ein klares und ausdrückliches Bekenntniß aller einzelnen Sünden, insonderheit derjenigen, welcher Jemand durch ein Gerücht oder einen starken Verdacht angeklagt wird, nöthig sei, davon sich in der heiligen Schrift kein Gebot findet. Auch ist nicht weniger jene Voraussetzung falsch, daß derjenige über seine begangenen Sünden nicht wahrhaft Leid trage, der dieselben nicht ausdrücklich vor dem Beichtvater bekennt. Es stehen überdies andere Mittel zu Gebote, einen eines Verbrechens verdächtigen Menschen zur Erkenntniß desselben zu führen. Man muß nemlich eine Untersuchung anstellen, ob er sich z. B. des Ehebruchs rc. schuldig erkennt, und ihn ermahnen, daß er sich wohl hüten möge, Sünde mit Sünde zu häufen. Daher schreibt der selige Dr. Höpfner in seiner Isag. coen. part. 1. p. 358: „„Wo nur Verdachtsgründe da sind und die eines fundamentalen Irrthums oder einer bösen That Verdächtigen dieses nicht insonderheit bekennen wollen, sondern im Allgemeinen anerkennen, daß sie elende Sünder sind, so sind dieselben nicht von dem Gebrauch des heiligen Abendmahls zu suspendiren. Denn wenn sie entweder nicht von freien Stücken oder auch nicht auf vorgängige Ermahnung des Beichtvaters eine solche Sünde insonderheit bekennen wollen und doch bei der Bitte um die Absolution beharren, so sind sie nach ihren Worten zu urtheilen und ihrem Gewissen zu überlassen."" Daher hier das Urtheil Luther's gilt: Wenn jemand kommt, um zu beichten, und eines Verbrechens verdächtig ist, so muß ich (wenn ich als Beichtvater handle) den Umständen gemäß darnach forschen. Wenn er aber leugnet, soll ich sein Nein höher achten als meinen Verdacht, und wenn er darauf besteht, zum heiligen Abendmahl zugelassen zu werden, bin ich schuldig, ihm dasselbe zu reichen."*) (Pastorale evangelicum p. 791.)

---

*) Bekenntniß vor Menschen ist übrigens nur dann nöthig, wenn durch das Nichtbekennen dem Nächsten geschadet wird, wenn z. B. ein Unschuldiger wegen Nichtbekennens des Schuldigen leiden müßte. Außer diesem Falle oder außer der Beichte sollte daher der Prediger auch nie selbst einen einer Sünde Berüchtigten oder Verdächtigen fragen, ob er die oder die Sünde begangen habe. Denn er nöthigt dadurch den Schuldigen, entweder eine noch verborgene Sünde ihm offenbar zu machen, oder zu lügen.

A. d. B.

§ 16.

Zwar wird in der Augsburgischen Confession ausdrücklich bezeugt, „daß die Beichte nicht durch die Schrift geboten, sondern durch die Kirche eingesetzt sei" (Art. 25.); allein sie bekennt auch: „Von der Beichte wird also gelehret, daß man in der Kirchen privatam absolutionem erhalten und nicht fallen lassen soll" (Art. 11.), und in der Apologie derselben heißt es: „Die Beichte behalten wir auch um der Absolution willen, welche ist Gottes Wort, dadurch uns die Gewalt der Schlüssel losspricht von Sünden; darum wäre es wider Gott (impium esset = es wäre gottlos), die Absolution aus der Kirche also abthun ꝛc. Diejenigen, welche die Absolution verachten, die wissen nicht, was Vergebung der Sünde ist oder was die Gewalt der Schlüssel ist." (Art. Von der Beichte und Genugthuung.) Ein Prediger kann daher zwar die Einführung der Privatbeichte nicht als eine conditio sine qua non einer lutherischen Gemeinde fordern oder dieselbe lieber der reinen Predigt des Evangeliums beraubt werden und zu Grunde gehen, als die Privatbeichte uneingeführt lassen; er muß sich vielmehr hüten, dieselbe, wo sie bereits gefallen, mit Ungestüm einführen oder, wo Abschaffung ihres ausschließlichen Gebrauchs begehrt wird, an ihrem ausschließlichen Bestehen um jeden Preis festhalten zu wollen. Doch hat er in evangelischer Weise durch Belehrung und Ermahnung, sowie durch Anpreisung derselben, darauf hinzuwirken, ∙daß sie vorerst neben der allgemeinen Beichte fleißig gebraucht und, wo es möglich und räthlich ist, endlich wieder als ausschließliche Sitte eingeführt und, wo sie besteht, aufrecht erhalten werde. Jedenfalls darf er einer Gemeinde, welche den Gebrauch der Privat-Beichte und -Absolution selbst nicht von Seiten einzelner Glieder gestatten wollte, unter keiner Bedingung weichen, denn „die Absolution also aus der Kirche abthun", wäre allerdings „wider Gott."

Anmerkung 1.

Wie hoch Luther die Privatbeichte geachtet habe, ersehen wir namentlich aus seiner „Warnungsschrift an die zu Frankfurt, sich vor Zwinglischer Lehre zu hüten", vom Jahre 1533, wo er u. A. Folgendes schreibt: „Wenn tausend und aber tausend Welt mein wäre, so wollt ich alles lieber verlieren, denn ich wollt dieser Beicht das geringste Stücklein eines aus der Kirchen kommen lassen... Denn sie ist der Christen erste, nöthigste und nützlichste Schule, darinnen sie lernen Gottes Wort und ihren Glauben verstehen und üben; welches sie nicht so gewaltig thun in öffentlichen Lectionen und Predigten." (Siehe Luther's Volksbibliothek. Bd. IV, S. 61. vergl. S. 54—66.) Als

Carlstadt im Jahre 1522, während Luther auf der Wartburg verborgen gehalten wurde, in Wittenberg sein bilderstürmerisches Reformiren begann und unter anderem auch die Privatbeichte abgeschafft hatte, da eilte Luther, trotz churfürstlichen Verbotes, aus seinem Asyle, um als ein treuer Hirte dem in seine Heerde eingebrochenen Wolfe zu widerstehen. Am 6. März in Wittenberg angekommen, hielt er vom Sonntag Invocavit an bis Reminiscere täglich eine Predigt und brachte dadurch mit Gottes Hilfe schnell alles wieder in Ordnung, was der wüste Schwarmgeist Carlstadt's verwirrt und mit roher Hand zerstört hatte. In der letzten seiner acht Predigten kommt Luther auch auf die Privatbeichte zu sprechen. Wir können uns nicht versagen, hieraus Folgendes hier mitzutheilen: „Zum Dritten ist auch eine Beichte, da einer dem andern beichtet, und nimmt ihn allein auf einen Ort, und erzählt ihm, was seine Noth und Anliegen ist, auf daß er von ihm ein tröstlich Wort höre, damit er sein Gewissen stille. Diese Beichte hat der Pabst gestreng geboten und einen Nothstall draus gemacht, daß es zu erbarmen ist. Dieß Nöthigen und Zwingen hab ich verworfen und hart angegriffen, da ich von der Beichte geprediget und geschrieben habe. Und eben darum will ich nicht beichten, daß es der Pabst geboten hat und haben will. Denn er soll mir die Beichte frei lassen und keinen Zwang noch Gebot daraus machen; deß er keine Macht noch Gewalt hat zu thun. Aber dennoch will ich mir die heimliche Beichte niemand lassen nehmen, und wollt: sie nicht um der ganzen Welt Schatz geben; denn ich weiß, was Stärke und Trost sie mir gegeben hat. Es weiß niemand, was die heimliche Beichte vermag, denn der mit dem Teufel oft fechten und kämpfen muß. Ich wäre längst von dem Teufel überwunden und erwürget worden, wenn mich diese Beichte nicht erhalten hätte. Denn es sind viel zweifelhaftige und irrige Sachen, darein sich der Mensch allein nicht wohl schicken kann, noch sie begreifen. Wenn er nun in einem solchen Zweifel stehet und weiß nicht wo hinaus, so nimmt er seinen Bruder auf einen Ort und hält ihm für seine anliegende Noth, klagt ihm seine Gebrechen, seinen Unglauben und seine Sünde, und bittet ihn um Trost und Rath. Denn was schadet's ihm, daß er sich für seinem Nächsten ein wenig demüthige und sich zu Schanden mache? Wenn dir denn da ein Trost widerfährt von deinem Bruder, den nimm an und gläube ihm, als wenn dir's Gott selbst gesagt hätte. . . . Wer aber einen festen, starken Glauben hat zu Gott, und ist gewiß, seine Sünden sind ihm vergeben, der mag diese Beichte wohl lassen anstehen und allein Gott beichten. Aber wie viel sind ihr, die solchen festen, starken Glauben und Zuversicht zu Gott haben? Es sehe ein jeglicher hie auf sich selbst, daß er sich nicht verführe." (Erl. Ausg. XXVIII, 249 f.) Auf Luther's Rath wurde denn daher in fast allen Kirchenordnungen der mit der Wittenberger in Gemeinschaft stehenden Kirchen des 16. Jahrhunderts der ausschließliche Gebrauch der Privatbeichte und -Absolution kirchenordnungsmäßig festgesetzt, die allgemeine Beichte hingegen nicht gestattet. So heißt es z. B. in der von Luther unterzeichneten Kirchenordnung vom Jahre 1542: „Ob daß irgends ein Pfarrherr diejenigen, so Morgens zu communiciren gedacht hätten, in einen Haufen treten laßen und ihnen eine gemeine Absolution gesprochen: das soll keinesweges sein."

Wer freilich nicht glaubt, daß Christus schon die ganze Welt vollkommen erlöst habe und daß daher die frohe Botschaft des Evangeliums nichts anderes ist, als eine, auf jene bereits geschehene Erlösung gegründete, der ganzen Welt zu bringende Absolution, die, damit sie ihre selige Frucht erlange, nichts als den Glauben daran oder mit einem Wort Annahme verlangt; oder wer doch noch nie zur Erfahrung seiner Sündennoth gekommen ist: der wird freilich auch nie von der Kostbarkeit der Privatbeichte und -Absolution sich überzeugen können. Und wenn, wie leider! oft geschieht, der Prediger selbst sich dieses herrlichen Trostmittels nicht bedient, von der Herrlichkeit deßelben also nicht aus Erfahrung reden kann, so ist es freilich nicht zu verwundern, wenn seine Belehrung in Betreff jenes Institutes ohne Erfolg bei seiner Gemeinde bleibt.

Wir erlauben uns, hierbei an einen Artikel im „Lutheraner" zu erinnern, der (Jahrgang 6, Nr. 15.) unter der Ueberschrift erschienen ist: „Wie groß und verderblich der Irrthum derjenigen sei, welche den Predigern des Evangeliums die Macht absprechen, auf Erden Sünden zu vergeben."

Anmerkung 2.

So hoch die Privatbeichte und -Absolution je und je in unserer lutherischen Kirche gestellt worden ist, so ist sie doch weder in allen lutherischen Kirchen in Gebrauch gewesen, noch haben unsere rechtgläubigen Väter einer Kirche deswegen das Prädicat, eine wahre lutherische Kirche zu sein, abgesprochen, wenn bei derselben jenes Institut nicht eingeführt war. So schreibt z. B. die Wittenbergische theologische Facultät in einem theologischen Bedenken vom Jahre 1619: „Sintemal wir nicht leugnen, daß man solche Privatbeichte nicht in allen rechtgläubigen Kirchen gebraucht, da gleichwohl auch Vergebung der Sünden und würdiglicher Gebrauch des heiligen Abendmahls ist; daher der Beichtstuhl zu keinem dieser Ende angeordnet worden." (Consil. Witebergens. II, 139. Dedekennus' Thesaur. consil. II, 749.) Ferner schreibt der Wittenberger Theolog F. Balduin: „Wenn in jenen Kirchen, wo die Privatbeichte in Gebrauch ist, dieselbe unter gewißen Umständen von jemand unterlaßen werden kann, vielmehr wird sie an den Orten, wo sie nicht in Gebrauch ist, und doch die Lehre vom Abendmahl des HErrn rein behalten wird, wie an einigen Orten Oberdeutschlands geschieht, unterlaßen, und doch das heilige Abendmahl heilsam empfangen. Denn Gebräuche, welche Mittelbinge sind, können dem Wesen des Sacraments nichts nehmen." (Tract. de cas. consc. S. 467. f.) So schreibt der Leipziger Theolog Hier. Kromayer: „Obgleich diese (die Privatbeichte) kein göttliches Gebot hat und von

11

vielen rechtgläubigen Kirchen, z. B. den Straßburgischen, Schwedischen und anderen, als ein Mittelding, abgeschafft worden ist, so hat sie doch Beispiele in der heiligen Schrift und ihren nicht zu verachtenden Nutzen... Daß in unseren Kirchen niemand zum heiligen Abendmahle zugelassen wird, er habe denn seine Sünden gebeichtet, das kommt von den kirchlichen Einrichtungen her. Indessen verdammen sie andere Kirchen nicht, welche jene Privatbeichte nicht haben." (Theol. positivo polem. p. 584 f.) So schreibt der Straßburger Theolog Conr. Dannhauer: „In den Artikeln der Augsburgischen Confession wird die Privatabsolution festgesetzt, und doch die christliche Freiheit auch gestattet. So ist in der St. Nikolai-Kirche in Straßburg um Marbach's willen, welcher Luthern selbst gehört hat, die Privatabsolution behalten worden und sie wird noch jetzt beibehalten." (Theol. casual. p. 99.) So schreibt endlich der Jenaische Theolog F. Bechmann: „Man wendet ein: Viele Kirchen Augsburgischer Confession behalten in Praxi nur die öffentliche (allgemeine) Beichte. Antwort: Dies wird zugegeben; aber wie wir dieses aus christlicher Freiheit thun, so wird in anderen Kirchen Augsburgischer Confession aus derselben christlichen Freiheit die Privatbeichte beibehalten." (Theol. polem. 1702. p 865.) Von der s. g. allgemeinen Beichte schreibt der Wittenbergische Theolog Balth. Meisner: „Keiner unserer Lehrer hat die Art der allgemeinen Absolution, welche nicht nur in den reformirten, sondern auch in manchen lutherischen Kirchen in Gebrauch ist, als eine gottlose getadelt oder verdammt. Denn wir wissen durch Gottes Gnade, daß das Wort der Absolution, welches da der Kirchendiener im Namen und auf Befehl Christi den Beichtenden insgemein ankündigt, eben das Wort sei, welches in unseren Kirchen nicht allen insgemein, sondern jedem einzelnen applicirt wird; und darum sagen wir, daß jene Absolution eine wahre und wirksame, diese aber nicht nur eine wahre und wirksame, sondern überdies auch eine passendere sei um der angegebenen Ursachen willen." (Colleg. adiaphorist. disput. 7. 1616. E. 2. b.) Nichts desto weniger darf kein Prediger gestatten, daß die Gemeinde die Privatbeichte, wenn dieselbe auch bei ihr nicht ausschließliche Geltung hat, verbiete. Luther schreibt daher (mit Melanchthon und Jonas) im Rathschlag auf die Handlung zu Schmalkalden: „Wiewohl wir niemand bei einer Todsünde zur (Privat-) Beichte wollen zwingen und dringen lassen, auch nicht verpflichten, alle Sünde zu erzählen, und die Gewissen, wie unter dem Pabst, zu martern: doch ist das ebenso wenig zu leiden, daß man die Beichte verbieten und die Absolution aus der Kirche darum stoßen wollte.... Was ist die Absolution anders, denn das Evangelium, einem einzelnen Menschen gesagt, der über seine bekannte Sünde Trost dadurch empfahe?" (Luther's Werke, Walch's Ausg. XVI, 2177. f.)

Bekannt ist übrigens, daß der Bischof von Constantinopel Nektarius, als in der Privatbeichte von seinem Diakonus ein Verbrechen begangen und

dadurch ein großes Aergerniß verursacht und die ganze Gemeinde wider die
Privatbeichte mit Scheu erfüllt worden war, dieselbe im Jahre 391 ohne
weiteres abschaffte, und damit klar die Erkenntniß der Christen von der
christlichen Freiheit in jener Zeit auch in diesem Puncte an den Tag legte.

Anmerkung 3.

Die Privatbeichte ist zwar an einem unverschlossenen und zugänglichen
Orte, am besten in einem Gittergestühle, wo der Beichtvater und der Beichtende gesehen werden können, zu halten, aber in solcher Entfernung von
den sonst Gegenwärtigen, daß diese das Geredete nicht h ö r e n können.   In
den sächsischen Generalartikeln heißt es: „Desgleichen soll auch die Beichte
und Verhör deren, so zur Communion gehen wollen, aus vielen beweglichen
Ursachen nicht in des Pfarrers und Diakons Hause, noch in der Sacristei,
sondern in der Kirche öffentlich im Chor geschehen, damit solches alles mit
großer Zucht und Ernst, in Beiwesen und bei dem Gebete des Volks verrichtet
werde. . .   Weil, . . wenn die Leute sich in der Kirche zur Beicht finden, . .
den Beichtvater also umstehen, daß keiner sein Anliegen dem Pfarrer heimlich
anzeigen, noch der Kirchendiener mit ihnen der Gebühr reden kann: sollen
jedes Orts die Kirchendiener solche Verordnung vornehmen, daß in den
Städten der Kirchendiener im Chor an weit von einander abgesonderten
Orten sitzen und das Volk außerhalb dem Gitter oder Chor stehen bleiben,
aus welchem eines nach dem andern zum Beichtvater gehe, mit welchem er
reden könne, daß es andere in der Kirche nicht hören.   In den Dörfern aber
sollen die Pfarrer ihre Beichtkinder jedes in seinem Stuhl heißen still stehen
bleiben, bis, der da gebeichtet, aus dem Chor gangen ist." (Des Durchlauchtigsten ꝛc. Herrn Augusten ꝛc. Ordnung.   Leipzig 1580. fol. 298. f.)

Anmerkung 4.

Zwar hat der Prediger die Pflicht, wenn über einen Beichtenden ihm
ein ü b l e s G e r ü c h t zu Ohren gekommen ist, denselben darüber zu befragen,
jedoch ihm die Absolution nicht zu versagen, wenn er behauptet, daß das
Gerücht ein grundloses sei, und ihm nichts bewiesen werden kann. Nach
heimlichen Sünden zu forschen, ist wider sein Amt.   In den sächsischen
Generalartikeln heißt es daher: „Die Kirchendiener sollen nicht vorwitziger
Weise von ihren Beichtkindern f r a g e n, was ihnen nicht gebeichtet wird;
denn diese Beichte nicht zu einer Inquisition der heimlichen und verborgenen
Sünden, sondern fürnehmlich und allein zur Lehre der Unverständigen und
zum Trost der betrübten, angefochtenen Gewissen verordnet." (A. a. O
fol. 297.) Auf die Frage aber: „Ob auch ein Pfarrherr im Beichtstuhl auf
ein gemein Geschrei einer Person etwas vorhalten darf?" findet sich im
Dedekennus folgende Antwort: „Ja traun; denn Luk. 16. stehet, daß der
ungerechte Haushalter vor seinem Herrn sei berüchtigt worden, als hätte
er ihm seine Güter umgebracht, davon der Herr Ursache nimmt, mit ihm zu

reden, und spricht: Wie höre ich das von dir? Sagt nicht: Ich befinde es in der That, daß du mir nicht recht Haus hältst. Also ein Pfarrer, weil er der Leute Wächter ist und dermaleinst um sie Rechenschaft geben soll, derwegen, höret er etwas Böses, daß seiner Pfarrkinder eins nicht recht haushalte, so gebühret ihm traun nicht, dazu stillzuschweigen. 1 Kor. 1. lesen wir: ‚Mir ist fürkommen, durch die aus Chloe's Gesinde.‘ 1 Kor. 11.: ‚Ich höre, daß Spaltungen unter euch sein, und zum Theil glaube ich's.‘ 1 Kor. 5.: ‚Es ist ein gemein Geschrei, daß Hurerei unter euch sei.‘ Hier nimmt Paulus von einem gemeinen Geschrei Ursache, an die Korinther zu schreiben. Lutherus schreibt: Wenn einer zur Beichte kommt, und ich habe Vermuthung und Argwohn, so soll ich mit Fleiß fragen nach allen Umständen. Da er's gar verneinet, soll ich sein Nein höher achten, denn meine Vermuthung, und da er anhält und bittet ums Sacrament, soll ich's ihm geben.   Chemnitius im Examen des tridentinischen Concils p. 365, da er vom Nutz und rechten Gebrauch der Privatbeichte handelt, setzet u. a. diese Worte: Man fragt sie auch, wenn man glaubt, daß sie in gewissen Sünden stecken. — Wie? wenn ein Pfarrer auch Ursachen hätte, die ihn trieben, daß er müßte das böse Geschrei seinem Beichtkinde vorhalten? denn Paulus sagt: die Hände lege niemand bald auf, 1 Tim. 5.   Item Dr. Luther: Es unehren das Sacrament nicht allein, die es unwürdig nehmen, sondern auch, die es unwürdig geben.   Soll ich aber erfahren, ob jemand würdig, so muß ich ihn ja fragen, was ich von ihm höre, und hernach aus seiner Antwort hören, ob er würdig und ihm seine Sünde leid und sich bessern wolle.*)   Denn wann er die Sünde noch vertheidigt und in Summa ein unbußfertiger Sünder ist, so kann ihn der Pfarrer nicht lösen. — Wie? wenn jetzt in der Beichte etwa das selige Stündlein kommen wäre, daß Gott Erkenntniß der Sünden wirken wollte?   Denn die Menschen können von sich selbst ihre Sünde nicht erkennen und ob sie gleich wissen, das haben sie gethan, wissen auch, daran haben sie unrecht gethan, daß es auch Vielen unverborgen sei: noch achten sie es nicht, sondern gehen gleichwohl zum Sacrament, ja, wie Dr. Luther geschrieben hat, viel decken ihre Sünden, Schanden und Laster mit Empfahung des Sacraments.   Dieweil denn die Leute ihre Sünde nicht selbst erkennen oder haben nicht Leid darüber, sondern Gott muß Reu und Leid wirken; er wirket aber Reu und Leid nicht ohne, sondern durch Mittel; derwegen ist's nöthig, daß ein Pfarrherr mit seinem Beichtkinde rede von dem bösen Gerüchte, das über ihn gehet, ob Gott wollte durch sein Amt Buße geben, daß das Beichtkind anhübe in sich zu gehen und Reu und Leid über seine bis anher gethane Sünde zu gewinnen.‘‘ (S. Thesaurus Consilior. von Dedekennus II., fol. 752.)

Ueber denselben Gegenstand schreibt Balduin Folgendes: „Wenn Jemandes Sünde zwar gerüchtsweise kundbar, jedoch noch nicht eingestanden

---

*) S. oben § 15. Note zu Anm. 4. S. 154.

ist, derjenige aber, welcher im Verdacht steht, nichts desto weniger Absolution
von Sünden begehrt: dann ist er zwar freundlich zu hören, wenn er auch
selbst keine Erwähnung jenes Vergehens in der Beichte thut, aber der Beichtvater muß ihm das Gerücht ins Gedächtniß rufen und ohne Leidenschaft
nachforschen, wie es sich verhalte, ob er sich desselben im Gewissen bewußt sei,
und ihn bitten, nichts davon zu verschweigen.*)   Wenn er das Vergehen
bekennt und darüber Leid trägt und hinfort davon abzustehen verspricht, dann
ist er als ein bußfertiger Sünder mit offenen Armen aufzunehmen, von jener
Sünde loszusprechen und brüderlich zu ermahnen, daß er sich hinfüro davor
hüte.   Wenn er aber die That nicht nur leugnet, sondern sich auch weitläuftig entschuldigt, so ist er zwar weder durch Versagung der Absolution,
noch auf andere Weise zum Eingeständniß der That zu zwingen, denn ein
Kirchendiener ist kein Gewissens-Folterknecht: jedoch sind ihm die Umstände
der That aus einander zu setzen und, daß er hier, vor Gottes Angesicht gestellt, den Herzenskündiger nicht täuschen könne, zu verwarnen und daher zu
bitten, daß er sich durch ein aufrichtiges Bekenntniß von der Last des Gewissens befreie, mit der Erinnerung, welche große Sünde es sei, Gott täuschen
zu wollen, welcher Herz und Nieren erforscht und welcher seinem Volke, als
es seine Verbrechen leugnete und beschönigte, allen seinen Zorn gedroht hat,
2 Kön. 17, 9., und daß es solchen Beschönigern ihrer Verbrechen auch nicht
gelingen werde, Sprüchw. 28, 13., und daß dieselben das Sacrament auch
nicht würdig gebrauchen können, sondern an dem Leibe und Blute Christi
schuldig werden, 1 Cor. 11, 27.   Wenn aber mit dergleichen Ermahnungen
nichts ausgerichtet wird, sondern die Person die That, in Betreff welcher sie
im Geschrei ist, hartnäckig in Abrede stellt: so ist diese Sache Gott zu befehlen
und dem Bittenden die Absolution nicht zu versagen.   Seiner Zeit, wenn es
Gott so gefällt, kann ja die Wahrheit durch andere Mittel offenbarer werden.
Die Gewalt der Schlüssel ist nicht zur Erforschung geheimer,
sondern zur Heilung der offenbaren Sünden gegeben."
(Tractatus de casibus conscientiae p. 1123. 24.)   Schon Augustinus
schreibt: „Wir können niemand von der Communion abweisen, er habe denn
entweder freiwillig bekannt, oder sei entweder in einem weltlichen oder kirchlichen Gericht verklagt (nominatum) oder überwiesen.   Denn wer darf sich
beides anmaßen, selbst sowohl Ankläger als Richter jemandes zu sein?"
(Serm. 351, § 10.)

Anmerkung 5.

Zwar hat kein Prediger die Macht, ein Glied seiner Gemeinde auf sein
eigenes Erkenntniß hin vom heiligen Abendmahl absolut, schlechterdings
auszuschließen und also in den Bann zu thun;**) es können jedoch Fälle

---

*) Vergl. die vorige Note.

**) Einem Gemeinegliede das heilige Abendmahl schlechterdings verweigern
und dasselbe davon völlig ausschließen, ist nemlich allerdings dem Bann gleich zu achten.

vorkommen, in welchen ein Prediger sich selbst schwer versündigen, das heilige
Abendmahl profaniren, der Sünde eines unwürdigen Genusses des heiligen
Sacramentes von Seiten eines Communicanten sich theilhaftig machen und
ein großes Aergerniß anrichten würde, wollte er einen sich zu Beichte und
Abendmahl Anmeldenden zur Communion ohne weiteres zulassen. Dieses
wäre z. B. unter folgenden Umständen der Fall: wenn ein sich Anmeldender
in eine offenbare Todsünde gefallen wäre oder darin lebte, und sich darüber
unbußfertig zeigte; wenn er einen Diebstahl begangen hätte, und doch das
Gestohlene nicht zurückerstatten wollte; wenn er jemanden, sei es ein Einzelner
oder eine ganze Gemeinde, beleidigt und geärgert hätte oder von jemandem
beleidigt worden wäre, und sich mit dem Beleidigten oder Beleidiger nicht
versöhnen wollte (Matth. 5, 23. 24. 25. 18, 28. ff. Luk. 17, 3.) ꝛc. Dann
ist der Prediger in der Lage, obgleich ohne Macht, ein Gemeindeglied in den
Bann zu thun, demselben doch auch das heilige Abendmahl nicht reichen zu
können. Unter solchen Umständen tritt nemlich die Nothwendigkeit der sogenannten Suspension vom heiligen Abendmahle ein, vermöge deren
einem Gemeindegliede das heilige Abendmahl zwar nicht absolut als einem
bereits Gebannten, sondern nur einstweilig, bis zum Austrage der Sache,
verweigert, oder ein Aufschub des Genusses verlangt wird; bis nemlich der
Absolution und Abendmahl Begehrende Kennzeichen der Buße an sich merken
läßt, oder sich mit seinem Nächsten, so viel an ihm ist, versöhnt, und dergleichen. So gewiß ein Prediger sich auch fremder Sünden nicht theilhaftig
machen darf und kann (1 Tim. 5, 22.), so gewiß muß er das Recht der
Suspension vom heiligen Abendmahl in allen solchen Fällen haben, in
welchen er durch Zulassung zum Tisch des HErrn zu Begehung einer schweren
Sünde wissentlich mithelfen, sich also fremder Sünden theilhaftig machen
würde. So entschieden daher unsere alten rechtgläubigen Theologen das
Recht, den Bann ohne die Gemeinde zu erkennen, den Predigern absprechen,
so entschieden sprechen sie denselben das Recht, vom heiligen Abendmahl zu
suspendiren, zu. So schreibt z. B. Amsdorf, Luthers vertrauter
Freund *), in einem Bedenken vom Jahre 1561: „Wenn das Consistorium
wollte den Ministris clavem ligantem (den Bindeschlüssel) nehmen und
denselbigen nicht frei lassen, oder secretam a sacramento suspensionem (die

---

Luther citirt im großen Katechismus im Hauptstück vom Sacrament des Altars folgende
Worte des Hilarius: „Wenn eine Sünde nicht also gethan ist, daß man jemand billig
aus der Gemeine stoßen und für einen Unchristen halten kann, soll man nicht vom
Sacrament bleiben, auf daß man sich nicht des Lebens beraube.“ Hiernach ist
klar, weil derjenige, welcher nicht in den Bann gehört, vom heiligen Abendmahl nicht
weg bleiben soll, so soll der Seelsorger ihn noch weniger davon weg treiben. Thut
er dies, so thut der Prediger, so viel an ihm ist, den Abgetriebenen in den Bann, dazu er
allein keine Macht hat.
    *) Luther rechnet Amsdorf neben Brenz und Rhegius zu den „höchsten und für-
nehmsten Theologen" seiner Zeit. Erlanger Ausg. LXII, 292. f.

heimliche **Suspension** vom Sacrament) hindern und verbieten, so kann und soll man darein nicht willigen. Wenns aber publicam excommunicationem (die öffentliche Ausschließung) zu sich zeucht, daß ein Pfarrherr Keinen ohne Erkenntniß und Verwilligung des Consistorii excommunicire, daran thut's recht und wohl." (Löschers Unschuld. Nachrr. 1722. S. 29. f.) So schreibt ferner **Saubertus** (gestorben 1646): „Obwohl ein jeder berufene Kirchendiener kraft des Bindeschlüssels einen solchen wissentlichen Unbußfertigen **von dem Gebrauch des heiligen Abendmahls abzuschaffen Macht hat**, weil er diesfalls beides, auf sich selbst und auf die Heerde, Achtung geben, Act. 20, 28., und das Heiligthum nicht den Hunden fürwerfen soll, Matth. 7, 6.; jedoch gebühret es ihm nicht, die **größere Ausschließung allein für sich und ohne Vorbewußt eines christlichen Consistorii** vorzunehmen." (Zuchtbüchlein, Cap. 5, S. 49.) Endlich schreibt der alte Rostocker Theolog **Paulus Tarnov** (gestorben 1633): „Jeder Pastor kann vom Sacrament **suspendiren**, da er den Befehl hat, jeden seiner Zuhörer, wenn derselbe sündigt, zu ermahnen, Ezech. 3, 17. 18. 20., Acht zu haben auf sich selbst und auf die ganze Heerde, unter welche ihn der heilige Geist gesetzt hat zu einem Bischof, zu weiden die Gemeine Gottes, Apostelg. 20, 28., und sich vorzusehen, daß er das Heiligthum nicht den Hunden gebe, Matth. 7, 6. Die Macht aber zu excommuniciren hat allein das Presbyterium oder Consistorium, welches die ganze Kirche repräsentirt*) Matth. 18, 17. 1 Kor 5, 4. 2 Kor. 2, 6." (S. Dedekennus' **Thesaurus, II, 699.**)

Allerdings finden sich jedoch auch solche Aussprüche in den Schriften unserer gläubigen Väter, welche die Suspensionsgewalt den Predigern ebenso, wie die Gewalt über den Bann zu erkennen, abzusprechen scheinen. So schreibt z. B. **Gerhard**: „In Absicht auf die Stufen nimmt man eine doppelte Ausschließung an, nemlich die kleinere und die größere. Jene ist die Ausschließung oder **Suspension vom Gebrauch des heiligen Abendmahls**, diese die Hinausthuung aus der Gemeinschaft der Kirche. — **Weder die größere noch kleinere Ausschließung darf von dem Diener der Kirche ohne das Urtheil des Kirchensenats oder des Consistoriums vorgenommen werden**, weil die Gewalt des Ausschlusses nicht bei Einem Bischof, sondern bei dem Presbyterium ist, welches die ganze Kirche repräsentirt." (Loc. de minist. eccl. § 194. 286.) Ferner schreibt J. **Conrad Dietrich**: „Es ist der evangelischen Theologen **allgemeine Meinung, daß kein Prediger für sich allein** excommunicatione majori, durch den Bann, oder minori, durch Ausschließung vom heiligen Abendmahl, **excommuniciren, suspendiren oder abweisen solle oder könne.**"

---

*) Mit dem Presbyterium und Consistorium ist also das **Ministerium** nicht zu verwechseln, da dieses eben nicht die ganze Kirche, sondern nur einen Theil derselben, nemlich nur den Lehrstand repräsentirt.

(Consilia und Bedenken. S. 304.) Auch die Sächsischen Generalartikel bemerken: „Niemand allein auf eigen Erkenntniß der Pfarrer vom
heiligen Abendmahl abgehalten werden soll." (Art. VII.)   Der Widerspruch, in welchem diese letzteren Aussprüche mit den oben angeführten zu
stehen scheinen, ist aber eben nur ein scheinbarer.   Diesen scheinbaren Widerspruch löst unter andern folgende Stelle der alten Würtembergischen Kirchenordnung, Cynosura genannt: „Ministri mögen die Communion
widerrathen, verbieten oder bittweise suspendiren, aber den
öffentlichen Bann soll kein Minister propria autoritate (in eigener
Machtvollkommenheit) exerciren." (Siehe M. S. Eckard Pastor conscien-
tiosus genuinus. S. 177.)   Wohl steht es also in der Macht eines Predigers, einem ihm offenbar gewordenen Unbußfertigen oder Unversöhnten die
Communion zu „widerrathen", ja, im Namen des HErrn zu „verbieten"
oder ihn „bittweise zu suspendiren", will aber eine solche Person dem nicht
Folge geben und protestirt sie gegen das Urtheil des Pastors, so soll derselbe
sich hierin nicht für den höchsten Richter achten, sondern den Fall dem Presbyterium oder Consistorium oder der Gemeindeversammlung, je nach der bestehenden Verfassungsform, sogleich anzeigen, damit durch diesen Körper das
letzte Urtheil hierüber gefällt werde.

Anmerkung 6.

Hat der Prediger starke Zweifel, ob der Beichtende bußfertig und aufrichtig sei, ohne daß er doch denselben überführen und abweisen könnte, so
darf der Prediger seinem Gewissen nicht damit zu helfen suchen, daß er der
Absolutionsformel allerlei Bedingungen oder gar Warnungen und
Drohungen beifügt.   Deyling schreibt: „Daß die Absolutionsformel ordentlicherweise kategorisch gefaßt und ohne beigefügte Bedingung sein solle, ist die fast allgemeine Meinung unserer Theologen.
Denn jeder Beichtende wird für einen Bußfertigen und Gläubigen präsumirt,
wenn uns nicht das Gegentheil auf das gewisseste und ohne irgend einen
Zweifel (was sehr selten der Fall sein kann) bekannt wäre.   Denn welcher
zuvor der böseste Bube war, kann jetzt reuig zu wahrer Buße gekommen und
anderes Sinnes geworden sein." (Institut. prud. pastor. P. III, c. 4,
§ 38. p. 447.) — Nichts desto weniger soll damit natürlich nicht in Abrede
gestellt werden, daß im Grunde jede Absolution, auch die absolute, doch in
gewissem Sinne eine bedingte ist.   Luther schreibt in seinem Briefe an den
Rath zu Nürnberg vom Jahre 1539: „Daß auch gedachte Absolution con-
ditionalis ist, ist sie, wie sonst auch eine gemeine Predigt und eine jede Absolution; beide, gemein und privat, hat die Condition des Glaubens; denn
ohne Glauben entbindet sie nicht, und ist darum nicht ein Fehlschlüssel.
Denn der Glaube bauet nicht auf unsere Würdigkeit, sondern ist nur so viel,
daß einer die Absolution annimmt und ja dazu sagt." (Walch, XXI,
424. f.)

Anmerkung 7.

Das dem Prediger in der Beichte oder doch als Prediger Gebeichtete oder Bekannte darf derselbe nicht verrathen, sondern muß es kraft des Beicht - siegels verschweigen. In Luther's Tischreden heißt es: „Einer fragte Dr. M. Luther'n, und sprach: Wenn ein Pfarrherr und Beichtvater ein Weib absolvirte, das ihr Kind hätte erwürget, und solches würde darnach durch andere Leute offenbart und ruchbar: ob auch der Pfarrherr, so er dar= um gefragt würde, beim Richter Zeugniß müßte geben? Da antwortete er: Mit nichten nicht! Denn man muß Kirchen= und weltlich Regiment unter= scheiden, sintemal sie mir nichts gebeichtet hat, sondern dem HErrn Christo, und weil es Christus heimlich hält, soll ichs auch heimlich halten, und stracks sagen: Ich habe nichts gehört; hat Christus was gehört, so sage Ers." (XXII. 879.) Als Luther'n erzählt wurde, daß der Rath zu Venedig einen Mönch zum Feuer verurtheilt habe, der von einer ihm gebeichteten Mordthat absolvirt und dieselbe dann zu verrathen durch Bestechung sich habe bewegen lassen, erklärte Luther: „Dies ist ein recht, gut, vernünftig Urtheil und weises Bedenken des Raths, und der Mönch ist billig verbrannt, als ein Verräther." (Ib. 880.) Jedenfalls hat der Prediger, welcher aus der Beichte schwatzt, sein Amt verwirkt und verdient, abgesetzt zu werden. (Vgl. Deyling a. a. O. § 41. Generalartikel VII, § ult.) Fecht schreibt: „Jene Verbindlichkeit (das Beichtsiegel nicht zu brechen) gründet sich auf einen stillschweigenden Vertrag zwischen dem Beichtiger und Beichtenden. Denn wäre der Kirchendiener nicht zu dem strengsten Stillschweigen ver= pflichtet, so würde der Zuhörer närrisch handeln, wenn er demselben auf seine Gefahr hin etwas vertraute, was er ja nach lutherischen Grundsätzen ver= schweigen konnte. Ueberdies wird der Kirchendiener bei dieser Handlung nicht als Kläger oder Untersucher oder Richter betrachtet. Endlich gebietet nicht nur die römische, sondern auch unsere ganze lutherische Kirche, diese Verschwiegenheit heilig zu halten. In Betreff des Beichtsiegels ist aber zu merken, daß sich dasselbe nicht nur auf das erstrecke, was im Beichtstuhl selbst mit vorgängigem Versprechen der Geheimhaltung zwischen dem Beichtiger und dem Beichtenden verhandelt wird, sondern auch auf alle anderen, auch privaten Handlungen, welche der Beichtvater mit dem Beichtenden seelsorgerisch anstellt; es wäre denn, daß er ausdrück= lich bekannt hätte, mit ihm in einer andern Eigenschaft zu reden." (Instruct. pastoral. Cap. XIII, § 33, p. 151.) Der Prediger hat daher mit allem Ernste über seine Zunge zu wachen, und selbst wenn er etwa zu seiner Unter= richtung einen Beichtfall ohne Namen vorlegt, sich vorzusehen, dies nicht so zu thun, daß Andere die Person, von der er redet, errathen können. Briefe, welche Beichten enthalten, sollte er sogleich, nachdem sie ihren Zweck erfüllt haben, zerstören. Uebrigens bemerkt Avianus ganz richtig bei Erörterung dieses Gegenstandes: „Es soll auch ein Beichtkind verschwiegen sein und nicht nachlassen, was man mit ihm in der Beichte redet." (S. Dedekennus' Thesaur. II, 758.)*)

Die Lehre von Bewahrung des Sigillum confessionis ist jedoch auch von manchen überspannt worden. Cardinal Petronius billigte z. B. den entsetzlichen Ausspruch eines französischen Jesuiten: „Wenn der HErr JEsus noch auf Erden herumginge, und ihm jemand in der Beichte bekennete, er wolle denselben tödten, so wolle er eher leiden, daß der HErr JEsus umgebracht werde, als daß er den, der es ihm vertraut, verrathen wollte." (Siehe: Der gewissenhafte Beichtvater. Leipzig, 1692. S. 49.) Hiegegen ist erstlich zu merken, daß, wenn ein Mensch eine noch zu begehende Sünde bekennt, dies gar nicht unter die Kategorie der Beichten gehört. Zwar sind auch solche Geständnisse keineswegs ohne die dringendste Noth zu offenbaren; betrifft aber das Geoffenbarte eine anderen Menschen, vielleicht ganzen Gemeinwesen schädliche Sünde, einen beabsichtigten Mord, vielleicht Königsmord, Brunnenvergiftung, Brandlegung, Landesverrath und dergleichen, so muß zwar vor allem dem Verblendeten, daß er von seinem Vorhaben abstehe, auf alle Weise in das Gewissen geredet werden, fruchtet dies jedoch nicht, die Sache (ohne Namen, wenn schon dadurch die Gefahr abgewendet wird, hingegen, wo dieses nicht der Fall ist, auch mit Nennung des Namens) gehörigen Orts angezeigt werden. Fecht erklärt: „Diejenigen Sünden, welche, wenn sie verschwiegen bleiben, das Verderben entweder eines ganzen Gemeinwesens oder Mehrerer nach sich ziehen, sind nicht geheim zu halten, weil mehr auf ein ganzes Gemeinwesen, als auf eine einzelne Person, Rücksicht zu nehmen ist. Hierin sind alle Theologen einstimmig. Wiewohl bei solcher Offenbarung so rücksichtsvoll zu verfahren ist, als die Heiligkeit des Beichtsiegels erfordert. Der Personen muß man schonen, so lange und so weit es geschehen kann." (A. a. O. p. 152.) Deyling schreibt: „Wir unterscheiden zwischen geschehenen und noch zu begehenden Sünden. Jene werden mit Recht verborgen gehalten und mit völligem Stillschweigen zugedeckt, wenn nicht das allgemeine Wohl und das Gebot der höchsten Obrigkeit etwas anderes befiehlt, dergleichen in der Sache des berüchtigten Lips Tullian der Fall war. In Betreff zukünftiger und noch zu begehender Sünden ist weniger Bedenken. Denn wenn ein unter dem Beichtsiegel geoffenbartes Verbrechen und das Verborgenhalten desselben zum Verderben der höchsten Obrigkeit oder des Staates oder des Nächsten gereichte, z. B. wenn eine Verschwörung, Verrätherei, Brunnenvergiftung und Brandstiftung

---

*) Deyling bemerkt: „Hippokrates machte die Aerzte eidlich dazu verbindlich, die verborgenen Gebrechen der Kranken nicht zu verrathen, wie viel größere Verschwiegenheit ist bei einem geistlichen und Seelen-Arzte erforderlich! .. Nepomuk, welcher Beichtvater der Gemahlin des Königs Wenceslaus von Böhmen war, konnte weder durch Schmeicheleien, noch durch Gefängniß und Martern dazu bewogen werden, die ihm unter dem Beichtsiegel vertrauten Geheimnisse der Königin zu verrathen, und wurde darum von der Prager Brücke in den Fluß gestürzt und ertränkt." (A. a. O. p. 452. 454.)

gebeichtet würde, und der Beichtende auf Ermahnung des Predigers in seinem bösen Vorsatz beharrte: in diesem Falle dürfte er als ein Unbußfertiger nicht absolvirt, noch sein abscheuliches Verbrechen verschwiegen werden, wollte der Beichtiger nicht gegen das Recht der Natur, welches jedes Verderben von dem Nächsten abzuwenden gebietet, handeln, sich gleicher Sünde theilhaftig und der Vergießung unschuldigen Blutes schuldig machen. So hätte jener Jesuit den Mord König Heinrichs IV. von Frankreich hindern können, wenn er das ihm vorgelegte Vorhaben Ravaillac's nicht verschwiegen hätte. Und wenngleich derjenige, welcher die Absicht, ein Verbrechen zu begehen, gebeichtet hat, auf ernstlichen Vorhalt des Beichtvaters verspräche, das Verbrechen zu unterlassen, so ist es doch der Liebe und Klugheit gemäß, diejenigen, um deren Wohlfahrt es sich handelt, mit Verschweigung des Namens des Beichtenden, schnell zu erinnern, daß sie sich vorsehen und die Gefahr von sich abwenden möchten. Ja, wenn es das Heil der höchsten obrigkeitlichen Person oder der Republik erheischt, darf er auch selbst den Namen nicht verschweigen. Nach diesem allem ist die Antwort auf die Frage nicht schwer: Ob die Beichte zu offenbaren sei, wenn durch Verschweigung der Beichte des Schuldigen ein Unschuldiger das Leben verlöre, wenn er auch selbst seine Unschuld nicht geoffenbart hätte? Diese Frage bejahen unsere Theologen mit Recht, jedoch mit der Unterscheidung zwischen der Offenbarung des Verbrechers und des Verbrechens, welche letztere hier allein statt hat." (A. a. O. § 43. p. 456. sq.) Dannhauer schreibt: „Zwar ist das in der Beichte Vertraute zu verschweigen, nach natürlicher Verbindlichkeit (Spr. 11, 13.), nach alter Praxis der Kirche und weil der Prediger an Christi Statt steht, daher, da dieser die Sünden der Bußfertigen zudeckt, der Absolvirende dieselben nicht offenbaren darf, sonderlich heimliche und nicht ärgerliche; aber wenn das Schweigen dem Staate oder der Liebe des Nächsten schadet (wenn z. B. eine Verschwörung, ein Verrath, eine Vergiftung der Brunnen, Gefahr einer Brandstiftung gebeichtet würde), dann ist in den, welcher dies gebeichtet hat, zu dringen, daß er die Sache entweder selbst offenbare, oder ausdrücklich gestatte, daß dieselbe geoffenbart werde, sonst werde er der Wohlthat des Löseschlüssels nicht theilhaftig werden; will er das nicht, so ist mehr Sorge zu tragen für die Gesellschaft, als für eine einzelne Person, und es gibt in dem göttlichen Gesetz kein Siegel, welches in diesem Falle dem Munde aufgedrückt werden könnte." (Hodomor. Spirit. Papaei, p. 1456.) L. Hartmann theilt ein Responsum der theologischen und juristischen Facultät zu Jena vom Jahre 1624 mit, nach welchem ein der Zauberei angeklagtes, aber unschuldiges armes Weib in der gegen sie angewendeten Tortur wegen der ihr unerträglichen Pein sich schuldig bekannt habe, um lieber den Tod, als ferner die Qualen der Tortur zu erleiden, nach der Verurtheilung aber ihrem Beichtvater vertraut habe, daß sie unschuldig sei, mit der Bitte, davon den Richtern um Gottes willen nichts zu sagen. In diesem Falle erhielt der Beichtvater natürlich die Weisung, das Beichtsiegel zu brechen, nicht nur, damit das unschuldige Weib nicht mit einer Lüge aus der Welt gehe, sondern daß sich auch die Obrigkeit nicht mit unschuldigem Blute beflecke. (Pastoral. ev. III, 36. p. 741. sqq.) Schließlich gibt Hartmann den Rath, daß ein unerfahrener Prediger, ehe er das Beichtsiegel breche, immer erst bei seinem Vorgesetzten oder sonst erfahrenen Theologen über den Fall unter den fingirten Namen Cajus und Sejus sich ein Votum einhole. (A. a. O. S. 747. f.)

Anmerkung 8.

Zwar kann der Prediger selbst im Nothfall auch ungebeichtet zum heiligen Abendmahl gehen*), doch sollte dies von ihm außer dem Fall der Noth nicht geschehen; auch jeder Prediger sollte sich vielmehr seinen bestimmten Beichtvater erwählen, demselben regelmäßig beichten und von ihm die Absolution nehmen. Auch der Prediger bedarf ja dieses wichtigen Mittels, und wie kann er erwarten und fordern, daß seine Zuhörer das heilige Predigtamt hoch achten, wenn er selbst wenigstens den Schein der Geringschätzung desselben gibt? Auf diesen Gegenstand werden wir wieder bei der Frage von der Selbstcommunion des Predigers zurückkommen.

§ 17.

Zu giltiger Verwaltung des heiligen Abendmahls gehört, daß Brod und Wein gesegnet (consecrirt), ausgetheilt und genommen werde.

Anmerkung 1.

Ein Adiaphoron ist es, ob das Brod gesäuert oder ungesäuert, ob es Roggen-, Weizen-, Korn-, Gersten- oder Haferbrod sei und ob es diese oder jene Gestalt habe, wenn es nur ein Gebäck aus Getreidemehl und Wasser ist. Ein Mittelding ist es ebenfalls, ob der Wein rother oder weißer, ganz reiner (merum) oder mit Wasser vermischter sei (dergleichen wahrscheinlicherweise der HErr nach landesüblicher Sitte gebraucht hat), wenn es nur Trank vom Gewächs des Weinstocks ist (γένημα τῆς ἀμπέλου), nach Matth. 26, 29. **)

---

*) In dem „Unterricht der Visitatoren" von 1538 schreibt Luther: „Ob der Pfarrherr selbst oder Prediger, so täglich damit umgehen, ohne Beichte oder Verhör zum Sacrament gehen will, soll ihm hiermit nichts verboten sein. Desgleichen ist auch von andern verständigen Personen, so sich selbst wohl zu berichten wissen, zu sagen. Damit nicht wieder ein neuer Pabstzwang oder nöthige Gewohnheit aus solcher Beichte werde, die wir sollen und müssen frei haben. Und ich Dr. Martin selbst etlichemal ungebeichtet hinzugehe, daß ich mir nicht selbst eine nöthige Gewohnheit mache im Gewissen, doch wiederum der Beichte brauche und nicht entbehren will, allermeist um der Absolution (das ist, Gottes Worts) willen." (X, 1937. ff.)

**) Der Pastor hat die größte Vorsicht anzuwenden, daß nicht etwas bei dem heiligen Abendmahl gebraucht werde, was als Wein verkauft wird, ohne es zu sein. Er hat dies nicht dem Kirchner oder sonst einer Person zu überlassen, sondern zu bedenken, daß vor

Es ist ein Irrthum, wenn die griechische und römische Kirche allein mit dem Krama (οἶνος ὕδατι κεκραμμένος = mit Waſſer vermiſchter Wein), oder wenn der Reformirte Beza nach Calvin das heilige Abendmahl mit irgend einem dem Brode und Wein ſubſtituirten ähnlichen Elemente feiern laſſen will, oder wenn die gnoſtiſchen Enkratiten im zweiten bis zum vierten Jahrhundert gar den Wein verboten und an deſſen Stelle nur Waſſer auch beim heiligen Abendmahl gebrauchten, worin ihnen auch in neuerer Zeit gewiſſe Abſtinenz-Schwärmer in America gefolgt ſind. Billig bleiben übrigens wir Lutheraner bei den ſchon im vierten Jahrhundert von Epiphanius erwähnten und gebräuchlichen Oblaten oder Hoſtien, da dieſelben für die heilige Handlung ſo bequem ſind und die die chriſtliche Freiheit nicht erkennenden Reformirten ꝛc. uns dies zur Sünde machen wollen (Gal. 2, 3—5.). Da das heilige Abendmahl nicht eine Ceremonie iſt, durch welche Chriſti Leiden und Sterben nur ſymboliſch dargeſtellt werden ſoll, nicht ein bloßes Gedächtnißmahl, ſondern ein heiliges Sacrament, in welchem unter Brod und Wein Chriſti Leib und Blut, als ein Unterpfand der dabei durch ausdrückliche göttliche Worte verheißenen Vergebung der Sünden, gereicht und genoſſen werden ſoll, ſo hat Chriſtus das Brod nur darum gebrochen, damit daſſelbe zum Austheilen geſchickt ſei. Das Brodbrechen während der Abendmahlsfeier iſt daher kein weſentliches Stück dieſer Handlung, ſo wenig als ein gepflaſterter Saal, in welchem der HErr das heilige Mahl das erſte Mal gehalten hat. (Luk. 22, 12.) Wir Lutheraner unterlaſſen daher billig nach in unſerer Kirche hergebrachter Weiſe das Brodbrechen auch ferner, und zwar um ſo mehr, als die Reformirten, welche das heilige Abendmahl nur für ein Gedächtnißmahl mit einem ſogenannten geiſtlichen Genuſſe des weit abweſenden, im Himmel befindlichen Leibes und Blutes Chriſti anſehen, auf das Brodbrechen als auf etwas (allerdings nach ihrer Anſchauung) zum heiligen Abendmahl weſentlich Nöthiges dringen und uns das Unterlaſſen deſſelben zur Sünde machen. *)

_____

allen er ſelbſt dafür verantwortlich iſt, daß wahrer Wein gebraucht werde. Mit Recht bemerkt Deyling auch dieſes: „Die Gefäße, in denen entweder das Brod oder der Wein enthalten iſt, müſſen vorher ſorgfältig beſchaut und von Schmutz und Staub gereinigt werden." (Instit. prud. past. p. 503.) Auch dafür, daß dies geſchehe, hat vor allen der Prediger die Verantwortung.

*) Worauf es den Reformirten, die auf das Brodbrechen ſo hart dringen, ankomme, hat der Heidelberger David Pareus verrathen, indem er in ſeinem Buch „vom Brod und Brodbrechen" u. a. Folgendes ſchreibt: „Durch das Brodbrechen werde der abgöttiſche falſche Wahn vom Leibe Chriſti in, mit oder unter dem Brode und von der mündlichen Genießung am allerkräftigſten zerbrochen und dem gemeinen verirrten Volke aus dem Herzen geräumt; denn was binnen einer Stunde in 300, 400, 3000, 4000 Brocken zerſtückt wird, das könne der natürliche Leib Chriſti nicht ſein." (S. Amberger Ausg. S. 199.) Uebrigens haben auch entſchiedene Calviniſten, wie Beza, Zanchi u. a. zugeſtanden, daß das Brodbrechen keinesweges zum Weſen des Sacramentes gehöre. Letzterer ſchreibt: „Die Brodbrechung iſt nicht einzuführen, wenn der größere Theil der

Anmerkung 2.

Ueber die Consecration schreibt Gerhard u. a. Folgendes: „Da Christus bei Einsetzung des heiligen Abendmahls ausdrücklich besiehlt, daß wir bei Administrirung desselben das thun, was er selbst gethan hat, so folgt hieraus, daß die Kirchendiener, wenn sie das heilige Abendmahl feiern wollen, die Worte der Einsetzung wiederholen, Brod und Wein auf diese Weise consecriren und den Communicanten austheilen müssen. Wenn daher der Diener die Worte der Einsetzung des HErrn wiederholt und durch dieselben Brod und Wein consecrirt und den Communicanten austheilt, dann ist dieses Aussprechen nicht bloß eine historische Wiederholung dessen, was Christus gethan hat, wie in den vor dem Volke zu haltenden Predigten jene Worte wiederholt zu werden pflegen, sondern: 1. durch diese feierliche Wiederholung der Einsetzung bekennt der Kirchendiener öffentlich, daß er das allerheiligste Testament Christi nach seiner Einsetzung, Ordnung und Befehl feiern wolle und daß er daher nicht nach seinem Privatgutdünken, sondern als Haushalter über Gottes Geheimnisse handeln wolle. 2. Durch eben diese Handlung sondert er die äußerlichen Symbole des Brodes und Weines vom gemeinen und vulgären Gebrauche ab, so daß sie nicht mehr bloßes Brod und bloßer Wein, sondern Organe, Träger und Mittel sind, durch die das Fleisch und Blut Christi ausgetheilt werden soll. 3. Er betet ernstlich, daß Christus kraft seiner Verheißung in dieser sacra-

---

Kirche dagegen ist, daß nicht um deswillen eine Spaltung entstehe und, indem wir das Brod brechen wollen, zugleich den Leib der Kirche zerbrechen und zerreißen.. Daß manche meinen, das Brechen sei um dieser Worte willen geboten: ‚Solches thut zu meinem Gedächtniß‘, darin irren sie nach meinem Urtheil. So wohl weil es offenbar ist, daß dieses Gebot nicht auf die That Christi: ‚er brach's‘, sondern auf den Befehl, das Brod zu nehmen und zu essen, zu beziehen ist; als auch darum, weil sonst folgen würde, daß unsere Prediger unrecht daran thun, daß sie allein das Brod brechen, da dieser Befehl (wenn er auch von dem Brodbrechen verstanden würde,) nicht allein sie selbst, sondern alle Gläubige anginge, zu denen allen er gesagt hatte: Nehmet, esset.“ (Epp. lib. 2. 1689. I, f. 238.) — Wie gefährlich es einst einer lutherischen Gemeinde geworden ist, daß in derselben zuweilen im Nothfall das Brod gebrochen worden war, ersehen wir aus einem Schutzbrief des reformirten Churfürsten Georg Wilhelm von Brandenburg vom Jahre 1637, worin der Churfürst seinen reformirten Räthen vorhält: „Und was das Aergste ist, kommt uns dergleichen Bericht ein, als sollet Ihr auch an anderen Orten die lutherische Gemeine bedrängen, ihnen das reformirte Exercitium (Religionsausübung) wider ihren Willen aufdringen und des ihrigen entsetzen wollen, und zu dem Ende auch einiger ganz unbienlicher Präterte gebrauchen, und da nun ein lutherischer Pfarrer bei ermangelnden Oblaten, nach Anzahl der Communicanten, einige in mehr Stücke zertheilen und brechen müssen, oder ein Schulmeister hätte in Mangelung anderer Bücher einige Knaben aus dem Heidelbergischen Katechismo nur zu lesen unterwiesen: solches zu einem Beweis des hergebrachten reformirten Exercitii anziehen.“ (Fortgesetzte Samml. von alten und neuen theologischen Sachen ꝛc. von E. B. Löscher. Jahrgang 1738. S. 143. f.)

mentlichen Handlung gegenwärtig sei und selbst vermittelst dieser
äußerlichen Symbole seinen Leib und sein Blut den Communicanten austheile. 4. Er bezeugt, daß kraft der Ordnung und Einsetzung
des wahrhaftigen und allmächtigen Christus das gesegnete
Brod die Gemeinschaft seines Leibes und der gesegnete Wein
die Gemeinschaft seines Blutes sei. 5. Er ermahnt daher alle
zu dem Sacrament der Danksagung Hinzunahenden, daß sie den Worten
Christi gegen alles Widersprechen der sich entgegensetzenden Vernunft Glauben
schenken, und daß sie in wahrer Buße, in aufrichtiger Fürcht Gottes, in
schuldiger Ehrfurcht und mit einem ernstlichen Vorsatz der Lebensbesserung
herzunahen. Der heilige Apostel nennt mit besonderem Nachdruck 1 Kor.
10, 16. den Abendmahlskelch πωτήριον τῆς εὐλογίας, ὅ εὐλογοῦμεν, den Kelch
der Segnung, den wir segnen, indem er durch zweimalige Wiederholung des
Segnens sowohl Christi als unsere Segnung zusammenfaßt. . . . Diese
Consecration der Eucharistie ist 1. nicht eine magische Bezauberung,
welche kraft gewisser Worte das Brod in den Leib und den Wein in das Blut
Christi wesentlich verwandelt; wie die päbstlichen Priester gaukeln, daß sie um
ihres Beschorenseins und Gesalbtseins willen kraft des Kanons und der Intention im Glauben der Kirche ex opere operato das Sacrament zu Stande
bringen und die äußerlichen Symbole in Leib und Blut Christi wesentlich
verwandeln.*) 2. Sie ist auch nicht nur eine historische Wiederholung der Einsetzung; wie denn die Calvinisten die Recitation der
Einsetzungsworte gering halten (siehe Bucer zu Matth. 26.) und behaupten,
daß sie nur an das Volk zu richten sei, keinesweges aber den Zweck habe, die
äußerlichen Symbole zu heiligen (Calvins Instit. IV, 17, 39.). Sondern
3. sie ist eine wirksame Weihung, durch welche dem Befehl und der Ordnung und Einsetzung Christi gemäß aus dem ersten Abendmahl die Weihung
auf unser Abendmahl gleichsam fortgeleitet (derivatur) und die äußerlichen
Elemente zu diesem heiligen Gebrauche bestimmt werden, daß mit denselben
Christi Leib und Blut ausgetheilt werde. Zwar schreiben wir der Recitation
der Einsetzungsworte nicht diese Kraft zu, daß sie Leib und Blut Christi
durch eine verborgene, den Worten anhaftende Kraft gegenwärtig mache (wie die Zauberer ihre Gedichte vom Elicischen Jupiter mit
bestimmten Worten hersagen), viel weniger, daß sie die äußerlichen Elemente
wesentlich verwandeln; sondern wir glauben und bekennen aufrichtig, daß
die Gegenwart des Leibes und Blutes Christi allein von dem
Willen und der Verheißung Christi und von der stets fort-
dauernden Wirksamkeit der ersten Einsetzung ganz allein
abhänge; indessen setzen wir doch hinzu, daß die Wiederholung jener ur-
sprünglichen Einsetzung, welche vom Kirchendiener bei der Feier des heiligen

---

*) Der Scholastiker Thomas von Aquino schreibt den Consecrationsworten eine ge-
wisse geschaffene Kraft zu, welche die Consecration bewirke nach Art einer werkzeuglichen
Ursache. Summa III, q. 78. art. 4.

Abendmahls geschieht, nicht blos eine historische und im Lehren bestehende,
sondern consecratorisch sei, durch die der Ordnung Christi gemäß die äußerlichen Symbole wahrhaftig und wirksam zum heiligen Gebrauche bestimmt
werden, so daß sie in der Austheilung selbst die Gemeinschaft des Leibes
und Blutes Christi sind, wie der Apostel ausdrücklich sagt 1 Kor. 10, 16.
Der Sohn Gottes selbst wiederholt die einmal ausgesprochenen Worte der
Einsetzung durch des Dieners Mund und heiligt, consecrirt und segnet durch
dieselben Brod und Wein, daß sie die Mittel der Austheilung seines Leibes
und Blutes seien." (Loc. th. de Sacra Coena § 149—151.) Zu größerer
Verdeutlichung des Verhältnisses, in welchem das Sprechen der Einsetzungsworte von Seiten Christi im ersten Abendmahl und das des Administrirenden
jetzt stehe, dienen die in der Concordienformel citirten Worte des Chrysostomus: „Wie diese Rede: ‚Wachset und mehret euch und erfüllet die
Erde‘, nur einmal geredet, aber allezeit kräftig ist in der Natur, daß sie
wächset und sich vermehrt: also ist auch diese Rede (‚Das ist mein Leib‘ ꝛc.)
einmal gesprochen; aber bis auf diesen Tag und bis an seine Zukunft ist sie
kräftig, und wirket, daß im Abendmahl der Kirche sein wahrer Leib und Blut
gegenwärtig ist." (Wiederholung. Art. VII.) Zwar wird also nicht kraft
des Sprechens der Worte der Einsetzung von Seiten eines Menschen Christi
Leib und Blut in die äußeren Elemente, so zu sagen, hineingezaubert, weil
diesen Worten die besondere geheimnißvolle Kraft inwohnte, ein solches
Wunder zu wirken; denn in diesem Falle würde der Leib Christi gegenwärtig
werden, wo immer jene Worte über ein Brod, selbst in gotteslästerlichem
Scherze, gesprochen würden; indessen wenn die Worte der Einsetzung
gar nicht über die Elemente gesprochen, die Elemente also
damit nicht gesegnet oder consecrirt werden, da thut man
nicht, was Christus geboten hat, da erfüllt er daher auch
nicht, was er verheißen hat, da feiert man demnach nicht
das von Christo eingesetzte Mahl, da ist daher auch Christi
Leib und Blut nicht gegenwärtig und theilt man somit nichts
aus und genießt nichts, als Brod und Wein. In Luther's
Tischreden wird erzählt: „Ein Diakonus auf einem Dorfe hat das Abendmahl administrirt, und nachdem er die Worte der Einsetzung gesprochen, hatte
er aus Unbedacht darnach eine Partikel verloren. Als er nun dieselbe nicht
wieder finden konnte und er einem Bauern das Abendmahl reichen sollte, da
gibt er ihm eine Partikel, darüber die Worte der Einsetzung des Abendmahls
nicht gesprochen waren. Nach verrichteter Communion findet ein Bauer die
gesegnete Partikel und gibt sie dem Caplan, und schilt ihn, daß er so unachtsam mit dem Abendmahl umginge. Darauf antwortete der Caplan: Es
wäre gleich eins und kein Unterscheid zwischen den gesegneten und ungesegneten
Partikeln." Die Sache wurde hierauf durch Amsdorf vor die Wittenberger
Theologen gebracht, in deren Namen denn Luther kurz vor seinem Tode,
den 11. Januar 1546, hierüber Folgendes rescribirte: „Zuerst ist es keine

'Nachläffigkeit, fondern eine Bosheit und zwar eine recht große Bosheit jenes Diakoni, welcher als ein Verächter Gottes und der Menfchen fich öffentlich unterstanden hat, geweihete und ungeweihete Hoftien für einerlei zu halten. Man muß ihn daher fchlechterdings aus unferer Kirche stoßen. Er gehe zu feinen Zwinglianern. Es ift nicht nöthig, daß ein Menfch, der uns nicht zugehört, im Gefängniß gehalten werde, dem man nicht glauben muß, wenn er auch fchwöret." (XXII, 908. XXI, 1561.) Auf die Frage: „Was zu thun, da man unter der Communion Brodes oder Weines zu kurz kommt?" antwortet daher Mich. Müling: „Wohlan, fo muß das Brod und der Wein durch Abfprechung des Vaterunfers und durch Ablefung der Worte der Einfetzung, befonders des Theils (der Elemente), da der Mangel an gefpüret, auf dem Altar alsbald confecrirt werden." (Isagog. christ. f. 104.) Kaum dürfte jedoch gebilligt werden können, wenn Deyling die Meinung ausfpricht, diefe Recitation könne auch heimlich gefchehen. (Instit. prud. past. III, c. 5. § 31. S. 503.) Wegen des möglichen Eintritts eines folchen Falles follten immer mehr Hoftien und mehr Wein in der Kirche zur Hand fein, als man zu bedürfen meint. Mit Recht erklärt Balduin, wenn ein Prediger bei der Confecration, etwa aus Zerftreutheit und dergleichen, die Recitation eines ganzen Theils der Einfetzungsworte, z. B. die den Wein betreffenden, ausließe, daß dann das betreffende Element nicht der Träger des himmlifchen Gutes fein würde und daß der Prediger damit nicht eine geringe, fondern eine fehr fchwere, mit Strafe zu belegende Sünde begangen hätte. (Tract. de cas. consc. lib. 4. c. 9. cas. 8. p. 1102. sqq.) Hätte jedoch der Prediger bei Recitation der Einfetzungsworte aus Verfehen nur ein oder das andere Wort ausgelaffen, fo wäre darum nicht an der Wirklichkeit und Giltigkeit des fo adminiftrirten Abendmahls zu zweifeln. Luther fchreibt: „Sie (die Papiften) haben fo ernft und ftreng geboten, wer das Wörtlein enim oder aeterni ausließe, der thäte eine große, fchwere Todfünde (ich halt, eines Centners fchwer). Nicht daß mir wohlgefiele eines jeglichen Muthwillen, die Form des Sacraments zu ändern, fondern daß mir wehe thut folche Frevel und Kühnheit, daß die Buben in den Dingen, die nicht geboten find, nöthige Artikel des Glaubens, und da keine Fährlichkeit oder Sünde fein kann, aus eignem Kopf Sünde machen dürfen.. Denn keine Sünde, es fei Ehebruch oder Todtfchlag, ift fo fchwer und hoch geacht und gehalten, als die, wenn einer das Wörtlein enim hätte ausgelaffen; und haben nicht gemerkt, daß der Heilige Geift mit Fleiß geordnet hat, daß kein Evangelift mit dem andern in denfelbigen Worten übereintrifft, die doch mehr hätten follen und müffen übereintreffen, oder fie hätten mehr, denn wir, in die Form des Sacraments gefündigt." („Vom Mißbrauch der Meffe", vom Jahre 1521. XIX, 1348.) In der Schrift „von der Winkelmeffe und Pfaffenweihe" vom Jahre 1533 entwirft Luther ein überaus liebliches Bild von der wahrhaft evangelifchen Weife, die heilige Communion zu feiern, wie fie in unferer Kirche gebräuchlich ist, und schreibt u. a.: „Da tritt vor den Altar unser Pfarrherr .., der ſnget öffentlich und deutlich die Ordnung Christi, im Abendmahl eingesetzt,... und wir, sonderlich so das Sacrament nehmen wollen, knieen neben, hinter und um ihn her .., allesammt rechte heilige Mitpriester, durch Christi Blut geheiliget und durch den Heiligen Geist gesalbet und geweihet in der Taufe... Wir lassen unsern Pfarrherrn nicht für sich als für seine Person die Ordnung Christi sprechen, sondern er ist unser aller Mund und wir alle sprechen sie mit ihm von Herzen.. Strauchelt er in den Worten, oder wird irre und vergißt, ob er die Worte gesprochen habe, so sind wir da, hören zu, halten fest, und sind gewiß, daß sie gesprochen sind; darum können wir nicht betrogen werden." (XIX, 1561. f.) — Als im Jahre 1678 ein Prediger bei der Consecration die Worte „in meinem Blute" aus Versehen übergangen und ausgelassen hatte, selbst da erklärte die theologische Facultät zu Wittenberg das Abendmahl nichtsdestoweniger für giltig und erwies dies auf das gründlichste. Vergleiche Fortgesetzte Sammlung von alten und neuen theologischen Sachen, von B. E. Löscher. Jahrgang 1729. S. 591—600.

Anmerkung 3.

Daraus, daß die Recitation der Einsetzungsworte nicht magisch wirke, sondern nur darum nöthig sei, daß dem Befehle des HErrn: „Solches thut", ein Genüge geschehe und so die Handlung vollzogen werde, bei welcher der HErr die Gegenwart seines Leibes und Blutes verheißen hat, geht hervor, daß durch die bloße Recitation der Stiftungsworte das Sacrament noch nicht verwirklicht ist, wenn dazu nicht noch hinzukommt, daß die gesegneten Elemente auch Communicanten gereicht und von denselben genossen werden. Was die Nothwendigkeit des Ersteren betrifft, so gilt hier das Axiom: „Accedat verbum ad elementum, et fit sacramentum;" was das Letztere betrifft, der Kanon: „Nihil habet rationem sacramenti extra usum divinitus institutum", d. i., Nichts hat die Natur eines Sacramentes außerhalb des von Gott eingesetzten Gebrauchs. (Vgl. Concordienformel Art. VII. Wiederholung p. 750.) Daher schreibt Luther: „Gleichwie die Taufe, wenn kein Kind da ist, das getaufet werde, nichts anders ist, als bloßes Wasser, also behaupten wir auch ganz gewiß, wo nicht essende und trinkende Menschen da sind, nach der Einsetzung Christi, daß nichts anders als Brod und Wein da sei, wenn man auch die Worte tausendmal hersagen sollte." (XXI, 1589.) Quenstedt schreibt: „Die sacramentliche Vereinigung geschieht nicht, außer in der Austheilung. Denn die Elemente, Brod und Wein, werden nicht eher Mittel des Genusses des Leibes und Blutes Christi, als bis sie durch das Hinzukommen der Austheilung gegessen und getrunken werden... Auch spricht Christus nicht absolut von dem consecrirten Brode, daß es Christi Leib sei, sondern von dem zum Essen gebrochenen und gegebenen Brode. Denn erst sprach er: ‚Nehmet und esset', hierauf sagte er: ‚Das ist mein Leib.'" (Theol. did.-pol. Cap. de Coena S. 1187. 1268.) Aeg. Hunnius: „Wie das Brod die Gemeinschaft des Leibes Christi erst im Acte des Essens ist und nicht eher, so wird auch das Brod erst dann sacramentlich mit dem Leibe vereinigt, wenn jene Gemeinschaft und jenes Nehmen geschieht. Denn trüge es sich zu, daß nach Recitation der Worte der Einsetzung durch den Diener und nach erfolgter s. g. Consecration eine Feuersbrunst oder ein anderer Tumult entstünde, ehe jemand zum Tisch des HErrn gekommen wäre, und so durch diesen Zufall die heilige Handlung verhindert würde, so fragt sichs, ob kraft der geschehenen Recitation der Leib Christi auf eine geheime Weise mit dem Brod vereinigt sei, auch außerhalb des Gebrauchs des Brodes, der im Essen besteht und unvermuthet verhindert wurde? Hier würde gewiß jeder Verständige lieber verneinend, als bejahend antworten." (Art. s. loc. de sacramentis. Francof. 1590. Cap. 15. p. 712. sq.) Vergl. König, citirt im Opus novum qq. practico-theol. f. 366.)*)

Anmerkung 4.

Die große Mehrzahl unserer Theologen, Luther an der Spitze, hält dafür, daß das heilige Abendmahl nie privatim von einem nicht im öffentlichen Predigtamte Stehenden oder sogenannten Laien administrirt werden sollte; theils weil in Betreff des heiligen Abendmahls nicht wie bei der Taufe und Absolution ein solcher Nothfall eintreten könne, welcher das Abgehen von Gottes Ordnung (1 Kor. 4, 1. Röm. 10, 15. Ebr. 5, 4.) rechtfertige, theils weil das heilige Abendmahl „ein offenbarliches Bekenntniß ist und daher offenbarliche Diener haben soll", theils weil durch solche heimliche Communion leicht Spaltungen bewirkt werden können. (S. Luthers Brief an Wolfg. Brauer, Pfarrer zu Jessen, vom Jahr 1536. Walch X, 2736. ff. Vgl. XX, 2191. Gerhard loc. de sacra coena § 17. und loc. de sacram. § 29.) Eine andere Frage aber ist, ob zur Wirklichkeit und Giltigkeit des heiligen Abendmahls gehöre, daß der dasselbe Administrirende zum öffentlichen Predigtamt rechtmäßig berufen und ordinirt, also kein Laie sei; ob erst das „Amt" oder die erhaltene Vollmacht zur Verwaltung des öffentlichen Amtes und die Ordination die Worte der Einsetzung kräftig mache, so daß zum Wesen (forma) des Sacraments nicht nur Wort und Element nebst Gebrauch, sondern auch eine bestimmte Qualität des Administrirenden gehöre. Es ist dies eine Lehre der römischen Kirche, die

---

*) Als Joh. Saliger, Pfarrer zu St. Nikolai in Rostock, behauptete, „daß, sobald die Worte der Einsetzung verlesen worden, auch vor der Austheilung und außer dem Gebrauch, Brod und Wein der wahrhaftige Leib und Blut Christi seien", und sich selbst durch eine deswegen mit ihm verhandelnde fürstliche Commission nicht weisen ließ, sondern die Sache auf die Canzel brachte und dadurch Unruhe in der Gemeinde stiftete, wurde er seines Amtes entsetzt. Es geschah dies im Jahre 1569. (J. G. Schelhorn's Ergötzlichkeiten aus der Kirchenhistorie und Literatur. III, 2073. ff.)

von allen in unserer Kirche allgemein als rechtgläubig anerkannten Theologen verworfen und bekämpft worden ist. Daß die Verwaltung des heiligen Abendmahls durch einen Laien nie recta und legitima sei und nie de jure geschehe, erklären die meisten derselben; aber daß sie rata sei und de facto geschehen könne, leugnet keiner. Luther, wenn er in seinem Briefe an die Böhmen die Aemter des geistlichen Priesterthums aufzählt, schreibt: „Das dritte Amt ist segnen oder reichen das heilige Brod und Wein. Hie rühmen sie sich eines besondern Triumphs, die Beschornen; hier trutzen sie herrlich, und sagen: diese Gewalt habe niemand sonst, weder der Engel, noch auch die Jungfrau und Mutter Gottes. Doch lassen wir fahren ihre Unsinnigkeit und sagen, daß dies Amt auch allen Christen gemein ist, gleichwie das Priesterthum." Im Folgenden zeigt Luther, daß, da alle Christen die Gewalt, das Wort zu verkündigen und zu taufen haben, welches die allergrößte sei, dieselben um so viel mehr die Gewalt, das heilige Abendmahl zu verwalten, als die geringere, haben müßten. (X. 1841. ff.) Luther hat dies nicht etwa, wie manche behaupten wollen, nur in früheren Jahren gelehrt, sondern bis an seinen Tod. So schreibt er z. B. im Jahr 1533 in seiner Schrift „Von der Winkelmesse und Pfaffenweihe": „Es muß unser Glaube und Sacrament nicht auf der Person stehen, sie sei fromm oder böse, geweihet oder ungeweihet, berufen oder eingeschlichen, der Teufel oder seine Mutter." (XIX, 1551.) Hiermit wollte Luther nicht feststellen, daß ein Laie recht thue, wenn er sich die Verwaltung des heiligen Abendmahls anmaße; wie oben schon erwähnt worden, hat sich Luther vielmehr dagegen mit allem Ernste erklärt. Er wollte mit jener Lehre nur dem Wahne entgegentreten, als ob die Prediger des Neuen Testaments einen heiligeren besonderen Stand von Priestern bildeten, die vermöge ihrer Weihe die Gnadenstiftungen des Neuen Bundes allein verwirklichen könnten, wie die Priester des Alten Testamentes z. B. allein giltig opfern konnten. Gerhard schreibt daher: „Bellarmin geißelt Luthern deswegen, daß er gelehrt habe, daß ein jeder getaufte Mensch Macht und Recht habe, die Sacramente zu verwalten. Aber Bellarmin weiß, daß wir keineswegs Unordnung in der Kirche billigen und niemandem, als dem, welcher rechtmäßig zum Amte berufen ist, die Macht, das heilige Abendmahl zu verwalten, zugestehen, selbst nicht im Nothfall, da es mit der Taufe und dem heiligen Abendmahl eine verschiedene Bewandniß hat. Was Luthern betrifft, so gesteht derselbe nicht allen Getauften unbedingt und schlechterdings die Macht, das heilige Abendmahl zu verwalten, zu, sondern er redet von einer gewissen allgemeinen Fähigkeit, welche die Christen zu den Sacramenten im Vergleich mit den Ungläubigen haben, weil sie, durch die Taufe in den Bund Gottes aufgenommen, zu diesem Amte geschickt und fähig seien, wenn sie nemlich rechtmäßig dazu berufen werden. Diese allgemeine Fähigkeit setzt Luther dem priesterlichen Charakter entgegen, von dem die Scholastiker und Päbstler disputiren, daß durch das Sacrament der Ordination in der

Seele des Empfängers derselben eine gewisse geistliche Macht bewirkt und verursacht werde, durch die der Priester fähig werde, das Sacrament des Altars zu machen, so daß es ohne jene (Macht) auf keine Weise gemacht werden könne, und weil sie sagen, daß zum Zeichen dieser Macht der Seele ein Charakter eingedrückt werde." (Loc. de sacram. § 29.)

Wie weit die Lehrer unserer Kirche von der schrecklichen, alle Gewißheit des heiligen Abendmahls aufhebenden Lehre entfernt waren, daß nur ein rechtmäßig berufener und ordinirter Prediger im Stande sei, durch seine Administrirung die Gegenwart Christi im heiligen Abendmahl zu bewirken, zeigt, daß eine ganze Reihe unverdächtiger, streng rechtgläubiger lutherischer Theologen gelehrt haben, daß auch von einem Laien das heilige Abendmahl in einem (angenommenen) Falle der Noth nicht nur de facto, sondern auch de jure giltig verwaltet werden könne. So schreibt z. B. M. Chemnitz zu den Worten des Tridentinums: „Wenn jemand sagen sollte, daß alle Christen im Worte und allen Sacramenten die Gewalt der Verwaltung haben, so sei er verflucht", u. a. Folgendes: „Den Sinn dieses Kanons anlangend, wie die Worte gestellt sind, antworte ich bestimmt und klar: Wenn manche dafür halten, daß jedem Christen ohne Unterschied ohne besondere und rechtmäßige Vocation die Macht verliehen sei, das Amt des Wortes und der Sacramente in der Kirche zu gebrauchen und auszuüben, daß dieselben mit Recht verdammt werden. Denn sie streiten wider jene göttliche Regel: Wie sollen sie predigen, wo sie nicht gesandt werden? Ferner: Ich sandte sie nicht, noch liefen sie. Ferner gegen die Regel Pauli, daß alles in der Kirche ordentlich und ehrlich zugehen solle. Jedoch den Fall der Noth hat die Kirche immer ausgenommen, wie Hieronymus gegen die Luciferianer und Augustinus an Fortunat bezeugen." (Exam. Concilii Tridentini II. cap. de ministris sacram. f. 223.) Johannes Corvinus, Professor in Erfurt, bejaht nach Gerhards Citat in seiner Methodus der Lehre vom heiligen Abendmahl (im Jahr 1579), daß einem Laien im Nothfall erlaubt sei, das Mahl des HErrn zu verwalten: 1. da Christus nicht den Jüngern allein die Macht, Sünden zu vergeben und zu behalten, gegeben habe, sondern allen Frommen, und weil der Befehl ein allgemeiner sei, den Brüdern, die darum bitten, das Evangelium anzukündigen; 2. weil den Laien im Nothfall zu taufen erlaubt sei. (Loc. de s. coena. § 17.) Ferner schreibt Joh. Gallus, Prof. der Augsb. Conf. zu Erfurt, gestorben 1588, fast mit denselben Worten auf die Frage: „Ob auch einem Laien erlaubt sei, im Nothfall das heilige Abendmahl auszuspenden, und ob solche Ausspendung kräftig sei?" Folgendes: „Dieweil Christus nicht allein den Aposteln die Macht gegeben hat, Sünde zu erlassen und zu behalten, sondern ingemein allen Frommen und Gottseligen befohlen, ihren bußfertigen Mitbrüdern das Evangelium zu verkündigen: derenthalben so ist nicht allein den Kirchen-

dienern, sondern auch den Laien erlaubt, auf den höchsten und äußersten
Nothfall (das ist, zur Zeit, da man keinen Kirchendiener haben mag und
von andern Mitchristen darum ersucht und erbeten wird) sowohl das heilige
Abendmahl zu halten, als auch zu taufen und die Absolution zu sprechen.
Wenn die Taufe und Absolution eines Laien kräftig ist in dem äußersten
Nothfall, warum sollte nicht gleichfalls auch die Ausspendung des hochwürdigen Abendmahls kräftig sein, so die im Nothfall durch einen Laien geschieht?   Sintemal zwischen diesen Stücken, nemlich dem Taufen oder Absolviren und dem Nachtmahlreichen, kein Unterschied ist." (Bidembachii
consil. Decad. 3. p. 148. sq.)   Ferner schreibt Tilemann Heshusius,
gestorben 1588: „Im Fall der Noth, da man ordentlich berufene Kirchendiener nicht haben kann, ist kein Zweifel, daß ein jeglicher Christ Macht habe
aus Gottes Wort und nach christlicher Liebe befugt sei, den Kirchendienst mit
Verkündigung Gottes Worts und Austheilung der Sacramente zu verrichten. . . . Von dem Nothfall aber reden wir hie, wenn man rechtschaffene
und wahre Diener der Kirche nicht haben kann, was alsdann einem Christen
zustehe. Als wenn etliche Christen an dem Orte sind, da überall kein bestellter
Seelsorger ist; wenn etliche Christen um der Wahrheit willen gefangen liegen
oder in Gefährlichkeit wären auf dem Meer; oder wenn etliche Christen unter
den Türken säßen oder im Pabstthum, da keine rechten Pfarrer sind; wenn
etliche Christen unter den Calvinisten oder Schwenkfeldianern oder-Adiapho-
risten oder Majoristen säßen, von denen, als von falschen Lehrern, sie sich
nach Gottes Befehl müßten absondern; oder wenn etliche Christen unter
solchen Pfarrern oder Kirchendienern säßen, die öffentliche Tyrannei übeten
und die rechten Bekenner der Wahrheit grausamlich verfolgten, damit sie dann
auch genugsamlich an den Tag geben, daß sie nicht Gliedmaßen der wahren
Kirche wären, und derhalben gottselige Christen schuldig, sich ihrer Gemeinschaft zu enthalten, auf daß sie ihre Tyrannei nicht stärken und die unschuldigen Christen nicht helfen verdammen: in solchen und dergleichen Noth-
fällen, die denn gar oft sich zutragen, daß man wahre Kirchendiener, deren
Lehre und Bekenntniß rechtschaffen wäre und mit Gottes Wort stimmte, nicht
kann haben, ist auch einer einzelnen Privatperson und gläubigen Christen
erlaubt, den bußfertigen Sünder von Sünden loszusprechen, die Schwachen
mit Gottes Wort zu trösten, Kindlein zu taufen und das Nachtmahl
Christi auszuspenden, und darf sich ein solcher Christ in solchem Fall
nicht befahren oder Gewissen darüber machen, als griffe er in ein fremd Amt,
sondern soll wissen, daß er in rechtem, ordentlichem Berufe Gottes hereingehe,
und daß sein Dienst ebenso kräftig ist, als wäre er mit Auflegung der
Hände zum Predigtamt für der ganzen Kirche und für allen Engeln Gottes
bestätigt; welches denn, auch diesen Grund zu beweisen, im Büchlein ‚von
Gewalt Prediger zu berufen' ist zur Nothdurft genugsam ausgeführt und
mit heiliger Schrift bestätiget: daß der ganze Kirchendienst, welcher stehet in
Predigen, Vermahnen, Trösten, Sünden vergeben, Sünde behalten, Sacra-

meute administriren, sei vom HErrn Christo nicht einem besondern Stande, weder dem geistlichen noch dem weltlichen, übergeben, sondern der ganzen Gemeinde Gottes, wie der Spruch bezeuget: Was ihr auf Erden binden werdet ꝛc. Wer denn nun ein rechtgläubiger Christ und ein lebendiges Gliedmaß Christi ist, der hat sein Theil und Gerechtigkeit zum heiligen Predigtamt und zu allem, was zum Kirchendienst gehört. Christus gibt der **ganzen Kirche Macht**, nach Gottes Wort und Verheißung den Bußfertigen die Sünde zu vergeben, und daß solche Gewalt die berufenen **Prediger** üben, thun sie nicht aus eigener Autorität, sondern in Kraft und aus Befehl der Kirche, die solche Herrlichkeit, ihr von Christo verehret, den Predigern zu verwalten befohlen hat. Wenn nun die Kirchendiener nicht vorhanden sind, so ist ja ein **jeder Christ** berechtigt, solche Gewalt zu üben. Denn wenn die Prediger ihr Amt nicht verrichten, wie sie schuldig sind, oder keine vorhanden sind, kommt je das Amt wieder auf die Kirche, der es gebührt zu verleihen; als wenn ein Lehenträger verstirbt oder das Lehen verwirkt, fällt das Lehen-Gut wieder zum Lehen-Herrn. Was aber nun der ganzen Kirche zustehet und eines jeden Christen ist, das mag auch ein jeder Christ im Fall der Noth nach Gottes Wort in gemeinem Geist aller Gläubigen austheilen und verrichten... Nicht sage ich, daß zween oder drei sich von der wahren Kirche absondern sollen, die bestellten ordentlichen Prediger fliehen und besondere Rotten anrichten, sondern auf den **Nothfall**, wenn entweder keine Prediger fürhanden sind, falsche Lehre ausgießen und derhalben zu fliehen sind, dazu die Noth fürfället, daß man den Brauch der Sacramente an andern Orten nicht kann suchen, daß alsdann ein jeder Christ auf Eines oder Zweier Bewilligung die Sacramente zu reichen und den Schwachen in Todesnöthen zu stärken befugt und berechtigt sei. Die Pabstesel sind in dem Wahn gesteckt, es möchte niemand taufen, noch confirmiren, noch die Absolution sprechen, noch das Nachtmahl Christi ausspenden, er müßte ein geweihter Priester sein; aber solcher Irrthum, der mancherlei Lügen in sich hat, ist längst aus Gottes Wort widerlegt und umgestoßen." (Ibid. S. 135—140.) So schreibt ferner der strenge Vorkämpfer für lutherische Orthodoxie Johannes Fecht: „Wenn es sich zutrüge, daß jemand in dem Falle, daß ein Pastor durchaus nicht zu haben ist, in höchster Todesgefahr, in der guten Absicht, seinen Glauben zu stärken, mit Berufung darauf, das Sacrament sei dazu eingesetzt, daß es im Fall der Schwachheit zum Worte hinzukomme und dasselbe bestätige, einen der Verwaltung des Sacramentes Kundigen darum inständig bäte und auf dessen Ermahnung sich nicht beruhigen wollte, so möchte ich einen solchen der Störung der Ordnung nicht zeihen. Da die Sacramente der Wurzel nach der Kirche übertragen sind, diese aber im Nothfall in allgemeiner Zustimmung durch einen Laien tauft, lehrt und absolvirt, und, obgleich überaus selten, auch in Betreff des Abendmahls, häufiger in Betreff der andern Handlungen, ein Nothfall sich ereignet, so gestehe ich, nicht anders urtheilen zu können, wenn der Fall sich so, wie eben beschrieben, ereignen sollte." (Instruct. pastoral. c. 14. § 3. p. 157. sq.) So schreibt Deyling: „Es fragt sich, was im äußersten Nothfall und in Todesgefahr zu thun sei, wo z. B. Laien durch Unwetter unter die Barbaren verschlagen, oder eingekerkert sind, oder da seßhaft sind, wo durchaus kein Pastor zu haben ist, und ein Sterbender oder im Stand der Anfechtung Befindlicher vor Verlangen nach dem Genuße der Sacramente aufs höchste brennt und in dem bloßen Wort und in der geistlichen Genießung nicht beruhen will? In diesem Falle halten wir dafür, daß das Sacrament auch von einem frommen zu dieser Handlung außerordentlicherweise entweder ausdrücklich oder vorausseßlich berufenen Laien administrirt werden könne." Im Folgenden beruft sich Deyling für diese seine Meinung auf jenes Wort Tertullians: „Wo keine Glieder des kirchlichen Standes vorhanden sind, opferst du (d. i. hältst du das Abendmahl) und taufst du und bist dir allein Priester. Wo drei sind, da ist die Kirche, obgleich es Laien sind, denn ein jeder lebt seines Glaubens, und vor Gott ist kein Ansehen der Person."*) Deyling setzt endlich hinzu: „Dem Tertullian scheinen die symbolischen Bücher unserer Kirche beizustimmen. Denn in dem den Schmalkaldischen Artikeln beigefügten Tractat wird gelehrt: ‚Wie denn in der Noth auch ein schlechter Laie einen andern absolviren und sein Pfarrherr werden kann.‘ Also kann er auch das heilige Mahl bereiten und ausspenden." (Instit. prud. pastoral. P. III, c. 5. § 5. p. 468. 470.) Ausführlich sucht dasselbe auch der berühmte dänische Theolog Caspar Brochmand zu beweisen in seinem Systema universae th. Tom. II. fol. 371. s. 485. Endlich schreibt Zach. Grapius, Professor der Theologie zu Rostock, gestorben 1713: „Die Laien sind Priester, aber nur vermöge einer inneren Fähigkeit zu allen kirchlichen Amtsverrichtungen geschickt und so auch zur Verwaltung des heiligen Abendmahls; damit wir nicht meinen, das werde ein weniger wahres Sacrament sein, was ein Laie, vielleicht durch Noth oder durch Irrthum dazu bewogen, gegeben haben mag." (System. noviss. controvers. IV, p. 89.)**)

Daß die Verwaltung des heiligen Abendmahls von einem im Nothfalle von einer ganzen Gemeinde zeitweilig berufenen, obgleich nicht ordinirten, Laien giltig und rechtmäßig sei, bezweifelt niemand. So schreibt Z. Grapius: „Die Theologen bezweifeln nicht, daß zur Pest-

---

*) „Ubi ecclesiastici ordinis non est consessus, et offers et tinguis et sacerdos es tibi solus. Ubi tres, ecclesia est, licet laici; unus quisque enim sua fide vivit, nec est personarum acceptio apud Deum." (Exhort. ad castitat. c. 5.)

**) Cotta bemerkt in einer Note zu Gerhard l. c. § 17, daß J. Georg Walch, der berühmte Herausgeber der Werke Luthers, 1747 eine besondere Dissertation durch den Druck veröffentlicht habe „de sacra coena a laicis administranda", welche „lectu dignissima" sei und worin sich Walch auf die Seite derjenigen stelle, welche dafür halten, daß es allerdings Nothfälle geben könne, in denen auch ein Laie das heilige Abendmahl nicht nur giltig, sondern auch legitime und de jure verwalten möge.

zeit, wenn alle ordentlichen Diener durch den Tod hinweggenommen sind, desgleichen in Zeiten öffentlicher Zerrüttung, wo die Ordnung der Kirche aufgelöst ist, oder an fremden Orten, wo man unter Ungläubigen und Irrgläubigen lebt, mit Zustimmung der gegenwärtigen Christen Einer provisorisch berufen werden könne, daß er das Wort nur durch Vorlesen lehre, so wie denen, welche es begehren, das heilige Abendmahl reiche, so lange, bis sie wieder mit einem ordentlichen Diener versorgt sind. Auf diese Weise aber spendet der Laie nicht als Laie aus, sondern als ein wahrhaftig und für eine Zeitlang berufener Diener." (L. c. p. 86.) Dies gesteht selbst der bekannte schroffe Antipietist Sam. Schelwig in seiner Synopsis controversiarum sub pietatis praetextu motarum zu. S. Artic. 26. q. 2. p. 288.

Anmerkung 5.

Zwar wird die Verwaltung des heiligen Abendmahls weder durch die Unwürdigkeit, noch durch den Unglauben, noch durch die falsche Intention des Administrirenden ungiltig und unkräftig (vergl. Augsburgische Confession Artikel 8.); diejenigen falschen Lehrer jedoch, welche mit Zustimmung ihrer Gemeinden die Worte der Einsetzung öffentlich verkehren und denselben einen Sinn unterlegen, nach welchem im heiligen Abendmahle der Leib und das Blut des HErrn nicht wirklich gegenwärtig sei, ausgetheilt und genommen werde, die also wohl den Laut der Worte behalten, aus denselben aber das, was sie zu Gottes Wort macht, nemlich den göttlichen Sinn, herausnehmen und somit, wie z. B. die Zwinglianer und Calvinisten, das Wesen des heiligen Abendmahls [wie die Antitrinitarier das Wesen der Taufe*)] leugnen und aufheben — diese feiern, auch wenn sie angeblich die Consecration beibehalten, nicht des HErrn Abendmahl, und theilen nur Brod und Wein aus. So schreibt daher Luther in seinem allgemeinen Glaubensbekenntniß, mit welchem er sein großes Bekenntniß vom Abendmahl vom Jahre 1528 beschließt: „Ebenso rede ich auch und bekenne das Sacrament des Altars, daß daselbst wahrhaftig der Leib und Blut im Brod und Wein werde mündlich gegessen und getrunken, obgleich die Priester, so es reichen, oder die, so es empfahen, nicht gläubeten oder sonst mißbrauchten. Denn es stehet nicht auf Menschen Glauben oder Unglauben, sondern auf Gottes Wort und Ordnung. Es wäre denn, daß sie zuvor Gottes Wort und Ordnung ändern und anders deuten, wie die jetzigen Sacramentsfeinde thun; welche freilich eitel Brod und Wein haben; denn sie haben auch die Worte und eingesetzte Ordnung Gottes nicht, sondern dieselbigen nach ihrem eigenen Dünkel verkehret und verändert."**) (XX, 1381.) Daher sagt denn auch Luther in seiner

---

*) Man vergleiche, was § 13. Anm. 2. a. über die Taufe in antitrinitarischen Gemeinschaften gesagt worden.

**) Diese Stelle ist auch der Wiederholung des 7. Artikels der Concordienformel und somit unserem Bekenntniß einverleibt worden. S. p. 734.

„Warnungsschrift an die zu Frankfurt am Main, sich vor Zwinglischer Lehre und Lehrern zu hüten": „Wer seinen Seelsorger öffentlich weiß, daß er Zwinglisch lehret, den soll er meiden, und ehe sein Lebenlang des Sacraments entbehren, ehe ers von ihm empfangen sollte, ja, auch eher drüber sterben und alles leiden." (XVII, 2440.) Vergl. Luthers Tischreden Cap. 19. No. 26. XXII, 906. f., wo Luther u. a. also spricht: „Wenn die Worte der Ein-setzung des Abendmahls von der Kirche öffentlich gehört werden, so liegt die Gefahr dem gottlosen Prediger auf dem Halse und nicht der Kirche, die da gläubet den Worten und empfähet das, wie die Worte lauten, und der Glaube hälts auch dafür, und gläubets. Allein habe man darauf Achtung, daß der nicht öffentlich wider das Abendmahl pre-dige und lehre... Wo derohalben die öffentliche Bekenntniß des Worts ist, Gott gebe, der Bube sei, wie er wolle, so gehet doch dem heiligen Sacrament nichts ab. Und ist dies die Ursache: Ein Bösewicht schwöret auch bei dem Namen des HErrn, und es ist dennoch der wahre Name des HErrn; er sündigte auch nicht daran, wenn es nicht der wahre Name Gottes wäre, bei dem er geschworen. . . . Aber die Sacra-mentarii nehmen die Substanz gar hinweg, darum haben sie auch nichts im Abendmahl, denn schlecht Brod und Wein."*)

Auf die Frage jedoch: „Wenn einer von den das heilige Abendmahl zusammen Verwaltenden rechtgläubig und der andere calvinistisch ist, ob man dann von beiden zugleich das heilige Abendmahl nehmen könne?" antwortet Balduin zwar, daß man sich an solcher Religionsmengerei nicht betheiligen solle, er setzt aber hinzu: „Wenn jedoch jemand aus Einfalt und Unwissen-heit das Nachtmahl von einem solchen gemischten Ministerium empfinge, so haben wir keinen Zweifel, daß ein solcher das wahre Sacrament empfange, so lange jene Gemeinde, der jener calvinistische Prediger dient, noch in der Religion rein ist. Denn die Sacramente hängen nicht von der Autorität der dieselbe Verwaltenden, sondern von der Einsetzung Christi ab; wo diese daher rein behalten wird, da werden sie auch recht verwaltet." (Tractat. de cas. consc. II, 12, 17. S. 464. f.)

Anmerkung 6.

In der Schrift: „Weise, christliche Messe zu halten und zum Tisch Gottes zu gehen" von 1523 schreibt Luther: „Der Pfarrherr mag sie beide zumal (sogleich zusammen), Brod und Wein, segnen, ehe er das Brod genießet, oder zwischen der Segnung des Brodes und Weines sich und andern, so viel ihrer

---

*) Dasselbe lehren Balduin (Tractat. de cas. consc. p. 463.), Debekennus (Thesaur. consil. II, 225.), Osiander (a. a. O. 365.), Pfaßer (das. 227. f.), Mich. Walther (Miscell. th. centur. thes. 38.). Fecht, obwohl er mit Dann-hauer anders urtheilt, bekennt, „daß die meisten Lehrer unserer Kirche leugnen, daß die Calvinisten Christi Leib und Blut in ihrer Communion reichen." (Instruct. pastoral. p. 158. f.)

begehren, mit dem Brode speisen, nachmals auch den Wein segnen, und alsdenn allen zu trinken geben" (X, 2761.), mit Recht bemerkt aber Deyling:
„Obgleich nach Vorschrift der Kirchenordnung, sonderlich auf den Dörfern,
wo nur Ein Pastor administrirt, derselbe zuerst die Consecration des Leibes
Christi vollziehen und denselben den Communicanten reichen, dann aber dasselbe mit dem Blute Christi verrichten soll, so ist dies doch in Sachsen fast
allenthalben in Abgang gekommen, so daß die Consecration beider
Elemente zugleich geschieht, darnach die Austheilung des Leibes und
Blutes; welche Weise um so mehr anzunehmen ist, weil bei großer Menge
der Communicanten der Pastor nicht sicher sein kann, ob nicht einer der
Reichung des Blutes sich entzogen und das Sacrament unter Einer Gestalt
empfangen habe." (Institut. prud. past. III, 5, 32. S. 504. s.)

Anmerkung 7.

Wie die Worte der Consecration Gottes Worte sind, die das
Sacrament constituiren, so sollen die Worte der Ausspendung das Bekenntniß der Kirche enthalten. Zwar gibt es daher keine Spendeformel,
welche allein berechtigt wäre, jedoch ist jedenfalls eine solche zu verwerfen, die
nicht ein Bekenntniß enthält, daß hier Christi Leib und Blut gegenwärtig
sei, ausgetheilt und genossen werde, oder die gar, wie die Spendeformel der
unirten Kirche: „Nehmet hin und esset, Christus spricht: das ist mein
Leib" ꝛc., ein solches Bekenntniß geflissentlich zu umgehen sucht, jedem über-
läßt, zu glauben was ihm beliebe, und so den Zweifel zum Bekenntniß selbst
am Tische des HErrn macht, wo sein Tod verkündigt werden soll. Mit dieser
Spendeformel stellen sich die Unirten den Juden gleich, welche die Creuzes-
überschrift: „Dies ist der Juden König", weil sie dies nicht glaubten,
nicht leiden, und dafür gesetzt haben wollten: „Daß er gesagt habe: Ich
bin der Juden König." (Luk. 23, 38. Joh. 19, 19—22.)*) Wenn jedoch
die Unirten und Pseudolutheraner den Vorwurf erheben, daß es ein Hinzu-
thun zu Gottes Wort sei, wenn wir Lutheraner mit den Worten ausspenden:
„Das ist der wahre Leib" ꝛc., so ruht das auf einer Verwechselung der das
Abendmahl constituirenden Worte Gottes und der bei der Feier desselben
bekennenden Worte der Kirche. — Billig richtet sich übrigens in Betreff der
Spendeformel der Prediger nach dem in der kirchlichen Gemeinschaft, zu
welcher er gehört, herrschenden Gebrauche. Die Formel: „Nehmet hin und
esset, das ist der wahre Leib eures HErrn und Heilandes JEsu Christi, für
eure Sünden in den Tod dahingegeben; der stärke und erhalte euch im wahren

---

*) Selbst der nichts weniger als streng orthodoxe Tittmann urtheilte von der
unirten Spendeformel: „Es ist in diesem Zusatze, in diesem Zusammenhange, kein
anderer Sinn, als wenn es hieße: Christus sagt zwar: Das ist mein Leib ꝛc., aber ihr
könnt es nehmen, wie ihr wollt. Das Wörtchen zwar liegt in dem Zusammenhange,
und der Gegensatz auch; sonst bedürfte es des Zusatzes nicht." (Ueber die Vereinigung
der evangelischen Kirchen. Leipzig. 1818. S. 10.)

Glauben zum ewigen Leben. Nehmet hin und trinket, das ist das wahre Blut eures HErrn und Heilandes JEsu Christi, vergossen zur Vergebung eurer Sünden; das stärke" ꝛc., ist die seit Ende des 16. Jahrhunderts in mehreren lutherischen Kirchenordnungen recipirte. (S. Sacramentworte. Von Rudelbach. Leipzig bei Tauchniß. 1837. S. 78.)*)

Anmerkung 8.

In Betreff der äußeren Nebenumstände bei der Consecration schreibt Chr. Tim. Seidel: „Wenn die Worte ausgesprochen werden: ‚Nahm er das Brod‘, so legt der Prediger die Hand an die Oblaten-Schüssel und läßt solche so lange daran ruhen, bis die Worte kommen: ‚Das ist mein Leib‘, da er denn über dem Brode das Zeichen des Creuzes macht. Wenn hernach die Worte ausgesprochen werden: ‚Er nahm den Kelch‘, so berührt man mit der Hand den Kelch und läßt die Hand so lange darauf ruhen, bis die Worte kommen: ‚Das ist mein Blut‘, da denn wiederum das Zeichen des Creuzes über den Kelch gemacht wird." (Pastoralth. I, 8, 8.) Sind der Communicanten so viele, daß nicht alle erforderlichen Oblaten auf die Patene gelegt und nicht der ganze Wein in den Kelch gegossen werden kann, so sollte das Uebrige in einer für den kirchlichen Gebrauch passenden, wo möglich metallenen, Oblatenschachtel und Weinkanne, welche beide vor der Consecration zu öffnen sind, daneben stehen und auch über dieses beides an der betreffenden Stelle das Zeichen des Creuzes gemacht werden, anzuzeigen, daß auch dieser Theil der Elemente zu dem Abzusondern-den gehöre. In einer Anmerkung zu den oben angeführten Worten heißt es in Seidel's Pastoraltheologie ferner: „Die Art der äußerlichen Consecration ist in der evangelisch-lutherischen Kirche nicht an allen Orten gleich. An einigen wird die s. g. Präfation: ‚Der HErr sei mit euch‘ ꝛc., bei jeglicher öffentlicher Communion gebraucht; anderwärts aber geschieht es nur an hohen Festtagen. An einigen Orten wird zur Consecration die ganze Geschichte vom letzten Ostermahle Christi gesungen oder gelesen, anderwärts aber werden nur die eigentlichen Einsetzungsworte gebraucht. An einigen Orten wird das Gebet des HErrn vor den Einsetzungsworten gelesen oder gesungen, anderwärts aber geschieht dies nach denselben. Ein Prediger richtet sich nur darnach, wie es an jeglichem Orte gebräuchlich ist. . . Das Zufällige in der Weise muß ihn nie bewegen, eine eigenmächtige Veränderung

---

*) Löscher bemerkt in der Recension der Schrift eines calvinischen Theologen, derselbe table es, „daß auch etliche Reformirte Lehrer bei der Communion die Worte brauchen: ‚Zur Vergebung eurer Sünde gebrochen‘, welches er so wenig, als die Privatabsolution, billige; man solle sagen: ‚Zur Vergebung unserer Sünde‘, damit man nicht jeden für ein wahres Kind Gottes ausgebe." (S. Unschuldige Nachrichten Jahrgang 1713. S. 165.) Ueber die die „lutherische Distributionsformel" betreffende Frage siehe die ausführliche kritisch-historische Abhandlung im ersten Jahrgang der Zeitschrift „Lehre und Wehre" S. 369—378.

vorzunehmen, davon gewiß das Reich Gottes keinen Vortheil hat, er aber wohl bei Andern Vorurtheile wider sich erregt, die seinem Amte in andern Dingen hinderlich sind... Die Ursache, (warum der Prediger von den eingeführten unwesentlichen Gebräuchen nicht berechtigt ist auch das Allergeringste wegzulassen oder hinzuzuthun) ist, weil ein Lehrer ein Diener der Gemeinde ist. Wenn nun eine Gemeinde sich wegen gewisser Gebräuche vereinigt hat, sie für erbaulich hält und beibehalten will, so steht es nicht in seiner Macht, dieselben zu ändern oder abzuschaffen, so wenig, als er berechtigt ist, etwas einzuführen, was er sich als erbaulich vorstellt. Wäre diese Regel beobachtet worden, so würden hie und da mancherlei Irrungen haben verhütet werden können. Es ist also dem Wesen nach einerlei, ob die Einsetzungsworte gelesen oder gesungen werden. Wenn indeß bei einer Gemeinde das Singen derselben üblich ist, so muß es der Prediger auch dabei lassen, und es ist nicht wohlgethan, dergleichen Veränderungen zwangsweise zu suchen, weil dabei immer zu besorgen ist, daß man andern unschuldigen Gemeinden dadurch etwas aufzwingt, das sie für unrecht erkennen." (A. a. O. § 8. 12.)

Anmerkung 9.

· Sarcerius schreibt: „Ob ein Kirchendiener das hochwürdige Sacrament zu consecriren angefangen und würde schwach bei dem Altar, so soll ein anderer Diener das Angefangene vollenden. — Ob sichs zutrüge, daß eine Fliege in den Kelch fiele nach der Consecration, soll man sie mit einem Messer" (besser, mit einem bereitgehaltenen Sieblöffel) „herausheben, gleichwohl aber das Blut des HErrn nicht hinwegschütten. — Wo eine" (möglicherweise giftige) „Spinne in den Kelch fiele nach der Consecration, halten etliche, man solle dasselbe in ein fließend Wasser oder auf ein Feuer schütten; ich aber achte, wo man die Spinne mit einem Messer heraushübe, der HErr würde gleichwohl sein Blut den Leuten zum Besten gedeihen lassen. — So eine Hostie oder deren mehrere nach der Consecration auf die Erde fiele, soll man sie mit aller Ehrerbietung wiederum aufheben und gleichwohl gebrauchen.*) — Trägt sichs zu, wiewohl selten, daß den Kranken das consecrirte Sacrament im Munde auf der Zunge beliegen bleibt und ihnen darüber der Geist ausgeht und sterben, ehe sie es hinabbringen: in solchem Fall habe ich gelehrter Leute Rath gesehen, und Andere, die es mit der That gethan, daß mans verbrennen soll und verbrannt hat." (Dedekennus' Thesaurus. Vol. I. Th. 2. f. 249. f.)**) Der Administrirende thut wohl, wenn er

---

*) Es versteht sich von selbst, daß der Prediger sich sorgsam vorzusehen hat, daß solches nicht durch seine Schuld geschehe, wodurch er sich nicht nur sehr verächtlich machen, sondern auch sehr versündigen würde. Er hat u. a. wohl darauf zu achten, daß nicht durch das Oeffnen der Fenster ein solcher Windzug verursacht werde, der ihm leicht alle Hostien von der Patene hinwegwehen könnte.

**) Luther schreibt: „Darum will ich hie ein Exempel erzählen, das unlängst geschehen ist in der Stadt Torgau, da man des noch kann beide, Pfarrherr und Caplan,

vor jeder folgenden Spendung des gesegneten Weines den Kelch dreht, damit der nächste unter den Communicanten den Kelch nicht an derselben Stelle berühren müsse, an welcher denselben der zunächst vorhergehende an den Mund genommen hat. — Personen mit einem fressenden Schaden an Lippe oder Mund sind zu veranlassen, bis zur Heilung die Communion privatim zu nehmen.

Anmerkung 10.

So grundlos es ist, wenn die Reformirten das bloße Nehmen mit dem Munde für kein rechtes Nehmen haben gelten lassen wollen (vergleiche Joh. 19, 30.), und so wenig daher ein lutherischer Prediger sich dadurch bestimmen lassen sollte, von dieser in unserer Kirche aus guten Gründen gebräuchlich gewordenen Form des Genusses ohne Noth abzugehen, so ist doch ganz richtig, was Seidel schreibt: „Es geht dem Wesentlichen des Sacraments dadurch nichts ab, wenn die Communicanten das Brod und Kelch aus der Hand des Predigers (in die Hand) nehmen, und also essen und trinken. Bei alten Predigern und die durch einen Zufall zitternde Hände haben, ist es eher anzurathen, solches zu thun, als daß man in beständiger Befürchtung stehen muß, insonderheit den Wein zu verschütten." (A. a. O. Th. I. C. 8. § 9.) Dasselbe gilt dann, wenn z. B. die kranken Communicanten nur eine solche Leibesstellung einnehmen können, daß man ihnen den Kelch, ohne etwas zu verschütten, nicht selbst an den Mund bringen kann. Vergl: Luther's Brief über diesen Gegenstand an Herzog Johann Friedrich von Sachsen, als Carlstadt mit Anstoß der Schwachen es in Wittenberg eingeführt hatte, daß man die gesegneten Elemente mit den Händen nehme, Tom. X, 2740 f. Jedenfalls hat der Prediger wohl zuzusehen, da manche Communicanten sich namentlich bei Empfang des Kelches ungeschickt anstellen, daß jeder derselben auch wirklich etwas Wein bekomme.

Anmerkung 11.

Was die Reihenfolge der Communicanten und die Ordnung der Austheilung betrifft, so schreibt erstlich Deyling: „Ein Kirchendiener soll bei der Austheilung dieses Sacraments in Betreff der Ordnung auf das sorgfältigste verfahren, daß er nicht nur zuerst die Mannspersonen und

---

zu Zeugen haben. Es ist auch ein solcher Mann gewesen, des Name ich nicht nennen will, der in sechs oder sieben Jahren nicht zum Sacrament gegangen ist unter dem Schanddeckel der christlichen Freiheit und solches aufgeschoben und gespart hat bis in seine Krankheit und in derselbigen auch noch dazu verzogen, bis das Stündlein daher kam. Als er nun seines Lebens ein Ende zu fühlen begann, forderte er den Caplan und bat um das Sacrament. Da der Caplan das bringt und ihm jetzt in den Mund reicht, fährt die Seele aus und läßt das Sacrament auf der Zunge im offenen Maule, daß es der Caplan muß zu sich nehmen. Als er aber ekel war, daß ers nehmen sollte, und mich fragte, was er die thun sollte, hieß ichs im Feuer verbrennen." (Vermahnung zum Sacrament des Leibes und Blutes des HErrn. Vom Jahr 1530. X, 2713. f.)

dann die Frauenspersonen, sondern auch zuerst das gesegnete Brod
und dann den Wein, und jedes besonders austheile.   Der achte unter den
Generalartikeln schreibt vor, ‚daß zum ersten die Männer und Junggesellen
und dann die Jungfrauen, nach denselben aber die Weiber sich ordentlich zur
Communion verfügen sollen‘, wenn es nicht schon anders gebräuchlich ist.“
(L. c. § 32.) Es ist dies nicht nur darum nicht völlig gleichgiltig, weil alles
in der Kirche ordentlich hergehen soll, sondern auch damit alle Gelegenheit zu
Rangstreit vermieden werde, die nirgends ärgerlicher ist, als am Tische des
HErrn.   Seidel macht die Bemerkung: „Es ist nicht gleichgiltig, wenn
jemand zuerst den Kelch und hernach das Brod reichen wollte, oder solches
aus Versehen gethan hätte.   Ein solcher Genuß des Abendmahls würde für
ungiltig müssen erklärt werden, weil die Worte des Stifters die Kraft eines
Testaments haben, welches mit seinem Tode ist versiegelt worden.“ (A. a. O.
I, 8, 9.) Dedekennus theilt ein Votum des Marburger Theologen Hyperius
mit, nach welchem ein Prediger, welcher sich dieser Verkehrung der Abendmahlsverwaltung aus Zerstreutheit schuldig gemacht hatte, dafür öffentlich Kirchenbuße thun und so das gegebene Aergerniß tilgen sollte.   (Thesaur. Vol. I.
P. 2. f. 257. sqq.) Luther achtet es auch für schicklich, daß die Communicanten an einem Platz besonders stehen.   Er schreibt: „Wenn die
Communion gehalten wird, schicket sich fein, daß die, so zum hochwürdigen
Sacrament gehen wollen, sich zusammenhalten und an einem sondern Ort
alleine stehen; denn auch dazu beide, Altar und Chor, gebauet sind.   Nicht
daß es vor Gott etwas sei, man stehe hier oder dort, oder daß es etwas zum
Glauben thäte, sondern darum vonnöthen, daß die Personen öffentlich
gesehen und erkennet werden, sowohl von denen, die das Sacrament
empfahen, als von denen, die nicht hinzu gehen, damit hernach ihr
Leben auch desto baß gesehen, geprüft und geoffenbaret könnte
werden.   Denn die Nießung dieses Sacraments in der Gemeinde ist ein
Stück christlicher Bekenntniß, dadurch die, so hinzu gehen, vor Gott, Engeln
und Menschen bekennen, daß sie Christen seien.   Um deßwillen ist fleißig
wahrzunehmen, daß nicht Etliche das Sacrament heimlich abstehlen, und
nachmals, unter andern Christen vermenget, nicht können erkannt werden,
ob sie wohl oder übel leben.   Wiewohl ich hier auch kein Gesetz stellen will,
sondern dies allein anzeigen, daß von Christen, so allerdings frei sind, frei
ohne Zwang gethan und gehalten werde alles, so ehrlich und ordentlich ist,
1 Kor. 14, 40.“ (Weise, christliche Messe zu halten, vom Jahre 1523.
X, 2766. f.)

Anmerkung 12.

Deyling bemerkt: „Die vom Pastor consecrirten heiligen Elemente
können weder aufbewahrt, noch den Abwesenden zugesendet werden,
was eine üble Gewohnheit Einiger in der alten Kirche war.   Denn die aus
Consecration, Austheilung und Hinnehmung der Elemente bestehende sacra-

mentliche Handlung muß ganz und ununterbrochen sein." (Instit. prud. p24.
past. III, 5, 13.) Druckner wirft die Frage auf: „Was hat ein Kirchendiener zu thun, wenn, im Fall z. B. einer entstehenden Feuersbrunst, eines
feindlichen Ueberfalls rc., das consecrirte Brod, nicht aber ebenfalls der consecrirte Wein ausgetheilt gewesen ist?" und antwortet: „Jene Elemente sind
von neuem zu consecriren und den Communicanten auszutheilen, denn
Christus hat eingesetzt, daß sein Leib mit dem Brode und sein Blut mit dem
Weine ausgetheilt werde. So würde, wenn jemand nach Empfang des
Brodes im heiligen Abendmahl plötzlich in Ohnmacht fiele und erst nach
vielen Stunden wieder zu sich käme, ihm von neuem das consecrirte Brod
und Wein zu reichen sein." (Manuale mille qq. Cent. IV, q. 19. p. 274.)

Anmerkung 13.

Was den Ort der Abendmahlsfeier betrifft, so schreibt Deyling:
„Der Ort der Verwaltung des heiligen Abendmahls ist ordentlicherweise und
in der Regel die Kirche und öffentliche Versammlung, nach dem
Beispiel der apostolischen Kirche, Apostelg. 20, 7. 1 Kor. 11, 18—22.*)
Daher es schon in den frühesten Zeiten die ‚Communion‘ hieß. Darum wird
die Privatcommunion (welche aus den Winkel- und Privatmessen der
Päbstler entsprungen zu sein scheint und der Stiftung Christi und Praxis
der alten Kirche, auch dem Zweck des Sacraments widerstreitet) mit Recht
gemißbilligt und nicht leicht in der Sacristei der Kirche, viel weniger in
Privathäusern gestattet. Ausgenommen jedoch sind: Kranke,
Gefangene, schwangere und der Entbindung nahe Frauen
und wo unversehens ein Hinderniß eintritt und eine Person
abhält, mit der ganzen Versammlung bei dem heiligen Mahle zugegen zu
sein."**) (A. a. O. § 35.) — Als ein Junggeselle, welcher bis dahin zur
reformirten Kirche gehört hatte, zwar zur lutherischen Kirche übertreten wollte,
aber um seiner streng calvinisch gesinnten Mutter willen das heilige Abendmahl privatim zu erhalten begehrte, wurde ihm dies auf Grund eines
Bedenkens der theologischen Facultät zu Tübingen (Osiander, Thummius,
Pregizer) im Jahre 1620 abgeschlagen. (Dedekennus' Thesaur. Vol. I.
P. II. f. 259. f.)

Die Nichtmitcommunicirenden und doch im Gottesdienst Anwesenden
sind übrigens zu ermahnen, während der Abendmahlsfeier sich nicht zu entfernen. Deyling schreibt: „In vielen Kirchen ist der große Mißbrauch
herrschend geworden, daß fast allein die Communicanten bei der Feier und
Austheilung zugegen sind, die Uebrigen aber nach beendigter Predigt sogleich
hinausgehen, gleich als ob die sacramentliche Handlung sie nichts anginge.

---

*) Vergl. Luther's Brief vom Jahre 1535. X, 2738. ff.

**) Wenn z. B. ein Gemeindeglied genöthigt wäre, ohne Aufschub eine Seereise
anzutreten, und sich doch gern vorher zu der gefahrvollen Reise durch den Genuß des
Leibes und Blutes des HErrn im Glauben stärken möchte.

Das Volk ist daher von der Wichtigkeit der Sache, die hier gehandelt wird, zu unterrichten, und zu erinnern, daß die Feier der heiligen Eucharistie ein Haupttheil des Gottesdienstes und dem Gedächtniß der Passion gewidmet sei. Welche das Sacrament nicht selbst mit dem Munde empfangen, sollen es doch mit dem Glauben nehmen, Leib und Blut Christi geistlich genießen, Gott mit Hymnen preisen und nicht eher aus der Kirche gehen, als bis der Gottesdienst geendigt und die Danksagung, so wie die Segnung des Volkes geschehen ist." (A. a. D. § 36.)

Uebrigens kann für solche, die, wie manche der oben Genannten, den ganzen Communiongottesdienst nicht auswarten können, auch ein kurzer Extra-Communion-Gottesdienst in der Kirche angestellt werden.

Anmerkung 14.

Bleibt von den consecrirten Elementen etwas übrig, so ist der Wein von den gewesenen Communicanten, von den Vorstehern, dem Küster rc. etwa in der Sacristei auszutrinken,*) keinesweges aber mit unconsecrirtem wieder zu vermischen oder gar zu gewöhnlichem Gebrauche zu verwenden; allenfalls kann solcher Wein zu Krankencommunionen, jedoch ohne Vermischung mit anderem, gebraucht werden, doch ist er in diesem Falle wieder zu consecriren. Uebriggebliebene consecrirte Hostien können, da sie sich nicht, wie der Wein, vermischen, für die nächste Abendmahlsfeier aufgehoben, müssen aber dann selbstverständlich auch wieder consecrirt werden. Als im Jahre 1543 Simon Wolferinus, Pfarrer in Eisleben, die Ueberbleibsel des Consecrirten mit Unconsecrirtem vermischt hatte, schrieb ihm Luther zwei sehr ernste strafende Briefe und bemerkte darin sogar: „Du willst vielleicht, daß man dich halten soll für einen Zwinglianer", so daß es fast den Schein gewinnt, als habe Luther geglaubt, die consecrirten Elemente seien auch außerhalb des eingesetzten Gebrauchs noch Leib und Blut Christi (s. XX, 2008—2015.); allein daß dies nur Schein sei, daß Luther vielmehr nur darum jenes Verfahren so ernstlich strafte, weil es einen bösen Schein gebe und Aergerniß anrichten könne, dies ergibt sich aus Luthers Urtheil in einem andern Falle. Als man nemlich im Jahre darnach Hostien darum verbrannt hatte, weil ein Prediger consecrirte mit unconsecrirten vermengt und gebraucht hatte, da schrieb Luther an Amsdorf: „Es wäre in der That nicht nöthig gewesen, sie zu verbrennen, da außer dem wirklichen Gebrauch nichts ein Sacrament ist; gleichwie das Taufwasser außer dem Gebrauch keine Taufe ist." (XXI, 1561.)

Seidel macht endlich die wohl nicht überflüssige Bemerkung: „Daß der Prediger den übriggebliebenen Wein austrinken solle, halten wir für

---

*) In der alten Kirche, namentlich in Constantinopel, war es Sitte, daß man junge Schulknaben holte und diese das von der Abendmahlsfeier übriggebliebene Brod verzehren ließ. Deyling a. a. D. § 31.

bedenklich, weil er sich dadurch in den Verdacht setzen kann, als ob ihm mit einem Trunke gedienet wäre, und er mit Fleiß mehr Wein nähme, als für die Communicanten nöthig gewesen ist."   (A. a. O. § 10.)

Anmerkung 15.

Auf die Frage, was derjenige zu thun habe, welcher nach Empfang der Absolution aus gegründeten Ursachen, z. B. durch Krankheit verhindert, das heilige Abendmahl nicht empfangen konnte, wird in einer Note zu Deylings Institutionen geantwortet: „Dann mag er an dem nächstfolgenden Sonntag ohne Wiederholung der Beichte hinzugehen; während hingegen der, welcher aus liederlichen Ursachen oder aus Verachtung des heiligen Mahls nicht hinzugegangen ist, von dem Pastor zu ermahnen, und wenn er darnach seine Sünden wieder gebeichtet hat, zuzulassen ist."   (A. a. O. § 11.)

§ 18.

Was die Communicanten betrifft, so sind nur die zum heiligen Abendmahle zuzulassen: 1. welche bereits getauft sind, 2. die sich selbst prüfen können, 3. denen man nicht beweisen kann, daß sie Unchristen oder Irrgläubige sind, und die daher das Sacrament unwürdig nehmen würden, und bei denen endlich 4. sich nicht ein Grund findet, daß sie nothwendig sich vorher zu versöhnen oder Wiedererstattung zu thun haben.

Anmerkung 1.

Da die heilige Taufe das Sacrament der Wiedergeburt zum Reiche Gottes und der Initiation, das heilige Abendmahl das Sacrament der Stärkung ist, so sind zu letzterem nur bereits Getaufte zuzulassen, nach Analogie der Passahmahlzeit, zu welcher nach 2 Mos. 12, 48. nur solche, welche durch die Beschneidung bereits in den Gnadenbund aufgenommen waren, zugelassen werden sollten.

Anmerkung 2.

Da nach Gottes Wort ein jeder, welcher zum Tisch des HErrn gehen will, sich vorher prüfen und den Leib des HErrn unterscheiden soll (1 Kor. 11, 28. 29.), so ist das heilige Abendmahl den Kindern, welche dessen noch nicht fähig sind, nicht zu reichen. Es war ein offenbarer Mißbrauch, wenn dies, wie selbst Cyprian's und Augustinus' Beispiel beweisen, mit Gutheißung auch Innocentius' I. aus Mißverstand von Joh. 6, 53., was man vom sacramentlichen Genuß verstand, im dritten bis zum fünften Jahrhundert ziemlich allgemein geschah, welcher Mißbrauch auch unter den böhmischen Hussiten im Schwange ging und noch heute in der griechischen Kirche Gesetz ist. Luther schreibt: „Den Böhmen, die Kindern dasselbe (das h. A.) reichen, kann ich nicht Recht geben, ob ich sie wohl darum nicht Ketzer schelte." (Brief an Hausmann vom Jahre 1523. XXI, 841.)

Zu denen, welche sich nicht prüfen können und daher zum heiligen Abendmahl nicht zuzulassen sind, gehören ferner **Schlafende, Bewußtlose, in den letzten Zügen ohne Besinnung Liegende, Wahnsinnige u. dgl.** Auf die Frage: „Ob man einem Sterbenden, der nicht mehr hört und versteht, was man mit ihm vorhat, das heilige Abendmahl reichen solle", antwortet die Wittenbergische theologische Facultät im Jahr 1623 Folgendes: „Einem solchen seelzogenden Menschen sollte man das heilige Abendmahl nicht reichen. Denn zum heilsamen Gebrauch desselben gehört ein rechter Glaube, der den Leib Christi von andern gemeinen Speisen recht unterscheidet, des Verdienstes Christi sich annimmt und den Tod Christi verkündigt; es gehört dazu eine gewisse Probe, damit der Communicant sich selber prüfen soll, wie er mit Gott stehe, damit ers nicht unwürdig gebrauche; es gehört dazu ein herzliches Verlangen nach dieser heilsamen Seelenspeise. Welches alles bei einem solchen Menschen, der in den letzten Zügen liegt und dem Tode so nahe ist, daß auch so kurze Zeit, die zur Consecration gehöret, nicht mehr vorhanden, sich nicht finden kann. Um welcher Ursachen willen man solchen seelzogenden Kranken lieber das Abendmahl nicht reichen sollte, damit man es nicht etwa einem Unwürdigen reichete und Andern Ursache gebe zur Aergerniß und Sicherheit, als ob das bloße Werk, daß man das Abendmahl gebraucht, genug sei, obs gleich ohne Glauben, ohne Prüfung seiner selbst, ohne herzliches Verlangen darnach genommen werde, und möge derowegen desselben Gebrauch wohl bis in die letzte Todesstunde verschoben werden." (Consil. Witebergens. II, 115.) Wäre es aber, da das heilige Abendmahl nicht, wie eine leibliche Arznei, physikalisch wirkt, die, wenn sie nur eingenommen wird, ihre Wirkung thut, schon unrecht, auf Dringen der Angehörigen einem bereits bewußtlos im Sterben Liegenden das heilige Sacrament zu reichen, welcher im Leben die Kennzeichen eines wahren Glaubens an sich trug, so wäre es natürlich noch viel verwerflicher, es unter diesen Umständen einer Person zu reichen, die bis zur Sterbestunde das Wort Gottes und die hochheiligen Sacramente verachtet hatte. Hiervon schreibt Luther an Lauterbach im Jahre 1544: „Was wollt ihr anders mit denen thun, die das Sacrament zu nehmen bis auf den letzten Augenblick ihres Lebens verschieben, als daß ihr sie öffentlich erinnert, daß sie sich vor solcher Gefahr hüten und fürchten? Hernach dreuet, daß, wenn jemand das Sacrament so lange verschoben, bis ihm schon Vernunft und Sinne mangeln, demselben das Sacrament ebensowenig, als einem Schweine und Hunde, gereicht werden kann. Denn mit diesen kann man nicht von der Buße handeln oder sie befragen, was sie glauben oder thun. Darum sie des Sacraments nicht empfänglicher sein können, sondern es ihnen vergeblich gereicht wird. Ihr Blut sei auf ihrem eigenen Haupte, wenn sie in ihrem ganzen Leben, so lange sie gesund sind, Wort und Sacrament verachten, wodurch sie von Tage zu Tage ungeschickter dazu werden, daß sie billig auch der Sacramente am Ende ihres Lebens aus eigener Schuld beraubet werden. Darum sie darauf denken mögen, weil sie noch leben und gesund sind, weil sie noch hören, antworten, ihre Sünden und Glauben ausdrücklich bekennen können, daß sie sich zum Gebrauch des Wortes und der Sacramente gewöhnen. Wo nicht, mögen sie auch zuletzt, wenn Vernunft und Sinne fehlen, des Predigtamts, der Sacramente und der Gemeinschaft der Kirche gänzlich entbehren, wie sie in ihrem Leben gewollt und verdienet haben. Uns ist befohlen, das Heilige nicht vor die Hunde und die Perlen vor die Säue zu werfen. So ermahnen wir die Unsrigen, und so thun wir." (**XXI**, 1527. f.)

Was **Wahnsinnige**, **Tobsüchtige** und **Besessene** betrifft, von denen später ausführlicher zu handeln Veranlassung sein wird, so schreibt **Gerhard**, daß dieselben, „wenn sie lichte Zwischenzeiten haben, vom Gebrauch des heiligen Abendmahls nicht ausgeschlossen werden dürfen, vorausgesetzt, daß sie durch nicht zu bezweifelnde Anzeigen die nöthige Selbstprüfung an den Tag legen." (Loc. th. de s. coena. § 225.)

Auch **Taubstumme**, wenn sie Kennzeichen des Glaubens und des Verständnisses der heiligen Handlung an sich tragen, sind vom Tisch des HErrn nicht abzuweisen. **Luther** schreibt: „Es haben Etliche gefraget, ob man den Stummen auch soll das Sacrament reichen? Etliche meinen sie freundlich zu betrügen, und achten, man solle ihnen ungesegnete Hostien geben. Der Schimpf ist nicht gut, wird Gott auch nicht gefallen, der sie sowohl zu Christen gemacht hat, als uns, und ihnen eben das gebühret, das uns. Darum so sie vernünftig sein, und man aus gewissen Zeichen merken kann, daß sie es aus rechter christlicher Andacht begehren, wie ich oft gesehen habe, soll man dem Heiligen Geist sein Werk lassen, und ihm nicht versagen, was er fordert. Es mag sein, daß sie inwendig höhern Verstand und Glauben haben, denn wir; welchem niemand soll freventlich widerstreben." (Sermon von dem Neuen Testament. **XIX**, 1302. f. Vgl. Deyling's Instit. prud. past. III, 4, § 45.)

In einem Fall, da der das heilige Abendmahl Begehrende so **schwach an Verstand und Gedächtniß** geworden war, daß er nur mit Hilfe des Predigers die Selbstprüfung anstellen und nur das Vorgesagte nachsprechen konnte, während er jedoch bei besseren Geisteskräften sich als ein rechtschaffener Christ erwiesen hatte, gab die theologische Facultät zu Jena den Rath, ihn zuzulassen. S. Dedekennus' Thesaur. consil. Vol. I, Th. 2, f. 357.

Anmerkung 3.

Es ist wohl zu merken, daß ein Prediger in Betreff Derjenigen, welche er zum heiligen Abendmahl zulassen soll und will, nicht gewiß sein müsse, daß sie im lebendigen Glauben stehende **Christen** seien — denn wer könnte dies? —, sondern daß nur ihr **Unchristenthum** nicht erweislich oder offenbar sein dürfe. Bei Zulassung oder Abweisung vom Tisch des HErrn nach seiner moralischen Ueberzeugung zu handeln, ist eine unverantwortliche Herrschaft über die Gewissen. Selbst der HErr, der nach seiner Allwissenheit wohl wußte, daß Judas das heilige Abendmahl zu seinem Gerichte genießen werde, ließ ihn doch zu, weil er vor Menschen noch nicht offenbar war. Gerhard schreibt hierüber: „Gewißlich ließ Christus den Judas zugleich mit den Uebrigen zum Gebrauche des heiligen Abendmahls zu, wie aus Luk. 22, 20—23. geschlossen wird. Denn obgleich Judas schon damals den Vorsatz im Herzen hatte, Christum zu verrathen, ja, damals schon den Lohn der Ungerechtigkeit empfangen hatte, so war doch diese so schwere Sünde Christo allein, keinesweges aber einem aus den Aposteln zu dieser Zeit bekannt, denn sie fragen untereinander, ‚welcher es doch wäre unter ihnen, der das thun würde' (Luk. 22, 23.); daher läßt Christus nach vorausgehender ernster Warnung, daß er von jener Sünde abstehe, Judas zugleich mit den Uebrigen zum heiligen Abendmahle zu. Nach Christi Beispiel soll also ein Kirchendiener Diejenigen, deren Sünden noch verborgen sind, nicht vom Gebrauch des heiligen Abendmahls ausschließen, sondern ernstlich vor dem verderblichen Genusse der Unwürdigen warnen und zu wahrer Buße ermahnen." (Loc. th. de s. coena. § 223. Vergleiche über Judas' Theilnahme am Abendmahlsgenuß § 235.) Ueber die Nothwendigkeit und die rechte Benutzung der vorausgehenden Beichtanmeldung siehe oben § 15, Anmerkung 1. 2., sowie über die Abweisung und Suspension vom heiligen Abendmahl § 16, Anmerkung 5.

Anmerkung 4.

Wer den Glauben nicht bekennt, daß im heiligen Abendmahl der wahre Leib JEsu Christi wirklich und wahrhaftig gegenwärtig sei und daher von allen Communicanten, würdigen und unwürdigen, genossen werde, kann den Leib des HErrn nicht unterscheiden (1 Kor. 11, 29.), und ist daher unter keinen Umständen zum heiligen Abendmahl zuzulassen. Vergleiche Gerhard a. a. O. § 222. Aber selbst der, welcher dies bekennt, kann ordentlicher Weise*) nicht zugelassen werden, wenn er nicht ein Glied unserer rechtgläubigen Kirche, sondern ein Separatist, ein Römischer, Reformirter, ein s. g. Evangelischer oder Unirter, Methodist, Baptist, kurz, Glied einer irrgläubigen Gemeinschaft sein und bleiben will; da das Sacrament, wie es Siegel des Glaubens ist, so auch das Banner der Gemeinschaft ist, innerhalb welcher es verwaltet wird. Mich. Müling schreibt: „Die heiligen Sacramente sind Symbole, Losungen, Feldzeichen der christlichen Bekenntniß der himmlischen Wahrheit, des lebendigen Glaubens und wahrer Gemeinschaft der Kirchen Christi. Welche nun der falschen irrigen Lehre beipflichten, können der heiligen Sacramente nicht ohne bösem Gewissen und Namen, ja, ohne Aergerniß der Schwachgläubigen gebrauchen." (Dedekennus' Thesaur. Vol. I. P. 2. f. 364.)**)

---

*) Den Fall der Todesnoth nemlich ausgenommen, wovon wir später handeln werden.
**) Siehe die Thesen über Abendmahlsgemeinschaft mit Andersgläubigen, die sich nebst einem Auszug der darüber gepflogenen Verhandlungen im 15. Synodalbericht des Westlichen Districts der Synode von Missouri ꝛc. im Jahre 1870 finden.

Anmerkung 5.

Diejenigen, welche Andere (ſei es eine einzelne Perſon oder eine ganze Gemeinde) beleidigt oder geärgert und ſich mit ihnen noch nicht verſöhnt haben, oder die beleidigt oder geärgert worden ſind und die Verſöhnung noch nicht geſucht haben, ſind auf Grund von Matth. 5, 23—25. vom heiligen Abendmahl zu ſuspendiren, bis ſie ihrer Schuldigkeit nachgekommen ſind und gethan haben, was an ihnen war, Verſöhnung zu ſtiften. Ohne Zweifel iſt richtig, was die alte theologiſche Facultät zu Wittenberg in einem Reſponſum ſchrieb: „Es iſt ja ein greiflicher Unterſchied zwiſchen der indignitate intrinseca (der innerlichen wirklichen Unwürdigkeit), welche aus unerkannten Todſünden herfließt, und der indignitate extrinseca oder accidentali (und der äußerlichen, in zufälligen Umſtänden liegenden Unwürdigkeit), wie das Aergerniß des Nächſten iſt, welches das Beichtkind öfters nicht weiß und vielmehr ein obstaculum accidentarium, als eine indignitas (mehr ·ein zufälliges Hinderniß, als eine wirkliche Unwürdigkeit) mag genennet werden. Der Beichtvater aber, wenn er dies weiß und es notorium oder ſo beſchaffen iſt, daß das Aergerniß von der äußeren Thatſache nicht kann ſeparirt werden, iſt ſchuldig, dies zu erinnern und das Beichtkind anzumahnen, daß es ſolch Scandalum meide, dadurch ſeine Bußfertigkeit ſuspect wird.“ (Consil. Witeberg. II, 128.) Iſt perſönliche Verſöhnung nicht möglich, ſo kann ſie auch ſchriftlich oder durch Andere geſchehen; iſt auch dies nicht möglich, ſo genügt das zu erkennen gegebene redliche Verlangen darnach, da Gott allein das Herz anſieht. Balduin ſchreibt daher: „Wenn der Beleidigte gegenwärtig iſt, ſo iſt der Beleidiger verbunden, zu demſelben zu gehen und ihn um Verzeihung zu bitten, nach Chriſti Worten Matth 5., und es wird niemand abſolvirt, wenn er dem andern, den er beleidigte, nicht Genugthuung geleiſtet hat. Sollte er aber abweſend ſein und mit ihm keine Beſprechung angeſtellt werden können, ſo genügt die innerliche Verſöhnung des Herzens oder die Bezeugung vor anderen, daß er um Verzeihung zu bitten bereit geweſen ſei.“ (Tractat. de cas. consc. IV, 17, 5. S. 1256.) Auch Chemnitz bemerkt zu Matth. 5, 23.: „Weil es oft Zeit und Ort nicht geſtatten, zu dem beleidigten Bruder zu gehen, dies auch oft dem Bruder nicht frommt, ſo iſt der Sinn dieſer, daß man den aufrichtigen guten Vorſatz im Herzen faſſe und habe, den beleidigten Bruder zu verſöhnen und, ſo viel an uns iſt, alles zu thun, daß wir uns den beleidigten Bruder wieder zum Freunde machen.“ (Harmon. ev. ad l. c.) Auguſtinus endlich ſchreibt: „Kommt einem etwas dergleichen in Betreff eines Abweſenden und möglicherweiſe jenſeit des Meeres ſich Aufhaltenden in den Sinn, ſo iſt es ungereimt, zu glauben, daß die Gabe vor dem Altar zu laſſen ſei, damit man ſie nach Durchziehung von Ländern und Meeren Gott opfere. Darum ſind wir genöthigt, durchaus innerlich zu einer geiſtlichen Ausführung des Gebotes unſere Zuflucht zu

nehmen, damit, was gesagt ist, ohne Ungereimtheit verstanden werden könne."
(De Sermon. Dom. in monte. Lib. I. c. 10.)

Darüber, daß übles Gerücht, Verdachtsgründe, Angeklagtsein, Führung eines gerechten Prozesses keine genügenden Gründe zur Abweisung vom heiligen Abendmahl seien, vergl. oben § 15. Anmerkung 4. und § 16. Anmerkung 4. Einem in einen Prozeß Verwickelten schreibt Luther: „Ob aber die Sache im Rechte hanget, das lasset also geschehen und wartet des Rechtens aus. Solches hindert gar nicht, zum Sacrament zu gehen. Sonst müßten wir und unsere Fürsten auch nicht zum Sacrament gehen, weil die Sachen zwischen uns und den Papisten hängen. Befehlet die Sache den Rechten, aber dieweil machet ihr euer Gewissen frei und sprechet: Wem das Recht gefällt (zufällt), der habe Recht; indeß will ich vergeben dem, der Unrecht gethan hat, und zum Sacrament gehen. So gehet ihr nicht unwürdig hinzu, weil ihr Recht begehret und Unrecht leiden wollet, wo es der Richter für Recht oder Unrecht erkennet." (X, 2736.)

Von dem Fall, wenn die Sünde eines zur Communion Kommenden nur dem Beichtvater und dem Sünder bekannt ist, schreibt Polyk. Leyser: „In diesem Falle kann ein Prediger einen solchen, der es bekennt, weder einfach zulassen, noch öffentlich abwehren. Das ist, er soll dem Sünder ernstlich zureden und wegen des Schadens seiner Seele ermahnen, daß er sich enthalte vom heiligen Nachtmahl, bis er rechtschaffene Früchte der Buße leuchten lasse, damit er nicht in Sünden wider das Gewissen sich einstelle und schuldig werde an dem Leibe und Blute des HErrn Christi, auch ihm Mittel und Wege weisen, wie er wahre Buße thun und von der Sünde sich losmachen könne; welchem treuen Rath zu folgen wenn er verspricht, wird er billig absolvirt und zugelassen. Würde er aber solcher Zusage nicht nachkommen und die Vermahnung in Wind schlagen und unter andern Communicanten sich einstellen, kann ihn ein Prediger nicht öffentlich abweisen; denn es ist ein verborgenes Vergehen; und ob es wohl dem Prediger offenbaret worden, so soll er doch nicht ein Offenbarer des Bekenntnisses sein, welches geschehen würde, wenn er ihn zur Communion nicht zulassen wollte und bei seinen Mitbrüdern ihn dadurch anrüchtig machte. Als zum Exempel, wenn eine Dirne wider das sechste Gebot gesündigt hätte; weil sie aber nicht schweres Leibes und niemandem die That wissend, behielte sie den Kranz auf, entdeckte aber ihren Fall dem Seelsorger, welcher sie zwar ermahnen soll, den Kranz abzulegen, sintemal sie an Christi Tisch kommen wolle, dem ihre That wissend und sich nicht betrügen läßt, sondern sie gewißlich strafen würde, wäre demnach besser, zeitliche Schande leiden, als ewige gewarten. Wenn sie aber nichts weniger im Kranze sich einstellen würde, kann sie der Prediger nicht öffentlich abweisen, denn Jedermann dadurch kund würde, daß sie einer Missethat schuldig, ein Prediger aber seiner Beichtkinder Verräther nicht sein kann noch soll." (Dedekennus' Thesaur. consil. Vol. I. Part. 2.

fol. 353.) Mit der Absolution hat es selbstverständlich eine andere Bewandniß. Da dieselbe, ohne daß das Gebeichtete dadurch öffentlich werden müßte, verweigert werden kann, so ist sie auch in dem letztbeschriebenen Falle vorzuenthalten; wie dies denn auch im Jahre 1612 die theologische Facultät zu Wittenberg in gleichem Falle für das richtige Verfahren nach Gottes Wort erklärt hat. (S. ebendaselbst fol. 758.) Vergleiche das über die Bewahrung des Beichtsiegels Gesagte, § 16. Anmerkung 7.

Auch in einem ungöttlichen Stande Lebende sind vom heiligen Abendmahle so lange zu suspendiren, bis sie diesen Stand verlassen und einem gottgefälligen Berufe sich widmen. Auf die Frage: „Sind Schauspieler zum heiligen Abendmahl zuzulassen?" antwortet Leonh. Hutter: „Der heilige Cyprian leugnet dies in seinen Episteln 1, 10., denn es entspreche weder der göttlichen Majestät, noch der kirchlichen Zucht, daß die Ehre und Reinheit (pudor) der Kirche eine so schändliche und ehrlose Berührung erfahre und dadurch befleckt werde." (LL. th. Art. 19. c. 4. q. 7. n. 3. p. 728.) Friedlieb schreibt: „Von diesem Sacrament werden ausgeschlossen . . . Zauberer, Nekromanten (Wahrsager, sonderlich welche die Todten fragen), Hurenwirthe, mörderische Faustkämpfer. Diese alle sind auszuschließen, wenn sie nicht diese Künste und unerlaubten Handlungen unterlassen und wahre Buße thun." (Opus novum. p. 376.) Balduin: „Läppische Künste treiben die Seiltänzer und Taschenspieler, welche durch eine gewisse Behendigkeit des Leibes oder auch durch Bezauberung der Augen sich ihren Lebensunterhalt suchen; und ich zweifle gänzlich, daß dergleichen Menschen in einer Lebensart sich befinden, welche Gott gefalle. Denn sie können zu keinem der göttlichen Stände gerechnet werden, auch nützen sie niemandem durch jene Künste, sondern ziehen vielmehr andere von ehrbarer Arbeit zu Müßiggang ab und sind selbst mehr dem Müßiggang als der Arbeit ergeben, indem ihre Künste in keiner Arbeit, oder doch in einer unnützen, bestehen, daher sie in einem wohl eingerichteten Staate nicht leicht aufgenommen werden, sondern als geschäftige Nichtsthuer hin und her schweifen, der Jugend zur Warnung, daß sie etwas Besseres und Nützlicheres erlerne." (Tractat. de cas. consc. p. 1007. sq.) Jedoch ist nicht sogleich ein Stand für einen ungöttlichen zu halten, wenn das, was derselbe producirt, zumeist gemißbraucht wird.

Zu denen, welche vom Abendmahl zurückzuweisen sind, gehören vor allen die Gebannten, bis sie mit der Kirche wieder versöhnt sind, es wäre denn, daß sie plötzlich in Todesnoth kämen. Von diesem Falle heißt es in der Niedersächsischen Kirchenordnung: „Wo auch etwa die excommunicirte Person, ehe sich Besserung an ihr spüren lässet, mit harter, beschwerlicher, tödtlicher Krankheit befallen würde, sollen derselbigen Person Freunde neben dem Pastor allen möglichen Fleiß mit Ermahnung, Erinnerung und Anzeigung göttlichen Zorns über solche Sünde dahin wenden, daß er seine Sünde beherzige und bekenne und neben der Versöhnung der von ihm geärgerten Kirche Vergebung seiner Sünden von Gott durch Christum begehre, und soll auf den Fall und Gelegenheit der Pastor ihm die Absolution in etzlicher Zeugen Gegenwart neben dem heiligen Abendmahl mittheilen, mit Vorbehalt, daß, wo ihm Gott der HErr seines Lagers wiederum aufhelfen werde, er die öffentliche Buße und Absolution vor der Gemeine Gottes nicht unterlassen wolle." (Dede-kennus' Thesaur. Vol. I. Part. 2. fol. 687.)

Anmerkung 6.

Das bekannte Proverbium: Non remittitur peccatum, nisi restituitur ablatum (die Sünde wird nicht vergeben, es werde denn das Entwendete wieder zurückerstattet), ist außer Zweifel richtig. Ein Mensch ist so lange ein Dieb, so lange er fremdes Eigenthum widerrechtlich behält; so lange kann er daher auch das heilige Abendmahl nicht würdig empfangen. Hierüber schreibt Dannhauer: „Man muß das Ganze wiedererstatten; man muß dasselbe entweder in der Sache selbst oder in einer entsprechenden und nach Maßgabe des zu ersetzenden zugefügten Schadens dem Werthe nach gleichen Sache wiedererstatten (eine solche ist, wenn man jemandem seinen guten Namen wiederzugeben hat, der Widerruf). Man muß, wenn man kann, demjenigen die Wiedererstattung leisten, welchem die Sache entwendet worden ist; wenn man dies nicht kann, den Erben des-selben; wenn auch dies nicht möglich ist, den Armen" (natürlich heimlich). „Wenn derjenige, welcher zur Wiedererstattung verbunden ist, es nicht kann, so muß er wiedererstatten durch den Wunsch und durch das Versprechen, dies zu thun, wenn er in bessere Umstände kommen sollte. Luk. 19, 2." (Lib. consc. I, p. 314.) Die Wiedererstattung kann unter Umständen auch heimlich durch Andere geschehen, ohne daß der Bestohlene erfährt, wer ihm das Entwendete wiedererstatte.

Anmerkung 7.

Wenn zwei Prediger zugleich das heilige Abendmahl austheilen und der erste derselben hat einem Communicanten das gesegnete Brod bereits ohne Wissen des anderen gereicht, so sollte dieser, um das Sacrament nicht zu ver-stümmeln, dem Communicanten den gesegneten Kelch nicht versagen, wenn er dies auch zu thun sonst ein gegründetes Bedenken hätte. Vgl. G. König's Casus catech. P. I, c. 6. cas. 5. p. 467—76. und Hanneken im Opus novum fol. 578.

Anmerkung 8.

Die Frage betreffend: Darf ein Prediger unter gewissen Um-ständen das heilige Abendmahl sich selbst reichen? wiederholen wir, was wir bereits anderwärts hierüber mitgetheilt haben:

Was zuerst unsern lieben Vater Luther betrifft, so schreibt derselbe zwar in seiner Schrift: „Weise, christliche Messe zu halten und zum Tische

Gottes zu gehen", vom Jahre 1523: „Hernach reiche er das Sacrament
beide ihm selbst und dem Volke, indeß singe man das Agnus Dei."
(Opp. X, 2760.) Dem scheint hingegen zu widersprechen, wenn derselbe
Luther in den Schmalkaldischen Artikeln schreibt: „Und ob einer zum guten
Schein wollt fürgeben, er wollt zur Andacht sich selbst beichten oder communiciren; das ist nicht Ernst; denn wo er mit Ernst will communiciren,
so hat er's gewiß und aufs beste im Sacrament, nach der Einsetzung Christi
gereicht.   Aber sich selbst communiciren ist ein Menschendünkel, ungewiß und
unnöthig, dazu verboten.   Und er weiß auch nicht, was er macht, weil er
ohne Gottes Wort falschem Menschendünkel und Fündlein folgt.   So ist's
auch nicht recht (wenn alles sonst schlecht wäre), daß einer das gemeine
Sacrament der Kirchen nach seiner eigenen Andacht will brauchen und damit
seines Gefallens, ohne Gottes Wort, außer der Kirchen Gemeinschaft spielen."
(II, 2.)   Diese letzteren Worte scheinen jedoch den ersteren nur zu widersprechen.   Dort ist von der Selbstcommunion des Predigers mit der Gemeinde, hier von einer angeblichen Selbstcommunion mit Ausschluß
der Gemeinde in der s. g. Still- oder Opfer-Messe die Rede.   Diese verwirft
Luther mit Recht, theils weil sie nur vorgegeben wird, wo man sich zu gestehen
schämt, daß man Christum opfern wolle, theils weil die heilige Communion
ein Sacrament ist, das der Kirche als einer Gemeinschaft der Heiligen gegeben
ist und daher mehrere Theilnehmer voraussetzt.   Jene Selbstcommunion
trifft keiner dieser Gründe und Vorwürfe; sie ist daher keinesweges, wie sich
manche haben dünken lassen, hier von Luthern, und also in unseren Symbolen, für an sich unzulässig erklärt.

Die späteren lutherischen Theologen sind zwar weit davon entfernt, die
Selbstcommunion der Prediger für die normale Weise der Dispensation zu
erklären, allein in dem oben bezeichneten Nothfalle erklären sie dieselbe für
unzweifelhaft zulässig. *)

So schreibt Johann Gerhard in seinen Locis theologicis: „Hier
wird gefragt: ob ein Kirchendiener das heilige Abendmahl sich selbst reichen
dürfe?   Dr. Pelargus verneint dies in seiner „„Schule des Glaubens""
zum 10. Artikel der Augsburgischen Confession, indem er sich dieser Gründe
bedient: 1. Da zum heiligen Abendmahl beides, eine gebende und eine neh-
mende Person erfordert wird, so dürfte es richtiger und der Stiftung Christi
gemäßer gehandelt zu sein scheinen, wenn er lieber von einem Anderen, als
von sich selbst, das Sacrament nimmt. 2. Wenn zwischen den Sacramenten
der Taufe und des Abendmahls eine Analogie statt findet und Christus sich
nicht selbst getauft, sondern sich des Amtes des Täufers bedient hat, von

---

*) Wenn nemlich, wie hier nicht selten, Prediger so einsam und entfernt von Amts-
brüdern stehen, daß sie, wenn sie sich das heilige Abendmahl nicht selbst reichen wollten,
desselben oft über Jahr und Tag entbehren müßten.   Natürlich ist die Gemeinde immer
erst über die Rechtmäßigkeit der Selbstcommunion zu unterrichten, damit durch dieselbe
nicht ein Aergerniß angerichtet werde.

welchem, wie man glaubt, auch die Jünger Christi getauft worden sind, was hindert es, im heiligen Abendmahle auch von Andern zu bitten, daß sie uns die heilsame Speise und den heilsamen Trank darreichen? 3. Da niemand sich selbst absolviren kann, und es auch nicht heißt: wo du dir die Sünden vergibst, sondern: welchen ihr sie erlasset, Matth. 16, 19. Joh. 20, 21., warum sollte man nicht, wie man nach dem Gebrauch der ganzen Kirche die Absolution von einem treuen Diener bitten muß, auch so in Betreff des heiligen Abendmahls thun? 4. Um seine Uebereinstimmung in der Religion und im wahren Glauben zu erklären, scheint die Gegenwart eines anderen Pfarrers oder Kirchendieners nöthig zu sein; und damit der Empfangende durch dieses von einem Andern ihm mitgetheilte Symbolum der gegenseitigen Bruderliebe bekenne, daß er ein Glied einer gewissen Kirche sei, sollte er auch einen benachbarten Mitarbeiter in der Kirche zu einem Zeugen seines wahren Glaubens annehmen. 5. Um der dem Amte schuldigen Ehrerbietung willen, damit nemlich der, welcher das Sacrament von Kirchendienern nimmt, weil Christus diesen heiligen Stand selbst eingesetzt hat, gern bezeuge, daß auch er andere Kirchendiener ehre und hochhalte. 6. Um vollerer Bestätigung seines Glaubens willen; denn es kann sich zutragen, daß man unruhig und voll Zweifel ist und durch die Stimme eines Andern aufgerichtet und gestärkt, zuweilen auch in Betreff des Lebens und der Sitten, besonders wo man Besserung und ein neues Leben zu versprechen hat, ermahnt werden muß, und daher wird so wohl dem Paulus befohlen, zu Ananias zu gehen, Apostelg. 6, 9., als auch dem Cornelius, nach Petrus zu schicken, Apostelg. 10, 5. 7. Wir lesen auch nicht, daß es in der alten apostolischen Kirche gebräuchlich gewesen sei, daß Einer bei der Sacramentfeier Brod und Wein sich selbst reichte. — Mit Recht jedoch setzt an dieser Stelle Pelargus hinzu, daß der Rothfall auszunehmen sei. Wenn daher ein Dorfpfarrer wegen weiter Ortsentfernung seinen Nachbarn nicht zu sich holen oder zu ihm gehen kann, so prüfe und erforsche er sich erst selbst, bitte Gott um Vergebung seiner Sünden und nehme hierauf den Leib und das Blut des Sohnes Gottes, nicht als aus seiner, sondern Christi, beides ihm reichenden, Hand. Was den Ausspruch Luther's (in den Schmalkaldischen Artikeln) betrifft, so ist derselbe eigentlich den päbstlichen Privatmessen entgegengesetzt, in welchen allein der opfernde Priester communicirt, indem dafür gehalten wird, daß daraus dem zuschauenden Volke ein Nutzen hervorgehe." (Loc. de sacr. coen. § 18.)

Johann Benedict Carpzov schreibt zu der mehrerwähnten Stelle der Schmalkaldischen Artikel Folgendes: „Dies muß von dem Gebrauch, sich selbst zu communiciren, recht verstanden werden. Denn obgleich 1. der fünfte Kanon des Conciliums von Toledo von unserer Kirche nicht gebilligt wird, worin es als schlechterdings nothwendig festgesetzt wird, daß der Presbyter, welcher das Abendmahl Andern verwaltet, auch sich selbst die Eucharistie reichen und immer zugleich mit communiciren müsse; 2. obgleich es auch nicht

wahr iſt, was das Concilium von Trient Seſſ. 13. Cap. 8. feſtſeßt, daß es
in der Kirche Gottes immer Sitte geweſen ſei, daß die Prieſter, welche die
Euchariſtie verwalten, auch ſich ſelbſt communiciren, und daß dieſe Sitte, als
aus apoſtoliſcher Tradition herkommend, von Rechtswegen beibehalten werden
müſſe: ſo wird doch 3. in unſeren Kirchen dieſe Sitte nicht ſchlechterdings
gemißbilligt, gleich als ob ſie mit dem Weſen der Einſetzung des Mahles des
HErrn ſtritte; worüber, was Chemniß davon im zweiten Theil ſeines Examens
des Tridentiniſchen Conc. fol. 296. erinnert hat, nachgeſehen werden kann.
Und daher müſſen 4. dieſe Worte Luther's in den Schmalkaldiſchen Artikeln
nur nach der beſonderen Beziehung, die ſie haben, verſtanden werden, nemlich
von der Communion oder einem ſolchen heiligen Abendmahl, bei welchem der
Meßhalter ein Privat-Abendmahl anſtellt, das er mit niemandem gemein
hat, ſo daß er, der Conſecrirende, der alleinige Empfänger iſt. Etwas anderes
iſt es daher: ſich ſelbſt auch das heilige Abendmahl dann reichen, wenn
es auch Andern gereicht und ausgetheilt wird; etwas anderes: ſich allein
das heilige Abendmahl nehmen und reichen mit Ausſchluß Anderer. Nicht
das Erſtere, ſondern das Leßtere hat Luther hier verneint, was auch wir
gegenwärtig verneinen." (Isagog. in libb. symb. p. 794.) Noch ent-
ſchiedener reden für das Recht eines Predigers zur Selbſtcommunion Casp.
Erasmus Brochmand, der berühmte däniſche Dogmatiker; ſ. System.
th. loc. de coen. f. 485. Ebenſo Quenſtedt in ſeiner Theologia didac-
tico-polem. P. IV. c. 3. fol. 1033. und alle unſere Caſuiſten.

§ 19.

In Abſicht auf die Ehe derjenigen, welche einem Prediger zur geiſt-
lichen Verſorgung anvertraut ſind, liegt demſelben eine dreifache Pflicht
ob: 1. nur Solche zur Ehe einzuſegnen, deren Eheſchließung weder ein
menſchliches (d. i. bürgerliches), noch ein göttliches Geſetz entgegenſteht;
2. die Einſegnung in rechter Weiſe zu vollziehen; 3. darüber zu wachen,
daß das eheliche Band nicht wider Gott gelöſt werde.

Anmerkung 1.

Zwar nennt Luther in der Vorrede zu ſeinem Traubüchlein Hochzeit
und Eheſtand ein weltlich Geſchäft, darinnen den Kirchendienern nichts zu
ordnen gebühre (X, 854.), und in ſeiner „Schrift von Eheſachen" vom
Jahr 1530 ſchreibt er: „Mir graut vor den Exempeln des Pabſts, welcher
auch ſich am erſten in dies Spiel gemenget und ſolche weltliche Sachen zu ſich
geriſſen hat, bis ſo lange, daß er ein lauter Weltherr iſt über Kaiſer und
Könige worden. Alſo beſorge ich mich hie auch, der Hund möchte an den
Läpplein lernen Leder freſſen und mit guter Meinung verführet werden, bis
wir zuleßt auch wiederum aus dem Evangelio fallen in eitel weltliche Händel.
Denn wo wir beginnen Richter in Eheſachen zu werden, ſo hat uns das

Kamprad bei dem Ermel ergriffen und wird uns fortreißen, daß wir müssen über die Strafe richten. Sollen wir über die Strafe richten, so müssen wir auch über Leib und Gut richten; da sind wir denn hinunter unter das Rad und ersoffen im Wasser des weltlichen Handels." (X, 893. f.) Solche und dergleichen Aeußerungen sind jedoch nur der Papocäsarie entgegengesetzt, vermöge welcher die päbstliche Priesterschaft die bürgerliche Ehe für eine Nichtehe, allein die durch einen Priester vermittelte für eine wahre Ehe und diese für ein Sacrament erklärte, und auch darüber entscheiden wollte, was rücksichtlich der Eheordnung den Staat angeht, von ihm erlaubt oder verboten werden könne, oder nicht (vergl. Matth. 19, 8.). Da aber in Ehesachen auch das Gewissen mit Gottes Wort zu berathen ist, so kann sich kein Diener des Wortes Gottes derselben gänzlich entschlagen. Die Macht der Prediger des Evangeliums, sagt Luther an einer andern Stelle, „soll, noch kann nicht weiter gehen, denn allein über das, so vor Gott Sünde heißt; daß, wo dieselbe angehet oder wendet, da soll auch ihr Regiment beide angehen und wenden, und soll diesem Regiment unterworfen sein alles, was da lebet und Menschen heißt auf Erden." (XI, 1035.) Obgleich daher der HErr selbst die Bitte: „Meister, sage meinem Bruder, daß er mit mir das Erbe theile", von sich abwies und antwortete: „Mensch, wer hat mich zum Richter oder Erbschichter über euch gesetzt?" (Luc. 12, 13. 14.) so ist der HErr hingegen auf die Ehe betreffende Fragen sogleich eingegangen. Matth. 19, 3. ff. Alles, was aus Gottes Wort zu entscheiden ist, gehört in den Kreis der Pflichten und Befugnisse des Amtes. Auch Luther hat daher nicht nur über die Ehe viele herrliche Predigten gehalten, sondern ganze Schriften darüber geschrieben und ausgehen lassen. Wie weit Luther davon entfernt war, zu behaupten, daß die Ehesachen von der weltlichen Obrigkeit für das Gewissen geordnet werden könnten oder sollten, ersieht man aus einem Briefe, den Luther am 13. Januar 1524 in Betreff eines Ehefalls schrieb, worin es heißt: „Wenn er sonst ungewiß ist, so kann er durch den Consens des Fürsten nicht sicher sein, dessen Amt es nicht ist, in dieser Sache etwas zu entscheiden, und da es Sache der Priester ist, aus Gottes Wort Antwort zu geben, aus dessen Mund man das Gesetz suchen soll, wie Maleachi sagt." (Briefe, herausgegeben von de Wette. II, 459.)

Ueberaus gründlich spricht sich hierüber Joh. Gerhard aus. Er schreibt: „Die Noth selbst fordert es, daß neben anderen Artikeln des christlichen Glaubens auch die Lehre von der Ehe in der Kirche behandelt und erklärt werde, mit Anzeigung der wahren und festen Gründe des rechtgläubigen Urtheils und mit Widerlegung der Träume der entgegengesetzten Meinungen und Irrthümer. Sonderlich aber liegt es nicht nur den Juristen und Politikern, sondern auch den Theologen und Kirchendienern ob, daß sie sich jene Lehre mit emsigem und keine Mühe scheuendem Geiste bekannt machen, damit sie, wenn sie zur Beurtheilung von Ehesachen hinzugezogen werden, in streitigen und zweifelhaften Fällen die wahren Fundamente aus Gottes

Wort zeigen und die Gewissen recht berathen können. Denn obgleich wir die Papocäsarie, d. i., jene verkehrte Meinung und Praxis der Päbstler nicht billigen können, vermöge welcher sie, hier zu weit gehend, sündigen, wenn sie nemlich behaupten, „daß die Ehesachen durchaus einzig und allein das Urtheil der Kirche, d. i., der päbstlichen, und der Bischöfe, oder die weltliche Obrigkeit wenigstens nicht anders angehen, als mit Unterordnung unter den Kirchenregenten', wie das Tridentinum Sess. 24. Can. 12. und Bellarmin in seiner Schrift von der Ehe Cap. 32. will; welche Meinung auf jener falschen Voraussetzung ruht, daß die Ehe ein Sacrament sei und daß dem Pabste die Macht zustehe, die ganze Kirche verbindende Gesetze zu geben und in Graden, die durch göttliches Gesetz verboten sind, zu dispensiren. Jedoch können wir auch jene Cäsareopapie nicht billigen, vermöge welcher die bürgerliche Obrigkeit das Urtheil und Entscheidung in Betreff der Ehesachen mit Ausschluß des kirchlichen Amtes für sich allein in Anspruch nimmt. Denn daß zur Beurtheilung der Ehesachen auch die Kirchendiener zuzuziehen seien, beweisen wir 1. aus der Natur der Ehe. Obgleich die Ehe kein eigentlich so genanntes Sacrament ist, so ist sie doch ein von Gott geordneter Stand und daher eine Sache des Gewissens, welche von der göttlichen Stiftung und von geoffenbarten göttlichen Gesetzen abhängt; daher die Kirchendiener, als denen die Sorge für die Seelen und Gewissen übergeben ist, von der Beurtheilung der Ehesachen nicht schlechterdings ausgeschlossen werden können. 2. Aus der Schriftnorm dieser Lehre. Alles, was in der heiligen Schrift gelehrt und vorgelegt wird, dessen Auslegung kommt vornehmlich den Theologen und Kirchendienern zu. Nun aber wird die Lehre von der Einsetzung und den Gesetzen der Ehe, von den verbotenen Graden, von den Ehescheidungen, von der Vielweiberei ꝛc. in der heiligen Schrift vorgelegt. Also gehört die Auslegung derselben und die davon abhängende Beurtheilung der Ehefälle vornehmlich den Theologen und Kirchendienern zu. 3. Aus der christlichen und apostolischen Praxis. Christus hat die Lehre von der Ursache der Ehescheidung Matth. 5, 31. 32. ausgelegt, und als Matth. 19, 3. die Pharisäer eine die Ehe betreffende Frage vor ihn brachten, verwies er dieselben nicht von sich an die Obrigkeit, wie er, als er wegen Theilung eines Erbes um Rath gefragt worden war, Luc. 12, 14. antwortete: ‚Mensch, wer hat mich zum Richter oder Erbschichter über euch gesetzt?' sondern legte eine gründliche Erklärung derselben aus den Worten der göttlichen Einsetzung vor. Paulus hat 1 Kor. 7, 10. ff. die Frage von der Ehe zwischen einem Gläubigen und Ungläubigen behandelt. In der ersten Kirche haben die frommen Bischöfe, wenn sie in Ehesachen um Rath gefragt wurden, ihr Urtheil aus Gottes Wort dargelegt ꝛc. Siehe Ambrosius' Briefe B. 8. Br. 66." (Loc. de conjugio, § 7.)

§ 20.

Ehe der Prediger dazu schreitet, eine Eheschließung amtlich einzusegnen, hat er sich nicht nur zu vergewissern, ob er nach den Staats-
gesetzen zu solcher Handlung competent sei, sondern sich auch mit den
Gesetzen des Staates, in welchem er sich befindet, vertraut zu machen,
deren Beobachtung zu einer giltigen und rechtmäßigen Eheschließung
erforderlich ist, und, so weit dieselben Gottes Wort nicht entgegen sind,
denselben gemäß zu verfahren.

Anmerkung.

In manchen Staaten dürfen nur ordinirte oder in Synodalverbindung
stehende Prediger copuliren; in manchen dürfen auch diese es erst dann thun,
wenn sich die Verlobten dazu eine obrigkeitliche Licenz ausgewirkt haben; in
manchen, wie in Missouri, ist dies gegenwärtig nicht nöthig, sie müssen aber
bei Strafe binnen spätestens neunzig Tagen die Anzeige der geschehenen
Copulation nach einem bestimmten Formular bei der Court of Common
Pleas eingeben, auch gehört gegenwärtig in diesem Staate zur Competenz
für Trauung die vorausgegangene Leistung eines politischen s. g. Testeides
von Seiten des Copulators;*) in manchen Staaten können oder sollen die
Prediger die Verlobten jedenfalls oder doch unter Umständen schwören lassen,
daß sie sich keines gesetzlichen Hindernisses in Betreff ihrer Verheirathung bewußt seien; jederzeit werden verantwortliche Zeugen verlangt; in einigen
Staaten ist elterliche Einwilligung immer nöthig, auch nach erlangter
Majorennität; in den meisten steht schwere Strafe darauf, Minorenne ohne
den elterlichen oder vormundschaftlichen Consens zu trauen; auch über die
ehehinderlichen Verwandtschaftsgrade und das erforderliche Alter der zu
Trauenden sind die Gesetze verschieden; in manchen Staaten ist dieser Zeit
noch verboten, Weiße und Farbige zusammenzugeben; in einigen Staaten ist
vorausgegangene mehrmalige Proclamation oder Anschlag an den Kirch-
thüren zur Legitimität der Knüpfung des Ehebandes nöthig; auch die Ehe-
scheidungsgründe sind nicht in allen Staaten dieselben u. s. f. Das Allg-
gemeine rücksichtlich der in den Vereinigten Staaten bestehenden, auch die
Eheschließung betreffenden gesetzlichen Bestimmungen findet sich in der Schrift:
Elements of the Laws ... in force in the U. S. by Thos. L. Smith.
Philadelphia: Lippincott, Grambo & Co. 1853. (384 Seiten in 8.
Siehe S. 138—143.) Das Specielle aber ist in den Statute Laws der
einzelnen Staaten zu suchen. Beides ist gesammelt in folgendem Werke:
„G. L. Drebing, Das gemeine Recht der Vereinigten Staaten von America,
nebst den Statuten der einzelnen Staaten. New York bei E. Steiger,
17 North William Str. (Preis: $4.00.)

*) Ist nun wieder abgeschafft worden.

§ 21.

Begehren Personen vom Prediger Einsegnung zur Ehe, so hat derselbe hierauf sorgfältig zu untersuchen, ob diese Personen nicht in einem Grade mit einander verwandt sind, welcher nach Gottes Wort (3 Mos. 18, 1—30. 20, 10—23. 5 Mos. 27, 20—23. vergl. Matth. 14, 3. 4. 1 Kor. 5, 1.) die Ehe zwischen solchen Personen hindert. Hierbei sind aber nicht allein die ausdrücklich genannten Personen, sondern alle Personen desselben Verwandtschaftsgrades zu zählen, so weit dies die, 3 Mos. 18, 6. allen Verboten vorangestellte, Generalregel fordert: „Niemand soll sich zu seiner nächsten Bluts-Freundin thun" (d. i. nach dem Hebräischen: „nicht zu dem Fleische seines Fleisches", Scheer Besaro), worunter, außer allen in gerader absteigender und aufsteigender Linie befindlichen Verwandten in infinitum und Geschwistern, auch alle diejenigen zu verstehen sind, welche mit denen Ein Fleisch sind, die schon mit dem Heirathenden Ein Fleisch sind; wozu endlich nach 3 Mos. 18, 14. 20, 20. noch das Ehegemahl verstorbener Geschwister der Eltern, jedenfalls deren hinterlassene Wittwe, wegen des „respectus parentelae" (d. i. weil diese Personen Respectspersonen der Verwandtschaft sind) kommt.

Anmerkung 1.

In Benutzung selbst rein lutherischer Schriften bei der Untersuchung, ob ein Verwandtschaftsgrad ehehinderlich sei, ist mit Vorsicht zu verfahren, da von einem Prediger in America natürlich nur die von Gott verbotenen Ehegrade urgirt werden können, während in manchen lutherischen Schriften diese und die nur vom Staate verbotenen Fälle nicht immer klar geschieden sind. Eine vortreffliche Auseinandersetzung dieser Frage findet sich in der Schrift: „Kurzer Begriff der Moraltheologie von Dr. Christian August Crusius. Leipzig, 1773." Crusius schreibt darin unter Anderem Folgendes:

Es gibt zweierlei verbotene Ehen. Einige sind ganz schädlich, und wo sie versucht werden, so wird daraus keine wahre Ehe, sondern sie sind eine Art von Hurerei, nemlich Blutschande. Diese kommen vor in der absteigenden Linie der Verwandtschaft, nemlich zwischen Eltern und Kindern, und den Ehegatten der Eltern oder Kinder. Unter den Eltern aber sind nicht nur die nächsten Eltern zu verstehen, sondern alle Personen, von denen jemand abstammt, zum Exempel Großvater, Eltervater u. s. w., und unter den Titel der Kinder gehören nicht nur die nächsten Kinder, sondern nicht weniger die Enkel, Urenkel u. s. w.

Daß die Ehe unter solchen Personen ungerecht sei, lehrt schon die Natur, welches daraus klar ist, weil sie unter allen Völkern, wenigstens unter allen gesitteten Völkern, je und je für schädlich gehalten worden ist, 1 Kor. 5, 1., welches demnach einen natürlichen Grund haben muß. Aus der heiligen Schrift aber lehrt es gleich die erste Einsetzung der Ehe, welche kein willkürlich zur Ehe hinzugethanes Positivgesetz, sondern ein Theil der Einrichtung des menschlichen Wesens ist. Dieses Wesen selbst ist zwar contingent und nicht nothwendig, sondern von des Schöpfers Willen so eingerichtet; aber diese Einrichtung ist doch zu dem Wesen von ihm gerechnet worden, das der Mensch hat und haben sollte, und sie gehört dazu, nur daß diese Sache ihrer Natur nach, wie alle freie Rathschlüsse Gottes, durch seine Offenbarung bekannt werden muß. Denn Gott sprach, da er dem ersten Menschen sein von ihm genommenes Weib gab und zuordnete (es sind Gottes Worte, wie Christus bezeugt Matth. 19, 4. 5.): „Darum wird ein Mensch Vater und Mutter verlassen, und seinem Weibe anhangen." Folglich kann nicht die Mutter selbst das Weib sein, in welchem Fall der Sohn nicht die Mutter verließe, um seinem Weibe anzuhangen. Ebensowenig kann die Tochter das Weib des Vaters sein, da sie ihn verlassen soll, um ihrem Manne anzuhangen. „Und die zween werden ein einiges Fleisch sein", 1 Mos. 2, 24., folglich kann auch die Ehe nicht mit Ehegatten der Eltern (wie mit der Stiefmutter ꝛc.) statt haben, weil sie durch die Ehe für die aus einer andern Ehe schon vorhandenen Kinder darum Vater oder Mutter werden, weil sie mit dem Vater oder Mutter der Ehe halben als ein einziges Fleisch anzusehen sind.

Die andere Art verbotener Ehen kommt in der Seitenlinie der Verwandtschaft vor, sowohl der Blutsfreundschaft als Schwägerschaft. Sie entsteht aus zwei moralischen Ursachen, und weiter, als diese Ursachen reichen, sind sie auch, wenn nicht ein Positivgesetz da ist, nicht für verboten zu achten. Die eine Ursache ist die Sicherstellung der Keuschheit bei dem vertraulichen Umgange, welchen die nächsten Verwandten unter einander haben und auch haben müssen, weil sie einander in Leistung aller Freundschaftsdienste am nächsten verbunden sind. Die andere moralische Ursache, welche wider die Ehen der allzunahen Verwandten ist, besteht darin, weil es dem gemeinen Besten der menschlichen Gesellschaft zuträglich ist, daß fremde Familien durch Verheirathung unter einander verbunden werden. Denn die gemeine Wohlfahrt beruht auf der geselligen Verknüpfung der Menschen, und die Verheirathung der Familien ist eines der wichtigsten Mittel dazu, weil die Verheiratheten nun in der fremden Familie wie Kinder und Geschwister angesehen werden und wegen der Unzertrennlichkeit der Ehe auf lebenslang Nutzen und Schaden mit den Verbundenen gemein haben.

Diese moralischen Ursachen, warum die nächsten Verwandten auch in der Seitenlinie einander nicht heirathen sollen, gelten zunächst und am stärksten von Geschwistern. Denn da dieselben ordentlicher Weise in einer Familie erzogen werden, so würde unter Vorwand oder Hoffnung künftiger Ehe viel Böses vorgehen. Sie müssen aber auch lebenslang ohne Verdacht am vertraulichsten mit einander umgehen können. Zur Vermeidung der Unkeusch-

14

heit unter ihnen ist es deswegen ein sehr sicheres Mittel, daß zwischen Bruder
und Schwester durchaus keine Ehen geduldet werden, und hingegen fleischliche
Vermischung unter ihnen nicht nur wie andere Unzucht verabscheut, sondern
von der Obrigkeit als Blutschande bestraft wird. Nur im Anfange des
menschlichen Geschlechts fand dieser Grund noch nicht statt; Gott aber hat
besonderer geheimen und stufenweise zu entdeckenden Ursachen wegen gewollt
(um Christi willen, des einigen geistlichen Stammvaters und zweiten Adams),
daß alle Menschen von Einem sein sollten, so daß auch das erste Weib vom
ersten Manne genommen und die Mutter aller Menschen ward. Ein Theil
des Planes von dem Werke, welches Gott ausführte, war auch nach der
Sindfluth die Anordnung abgesonderter Stämme, so daß aus einzelnen
Personen Völker werden sollten, die man nach ihrem Stammvater sollte
nennen können. Bis dieser Zweck erreicht war, mußten auch nähere Ehen
(in der Seitenlinie) statt haben. Er ist aber erreicht gewesen, als von
Abraham dem Bunde Gottes zufolge durch seinen Sohn Isaak binnen
400 Jahren, 1 Mos. 15, 13., das von den Weltvölkern abzusondernde heilige
Volk geworden und feierlich in den bestimmten göttlichen Bund aufgenommen
war. Deswegen wurden auch den Israeliten von der Zeit an solche Gesetze
von verbotenen Graden in der Ehe gegeben, darinnen nicht nur die schändlichen Ehen in der absteigenden Linie verboten wurden, sondern auch in der
Seitenlinie die verbotenen Ehen nun anders bestimmt wurden, als es bis dahin geschehen war, und unter ihren Voreltern selbst die Exempel vorkommen,
da zum Exempel Abraham seine Stiefschwester, 1 Mos. 20, 12., und Mosis
Vater, Amram, seines Vaters Schwester, eine Tochter Levi, zum Weibe gehabt
haben, 2 Mos. 6, 20. 4 Mos. 26, 59.

Die Ehen zwischen Geschwistern sind also heut zu Tage ganz unzulässig. Aber die vorerwähnten beiden moralischen Ursachen bringen mit sich,
daß man noch einen Grad weiter gehe und daß auch im nächstfolgenden Grade in der Seitenlinie Personen einander nicht heirathen, welche
Geschwistern gleichgeltend, nemlich des Geschwisters Ehegatte,
oder des Ehegatten Geschwister sind. Ich meine, eine Person wird
durch die Ehe, welche sie nach Gottes Ordnung mit dem Ehegatten zu einem
einigen Fleische macht, eine dem Geschwister gleichgeltende Person in Absicht
auf die wirklichen Geschwister des Ehegatten. Weiter aber, als auf den jetzt
erwähnten nächstfolgenden Grad der Verwandtschaft, kann das Verbot der
Ehe in der Seitenlinie nicht füglich ausgedehnt werden, so lange nicht in
einem besonderen Falle auch ein besonderer Grund dazu angegeben werden
kann. Dergleichen Grund ist die Berücksichtigung der Ehrerbietung,
welche Kinder ihren Eltern schuldig sind und an welcher die Geschwister der
Eltern und ferner auch die Ehegatten derselben (der Geschwister
der Eltern) einigermaßen Theil nehmen (respectus parentelae). Doch
muß auch die Anwendung davon nicht unrichtig gemacht werden. Zum
Exempel die Ehe wird aus diesem Grunde unschicklich, wenn der die Ehr-

erbietung fordernde Theil in derselben der unterworfene wird, z. B. wenn
einer seines Vaters Bruders Weib nimmt; es gilt aber nicht eben dieses,
wenn der vorgezogene Theil auch in der Ehe der vorgezogene bleibt, z. B.
wenn einer seiner Frauen Schwester Tochter heirathet, und also das Weib in
der Ehe der unterworfene Theil bleibt, indem sie ihrer Mutter Schwester Mann
heirathet. Der Grund, warum sich das Verbot der Ehe über den auf die
Geschwister zunächst folgenden Grad der Verwandtschaft in der Seitenlinie
nicht billig ausdehnen läßt, ist dieser, weil alsdann mehr geschadet als ge-
nutzt werden und allzuviel Ehen verhindert oder beschwerlich gemacht werden
möchten.

Wenn man das, was ich bisher vorgestellt habe, richtig überdenkt, so
werden dadurch die im mosaischen Gesetze verbotenen Grade 3 Mos. 18, 6—18.
auf das Gebot der Nächstenliebe zurückgebracht, wie es nach der Natur
des Neuen Testaments sein soll und wie es Paulus ausdrücklich bezeugt
Röm: 13, 9.: „Das da gesagt ist — und so ein ander Gebot mehr ist, so ist
es (summarisch) in dem zusammen verfasset: liebe deinen Nächsten als dich
selbst." Man darf nur eingedenk sein, daß die Anwendung hier, wo es die
Ehegesetze betrifft, auf Pflichten nicht gegen Einzelne, sondern gegen alle
unsere Nächsten zusammen, nemlich auf das, was zum gemeinen Besten
dienet, gemacht wird. Man macht sich Schwierigkeiten ohne Noth, wenn
man diese Gesetze für lauter positive ausgeben will; denn nun ist erst die
Frage, ob sie im Neuen Testament noch verbindlich sind. Eben so wenig ist
es genug, wenn man sie darum für Naturgesetze erkannt wissen will, weil
man meint, sie hätten sämmtlich auch die Cananiter verbunden, und
V. 24. 27. würde gesagt, daß diese wegen Uebertretung derselben ausgerottet
würden. Denn die Worte könnten auch nur auf die Classen des erzählten
Bösen, oder auf die nächstvorhergehenden Laster und unnatürlichen Schänd-
lichkeiten V. 20—23. gehen. Die Geschichte streitet auch dawider, wenn man
alle Ehen in den V. 6.—18. verbotenen Graden für eben solche Greuel
ansehen wollte. Denn an Abrahams und Amrams vorhin angeführten
Exempeln ist augenscheinlich, daß wenigstens nicht zu allen von nun an verboten sein sollenden Graden vorher Positivgesetze dagewesen sind und daß
auch das, was die geheiligten Erzväter ohne Verweis gethan, kein solches
Verbrechen sein kann, warum die Cananiter vertilgt wurden. Auf die Art,
wie ich bisher die Sache vorgestellt habe, erhellt es, wie, und auch wie weit
die in den Mosaischen Ehegesetzen verbotenen Grade dem Gesetze der Natur
entgegen sind; denn das Gesetz von der Nächstenliebe ist ein Naturgesetz.

Im Gesetz 3 Mos. 18. ist vorerst V. 6. eine allgemeine Regel angegeben, und hernach werden V. 7—18. eine Anzahl Fälle bestimmt, welche
theils schlechthin unter die Regel gehören, theils aber auch von einem entfernteren Grade handeln, als die Regel des Verbotes angab, theils mit
Einschränkungen und Zusätzen versehen sind. Die Regel ist eben die,
auf welche, wie ich vorhin gezeigt habe, auch das ordentliche Nachdenken führt,

nemlich: daß in der abſteigenden Linie die Ehe niemals, und in der Seitenlinie die Ehe nicht zwiſchen Geſchwiſtern, und über dieſes noch Einen Grad weiter hinaus nicht verſtattet ſein ſoll. Niemand, heißt es B. 6., ſoll ſich „zum Fleiſche ſeines Fleiſches" nahen ꝛc.*) Es wird alſo die Verehelichung mit einer jeden

*) Was Luther in der angeführten Stelle mit den Worten überſetzt hat: „Niemand ſoll ſich zu ſeiner nächſten Blutsfreundin thun" (3 Moſ. 18, 6.), das heißt wörtlich nach dem Hebräiſchen: „Niemand ſoll ſich zum Fleiſche ſeines Fleiſches (Scheer Besaro) nahen." Cruſius macht daher hier eine Anmerkung, worin er erweiſt, 1. daß nach der Schriftſprache die Verwandten überhaupt unter einander einer des anderen Fleiſch genannt werden (vergl. Jeſ. 58, 7. 1 Moſ. 37, 27.); 2. daß daher nach der Schrift die nächſte Verbindung, welche zwiſchen Eltern und Kindern, zwiſchen Geſchwiſtern und zwiſchen Ehegatten ſtattfindet, die ſo Verbundenen natürlich vorzüglich zu Einem Fleiſch macht (3 Moſ. 18, 12. 13. 17. 21, 2. 3. 1 Moſ. 2, 24.); 3. daß auch die weitläuftigeren Verwandten dazu genommen werden, wenn außer den Näheren die ganze Familie jemandes Fleiſch heißt (3 Moſ. 25, 49. nächſter Blutsfreund: משאר בשרו). Hierauf ſchreibt Cruſius: „Der wahre Verſtand der Regel B. 6. alſo iſt: Niemand ſoll eine Perſon heirathen, und alſo durch die Ehe mit ihr Ein Fleiſch werden wollen, welche ſchon aus irgend einem Grunde Ein Fleiſch mit einer Perſon iſt, welche auch mit ihm Ein Fleiſch iſt, mit dem Beifügen, Gott, der Jehovah, wolle es ſchlechterdings ſo haben, ohne daß ſie wider ſeine Beſtimmung ſich auf eigenes Denken und Urtheilen über die Gründe des Verbotes einzulaſſen berechtigt ſein ſollen. Womit natürlich nicht ausgeſchloſſen wird, daß man die Gründe, welche ſich wahrnehmen laſſen, mit Vergnügen einſehen darf, wodurch der Gehorſam auch freiwilliger und angenehmer wird. — Wenn man mit dieſer Betrachtung über die moſaiſchen Terte kommt, ſo wird die Ordnung und der Zuſammenhang in denſelben einleuchtend ſein. Zugleich aber wird ſich auch der Grund ergeben, warum man zu allen Zeiten die Verbindlichkeit der Geſetze 3 Moſ. 18. auch im Neuen Teſtamente zuzugeſtehen geneigt geweſen, da man es doch bei den levitiſchen Geſetzen nicht war, aber auch wiefern und warum dieſe Verbindlichkeit derſelben allgemein ſei und auch im Neuen Teſtamente ſtatt habe... Schließlich erinnere ich noch, daß es Verwirrung iſt, wenn man ſchließt: wenn die von Moſes verbotenen Ehen um eines in der Natur liegenden Grundes willen verboten wären, ſo müßten ſie keiner Ausnahme und entgegengeſetzten Verordnung in beſonderen Fällen fähig geweſen ſein, wie doch an der Heirath mit des Bruders Wittwe, wenn der Bruder unbeerbt ſtarb, allerdings da ſei. Denn es gibt mancherlei natürliche Pflichten, abſolut nothwendige und hypothetiſche und zufällige, und ſie ſind alleſammt wahre Pflichten. Daher kann man zwar dasjenige wirklich für etwas mit der göttlichen Einrichtung oder dem gegenwärtigen Zuſtand des menſchlichen Geſchlechts Streitendes mit Sicherheit annehmen, was ausdrücklich oder ſtillſchweigend in der Schrift als ſo etwas vorgeſtellt wird, welches auch dem Naturrecht oder Naturgeſetz zuwider ſei. Dieſe beiden Ausdrücke ſind auch bei Leuten, die nicht etwa gefliſſentlich Ausflüchte zur Entſchuldigung ſchädlicher Irrthümer und zur Verſtümmelung der natürlichen Tugendlehre zu ſuchen veranlaßt ſind, von einerlei Bedeutung. Ich ſage, was in der Schrift als etwas dem natürlichen Sittengeſetz Widriges angegeben wird, davon iſt ſicherlich anzunehmen, daß es dergleichen ſei, auch wenn man den Grund davon in der Natur noch nicht zu erklären weiß. Denn vielleicht iſt derſelbe nur ſchwer einzuſehen, oder er iſt einer leichten Mißdeutung bei unbilligen und ungeübten

solchen Person untersagt, welche mit einer Person Ein Fleisch ist, mit welcher
der, welcher jene heirathen will, ebenfalls schon Ein Fleisch ist. Es werden
aber Ein Fleisch genannt Eltern und Kinder, ferner Ehegatten, und endlich
Geschwister. Weil die nahe Verwandtschaft oder Schwägerschaft in Betrachtung gezogen wird, so liegt in dieser Regel das Verbot der
noch nähern Blutsfreundschaft ohnedem schon mit darinnen.
Zum Exempel wenn ein Mann sich nicht mit seiner Schwiegertochter verehelichen darf, viel weniger mit seiner Tochter; oder wenn er's mit der Mutter-
Schwester nicht darf, viel weniger mit der Mutter.

Die Erzählung der Fälle erläutert zwar die Regel; aber im Munde
des Gesetzgebers sind die erzählten Fälle mehr, als Erläuterung, sie sind
authentische Erklärung. Daher auch über die Regel in gewissen Fällen
hinausgegangen oder, was die Regel mit sich brächte, in gewissen Fällen
authentisch eingeschränkt werden kann; und so findet man es wirklich. Weil
nun nichts müßig und umsonst gesetzt präsumirt werden kann, so ist auf alle
Worte des Gesetzgebers genau Acht zu haben, sie mögen Ausdehnung oder
Einschränkung sein, oder sie mögen eine Erklärung des Punctes sein, auf
welchen Gott dabei gesehen wissen wolle, oder sie mögen eine Ursache des Verbotes angeben, oder in der geschärften Andeutung bestehen, Gott wolle es einmal so haben; welche letztere in den Worten liegt: Denn ich bin der HErr.

Damit man nun auch die Anwendung auf gleichgeltende Fälle von
solchen Gesetzen, wo Zusätze dabei stehen, und auf welche demnach zugleich
gesehen werden muß, nicht unrecht mache, so muß man erstlich vor Augen
behalten, daß das Gesetz den Mann anredet, nicht das Weib. Folglich
wenn auf ein Weib die Anwendung gemacht werden soll, so ist zuzusehen,
daß ihr kein unschickliches Verhältniß zugeschrieben werde und daß auch das
ganze Gesetz mit den beistehenden Zusätzen auf sie passe. Ferner ist zwar
überhaupt nicht zweifelhaft, ob die Ehegesetze nur von den erzählten Fällen,

Gemüthern fähig, daher man die entscheidende Beurtheilung davon nicht einmal dem
Ermessen solcher Leute anheim geben darf; ich meine, es ist ihnen nicht frei zu stellen, die
Pflicht nur nach Proportion der Gründe, welche sie einsehen, anzuerkennen und zu befolgen. Den Israeliten ward deßwegen blos der göttliche Wille: ich bin der HErr, oder
der göttliche Ausspruch: es ist ein Greuel, eine Schandthat und dergleichen, vorgehalten.
Aber daraus folgt noch nicht, daß etwas zu den absolut nothwendigen und unveränder-
lichen Naturgesetzen gehören müsse, oder daß es in allen Umständen, worinnen sich Völker
oder einzelne Menschen befinden können, einerlei Art und Grad der Verbindlichkeit habe.
Zum Exempel die Ehe zwischen Vater und Tochter, und zwischen Bruder und Schwester
sind beide dem Naturgesetz entgegen, aber doch mit Unterschied. Weil die Menschenliebe
gewiß eine natürliche Pflicht ist, so verbindet sie jeden Einzelnen zur Beobachtung dessen,
was die gemeine Wohlfahrt und Sicherheit erfordert. Und sobald Völkerschaften und
errichtete Staaten gesetzt werden, sind die Regenten noch besonders verbunden, darüber
zu halten und Anstalten deshalb zu machen. Solchergestalt werden abermal Naturgesetze
aus dem, was die gemeine Wohlfahrt der Menschen erfordert, so weit der Grund reicht,
warum sie dafür zu halten sind."

ober ob sie von den **Graden** der Verwandtschaft und Schwägerschaft zu
verstehen sind; sie müssen allerdings von den **Graden** verstanden
werden, weil man sonst der Regel B. 6. widerspräche, indem bei
weitem nicht alle Fälle erzählt sind, welche unter die Regel gehören.   Aber
bei den erzählten Fällen soll man die Erzählung auch nicht für müßig halten,
sondern auf die erklärenden, einschränkenden oder ausdehnenden Zusätze, welche
dabei ausgedrückt sind, nicht weniger Achtung geben.   Was man also dem
darin verbotenen Falle für gleichgeltend halten will, das muß nicht nur
nach dem Grade der Verwandtschaft berechnet werden, sondern es muß in
allen Stücken jenem Falle ähnlich sein. · Denn eben dadurch, daß ein Gesetz
mit besondern Bestimmungen für diesen Fall da ist, ist derselbe ausgezeichnet,
daß man nicht blos nach der Regel die Grade der Verwandtschaft zählen,
sondern auf mehreres, das der HErr sagt, dabei Acht haben soll.

Dieses ist alsdann insonderheit nöthig, wenn der Gesetzgeber in
einem bestimmten Fall über die Regel (interpretatione authentica exten-
siva) hinausgegangen ist.   Denn da uns dergleichen Erweiterung eigen-
willig zu machen nicht erlaubt ist, sondern wir nur an die Regel gewiesen
sind, so dürfen wir auch die authentische Ausdehnung des Gesetzgebers auf
einen entfernteren Grad, vielleicht nicht einmal sattsam bekannter Ursachen
willen, nur von einem dergestalt gleichgeltenden Falle verstehen, wo eben die
Ursachen statt haben müssen.   Keinesweges aber ist uns erlaubt, hier blos die
Grade zu zählen, zum Nachtheil der allgemeinen Regel, gleich als ob hier
eine neue allgemeine Regel und doch eine von jener (B. 6.) abweichende Bestimmung angegeben wäre.   Zum Exempel das Verbot, seines Vaters Bruders
Frau zu ehelichen, B. 14., ist eine Erweiterung der Regel und es gehet
über dieselbe hinaus, weil dieses Weib nicht heißen kann **deines Fleisches
Fleisch**, sondern nach derselben alten Art zu reden mit Wiederholung des
Wortes — **das Fleisch des Fleisches deines Fleisches** genannt werden
müßte.   Denn der Sohn ist Ein Fleisch mit dem Vater durch die Abstammung
und sein Vater ist es mit seinem eignen Bruder, und dieser ist es mit seinem
eignen Weibe durch die Ehe.   Die Ursache der Erweiterung sei, welche sie
wolle, so ist nicht abzusehen, warum das Verbot nicht ebensowohl von **der
Mutter Bruders Frau** verstanden werden müsse.   Es wird aber wohl
niemand zweifeln, daß das Verhältniß der Ehrerbietung gegen die
Eltern, an welchem ihre Geschwister und folglich die Ehegatten dieser einen
Antheil nehmen, die Ursache des Verbots dieser Ehe sei.   Es sollte nemlich
unter einem Volke, das sich durch Gotteserkenntniß und einen derselben
würdigen Wandel vor andern auszeichnen soll, alles Ungeziemende und
Widersinnische vermieden werden, was der Abstammung, als dem von Gott
erwählten wunderbaren und darum so viel auf sich habenden System (weil
alle Menschen dadurch von Einem sind und darinnen ein Geheimniß Seines
Reiches liegt) entgegen ist.   Das Unschickliche in einer solchen Eheverbindung
haben auch verständige Leute unter den Heiden empfunden, daher im Römischen

Rechte respectus parentelae iſt; davon ſonſt in der Art zu reden bei den
Hebräern nichts Aehnliches iſt, indem die Verwandten in ungleichen Graden
der Seitenlinie nicht als Vater und etwa halber Sohn vorgeſtellt, ſondern
blos Brüder genannt werden, zum Exempel 1 Moſ. 13, 8. Aber darum habe
ich ſchon vorhin erinnert, daß daraus nicht durch ein bloßes Gradezählen
gefolgert werden kann, ein Weib darf nicht ihrer Mutter Schweſter Mann
heirathen. Denn durch dieſe Ehe geht der Ehrerbietung nichts ab, weil das
Weib der unterworfene Theil in der Ehe iſt und die Schuldigkeit, die es gegen
ſeinen Ehemann hat, die größere iſt und mit der, welche ſie gegen ihrer Mutter
Schweſter Mann vorher hatte, nicht in Colliſion kommt, ſondern nur beide
Arten der Ehrerbietung zuſammenkommen und vereinigt werden. Daher iſt
die Anführung gleicher Grade der Verwandtſchaft keine Entſcheidung, daß
ein Mann ſeiner Frauen Schweſter Tochter nicht heirathen dürfe. (A. a. O.
S. 1612—43.)

Auf Grund dieſes Auszuges laſſen wir nun eine Tabelle folgen, mit
deren Hilfe ein jeder leicht herausfinden kann, ob in einem fraglichen Falle ein
durch verwandtſchaftliche Verhältniſſe bedingtes Ehehinderniß da ſei oder nicht.

Tabelle
der verbotenen Verwandtſchafts-Grade.

der Eltern Bruders Wittwe.	der Eltern Geſchwiſter.	Ureltern; Großeltern; Eltern.	Stief- und Schwieger-Ureltern; Stief- und Schwieger-Großeltern; Stief- und Schwieger-Eltern.
des Bruders Wittwe; der Schweſter Wittwer.	Geſchwiſter; Halb-geſchwiſter.	**Nimm nicht zur Ehe**	des Mannes Bruder; der Frau Schweſter.
die Kinder der Geſchwiſter.		Kinder; Enkel; Urenkel.	Stief- und Schwieger-Kinder; Stief- und Schwieger-Enkel; Stief- und Schwieger-Urenkel.

Nach den vorausgegangenen Auseinanderſetzungen, dies bemerken wir noch ſchlüßlich,
iſt es hingegen in Gottes Wort unverboten, daß die Ehe zwiſchen Geſchwiſterkindern
oder zwiſchen zuſammengebrachten Kindern geſchloſſen wird, oder wenn ein Geſchwiſterpaar wieder ein Geſchwiſterpaar, oder wenn Vater und Sohn Mutter und Tochter oder
zwei Schweſtern heirathen u. ſ. w.

Anmerkung 2.

Zu rechter Anwendung der Lehre von den ehehinderlichen Verwandt-schaftsgraden ist die Beobachtung sonderlich noch zweier allgemeiner Regeln nöthig, welche Johann Gerhard, wie folgt, darlegt: „Das Verbot umfaßt beide Arten der Verwandtschaft, sowohl die, welche von beiden Eltern, als die, welche nur von Einem von beiden ihren Ursprung hat. Diese Regel wird aus 3 Mos. 18, 9. abgeleitet, wo die Schwester verboten wird, mag sie nun Schwester aus beiden Eltern d. i. eine ganze, oder Schwester nur von väterlicher oder mütterlicher Seite d. i. eine Halbschwester sein. Also sind auch die übrigen Verwandtschaften für verboten zu achten, mögen sie nun aus beiden Eltern, oder nur aus Einem von beiden entstehen. Wenn also der Mannsperson verboten wird, die Schwester zu heirathen, mag sie dies nun aus beiden Eltern, oder nur aus Einem von beiden sein, so wird auch der Frauensperson verboten, den Bruder zu heirathen, mag er dies nun aus beiden Eltern, oder nur aus Einem von beiden sein. Dem Großvater ist verboten, die Enkelin zu heirathen, mag sie nun vom Sohne oder Stiefsohne gezeugt sein. — Die Verbote sind von Verwandtschaften zu verstehen, mögen dieselben nun aus der Ehe, oder aus Hurerei entsprungen sein. Diese Regel wird aus derselben Stelle 3 Mos. 18, 9. abgeleitet, wo die Schwester verboten wird, mag sie nun ‚daheim‘ oder ‚draußen‘ geboren d. i. mag man sie aus einer rechtmäßigen Ehe, oder aus Hurerei erhalten haben... Es ist auch der Grund dieser Regel nicht schwer zu erkennen, wenn man den apostolischen Ausspruch, 1 Kor. 6, 16., erwägt: ‚Wer an der Hure hanget, der ist Ein Leib mit ihr‘; darum wird auch durch uneheliche und ehebrecherische Vermischung eine Verwandtschaft bewirkt, und es wird nicht sowohl auf die Beschaffenheit der Geburt, ob sie nemlich legitim oder illegitim ist, als vielmehr auf die aus fleischlicher Vermischung entspringende Blutsverwandtschaft in diesen Verboten gesehen. So darf der Sohn das Weib des Vaters nicht heirathen, mag der Vater in legitimer oder in illegitimer Weise mit ihr zu schaffen gehabt haben; der Bruder darf die Schwester nicht heirathen, mag dieselbe nun in oder außer der Ehe vom Vater gezeugt worden sein; der Großvater darf die Enkelin nicht heirathen, mag nun der Sohn, von welchem die Enkelin stammt, in oder außer der Ehe geboren sein; der Schwiegervater darf die Schwiegertochter nicht heirathen, mag nun der Sohn in legitimer oder in illegitimer Weise mit ihr zu thun gehabt haben.“ (Loc. th. de conjugio § 281. 282.) Daher wurde im Jahre 1714 in Freiberg in Sachsen ein Ehepaar, welches bereits 15 bis 16 Jahr beisammen gelebt und auch einige Kinder gezeugt hatte, durch eine Oberconsistorial-Verordnung ge-schieden, weil die Frau ehemals von ihres Mannes Vater geschwängert worden war, dies aber der Sohn auf des Vaters Veranlassung auf sich genommen und dieses Weib geheirathet hatte. (S. M. Thr. G. Willisch’ens

Kirchenhistorie der Stadt Freiberg. Leipzig, 1737. I, 346. Vergl. über dergleichen Fälle Gerhard's loc. de conjugio. § 690. Brochmandi System. th. II, 582.)

Anmerkung 3.

Die Verwandtschaft, welche durch ein rechtmäßiges Verlöbniß entsteht, bewirkt nach göttlichem Gesetze kein Ehehinderniß, wie man aus den Gründen ersieht, welche 3 Mos. 18. stets für das Verbot beigefügt sind; daher z. B. die Verheirathung mit des verstorbenen Bruders Braut nicht wider Gottes Wort ist. Gerhard schreibt: „Unsere Vorgänger in der theologischen Facultät geben unter dem 27. Juni im Jahre 1601 das Responsum: ,Die Mutter der verstorbenen Braut sei nicht zu heirathen;' wobei jedoch zu bemerken ist, daß durch die Obrigkeit in diesem Hinderniß dispensirt werden könne, da das Verbot selbst nur menschlichen positiven, nicht göttlichen Rechtens ist." A. a. O. § 363. Vergleiche jedoch § 359—363., wo auch Gerhard dergleichen Heirathen, wenn die Sache noch in integro ist, widerräth. Vergleiche auch Consil Witeberg. IV, fol. 67. f.

Anmerkung 4.

Da, wenn eine Heirath schon beschlossen ist, oft große Schwierigkeiten entstehen, wenn der Prediger dann erst die betreffenden Personen zu überzeugen sucht, daß ihre Verbindung wider Gottes Gebot sei, so ist es von großer Wichtigkeit, daß ein Prediger seiner Gemeinde in Zeiten einen gründlichen Unterricht über die ehehinderlichen Verwandtschaftsgrade gebe, sonderlich darüber, daß eine Verheirathung mit der verstorbenen Frauen Schwester, welche leider! in unseren Tagen so oft vollzogen wird, durch die Generalregel 3 Mos. 18, 6. verboten und keinesweges durch 18, 18. bestätigt sei. Nicht selten berufen sich Lutheraner darauf, daß Luther in früheren Schriften eine solche Ehe für zulässig erklärt habe; solche sind darauf aufmerksam zu machen, daß Luther später u. A. Folgendes geschrieben habe: „Wie? sind in eurem Lande nicht Frauen noch Jungfrauen genug, daß man so nahe muß freien, im andern und schier noch nähern Grade? als die Schwester Tochter und zwo Schwestern nach einander. Ja, es hat etwa der Luther einen Zettel lassen ausgehen, daß solch Grad, Linien ꝛc. Hat man aber nicht dagegen andere folgende Bücher auch mögen ansehen, darinnen solches corrigiret oder (so man sagen wollte) revociret ist?" (Brief an Johann Hesse. XXI, 1570.)

Luther rescribirte daher in Gemeinschaft mit seinen Collegen an Leonhard Beier im Jahre 1535 folgendermaßen:

„Wir haben euer Schreiben empfangen, in dem ihr anzeiget, daß einer seines verstorbenen Weibs Schwester beschlafen habe, und dieselbe ehelich begehre, so es mit Gott geschehen möchte, und ihnen zugelassen würde. Darauf fügen wir euch zu wissen: Daß wir mit einander zugleich halten

und schließen, daß im gedachten Fall die Ehe ganz nicht zugelassen sei. Denn
erstlich ists wahr, wie ihr wisset, daß Gottes Gebot ist, daß man in den nahen
Gradibus nicht zusammen heirathen soll; und daß Gott solche unnatürliche
Vermischung strafen wollt in aller Welt, zeiget klar der Text 3 Mos. 18.

Nu ist dieser Fall in primo gradu affinitatis. Denn so Mann und
Weib ein Fleisch sind, wird des Weibes Schwester gleich gehalten als des
Mannes Schwester; derhalben auch Kaiserl. Recht in diesem Fall verboten,
Codice de incestuosis et inutilibus nuptiis. Wir achten auch, so diese
Personen zusammen kommen, daß sie doch ihr Lebenlang unfriedliche Ge-
wissen haben würden, des Falls halben an ihm selbst, dazu wegen des Aerger-
niß; und werden ohne Zweifel viel besser zu friedlichem Gewissen kommen,
so sie sich von einander thun.

So darf man hie nicht Jacobs Erempel allegiren. Denn Gott hat
selber hernach in Mose solche Ehe verboten, und ist auch nicht klar in Mose
ausgedrückt, daß einer des verstorbenen Weibes Schwester möge freyen.
Auch hat man kein Erempel. Und obgleich Behelf dazu aus Mose gesucht
würden, so sind solche Heurath dennoch von Natur und durch die Oberkeit
verboten. Darumb sind sie dem Spruch (Matth. 19, 6.) zuwider: Quos
Deus conjunxit etc.

Ueber das alles wisset ihr, daß solche Erempel sehr ärgerlich sind und
ruchlose Leute Ursach davon nehmen zu Blutschanden, wie man denn, leider,
in etlichen Fällen befunden, daß solche Leute sich haben wollen mit vorigem
ärgerlichem Erempel entschuldigen.

Aus diesen Ursachen schließen wir, daß im gemeldten Fall keine Ehe zuzulassen sei; und wo die Leute an diesem unserm Bedenken nicht zufrieden
sind, möget ihr sie gen Hof weisen. Daß aber die Leut große Schmerzen
haben von wegen der Sünde und Schand, auch Fahr von der Freundschaft,
so wollet sie mit dem Evangelio trösten und insonderheit das anzeigen, daß
sie doch unfriedlicher Gewissen in der Ehe haben würden, aus Ursachen,
droben gemeldet; und werden leichter zu trösten sein, so sie sich von einander
thun; so ist auch die Oberkeit schuldig, Friede zwischen der Freundschaft zu
schaffen.

Das wollen wir euch auf euer Schrift freundlicher Meinung nicht
bergen; denn euch freundlichen Willen zu erzeigen, sind wir ganz geneigt.
Datum Wittenberg, Montags nach Antonii, Anno 1535.

Justus Jonas, Probst.
Martinus Luther, beyde Doctorn.
Philippus Melanchthon."

(X, 834—37.)

Man vergleiche den Consistorialerlaß, nach welchem selbst die bereits
eingegangene Ehe eines Mannes mit seiner verstorbenen Frauen Schwester
aufgelöst werden mußte und der Prediger, welcher diese Ehe eingesegnet hatte,
mit achttägiger Kerkerstrafe belegt wurde. (X, 1758. f.)

Gerhard schreibt: „Daß die Ehe mit des verstorbenen Weibes Schwester nach dem göttlichen Gesetz verboten sei, erweisen wir mit folgenden Gründen: 1. Aus dem ausdrücklichen Verbot Levit. 18, 18... 2. Aus jenem Grundsatz, daß im Leviticus nicht nur die ausdrücklich genannten Personen, sondern auch die in gleichem Verhältniß stehenden Grade verboten sind... 3. Aus der oben aufgestellten und bewiesenen Regel, daß wie die Blutsverwandtschaft, so auch die Schwägerschaft, wenn sie einmal eingetreten ist, bestehen bleibt und durch den Tod dessen, durch den sie entstanden ist, nicht aufgehoben wird... 4. Aus der Generalregel Levit. 18, 6.: ‚Niemand soll sich zu seiner nächsten Blutsfreundin thun.‘ Nun aber werden Mann und Frau durch die Ehe Ein Fleisch, Gen. 2, 24. Mtth. 19, 5. Also wird des Weibes Schwester eine nächste Blutsfreundin, und folglich muß man sich der Ehe mit ihr enthalten. Bruder und Schwester und darum auch zwei Schwestern sind Ein Fleisch, Gen. 37, 27., also kann der Mann, welcher mit Einer Schwester Ein Fleisch durch die eheliche Verbindung geworden ist, sich mit der anderen Schwester nicht verbinden, welche mit der ersteren Ein Fleisch durch die nächste Blutsverwandtschaft war." (Loc. de conjug. § 347. vgl. §§ 347—350.)

§ 22.

Der Prediger hat zum anderen zu untersuchen, ob diejenigen, welche bei ihm um Copulation nachsuchen, nicht schon giltig und rechtmäßig anderseits verlobt seien, oder bereits in einer noch giltigen Ehe mit einer anderen Person stehen.

Anmerkung 1.

Eine giltige und rechtmäßige Verlobung ist dann geschehen, wenn zwei zur Ehe tüchtige Personen freiwillig, vor Zeugen oder, falls die Eltern noch leben, mit deren ausdrücklicher Einwilligung sich die Ehe ohne Bedingung versprochen haben, oder, falls das Eheversprechen ein bedingtes war, die Bedingung erfüllt ist. Ohne alle Giltigkeit sind sogenannte heimliche Verlobungen, das ist, solche, welche hinter dem Rücken oder wider den Willen der Eltern geschehen, mögen sie immerhin sonst einen noch so öffentlichen Charakter haben oder gehabt haben und selbst mit einem Eide bekräftigt worden sein.

Anmerkung 2.

Heimliche Verlobungen sind darum ohne alle Giltigkeit, weil laut des göttlichen Wortes die Kinder nicht ihre eigenen Herrn (nicht sui juris), sondern den Eltern unterworfen, deren Eigenthum sind, die Kinder daher nicht selbst sich, sondern deren Eltern sie verheirathen sollen (1 Kor. 7, 36—38. vgl. 5 Mos. 7, 3. 1 Mos. 29, 21. 2 Mos. 22, 17.). Daher denn auch die Eltern nach Gottes ausdrücklicher Anordnung ein wider oder ohne ihren

Willen selbst Gott gethanes Gelübde zerreißen konnten (4 Mos. 30, 4—6.). Vergl. hierüber den Artikel „Ueber heimliche Verlöbnisse" von Past. Dulitz, welcher sich in Jahrg. XV. des „Lutheraner" (vom Jahre 1858) S. 50—53 findet. Vergl. auch, was hierüber in Jahrgang I. der „Lehre und Wehre" S. 252—255 aus Gerhard's Loc. theol. de conjugio (§ 143. 144. 146. 149.) mitgetheilt ist. — Die Lehre, daß heimliche Verlobungen kein wirkliches Eheband knüpfen, gibt jedoch nicht die Freiheit, dieselben in allen Fällen für durchaus ohne alle Kraft der Verbindlichkeit anzusehen. Es ist eine schlechte Entschuldigung, es sei ja kein vinculum matrimonii (Eheverbindlichkeit) da, wenn ein vinculum conscientiae (Gewissensverbindlichkeit) da ist. Es ist offenbar wider das Gewissen, also zu handeln und sich also zu stellen, als ob man sich verloben wolle, und endlich die Person, welcher man Hoffnung auf das Eingehen einer Ehe mit ihr gemacht hat, ohne nöthigende Gründe zu verlassen. Die Wittenberger theologische Facultät schrieb in Betreff eines solchen Falles im Jahre 1630: „Wir sollen nicht verhalten, daß zwar kein öffentliches Verlöbniß in dem erzählten Fall zu finden; man hat sich aber in den Tractaten (gegenseitigen Verhandlungen) ziemlich weit verlaufen, daß man füglich wieder zurück nicht wird kommen können. Es ist um das Gewissen ein zartes Ding; ein schweres Werk auch, wenn es in der Noth und Anfechtung aufwachet... (Es) wäre doch ganz unrecht, daß man Einen mit vergeblicher Hoffnung viel und lange Jahr aufhielte, hernachmals aber ohne erhebliche Ursachen ihn hintansetzte; welche Unbilligkeit dann rechtmäßige Seufzer, so der Seja" (die sich gegen einen Mann lange Zeit so verhalten hatte, daß dieser glauben mußte, sie wolle ihn heirathen) „schwer zu ertragen fallen würden, heraus pressen möchte." (Consil. Witebergens. IV, 45. b.)

Anmerkung 3.

Ueber die bedingten Verlöbnisse (sponsalia conditionata) in ihrem Unterschiede von einem unbedingten (sponsalia pura) schreibt Joh. Gerhard u. A. Folgendes: „Unbedingt (pure) heißen die geschlossen, welchen keine Bedingung ausdrücklich beigefügt worden ist; auf welche Weise Rebecca mit Isaak 1 Mos. 24., Sarah mit Tobias Tob. 7. verlobt wird. Bedingt heißen sie geschlossen, wenn das Eheversprechen durch irgend eine Bedingung eingeschränkt und limitirt wird. So verlobt Laban seine Tochter Rahel mit Jacob unter der Bedingung eines siebenjährigen Dienstes, 1 Mos. 29, 18.; Boas verspricht der Ruth die Ehe unter der Bedingung, wenn der nähere Verwandte sie nicht heirathen wolle, Ruth 3, 13. In Betreff der unbedingt und schlechthin geschlossenen Verlöbnisse ist diese Regel zu merken, daß aus denselben eine wirksame Verbindlichkeit und ein Vertrag entsteht, so daß der eine der Contrahenten auf Ersuchen des anderen Theils zur Vollziehung der Ehe genöthigt werden kann, wenn nemlich nicht ein hinreichender Scheidungsgrund vorgebracht werden kann." Im Folgenden bemerkt Gerhard, daß es nach dem römischen Kirchenrechte drei Gattungen von Bedingungen gebe: 1. schändliche und dem Wesen der Ehe widerstreitende, z. B. die Bedingung: Wenn du Unfruchtbarkeit bewirkende Mittel gebrauchen willst; 2. schändliche, die das Wesen der Ehe nicht betreffen, z. B.: Wenn du mit mir stehlen willst; und unmögliche, z. B.: Wenn du mit dem Finger den Himmel anrühren, wenn du das Meer austrinken wirst; 3. ehrbare und mögliche, z. B.: Ich werde dich nehmen, wenn der Vater einwilligt, wenn du mit hundert Goldgülden ausgestattet wirst. Gerhard fährt fort: „In Betreff ehrbarer Bedingungen, die sich auf etwas Gegenwärtiges oder Vergangenes beziehen, gibt man diese Regel: Wenn eine solche Bedingung vorhanden ist, so ist die Verlobung giltig, wenn sie aber nicht vorhanden ist, so ist die Sache für nicht geschehen anzusehen. In Betreff ehrbarer Bedingungen, die sich auf etwas Zukünftiges beziehen, zufällig und zweifelhaften Ausganges sind, gibt man diese Regel, daß Verlöbnisse mit solchen Bedingungen für die Gegenwart unkräftig, aber suspendirt sind, bis die beigefügten Bedingungen erfüllt werden; daher denn, so lange das Bedingte nicht vorhanden ist, sondern noch in Ungewißheit schwebt, das Eheversprechen nicht rechtsgiltig ist und keine wirksame Verbindlichkeit dazu entsteht. Doch hat diese Regel die Ausnahme, daß ein mit Bedingung geschlossenes Verlöbniß für ein unbedingt geschlossenes angesehen wird, wenn fleischliche Vermischung darauf gefolgt ist, weil derjenige, welcher in fleischliche Vermischung einwilligt, als ein solcher erscheint, welcher die Bedingung aufgegeben habe... In Betreff schändlicher wider die Ehrbarkeit der Ehe streitender Bedingungen gibt man diese Regel, daß sie das Verlöbniß annihiliren d. i. daß ein damit geschlossenes Verlöbniß ungiltig und unkräftig ist. In Betreff schändlicher dem Wesen der Ehe nicht widerstreitender Bedingungen lehrt man, daß sie das Verlöbniß nicht annihiliren, sondern zu Gunsten der Ehe für nicht beigefügt angesehen werden und daß ein mit solchen Bedingungen geschlossenes Verlöbniß für ein schlechthin geschlossenes zu achten sei, damit dem Muthwillen derjenigen, welche der Scham und Zucht des schwachen Geschlechtes nachstellen, gesteuert werde. Es fragt sich hier 1.: Ob unmögliche Bedingungen für nicht beigefügt zu halten seien? Die meisten affirmiren dies... Andere aber behaupten das Gegentheil... Ich halte dafür, daß hier die Umstände zu berücksichtigen seien... Es fragt sich 2.: Ob jene Bedingung: Ich will dich ehelichen, wenn ich ausfindig gemacht haben werde, daß du eine Jungfrau bist, — als eine schändliche für nicht beigefügt zu halten sei?... Es ist offenbar, daß ein Verlobter nicht gezwungen werden könne, daß er diejenige eheliche, der er eheliche Treue gelobt hat, wenn er vor Vollziehung der Ehe aus unzweifelhaften Anzeichen erfahren sollte, daß dieselbe mit einem Manne zu schaffen gehabt habe. Wenn daher diese Bedingung, als eine das Wesen der Ehe betreffende, in dem Verlobungsvertrag stillschweigend immer als

ſelbſtverſtändlich angenommen wird, ſo darf ſie natürlich auch, wenn ſie ausdrücklich erwähnt wird, für eine ſchändliche, unmögliche und nicht beigefügte
keinesweges geachtet werden; indeſſen pflegt dieſe Bedingung bei der Verlobung nicht namentlich ausgedrückt zu werden, damit die jungfräuliche
Keuſchheit durch unbilligen Verdacht nicht in Zweifel gezogen zu werden
ſcheine... Es fragt ſich 4.: Ob ein Verlöbniß für ein bedingtes zu halten
ſei, welches einen voraus beſtimmten Zeittermin enthält? Hier iſt ein
Unterſchied zu machen zwiſchen einem Verlöbniß, welches unter der Bedingung einer beſtimmten Zeit eingegangen worden iſt, wenn z. B. jemand
Einem ſeine Tochter verſpricht, daß er dieſelbe innerhalb eines Jahres zur
Frau nehme, und zwiſchen einem ſchlechthin eingegangenen Verlöbniß,
wozu ſpäter die Erwähnung einer beſtimmten Zeit und eines beſtimmten
Tages der Hochzeit unter den Contrahirenden oder deren Eltern hinzu kommt.
Die erſte Verlobung wird mit dem Verfluß der zuvor beſtimmten
Zeit aufgelöſ't, denn wenn es die Schuld deſſen iſt, dem das Verſprechen
gegeben wurde, daß die Hochzeit nicht vor ſich ging, ſo darf man nicht zweifeln,
daß der andere von ſeiner Verbindlichkeit frei ſei und ſich eine andere Gelegenheit ſuchen könne, wenn er auch den anderen Theil um die Erfüllung des
Verſprochenen nicht angeſprochen hat. Was aber das Verlöbniß der anderen Art betrifft, ſo hört die Verbindlichkeit nicht auf, mag immerhin die
beſtimmte Zeit verfloſſen ſein. Es fragt ſich 5.: Ob ein Pönal-Verlöbniß
für giltig anzuſehen ſei? Ein Pönal-Verlöbniß nennt man, welchem die
Erwähnung einer Poena (Strafe) beigefügt iſt; z. B. ein Vater verlobt
ſeine Tochter mit Einem unter Beifügung des Vertrags, daß derjenige, welcher
von ſeinem Verſprechen zurück tritt, dem anderen Theile hundert Gulden bezahlen ſolle. In Betreff dieſes Pönal-Verſprechens iſt das allgemeine Urtheil,
daß es nach dem Rechte null und nichtig ſei, da es der durch göttliches und
menſchliches Geſetz beſtätigten Freiheit der Ehe ſchnurſtracks widerſpreche...
Wie immer es ſich aber auch mit Einforderung der Strafe verhalten mag,
welche der Entſcheidung der Landesgeſetze und dem Urtheil des Richters heim-
geſtellt wird, ſo ſcheint doch derjenige, welcher unter der Bedingung einer
Strafe ein Verſprechen gegeben hat, nicht ſchlechterdings zur Vollziehung
der Ehe gezwungen werden zu dürfen, ſondern ihm anheimzugeben ſein, ob er
mit freiem Willen in dieſelbe einwilligen wolle... Es fragt ſich 7.: Ob
nach Schließung eines bedingten Verlöbniſſes dem einen der
Contrahenten bei noch ſchwebender Bedingung zurückzutreten
und mit einer anderen Perſon in unbedingter Weiſe ſich zu
verloben erlaubt ſei? Es wird allgemein und mit Recht geleugnet, daß
hier eine ſolche Reue geſtattet ſei. Denn wie in anderen Contracten bei
noch ſchwebender Bedingung zurückzutreten nicht erlaubt,
ſondern der Ausgang der Bedingung abzuwarten iſt, ſo iſt anzunehmen
daß auch in Betreff des Verlöbniſſes daſſelbe Rechtens ſei, namentlich da die
Ehe nicht nur ein bürgerlicher Contract, ſondern eine Sache des Gewiſſens

und besonderer göttlicher Einsetzung ist." (Loc. de conjugio §§ 131—139.) Auf Grund dieser Lehre haben denn ältere lutherische Consistorien ihre amtlichen Entscheide gegeben. So beschied u. a. das Consistorium zu Dresden: „Auf Eure an uns gethane Frage, darüber Ihr Euch des Rechten zu berichten gebeten habt, erkennen und sprechen wir Verordnete des Oberconsistorii zu Dresden für Recht: Hat Bernhard N. seine Tochter, davon Eure Frage meldet, dem Hans N. ehelich versprochen und zugesagt mit dieser ausdrücklichen Bedingung: wofern er sich ehrlicher und besser, denn sein Bruder, der sich mit Dieberei befleckt, verhalten würde; und aber gedachter Hans N. in wenig Tagen hernach vor dem gewöhnlichen Kirchgang und Beilager in eines Bürgers bei Euch verschlossene Behausung durch falsche Schlüssel sich begeben und allda Stehlens, wofern er nicht verhindert worden, sich unterfangen: so sind auch benannter Bernhard und seine Tochter die obangezogene und mit ausdrücklicher Bedingung beredte Eheverlöbniß, wofern N. N. dawider nichts Erhebliches fürzuwenden hätte, nach Gelegenheit diesfalls zu hinterziehen wohl befugt." (Dedekennus' Thesaur. Vol. III, 177.) Ferner beschied das Consistorium zu Meissen, wie folgt: „Alldieweil so viel erschienen, daß beklagter Jungfrauen Vater seine Tochter ermeldetem Kläger mit diesem Vorbehalt zugesagt: da Kläger Meister werden und sein Meisterstück zwischen Dato der gethanen Zusage und Fastnacht zunächst darauf folgend verfertigen würde, daß er dann seine Tochter ihm ehelichen und folgen lassen wollte; in welche des Vaters Zusage und Bedingung die beklagte Jungfrau sowohl, als der Kläger, ausdrücklich verwilliget, der Kläger aber nachmals dieser seiner Zusage nicht nachgesetzt, noch nachsetzen wollen — so würde auch beklagte Jungfrau von Klägers Zusprüchen der Ehe halben billig entbunden und ledig gezählt und wird jedem Theil seiner Gelegenheit nach sich zu verehelichen erlaubt. (A. a. O. 178.) Vor andern wichtig ist in Betreff der Lehre von bedingten Verlöbnissen endlich noch folgende Entscheidung des Consistoriums zu Wittenberg: „Als Ihr uns berichtet, wie sich zwischen Hieronymo N. und Junfrauen Annen N. diese Rede zugetragen, Hieronymus N. hat zu der Jungfrauen gesagt: ‚Mägdlein, ich wollte, daß du mein wärest!‘ Darauf sie geantwortet: ‚Könnte es doch wohl geschehen, da ihr dazu thätet.‘ Und gemeldeter Hieronymus N. ferner gesagt: ‚Ist es der Wille Gottes, so wird er es wohl also schicken.‘ Auch im Abreisen sie also gebeten, an ihn zu gedenken; welches er auch thun wollte, denn ihm nicht möglich wäre, ihrer zu vergessen — mit Bitte, Euch des Rechtens darüber, ob es eine beständige (Giltigkeit habende) Ehe sei, zu berichten. Demnach ist unser Bedenken auf Recht, daß zwischen obgemeldeten Personen keine beständige Ehe durch obberührte Worte und Gespräche ist beschlossen oder contrahirt worden. Derowegen ihnen unverboten, anderweges sich christlich zu verehelichen." (Ebendaselbst 114.)

Anmerkung 4.

Ueber elterliche Einwilligung und Gegenwart von Zeugen bei Verlobungen schreibt Deyling: „Die Verlöbnisse werden in öffentliche und heimliche eingetheilt. Oeffentliche heißen sie nicht vom Orte, sondern wenn sie mit Einwilligung der Eltern, oder, falls die Eltern, sowie der Großvater und die Großmutter nicht mehr am Leben sind, in Gegenwart zweier Zeugen vollzogen werden.*) Die Einwilligung der Vormünder, Curatoren, Blutsverwandten und der durch Verschwägerung Verwandten ist keine Sache der Nothwendigkeit, sondern nur der dankbaren Liebe und Ehrbarkeit, wenn es nicht irgendwo (durch das bürgerliche Gesetz) anders festgesetzt ist. Ein mit Einwilligung der Eltern geschlossenes Verlöbniß gilt, wenn dieselben auch nicht gegenwärtig waren, für ein öffentliches; für ein heimliches aber, wenn die elterliche Einwilligung fehlt, selbst wenn tausend Zeugen bei dem Verlobungs-Acte zugegen waren; laut Luther's Urtheil: ‚Obgleich tausend Zeugen bei einem heimlichen Verlöbniß wären, so es doch hinter Wissen und Willen der Eltern geschehe, sollen sie alle tausend nur für Einen Mund gerechnet sein,‘ selbst wenn die Kinder sich gegenseitig mit einem Eide zur Treue verbunden hätten. Denn der Eid ist keine Verbindlichkeit zur Ungerechtigkeit.**) Wenn derselbe aber in diesem Falle gälte, so könnten ungehorsame Kinder mit dem elterlichen Consens leicht Spott treiben. Ein heimliches Verlöbniß ist daher, wenn es auch durch fleischliche Vermischung bestätigt worden ist, nach allem Rechte null und nichtig (vergl. Exod. 22, 16. 17.). Zeugen sind nicht zum Wesen, sondern nur zum Erweis des Verlöbnisses erforderlich, welcher jedoch nach gemeiner Regel

---

*) Küstner, der Herausgeber der Deyling'schen Pastoraltheologie, macht hier die Anmerkung: „Ist der Vater gestorben, so ist der Consens der Mutter, und zwar auch derjenigen, welche außer der Ehe geboren hat, und der Consens des Großvaters oder der Großmutter sowohl von väterlicher als mütterlicher Seite erforderlich; wenn aber der Vater oder Großvater einwilligt, die Mutter aber oder Großmutter dagegen ist, so geht jenes vor; und es macht keinen Unterschied, ob die Kinder noch unter elterlicher Gewalt stehen, oder nicht, da bei jeder Verheirathung, auch der zweiten, der elterliche Consens nöthig ist." Balduin schreibt: „Die Einwilligung des Vaters wird vornehmlich erfordert. Denn wenn der Vater von der Meinung der Mutter in Betreff der Verheirathung der Kinder abgeht, so geht ohne Zweifel die Einwilligung des Vaters vor, weil der Mann der Herr seines Weibes, das Weib aber unter dem Manne ist. 1 Mos. 3, 16. Röm. 7, 2." (Tractatus de cas. conscientiae. p. 1235.)

**) Küstner bemerkt zwar hierzu: „Auch wenn die priesterliche Trauung dazu gekommen ist; der Fall ausgenommen, wenn die Eltern den Umgang der Kinder mit einer sonst ehrbaren Jungfrau (wie ein Bräutigam mit seiner Braut) gewußt und denselben nicht gehindert haben." Luther hingegen schreibt ohne Einschränkung: „Was zusammen kommen ist und sitzt in öffentlicher Ehe bei einander, das soll bleiben und sich mit nichten scheiden als aus Ursachen der heimlichen Verlöbniß." X, 909.

auch durch etwas Gleichgeltendes beigebracht werden kann, nemlich durch Briefe und andere Documente, nicht aber durch Auferlegung eines Eides.*) In Sachsen ist ein durch Briefe geschlossenes Verlöbniß giltig, wenn dieselben nur zwei Zeugen unterschrieben haben.**) Die Gegenwart der Contrahenten ist nicht schlechterdings nothwendig, weil der Consens auch brieflich erklärt werden kann... Wenn beide Eltern, oder der eine Theil derselben, sowohl von Seiten des Bräutigams, als der Braut, nicht mehr leben, so ist die Gegenwart mindestens zweier Zeugen bei dem Verlobungsacte nöthig. Eine ohne Zeugen eingegangene Verlobung wird für eine heimliche und dem Rechte nach für null und nichtig angesehen, wenn auch in Betreff derselben das Bekenntniß beiden Theils bekannt ist, ,bis beide Personen solches durch öffentliches Gelöbniß vor ehrlichen Leuten freiwillig wiederholen und bestätigen' (s. Kirchenordnung S. 224. und 392.)... Kommt zum heimlichen Verlöbniß fleischliche Vermischung hinzu, so meinen einige Theologen und Juristen, daß dasselbe dann für ein öffentliches zu halten und der elterliche Dissensus im kirchlichen Gerichte nicht sonderlich zu berücksichtigen sei, zu Gunsten der Braut, welche zur fleischlichen Vermischung durch die Hoffnung der Ehe verleitet worden zu sein scheint... Aber diese Meinung ermangelt des rechten Grundes. Ein heimliches Verlöbniß, welches durch die Gesetze verboten und mit Verachtung, wenigstens mit Hintansetzung der Eltern eingegangen ist, ist an sich unerlaubt und hat keine verbindliche Kraft. Die fleischliche Vermischung ist ein neues und abscheuliches Vergehen. Wie kann daher dadurch das, was an sich unrecht ist, gutgemacht, oder einem heimlichen Verlöbniß Kraft und Giltigkeit verschafft, oder die Eltern ihres Rechtes beraubt und die, welche sich vergangen haben, gleichsam dafür belohnt und in

---

*) Seidel bemerkt: „In Ansehung der Bekanntschaft kann ein Prediger keinen Fremden copuliren, der nicht genugsame Rechenschaft des Consensus paterni und daß er anderweit nicht verlobt sei, geben kann. Schriftliche Zeugnisse wollen es nicht ausmachen, weil darunter Betrug unterlaufen kann." (Pastoraltheologie S. 187. f.)

**) Küstner bemerkt hier: „Wenn der elterliche Consens vernachlässigt worden ist und derselbe später von den Eltern nach geschlossenem Verlöbniß supplirt wird, die contrahirenden Personen aber davon nicht zurücktreten wollen, so ist das Verlöbniß ohne Zweifel giltig; wenn aber ein Theil zurücktritt, so wird darum, weil das Verlöbniß von Anfang an null und nichtig war, dasselbe darnach nicht giltig, da die Giltigerklärung (ratihabitio) der Eltern nicht zum Präjudiz dessen gebraucht werden kann, welcher von Anfang an nicht verbunden war, das Verlöbniß (durch Heirath) in Ausführung zu bringen, und es wird in dieser Sache der Consensus der Eltern nicht zu einem rückwirkenden gemacht, da zum Wesen der Sache deren Vorwissen fehlt, was der Giltigkeitserklärung widerstreitet." Auch Gerhard schreibt: „Wenn ein Vater durch eine gewisse Dispensation zur heimlich geschehenen Heirath der Kinder, zu welcher das eheliche Werk hinzugekommen ist, seine Einwilligung gibt, so wird jene heimliche Ehe nicht durch eine gewisse Ratihabition bestätigt, sondern was zwischen den Contrahenten bisher gehandelt worden ist, aufgelös't und die Sache aufs neue nach der von Gott vorgeschriebenen Ordnung begonnen, damit die Eheleute fest dafür halten können, daß ihre Verbindung göttlich und rechtmäßig sei." (Loc. de conjug. § 83.)

ihrer Bosheit bestärkt werden?*).. Haben die Eltern keine gerechte Ursache, ihre Einwilligung zu versagen, und bleiben sie dennoch bei ihrem ungerechten Dissensus fest bestehen, zu dem Zwecke, ihre Kinder länger in ihrem Dienste zu behalten oder deren Vermögen zu benutzen, so sind die Kinder von dem Pastor fleißig zu ermahnen, daß sie, der schuldigen Ehrfurcht gegen die Eltern eingedenk, den Consens derselben mit Bitten und mit Hilfe von Freunden in Bescheidenheit suchen und kein heimliches Verlöbniß eingehen. Sonst ist das zur Verweigerung des Consenses allein hinreichend, daß sie die Eltern hintangesetzt und die Autorität derselben verachtet haben. Wenn aber die Eltern ungerecht sind und, obgleich sie keine guten Gründe zum Dissensus haben, doch unbeugsam bleiben, so mag die Sache an das Consistorium gebracht werden, welches nach genauer Untersuchung der Sache den elterlichen Consens vermöge der ihm zustehenden Autorität suppliren kann, wenn nur die Kinder die Ehe beständig begehren und bei den Eltern um deren Einwilligung anhalten. Wenn aber der Sohn selbst von der Verlobung zurücktritt, so sind die Eltern nicht verbunden, die Ursache ihres Dissensus anzugeben... Es macht (was den nöthigen Consens betrifft) keinen Unterschied, ob die Eltern selbst gegenwärtig oder abwesend, bei dem Verlobungsacte selbst, oder vor oder nach demselben, und ob sie ausdrücklich oder stillschweigend einstimmen.**) Das Beispiel eines solchen stillschweigenden Consensus findet sich 4 Mos. 30, 4. 5., wo das Gelübde einer Tochter, welches dieselbe Gott gethan hat, für giltig geachtet wird: ,wenn es kommt vor ihren Vater, und er schweigt dazu.' Haben die Eltern einmal ihre Einwilligung gegeben, so können sie dieselbe ohne wichtige Ursache nicht wieder zurücknehmen." (Institution. prudentiae pastoral. ed. per D. Chr. W. Kuestnerum. Lips. p. 527—540.)

In Betreff der elterlichen Einwilligung schreibt Balduin: „Es ist aber nöthig, daß die Eltern zur Einwilligung geschickt seien. Denn manche

---

*) Küstner bemerkt hierzu: „Es fragt sich hier, wenn die fleischliche Vermischung bei solchen, welche beiderseits keine Eltern mehr haben, zum heimlichen Verlöbniß hinzu kommt, ob dasselbe ein öffentliches werde. Nun scheint zwar diese Meinung vielen gelehrten Männern annehmbar zu sein, so doch, daß die Geschwächte nicht wider ihren Willen zur Eingehung der Ehe gezwungen werden könne. Jedoch scheint diese Meinung, wenn ich nicht sehr irre, auch vom kanonischen Rechte nicht angenommen zu werden. Denn wie der Natur der Sache nach weder Betrug, noch ein folgendes Vergehen ein heimliches Verlöbniß kräftig machen kann, so wird, auch wenn nur der rechtmäßige Consens fehlt, das Uebrige, selbst wenn es mit fleischlicher Vermischung begleitet war, ungiltig."

**) Vorgenannter bemerkt hier: „Es ist dies jedoch also zu verstehen, daß wenn die Eltern bei der Verlobung ihrer Kinder zugegen sind und ihre Mißbilligung nicht an den Tag legen, dieselben für einwilligend angesehen werden, nicht aber, wenn sie nicht eingeladen worden sind und anderwärtsher hören, daß von ihren Kindern ein Verlöbniß eingegangen werde, und es nicht hindern; denn hieraus ist keine stillschweigende Einwilligung zu präsumiren." Ueber die nöthige Vorsicht, welche zu gebrauchen, wenn man eine stillschweigende Einwilligung voraussetzen will, vergl. Gerhard's Loc. c. § 88.

können nicht einwilligen, z. B. tobsüchtige und wahnsinnige, oder an fremden Orten lebende, so daß man nicht weiß, wo sie sich aufhalten. Was tobsüchtige und wahnsinnige betrifft, so ist die Sache klar, denn diese sind keiner Ueberlegung fähig. Was diejenigen betrifft, welche in fernem fremdem Lande sich aufhalten, so bestimmen die Gesetze, daß die Kinder drei Jahre lang auf die Rückkehr derselben warten; kehren sie während dieses Zeitraums nicht zurück, so genügt ihre stillschweigende Einwilligung, wie Joseph und Tobias wegen weiter Entfernung des Ortes ohne elterliche Einwilligung geheirathet haben, was jedoch hernach den Eltern keinesweges mißfallen hat. Manche wollen um Geizes willen nicht einwilligen, um der Tochter die Aussteuer nicht geben oder dem Sohne nicht eine ehrliche Hochzeit bereiten zu müssen. Von solchen Eltern ist hier nicht die Rede." (L. c. p. 1232.) Von letzterem Falle schreibt Luther: „Weiter findet man auch solche grobe Leute, die ihre Töchter schlecht nicht wollen vergeben, obgleich das Kind gerne wollte und dermaßen Heirath vorhanden ist, die ihm ehrlich und nützlich wäre; sondern wie ein grober Bauer blähet er den Bauch und will auch das Evangelium zum Muthwillen brauchen, und fürgeben, das Kind müsse ihm gehorsam sein. Er läßt aber das Kind nicht gerne von sich, weil er selbiges zu Hause statt einer Magd weiß zu gebrauchen, und sucht also das Seine an seinem Kinde. Das heißt nicht zur Ehe, sondern von der Ehe zwingen... So ist nun mein Rath: wo sich dieser Fall begibt, daß sich der Vater oder Vaters Statthalter sperren, ein Kind zu vergeben, ists Sache, daß gute Freunde, der Pfarrherr oder auch die Obrigkeit erkennen, daß die Heirath dem Kinde ehrlich und nützlich ist und des Kindes Eltern oder Statthalter ihren Nutzen oder Muthwillen suchen; so soll die Obrigkeit sich des Kindes an Vaters statt annehmen... Will solches die Obrigkeit nicht thun, so rathe und helfe der Pfarrer dazu mit guten Freunden, so viel er kann, und gebe dem Kinde, als vom Vater verlassen, ja, auch verhindert, freie Macht vor Gott, sich selbst mit gutem Gewissen zu verloben, und bestätige solche Ehe."*) (Schrift von Ehesachen vom J. 1530. X, 945—947.)

Auf die Frage, ob auch der Consens eines gottlosen, grausamen, verschwenderischen, dem Trunke ergebenen 2c. Vaters nöthig sei? antwortet Gerhard: „1. Das göttliche Gebot, die Eltern zu ehren, setzt keine Bedingung hinzu und der Kaiser sagt in gottseliger Weise: ,Wer immer dein Vater sein möge, so ist er doch Vater.' Also dürfen die Kinder den Consens auch jener Eltern nicht hintansetzen, welche mit einem Laster befleckt sind. 2. Wie den Knechten geboten ist, den Herren unterthan zu sein, nicht allein den gütigen und gelinden, sondern auch den wunderlichen, 1 Pet. 2, 18., so ist den Kindern geboten, auch gottlose und lasterhafte Eltern zu ehren.

---

*) Selbstverständlich soll dieser Rath nur das Gewissen betreffen und erklären, was geschehen dürfe, ohne entscheiden zu wollen, was unter Umständen geschehen könne.

3. Eltern verlieren nicht durch solche Laster das Recht der elterlichen Gewalt, sondern aus anderen Ursachen. 4. Nach dem bürgerlichen Rechte wird der Consens eines Vaters erfordert, welcher seine Tochter ausgesetzt und nicht hat großziehen wollen. 5. Laban war ein ausnehmender Schalk und Götzendiener, dennoch fordert Jakob den Consens desselben, als er Rahel haben wollte. 1 Mos. 29, 19." (L. c. § 91.)

Anmerkung 5.

In Anbetracht, daß der gegenseitige Consens der Contrahenten ein freiwilliger sein muß, um eine giltige Verlobung zu bewirken, schreibt Deyling: „Einem wahren und freien Consens und einer giltigen Verlobung ist entgegen: 1. Furcht, nicht eine in Ehrfurcht (reverentialis) gegen die Eltern bestehende, sondern eine gerechte, welche auch einen standhaften Menschen ergreifen kann, und einen freiwilligen Consens gänzlich ausschließt.*) Anders verhält sich die Sache, wenn auf den mit Gewalt und durch Furcht erpreßten Consens fleischliche Vermischung und freiwilliges Zusammenwohnen oder nachträgliche Genehmigung folgt. Man lese Luther X, 944. f.**) 2. Betrug, wenn er die Ursache des eingegangenen Verlöbnisses war und ohne ihn dasselbe nicht eingegangen worden wäre.***) Wobei jedoch 3. Irrthum mit Betrug nicht verwechselt werden darf. Der Irrthum eines Contrahenten, aus Unvorsichtigkeit in Betreff zufälliger Dinge begangen, hebt die Giltigkeit einer Verlobung nicht auf. Aber eine andere Bewandniß hat es mit dem Betrug, welcher, wenn er die Ursache zur Verlobung gegeben hat, den Consens ausschließt und somit die Verbindlichkeit hindert; und es macht hier keinen Unterschied, ob der Betrug Dinge betrifft, die das Wesen der Ehe angehen, z. B. Geschlecht, Person (z. B. wenn sie schon gebunden ist), jungfräuliche Unbeflecktheit, oder solche, welche Nebenumstände derselben sind, z. B. Mitgift,

---

*) Gerhard schreibt: „Es ist ein Unterschied zu machen zwischen gerechter Furcht (welche durch Bedrohung mit solchen Dingen entsteht, vor denen man sich mit Recht scheut, als da sind Tod, leibliche Schmerzen, Gefängniß, Folterungen, Verlust der Güter, entweder aller oder des größten Theils, Gefährdung der Keuschheit), und zwischen einer grundlosen und geringen, welche nicht um der Dinge willen da ist, die gefürchtet werden, sondern um derjenigen willen, die die Furcht haben. Denn nicht die letztere, sondern die erstere macht die Verlobung ungiltig. Wenn diejenigen, welche die Furcht verursachen, die Eltern sind, so ist wiederum zwischen schweren Drohungen zu unterscheiden, wenn sie z. B. mit dem Tod, mit Schlägen, mit Enterbung ꝛc. drohen, und zwischen geringeren, wenn sie mit ihrem elterlichen Unwillen drohen. Hierbei ist zu bemerken, daß Rücksicht auf die zu nehmen ist, welche die Gewalt leiden, denn was in einem Manne eine gerechte Furcht nicht bewirken könnte, kann dieselbe wohl in Personen weiblichen Geschlechts, welche von Natur furchtsamer sind, erzeugen. (Loc. de conj. §119.)

**) Luther, welcher obiges Urtheil bestätigt, gibt doch auch zu, daß solche Fälle auszunehmen seien, wenn ein Kind kein Mittel hatte, sich der Gewalt zu entziehen, und durch Zeugen beweisen kann, nie wirklich eingewilligt zu haben.

***) Das Verlöbniß also im Grunde ein bedingtes war.

Stand, Amt. 4. Trunkenheit, nemlich eine solche völlige, welche dem Contrahenten allen Gebrauch seiner Vernunft nahm. Von einer nicht völligen, wobei der Trunkene seiner Vernunft noch mächtig war, während er sich verlobte, gilt dies nicht. 5. Raserei, Wahnsinn, Aussatz, Epilepsie und andere ansteck·nde und unheilbare Krankheiten, ja, auch Diebstahl und Ehrlosigkeit (infamia), wenn dieses alles dem anderen Theile vor dem Eingehen des Verlöbnisses unbekannt war." (A. a. O. S. 567. ff.)

Natürliche oder durch irgend einen Zufall eingetretene unheilbare Impotenz (Untüchtigkeit zur Ehe) macht, wie angeblich eingegangene Ehe, so auch die Verlobung unbündig. Matth. 19, 10—12. S. Gerhard l. c. § 658. ff. 235.

In Betreff der Tüchtigkeit zur Ehe schreibt Gerhard: „Unter die Hindernisse der Ehe in Absicht auf die Seele werden mit Recht Blödsinn und Wahnsinn gerechnet; es ist jedoch zu bemerken, daß von einem bis auf den äußersten Grade gekommenen Blödsinn eine gewisse geringere Unverständigkeit und Geistes-Stumpfheit zu unterscheiden sei, welche noch nicht allen Vernunftgebrauch genommen hat, und daß auch von einem immerwährenden Wahnsinn derjenige zu unterscheiden sei, welcher, wie man zu reden pflegt, lichte Intervalle hat." (L. c. § 228.) Auf die Frage: „Ist Aussätzigen, Epileptischen und solchen, die an einer ähnlichen Gattung ansteckender, abscheulicher und unheilbarer Krankheiten leiden, die Ehe zu gestatten? antwortet Gerhard verneinend mit Berufung auf 3 Mos. 13, 4. ff. Nach B. 46. mußte der Aussätzige allein wohnen. (L. c. § 236.)

Selbstverständlich gehören Taubstumme nicht zu den zur Ehe Untüchtigen. (L. c. § 122.)

Anmerkung 6.

Daß rechtmäßige Verlobung, der Verbindlichkeit nach, der vollzogenen Ehe gleich zu achten und die Verlobten daher Verheiratheten gleichzustellen sind, dies lehrt, daß in Gottes Wort die Braut ihres Bräutigams Weib oder Gemahl heißt, 1 Mos. 29, 21. Matth. 1, 18—20., und Hurerei mit einer Verlobten als mit des nächsten Weibe begangener Ehebruch gestraft wurde, 5 Mos. 22, 23. 24. vergl. V. 22. und 28. 29. Hos. 4, 13. Es ist ein arger Irrthum, daß das vinculum conjugale erst durch die kirchliche Trauung oder gar erst durch die fleischliche Vermischung entstehe, während erstere die bereits geschlossene Ehe nur bestätigt, letztere der usus conjugii und außer der geschlossenen Ehe Hurerei ist. Vielmehr ist die bewirkende Ursache der Ehe der gegenseitige Consens, daher, so bald dieser erfolgt ist, das Eheband geknüpft ist.*) Gerhard schreibt daher: „Die priesterliche Einsegnung neuer Eheleute wird nicht zum Wesen der Sache selbst, nemlich der Ehe, er-

---

*) Nach der rechtsgiltigen Regel: Nuptias non concubitus, sed consensus facit.

forbert, sondern zur öffentlichen Bezeugung derselben, damit jedermann bekannt sein könne, daß die Ehe in rechtmäßiger und ehrbarer Weise eingegangen worden sei. Vor dem Forum des Gewissens und vor Gott ist die eine wahre und giltige Ehe, welche mit beiderseitigem rechtmäßigen und ehelichen Consens eingegangen worden ist, mag immerhin die priesterliche Einsegnung nicht hinzu gekommen sein." (L. c. 412.) Ferner schrieb die theologische Facultät zu Rostock im Jahre 1622: „Also ist auch die benedictio sacerdotalis nur ein äußerliches von der Kirche geordnetes Mittelding, welches zur Essenz und Wesen der Ehe für sich nicht gehört, sondern darum billig in viridi observantia wird gehalten, daß ein jeglicher, mit denen sie umgehen, wissen möge, diese beiden copulirten Personen seien rechte Eheleute, die nach Gottes Ordnung und Willen in den Stand der heiligen Ehe getreten; und dann auch, daß also der jungen Eheleute Stand Gott im Gebete fleißig befohlen und sie ihres Amtes erinnert werden. Ist denn etwa eine Ehe an sich nicht recht oder vollkommen, kann sie die copula sacerdotalis nicht verbessern oder zu einer Ehe machen." (S. Dedekennus' Thesaur. Append. ad Vol. III, fol. 35. sq.)

Hieraus folgt denn vorerst, daß eine rechtmäßig verlobte Person sich nur dann von dem anderen Theile scheiden könne, wenn ähnliche Scheidungsgründe vorliegen, wie bei rechtmäßiger Ehescheidung. Andere Contracte werden dadurch, daß beide Contrahenten willig sind, das damit erlangte Recht aufzugeben, aufgehoben, nicht so der unbedingte Verlobungsvertrag. Durch denselben entsteht ein Vinculum vor Gott auf beiden Seiten, da die Ehe ein göttlicher Stand, eine göttliche Stiftung und Einsetzung ist. Deyling schreibt: „Bloße Heirathstractaten sind so beschaffen, daß man von ihnen willkürlich zurücktreten kann, weil von keiner von beiden Seiten daraus eine Verbindlichkeit entsteht. Anders aber verhält sich die Sache mit einem Pact in Zukunft zu feiernder Verlobung, welcher gemeiniglich das Jawort genannt wird. Denn ein solcher Pact oder ein solcher Verlobungsact, welcher in einer Werbung und in einem Jawort besteht, und auf Grund des überlegten Consensus beider Theile eingegangen ist, erzeugt eine wirksame Verbindlichkeit. Und die zukünftige Verlobung, auf die er sich bezieht, darf nur von der anzustellenden Feierlichkeit, dem äußerlichen Apparat und Festmahl, was an sich nicht nöthig ist, verstanden werden." (Instit. prud. past. III, 6, 5. f. S. 523.) Gerhard erklärt zwar a. a. O. § 153, daß unter Berücksichtigung der Umstände hier eine gewisse Epieikie zu beobachten und auch in gewissen Fällen, in welchen eine vollzogene Ehe nicht getrennt werden dürfte, die Erfüllung eines bloßen ehelichen Versprechens nicht durch Bann oder bürgerliche Relegation zu erzwingen sei; allein Gerhard gibt diese Erklärung nicht sowohl für das Gewissen der betreffenden Personen, als für die Obrigkeit, die hierin zu urtheilen hat. Folgende Gründe erklärt derselbe jedoch für solche, welche die Auflösung eines Verlöbnisses rechtfertigen: 1. Ehebruch oder Hurerei, 2. Gebrauch solcher Mittel, welche die Bewirkung von Unfruchtbarkeit bezwecken, 3. bösliche Verlassung, 4. Blutschande mit

den Verwandten des anderen Theils (in welchem Fall die Ehe nicht vollzogen
werden darf), 5. infamirende Verbrechen, 6. eintretende Impotenz, 7. Wahn-
finn, 8. anfteckende, unheilbare Krankheiten, auch Epilepfie und totale Läh-
mung, 9. Verunftaltung durch Verluft der Nafe, der Augen ꝛc., 10. Infamie,
11. längere Abwefenheit ohne Urfache und wider Willen des anderen Theils.
Vergl. a. a. O. § 166—169.   Luther fchreibt: „Es ift ebenfowohl
eine Ehe nach dem öffentlichen Verlöbniß, als nach der Hochzeit... Will aber jemand dennoch keufch (ehelos) bleiben nach feinem öffentlichen Verlöbniß, und fich nicht bereden laffen zu feinem Gemahl, demfelbigen
wollte ichs nicht anders geftatten, denn auf die Weife, wie St. Paulus
1 Kor. 7, 11. thut, da er vermahnet, das Weib folle fich verföhnen mit dem
Mann, oder ohne Ehe bleiben, und läffet fie alfo im böfen Gewiffen
ftecken." (X, 934.)

Aus dem Begriff einer rechtmäßigen Verlobung folgt allerdings ferner,
daß diejenigen rechtmäßig Verlobten, welche vor der Trauung ehelich zufammen-
leben, damit nicht die Sünde der Hurerei begehen; nichts defto weniger aber
begehen fie damit eine große Sünde.   Wenn fie fich nemlich doch als nur
Verlobte trauen laffen, betrügen fie die Kirche, handeln wider alle chriftliche,
ja, bürgerliche Ehrbarkeit und geben, fonderlich wenn die Sache ruchbar und
die Braut vor der Zeit Mutter wird, ein fchweres, öffentliches Aergerniß; fie
verfallen daher der Kirchenzucht.   Menzer fchreibt hierüber: „Obgleich diefe
Sünde, die ein folcher Bräutigam begeht, nicht Hurerei oder Ehebruch genannt
werden kann, fo ftreitet fie doch mit der Keufchheit, welche Gott im Gefetz
fordert, und läuft vielen Geboten des göttlichen Gefetzes zuwider!   Denn
ein folcher Bräutigam vergeht fich gegen den Verlobungsvertrag, bei welchem
er heilig verfprochen hat, daß er feine Braut bei der Hochzeit ehrbar zur Kirche
führen werde; er verletzt den Gehorfam gegen das kirchliche Amt, gegen die
Obrigkeit und gegen die Eltern, und während er der Wächter feiner Braut
fein follte, nimmt er ihr die jungfräuliche Ehre und raubt ihr, was einer
ehrbaren Jungfrau theurer fein foll, als ihr Leben, er geberdet fich auch als
ein keufcher Jüngling lügnerifcher Weife und die gefchändete Braut als eine
keufche Jungfrau.   Daher ift diefe Sünde nicht gering zu machen und zu
entfchuldigen." (Opus Novum, f. 573.)   Gerhard fchreibt: „Etwas
anderes ift es, ein Verlöbniß eingehen, etwas anderes, die Ehe vollziehen,
denn die Verlobung ift nur ein Verfprechen der Ehe; daher foll der
Bräutigam die Braut nicht für eine ihm fchon übergebene Ehefrau,
fondern für ein verheißenes Gemahl anfehen... Sonft laffen fie ihre
Ehe als eine zukünftige der Kirche melden, die fie felbft fchon vorher begonnen
haben, bitten, daß fie durch Hand und Mund des Kirchendieners, als Gottes
felbft, zufammengefügt und ihre Ehe eingefegnet werde, die fie fchon längft
felbft vollzogen haben, tragen die Kränze und Kronen unverfehrter Jungfräulichkeit und die Zeichen des über den Anlauf der Lüfte davon getragenen
Sieges, denen fie fchon zuvor mit dem Bräutigam gefröhnt haben. Das

Porisma dieser Behauptung ist, daß denjenigen Kirchenbuße oder öffentliche Abbitte mit Recht auferlegt werde, welche auf diese Weise wider die Kirche sich vergangen und Anderen ein Aergerniß gegeben haben... Jedoch sind die Kirchendiener zu erinnern, daß sie in der solchen Verlobten aufzuerlegenden Kirchenbuße oder Abbitte sich vorsichtig und bescheiden verhalten und ihren Zuhörern die Beschaffenheit dieser Sünde recht auseinandersetzen, daß sie nemlich nicht zwar für Hurerei gehalten werden dürfe, aber wider ehrbare Gesetze der Kirche mit öffentlichem Aergerniß begangen worden sei." (A. a. D. § 475. f.) Im Folgenden warnt Gerhard die Kirchendiener noch ausdrücklich davor, bei vorfallenden Frühgeburten oder Spätgeburten (in Betreff von Wittwen) Böses zu präsumiren und rigoros zu verfahren.

Anmerkung 7.

Ehen zwischen Rechtgläubigen und Irrgläubigen hat zwar ein Prediger alles Ernstes zu widerrathen*), aber, wenn die Sache nicht mehr in integro ist, nicht zu hindern. Gerhard schreibt hierüber: „Obgleich wir es für das Sicherste, Beste und Gerathenste halten, daß sich solche Personen zur Ehe verbinden, welche in der wahren Erkenntniß und im Bekenntniß der wahren Religion mit einander übereinstimmen, damit sie mit Einem Mund und Herzen den wahren Gott nach der Vorschrift des göttlichen Wortes anrufen und ihm dienen können; jedoch wenn die ungläubige oder irrgläubige Person nicht zugleich lästerlich und halsstarrig ist, sondern fast gewisse Hoffnung gibt, daß sie sich bekehren werde, dann könnte, wenn der andere christliche und rechtgläubige Theil den Grund der christlichen Religion wohl inne hat und keine Gefahr der Verführung und Ueberredung da ist, die Ehe gestattet werden, namentlich wenn der Man'n christlich und rechtgläubig ist, welcher durch die Ehe die Herrschaft über das ungläubige oder irrgläubige Weib erlangt. Hierher kann gewissermaßen bezogen werden, daß Gott 5 Mos. 21, 11. den Israeliten erlaubt, aus anderen Völkern im Kriege gefangene Weiber zur Ehe zu nehmen, weil es nicht wahrscheinlich war, daß eine Kriegsgefangene ihren Herrn dazu bringen werde, der väterlichen Religion zu entsagen. Ferner die Beispiele Juda's und Joseph's 1 Mos. 38, 1. 41, 45. Wenn jedoch die Frage ist von einem solchen Ungläubigen und Ketzerischen, welcher mit seinem Unglauben oder mit seiner den Grund der Religion umstoßenden Ketzerei Lästerungen verbindet und ausdrücklich bekennt, in seiner Ketzerei bleiben zu wollen, dann sagen wir, daß ein jeder Gläubige und Orthodoxe sich der Ehe mit demselben zu enthalten habe, und wir können daher schwer dazu gebracht werden, anzunehmen, daß Ehen zwischen Personen ungleicher Religion in gewissen Fällen zu gestatten seien." Im Folgenden gibt Gerhard mehrere Gründe dafür an, warum dies nicht geschehen solle:

---

*) Namentlich hier, wo es so oft geschieht, daß der irrgläubige oder ungläubige Mann selbst wider das gegebene Versprechen mit der rechtgläubigen Frau auf und davon geht und in Gegenden zieht, wo entweder nur Sectenkirchen oder gar keine Kirchen sind.

1. das ausdrückliche göttliche Verbot (2 Mos. 34, 16. 5 Mos. 7, 3. 4. Jos. 23, 12. 1 Kor. 7, 39.), 2. die dem Verbote beigefügten Gründe, welche zeigen, daß das Verbot nicht levitischer, sondern moralischer Natur sei (Neh. 13, 23. ff. 1 Kön. 11, 2—4.), 3. die Erfahrung, daß die gewöhnliche Folge der Abfall ist (1 Mos. 6, 2. 26, 34. f. Richt. 3, 5—7. 1 Kön. 16, 31.), 4. die daraus entstehenden Nachtheile, namentlich in Betreff des Hausgottesdienstes, der Kindererziehung re., 5. die Natur der ehelichen Gemeinschaft, 6. der damit gegebene böse Schein, als ob man den rechten Glauben gering achte re. (Loc. de conjug. § 387. 388.) Die Leipziger theologische Facultät gab im Jahre 1620 folgendes Votum ab: „Auf die Frage, ob eine lutherische Person sich mit einer halsstarrigen calvinischen Person, die sich nicht weisen lassen will, in Ehestand begeben, von den Predigern getraut und eingesegnet werden könne? — erachten wir zu antworten sein, daß zwar keineswegs zu r a t h e n , daß eine lutherische Person dergestalt sich in den Ehestand einlasse,*) sintemal die matrimonia mit Personen, so falscher Lehre und Religion zugethan, nie wohl zu gerathen pflegen, sondern viel Unheils mit sich bringen, wie die Exempel in Gottes Wort und sonderlich in Befreundung des Hauses Josaphat mit dem Hause Ahab 2 Chron. 18—22. und in täglicher Erfahrung vor Augen. Jedoch aber, so eine solche Ehe wäre getroffen w o r d e n zwischen einer lutherischen und halsstarrigen calvinischen Person, würde ihnen ein Prediger die Copulation und Benediction (weil s o l c h e s m i t d e r R e l i g i o n eigentlich n i c h t s zu t h u n hat und die irrende Person vielleicht noch mit der Zeit möchte gewonnen werden 1 Kor. 7, 16.) nicht versagen können." (Thesaur. consil. von Dedekennus. III, 242.)

B a l d u i n schreibt: „Den J u d e n ist die Ehe mit Christenkindern schlechterdings nicht zu gestatten um der Gefahr der Verführung willen. Daher im Jus civile die Ehe zwischen Juden und Christen bei Capitalstrafe verboten ist. Es ist jedoch hierbei zu bemerken, daß dieses Gesetz von der Ehe redet, welche man eingehen w i l l , von einer schon b e s t e h e n d e n aber lehrt Paulus 1 Kor. 7, 13.: ‚So ein Weib einen ungläubigen Mann hat, und Er läßt es sich gefallen, bei ihr zu wohnen, die scheide sich nicht von ihm. Denn der ungläubige Mann ist geheiligt durch das Weib‘ re." (Tractat. de cas. consc. p. 193.) Eine solche Ehe einzusegnen, dazu wird sich daher kein rechtschaffener Diener Christi verstehen.

Anmerkung 8.

Bekehren sich Muhamedaner oder Heiden (Mormonen), welche bis dahin in P o l y g a m i e lebten, so ist allein deren e r s t e Gattin als Gattin anzuerkennen und darauf zu bringen, daß sie die anderen angeblichen Gattinnen entlassen. G e r h a r d schreibt: „Bellarmin sagt: Wenn der Ungläubige, der

---

*) Am ärgerlichsten ist dies natürlich, wenn es von Seiten sogar eines Predigers geschieht.

in Polygamie lebt, zur Taufe kommt, so ist er zu nöthigen, daß er alle Weiber
außer der ersten entlasse, weil allein die Ehe mit der ersten eine wahre Ehe ist.
Diese Behauptung gründet sich auf das Fundament, daß die Polygamie dem
göttlichen und Natur=Rechte entgegen ist; was aber mit dem Rechte der
Natur streitet, das ist auch den außerhalb der Kirche befindlichen Helden ver=
boten und es hat darin keine menschliche Dispensation statt, da der Untere
das Gesetz des Oberen nicht aufheben kann. Und dieser Meinung, als der
für die Gewissen sicherern, fallen wir bei." (L. c. § 226.)

Anmerkung 9.

Ob es den Wittwen innerhalb des Trauerjahres erlaubt ist, sich wieder
zu verehelichen, darüber schreibt Joh. Gerhard: „Durch das bürgerliche
Recht wird eine Wittwe, welche innerhalb des Trauerjahres heirathet, mit
Infamie gebrandmarkt (s. Corpus juris), wofür man zwei Gründe anführt:
erstens, damit keine Verwechselung der Nachkommenschaft stattfinde,
weil durch jene vorzeitigen und übereilten Wittwenheirathen (wie sie die Kaiser
im Corpus juris nennen) Gelegenheit gegeben werden kann, daß der Sohn
des vorigen Gatten dem späteren oder der des späteren dem vorigen unter=
geschoben und so der wahre und rechtmäßige Erbe um sein väterliches Erbe
betrogen werde, ein falscher und unächter Erbe aber in den Besitz der Güter
trete, welche dem andern nach dem Natur= und Völkerrechte zukommen; zwei=
tens, damit nicht der öffentlichen Ehrbarkeit zuwider gehandelt werde,
weil das Weib dem Manne Liebe und Ehrfurcht schuldig ist, und wenn sie
darum sogleich zur zweiten Ehe eilt, es scheinen wird, als ob sie die Liebe und
das Andenken des vorigen Mannes sogleich aus dem Sinne geschlagen habe.
Und nicht blos das Weib selbst wird infam, welche innerhalb des Trauer=
jahres heirathet, sondern auch der Mann, der sie mit Wissen heimführt, und
der Vater, der zu solcher Ehe seines Sohnes eingewilligt hat, und der Vater
des Weibes, der dazu eingewilligt hat (s. Corpus juris). Was die Wittwer
anlangt, so sagt man, daß diese nicht durch das Gesetz gezwungen seien, ihre
Weiber zu betrauern, und daß es ihnen darum erlaubt sei, sich sogleich wieder
zu verehelichen, weil keine Verwechselung der Nachkommenschaft zu besorgen sei.

In Betreff des ersten Stückes wird mit vollem Rechte den Wittwen
die Beobachtung der Trauerzeit aus den angeführten Gründen geboten, denen
noch andere beigefügt werden können: weil zu eilige Hochzeit selten vom Ver=
dachte des Ehebruchs oder der Giftmischerei frei ist; weil die dem späteren
Manne nicht gefallen kann, welche das Andenken an den vorigen so schnell
bei Seite gelegt hat; weil nach den Gesetzen und Sitten fast aller Völker jene
unzeitigen Hochzeiten unzulässig sind, wie aus Wilhelm Lambert's Archae=
onomia bekannt ist, worin er unter andern das vom Dänenkönig Kanut vor
500 Jahren gegebene Gesetz recensirt: ‚Wittwen sollen zweimal sechs Monate
warten, und dann erst sich verheirathen, wem sie wollen. Wenn aber eine
vor einem Jahr heirathet, soll sie um die Mitgift bestraft und des ganzen

von ihrem vorigen Manne hinterlassenen Vermögens beraubt werden, und dies alles soll der nächste Verwandte haben.' Die alten Römer setzten zehn Trauermonate für die Gattin fest. Plutarch sagt im Numa: ‚Die Weiber blieben vom Tode ihrer Männer an zehn Monate Wittwen; wenn eine vor dem Ablauf des zehnten Monats sich verheirathete, so mußte sie nach den Gesetzen des Numa eine trächtige Kuh opfern' — (in den Monaten also, welche die äußerste Zeit der Geburt begrenzen). Valentinian oder Theodosius fügten zwei hinzu, und wollten so, daß ein volles Jahr von der Frau der Trauer geweiht werde. Apulejus gibt noch einen andern Grund an, weil durch die Unzeitigkeit der Hochzeit die Manen des zu betrauernden Gatten mit gerechtem Unwillen erfüllt würden.

Im kanonischen Rechte ist diese kaiserliche Verordnung abgeschafft und der Wittwe die Erlaubniß gegeben, auch innerhalb des Trauerjahres zu heirathen. Es sagt: ‚Es werden nicht infam alle, welche die weltlichen Gesetze für infam erklären, welches wir von der bekennen müssen, welche innerhalb der Trauerzeit heirathet, da die Ehen heutiges Tags vom Rechte des Himmels und nicht vom Rechte des weltlichen Forums regiert werden, und nach dem Rechte des Himmels das Weib nach dem Tode des Mannes vom Gesetze los ist, das den Mann betrifft, sie verheirathe sich, welchem sie will.' Urban III., im Corpus juris canonici: ‚Da der Apostel sagt: ein Weib ist nach dem Tode ihres Mannes los vom Gesetze ihres Mannes, sie verheirathe sich im HErrn, welchem sie will, so wird durch die Erlaubniß und die Autorität des Apostels die Infamie derselben aufgehoben.' Dasselbe wiederholt Innocenz III.

Aber diese Bestimmung des kanonischen Rechts können wir nicht billigen, da sie der öffentlichen Ehrbarkeit zuwider ist, und Verwechslung und Ungewißheit der Nachkommenschaft zur Folge hat, ja den Verdacht eines Verbrechens verstärkt. Auch hat sie keinen Grund in 1 Kor. 7, 39., weil 1. die in Folge des Todes des ersten Mannes entstandene Freiheit zur Ehe nicht die Gesetze und die Ehrbarkeit aufhebt, sonst könnte eine Wittwe auch diejenigen heirathen, welche ihr durch Blutsverwandtschaft angehörig sind. Vielmehr können wir nach unserm Urtheil das nur, was wir ehrbarer und gerechter Weise können. 2. Der Apostel handelt nicht sowohl von der Zeit des Heirathens, als von der Person, mit welcher sie sich verheirathen könnte, denn er sagt nicht: wann sie will, sondern: welchem sie will. Wenn nun eben diese unbestimmte Freiheit, sich zu verheirathen, welchem sie will, nothwendig so zu beschränken ist, daß sie nicht wider die Gesetze von den verbotenen Verwandtschaftsgraden streitet, so muß die Freiheit allerdings auch in Hinsicht auf die Zeit der Ehrbarkeit und billigen Gründen gemäß begrenzt werden. 3. Ausdrücklich setzt der Apostel hinzu: ‚sie verheirathe sich, welchem sie will; allein daß es in dem HErrn geschehe', welcher Text auch dies in sich begreift, daß die neue Ehe in wahrer Gottesfurcht geschlossen und nichts der Gott gefälligen und von den Menschen gebilligten Ehrbarkeit zu-

wider unternommen werde. Nun aber beweis't die innerhalb des Trauer-
jahrs von der Wittwe geschlossene Ehe Leichtfertigkeit, Frechheit, unmäßige
Begierde u. dergl. 4. Derselbe Apostel gebietet Röm. 12, 1. den Christen,
daß sie der Obrigkeit unterthan sein sollen, wenn sie Ehrbares besiehlt, was
auch Petrus in der 1. Epistel 2, 13. wiederholt: nun aber beruht die Verordnung der Obrigkeit, welche den Wittwen innerhalb des Trauerjahres zu
heirathen verbietet, auf ehrbaren und gerechten Gründen. Derselbe Apostel
Paulus verlangt Phil. 4, 8., daß wir dem, was ehrbar ist und was
wohl lautet, nachdenken sollen: aber eine solche Ehe hat den Makel
der Infamie; daß wir uns der Ehrbarkeit vor allen Menschen
befleißigen sollen: aber eine solche Ehe ist nicht ehrbar. 5. Wenn die
Wittwen wegen der vom Apostel festgesetzten Freiheit der Ehe während des
Trauerjahres von der Verheirathung nicht abgehalten werden dürfen, warum
halten sie denn den ganzen geistlichen Stand gänzlich von der Ehe ab? warum behaupten sie, daß die Ehe wegen geistlicher Verwandtschaft verhindert sei?
warum führen sie so viele verbotene Grade ein? u. s. w. Wenn sie meinen,
daß in diesen und ähnlichen Verordnungen des kanonischen Rechts der Freiheit der Ehe kein Hinderniß in den Weg geworfen werde, warum behaupten
sie dies denn von dem, auf den billigsten Gründen beruhenden Verbote des
bürgerlichen Rechts?

Was das zweite Stück betrifft, so halten wir es für billig, daß auch die
Wittwer während der Zeit des Trauerjahres, oder wenigstens eines halben
Jahres vom Tode ihrer ersten Frau an, sich nicht wieder verheirathen. Denn
obgleich sie nicht gerade durch ein göttliches oder bürgerliches Recht dazu verpflichtet sind; obgleich auch der erste Grund, nemlich Verwechslung der Nachkommenschaft, bei den Männern wegfällt: so hat doch der zweite Grund,
nemlich die öffentliche Ehrbarkeit, auch bei ihnen statt. Denn ein Mann
scheint nicht mit aufrichtiger Gattenliebe der zugethan gewesen zu sein, deren
Andenken er sogleich mit dem Tode derselben bei Seite legt, und ohne öffentliches Aergerniß wird über dem frischen Grabhügel der ersten Gattin nicht
der neue Ehebund geschlossen. Daß zwischen dem Tode der Sarah und der
zweiten Ehe des Abraham einige Zeit verflossen war, zeigt die Mosaische Erzählung. Obgleich darum diejenigen, welche nach dem Tode der ersten Frau
zur zweiten Ehe eilen, nicht der Infamie des Gesetzes verfallen, wie Seneca
sagt: ,den Männern ist keine bestimmte Trauerzeit gesetzt, weil keine zur Ehrbarkeit gehört': so können sie doch von der Infamie der That und vom Verdachte der Leichtfertigkeit und Unenthaltsamkeit kaum frei sein. Es ist un-
menschlich, ,mit denselben Augen die Beerdigung der Seinigen zu sehen, mit
denen man sie selbst gesehen hat, ihr Gedächtniß mit ihrer Leiche hinaus-
zutragen und nicht bewegt zu werden in Folge der ersten Zerreißung des
Familienbandes', sagt derselbe Seneca: nun aber wird diese Trauer grade
am meisten dadurch an den Tag gelegt, daß man sich einer neuen Ehe enthält."
(L. c. § 198—200.)

Seidel schreibt: „Bei Wittwern kann in drei Monaten Erlaubniß erhalten werden; bei Wittwen aber nicht vor Ablauf von 28 Wochen, weil man vorher versichert sein muß, ob sie nicht aus voriger Ehe schwanger sei." (Pastoralth. S. 188.) Es ist jedenfalls gut, daß der Prediger in schwierigen Fällen die Gemeinde unter seinem Beirath entscheiden lasse.

Anmerkung 10.

Verwittwete Ehebrecher sollte der Prediger nicht mit der Person trauen, mit der dieselben bei Lebzeiten ihres Gatten gefallen sind. Jedenfalls sollten solche Personen in Gegenden ziehen, wo ihr Fall unbekannt ist. Luther schreibt 1522 in der Predigt vom ehelichen Leben von diesem Fall: „Laster und Sünde soll man strafen, aber mit anderer Strafe, nicht mit Ehe verbieten." • (X, 717.) Ebenso urtheilt Luther in seiner Schrift Von der babylonischen Gefängniß der Kirchen schon im Jahre 1520, mit Berufung auf das Beispiel Davids. (XIX, 123. f.) Brochmand hingegen (Syst. II, 572.) und Gerhard (Loc. de conjug. § 381—385.) verwerfen diese Heirathen, als gegen die Ehrbarkeit streitende, ärgerliche und zu Gattenmord rc. führende, durchaus. Letzterer jedoch setzt hinzu: „Wenn freilich jemand mit derjenigen Person die Ehe schon geschlossen hat, die er vorher mit Ehebruch geschändet hatte, so halten wir allerdings dafür, daß dieselbe nicht aufgelös't werden sollte, und wir verneinen es daher, ungeachtet der Strenge des päbstlichen Rechtes, daß die geschlossene Ehe durch dieses Hinderniß aufgelös't werde, da dieses nicht aus göttlichem Rechte herkommt." (L. c. § 384.) Deyling bemerkt: „Dem Ehebrecher ist verboten, mit der Ehebrecherin sich zu verehelichen, und zwar nach dem Civil-Recht schlechterdings, nach dem kanonischen aber, welchem hier die Protestanten folgen, nur in dem Falle, wenn die betreffende Person ihrem früheren Gemahl nach dem Leben gestanden oder noch bei dessen Lebzeiten das Eheversprechen gegeben hat." Schlüßlich erinnert er daher: „Solche Ehen pflegen bei uns, mit Unterlassung feierlicher Gebräuche, unter gewissen Bedingungen, namentlich wenn die ehebrecherischen Personen ihren Wohnort wechseln, von den Consistorien zugelassen zu werden." (Institut. prud. past. III, 7, 11.)

Anmerkung 11.

Auf die Frage, ob dem bei Ehescheidung schuldigen Theile eine Wiederverheirathung zu gestatten sei, antwortet Gerhard: „Einige verneinen dies schlechterdings. . . Andere statuiren das Gegentheil. . . Wir halten es mit denen, welche einen Mittelweg gehen, indem sie statuiren, daß dem schuldigen Theile weder ohne Weiteres oder alsobald (temere aut cito) die Macht, eine neue Ehe zu schließen, zu geben, noch absolut und schlechterdings zu versagen sei. 1. Wir sagen daher, daß die Obrigkeit ernstlich zu ermahnen sei, daß sie auf Ehebruch die Todesstrafe setze; so hört diese Frage auf. 2. Der ſchuldige Theil iſt auch ernſtlich zu ermahnen, zu erkennen, daß ſein ſo ſchweres Verbrechen nicht allein des ewigen Todes, ſondern auch der zeitlichen Todesſtrafe würdig ſei, in wahren Gewiſſensſchrecken, in Creuzigung des Fleiſches und in Arbeit und Faſten zu leben und ſich für unwürdig zu achten, daß ihm bie Macht zu einer neuen Ehe gegeben werde. 3. S o l a n g e der u n ſ ch u l d i g e Theil noch außerhalb der Ehe lebt, und ſo noch H o f f n u n g zu Wiederverſöhnung vorhanden iſt, darf dem ſchuldigen zu einer anderen Ehe zu eilen ſchlechterdings nicht geſtattet werden. 4. Wenn es Thatſache iſt, daß ſein Gewiſſen Noth leide und ihm augenſcheinliches Verderben drohe, wenn ihm nicht ge- rathen werde, ſo kann ihm eine weitere Verehelichung zugelaſſen werden, aber unter folgenden Bedingungen: a. daß die ſchuldige Perſon nicht aus eigener Macht zu einer neuen Ehe ſchreite, ſondern vorher die Einwilligung der Obrigkeit und des kirchlichen Miniſteriums ſich erbitte. b. Daß ihr nicht geſtattet werde, mit derjenigen Perſon die Ehe zu ſchließen, mit welcher ſie die Ehe gebrochen hat. c. Daß vorher die ernſtliche Buße der ſchuldigen Perſon während einer beſtimmten Zeit erforſcht werde. d. Daß ihr auferlegt werde, ihren Aufenthaltsort zu ändern und ſich dahin zu begeben, wo ihre Schande nicht ruchbar geworden iſt.“ (L. c. § 622.) Wigand ſchreibt in ſeinem Buch von der Ehe: „Wenn dem ſchuldigen Theile erlaubt wäre, an demſelben Orte wieder die Ehe beliebig zu ſchließen, ſo würde aller Ruchloſigkeit Thür und Fenſter aufgethan werden und die Bosheit eine erwünſchte Belohnung erlangen; es iſt daher nothwendig, um der Ehrbarkeit und Ruhe willen, daß ſchuldige Perſonen entweder ohne Ehe bleiben oder vertrieben werden.“ (A. a. O.) Daſſelbe urtheilt auch Luther. Er ſchreibt u. a.: „Wo die Obrigkeit ſäumig und läſſig iſt, und nicht tödtet (die Ehebrecher), mag ſich der Ehebrecher in ein ander fern Land machen und daſelbſt freien, wo er ſich nicht halten kann. Aber es wäre beſſer: todt, todt mit ihm! um böſes Exempel willen zu meiden.“ (Vergl. X, 723. ff.

Anmerkung 12.

Wollen bie Eltern den Kindern bie Ehe gar nicht ge- ſtatten oder doch über alle Gebühr aus unlauteren Gründen (etwa um ihre Kinder zur Arbeit bei ſich ohne Noth zu behalten) dieſelben aufhalten, ſo genügt, wenn alle Mittel, die harten Elternherzen zu erweichen, vergeblich ſind, die Einwilligung der Obrigkeit, die damit bie unmenſchlichen Eltern ihrer Autorität in ſolchem Falle entſetzt und deren Einwilligung erſetzt. S. Luther's Schrift Von Eheſachen vom Jahre 1530. (X, 945—947.) Vergl. Luther's Briefe an Urſula Schneidewein vom Jahre 1539 in der Erlanger Ausgabe Bd. LV, 230. f. 235. f. — Einem Kinde ſoll jedoch auch nicht ſo leicht erlaubt ſein, eine von den Eltern ihm angetragene Ehe mit einer auch nach anderer „frommer, guter Leute Erkenntniß“ durchaus paſſenden Perſon ohne triftige Gründe auszuſchlagen. (Walch X, 947—949. Vergl. oben Anmerkung 4.)

Anmerkung 13.

Hat sich eine Person zweimal öffentlich verlobt, so muß selbstverständlich das zweite Verlöbniß dem ersten weichen (s. Luther X, 922.); „wer nach dem öffentlichen Verlöbniß eine andere berührt mit Verlöbniß, als dieselbige damit zu ehelichen, das erste Verlöbniß zu zerreißen, das sollte ein Ehebruch geachtet werden." (S. ebenfalls Luther a. a. D. S. 932.)

Anmerkung 14.

Von dem Falle der Schändung ohne Eheversprechen nach 2 Mos. 22, 16. schreibt Deyling: „Da nach dem bürgerlichen Recht eine Schändung ist, die mit einer sonst ehrbar lebenden Jungfrau oder Wittwe begangen worden ist, so ist die Regel zur Geltung gekommen: Der Schänder heirathe entweder die von ihm Geschändete, oder dotire sie." (Institut. prud. past. III, 7, 37.) Brenz schreibt hierüber: „Wir haben oben gesagt, daß Moses nicht unsere Obrigkeit in Deutschland, sondern der Juden im Lande Canaan ist, daher wir durch die Einrichtungen desselben nicht gebunden sind. Und weil niemand zur Ehe gezwungen werden soll, so zwingen daher ganz billig die bürgerlichen Rechte niemanden, sondern bestrafen den Schänder, wenn er die Geschändete nicht freiwillig heirathen will, nach Verdienst und wie es festgesetzt ist, damit das Böse abgethan und der Gerechtigkeit ein Genüge geleistet werde. Trüge sich aber ein solcher Fall zu, dann gehörte es sich, daß der Pastor des Orts den Jüngling ermahnte, die Geschändete zu ehelichen, da er dem Mädchen ihre Jungfräulichkeit, das kostbarste aller Güter und einen unvergleichbaren Schatz, durch Trug genommen hätte, daher sie fernerhin ein einsames und mit Schande bedecktes Leben hinbringen müßte, und zwar allein um seinetwillen, welcher die Einfältige und Leichtgläubige mit Schmeichelei und verfänglicher List hintergangen habe, und daß ihr das so große Gut nie wieder erstattet werden könne, außer durch Heirath, zu deren Schließung er nicht sowohl durch das zu scheuende und zu fürchtende Schwert der Obrigkeit, als durch christliche Liebe sich antreiben lassen solle. Denn ohne Zweifel wird, wenn ein Funken Frömmigkeit in dem Schänder ist, derselbe einmal bedenken, nicht nur was ihm beliebe, sondern auch was ihm zu thun erlaubt sei." (Dedekennus' Thesaur. III, 121. f.) Auch Osiander schreibt: „Die heutigen Rechte zwingen den Schänder nicht, daß er die von ihm Geschändete heirathe, wenn er ihr die Ehe nicht versprochen hat; jedoch wenn einer recht und billig handeln will, wird er sich nicht weigern, sie zu ehelichen, da er dem Mädchen ihren höchsten Schmuck, die Jungfräulichkeit, genommen hat. Aber das mosaische Gesetz, daß die Geschändete zum Weibe zu nehmen sei, kann mit der Bedingung verstanden werden, wenn nemlich der Schänder der die Ehe versprochen habe, die er geschändet hat." (Citirt von Calov in seiner Bibl. illustr. zu Exod. 22, 17.)

Anmerkung 15.

Hier. Cypräus stellt die Frage: „Wenn jemand sich solcher Worte bedient, welche ein Eheversprechen enthalten, und spricht, daß er im Scherz, nicht im Ernst geredet habe, ob ihm zu glauben sei?" Er antwortet: „Ich meine, auch hier sind die Worte in Erwägung zu ziehen und daraus abzunehmen, ob die Contrahirenden im Ernst gehandelt haben, oder ob sie mit einander gescherzt haben. Z. B. zwei haben sich die Ehe unter der Bedingung versprochen, daß, wenn es einen von ihnen reuen sollte, er einen Ducaten bezahlen müsse, welchen sie als Unterpfand den Gegenwärtigen übergeben haben. Da zeigt die Sache selbst, daß dies im Scherz geredet und gehandelt gewesen sei und daß es keinen von beiden verbindlich mache. Der bloße Schein (figura) der Worte reicht nicht hin ohne natürliche Zustimmung." (Debekennus' Thesaur. III, 122.) Aehnlich beantwortet Gerhard die Frage: „Ob der zur Ehe zu zwingen sei, welcher sagt, daß er nur zum Schein (simulato animo) das Jawort gegeben habe" (consensisse)? Jedoch setzt er hinzu: „Wenn aus den Umständen offenbar ist, daß der Einwand, nur ein Scheinversprechen gegeben zu haben, erdichtet ist, z. B. wenn er in Gegenwart ehrbarer Männer dem anderen Theile das Eheversprechen gegeben, wenn er das Versprechen wiederholt, wenn er die Person als seine Braut behandelt hat 2c., so ist ein solcher Betrüger mit seinem Einwande nicht zu hören." (A. a. O. 123.) Auch Cypräus bemerkt, daß, wenn die Sache ungewiß ist, derjenige, welcher im Scherz geredet zu haben vorgibt, dies eidlich zu bestätigen genöthigt werden könne.

§ 23.

Obgleich die der Trauung vorhergehende kirchliche öffentliche Proclamation nicht göttlichen Rechtens ist, so ist sie doch eine sehr löbliche Gewohnheit, die den Zweck hat, 1. daß die beabsichtigte Ehevollziehung vorher öffentlich kund werde, und so diejenigen, welche ein Ehehinderniß wissen, dieses rechtzeitig zu melden Gelegenheit erhalten, und 2. daß die christliche Gemeinde für die Verlobten eine gemeinschaftliche Fürbitte thue. Dieses s. g. Aufgebot vollzieht man am schicklichsten an drei auf einander folgenden Sonntagen, mit Angabe der Vor- und Zunamen, sowie des Wohnorts, sowohl der Verlobten. als der Eltern derselben, resp. der verstorbenen früheren Gatten, um möglicher Verwechslung der Personen vorzubeugen, und zwar sowohl an den Orten, an welchen sich die Verlobten, als da, wo deren Eltern sich aufhalten. Die Proclamation schließt mit einer Fürbitte. Nach etwa erfolgtem Protest (Einspruch) nimmt zwar das Aufgebot, als ein bloßer actus notificationis, seinen Fortgang. jedoch erfolgt die Trauung erst nach Erledigung des Einspruchs.

Anmerkung 1.

Dannhauer tadelt es mit Recht, wenn die römische Kirche die Unterlassung der Proclamation im Tridentinum sess. 24, c. 1. gestattet, und schreibt: „Diese Unterlassung kann Verunehrung des heiligen Ehestandes und Aergernisse erzeugen; und dann kann sich die Kirche nicht mit Unwissenheit entschuldigen, denn sie ist zu moralischer Klugheit durch mögliche Vorsicht verbunden." (Lib. conscient. apert. I, 817.)

Anmerkung 2.

Daß das dreimalige Aufgebot an drei auf einander folgenden Sonntagen stattfinde, ist zwar Regel, doch kann ein Aufgebot auch an einem zweiten Weihnachts-, Oster- oder Pfingstfeiertage geschehen, wenn auch der nächste Sonntag vor Verfluß von sieben Tagen einfällt. (S. Deyling's Instit. prud. past. III, 7, 16. Anm.) Am ersten Tage eines hohen Festes pflegen keine Proclamationen vollzogen zu werden. In sich selbst widersprechend ist es, zum ersten, zweiten und dritten Male zugleich aufzubieten, obwohl unter Umständen schon das zweite, ja, das erste Aufgebot als das letzte gelten und angekündigt werden kann. Personen, welche vor der Trauung die Ehe anticipirt haben („ausgefallene Personen"), hatten in früheren Zeiten die Ehre des Aufgebotes verwirkt; an dessen Stelle mußten sie ihre Integritas (Ledigkeit) auf andere Weise, in der Regel eidlich, bestätigen. Letzteres konnte jedoch nicht vor dem Pfarrer geschehen, da „die Eides-Abnahme eine Gerichtsbarkeit voraussetzt, diese aber nicht einmal den Superintendenten, geschweige den Pastoribus zusteht." (A. a. O. Vergl. Luther XIX, 2301., wo derselbe erklärt, daß „Eide thun und fordern in weltliche, nicht in geistliche oder göttliche Sachen und Recht gehöre.") In manchen Staaten gehört die Proclamation zu den bürgerlich-gesetzlichen Erfordernissen einer legitimen, vom Staate anerkannten Eheschließung, in welchem Falle der Prediger keine Macht hat, die Proclamation zu unterlassen. Sonst ist einer Gemeinde, namentlich in größeren Städten, wo die Trauungen sich häufen, nicht zuzumuthen, daß sie alle ihr völlig fremden Personen, die von ihrem Pastor getraut werden, in ihren Gottesdiensten aufbieten lasse.

Anmerkung 3.

Auf die Frage: „Ob diejenigen proclamirt werden dürfen, welche ungleichen Gottesdienstes und Religion sind?" antwortet der alte Gießener Theolog J. Nikol. Misler: „Eine solche Verbindung ist auf alle Weise zu hindern, wenn die Sache noch nicht zum Austrag gekommen ist; jedoch wenn die Verlobung schon gefeiert worden ist, kann der lutherische Kirchendiener sie proclamiren, mit Beifügung einer Ermahnung, daß man dergleichen Verheirathungen zu meiden habe. Der orthodoxe Theil ist zu ermahnen, daß er in der wahren Religion standhaft verbleiben möge." (Opus Novum etc. fol. 591.) Deyling bemerkt noch: „Jener Theil,

16

welcher der päbstlichen oder Calvinischen Religion zugethan ist, soll vor der
Trauung versprechen und dafür Bürgschaft leisten, daß er nicht nur seinen
der reinen Religion zugethanen Gatten zu Annahme seiner Religion nicht
zu verführen suchen . ., sondern auch gestatten wolle, daß die Kinder, welche·
von Gott während dieser Ehe geschenkt werden möchten, in der evangelischen
Religion unterwiesen und erzogen werden." Küstner macht in einer Note
zu Deyling's Institutionen noch die Bemerkung, das Versprechen müsse vor
dem weltlichen Gerichte gegeben werden, damit die Erfüllung desselben
nöthigenfalls auch erzwungen werden könne, selbst nach dem Tode des rechtgläubigen Theils. (A. a. O. § 12. u. 17.) Der Prediger dürfte dies alles
jedoch nur so weit zu berücksichtigen haben, daß er den rechtgläubigen Theil
dringend ermahnt, solche Bedingungen zu stellen. Wollte sich jedoch die
falschgläubige Person nur mit dem ausdrücklichen Proteste von einem
lutherischen Prediger trauen lassen, daß die Kinder der einzusegnenden Ehe
in seinem falschen Glauben erzogen werden müßten, so ist es allerdings
fraglich, ob der Prediger sich dazu verstehen dürfe, ein solches Paar zu
proclamiren. Vergl. § 22. Anm. 7.

Anmerkung 4.

Namentlich hier in America, wo ein so häufiger Wechsel des Berufes
stattfindet und wo der Gemeinde das frühere Leben einzelner hinzugekommener
Glieder unbekannt ist, dürfte es nicht rathsam sein, bei dem Aufgebote den
Charakter der Aufzubietenden (den kirchlichen ausgenommen) anzugeben und
Titulaturen und die sogenannten Keuschheitsprädicate ("eine Jungfrau, ein
Junggeselle") beizufügen. Jedoch hat sich der Prediger hierin nach dem
Wunsche der Gemeinde und nach dem Herkommen in derselben zu richten.
Auch Deyling sagt, die Proclamation sei "sine titulorum pompa (ohne
Pomp der Titel), so weit es geschehen kann und die Gewohnheit des Ortes
es zuläßt", zu vollziehen.

§ 24.

Die öffentliche kirchliche Copulation oder Trauung geschieht nach
Vorschrift der eingeführten rechtgläubigen Agende mit Berücksichtigung
des Usus der Gemeinde, in deren Mitte sie stattfindet.

Anmerkung 1.

Auf die Frage: "Ist die kirchliche Einsegnung der Ehe eine
Sache der Nothwendigkeit?" antwortet Conrad Dannhauer:
"Sie ist keine Sache der Nothwendigkeit schlechthin, denn ohne
dieselbe konnte die Ehe unter den Heiden giltig sein, als ein bürgerlicher Act.
,Es kann ja Niemand', schreibt Luther in der Schrift von Ehesachen, ,leugnen,
daß die Ehe ein äußerlich weltlich Ding ist, wie Kleider und Speise, Haus
und Hof, weltlicher Obrigkeit unterworfen; wie das beweisen Kaiserliche

Rechte darüber gestellet.' Auf Grund der Ueberzeugung des bürgerlichen
Charakters der Ehe machten (wie Piasecki in seiner Chronik berichtet) die
Holländer im Jahre 1594 die Einrichtung, daß der Ehecontract vor der
Obrigkeit geschehen, und daß der Schreiber oder der Vorsitzer der öffentlichen
Registratur oder der Secretär des Magistrats das Versprechen von den
Verlobten aufnehmen und in den Ceremonien der Einsegnung der Ehe das
Geschäft des Priesters besorgen solle. *) Sie ist jedoch eine Sache der
Nothwendigkeit zu einer christlichen, heiligen, gesegneten
allgemein anerkannten Ehe; wie die Bitte um das tägliche Brod
nicht schlechterdings nothwendig ist, aber nothwendig, daß es ein mit Dank-
sagung empfangenes Brod sei, wie die Katechismus-Erklärung der vierten
Bitte sagt. Daher können rücksichtlich dieser Einsegnung nicht alle Ursachen,
welche eine einzugehende Ehe hindern, die schon eingegangene auflösen. ,Der
HErr hat zwischen dir und dem Weibe deiner Jugend gezeuget', sagt Maleachi
Cap. 2, 14., wozu Dr. Pappus bemerkt: ,Diese Sitte ist auch immer bei
den Heiden beobachtet worden, daß die Ehen mit einem besondern Gebets-
Ritus und gottesdienstlichen Ceremonieen begonnen wurden. Daher bezeugt
auch Aristoteles in seiner Oekonomik, daß der Bräutigam die Braut sich
bittend vom Altare hole und da gleichsam gelobe, daß er ihr als seinem
Weibe kein Unrecht thun wolle. Es sind daher profane Disputationen,
welche diesen Einsegnungs-Ritus, der bei allen Völkern Rechtens ist, aus der
bürgerlichen Gesellschaft zu verdrängen sich unterfangen.' Die Ehe soll in
Ehren gehalten werden. (Ebr. 13, 4.) Denn alle Creatur Gottes ist gut,
und nichts verwerflich, das mit Danksagung empfangen wird. (1 Tim. 4, 4.)
Und alles was ihr thut mit Worten oder mit Werken, das thut alles in dem
Namen des HErrn JEsu, und danket Gott und dem Vater durch ihn.
(Kol. 3, 17.) Lasset alles ehrlich und ordentlich zugehen! mit Vermeidung
üblen Verdachtes und Aergernisses. So schreibt Tertullian (gestorben
um 220) im zweiten Buch seiner Schrift Ad uxorem: ,Wie könnte ich
genugsam das Glück jener Ehe ausreden, welche die Kirche schließt, die
Communion bestätigt, und die, wenn sie besiegelt ist, die Engel verkünden,
der Vater für giltig erklärt?' Aus dem Gedicht des Valerius Flaccus (gestorben 98 nach Christo), die Argonautenfahrt, Buch 8., ersieht man, daß die
Spuren dieser Feier aus dem Recht und Brauch der Hebräer auf das Heidenthum gekommen seien. Das Christen-Schiff muß hier zwischen heidnischer
Profanität auf der einen Seite und dem sacramentlichen Begriffe auf der
anderen Seite mittenhindurch steuern. ... Dr. Menzer schreibt: ,Ein
christlicher Bräutigam muß denken, daß ihm in Adams Ehe eine Regel vorgeschrieben sei, die er zu befolgen habe. Denn wie jener aus Gottes Hand
selbst seine Eva empfing 1 Mos. 2, 22., so muß er gewiß dafür halten, daß

---

*) Es geschah dies den Römischen zu Gefallen, welche sich von keinem Reformirten
Prediger trauen lassen wollten.

Gott selbst in der Kirche durch Seinen Diener die Braut ihm übergebe und mit ihm zusammenfüge und diese seine Ehe segne. Er muß es für schändlich achten, ohne Wissen der Kirche eine Ehe einzugehen, woraus die künftigen Glieder der Kirche geboren werden sollen.'" (Lib. conscient. I, 818. ff.)

So entschieden es jedoch alle unsere rechtgläubigen Theologen bezeugen, daß kein rechtschaffener Christ die kirchliche Einsegnung seiner Ehe, wenn er dieselbe haben kann, verachten und die bürgerliche Trauung suchen könne, so nehmen sie doch den Fall der Noth aus. Die theologische Facultät zu Wittenberg schreibt in einem Bedenken vom Jahre 1612: „Ist derwegen dies unsere Meinung, daß der legitime Consens der Contrahenten zu einer legitimen Ehe schlechterdings nothwendig sei, und so jemand an einem solchen Orte lebte, da er die priesterliche Einsegnung nicht haben, noch in benachbarten Kirchen erlangen könnte, möchte ihn derselben Mangel in seinem Gewissen nicht irren. Daneben aber halten wir jene priesterliche Einsegnung nicht allein für eine Sache der Ehrbarkeit, sondern auch für eine Sache der Nothwendigkeit." (Consil. Witeb. IV, 23.) Consequenterweise „segnen wir (Lutheraner) solche Eheleute, welche aus dem Heidenthum und Muhammedanismus sich zu unserer Religion begeben, nicht wieder ein", wie Calvör bemerkt in seinem Rituale ecclesiasticum. I, 127. — Wenn der alte Greifswalder Theolog Friedlieb für den Fall, daß man einen rechtgläubigen Prediger nicht haben kann, es billigt, daß man sich von einem päbstlichen Priester trauen lasse (Opus novum, fol. 593.), so nimmt derselbe ohne Zweifel darauf, daß der Lutheraner in solchem Nothfalle (jetzt in vielen Staaten) die ohne Zweifel vorzuziehende Civil-Trauung erlangen kann, keine Rücksicht.

Anmerkung 2.

In der Regel ist derjenige Prediger der competente Copulator, zu dessen Parochie die Braut gehört. Deyling schreibt: „Da die Einsegnung neuer Eheleute zu den Amtshandlungen gehört, und dem Kirchendiener verboten ist, dergleichen Handlungen außerhalb seiner Parochie zu vollziehen, daher darf sie von dem Pfarrer einer anderen Parochie nicht geschehen, außer mit Zustimmung des ordentlichen Pastors und mit Erlegung des Honorars, welches ihm zukommt. S. die Sächs. Generalartikel XIII. Denn das Recht zu copuliren kommt demjenigen Kirchendiener zu, wo die Hochzeit gefeiert wird, was in der Regel in der Parochie der Braut geschieht." (Institut. prud. past. III, 7, 21.)

Anmerkung 3.

Den Ort der Trauung betreffend, schreibt Deyling: „Der Regel nach geschieht die Einsegnung und Copulation in öffentlicher Kirchen-Versammlung, in Gegenwart der Eltern des Bräutigams und der Braut, der Vormünder, Verwandten und anderer Freunde. Ausgenommen ist der Nothfall oder wenn eine stumme Person zu trauen ist." (A. a. O. § 20.)

Anmerkung 4.

Ob hier in America die s. g. geschlossenen Zeiten (tempora clausa), in welchen keine Aufgebote und Hochzeiten stattfinden sollen, nemlich die Advents- und Fastenzeit, auch innezuhalten seien, ist, da diese Ordnung zwar Gottes Wort gemäß (1 Kor. 7, 5. Joel 2, 16.), jedoch nicht juris divini ist, billig der Entscheidung der Gemeinde zu überlassen. In den Sächsischen Generalartikeln heißt es: „Damit auch vermöge göttliches Befehls und Ordnung der Sabbath geheiliget und die Leute vom Gehör göttliches Wortes nicht abgezogen werden, sollen die Hochzeiten nicht auf den Sonntagen oder andern Feiertagen, sondern auf den Werkeltagen in der Woche oder, da es einig Bedenken oder Ursach, darum es schädlich, vorfallen sollte, ungeachtet desselben eher nicht auf den Sonntagen oder anderen heiligen Tagen, denn nach der Vesper und gehaltenem Catechismo angefangen und vollbracht werden. Weil auch zu Zeiten mit etlichen Personen dispensirt worden, daß sie im Advent oder in der Fasten Hochzeit gehalten, und aber dasselbige an solchen Orten fast für einen gemeinen Gebrauch und Gewohnheit angezogen werden will; obwohl vermöge christlicher Freiheit bei den Christen ein Tag wie der andere, Gal. 4.: jedoch weil ermeldte Zeit besonders auf die Buß- und Passions-Predigt gerichtet und also alles seine Zeit hat, soll es nochmals durchaus bei dem gemeinen Brauch bleiben, die Hochzeiten und Wirthschaften auf eine andere Zeit geleget werden." (Churfürst Augusts Kirchenordnung vom Jahre 1580. fol. 317.) Vergl. Johann Gerhard Loc. de conjug. § 469. Calvör Rituale I, 149—155. Deyling l. c. § 23.

Anmerkung 5.

Die bei kirchlichen Handlungen, also auch bei der Trauung, zu gebrauchenden Titel betreffend, antwortet Dannhauer auf die Frage: „Haben bei Amtshandlungen, namentlich bei der Absolution, Ehrentitel Statt?" — „Wie das Du-sagen (tuizatio) Grobianismus athmet, so Titel-Luxus Politicismus. Die Mittelstraße trifft auch hier die Anrede in der dritten Person. Wenn ein christlicher König oder Fürst begehrte, daß man mit ihm wie mit jedem gemeinen Sünder umgehe, so ist das etwas Heroisches." (Lib. conscient. I, 1048.)

Anmerkung 6.

Die s. g. goldenen Hochzeiten betreffend, schreibt Deyling: „Denjenigen, welche zusammen fünfzig Jahre lang in der Ehe gelebt haben, pflegt, wenn sie wollen, eine neue Hochzeitsfeier und halbhundertjährige Solennität gestattet zu werden." (A. a. O. § 39.) Eine ausführliche Rechtfertigung dieser Sitte gibt Steuber in seiner Theol. conscientiar. p. 339, woraus Hartmann in seinem Pastorale ev. p. 1060—66. interessante Auszüge gibt.

§ 25.

Fällt ein Theil der Ehegatten in Ehebruch durch Hurerei, so hat zwar der Prediger die Pflicht, wenn der schuldige Theil wahre Buße zeigt, dem unschuldigen Theile zuzureden, daß er dem ersteren die Sünde vergebe und mit ihm in der Ehe bleibe; schlüßlich aber hat er dies in des unschuldigen Theiles guten Willen zu stellen und demselben, wenn er um gesetzliche obrigkeitliche Scheidung nachgesucht und dieselbe erwi:senermaßen erhalten hat,*) nach Verfluß eines angemessenen Zeitraumes auch die Einsegnung zu einer anderweiten Ehe nicht zu versagen.

Anmerkung 1.

Chr. Tim. Seidel schreibt: „Der Prediger ist verbunden, diejenigen, welche in einer mißvergnügten Ehe leben, auf den rechten Weg zu bringen und, so viel in seinem Vermögen steht, zu verhüten, daß keine Ehescheidung erfolge. Er hat sich hierbei sorgfältig zu hüten, daß er sich nicht in jedem Falle zu einem Richter aufwerfe; denn so bald er der einen Partei beifällt, hat er sich meist außer Stand gesetzt, etwas auszurichten. Er muß sich daher bemühen, daß beide Parteien ein Vertrauen zu ihm haben. Es ist sehr gut, solche Personen zum öftern und unvermuthet zu besuchen, insonderheit zu der Zeit, wenn man hört, daß sich Zwietracht erhoben habe. Die Erfahrung lehrt, daß es oft von einer besonders heilsamen Wirkung ist, wenn man mit den Uneiniggewordenen auf die Kniee fällt und mit ihnen die Sache Gott vorträgt. Insonderheit ist der unschuldige Theil zu Geduld und Versöhnlichkeit zu ermahnen." (Pastoraltheologie. S. 193. ff.)

Anmerkung 2.

Die Papisten behaupten zwar, daß selbst Ehebruch durch Hurerei das vinculum matrimonii nicht auflöse, daher auch der unschuldige Theil vor dem Tode des schuldigen zu keiner anderweiten Ehe schreiten dürfe (S. Concil. Trid. sess. 24. can. 7.), es gehört dies jedoch zu jener antichristischen Sündenmacherei wider den klaren Buchstaben des göttlichen Wortes, um welcher willen u. a. der Pabst der „Mensch der Sünde" 2 Thess. 2. genannt wird. Luther schreibt hierüber: „Droben haben wir gehöret, daß der Tod sei die einige Ursache, die Ehe zu scheiden; und weil Gott im Gesetz Mosis geboten hat, die Ehebrecher zu steinigen, so ists gewiß, daß der Ehebruch auch die Ehe scheidet, weil dadurch der Ehebrecher zum Tode verurtheilt und verdammt wird. Darum auch Christus Matth. 19, 6., da er verbeut, daß sich Eheleute nicht scheiden sollen, nimmt er den Ehebruch aus, und spricht: ‚Wer sein Weib lässet (es sei denn um Hurerei willen) und nimmt eine

---

*) Das Copulationsrecht, welches der Prediger hat, schließt das Scheidungsrecht keinesweges mit in sich.

andere, der bricht die Ehe.' Welchen Spruch auch Joseph bestätiget Matth. 1, 20., da er Mariam verlassen wollte, da er sie hielte für eine Ehebrecherin, und wird doch gelobt vom Evangelisten, daß er fromm gewesen sei. Nun wäre er freilich kein frommer Mann, wo er Mariam wollte verlassen, so ers nicht Macht und Recht hätte zu thun." (Schrift von Ehesachen vom Jahre 1530. X, 949.)

Anmerkung 3.

Ein Irrthum wäre es, die Worte des HErrn Matth. 19, 9. dahin zu deuten, als ob der HErr damit in dem bezeichneten Falle die Scheidung geböte. Vielmehr wird die Scheidung unter solchen Umständen dadurch nur für erlaubt erklärt. Dannhauer schreibt daher: „Obgleich die Ursache des Ehebruchs eine gerechte Ursache der Scheidung ist, so ist sie doch keine nothwendige und verbindende. Warum sollte der beleidigte Theil sich nicht nach dem Vorbild Gottes mit dem beleidigenden versöhnen und dieser wieder zu Gnaden angenommen werden können?" (Lib. conscient. I, 808.) Auch Luther schreibt daher: „Demnach kann und mag ich nicht wehren, wo ein Gemahl die Ehe bricht und kann beweiset werden öffentlich, daß das andere Theil frei sei und sich scheiden möge und mit einem andern verehelichen. Wiewohl wo mans thun kann, daß man sie versöhne und bei einander behalte, ist gar viel besser. Wenn aber das unschuldige Theil will, so mags im Namen Gottes seines Rechts brauchen; und vor allen Dingen, daß solch Scheiden geschehe' nicht aus selbst eigener Macht, sondern durch Rath und Urtheil des Pfarrherrn oder Obrigkeit solches gesprochen werde. Es wäre denn, daß es wollte, wie Joseph, heimlich sich davon machen und das Land räumen; sonst, wo es bleiben will, soll es ein öffentlich Scheiden ausrichten." (A. a. O. S. 949. f.) Der letztere Rath kann selbstverständlich nur dann befolgt werden, wenn der unschuldige Theil nicht wieder heirathen will und durch sein sich Entfernen nicht Gefahr läuft, als ein desertor behandelt zu werden. Im Folgenden dringt Luther ernstlich darauf, daß der Prediger dem unschuldigen Theil „getrost zusetze mit der Schrift", dem bußfertigen Gefallenen zu vergeben und ihn wieder anzunehmen.*) Hat übrigens der unschuldige Theil dem schuldigen dadurch bereits thatsächlich vergeben, daß er nach dessen ihm bekannt gewordenem Fall wieder mit ihm ehelich gelebt hat, so kann er später nicht ex post facto auf Scheidung antragen. (Vergl. Gerhard. loc. de conjug. § 621.)

---

*) Gerhard erklärt, daß dies dann geschehen solle: „wenn die in Ehebruch gefallene Person nicht unverbesserlich sei und sich nicht öffentlich infam gemacht habe, wenn gewisse Hoffnung sich zeige, daß sie in Zukunft keusch leben und sich dem beleidigten unschuldigen Theile demüthig unterwerfen werde, sonderlich wenn der Ehebruch anderen unbekannt und davon keine Infamie und Verlust des guten Namens zu fürchten wäre." (Loc. de conjug. § 613.

Anmerkung 4.

Was die Frist betrifft, nach deren Verfluß der unschuldige Theil erst zu einer anderen Ehe schreiten darf, so schreibt hierüber Luther: „Damit solch Scheiden, so viel es möglich ist, gemindert werde, soll man zuerst dem einen Theil nicht gestatten, sich so bald wieder zu verändern, sondern zum wenigsten ein Jahr oder halbes harren; sonst hats einen ärgerlichen Schein, als hätte er Lust und Gefallen daran, daß sein Gemahl die Ehe gebrochen habe, und damit Ursache gar fröhlich ergreift, daß er deß los werde und frisch ein anders nehme, und also seinen Muthwillen übe unter dem Deckel des Rechten.' Denn solche Büberei zeigt an, daß er nicht aus Ekel des Ehebruchs, sondern aus Neid und Haß gegen seinen Gemahl und aus Lust und Fürwitz zu einem andern so willig die Ehebrecherin lässet und so gierig eine andere sucht." (A. a. O.)

§ 26.

Obgleich es nach Gottes Wort nur Einen rechtmäßigen Grund zu einer zu vollziehenden Ehescheidung gibt, nemlich Hurerei (Matth. 19, 9.), so gibt es doch nach deutlicher apostolischer Erklärung 1 Kor. 7, 15.: „So der Ungläubige sich scheidet, so laß ihn sich scheiden. Es ist der Bruder oder die Schwester nicht gefangen in solchen Fällen", — einen anderen Fall, in welchem der unschuldige Theil die Scheidung seiner Ehe, nicht zwar vollziehen darf, aber erleidet; wenn nemlich ein unchristliches Gemahl das andere bößlich verläßt (malitiosa desertio), das heißt, mit der erwiesenen Absicht verläßt, zu dem verlassenen Gemahl nicht wieder zurückzukehren, und zwar also, daß es durch alle angewandten Mittel zur Rückkehr nicht bewogen werden kann. In diesem Falle ist dem unschuldigen Theile (natürlich erst wenn derselbe die gesetzliche Scheidung erlangt hat) nach des heiligen Apostels Erklärung 1 Kor. 7, 15., als dem nicht mehr „gefangenen", d. i. an sein voriges Gemahl nicht mehr gebundenen (οὐ δεδούλωται, vergl. Röm. 7, 1—3.), die Wiederverheirathung seiner Zeit nicht zu verwehren.

Anmerkung 1.

Es hat Theologen gegeben, welche aus 1 Kor. 7, 15. erweisen zu können meinten, daß es zwei Scheidungsgründe gebe. Es ist dies jedoch ein Irrthum. Es gibt nach Christi klarem Ausspruch nur Einen rechtmäßigen Scheidungsgrund, und der Apostel widerspricht dem keineswegs. Ganz richtig schreibt J. Gerhard: „Der exclusiven Rede Christi, welche nichts als den Ehebruch als die einzige Ursache der Ehescheidung feststellt, geht durch die apostolische Erklärung nichts ab, weil die erstere nicht von einer und derselben Frage, noch von einem und demselben Falle mit dem Apostel handelt; sondern

Chriſtus gibt die Urſache, Eheſcheidung zu machen, der Apoſtel die
Urſache, Eheſcheidung zu erleiden und wegen ungerechter Verlaſſung Freiheit zu erlangen, an; Chriſtus redet von dem, welcher die Eheſcheidung macht,
der Apoſtel von dem, welcher die Eheſcheidung leidet; Chriſtus redet von dem,
welcher ſein Gemahl verläßt, Paulus von dem, welcher von ſeinem Gemahl
verlaſſen wird; Chriſtus redet von der freiwilligen Scheidung, Paulus von
der unfreiwilligen Scheidung." (Loc. de conjug. § 607.)

Luther legt 1 Kor. 7, 15. alſo aus: „Hie ſpricht der Apoſtel das chriſtliche Gemahl los und frei, wo ſein unchriſtlich Gemahl ſich von ihm ſcheidet,
oder nicht vergönnen will, daß es chriſtlich lebe*), und gibt ihm Macht und
Recht, wiederum zu freien ein ander Gemahl. Was aber von einem heid-
niſchen Gemahl hie St. Paulus redet, iſt auch zu verſtehen von einem falſchen
Chriſten, daß, wo derſelbe ſein Gemahl zu unchriſtlichem Weſen wollt halten
und nicht laſſen chriſtlich leben, oder ſcheidet ſich von ihm, daß daſſelbe chriſtliche Gemahl los und frei ſei, ſich einem andern zu vertrauen. Denn wo
das nicht recht ſollt ſein, ſo müßte das chriſtliche Gemahl ſeinem unchriſtlichen
Gemahl nachlaufen oder ohne ſeinen Willen und Vermögen keuſch (ehelos)
leben und alſo um eines Andern Frevel willen gefangen ſein und in ſeiner
Seelen Fahr leben. Das verneinet hie St. Paulus, und ſpricht, daß in
ſolchen Fällen der Bruder oder Schweſter nicht gefangen noch eigen ſei; als
ſollt er ſagen: In andern Sachen, wo Eheleute bei einander bleiben, als in
der ehelichen Pflicht und desgleichen, iſt wohl Eins dem Andern verbunden
und ſein eigen, daß ſich keins darf verändern von dem Andern; aber in dieſen
Sachen, da ein Gemahl das andere unchriſtlich zu leben hält, oder ſich von
ihm ſcheidet, da iſts nicht gefangen oder verbunden an ihm zu hangen. Iſts
aber nicht gefangen, ſo iſts frei und los; iſts frei und los, ſo mag ſich verändern, gleich als wäre ſein Gemahl geſtorben. Wie? ſollte denn nicht das
chriſtliche Gemahl harren, bis ſein unchriſtlich Gemahl wiederkäme oder ſterbe,
wie bisher und geiſtlich Recht geweſen iſt? Antwort: Will es auf ihn harren,
das ſtehe in ſeinem guten Willen; denn weil es der Apoſtel hie frei und los
ſpricht, iſts nicht ſchuldig, auf ihn zu harren, ſondern mag ſich verändern im
Namen Gottes. Und wollte Gott, man hätte dieſe Lehre St. Pauli bisher
gebraucht oder brächte ſie noch in den Brauch, wo Mann und Weib ſo von
einander laufen und Eins das Andere ſitzen läßt, daraus denn viel Hurerei
und Sünde gefolget ſind. Dazu haben geholfen die leidigen Geſetze des
Pabſts, der ſtracks wider dieſen Text St. Pauli das eine Gemahl hat gedrungen und gezwungen, bei Verluſt der Seelen Seligkeit ſich nicht zu verändern, ſondern des entlaufenen Gemahls warten oder ſeines Tods erharren,
und hat alſo den Bruder oder die Schweſter in ſolchem Fall ſchlechts gefangen

---

*) Denn ob ein Gemahl das andere ſelbſt böslich verläßt, oder daſſelbe durch
Gewiſſenstyrannei ꝛc. zwingt, es zu verlaſſen, dies iſt durchaus gleich. Vergleiche jedoch
Gerhard's Zeugniß in der Anmerkung 5. dieſes Paragraphen.

gelegt um eines Andern Frevel willen, und ohne Ursach in die Fahr der Unkeuschheit getrieben." (Auslegung des 7. Capitels der 1. Epistel an die Korinther. 1523. VIII, 1114 ff.) Daß 1 Kor. 7, 10. 11. nicht also zu verstehen sei, als habe ein Gatte immer Macht, eines von beiden zu wählen, entweder nemlich bei seinem Gatten zu bleiben, oder denselben zu verlassen, wenn er nur ehelos bleibe, darüber vergleiche ein Botum über den Fall einer eigenmächtigen Separatio a thoro et mensa in „Lehre und Wehre", Jahrgang XVII, S. 201—208.

Anmerkung 2.

Bösliche Verlassung findet nicht statt, wenn der sich entfernende Theil in seinem Beruf oder mit Einwilligung des anderen abwesend ist. J. Gerhard schreibt hierüber: „Man muß zwischen nöthiger, zu billigender, zufälliger rc., und muthwilliger, freiwilliger, böslicher rc. Abwesenheit unterscheiden; denn erst derjenige ist für einen Verlasser anzusehen, welcher in böser Absicht, nicht bewogen durch irgend eine gerechte und ehrenhafte Ursache, sondern entweder aus Religionshaß, oder Leichtfertigkeit, oder weil er des ehelichen Zügels überdrüssig geworden war, oder aus anderen nicht nöthigen Ursachen auf und davon geht und sich weder durch private Ermahnungen, noch durch öffentliche Citationen zur Rückkehr bewegen läßt, sondern bald hier, bald da umherstreift, oder sich in andere Gegenden oder an weit entfernte Orte begibt, so daß keine Hoffnung auf seine Rückkehr und Wiederversöhnung mit ihm mehr übrig ist. Es wird dies 1. aus dem apostolischen Texte 1 Kor. 7, 12. 13. 15. geschlossen. Man sieht hier aus dem Gegensatz, was unter dem ‚sich scheiden' zu verstehen sei, nemlich wenn sich der Ungläubige nicht gefallen läßt, bei seinem Gemahl zu wohnen, sondern denselben in böslicher Absicht verläßt; ebenso aus Vers 5.: ‚Entziehe sich nicht Eins dem Andern, es sei denn aus Beider Bewilligung eine Zeit lang', daher es kraft des Gegensatzes, wenn ein Mann mit seines Weibes Bewilligung eine Zeit lang sich entfernt, keineswegs für eine bösliche Verlassung anzusehen sein wird. 2. Wie in anderen Handlungen, so ist auch bei einer Trennung und Abwesenheit vor allem die Absicht zu berücksichtigen. Wer daher Berufs halben abwesend ist und die Absicht zurückzukehren hat, kann nicht für einen böslichen Verlasser angesehen werden, es sei denn, daß er seine Gesinnung gegen sein Gemahl änderte und das geleistete Versprechen bräche. Der Wille unterscheidet die Handlungen, und die Ursachen verändern die Natur der Dinge." L. c. § 626.

Auf die Frage, wann denn eine Person als eine böslich verlassene sich wieder verheirathen könne, antwortet Depling: „Obgleich die bösliche Verlassung ebenso wie Ehebruch das Eheband auflöst, so wird sie doch nicht für eine wahre Verlassung, die die Lösung des Ehebandes zur Folge hat, erkannt, wenn nicht nach vorgängiger öffentlicher gerichtlicher Vorladung und rechtmäßigem Gerichtsverfahren im Consistorium die Scheidung vollzogen und erklärt wird.   Der Richter ſelbſt ſtellt erſt eine ſorgfältige Unterſuchung aller Umſtände an, ehe er einen Deſertions-Prozeß geſtattet oder einleitet.   Sonſt könnte einem Ehegatten, der aus gerechten Urſachen abweſend iſt, leicht Unrecht geſchehen und er für einen Verlaſſer erklärt werden, der es nicht iſt.   Es muß daher wohl unterſucht werden, ob wirklich eine bösliche Verlaſſung, oder ein verabredeter Betrug vorliege, ob die Urſache der Abweſenheit eine gerechte ſei und ob der andere Gatte vielleicht in dieſelbe gewilligt habe.   Denn in dieſem Falle kann kein Deſertions-Prozeß geſtattet werden.   Sodann wenn der verlaſſene Theil nach Vorlegung von Zeugniſſen für ſeine Unſchuld und Rechtſchaffenheit die Wirklichkeit der Verlaſſung hinreichend nachgewieſen hat, ſo iſt noch erforderlich, daß er ſorgfältig nachgeforſcht und, wo etwa der Verlaſſer ſich aufhalten oder vorausſetzlich ſich aufhalten könne, an verſchiedenen Orten Nachfrage gethan, und denſelben doch nicht habe ausfindig machen und finden können.   Zu dieſem Zwecke werden authentiſche und glaubwürdige Zeugniſſe von den Obrigkeiten der verſchiedenen Orte beigebracht werden müſſen, damit er (der verlaſſene Theil) beweiſe, daß er, den Verlaſſer ausfindig zu machen, ſich fleißig bemüht, und doch durch keine wahrſcheinliche Muthmaßung, wo er ſich verborgen halte, habe aufſpüren können.   Endlich muß von der Verlaſſung ſelbſt an eine hinreichend lange Zeit verfloſſen ſein, welche allerdings nicht geſetzlich beſtimmt iſt, ſondern von dem Gutdünken des Richters abhängt.   Es wird nicht gerade ein Zeitraum von ſieben, vier oder zwei Jahren erfordert, ſondern man hält dafür, daß je nach Umſtänden auch Ein Jahr, ja, auch ein halbes genügen könne.   Wenn der abweſende Gatte oder Verlobte in einem ſolchen Eheprozeß vor Gericht zu fordern iſt, pflegt dies in der Regel durch eine dreimalige Citation zu geſchehen.   Zuweilen jedoch kann nach dem Gutdünken des Richters, wenn dies die Umſtände rathen, das Urtheil auch auf eine oder zwei Edictalladungen hin gefällt werden, um Prozeß-Weitläuftigkeiten abzuſchneiden.   Endlich folgt, wenn alle Formalitäten des Prozeſſes beobachtet worden ſind und der Verlaſſer ausbleibt, der Urtheilsſpruch, ſo doch, daß vor Veröffentlichung deſſelben der verlaſſene Theil eidlich bekräftigt, daß er in Wahrheit nicht wiſſe, wo ſich der Verlaſſer aufhalte.*)   Daher hat der Paſtor das Ende des Prozeſſes und den Urtheilsſpruch und das Mandat des Conſiſtoriums abzuwarten, ehe er der unſchuldigen und verlaſſenen Perſon eine Wiederverheirathung geſtattet.**)   Die Wirkung des wider einen Verlaſſer gefällten Urtheils, wenn daſſelbe in Kraft getreten

---

*) Küſtner macht hierzu die Bemerkung: „Wenn die Sache noch unentſchieden und die Freiſprechung von der ehelichen Verbindlichkeit noch nicht erfolgt iſt, und der Abweſende erſcheint, ſo iſt der Verlaſſer wieder anzunehmen, während er hingegen, wenn er nach Leiſtung des Eides und nach gefälltem Urtheil zurückkehren ſollte, auf Grund der erfolgten Urtheilsfällung abgewieſen wird.“

**) „Aber“, ſetzt Küſtner hinzu, „das Urtheil muß durch eine vidimirte Copie erwieſen ſein.“

ist, ist Ehescheidung oder Auflösung der Eheverbindlichkeit (matrimonialis vinculi) *von beiden Seiten.*" (Institut. prud. past. III, 7, § 32—34. p. 621. sqq.) Das hier Gesagte betrifft allerdings zum Theil das bürgerliche Ehegericht*), allein ein Pastor kann hieraus ersehen, in welchem Falle er ein Individuum als einen böslichen Verlasser anzusehen habe, nachdem derselbe durch die weltliche Obrigkeit dafür erklärt worden und darauf hin die gerichtliche Scheidung erfolgt ist. Luther schreibt hierüber, wie folgt: „Ueber das ist nun noch ein Fall, nemlich wenn ein Gemahl vom andern läuft 2c., ob hie sich das andere möge mit einem andern verehelichen? Hie antworte ich also: Wo sichs begibt, daß ein Gemahl mit Wissen und Willen von dem andern zeucht, als Kaufleute oder in Krieg gefordert, oder was sonst für Noth und Sachen sind, daß sie beide solches bewilligen: hie soll das andere Theil harren und sich nicht verändern, bis daß es gewiß werde und glaubwürdige Zeugnisse habe, sein Gemahl sei todt; wie denn auch der Pabst in seinen Decretalen setzt, und schier mehr nachläßet, denn ich. Denn weil das Weib bewilliget in solche Reise ihres Mannes und sich in solche Gefahr begibt, soll sie es auch also halten, und sonderlich wenns um Guts willen, als bei Kaufleuten, geschehen mag. Kann sie ums Guts willen bewilligen, daß der Mann in solcher Gefahr reise, so habe sie auch solche Gefahr, wo sie kömmt; warum behält sie ihn nicht daheim bei wenigerm Gute und läßt ihr in Armuth begnügen? Aber wenn es ein solcher Bube ist, der ich viel diese Zeit her gefunden, der ein Weib nimmt und eine Zeit lang bei ihr bleibet, zehret und lebet wohl; darnach ohne ihren Wissen und Willen heimlich und meuchlings wegläufet, lässet sie schwanger oder mit Kindern sitzen, schicket ihr nichts, entbeut ihr nichts, läufet seiner Büberei nach; kömmt darnach über ein, zwei, drei, vier, fünf, sechs Jahre wieder, und verläßt sich darauf, sie müsse ihn wieder annehmen, wenn er kömmt, und die Stadt und Haus stehe ihm offen: hie wäre es Zeit und Noth, daß die Obrigkeit ein streng Gebot ließe ausgehen und hart darüber hielte. Und wo ein Bube sich solch Stücks und Tücks würde unterwinden, daß ihm das Land verboten, und wo er dermaleins ergriffen würde, daß ihm sein Lohn, wie einem Buben gebührt, gegeben würde. Denn solcher Bube hat seinen Spott beide an der Ehe und am Stadtrecht; er hält sein Weib nicht für sein Eheweib, noch Kind für Kind, denn er entzeucht ihnen schuldige Pflicht, Nahrung, Dienst, Versorgung 2c. wider ihren Wissen und Willen und strebet wider die Natur und Art der Ehe, welche heißt und ist ein solch Leben und Stand, daß Mann und Weib zusammengefüget, bei einander bleiben, wohnen, leben sollen bis in den Tod,

---

*) Ein Pastor darf nicht meinen, daß er, wie er die Vollmacht zu trauen hat, auch die zu scheiden habe. Luther schreibt: „Oeffentlich sich scheiden, also daß sich eins verändern mag, das muß durch weltliche Erkundigung und Gewalt zugehen, daß der Ehebruch offenbar sei vor jedermann; oder wo die Gewalt nicht dazu thun will, mit Wissen der Gemeinde sich scheide." (X, 723.) Im letzteren Falle hat man sich freilich vorzusehen, daß man nicht mit der weltlichen Obrigkeit in Conflict gerathe.

wie auch die weltlichen Rechte sagen: individuam consuetudinem vitae etc., und ohne beider Verwilligung oder unvermeidliche Noth nicht sollen von einander sein noch leben. Ueber das so entzeucht er als ein Abtrünniger, Ungehorsamer der Obrigkeit und Nachbarschaft seinen Leib und Dienst, so er geschworen hat, brauchet also als ein Dieb und Räuber der Stadt, des Weibes, Hauses und Gutes, wenn er gelaufen kömmt, und niemand soll noch kann sein gebrauchen. Ich wollte keinen Buben lieber henken oder köpfen lassen, denn solchen Buben. Und sollte ich oder hätte Zeit, solchen Buben zu malen und auszustreichen, so wollte ichs wohl klar machen, daß kein Ehebrecher ihm zu vergleichen sein sollte. Darum hab ich gerathen und rathe noch (wo man es anders thun will), wenn in einem Dorf oder Stadt ein solcher Bube ist, der ein Jahr oder ein halbes dermaßen ist weggewest, daß der Pfarrer oder Obrigkeit dem Weibe rathe und helfe, den Buben zu suchen, wo sie kann und sich zu finden versichert, und fordern auf bestimmte Zeit; kömmt er nicht, daß man an die Kirchen oder Rathhaus öffentlich anschlage und fordere ihn auch öffentlich, dazu mit Bedrohung, man wolle ihn ausschließen und das Weib frei sprechen. Kömmt er alsdann nicht, so soll er nimmermehr kommen. Ist doch diese Büberei so gemein gewest und dazu ungestraft blieben, daß nicht zu sagen ist, und ist doch keiner Obrigkeit, weder geistlicher noch weltlicher, zu leiden, sondern zu bestrafen. Solcher und dergleichen Unrath kömmt alles daher, daß man nicht geprediget noch gehöret hat, was die Ehe sei. Niemand hat sie für ein Werk oder Stand gehalten, den Gott geboten und in weltliche Obrigkeit gefasset hat; darum hat jedermann damit gefahren als ein freier Herr mit seinem eignen Gut, da ers mit machen könnte, wie er selbst wollte, und kein Gewissen darüber dürfte haben. Nein, lieber Geselle, bist du an ein Weib gebunden, so bist du nicht mehr ein freier Herr: Gott zwinget und heißet dich bei Weib und Kind bleiben, sie nähren und ziehen, und darnach deiner Obrigkeit gehorchen, deinen Nachbarn helfen und rathen. Solche edle, gute Werke willt du lassen und dabei deiner Büberei nach alles Gutes und Nützes brauchen, was die Ehe und der Stand an sich und mit sich bringet. Ja, Lieber, man müßte dirs Meister Hannsen am Galgen zeigen lassen. Es gilt nicht, eitel Leid und Schaden jedermann thun, und eitel Nutz und Gutes von jedermann dafür nehmen." (Schrift von Ehesachen vom Jahre 1530. X, 951. ff.) — Balduin schreibt: „Solche bösliche Verlasser sind die Soldaten, welche, auch wenn sie mit Einwilligung ihres Gemahls in den Krieg gegangen sind, aber mehrere Jahre hindurch bald da bald dort umherstreifen, keine Sorge mehr für ihr Gemahl haben, auch nicht einmal durch Briefe oder andere Botschaften dieselben grüßen, so daß aus klaren Anzeichen offenbar ist, daß sie alle eheliche Liebe gegen ihr Ehegemahl abgelegt haben." (Tract. de cas. consc. p. 1213.) Vergleiche Luther's große Auslegung der Bergpredigt zu Matthäus 5, 32. VII, 673—75.

Anmerkung 3.

Darüber, ob die Verweigerung der ehelichen Pflicht eine Species der desertio malitiosa sei, schreibt Luther: „Die dritte Sache ist, wenn sich eins dem andern selbst beraubt und entzeucht, daß es die eheliche Pflicht nicht zahlen, noch bei ihm sein will. Als man wohl findet so ein halsstarrig Weib, das seinen Kopf aufsetzet, und sollte der Mann zehnmal in Unkeuschheit fallen, so fragt sie nicht darnach.... Hie sollt du dich gründen auf St. Pauli Wort 1 Kor. 7, 4. 5. Siehe, da verbeut St. Paulus, sich unter einander berauben; denn im Verlöbniß gibt eins dem andern seinen Leib zum ehelichen Dienst. Wo nun eins sich sperret und nicht will, da nimmt und raubt es seinen Leib, den es gegeben hat, dem andern. Das ist denn eigentlich wider die Ehe und die Ehe zerrissen. Darum muß hie weltliche Obrigkeit das Weib zwingen oder umbringen. Wo sie das nicht thut, muß der Mann denken, sein Weib sei ihm genommen von Räubern und umbracht, und nach einer andern trachten." X, 725. Hierzu bemerkt Gerhard mit Recht: „Jedoch ist dies von dem Falle der äußersten Halsstarrigkeit und Hartnäckigkeit zu verstehen, welcher mit einem thatsächlichen Verlassen verbunden ist, denn der Mann ist schuldig das Weib durch Verwandte und den Kirchendiener zuerst ihrer Pflicht zu erinnern, darnach die Obrigkeit um Hilfe anzurufen, welche jene Halsstarrigkeit durch Gefängniß und andere Strafen brechen kann, damit es jener Frage (ob hartnäckige Verweigerung der ehelichen Pflicht für Verlassung zu halten sei?) nicht bedarf." L. c. § 630. Deyling erklärt daher, die Verweigerung müsse „mit dem Vorsatz, nie einzuwilligen", geschehen, also „eine beständige und unverbesserliche" sein. L. c. p. 616.

Anmerkung 4.

In Betreff des Falles, in welchem es ungewiß ist, ob der sich Entfernende ein malitiosus desertor sei, schreibt Gerhard: „Es fragt sich, ein wie großer Zeitraum erforderlich sei, daß von jemand vorausgesetzt werden könne, er sei ein Verlasser? Wir sagen mit Chyträus in seinem Commentar zum Deuteronomium: ‚Die kaiserlichen Gesetze bestimmen gewisse Zeiten und eine gewisse Zahl von Jahren, innerhalb welcher einer verlassenen Person die Ehe gestattet werden könne; obgleich dies nun in der besten Absicht geschehen ist, so ist doch die Verschiedenheit der Fälle und Umstände bei verlassenen Männern und Frauen so groß, daß es schwierig und gefährlich ist, eine gewisse Zeit gesetzlich vorzuschreiben; es wird vielmehr dem Urtheil eines frommen und klugen Richters mit allem Recht überlassen, daß er nach Verschiedenheit der Umstände eine längere oder kürzere Zeit für das Eingehen einer anderen Ehe festsetze und, soviel allerdings ohne Gefahr des Gewissens geschehen kann, die verlassene Person tröste und warten lasse, bis man des Todes oder der Buße des Verlassers vergewissert ist.' Wenn daher das Weib mürrisch, eigensinnig, widerwillig ꝛc. gewesen wäre, und durch ihre üblen Sitten und tägliches Zanken die Verlassung veranlaßt hätte, so wäre ihrem Begehren, daß ihr die Macht anderweitig sich zu verehelichen zugestanden werde, keineswegs schnell und ohne weiteres stattzugeben, sondern ihr zu gebieten, daß sie während eines längeren Zeitraumes die Rückkehr des Mannes erwarte, oder demselben folge, ihn aufsuche und sich mit ihm versöhne. Desgleichen wenn die Frau schon vorgerückteren Alters wäre, so daß keine Gefahr von besonders heftigen Anfechtungen des Fleisches zu fürchten wäre, so sollte derselben gleichfalls ein längerer Zeitraum bestimmt werden. Wenn es aber bekannt ist, daß eine Frau ein rechtschaffenes Leben geführt, dem Mann alle Ehrerbietung erwiesen und Fleiß gethan habe, die häusliche Eintracht zu fördern, und daß sie dem flüchtig gewordenen Manne keine Ursache gegeben habe, fortzugehen; desgleichen wenn sie noch in jugendlichem Alter, und Gefahr ist, daß sie in Unkeuschheit falle: so könnte die Zahl der Jahre, innerhalb welcher sie auf die Rückkehr zu warten hätte, vermindert und sie, wenn der Verlasser sich gar nicht mehr um sie bekümmerte, früher von der Eheverbindlichkeit gelöst werden. Dasselbe ist in gleichen Fällen von dem Manne zu urtheilen." (L. c. § 632.)

Anmerkung 5.

Wegen zeitweiligen Davonlaufens aus Zorn und wegen auch lebensgefährlichen Wüthens und Tobens eines Gatten darf der andere keine Ehescheidung suchen, sondern mag sich nach Umständen nur örtlich separiren auf eine Zeitlang, ehelos bleibend, zur Versöhnung jederzeit bereit. Von diesen und ähnlichen Fällen redet der Apostel 1 Kor. 7, 10. 11. Luther schreibt hierüber: „Wo aber eins einmal vom andern läuft aus Zorn oder Ungeduld, das ist gar viel eine andere Sache; das ist auch nicht so ein heimlich meuchlinges Weglaufen. Da hat man aus St. Paulo 1 Kor. 7., was man thun solle, nemlich sich wiederum versöhnen lassen, oder wo die Sühne nicht gerathen will, ohne Ehe bleiben. Denn es mag wohl eine solche Sache sich begeben, daß sie besser von einander, denn bei einander sind. Sonst hätte St. Paulus nicht zugelassen, daß sie ohne Ehe bleiben sollen, wo sie nicht versühnet wollen sein; und wer kann dieselbigen Sachen alle erzählen oder mit Gesetzen fassen? Vernünftige Leute müssen hie urtheilen." (X, 953. f.) Von dem Falle steter Zwietracht bemerkt Luther in seiner „Predigt vom ehelichen Leben" vom Jahre 1522: „Wenn hie Eines christlicher Stärke wäre und trüge des Andern Bosheit oder Uebel, das wäre wohl ein fein seliges Creuz und ein richtiger Weg zum Himmel. Denn ein solch Gemahl erfüllet wohl eines Teufels Amt und feget den Menschen rein, der es erkennen und tragen kann. Kann er es aber nicht: ehe denn er ärgers thue, so lasse er sich lieber scheiden" (örtlich separiren), „und bleibe ohne Ehe sein Lebenlang. Daß er aber wollte sagen, es sei seine Schuld nicht, sondern des Andern, und wollte ein ander ehelich Gemahl nehmen, das gilt nicht. Denn er ist schuldig, Uebel zu leiden oder allein durch Gott vom Creuz sich nehmen zu lassen, weil die Ehepflicht nicht versagt wird. Es gehet hier das Sprüchwort: Wer des Feuers haben will, muß den Rauch auch leiden." (Erlanger Bd. 20, S. 73. f.) Deyling erklärt: „Von der Ehescheidung ist die ‚Scheidung von Tisch und Bett' wesentlich verschieden, als welche wegen der Wuthausbrüche (saevitias) des anderen Gatten und wegen lebensgefährlichen feindseligen Betragens (inimicitias capitales) ohne Zerreißung des Ehebandes nur für eine bestimmte Zeit zu geschehen pflegt. Während dieser Trennung ist der Mann verbunden, das Weib zu ernähren, wenn er nicht die eingebrachten Güter, falls sie zur Unterhaltung derselben hinreichen, lieber zurückerstatten wollte." (L. c. p. 625. sq.) Küstner macht hierzu die Bemerkung: „Es geschieht dies meistentheils auf sechs Monate und des Consistorii anderweite Verordnung, so, daß, wenn keine Zeichen der Versöhnung vorhanden sind, jene Separation noch fortgesetzt wird." In Betreff der zu leistenden Alimentation setzt derselbe hinzu: „Auch wenn der Mann der unschuldige Theil ist, da ihm die Bürde der Alimentation aufliegt. Es hindert auch daran nicht, wenn das Weib kein Eingebrachtes hat, und wird das Alimentationsgeld hauptsächlich nach Maßgabe des Eingebrachten, dessen Nutznießung auch während der Separation dem Manne zukommt, und der Vermögensumstände des Mannes bestimmt." (L. c.) Henning schreibt: „Gewaltthätigkeit wird eine Ursache der Separation, wenn der Mann die Frau wie ein Löwe grausam und tyrannisch behandelt und ihr nach dem Leben steht; wenn alle Versöhnungsmittel versucht sind, so können sie, falls keine Hoffnung mehr ist, auf drei Jahre separirt, ja, völlig geschieden werden, in welchem letzteren Falle jedoch dem unschuldigen Theile nicht erlaubt wäre, so lange der andere Theil noch am Leben ist, eine andere Ehe einzugehen." (Opus novum fol. 597.) Nik. Misler bemerkt, daß die Niedersächsische Kirchenordnung p. 174. diese Separationen als im göttlichen Rechte nicht gegründet verwerfe und in den äußersten Fällen festsetze, daß der Schuldige ohne Separation des Landes verwiesen werden solle. (L. c. fol. 596.) Allein die letztere Auskunft setzt eine das Gewissen der Betreffenden berücksichtigende Obrigkeit voraus.

Ueber den Fall, in welchem eine rechtgläubige Person entweder ihren Glauben verleugnen, oder in Todesgefahr stehen müßte, schreibt Gerhard: „Wenn eine mit einem ungläubigen Gatten zusammen lebende Person die Hilfe der Obrigkeit anrufen und haben kann, bediene sie sich dieses Mittels; wenn aber die der falschen Religion zugethane Obrigkeit ihr Beistand versagt und der Mann fortwährend sie selbst mit Gefährdung des Lebens zu Abgötterei und Gottlosigkeit zu verführen eifrig trachtet und ihr kein anderes Hilfsmittel zu Gebote steht, so kann sie zur Rettung ihres Gewissens und Lebens sich an einen sicherern Ort eine Zeitlang begeben, doch also, daß sie offenkundig bezeuge, daß der Anfang ihres Weggangs keinesweges von ihr selbst gemacht, sondern daß sie durch die Unleidlichkeit des Gatten vertrieben worden, und daß sie zur Wiederversöhnung und Rückkehr durchaus bereit sei.

wenn der Mann nur ihres Lebens und Gewissens schonen und sich den ehelichen Gesetzen unterwürfig erzeigen wolle. Wenn nun aber der Mann in
seiner Halsstarrigkeit fortfährt, und ausdrücklich bezeugt, daß er sie nie wieder
annehmen, keine Versöhnung eingehen und von seinem vorigen Verhalten
nicht abstehen wolle, so kann kein Zweifel sein, daß er für einen bös lichen
Verlasser zu halten sei und daher der Verlassenen anderweit gerathen
werden könne. (Loc. de conjug. § 683.)

Anmerkung 6.

Auch Landesverweisung, Gefangensetzung oder Flucht
nach begangenem Criminalverbrechen ist keine Species böslicher Verlassung
und daher für den unschuldigen Theil nach Gottes Wort kein Ehescheidungs-
grund. Johann Fecht schreibt in Betreff des ersten Falles: „Der Kirchendiener hat zu merken, daß ein um irgend eines infamirenden Grundes willen
verhängtes Exil die Ehe nicht auflöst, sondern daß das unschuldige Weib
gehalten ist, dem schuldigen Manne zu folgen. Ist der Mann der unschuldige
Theil, so kann er dem Weibe folgen, wenn er wollte; wollte er nicht, so kann
er jedoch keine andere Ehe eingehen." (Instruct. pastoral. cap. 17. § 7.
p. 189.) Gerhard schreibt in Betreff solcher Fälle: „Wir sagen, da es
nur zwei Ursachen der Ehescheidung gibt, Ehebruch und bösliche Verlassung,
daß daher ein Weib wegen der Flucht oder Deportation des Mannes
in Folge eines Verbrechens desselben sich mit keinem anderen Manne verheirathen könne, wenn es nicht offenkundig ist, daß der flüchtig gewordene
Mann sich mit anderen Frauenspersonen einlasse (alienos amores sectari)
oder die eheliche Gesinnung gänzlich abgelegt habe. Denn keiner menschlichen
Autorität ist es erlaubt, andere Ursachen jenen hinzuzufügen, welche von
Christo und St. Paulo ausdrücklich genannt sind, um der von dem Heiland
so nachdrücklich gebrauchten exclusiven Redeweise willen." (L. c. § 691.)
Dasselbe urtheilt Luther; er schreibt: „Wie? wenn der Mann oder das
Weib gestäupt oder des Landes verweiset würde, soll das andere auch mit,
oder bleiben, und sich verändern? Antwort: Solchen Unfall sollen sie mit
einander tragen und nicht darum sich von einander scheiden. Denn gleichwie sie Ein Leib sind worden, so müssen sie auch gleich Ein Leib bleiben, es
komme Ehre oder Schande, Gut oder Armuth. Denn also lesen wir
Matth. 18, 25., daß der Knecht, so seinem Herrn zehntausend Pfund schuldig
war, nicht allein für seine Person, sondern auch das Weib und Kinder sollten
verkauft werden ꝛc. Also müßte ein Weib des Mannes beides genießen und
entgelten." (X, 954. Vergl. I, 577.)

Anmerkung 7.

Selbstverständlich kann eine Scheidung um angeblichen Ehebruchs willen
nur dann erfolgen, wenn letzterer klar erwiesen ist. Aegidius Hunnius
schreibt: „Suspicio adulterii (Verdacht des Ehebruchs) ist auch keine

17

genugsame Ursache zum divortio (Scheidung), in Ansehung, daß in den wichtigen Ehesachen nicht aus bloßem Argwohn oder Verdacht, sondern aus sonnenklaren Argumenten und erwiesenen Zeugnissen zur Separation geschritten werden mag; sonst möchte ein jedes, das seines Ehegemahls gerne los wäre, einen solchen Verdacht fürwenden; daher auch dann des Ehestandes innerliche Zerrüttung wachsen würde." (Dedekennus' Thesaurus. III, 514.) Eben so wenig kann, wenn der eine Theil des Ehebruchs von Andern bezüchtigt wird, dies Grund zur Scheidung sein, so lange die Beschuldigung nicht klar erwiesen ist. Man vergleiche hierüber Luther's Schrift von Ehesachen, Erlanger Ausg., Bd. 23, S. 132—134. Walch X, 936—8. Gerhard's Loc. de conjug. § 113. Aepinus macht jedoch hierbei die Bemerkung: „Wenn sich ein öffentliches Gerücht verbreitet, das Weib habe Ehebruch getrieben, und dies Gerücht gereicht nicht nur dem Manne, sondern der ganzen Familie zu Schimpf und Schande, so ist es nicht gottlos, daß das Weib zu ihren Verwandten zurückgebracht werde, bis sie sich und den Mann und dessen Verwandte von dieser Infamie gereinigt hat; denn niemandem ist eine gerechte Vertheidigung seiner Ehre und seines guten Namens verboten." (S. Dedekennus a. a. O. fol. 520.) Hiervon dürfte jedoch sicherlich nur im äußersten Falle und bei grob verschuldetem und dringendstem Verdachte Gebrauch zu machen sein, da ja Eheleute einander versprechen, sich in keiner Noth, also auch nicht in der schrecklichen Noth, des Ehebruchs unschuldig bezüchtigt zu werden, zu verlassen.

Anmerkung 8.

Daß einer Ehefrau Gewalt angethan worden, scheidet die Ehe nicht. „Denn", schreibt Gerhard mit Recht, „die Vergehen sind nach der Gesinnung, nicht nach der äußeren That zu beurtheilen." (Loc. de conjug. § 612.) Eine andere Bewandniß hat es nach Gerhard in Absicht auf nur Verlobte, s. § 112.

Anmerkung 9.

Weiß ein Ehegatte, daß der andere Theil die Ehe gebrochen habe, und lebt derselbe nichts desto weniger mit der gefallenen Person noch eine Zeitlang ehelich, so ist damit die Ehe wieder geschlossen und das Recht der Scheidung verwirkt. S. Dedekennus a. a. O. fol. 519.

Anmerkung 10.

Von dem Fall, daß beide Ehegatten in Ehebruch gefallen sind, urtheilt die Wittenberger theologische Facultät im 17. Jahrhundert: „Ehebruch wird durch Ehebruch aufgewogen; wenn beide Gatten die Ehe gebrochen haben, sind sie nicht zu scheiden, doch aus dem Gebiete zu entfernen." (S. Misler's Opus novum, fol. 603.) Dasselbe gilt von dem Falle, daß der Mann das Weib, etwa um einer Todesdrohung zu entgehen u. dergl., zur Begehung jener Sünde selbst gedrungen hat. S. Dedekennus a. a. O. fol. 295. f.

Anmerkung 11.

Krankheit, auch noch so ekelhafte, ansteckende, lebenslängliche und zur Ehe untüchtig machende, auch Wahnsinn kann die Ehe nie scheiden. Luther antwortet auf die Frage, ob man sich in solchem Falle scheiden könne: „Beileibe nicht! Sondern diene Gott an dem Kranken und warte sein; denke, daß dir Gott an ihm hat Heiligthum in dein Haus geschickt, damit du den Himmel sollt erwerben. Selig und aber selig bist du, wenn du solche Gabe und Gnade erkennest und deinem Gemahl also um Gottes willen dienest. Sprichst du aber: Ja, ich kann mich nicht halten: das leugst du. Wirst du mit Ernst deinem kranken Gemahl dienen, und erkennen, daß dirs Gott zugesandt hat, und ihm danken, so laß ihn sorgen; gewißlich wird er dir Gnade geben, daß du nicht darfst tragen mehr, denn du kannst. Er ist viel zu treu dazu, daß er dich deines Gemahls also mit Krankheit berauben sollte, und nicht auch dagegen entnehmen des Fleisches Muthwillen, wo du anders treulich dienest deinem Kranken." (Predigt vom ehelichen Leben vom Jahre 1522. X, 726. f.) Vergleiche „Lehre und Wehre" Jahrgang XVI, vom J. 1870 S. 321—334, wo nachgewiesen wird, daß ein in Deutschland von seiner Gattin wegen Wahnsinns derselben Geschiedener, der sich wieder verheirathet hatte, verpflichtet war, diese zweite angebliche Ehe aufzuheben und entweder zu jener Verlassenen zurückzukehren oder doch für sie als sein Ehegemahl zu sorgen.

Anmerkung 12.

Auf die Frage: „Ist der verlassenen Person die Macht, sich anderweit zu verehelichen, durchaus abzusagen, wenn sie überführt ist, zur Verlassung selbst Gelegenheit gegeben zu haben?" antwortet Gerhard u. A. Folgendes: „Mag immerhin die verlassene Person zur Verlassung irgendwelche Gelegenheit gegeben haben, so wäre sie doch noch nicht für die wirksame und unausweichliche Ursache zu halten." (L. c. § 633.)

Anmerkung 13.

Wenn ein Gatte eine zweite Ehe eingegangen ist, in dem Wahne, sein erstes Gemahl sei todt oder habe ihn verlassen, die todtgeglaubte oder irriger Weise für entlaufen geachtete Person aber kehrt zurück, so ist die unterdessen eingegangene angebliche Ehe für null und nichtig anzusehen und zu erklären, die erste Ehe hingegen als fortbestanden anzuerkennen. Luther schreibt: „Wenn einer glaubte und würde deß beredt mit gewaltigem Schein und Wahrzeichen, seine Vertrauete wäre gestorben, und darnach käme sie wieder, und fünde eine andere bei ihm? Antwort: Er soll die erste wieder nehmen und die andere fahren lassen. Wie? wenn sie aber schlecht nicht wieder zu ihm will und will ihn kurzum nicht haben? Wohlan, so laß solches die Oberkeit erkennen und sie zu dir zwingen; will sie nicht, so laß dich freisprechen und bei der andern bestätigen, weil es an dir nicht fehlet; du hast sie gerne wollen wieder haben und hast durch starken Irrthum, nicht williglich, ge-

sündiget, daß sie dir zu vergeben schuldig ist, und sie will nicht, so iste eben so
viel, als liefe sie jetzt von dir und verließe dich muthwilliglich." (Von Ehesachen, vom Jahre 1530. Erl. Ausg. XXIII, 127. f.) Mit Recht bemerkt
Menzer, daß die inzwischen eingegangene vermeintliche Ehe nicht für Ehebruch angesehen werden dürfe; vergleiche Gerhard's loc. de conjug. § 634.,
wo Letzterer zugleich hinzufügt, daß dies keine Anwendung auf bösliche Verlasser finde, selbst wenn dieselben endlich anderen Sinnes geworden und
darum zu dem verlassenen Gemahl zurückgekehrt wären.

Anmerkung 14.

**Blutschänderische angebliche Ehen müssen aufgelöst
werden.** Baier schreibt hiervon: „Wenn unrechtmäßig verbundene Personen, z. B. in durch das Recht der Natur verbotenen Graden der Blutsverwandtschaft, getrennt werden, so ist das nicht sowohl eine Ehescheidung,
als eine Erklärung, daß bei jener Verbindung kein eheliches
Band vorhanden war, weil die eine Person mit der andern, als einer
nahen Blutsverwandten, nicht giltig contrahiren konnte." (Compend. th.
posit. III, c. 16. § 34.) Vergl. oben § 21, Anm. 2.

Hierbei entsteht nun die Frage: welches sind blutschänderische
und darum als Nichtehen aufzuhebende Verbindungen?
Fecht schreibt hierüber: „Es ist zu merken, wenn entweder ohne vorgängige
Dispensation oder mit derselben, obwohl wider Recht, eine solche in einem
verbotenen Grade eingegangene Ehe durch kirchliche Einsegnung und eheliches
Zusammenleben vollzogen worden ist, wovon man Beispiele beider Art in
dieser Provinz hat: daß nach Einigen eine solche Ehe auch geduldet,
davon Carpzov nachzusehen ist, nach Anderen aber dieselbe aufgelöst
werden solle. Welcher letzteren Meinung fast alle Theologen
sind." (Instruct. pastor. cap. 17. § 5. p. 186.) Und so ist es in der
That; vergleichen wir die betreffenden Stellen in Luther (Erlanger Ausg.
55, 81. ff. Walch X, 834.*) Erl. Ausg. 61, 245. ff. W. XXII, 1758.),

---

*) Nichts desto weniger scheint auch Luther nach dieser Stelle die Ehe mit des
Weibes Schwester, obgleich für von Gott verboten und darum zu trennen, doch nicht für
eine blutschänderische Verbindung angesehen zu haben; er schreibt: „Ueber das alles
wisset ihr, daß solche Exempel sehr ärgerlich sind und ruchlose Leute Ursach davon
nehmen zu Blutschanden, wie man denn, leider! in etlichen Fällen befunden, daß
solche Leute sich haben wollen mit vorigem ärgerlichen Exempel entschuldigen." An einer
anderen Stelle, wo es sich um eine mit des verstorbenen Bruders Weib geschlossene Ehe
handelte, schreibt Luther zwar, daß er „solche Ehe mit gutem Gewissen nicht könne billigen als recht, weil sie ausdrücklich nicht allein wider Moses Gesetz (welches nicht Moses,
sondern für ein natürlich Gesetz wird angesehen), sondern auch wider beschriebene kaiserliche Rechte und Ordnung ist", — allein schließlich drückt Luther auch seine Unsicherheit
in dergleichen Fällen aus, indem er hinzusetzt: „Ich zwar wollte diesem guten Manne
gern und mit Willen dienen und zu Gefallen sein, daß ich dieser gemeinen Regel folgte:
Viel taugt nicht noch ist recht, das doch, wenns geschehen ist, gehalten und geduldet wird; aber das Gewissen und die neue That läßt mich ungewiß stehen."
(Erl. Ausg. 61, 244. f. W. XXII, 1757.)

J. Gerhard (l. c. § 349.), Friedrich Balduin (Tract. de cas. consc. p. 1216.) u. A., ſo finden wir, daß dieſe alle jede Ehe für ſchändlich und darum für aufzulöſend erklären, welche in irgend einem durch Gottes Wort verbotenen Grade geſchloſſen worden iſt. Es finden ſich jedoch auch unverdächtige Theologen welche, obgleich ſie keiner menſchlichen Macht das Recht zugeſtehen, in irgend einem von Gott verbotenen Grade zu diſpenſiren, doch der Meinung ſind, daß es Grade gebe, in welchen die Ehe aus moraliſchen Gründen zwar nicht eingegangen werden ſollte, die aber eine Verbindung, wenn ſie eingegangen iſt, nicht blutſchänderiſch, nicht zur Nichtehe machen, daher, nachdem ſolche Ehen bereits vollzogen ſind, dieſelben nicht nothwendig aufzulöſen, ſondern, wenn die Betreffenden Buße thun, zu dulden ſeien. So ſchreibt z. B. J. W. Baier: „Unter jenen in verbotenen Graden eingegangenen Ehen ſcheint dieſer Unterſchied ſtatt zu finden, daß einige durchaus aufzulöſen ſind, andere, nachdem ſie mit entſprechender Strafe belegt worden, geduldet werden können. Aufzulöſen ſind nemlich diejenigen, auf welche Gott 3 Moſ. 20. ausdrücklich die Todesſtrafe geſetzt hat, weil ſie nemlich ſo ſchändlich und abſcheulich ſind, daß es unrecht wäre, wenn die angeblichen Eheleute darin blieben. Dahin gehören die Ehen Blutsverwandter und Verſchwägerter zwiſchen in gerader Linie von einander Abſtammenden und Blutsverwandter im erſten Grade der Seitenlinie, von welchen auch Carpzov in ſeiner Jurisprudentia consistorialis B. 2. Def. 99. dafür hält, daß ſie um des außerordentlichen und erſchrecklichen Aergerniſſes willen, das ſie geben, aufzulöſen ſeien. Obgleich jene Verbindungen nur vermöge einer Zweideutigkeit des Wortes Ehen heißen, als bei welchen ja kein eheliches und unlösbares Band ſtattfindet. Zu dulden ſind die, auf welche 3 Moſ. 20. die Todesſtrafe nicht geſetzt iſt, z. B. welche im zweiten Grade der ungleichen Seitenlinie in der Blutsverwandtſchaft, und welche im zweiten Grade der ungleichen Seitenlinie in der Schwägerſchaft eingegangen und vollzogen worden ſind. Denn in dieſen Fällen ſcheinen die Eheleute durch die 3 Moſ. 18. und 20. enthaltenen Geſetze in der eingegangenen und vollzogenen Ehe gelaſſen und der entſprechenden Strafe der Obrigkeit mit Androhung der Kinderloſigkeit unterworfen zu werden. Jene Duldung aber von Seiten der Kirche und Obrigkeit iſt nicht daſſelbe, was eine Dispenſation im eigentlichen Sinne von den 3 Moſ. 18. und 20. geſetzlichen Verboten iſt. Denn eine Dispenſation iſt eigentlich eine Freiſprechung vom Geſetz in Abſicht auf deſſen Verbindlichkeit in den Dingen, welche daſſelbe gebietet oder verbietet. Aber die Kirche und Obrigkeit, welche jene Ehen, die Gott aufzulöſen nicht befohlen hat, duldet oder nicht auflöſ't, ſpricht darum nicht von dem Geſetz, welches jene Ehen verbietet, frei und läßt daſſelbe in ſeiner Kraft." (L. c. § 29.) Auf die Frage: „Wie es zu halten, wenn Perſonen, ſo vermöge göttlicher Schrift ſich nicht ehelichen können, ſich de facto (thatſächlich) geehelicht und die Ehe beſitzen?" antwortete daher nach Dede-

tennus einst das Churfürstlich Sächsische Consistorium u. A. Folgendes:
„Diese Frage wird bevoraus in fremden Landen sehr oft in die Consistorien
geschickt. Wir reden aber jetzt nicht von denen, so außerhalb Eheverlöbniß
Blutschande üben, sondern von denen, die etwa an fremden Orten sich ehelich
lassen zusammen geben. Als eine Gräfin hat ihres verstorbenen Herrn
(Gemahls) Bruder in facie ecclesiae (öffentlich vor der Gemeinde) und
Beisein ihrer Freunde ihr vor weniger Zeit ehelich vertrauen lassen. Item,
einer hat seines verstorbenen Weibes Schwester Tochter geehelichet ꝛc. Der
weltlichen Obrigkeit wird dieses Falls billig ihre Strafe vorbehalten. Wir
reden aber allhie, was die Consistorien in solchen und dergleichen Fällen, so
sich in der Seitenlinie zugetragen, wegen der Personen Gewissen sprechen
oder in Acht haben sollen. Darauf haben wir unser einfältiges Bedenken
vermeldet. Anno 1561 haben die Theologen zu Wittenberg und Frankfurt
a. d. O. in solchem Fall Bedenken gefasset, daß einer vom Adel, welcher seiner
Mutter Schwester geehelichet und wegen solcher schweren Mißhandlung aus
Ihrer Churfürstlichen Gnaden Land verwiesen, sich in eine andere Stadt gesetzt; daher ein Widerwille entstanden; das Ministerium desselbigen Orts
hat solche Leute nicht wollen zur Beichte und hochwürdigem Sacrament zulassen, auf die Ehescheidung gedrungen und den Bann oder Excommunication
wollen wider sie vornehmen. Die Personen haben einander nicht wollen verlassen und, ihren Gewissen zu rathen, bei vielen Theologen Consilia gesucht.
Denn wenn diese Personen, so gegen das göttliche Recht contrahirt, wollen
einander gutwillig verlassen und Buße thun, so sind sie ohne Zweifel hieran
nicht zu hindern; auf solchen Fall können sie anderwärts (mit einer anderen
Person) gebührlich zu verehelichen erlaubet werden. Aber wenn sie wollen
bei einander bleiben, die Obrigkeit, darunter sie sich begeben, thut sie auch
dulden: hierin stimmen etlicher Theologen Bedenken zusammen, daß solche
Ehe nicht zu scheiden, so die Personen ihre Sünde erkennen, Reu und Leid
darob haben, sich zu wahrer Buße richten; dieselben auch von der Communion
oder christlichen Gemeine mit der Excommunication mit nichten auszuschließen;
trotzdem, daß der Apostel an die Korinther den, so seine Stiefmutter geehelichet,
excommunicirt hat; denn solche Verbrechung ist in auf- und absteigender
Linie gewesen; wir aber reden allein von der Seitenlinie vom andern
Grad ungleicher Linie. Auf diese vorgehende Meinung haben unsere Vorfahren und wir der Gewissen halben gesprochen und sind die fürnehmsten
Ursachen, wie folget. Denn erstlich ist aus Mose klar zu befinden (welcher
3 Mos. 18. die Grade verboten), daß er im 20. Capitel des 3. Buchs Mosis
solche Personen, welche de facto in verbotenen Graden contrahirt haben, mit
nichten thut von einander scheiden. 3 Mos. 20, 21. verbeut er seines Bruders
Weib und Vers 20. seines Vaters Bruders Weib; da spricht er: Sie sollen
ihre Sünde tragen, ohne Kinder sollen sie sterben. Aus diesem ist klar, daß
Moses die verbotene Ehe, wenn sie de facto erfolget ist, nicht will scheiden
oder zerreißen, sondern den Fluch, daß sie ohne Kinder sterben sollen, auf sie

geleget. Die Juristen haben eine feine Regel: Vieles wird anfänglich leichter gehindert, als, wenn es geschehen ist, aufgehoben (wie vom Eid). Die Leibesstrafe, so in Churfürstlicher Ordnung auf diejenigen, welche im ersten Grad oder im andern ungleicher Linie sich verehelichen, gesetzt ist, gibt den Consistorien nichts zu schaffen." (Dedekennus a. a. O. fol. 343. ff.) Im Jahre 1659 antwortete die Wittenberger theologische Facultät auf die Frage: „Ob Georg N. und seine Ursula, nachdem sie die Dispensation im zweiten Grad der Verschwägerung*) von zweier Herrschaft Linien, auch die Permission, sich copuliren zu lassen, von Einer Linie erhalten, für Blutschänder zu achten seien ... und ob sothane Ehe zwischen ihnen beiden, nachdem sie bereits ein Kind erzeuget, nach Gottes Wort, schriftmäßig und mit Recht könne getrennet werden?" u. A. Folgendes: „Auf die erste Frage: daß diese Ehe zwar als im zweiten Grad der Affinität nach göttlichem Recht verboten sei und deßwegen darüber nicht hätte sollen dispensirt werden; weil es aber gleichwohl geschehen und die Ehe mit Dispensation und Consens der hohen Obrigkeit einer und der anderen Linie von den Verlobten aus Irrthum und Einfalt ist vollzogen worden: halten wir nicht, daß sie für Blutschänder zu achten sind, denn es sind nicht alle verbotene Ehen (vom göttlichen Recht ist die Frage) eigentlich sogenannte blutschänderische, sondern die im nächsten Grad" (zwischen Geschwistern), „und allermeist die in auf- und absteigender Linie geschehen. Auf die zweite Frage: daß diese Eheleute schuldig seien, nicht allein die Strafe der Obrigkeit zu tragen, sondern auch die Erschrecklichkeit ihres Vergehens herzlich zu erkennen und zu bereuen, daß sie eine durch göttliches Recht verbotene Ehe und darüber kein Mensch zu dispensiren Macht hat, wiewohl aus Irrthum, celebrirt haben. Es mag auch die Gemeine des Casus erinnert und sowohl wegen des Aergernisses um Verzeihung, als um Fürbitte zu Gott um gnädige Vergebung für diese Eheleute öffentlich ersucht werden. Dann soll ihnen der Beichtstuhl und das heilige Abendmahl nicht länger versagt, sondern ihnen gnädige Vergebung der Sünden verkündigt und die Gewissen getröstet und befriedigt werden. Auf die vierte Frage: nachdem diese Ehe einmal vollzogen und so fern gediehen, soll sie mit nichten getrennet werden. Denn es hat Gott, der HErr, durch Mosen zwar die Ehe in solchem Grad vorzunehmen verboten, aber nachdem sie vollzogen ist, hat er sie nicht befohlen zu trennen." (Consilia Witebergensia. IV, fol. 76.) So schreibt ferner der Altorfer Theolog Georg König**): „Was ist dann zu thun, wenn dergleichen Ehen entweder aus Unbedachtsamkeit (imprudentia) oder gänzlich aus Unwissenheit eingegangen worden wären, aber nach Offenbarwerden der Sache und nach-

---

*) Der Fall war eine Verehelichung mit des Weibes Bruders Tochter.

**) Er hatte zuvor von der verbotenen Verheirathung mit des Bruders oder der Schwester Tochter gehandelt.

dem dieselbe nun einmal geschehen ist, das Paar dieselbe nicht aufheben wollte? Ich antworte: Solche Ehen, weil sie gegen das göttliche Gebot geschlossen worden sind, werden gesetzlich für null und nichtig geachtet, und daher könnten sie mit vollem Rechte aufgehoben werden, und es wäre oft das Beste, daß sie ohne Weiteres aufgehoben würden, damit die Gewissen in Zeiten frei gemacht und von heimlichen Bissen nicht hernach beunruhigt und gequält würden. Wollte aber die Obrigkeit sich ihres Rechtes nicht gebrauchen, und zwar dem Ehestande zu Ehren, und wider den Willen des Paars keine Ehescheidung anstellen, so wäre es doch recht und billig, daß sie die Verbrecher entsprechend strafe, damit es nicht den Schein gewinne, als wolle sie die Sünden nähren oder Aergernisse befördern. Außerdem müssen auch die Schuldigen selbst ihren Fall, darein sie gerathen sind, beweinen, die Strafe der Obrigkeit geduldig tragen und überdies Gott brünstig anrufen, daß er den begangenen Irrthum so verzeihe, daß ihre Sünde weder ihnen selbst, noch ihren Kindern, wenn ihnen solche bescheert werden sollten, künftig zu Schimpf und Schande oder zu völligem Verderben gereiche. Zum Troste mag ihnen dienen jenes Paulinische Wort: Der HErr wird uns Barmherzigkeit widerfahren lassen, denn wir haben es unwissend gethan, 1 Tim. 1, 13." (Cas. Conscient. p. 781.) Von dem Jenaischen Theologen Friedemann Bechmann sagt Deyling: „Er antwortet (in seiner Casuistik), indem er zwischen den göttlichen Gesetzen die unterscheidet, welchen die Drohung mit der Todesstrafe, und welchen die Strafe beigefügt ist, daß sie ohne Kinder sterben sollen. Von einer Ehe, welche gegen die göttlichen Gesetze der ersteren Gattung eingegangen ist, sagt er, daß sie ungiltig und aufzulösen sei; wenn aber von dem Verbot der letzteren Gattung die Rede und die Ehe erst zu vollziehen sei, so sei sie auf alle Weise zu verhindern, da sie Gott mißbillige; wenn aber die Sache nicht mehr unentschieden und die Ehe schon vollzogen ist, die contrahirenden Theile auch nicht bewogen werden können, daß sie zurücktreten, so könne es zugelassen werden, da Gott es selbst zugelassen und nur eine Strafe, nemlich Kinderlosigkeit, darauf gesetzt zu haben scheine, 3 Mos. 20, 20." (Institut. prudent. pastoral. p. 563. s.)

Daß wir Vorstehendes nicht darum mitgetheilt haben, zu beweisen, daß ein Prediger selbst solche Ehen einsegnen könne, durch welche die göttlichen Gebote in Betreff der ehehinderlichen Verwandtschaftsgrade übertreten werden, bedarf wohl keiner Erwähnung. Es handelt sich hier vielmehr nur darum, wie ein Prediger dann zu handeln habe, wenn, was gerade hier öfter als in irgend einem Lande der Erde vorkommt, Personen Aufnahme in seine Gemeinde begehren oder schon darin sind, die in einer in Gottes Wort verbotenen Ehe bereits leben, z. B. mit des Bruders Wittwe oder mit des Weibes Schwester, ob nemlich ein Prediger dann Auflösung der Ehe zur Bedingung der Aufnahme oder Absolution zu machen habe. Unsere Meinung ist, daß die letzgenannten Fälle zwar Ehen involviren, welche wider Gottes Gebot, also in Sünden, geschlossen wurden, aber nicht blutschänderische Verbindungen, sondern wirkliche Ehen und daher nicht nothwendig zu scheiden sind. Was uns davon überzeugt, ist hauptsächlich die durch göttliche Dispensation eingesetzte Leviratsehe mit des kinderlos verstorbenen Bruders Wittwe, welche Dispensation nicht denkbar ist, wäre diese Verbindung eine blutschänderische Nichtehe. 5 Mos. 25, 5. vergl. 3 Mos. 18, 16. 20, 21.

Anmerkung 15.

Auf die Frage: „Ob ein Vater seine Tochter, die ihr Mann nicht ernähren kann, zur Erleichterung des Haushaltes zu sich nehmen könne", antwortet Vincentius Schmuck: „Wenn er dies thäte, die Ehelast zu erleichtern, nicht die eheliche Gemeinschaft aufzulösen, so kann es gestattet werden; aber wenn die eheliche Gemeinschaft gehindert würde, so würde damit thatsächlich die Ehe selbst aufgehoben. Es gibt auch andere eheliche Pflichten, und das Weib ist gehalten, den Mann in Besorgung des Hauswesens zu unterstützen, daher sie vielmehr bei dem Manne, als bei dem Vater, wohnen soll. Matth. 19, 5. Es ist ärgerlich, daß um der Nahrung willen eine Trennung geschehe. Sicherer ist, daß der Vater sie nicht trenne, sondern, während sie zusammenwohnen, unterstütze." (Opus Nov. fol. 590.)

Anmerkung 16.

Endlich schreibt Luther: „Wo sich so gar irrig und seltsam ein Fall begibt, es sei in diesem oder andern Artikeln und Sachen, den man aus keiner Schrift noch Buch urtheilen kann, da soll man in der Sachen einen guten frommen Mann oder zween lassen rathen oder sprechen; und auch darnach, wenn sie gerathen und gesprochen haben, bei ihrem Urtheil und Rath bleiben ohne alles Wanken oder Zweifel. Denn ob sie gleich in solchen dunkeln Sachen nicht allerdings gerade die Spitzen des Rechts treffen, so schadet doch solcher geringer Fehl nicht; und ist besser, mit Nachtheil und wenigerm Recht endlichen Friede und Ruhe haben, denn mit unendlichem Unfriede und Unruhe das Urtheil nach dem spitzigsten und schärfsten Recht immer suchen; man wirds doch nimmer finden." (S. Schrift von Ehesachen vom Jahre 1530. Man lese die ganze Stelle und die Ausführung weiter unten, bei Walch X, 920—922. 958—960. Erl. Ausg. Bd. 23, S. 117—119. 151—153.)

§ 27.

Zwar ist die s. g. Confirmation ein Adiaphoron, nicht göttlicher Einsetzung, viel weniger ein Sacrament, jedoch eine solche kirchliche Einrichtung, die, wenn sie recht benutzt wird, von großem Segen begleitet sein kann; daher der Prediger, wo sie außer Gebrauch gekommen, für ihre Wiedereinführung Sorge zu tragen und, wo sie besteht, sie aufrecht zu erhalten hat.

Anmerkung 1.

Deyling schreibt hiervon: „Die Confirmation ist ein sehr alter Gebrauch; sie pflegte anfänglich sogleich nach der Taufe sowohl den Kindern, als den Erwachsenen gegeben zu werden, wenn ein Bischof da war, welcher feierliche Gebete um die Ausgießung des Heiligen Geistes über den eben Getauften sprach und die Salbung mit Handauflegung und Creuzeszeichen daran anschloß. Daher die ganze Handlung bald Chrisma (Salbung), bald Cheirothesia (Handauflegung) und Sphragis (Siegel) genannt wurde, welche Benennungen viel bekannter waren, als der Name der Confirmation selbst. So schreibt Tertullian: ‚Aus der Taufe gekommen, empfangen wir die heilige Salbung‘. Und: ‚Darnach wird die Hand aufgelegt und segnend der Heilige Geist angerufen und herabgesfleht‘. (De bapt. c. 7. 8.) In der ältesten Zeit war daher die Confirmation keinesweges ein besonderes eigentlich so genanntes und von der Taufe verschiedenes Sacrament, sondern nichts anderes, als eine Ceremonie der Taufe und gewissermaßen ein Anhängsel derselben.*) Im Laufe der Zeit fing man an, jenen Ritus von der Taufe zu trennen und gesondert zu vollziehen. Er bestand hauptsächlich in Prüfung der Erwachsenen, in Wiederholung des Taufbundes und in erneuerter Verbindlichmachung und Gelobung, daß der Getaufte in dem mit Gott geschlossenen Bunde und im wahren Glauben standhaft verharren wolle. Aus jenem Ritus haben hernach die Päbstler ein Sacrament gemacht, welches von allen, die das siebente Jahr überschritten haben, zu empfangen und dessen Wirkung, wie sie sagen, sei, Gnade mitzutheilen, welche in gewisser Beziehung größer sei, als die Taufgnade, nemlich die Seele gegen die Anläufe des

---

*) Guericke schreibt in seiner Archäologie: „Schon frühzeitig wurden sogleich nach der Taufe die Neugetauften, neophyti, an verschiedenen Theilen des Körpers mit dem geweihten chrismatischen Oele gesalbt, als Symbol des geistlichen Priesterthums aller Christen; auch zugleich — und dies bereits auf Grund apostolischer Praxis, Apostlg. 8, 16. 17. — durch Handauflegung, als Zeichen der religiösen Weihe und der Geistesmittheilung, gesegnet. Diese Handauflegung war anfangs integrirender Schlußact der Taufe selbst. Schon seit dem zweiten und dritten Jahrhundert aber (seit welcher Zeit man denn auch die chrismatische Salbung noch dazuthat) ward die Bedeutung dieses Actes besonders accentuirt, und darum (gleichwie nach Apostlg. 8. er nur von den Aposteln selbst kräftig vollzogen worden sei nach bereits von Anderen verrichteter Taufe) die Befugniß dazu bald nur den Bischöfen regelmäßig zugesprochen, — wenn auch eben den Bischöfen noch nicht ganz ausnahmslos. Da indeß die Bischöfe bei weitem nicht immer die Taufe vollzogen, so begann man nun, im dritten Jahrhundert, die Handauflegung mit der chrismatischen Salbung als einen besonderen Act der Confirmatio, als bischöfliche Handlung, zu betrachten; eine Trennung von der Taufe, welche durch die den meisten Häretikern, die zur katholischen Kirche übertraten, bald normal ohne neue Taufe nur ertheilte Handauflegung natürlich noch befördert wurde. Nur wo der Bischof selbst taufte, blieben Taufe und Handauflegung in Einem Acte verbunden; sonst ertheilte er die letztere den auswärts von Land- oder anderen Geistlichen Getauften auf Diöcesanreisen als das signaculum, σφραγίς.“ (2. Aufl., S. 269. f.)

Teufels zu stärken und einen unauslöschlichen Charakter einzuprägen, durch
den der Mensch in die Streiterschaar Christi eingetragen werde. Aber dieses
alles sind reine Erdichtungen, wie M. Chemnitz in seinem Examen des tridentinischen Concils u. A. augenscheinlich erwiesen haben. Bei den Evangelischen wird, mit Verwerfung des papistischen Confirmations-Sacraments,
als eines abergläubischen Ritus, eine gewisse Art feierlicher Confirmation an
vielen Orten beibehalten.*) Diese ist sehr empfehlenswerth, da sie von allem
Aberglauben gereinigt ist; aus der Urkirche nachträglich wieder eingeführt,
pflegt sie dem erstmaligen Gebrauche des heiligen Abendmahls vorauszugehen
und hat keinen geringen Nutzen. Denn die Kinder, wenn sie etwas heran-
gewachsen und in der christlichen Lehre hinreichend unterwiesen worden sind,
legen, ehe sie zum heiligen Abendmahl das erste Mal zugelassen werden, vor
öffentlicher Kirchenversammlung eine Probe ihrer Fortschritte in der christlichen Religion ab und erneuern ihr Glaubensbekenntniß. Worauf öffentlich für sie gebetet wird und sie nach empfangenem Segen in Frieden entlassen
werden, als solche, die nun die nächste Anwartschaft auf das heilige Abendmahl haben. Man sehe die Mansfeldische Agende Cap. 17. unter der Ueberschrift: ‚Von der Confirmation der Kinder, die den Catechismus aufgesaget
und nun zum hochwürdigen Sacrament sollen zugelassen werden.'" (Instit.
prud. pastoral. III, 3, 40. pag. 390—393.)

Da unsere Kirche die Confirmation nicht an sich, sondern allein den
daran haftenden papistischen Aberglauben verwarf (s. Apologie, Artikel 13.),
so geschah es, daß schon Bugenhagen mit Luther's Einstimmung eine rein
evangelische Confirmation in Pommern einführte, welchem Beispiel man
daher bald im Churbrandenburgischen, in der Straßburger und Hessischen
Kirche und anderwärts folgte. Daher heißt es denn in der Antwort der
Protestanten auf die Vorlage zum Regensburger Colloquium im
Jahre 1541: „Von Firmung und Oelung sind weder göttlicher Befehl noch
Verheißung vorhanden; und wissen die vom Gegentheil, daß diese Gebräuche
allein nachgebliebene Anzeigen sind der alten Gaben des Heiligen Geistes;
denn im Anfang der Kirchen waren die offenbaren Gaben des Heiligen Geistes
den Leuten verliehen, da ihnen die Apostel die Hände auflegten. Also haben
auch die Propheten und Apostel etwan die Seuchen und Krankheiten geheilt
mit dem Gebet und Salben und anderem, so zur Arzenei geordnet ist. Von
solchem Anfang sind die Gebräuche noch übrig. Wie sie aber dieser Zeit
sind und gehalten werden, ist am Tage. Das wollten wir aber, daß man
den Catechismum in den Kirchen getreulich übete und daß über die Kinder,

---

*) Luther spricht sich gegen die päbstliche „Firmelung" aus schon im Jahre 1520 in
der Schrift von der babylonischen Gefängniß der Kirche (XIX, 111. ff.) und in der
Kirchenpostille, in der anderen Auslegung der Epistel am Christtage (XII, 192). In der
Predigt vom ehelichen Leben vom Jahre 1522 nennt er sie ein „Affenspiel" und einen
„rechten Lügentand" (X, 715.), „der Bischofgötzen lügenhaftig Gaukelwerk." (S. 745.)

nachdem ſie behört und ihren Glauben bekennet und Gehorſam der Kirche verſprochen hätten, Gebet geſchehe. Und dies Gebet, glauben wir, würde nicht umſonſt ſein; und mißfällt uns auch nicht, daß man das Händauflegen dazu gebraucht, wie es denn auch in etlichen Kirchen bei uns gehalten wird.“ (S. Luther's Werke XVII, 879.)

Jedoch wurde die Confirmation im 16. Jahrhundert noch keine in unſerer Kirche allgemeine Einrichtung, ja, trotzdem, daß ſie M. Chemnitz in ſeinem Examen ſo dringend empfahl, kam ſie namentlich in den durch den 30jährigen Krieg entſtandenen Verwirrungen ſelbſt da, wo ſie urſprünglich beſtanden hatte, wieder mehr in Abnahme. Einer der erſten, welche auf dieſe Einrichtung und den Segen derſelben wieder mit großem Ernſte aufmerkſam machten, war Dr. J. Quiſtorp, Profeſſor der Theologie und Antiſtes an der Kirche zu St. Jakob in Roſtock. Dieſer ließ nemlich, mit einer empfehlenden Vorrede der theologiſchen Facultät zu Roſtock, im Jahre 1659 „Pia desideria“ drucken, von denen das neunte Desiderium „von der Confirmation der Katechumenen“ handelt. Quiſtorp ſagt hierüber: „Einſt wurden die getauften Chriſtenkinder, weil ſie damals das Bekenntniß ihres Glaubens nicht ſelbſt vor der Kirche gethan hatten, mit dem Eintritt in das Jugendalter von den Eltern oder an deren Stelle von den Pathen wieder öffentlich dargeſtellt und vom Biſchof nach der damals gebräuchlichen katechetiſchen Vorſchrift geprüft. Endlich wurde der Knabe nach geſchehener Handauflegung mit feierlicher Einſegnung und Beſtätigung ſeines Glaubens entlaſſen. Wenn dieſe überaus löbliche kirchliche Disciplin heutzutage im Schwange ginge, ſo würde ohne Zweifel die Sorge vieler Eltern und Pathen einen Sporn erhalten, welche die Unterweiſung ihrer Kinder wie eine ſie nichts angehende Sache ſo ſicher vernachläſſigen, die ſie dann ohne öffentliche Beſchämung nicht unterlaſſen könnten. Die Glaubenseinigkeit würde in der Chriſtenheit größer und die Trägheit der meiſten nicht ſo groß ſein und daher nicht leicht ſo viele durch Irrlehren verführt werden.“ (S. Varior. auctor. miscellanea th. collegit J. Glob. Pfeiffer. Lips. 1736 p. 101. ſ.) Für allgemeinere Einführung der Confirmationsfeier iſt bekanntlich ſodann ſeit 1666 Spener vor anderen thätig geweſen.*) Auch Löſcher nennt ſie

---

*) Im Jahre 1641 ſchrieb der Superintendent und Profeſſor der Theologie Dr. Chriſtian·Große in Stettin, nachmals Generalſuperintendent in Pommern, geſtorben 1673, folgende Schrift (deren wir jedoch leider! nicht haben habhaft werden können): „Evangelica liberorum confirmatio, d. i. gründlicher Bericht, wie es mit der Confirmation oder Einſegnung der Kinder in unſerer evangeliſchen Kirchen könne und pflege gehalten zu werden. Stettin, 1641.“ 4. Auch Polykarp. Leyſer ſagt in ſeiner Fortſetzung der Chemnitzſchen evangeliſchen Harmonie zu Matth. 19, 13.: „Um der im Pabſtthum zur Confirmation hinzugekommenen päbſtlichen Poſſen willen (des Chrismas und Backenſtreichs) wurde im Anfang der evangeliſchen Reformation die ganze Confirmationshandlung abgeſchafft; man hat das Kind mit dem unreinen Bad hinweg geſchüttet.“

„eine gar lobenswürdige und erbauliche Ceremonie", setzt aber hinzu: „so aber allenthalben nicht kann eingeführt werden, auch nicht absolut nöthig ist." (Unschuldige Nachrichten, Jahrgang 1713, S. 694. f.)

§ 28.

Ɣ Der Prediger hat die Pflicht, diejenigen, welche confirmirt werden wollen, durch einen gründlichen Unterricht im Katechismus darauf vor=zubereiten, und sodann die Handlung nach Anleitung einer recht=gläubigen Agende zu vollziehen.

Anmerkung 1.

Ɣ Die Constitution der Synode von Missouri spricht sich hierüber, wie folgt, aus: „Die Districts-Synode wacht darüber, daß ihre Prediger den Katechumenen die Confirmation nur dann ertheilen, wenn dieselben minde=stens den Text des Katechismus ohne Auslegung auswendig hersagen können und ihnen der Verstand desselben so weit beigebracht worden ist, daß sie sich nach 1 Kor. 11, 28. selbst zu prüfen im Stande sind. Die Synode fordert, daß fähigere Katechumenen wo möglich dahin gebracht werden, daß sie die Lehren des christlichen Glaubens mit den klarsten Beweissprüchen aus der Schrift begründen und die Irrlehren der Secten daraus widerlegen können. Auf den Confirmandenunterricht sind wo möglich hundert Stunden zu ver=wenden. Der Prediger hat auch darauf zu sehen, daß seine Confirmanden eine gute Zahl solcher guter kirchlicher Kernlieder ihrem Gedächtniß eingeprägt haben, welche ihnen zu einer Mitgabe für ihr ganzes Leben dienen können."

Anmerkung 2.

⚹ Was das zum Empfang der Confirmation erforderliche Alter betrifft, so dürfte die Vollendung des 12ten Jahres meistentheils das früheste sein. Luk. 2, 41. 42. Nicht confirmirten Erwachsenen, namentlich schon Ver=heiratheten, sollte es frei gestellt sein, ob sie sich noch öffentlich confirmiren lassen wollen; jedenfalls sollten sie aber alle erst einen Confirmanden-Unterricht empfangen, ehe sie zur heiligen Communion zugelassen werden.

Anmerkung 3.

Ɏ Die Zeit der Confirmationshandlung ist nach altem Brauch entweder der Palmsonntag oder der Sonntag Quasimodogeniti. Ersterer eignet sich namentlich darum dazu, weil die Vorbereitung auf den erstmaligen Genuß des heiligen Abendmahls zum Charakter der evangelischen Con=firmation gehört; der Sonntag Quasimodogeniti aber sonderlich darum, weil nach uralter Sitte an diesem Tage die Neugetauften „förmlich der Ge=meinde durch feierliche Vorstellung einverleibt wurden, worauf sie nun erst ihre weißen Taufgewänder ablegten; daher dieser Sonntag der Osteroctave

selbst dominica in albis, κυριακὴ ἐν λευκοῖς (der Tag des HErrn in weißen
Kleidern), dies novorum, octava infantium, dies neophytorum; später —
mit verwandter Bedeutung — im Occident, nach dem gottesdienstlichen In-
troitus Pet. 2, 2., Quasimodogeniti („als die jetzt gebornen Kindlein")
hieß." (Guericke's Archäologie, S. 175.) — Einen hohen Festtag, z. B. den
zweiten Pfingstfeiertag, wie manche thun, dazu auszuwählen, erscheint als
unpassend, indem dadurch die Festfeier der großen Thaten Gottes nothwendig
beeinträchtigt wird.

Anmerkung 4.

Der Prediger hat sich wohl zu hüten, daß er die Confirmation nicht als
eine die in der unbewußten Kindheit erhaltene Taufe ergänzende und voll-
endende Handlung darstelle, als ob z. B. der Confirmand nun erst das durch
die Pathen ausgesprochene Bekenntniß und Gelübde zu dem seinigen zu
machen habe. Vielmehr sollte die Confirmationshandlung vor allem dazu
dienen, daß sowohl den Confirmanden, als der ganzen anwesenden Gemeinde
die Herrlichkeit der schon in der Kindheit empfangenen Taufe in lebendige
Erinnerung gebracht werde.*)

Anmerkung 5.

Bedingung der Ertheilung der Confirmation kann zwar nicht
die Gewißheit sein, daß der Katechumen ein wahres Glaubensleben
in seinem Herzen trage; allein notorisch boshafte Kinder sollten, wenn
alle treue Anwendung des Wortes Gottes nichts fruchtet, eben so wenig confirmirt und so wissentlich Gottes Name unnützlich geführt werden, so wenig
solche zur Confirmation und zum Tische des HErrn zuzulassen sind, welche
noch so unwissend sind, daß sie sich nicht nach 1 Kor. 11, 28. zu prüfen
vermögen.

Anmerkung 6.

Die Confirmanden sind am Sonntag vor der Confirmation der Fürbitte aller Christen, sonderlich ihrer Eltern, Taufpathen und Verwandten,
von der Canzel herab bringend zu empfehlen.

Anmerkung 7.

Ueber die ganze Confirmationsfeier vergleiche das in der Agende
der Synode von Missouri ꝛc. befindliche Formular. Nachricht von Einführung der Confirmation in den Gräflich Pappenheimschen Kirchen im

---

*) Der Confirmation einen sacramentalen Charakter beizulegen, gehört zu den jetzt
nicht so seltenen Abirrungen gerade derjenigen, welche vor andern für streng luthärisch-
kirchlich gelten wollen. Vergleiche die Recension eines Aufsatzes aus Vilmar's „pastoraltheologischen Blättern", welche, der Erlanger Zeitschrift entnommen, in „Lehre u. Wehre"
Jahrgang VIII, S. 110—116. sich findet.

Jahre 1732 und das zu erstmaliger Feier derselben vorgelegte schöne Formular theilt Löscher in seinen „Unschuldigen Nachrichten" Jahrgang 1733 Seite 621 — 626 mit.

§ 29.

Auch nach erfolgter Confirmation hat sich der Prediger der Jugend in seiner Gemeinde herzlich anzunehmen, sich um diese Schaar besonders in Gefahr stehender Schäflein Christi auch insonderheit ernstlich zu bekümmern und ein wachsames Auge auf sie zu haben, daher regelmäßige Kirchenexamina anzustellen und hierbei alles zu thun, was er vermag, daß die confirmirte Jugend denselben willig beiwohne, ferner darauf zu sehen, daß sie die Gottesdienste regelmäßig besuche, Beichte und Abendmahl fleißig gebrauche und sich dazu regelmäßig persönlich anmelde, nicht an den Gottesdiensten der Falschgläubigen theilnehme, verführerische Gesellschaft und gefährliche Zusammenkünfte, sei es an öffentlichen Orten (in Trinkhäusern und dergl.), oder heimlich (namentlich in diesem Fall beider Geschlechter), auch unehrbare oder gar unzüchtige Spiele (Spr. 7, 13.) und den Besuch des Theaters, der öffentlichen Bälle, der Circusse und dergl. meide, nicht an gottlose oder doch für ihre Unerfahrenheit und Unbefestigtheit gefährliche Vereine (Turner- oder musicalische Weltgesellschaften u. dergl.) sich anschließe, nicht auf seelenvergiftende Lectüre (gottlose Zeitungen, schlüpfrige oder doch überspannte Romane und Novellen oder derartige dramatische Producte, irrgläubige oder gar naturalistische Schriften und dergl.) falle, u. s. w.

Anmerkung 1.

In der Constitution der Synode von Missouri x. heißt es über diesen Punct: „Die Districts-Synode macht es ihren Predigern zur Gewissenspflicht, die Katechumenen nach ihrer Confirmation nicht aus den Augen zu verlieren, sich ihrer besonders väterlich anzunehmen, und daher u. A., wo irgend möglich, öffentliche sonntägliche Examina über den Katechismus mit ihnen anzustellen."

Anmerkung 2.

Je geneigter die Jugend ist, sich nach der Confirmation der Aufsicht ihres Seelsorgers zu entziehen, und je leichter es ihr namentlich hier ist, dies zu thun, desto nöthiger ist es, daß der Seelsorger zu erfahren suche, wie es um seine Confirmirten stehe, und denselben nachzugehen. Der Seelsorger hat sich wohl vorzusehen, nicht erst dann einzuschreiten, wenn der Jüngling oder die Jungfrau, unbeobachtet wie sie waren, bereits kirchenflüchtig und eine Beute der Welt geworden sind. Insonderheit sollte der Prediger fleißig nachsehen, ob der Confirmirte die Gottesdienste und Kirchenexamina regelmäßig besuche und fleißig zur Beichte und zum heil. Abendmahl komme, und die Anmeldungen hierzu treulich benutzen, zu erfahren, wie es um die Confirmirten äußerlich und innerlich stehe, und an ihr Herz und Gewissen zu kommen. Ist es freilich je nöthig, daß sich der Prediger vor gesetzlicher Morosität hüte und in wahrhaft evangelischer Gesinnung und Weise die Seelsorge übe, so ist es vor allem nöthig in Behandlung der Jugend. Kol. 3, 21. 1 Kor. 4, 15. 1 Thess. 2, 7. Mönchisches düsteres Wesen und gesetzlicher Zwang ist hier gänzlich vom Uebel. Wir erinnern hier daran, was Luther zu Pred. 12, 1. bemerkt. Er schreibt: „Salomo ist ein rechter königlicher Schulmeister. Er verbeut der Jugend nicht, bei den Leuten zu sein oder fröhlich zu sein, wie die Mönche ihren Schülern; denn da werden eitel Hölzer und Klötzer draus, wie denn auch aller Mönche Mutter, Anselmus, gesagt hat: Ein junger Mensch, so eingespannt und von Leuten abgezogen, sei gleich, wie einen feinen jungen Baum, der Frucht tragen könnte, in einen engen Topf pflanzen. Denn also haben die Mönche ihre Jugend gefangen, wie man Vögel in die Bauer setzet, daß sie die Leute nicht sehen noch hören mußten, mit niemand reden durften. Es ist aber der Jugend gefährlich, also allein zu sein, also gar von Leuten abgesondert zu sein. Darum soll man junge Leute lassen hören und sehen und allerlei erfahren; doch daß sie zur Zucht und Ehren gehalten werden. Es ist nicht ausgerichtet mit solchem mönchischen Zwange. Es ist gut, daß ein junger Mensch viel bei den Leuten sei, doch daß er ehrlich zur Redlichkeit und Tugend gezogen und von Lastern abgehalten werde. Jungen Leuten ist solcher tyrannischer, mönchischer Zwang ganz schädlich, und ist ihnen Freude und Ergötzen so hoch vonnöthen, wie ihnen Essen und Trinken ist. Denn sie bleiben auch desto eher bei Gesundheit. So soll man an einem Menschen fürnehmlich Fleiß haben, daß er Gott fürchte und erkenne, Gottes Wort höre und lerne, eines ehrbaren Gemüths werde; wenn er im Herzen gottesfürchtig und fromm ist, so ist der Leib bald darnach erzogen. Darum muß man darauf auch Achtung geben, daß er nicht mönchisch gezogen und zu gar schwermüthig erzogen werde, darnach Art und Natur ist; allein, daß man gut Achtung darauf gebe, daß er nicht in ein wüstes Wesen und Büberei gerathe. Denn schwelgen, spielen, buhlen sind nicht Herzens Freude, davon er hier redet, sondern bringen oft Traurigkeit.“ (V, 2348. f.)

Bilden die christlich gesinnten jungen Leute in der Gemeinde Vereine, so sollte sich der Prediger Zutritt zu den Versammlungen derselben zu verschaffen und dieselben nicht nur unschädlich, sondern auch nützlich und zugleich interessant, unterhaltend und angenehm zu machen suchen. Zwar hat der Prediger zu wachen, daß der Verein nicht ein Mittelpunct der Vergnügungssucht werde, doch von jungen Leuten weder den Ernst der Alten zu fordern, noch dem Verein das unschuldige Vergnügen freier Selbstregierung zu nehmen.

Ein wichtiges Stück der Sorge des Predigers für die Jugend ist, darauf zu sehen, daß namentlich die Zusammenkünfte beider Geschlechter nie anders, als unter Aufsicht christlich gesinnter Eltern oder doch in ihrem Christenthum ernsthafter Verheiratheter, stattfinden.

Anmerkung 3.

In Betreff der Kirchenexamina mögen hier einige Bemerkungen alter treuer Lehrer Platz finden.

Johann Fecht schreibt: „Obgleich die Predigt des göttlichen Wortes für die vornehmste Amtsverrichtung eines Kirchendieners um der Göttlichkeit des Wortes selbst willen, das er vorträgt, mit Recht angesehen wird, so ist doch nicht zu zweifeln, daß die katechetische Unterweisung, welche nicht weniger zum Vortrag des göttlichen Wortes gehört, darum noch mehr Frucht und Nutzen verspricht, weil sie dem Zuhörer näher tritt und durch das stete Ausfragen ihn zur Aufmerksamkeit erweckt, an welcher es in den Predigten meistens fehlt. Daher der Kirchendiener jene Unterweisungen sich als den wichtigsten und vorzüglichsten Theil seines Amtes empfohlen sein lassen soll. Es muß ihn sein eigenes Gewissen erwecken, dieses Werk mit allem Ernst vorzunehmen,*) und den jungen Herzen das Christenthum einzupflanzen. Da, wenn es hier fehlt, der Mangel darnach sich auf das ganze übrige Leben erstreckt." (Instruct. pastoral. c. 11, § 1. p. 101.)

Deyling schreibt: „Ein kluger Kirchendiener wird nur das Nothwendige, besonders Nützliche und der Fassungskraft der in der Erkenntniß noch Schwachen Angemessene behandeln. Für nothwendig sieht man aber das an, was zum Grund des Glaubens und zu einem gottseligen Leben gehört. Er wird seine Reden dabei so einrichten, daß ihm nicht weitläuftig geantwortet werden muß, sondern daß von dem Katechumen die Frage mit wenig Worten oder durch Ja oder Nein beantwortet werden kann. Es wird von Nutzen sein, dieselbe Frage mit veränderten Worten nicht einmal, sondern öfters sammt der Antwort und deren Verbesserung und mit weitläuftigerer Bestätigung zu wiederholen, damit die ganze in der Kirche gegenwärtige Versammlung daraus einen Nutzen ziehe.**) Daher ist in den Katechisationen

---

*) Es kann nicht genug hervorgehoben werden, wie nöthig es sei, es mit den öffentlichen Kirchenexaminibus ernst zu nehmen. Mit dem bloßen noch so regelmäßigen Abhalten derselben ist es durchaus nicht abgethan; ja, sind die Examina trocken und bewegt sich der Katechisirende nur in allbekannten Allgemeinheiten, so ist das das sicherste Mittel, bei der Jugend Geringachtung, ja Ekel an dem Treiben des Wortes Gottes zu erwecken. Wenn jemals, so muß hier alles lebendig, praktisch und die Aufmerksamkeit fesselnd sein.

**) Es ist dies eine überaus wichtige Regel. Die Examina mit der Jugend müssen durchaus so eingerichtet werden, daß auch die ganze Gemeinde dadurch gefördert und ihre Theilnahme daran auf alle Weise geweckt werde. Dies wirkt auch auf die Jugend zurück. Vulgär ist nicht populär, und die Berücksichtigung der Einfalt schließt die Gründlichkeit nicht aus.

nicht sowohl auf das Gedächtniß, als auf das Verständniß Rücksicht zu nehmen. Im Gedächtniß behalten, was man nicht recht versteht, nützt wenig. Darum sollten die auswendig zu lernenden Bibelsprüche erst fleißig erklärt werden, damit sie von den Knaben und der ganzen Gemeinde recht verstanden werden. Der Kirchendiener muß auch bemüht sein, daß Niemand, welcher etwas furchtsam und unwissender ist, von dem Examen durch allzu scharfen Tadel abgeschreckt, sondern daß alle, auch die Erwachseneren, vielmehr durch freundliche Worte und dadurch, daß man den überaus großen Nutzen der Katechisationen zeigt, gelockt werden, wenigstens als Zuhörer den Examinibus beizuwohnen und den Katechismus in der Hand zu haben, welcher·von dem Pfarrer auszulegen und nach jedem Hauptstück zur Herzensbesserung, zum Eifer in der wahren Gottseligkeit und zu daraus zu schöpfendem Troste stets zu appliciren ist." (Institut. prud. pastoral. III, 2, 9. p. 311.)

Wir können nicht unterlassen, schließlich noch einen längeren Abschnitt aus der Katechetik von Christoph Timotheus Seidel mitzutheilen, in welchem derselbe besonders wichtige Winke in Betreff der mit der Jugend anzustellenden Kirchenexamina gibt, die man in andern Katechetiken so nicht findet. Seidel schreibt: „Gleichwie die Katechisation eine Arbeit ist, bei welcher alles auf den Katecheten ankommt, so kann man leicht gedenken, daß die Frucht von derselben nicht erlangt werden könne, wenn der Katechet solche durch seine eigenen Fehler verhindert. Ein gewissenhafter Katechet muß daher nicht allein seine eigene Person auf das genaueste kennen, und prüfen, ob er solche Fehler an sich gewahr werde; er muß auch bei der Verrichtung der ganzen Arbeit auf sich selbst Acht haben, damit er nicht an der Blindheit und Bosheit derjenigen, welche seiner Anweisung anvertraut sind, am meisten Schuld sei und seine Verantwortung dadurch vervielfältige. Wer sein Gewissen hierbei zufrieden stellen will, wird sich Folgendes zu Gemüthe führen: 1) Ob er sich bei einer jedesmaligen Katechisation genugsam vorbereitet, und die Wahrheiten, von welchen er fragen will, mit seinem eigenen Verstande mit gehöriger Deutlichkeit, Gründlichkeit und Ordnung gefasset habe? 2) Ob er mit einem solchen Gemüth zur Katechisation komme, welches eine wahrhaftige Liebe gegen die ihm anvertrauten Seelen besitze und folglich Lust und Vergnügen an der Arbeit findet; oder ob es vielmehr ein gezwungenes Wesen sei, welches er sich zur Last macht und mit Unwillen und Mißvergnügen verrichtet? 3) Ob er in seiner Sprache und Redensarten etwas gewahr werde, welches den Katechumenen anstößig sein kann? 4) Ob er sich eine Stellung des Leibes oder eine solche Bewegung der Gliedmaßen angewöhnet habe, welche Leuten von weniger Fassung des Gemüths Anlaß geben kann, die ihm gebührende und außer diesem Fall ohnverweigerte Hochachtung zu erweisen? 5) Ob er an seiner Kleidung etwas Ungewöhnliches oder Zerstreuungen, Gelächter und daher entstehendes Aergerniß Veranlassendes an sich gewahr werde? Und aus diesen Betrachtungen werden wir folgende Pflichten eines Katecheten gegen sich selbst herleiten. Die erste Pflicht eines Katecheten gegen sich selbst ist: Ein gewissenhafter Katechet muß sich in seinem Verstande allemal eine deutliche Vorstellung von den Wahrheiten machen, von welchen er fragen will. Er muß sich die Ordnung einprägen, in welcher er fragen will, damit er nach derselben seine Gedanken, als an einem ordentlichen Leitfaden, zusammenhalten kann und keine Ausschweifungen von einer Sache auf die andere macht, wodurch er die Katechumenen und endlich auch sich selbst verwirrt und mit Bestürzung und dem Wunsch, einer solchen verdrießlichen Arbeit abzukommen, vor der Zeit abbrechen und das Ende machen muß. Wir rechnen es unter die Pflichten eines Lehrers, daß er sich zu einer jeden Katechisation mit allem Bedacht vorbereiten müsse. Dieses wird vielen als etwas Ueberflüssiges und die Pflichten eines Katecheten zu hoch Getriebenes scheinen. Ich kenne einen Lehrer auf einer hohen Schule, welcher von einem Landprediger besucht ward. Der Landprediger wußte, daß nur eine halbe Stunde übrig sei, daß der erstere lesen mußte. Er nahm von ihm Abschied mit der Entschuldigung: er werde sich zu der bevorstehenden Arbeit präpariren müssen. Jener aber antwortete: Präparirt sich der Herr Pastor, wenn er katechisiren will? Es sind unglückliche Schüler, welche Leuten von solcher Art in die Hände gerathen. Es läuft bei ihnen auf ein unordentliches Gewäsche hinaus, und sie versündigen sich schwer an Gott. Eine jede Katechisation muß sich auf die vorhergehende beziehen. Man muß wohl überlegen, was in der ersteren mangelhaft gewesen sei, und was man in der folgenden zu ersetzen habe. Man muß sich den unterschiedenen Zustand seiner Katechumenen recht lebhaft vorzustellen wissen und für einen jeden dasjenige vorher bereiten, wodurch sein wahrhaftiges Bestes befördert werden kann. Man muß in der letzteren starke Beweisgründe gebrauchen, da man in der ersten den Verstand nur durch einige Bilder zu wichtigeren Dingen vorbereitet hat. Und also wird es keines mehreren Zeugnisses dafür bedürfen, daß sich der Katechet zu einer jeden Katechisation vorher zu schicken verbunden sei. Wir wollen dazu folgende Erinnerungen mittheilen: 1) Wer noch keine genugsame Uebung und Fertigkeit im Katechisiren hat, der wird wohl thun, wenn er sich bei einer jeden Katechisation eine große Anzahl von Fragen entwirft, auch wohl vorher überlegt, was ihm von den Katechumenen für eine Antwort gegeben werden könnte, und wie er auf solchen Fall ihnen auf die eine oder auf eine andere Weise begegnen wolle. Man bindet sich zwar an solche Fragen niemals. Das würde eine Marter, und allen Regeln der Katechisation entgegen sein, welche wir im ersten Kapitel gegeben haben. Allein im Anfange ists nothwendig. Die Fragen fallen einem nicht allemal sogleich zu. Man muß einen Vorrath dazu gesammelt haben. Die Uebung gibt von selbst Gelegenheit, solchen Vorrath in viele tausende zu vergrößern und zu vermehren. 2) Man muß aber auch bei erlangter mehrerer Fertigkeit

und Uebung dennoch auf eine jedwede Katechisation vorher meditiren. ˙
Man muß die Lehren des Glaubens und des Lebens, von welchen gehandelt
werden soll, durchgehen.   Man muß die Exempel, die Gleichnisse,
die Sprüche der Schrift, die zum Beweis angeführt werden sollen, mit
einiger Sorgfalt in Erwägung ziehen.   Man muß solche gegen den Zustand
seiner Katechumenen halten, ob sie auch im Stande sind, daß ihrem
Verstande dadurch einige Hilfe geschafft werden könne; ob es
nöthig sei, andere dabei zu Hilfe zu nehmen, oder ob diese hinreichend sind;
ob man solche schon öfter angebracht, und also nöthig habe, andere zu
erwählen.   Wir stellen Lehrern, welche sich zu solcher Zeit, wenn sie diese
Arbeit vor sich haben, in weitläuftigen Gesellschaften finden lassen und mit
großem Verdruß den Mantel ergreifen, wenn der Küster etliche Mal erinnert
hat, es habe ausgeläutet: wir stellen es ihnen selbst anheim, ob sie die Katechisation als ein Werk ansehen können, welches so wenig Vorbereitung verdiene.   Wir wissen auch wohl, daß manchen redlichen Männern, welchen
zuweilen drei und mehrere Gemeinden anvertrauet sind und welche manchen
Sonntag zwei und mehr mal predigen müssen, zu solcher Vorbereitung oft
die Zeit und auch die durch die vorhergehenden sauren Arbeiten abgematteten
Kräfte des Leibes und des Gemüthes entbrechen.   Die letzteren aber werden
dennoch in den vorhergehenden Tagen soviel Ueberlegung von ihrer vor-
habenden Arbeit und dem Zustande ihrer Katechumenen nehmen, daß ihre
entkräftende Bemühung durch die Gnade Gottes nicht ohne Segen sein wird.
Wer sich aber gewöhnet hat, die Katechisation als ein Werk zu treiben, welches
ohne Nachdenken angefangen und vollendet werden könne, der bemerke wohl,
was ihm bei diesen Erinnerungen ist gesagt worden. 3) Die beste Vorbereitung ist, wenn man sich in die Stelle seiner Katechumenen
stellt und aus der Arbeit, welche man bisher an ihnen verrichtet hat, ur-
theilet, was einem jeden ferner nöthig sei und auf was für Art und Weise
man einem jeden begegnen müsse.   Eine solche Vorbereitung, die nach dem
Zustande der unterschiedenen Katechumenen eingerichtet ist, muß nothwendig
eine unbeschreibliche Menge von Gedanken bringen, welche zur Besserung der
Heerde Christi dienen.   Und wie gesegnet ist solche Bemühung!   Es gehört
viel Mühe dazu.   Wer aber ein Gewissen hat, wird sich vor solcher Arbeit
nicht scheuen. — Die andere Pflicht des Katecheten gegen sich selbst ist: daß
er sich selbst auf alle mögliche Weise dazu aufmuntere, diese
Arbeit mit Lust und Vergnügen zu verrichten.   Denn wo er solche
mit Verdruß und Widerwillen übernimmt, so wird es ihm an der zu diesem
Werke unumgänglich nöthigen Munterkeit fehlen, und es wird keine betrüb-
tere Arbeit, als diese, gefunden werden.   Man merkt es bei der Katechisation bald, ob solche mit Lust verrichtet werde.   Die Geberden
des Lehrers und das Angesicht der Lernenden verrathen es beide um die
Wette.   Der Lehrer muß sich also dazu aufmuntern.   Er wird sich hierbei
unseres Raths bedienen können, der in Folgendem besteht: 1) Vor allen

Dingen muß man Gott sowohl um seinen Beistand, als auch um die Lust anrufen zu einer Arbeit, welche vor der Welt und vor Fleisch und Blut so verächtlich scheinet und zu welcher eine wahre Verleugnung sein selbst erfordert wird, wenn man etwas Fruchtbarliches zu schaffen gedenkt. 2) Man muß sich den Befehl Christi, unseres Erzhirten, vorstellen, welcher ausdrücklich befohlen hat, seine Lämmer zu weiden. Wer im Geist erkennet, was ein evangelischer Lehrer sei, der wird sich nie verdrossen bezeigen. 3) Man muß durch eine vernünftige Methode zu katechisiren sich die Liebe und Zuneigung seiner Katechumenen zuwege zu bringen wissen. Ein liebreicher Umgang mit denselben gibt eine ungemeine Lust zur Arbeit. Die Stunden, mit ihnen zu reden, werden einem oft länger, als die Zeit, da man sein leibliches Kind zu sehen bekommen soll. Diese Liebe erleichtert auch, was saueres dabei ist." (In der Erfahrung gegründete Anweisung, welches die wahre Methode zu catechisiren sei. Andere Ausg. Helmstädt, 1748. S. 124. ff.

§ 30.

Ein Pastor darf nicht wähnen, daß er allein durch die öffentliche Predigt seinem Amte ein Genüge thut. Auch **Privatseelsorge** und dadurch nothwendig werdende **Hausbesuche** sind eine Pflicht, welcher er sich nicht entziehen darf, will er als ein treuer Haushalter erfunden werden.

Anmerkung 1.

Dr. Johannes Fecht schreibt über die Nothwendigkeit der Privatseelsorge: „Sacerdotium ist nicht otium (das priesterliche Amt ist nicht Muße) und es wird nicht leicht irgend jemand, als wer die so süße Ruhe der Ausbreitung des Reiches Gottes vorzieht, leugnen, daß diejenigen in einem schweren Irrthum befangen sind, welche ihr Amt in allen seinen Theilen aufs beste ausgerichtet zu haben sich dünken lassen, wenn sie ihre (oft aus anderen Büchern mit großer Mühe zusammengestoppelten) Predigten von der Kanzel herab hergesagt, Beichte gehört, das heilige Abendmahl administrirt und, wenn man sie zu Kranken holte, denselben zuweilen Trost zugesprochen haben. Denn obgleich die Predigt des göttlichen Wortes und die Verwaltung der Sacramente mit Recht für das hauptsächlichste Amt des Predigers geachtet wird wegen der Göttlichkeit des Wortes, welches derselbe vorträgt, und wegen der von Gott gebotenen Uebung des öffentlichen Gottesdienstes, so ist doch daran nicht zu zweifeln, daß es ein überaus verderblicher Irrthum sei, das ganze Amt eines Pastors und Wächters der Kirche darin einzuschließen; indem es selbstredend ist, daß die privaten Unterweisungen und Ermahnungen, welche ja nicht minder zum Vortrag des göttlichen Wortes gehören, oft nicht geringere Frucht versprechen, weil sie durch ihre vertraulichere Weise und persönliche Application für den Zuhörer eindringlicher sind und die Form der

Frage und Antwort die Aufmerksamkeit weckt, an der es zuweilen gerade in den Predigten fehlt... Ueberdies ist jüngst auch in unserer Kirche eine Art Leute aufgestanden, welche, während sie mit Verachtung der reinen Lehre die Frömmigkeit allein im Munde führt, täglich unserem Ministerium den Vorwurf macht, daß dasselbe, von unfruchtbaren Zänkereien und Streitigkeiten gänzlich eingenommen, seine Zuhörer zu wahrhaft heiligem Leben anzuführen völlig vergesse. Wir stellen es auch nicht in Abrede, daß es (was leider! nicht nur zu unseren Zeiten, sondern zu allen Zeiten der Fall gewesen ist) nicht Wenige gebe, welche für strengere Zucht in der Kirche, für Besserung der so verderbten Sitten der ihnen Anvertrauten, für die Einpflanzung einer aufrichtigen Liebe Gottes und des göttlichen Wortes wenig Sorge tragen. Diejenigen aber, welche unter den Unsrigen, ihres Amtes uneingedenk, um das, was sie Gott und ihrer Gemeinde schuldig sind, wenig besorgt sind, und damit den Separatisten gerechte Ursache geben, unsere Kirche zu schmähen, werden Gott, dem strengen Richter der ganzen Welt, einst eine ernste und ihnen zum Verderben gereichende Rechenschaft dafür geben müssen.*) Unter die Rathschläge, welche gründliche Abhilfe schaffen und wirklich heilsam sind, rechne ich die Hausbesuche, welche von einem Kirchendiener in seiner Gemeinde anzustellen sind. Die Schrift selbst nennt dieselbe die ἐπισκοπὴ κατ' οἴκους (die Aufsicht von Haus zu Haus), vermöge der man in den Privatwohnungen lehrt, die Hauskirchen visitirt und daselbst Rechenschaft des Glaubens fordert." (Dissertatio de domestica auditorum visitatione etc. 1708. Aufgenommen von J. Glob. Pfeiffer in seine Miscellanea th. Lips. 1736. S. 725 ff.)

Ueber denselben Gegenstand schreibt Deyling Folgendes: „Ein evangelischer Pastor ist schuldig, seine Zuhörer nicht nur öffentlich, sondern auch privatim bei jeder sich darbietenden Gelegenheit zu unterweisen, auch für die Einzelnen Sorge zu tragen und einem jeden, welcher seiner Treue und Aufsicht anvertraut ist, nach der Verschiedenheit der Gemüthsarten (ingeniorum) und der Umstände das für seine besondere Person zu appliciren, was zur Beförderung seines Heiles nothwendig ist. Denn die Lehrer des Wortes heißen Hirten (Pastoren) Ephes. 4, 11. Daher müssen sie nicht nur für die ganze Heerde, sondern auch für jedes einzelne Schaf Sorge tragen. Wenn daher etwa eines derselben sich auf Abwege verirrt hat, so sucht es der Hirt ohne Verzug, führt es zur Heerde zurück, stärkt es und heilt die kranken. Der Diener des Wortes ist von Gott ferner zu einem Wächter der Kirche bestellt nach Ezechiel's, Jesajas' und Jeremias' Beispiel, Ezech. 3, 17. 33, 7. 8. Jes. 52, 8. Jer. 6, 17. vgl. Ebr. 13, 17. Wie würde er aber recht Wache halten, wenn er sein Wächteramt nicht an jedem einzelnen Theile, nicht an jedem Gliede der Gemeinde ausrichtete? Ferner muß der Pastor für jeden

---

*) Was Hecht von dem Aergerniß sagt, welches den Separatisten innerhalb der lutherischen Kirche gegeben werde, gilt hier in America in doppeltem Maße von den die lutherische Kirche umgebenden und auf sie lauernden Secten.

Zuhörer der ganzen ihm anvertrauten Gemeinde Rechenschaft geben. Darum muß er auch das Leben eines jeden sorgfältig exploriren und denselben nicht nur öffentlich, sondern auch privatim unterrichten. Die Pastoren heißen ferner Bischöfe, d. i. Aufseher, und es wird ihnen Apost. 20, 28. 1 Petri 5, 2. das ἐπισκοπεῖν, d. i. das Achthaben oder Aufsehen befohlen, sowohl sonderlich (privatim), als öffentlich. Sie heißen auch Gottes Mitarbeiter, 1 Kor. 3, 9. Wie aber Gott nicht nur im Allgemeinen, sondern auch speciell auf eines jeden einzelnen Menschen Seligkeit ernstlich bedacht ist, so ist auch der Diener des Wortes als Mitarbeiter Gottes dasselbe zu thun verpflichtet. Der persische König Cyrus wird, wenn wir alten Urkunden Glauben beimessen dürfen, des Lobes für würdig geachtet, weil er in seinem zahlreichen Heere den Namen jedes einzelnen Soldaten wußte; Kuhhirten und Schäfer kennen jedes ihrer Thiere genau und tragen für ein jedes Sorge, warum nicht auch ein Seelenhirt für die durch Christi so kostbares Blut erkauften Seelen? So hat der Apostel Paulus nicht abgelassen, sowohl öffentlich, als sonderlich von Haus zu Haus (δημοσίᾳ καὶ κατ᾽ οἴκους) einen jeglichen (ἕνα ἕκαστον) zu ermahnen, Apost. 20, 20. 31. 1 Theſſ. 2, 10.;*) gleiche Hausbesuche und Privatermahnungen ist daher auch ein Kirchendiener anzustellen verpflichtet. Dieses schärft Johannes Chrysostomus in seiner 34. Homilie über den Brief an die Ebräer ein, indem er sagt: „Du mußt einst Rechenschaft geben von allem und jedem einzelnen deiner Sorge Anvertrauten, Weibern, Männern und Kindern. Bedenke, in welcher Gefahr du dich befindest. Es ist zu verwundern, wenn ein Priester selig wird.‘“ (Institut. prudentiae pastoral. P. III, c. 2. § 34. p. 338. f.)

Der Erste unter den Theologen unserer Kirche, welcher sich gegen die Nothwendigkeit der Hausbesuche von Seiten des Predigers ausgesprochen hat, war der bekannte, sonst so ausgezeichnete Theolog Dr. Arnold Mengering, zuletzt Superintendent zu Halle, gestorben 1647. Derselbe stellt in seinem „Informatorium conscientiae evangelicum“ die Frage: „Ob ein Prediger vermöge seines Hirtenamtes allem und jedem zu Haus und Hof nachzulaufen und zu nahen im Gewissen verbunden sei, auf solche Art und Weise, wie etliche Irrgeister fürgeben?“ Diese Frage verneint Mengering. Schon aus der Stellung der Frage ersieht man aber, daß den theuren Mann die Sorge, gewissen Irrgeistern seiner Zeit wider die lutherische Kirche Recht geben zu müssen, verleitet hat, die rechte Grenze zu überschreiten. Es hatte nemlich damals ein Weigelianer ein besonderes Buch darüber geschrieben, daß die

---

*) Ein merkwürdiges Beispiel individueller Anwendung des Wortes Gottes einzelnen Personen gegenüber haben wir an der Rede, welche Apost. 24, 24. 25. berichtet wird. Pauli Zuhörer waren sein ungerechter Richter Felix und dessen unkeusches Weib Drusilla; der Gegenstand seiner Rede aber war: Gerechtigkeit, Keuschheit und das zukünftige Gericht! Daher heißt es auch: „Felix erschrak und antwortete: Gehe hin auf diesmal; wenn ich gelegene Zeit habe, will ich dich her lassen rufen.“

lutherische Kirche die wahre Kirche nicht sei, weil darin die Besuche der Zuhörer in ihren Häusern fehlten, welche doch von Christo mehr, als die öffentliche Predigt des göttlichen Wortes, geboten seien. So ernstlich daher Mengering den Weigelianer zurückweis't, so erklärt er doch: „Es wäre wohl sein,
daß es allenthalben so sein könnte" — „wenn sie von der ganzen Kirche
acceptirt und introducirt würden, wäre es zu wünschen" ꝛc. Ja, wenn Mengering in seinem „Scrutinium conscientiae catecheticum" auf die Frage
von der Privatseelsorge, die an einzelnen Seelen zu üben sei, kommt,
bricht er in die Worte aus: „Ich wollte, daß diese Frage mit rothem Zinn-
ober möchte gedruckt werden, ja, ich möchte wünschen, daß sie mit güldnen
Buchstaben in alle Studirstüblein und Betkämmerlein möchte angeschrieben,
ja, daß sie möchte mit eisernen Griffeln und spitzigen Diamanten auf die
Tafel der Herzen aller Seelsorger und Pfarrherren gegraben werden, damit
sie nimmermehr solche Frage und Gewissensrüge ließen aus den Augen und
Sinn, Herzen und Gedanken kommen. Ihr sollt wissen, Ehrwürdiger Herr
Pfarrer, es sind euch alle dieselben Seelen in eurer Gemeinde auf eure Seele
und Gewissen befohlen, nicht allein insgemein hin, .. sondern auch einen
Jeden derselben Gemeine in individuo mit Lehre, Trost, Unterricht, Vermahnung und Warnung zu versorgen und zu versehen, soviel auch immer
menschlich und möglich, auf einen Jeden insonderheit eure Seelsorge und
Amtspflege, worinnen es vonnöthen, zu richten." (A. a. D. S. 1352.) Mit
Recht bemerkt daher Fecht in seiner oben citirten trefflichen Dissertation,
worin er Mengering's und L. Hartmann's Einwürfe, der dem ersteren hierin
folgt, widerlegt: „Uns scheint es, als ob beiden in Betreff dieses Gegenstandes
etwas Menschliches widerfahren sei." (Pfeiffer's Miscellan. p. 798.) Mengering und Hartmann recht zu beurtheilen, ist auch nöthig zu bedenken, wie
große, oft aus Tausenden von Seelen bestehende Gemeinden die meisten Prediger in Deutschland hatten. Diesen mußte ja freilich die Zumuthung, allen
einzelnen Seelen in ihre Häuser nachgehen zu sollen, als ein unerträgliches
Joch erscheinen. Wie hätten sie dieser Pflicht nachkommen können?

Anmerkung 2.

Die rechte Beschaffenheit der Privatseelsorge überhaupt und der
Hausbesuche insonderheit betreffend, schreibt Dr. Mich. Förtsch (zuletzt
Prof. in Jena, gest. 1724): „Aus dem Gesagten erhellt, daß ein Kirchendiener mit allem Fleiße darauf bedacht sein müsse, daß er sich nicht durch
Privatgeschäfte zu den öffentlichen untüchtig mache, welches z. B. dann geschieht, wenn er die Zeit mit unzeitigen Besuchen oder, um die Wahrheit deutlicher zu sagen, mit Herumläufereien unter dem Vorwand, sein Amt an den
einzelnen Seelen ausrichten zu müssen, hinbringt und ohne Meditation und
gehöriges Studiren zur Haltung extemporirter und gar nicht meditirter Predigten die Kirchenkanzel besteigt; denn was für ein großes Unrecht damit
gegen Gott und die Gemeinde begangen werde, kann aus den oben angemerkten

Grundsätzen beurtheilt werden." (Dissertatio de privata fidelium institutione. 1691. S. Pfeiffer's Miscellanea p. 695.)

Jeder Prediger, namentlich aber junge und unverheirathete Prediger, haben sich bei ihren Hausbesuchen vor allzugroßer Vertraulichkeit mit den Frauen und Töchtern in den Familien sorgfältig zu hüten. Wenn der Apostel von der Uebung der Privatseelsorge an den Alten und Jungen redet, da schreibt er von den jungen Frauenspersonen, sie seien zu ermahnen „als die Schwestern mit aller Keuschheit." 1 Tim. 5, 1. 2. Und von den Irrgeistern der letzten Zeit heißt es: „Aus denselbigen sind, die hin und her in die Häuser schleichen und führen die Weiblein gefangen, die mit Sünden beladen sind und mit mancherlei Lüsten fahren." 2 Tim. 3, 6. Nicht nur muß der Prediger auf das äußerste jeden bösen Schein meiden (1 Thess. 5, 22.) und darnach trachten, daß bei ihm alles „redlich zugehe nicht allein vor dem HErrn, sondern auch vor den Menschen" (2 Kor. 8, 21.); der Prediger muß sich auch vor sich selbst fürchten, und bedenken, daß Satan ihm allenthalben nachgeht, ihn mit Hilfe seines Fleisches in Sünde und so in Schande, Gottes Zorn und Ungnade, Tod und Verdammniß zu stürzen, und durch ihn ganze Schaaren von schwachen Christen tödtlich zu ärgern, die arme Welt aber zu verstocken. Ein Prediger muß endlich bei seinen amtlichen Hausbesuchen auch den Schein vermeiden, als ob er sonderlich gern die Häuser besuche, wo er einen Genuß finde. Zu den Worten: „Wo ihr aber in eine Stadt oder Markt gehet, da erkundiget euch, ob jemand darinnen sei, der es werth ist; und bei demselben bleibet, bis ihr von dannen ziehet" (Matth. 10, 11.), macht Flacius in seiner Glossa N. T. die Glosse: „Prohibet, ne subinde lautiora hospitia quaerant", d. i. er verbietet ihnen, daß sie nicht hierauf prächtigere Herbergen suchen.

Daß der Prediger seine Privatseelsorge vor allem auf die Gefallenen zu richten habe, bedarf wohl nicht ausführlicher Begründung. Osiander macht zu Luk. 15, 4. die Bemerkung: „Das menschliche Herz ist so gesinnt, daß es über eine verlorne Sache mehr trauert, als es sich über die Dinge freut, die es noch besitzt; so ist auch Christus, der Sohn Gottes, mehr um die Bekehrung eines Sünders besorgt, als um diejenigen, welche schon in Gottes Schaafstall sind, obwohl er auch für diese die eifrigste Sorge trägt. Ezech. 34. Daher müssen auch wir, namentlich wir Kirchendiener, mit höchstem Fleiß darnach trachten, die Sünder zur Buße zurückzurufen." (Biblia ad l. c.)

Auf die Frage: „Ob ein Prediger schuldig sei, seine trägen Pfarr- und Beichtkinder, wenn sie sich vom hochwürdigen Nachtmahl enthalten und unbußfertig in ihren Sünden dahin leben, einen jeden Einzelnen und insonderheit zu vermahnen, oder ob es an dem genug sei, was auf der Kanzel geschieht", wird im ersten Jahrgang der Zeitschrift „Lehre und Wehre", S. 156—160, aus dem Dedekennus Vol. II, fol. 745. ff. die gründliche Antwort des alten Mansfeldischen Decans Simon Musäus (gest. 1582) mitgetheilt. Ebendaselbst S. 344—346. ein Abschnitt aus Seckendorf's Christenstaat „Von den Hausbesuchen."

§ 31.

Ein überaus wichtiges Stück der Obliegenheiten eines christlichen Predigers ist die Sorge für die Kranken und Sterbenden, und zwar vorerst für deren geistliche Bedürfnisse. Zwar hat der Prediger seine Gemeinde zu ermahnen, daß, so oft ein Glied der Familie erkrankt, die Angehörigen, oder wer davon Kenntniß erlangt, dies ihm immer rechtzeitig melden (Jak. 5, 14. 15.); doch hat der Prediger sich auch selbst fleißig darnach zu erkundigen, ob ein Glied der Gemeinde erkrankt sei, und, sobald er auf irgend einem Wege in Erfahrung bringt, daß dies der Fall sei, nicht erst auf Meldung und Einladung zu warten, sondern alsbald die kranke Person zu besuchen und seine Besuche je nach Umständen möglichst oft bis zur Genesung oder dem Tode des Patienten fortzusetzen. Hes. 34, 1—16. Jes. 38, 1. Sir. 7, 39. Matth. 25, 36. ff.

Anmerkung 1.

Wie hoch die Pflicht eines Predigers, die Kranken und Sterbenden innerhalb seiner Gemeinde zu besuchen, je und je in unserer Kirche gehalten worden sei, mögen folgende Auszüge belegen.

In den Sächsischen „General-Artikeln", welche auf Grund der bei angestellten Kirchen-Visitationen gemachten Erfahrungen zuerst 1555 aufgesetzt, später vermehrt und verbessert und in ihrer gegenwärtigen Gestalt im Jahre 1580 publicirt worden sind, heißt es unter Nr. XIV. u. a. wie folgt: „Es sollen die Pfarrer und Kirchendiener die kranken, betrübten, bekümmerten Christen oftmals, sonderlich aber zu Sterbens-Zeiten, besuchen und trösten und denselben auf ihr Begehren das hochwürdige Sacrament des Leibes und Blutes Christi reichen, hierinnen willig und unverdrossen sein, und solchen Dienst keiner aus Nachlässigkeit oder Rachgier und Widerwillen gegen irgend eine Person unterlassen, auch eben gleich bereit sein, den Armen in solchen Fällen zu dienen, als den Reichen. Der Ursach, wenn ein Eingepfarrter unter seinen Zuhörern in beschwerliche Krankheit gefallen, mit dem der Pfarrer des Kranken Seelen Seligkeit zu gut etwas zu reden (hat), soll der Pfarrer solches nicht bis auf die letzte sparen, sondern auch unberufen sich förderlich zu dem Kranken finden, mit aller christlichen Sanftmuth und Bescheidenheit gebührende Erinnerung mit Trost und Vermahnung zu thun, weil der Kranke solches noch fassen und sich christlich zu seinem Absterben noch schicken kann. Es sollen auch die Pastoren und Diaconi die Kranken in den Hospitalen, wo die vorhanden, vielmals besuchen, ihnen das heilige Sacrament geben, dieselbigen mit Gottes Wort trösten" 2c. (Des Durchlauchtigsten Herzog Augusten .. Ordnung, wie es in seiner Churf. G. Landen bei den Kirchen .. gehalten werden soll. Leipzig 1580. fol. 318. f.)

In der Würtemberger Kirchen-Ordnung von 1582 heißt es: „Der allmächtige, barmherzige Gott hat sich der Elenden und Betrübten, die seinen Namen aus rechtem Vertrauen anrufen, so gnädiglich angenommen, daß er nicht allein ihnen allen väterlichen Schutz und Hilfe verspricht, sondern führet auch unter den Zunamen seiner Majestät fürnehmlich diesen Titel, daß er sei eine Zuflucht der Elenden, ein Heiland derer, so da sind eines zerknirschten Herzens, und hat auch zu mehrmalen ehe wollen den natürlichen Lauf Himmels und der Erden verändern, denn die Elenden in ihrer Noth verlassen. Neben dem, so ruft auch der Sohn Gottes alle Betrübte zu ihm und verspricht ihnen Hilfe. Kommt alle, sagt er, zu mir, die ihr beschwert und beladen seid, ich will euch erquicken. Nun sind die Kranken nicht die Geringsten unter den Beschwerten und Beladenen, als die, so nicht allein ihrer leiblichen Krankheit halben, sondern auch von wegen der Sünde, des Todes und der Verdammniß, deren sie durch die Krankheit erinnert werden, große beschwerliche Bekümmerniß und Anfechtung haben. Darum sollen sich auch die Kirchendiener der Kranken, so ihres Dienstes begehren, mit allem Ernst und Fleiß annehmen und denselben vermöge ihres Berufs christlich Trost beweisen. Es siehet uns auch aus allerlei bewegenden Ursachen für gut an, daß die Kirchendiener auch den Kranken, so ihrer nicht begehren, ihren guten Willen und Dienst durch sich selbst oder ihre Verwandten und Zugethanen erzeigen und anbieten." (Von Gottes Gn. unser, Ludwigs, Herzogen zu Würtemberg, .. summarischer und einfältiger Begriff, wie es .. in den Kirchen unseres Fürstenthums .. gehalten und vollzogen werden solle. Tübingen 1582. fol. 146. f.)

In den Fürstlich-Sächs. Ernestinischen Verordnungen heißt es: „Wenn dem Pfarrer zu Ohren kömmt, wie jemand seiner Zuhörer gefährlich krank worden oder sonst durch einen leidigen Fall in Betrübniß gerathen, soll er nicht allein auf vorgehende Erforderung bei demselbigen sich willig und gern einfinden, sondern auch unerfordert, jedoch auf vorgehende Anmeldung,*) denselben besuchen und nach dessen Nothdurft sein Amt mit Trost und anderm Zuspruch bei ihm in Acht nehmen. Es sei denn, daß vielleicht einer ein muthwilliger Berächter göttliches Wortes und der heiligen Sacramente gewesen und seine beharrliche Unbußfertigkeit auch damit, daß er den Pfarrer nicht erfordern ließ, bezeugete;**) welchen Falls ein Pfarrer nicht eben schuldig, von sich selbst, unerfordert, alsbald zu kommen; wiewohl auch hierbei große Sorgfalt zu gebrauchen, daß nicht einige Gelegenheit, den Unbußfertigen zu bekehren und eine arme Seele aus des Teufels Rachen zu

---

*) Diese Anmeldung kann natürlich vor der Thür geschehen; sie bezweckt nur, daß der Prediger den Schein vermeide, als wolle er sich aufzwingen.

**) In recht geordneten Gemeinden kann dies seine Anwendung selbstverständlich nur auf Gebannte haben. Uebrigens hat der Prediger, wenn er gerufen wird, sich nicht zu weigern, auch solche Kranke zu besuchen, die nicht zu seiner Gemeinde gehören, vorausgesetzt, daß dieselben nicht schon Glieder einer anderen Gemeinde sind, in welchem Falle er durch einen amtlichen Krankenbesuch in ein fremdes Amt greifen würde.

reißen, verabsäumt werde. Sonderlich aber hat ein Pfarrer sich wohl vorzusehen, daß er nicht in muthwilligen Verdacht sich stürze, als ob es ihm bei
seiner Besuchung mehr um das Accidens, als des Kranken Seele und
Seligkeit, zu thun sei."*) (Fürstlich-Sächsische Verordnungen, das Kirchen-
und Schulwesen betreffend. Gotha 1720. S. 106.)

Felix Bidembach, weil. Hofprediger zu Stuttgart, spricht sich hierüber, wie folgt, aus: „Es schreibt St. Paulus 2 Theff. 5, 14: ‚Tröstet die
Kleinmüthigen, traget die Schwachen.‘ Das gehet zwar insgemein alle
Christen, vornehmlich aber die Prediger und Diener göttliches Wortes an,
denen insonderheit befohlen ist, daß sie nicht allein mit Lesen und Ermahnen
anhalten sollen (1 Tim. 4, 13.), sondern auch, daß sie dem Menschen zur
Tröstung reden (1 Kor. 14, 3.), nach der Apostel Exempel trösten können, die
in Trübsal sind (2 Kor, 1, 4.), und einen jeglichen wie ein Vater seine Kinder ermahnen, bezeugen und trösten sollen (1 Theff. 2, 11.). Nun bedarf
man zwar alle Tag und Stunde und in allem unserem Leben des Ermahnens, Tröstens und Anderes, sonderlich aber und allermeist, wenn man auf
das Siechbett kommt und sterben soll. Wie nun ein Kirchendiener zu
allen Zeiten über seiner Zuhörer Seelen zu wachen schuldig (Ebr. 13, 17.),
als der da Rechenschaft dafür geben muß, also soll er allermeist zu der Zeit,
wann sich der Teufel am heftigsten bemüht, ihm ein Schäflein zu entführen,
wann man (nemlich) aus dieser Welt scheiden und abdrücken soll, an seinem
Amt mit Ermahnen, Lehren, Trösten und in alle andre Wege nichts unterlassen. Und zwar so braucht es diesorts desto mehr Sorge und Wachen, dieweil die kranken und sterbenden Leute sehr ungleich sind. Denn man hat
nicht allwege unter der Gemein eitel frommer und gutherziger, · eifriger
Christen, welche ihrer Seelen Heil und Seligkeit selbst wohl in Acht haben,
auch, so bald sie der Allmächtige mit sorglicher und gefährlicher Krankheit
angreift, der Seelen Arzenei und des Ministerii begehren; sondern es gibt
vielfältig auch deren Patienten, die entweder aus kindischer Einbildung keines
Ministri bis auf den letzten Rothknopf begehren, da sie fürchten, sie müßten
desto eher sterben, wenn sie allzu früh des Kirchendieners begehrten, oder die
sonst nicht große Lust haben, sich noch zur Zeit mit Gott zu versöhnen, sondern ihre Buße aufschieben von einem Tag zum andern. Wo sich nun be-
gäbe, daß ein Minister einen solchen sichern Patienten unter seiner Gemeinde
hätte (sonderlich, da zu befahren, daß er sterben möchte), weiset zuvörderst
unsere Kirchenordnung dahin, daß er nicht eben solle oder müsse erwarten, bis
er zu demselbigen gefordert werde, sondern solle für sich selbst bei dem Kranken
sich einstellen... Wann aber ein kranker Mensch (wie denn er als ein Christ
zu thun schuldig) selbst des Kirchendieners auf zutragende Fälle begehren und
die Seelenarzenei zum allervördersten suchen würde: als würde ein jeder

---

*) Es ist schon früher erinnert worden, daß es am rathsamsten ist, daß der Prediger
für Krankenbesuche auch das Angebotene schlechterdings nicht annehme.

frommer Kirchendiener zu allen Zeiten, so Tags, so Nachts,*) bei dem Patienten gutwillig erscheinen." (Handbuch für die jungen angehenden Kirchendiener. Stuttgart 1603. S. 643. ff.)

Ludwig Hartmann bezeugt: „Das ist keinem Zweifel unterworfen, daß der Besuch der Kranken und Bettlägerigen in ihren Häusern, um dieselben zu trösten, ein überaus nöthiges Werk und um Beschwerlichkeit oder Ansteckungsgefahr willen nicht zu unterlassen sei. Da es ihnen um ihrer Krankheit willen nicht vergönnt ist, bei dem öffentlichen Gottesdienste zugegen zu sein, so ist ihren Seelen nöthig, daß sie privatim erquickt werden, damit sie in solchen Nöthen, da Satan seine feurigen Pfeile so listig auf sie abschießt, nicht rathlos erliegen." (Pastoral. ev. p. 1287.)

Gottfried Olearius beginnt seinen Unterricht über die Krankenbesuche mit den Worten: „Ein evangelischer Seelenhirte hat in dem Falle, da seine ihm anvertrauten Schaafe Gott mit Krankheit beimgesucht, nicht zu warten, bis er zu demselben berufen wird, sondern er muß vielmehr diese Gelegenheit, Gutes bei ihm zu schaffen, für sich selbst ergreifen." (Collegium pastorale oder Anleitung zur geistlichen Seelen-Cur. Leipzig 1718. S. 838.)

Johann Fecht schreibt: „Wenn jeder Christ dem andern die Pflicht, ihn in Krankheit zu besuchen, schuldig ist, wie viel mehr der Kirchendiener seinen Schaafen! Daher es auch in einigen Kirchenordnungen ausdrücklich geboten wird, daß der Pastor, ohne auf eine Einladung zu warten, die Kranken besuche." (Instruct. pastor. c. 10. § 2. p. 90.)

Endlich schreibt Christoph Tim. Seidel: „Daß die Sorge für die Kranken schon in den apostolischen Zeiten einen Theil des Lehramtes ausgemacht habe, solches ist aus Jakob. 5, 14. klar, allwo gesagt wird, daß die Presbyteri über den Kranken beten und dieselben zu dem Ende mit Oel salben sollten, damit der Kranke ein Zeichen von der den Lehrern bei der Pflanzung der Kirche mitgetheilten Gabe, die Kranken zu heilen, haben möchte. Und daher ist es ohne Zweifel entstanden, daß die Alten die Gasthöfe, Wirthshäuser und die Pfarren ganz nahe zusammen gebaut haben; damit nemlich diejenigen, denen auf der Reise ein Zufall begegnet, die Hilfe des Predigers nicht weit suchen dürften. Die Natur des Predigtamtes selbst erfordert diese Pflicht von einem Lehrer, weil ein Kranker sich nicht selbst helfen kann, sondern zu der Zeit des meisten Beistandes benöthigt ist... Wegen der kranken Kinder pflegen die Prediger gar selten beunruhigt zu werden, sondern man läßt dieselben insgemein ohne allen Zuspruch hinsterben, weil man glaubet,

---

*) Es ist zwar wahr, daß manche den Prediger ohne alle Noth oft gerade in der unpassendsten Zeit an das Krankenbett rufen, weil sie es eben nicht eher thun, als bis sich Anzeichen eines in Kurzem eintretenden Todes einstellen; allein nie sollte dann der Prediger Unzufriedenheit und Unwillen zu erkennen geben, sondern jederzeit mit der größten Bereitwilligkeit und Freundlichkeit der Einladung folgen. Erinnerungen, daß man zu passenderer Zeit rufen sollte, gehören für andere Zeit und Gelegenheit.

daß sie noch in der Gnade des Taufbundes stehen und man an ihrer Seligkeit ohnedem keinen Zweifel zu tragen habe. Wir rechnen es aber mit unter
die Verachtung der Kleinen, vor welcher Christus Matth. 18. so ernstlich
warnt, und halten es für einen Verfall unserer Kirche. Ein gewissenhafter
Lehrer wird Folgendes für seine Pflicht halten: 1. Da auch die kleinen
Kinder das Sacrament der Taufe empfangen, so erfordert es die Pflicht des
Lehrers, auch für die kleinsten kranken Kinder Gott anzurufen, daß er
den in der Taufe in ihnen gewirkten Glauben erhalten und die in der Taufe
versprochenen Gnadengüter ihnen mittheilen wolle. Entweder man glaubt
nicht, daß der Geist Gottes über solche Kinder ausgegossen sei, oder man muß
sich für verbunden erkennen, die Gnade des Geistes für solche Unmündige und
die sich selbst nicht helfen können, zu suchen. Der Seligkeit eines solchen
Kindes, welches versäumt wird, geht daran zwar nichts ab, aber der ver-
säumende Lehrer wird seine Last tragen. 2. K i n d e r , w e l c h e s c h o n d i e
J a h r e h a b e n , d a ß s i e e i n e n T h e i l d e r G l a u b e n s w a h r h e i t e n i n s
G e d ä c h t n i ß f a s s e n k ö n n e n , müssen von dem Lehrer nothwendig b e s u c h t
werden. Er ist verbunden, ihnen ihre Jugendsünden mit vieler Liebe vorzuhalten, sie zu ermahnen, ihren Eltern deshalb Abbitte zu thun, und sie auf
das Verdienst Christi zu führen. Wir wissen, daß auch das Krankenlager
der Kinder oftmals erwecklich sei und die Gnadenwirkungen des Geistes Gottes
sich an ihren Seelen sehr deutlich offenbaren." — F r i e d r i c h E b e r t . Ram-
b a c h macht hierzu die gute Bemerkung: „Es findet ein Lehrer dabei auch
eine gute G e l e g e n h e i t , s o l c h e E l t e r n a u f d e n t ö d t l i c h e n H i n t r i t t
i h r e r K i n d e r z u z u b e r e i t e n , die denselben mit einer unordentlichen Liebe
zugethan sind, die sich wegen dieses Verlustes ungeberdig anstellen, die zuweilen harte Worte gegen die göttliche Regierung ausstoßen, und meinen,
daß sie deswegen billig mit Gott zürnten. Diesen leistet er bei einem solchen
Besuche gewiß einen großen Dienst, wenn er sie auf einen solchen Fall zu-
bereitet und ihrem Herzen solche Wahrheiten vorhält, dadurch sie zur gelasse-
nen Unterwerfung unter den göttlichen Willen bewogen werden können."
(Pastoraltheologie mit einer Vorrede herausg. von F. E. Rambach. Leipzig
1769. S. 211. f. 213. f.) Jedenfalls wird der Besuch kranker Kinder von
Seiten des Predigers um so unerläßlicher sein, je weniger von Seiten gewisser Eltern erwartet werden kann, daß dieselben ihre Pflicht an ihrem
kranken Kinde in Absicht auf dessen Seele thun werden.

Anmerkung 2.

Mögen die K r a n k h e i t e n n o c h s o e k e l h a f t u n d a n s t e c k e n d sein,
so darf der Prediger sich das doch nie bewegen lassen, den Krankenbesuch zu
unterlassen. Schon der Theologie Studirende sollte sich daher durch Besuch
von Hospitälern u. dergl. gegen die Eindrücke von ekelhaften, Scheu erwecken-
den Krankheiten abzuhärten, der Pastor aber in solchen Fällen, ehe er den
Krankenbesuch abstattet, sich nicht nur durch G o t t e s W o r t u n d G e b e t

in Gott wohl zu fassen suchen, sondern auch nie völlig nüchtern einen mit einer ansteckenden Krankheit Behafteten besuchen.*)

Nur wo mehrere Prediger an Einer Gemeinde arbeiten, kann zur Zeit der Pestilenz oder anderer epidemischer, ansteckender Krankheiten der eine oder andere, welcher der in Gott muthigste ist, zu dem Besuche der Kranken ausgesondert werden. Luther schreibt hierüber: „Die, so im geistlichen Amte sind, als Prediger und Seelsorger, sind auch schuldig, zu stehen und bleiben in Sterbens- und Todesnöthen; denn da stehet ein öffentlicher Befehl Christi Joh. 10, 12.: ‚Ein guter Hirte lässet sein Leben für die Schaafe, aber ein Miethling siehet den Wolf kommen und fleucht.‘ Denn im Sterben darf man des geistlichen Amts am allerhöchsten, daß das mit Gottes Wort und Sacrament die Gewissen stärke und tröste, den Tod im Glauben zu überwinden. Doch wo der Prediger so viel vorhanden wären und sich unter einander selbst vereinigten, daß sie etliche unter ihnen wegzuziehen vermahneten, als die ohne Noth in solcher Gefahr bleiben, achte ich, es sollte nicht Sünde sein; weil das Amt sonst genugsam versorget wäre, und sie, wo es noth wäre, zu bleiben willig und bereit sind; gleichwie man von St. Athanasio lieset, daß er von seiner Kirche floh, auf daß sein Leben errettet würde, weil sonst viel da waren, die des Amtes warteten.“ (X. 2324.) Von demselben Gegenstande lesen wir in Luthers Tischreden: „Da einer sagte, daß zu Nürnberg zween Prediger an der Pestilenz gestorben wären, ward gefraget: ob auch ein Prediger, der allein zum Predigtamt bestellet ist, seinen Dienst möge mit gutem Gewissen kranken Leuten versagen zur Zeit der Pestilenz, daß er sie nicht besuche? Hierauf antwortete Dr. M. Luther und sprach: Beileibe nein, es müssen die Prediger nicht allzusehr fliehen, damit sie das Volk nicht zu furchtsam machen. Und daß man bisweilen sagt, man soll der Prediger und Pfarrherrn verschonen und sie zur Zeit der Pestilenz nicht zu sehr beladen, das geschieht darum, daß wo je zuweilen die Pestilenz die Capellane eines Theils wegnähme, man andere hätte, die die Kranken besuchten; item, daß nicht jedermann zu solcher Zeit die Priester scheue; wie man siehet, daß niemand zu ihnen will und jedermann fliehet sie. Darum wäre es wohl fein, daß man nicht alle damit belüde, sondern einen oder zween. Wenn mich das Loos träfe, wollte ich mich nicht scheuen oder fürchten. Ich habe nun drei Pestilenzen ausgestanden, bin auch bei etlichen gewest, die sie gehabt, als Schadenwald; der hatte ihrer zwo (Pestbeulen), die begriff ich gar wohl. Aber es hat mir nichts

*) Wir haben den Fall erlebt, daß ein junger, eifriger Prediger unserer Synode, der sel. Pastor Bold, früh Morgens einen am gelben Fieber Darniederliegenden, ohne noch etwas zu sich genommen zu haben, besuchte, bei dem Einhauchen des vom Kranken ausgehenden Dunstes sogleich die ihn inficirende Einwirkung merkte und nach wenigen Stunden von derselben Krankheit befallen wurde, und daran starb. — Zur Ueberwindung aller Furcht vor Ansteckung dürfte besonders herrliche Dienste thun das Lesen der köstlichen Schrift Luther's vom Jahre 1527: „Ob man vor dem Sterben fliehen möge?“ (X, 2321—49.)

geschadet, Gott Lob! Ich kam noch dasselbe Mal heim und griff meiner Margarethen, die da zur Zeit noch klein war, um das Maul mit ungewaschenen Händen; aber ich hatte es wahrlich vergessen, sonst hätte ich es auch nicht gethan, denn es wäre Gott versuchet." (XXII, 1070. f.)

Wo nur Ein Prediger steht, da kann dieser, ohne ein elender Miethling zu werden, sich nicht davon dispensiren, auch mit ansteckenden Krankheiten Behaftete fleißig zu besuchen. Wenn Luther das Bild eines rechten Predigers entwerfen will, schreibt er daher in jenem merkwürdigen Briefe: „Vermahnung an einen Pfarrherrn, daß er zu unbilligem Absetzen eines Predigers nicht stille schweigen solle", im Jahre 1531 u. A. Folgendes: „Ihr wisset, daß ihr der Kirchen zu N. rechter berufener .. Pfarrherr und Seelsorger seid, also, daß ihr an jenem Tage Rechenschaft müsset geben für dieselbe euch befohlene Kirche, und schuldig seid, so lange ihr lebet, sie mit reiner Lehre zu versorgen, für sie mit Ernst zu beten, sorgen, wachen, und euer Leben in allerlei Noth und Gefahr, so vorfallen mögen, als Pestilenz und andere Krankheiten, wie sie nur heißen, zu wagen und lassen, und vorne an der Spitzen zu stehen wider die Pforten der Hölle, und alles, was einem frommen, treuen Pastor und Seelsorger Amts halben gebühret zu thun, leiden und ausstehen. Welches fürwahr alles schwere, große, ja, göttliche Werke sind." (X, 1892.)

§ 32. a.

Die wichtigsten Regeln für seelsorgerische Krankenbesuche sind nach unseren erfahrensten Gottesgelehrten namentlich die folgenden: „Erstlich, damit ein Kirchendiener, so zu einem Kranken gefordert wird, nicht gleichsam als mit ungewaschenen Händen (wie man sagt) oder unförmlich den Handel angreife, kann er am füglichsten den Anfang bei dem Patienten machen mit dem Spruch Matth. 10, 30., daß unsere Härlein auf dem Haupt alle gezählet sind :c., und demnach den Kranken berichten, daß ihm solche Krankheit, oder waserlei Zustand es immer sein mag, nicht ungefähr noch ohne unseres Gottes Vorwissen, sondern alles nach dem Rath und Willen desselben sei also zugeschickt worden; welches er auch also sollte auf= und annehmen, und keinen Zweifel darein setzen, es wäre diese Krankheit zum Leben oder zum Tod, so würde ihm dieselbe zum Besten gereichen; wenn wir uns nur recht darein schicken. Darauf folget darnach fernerer Bericht, was die Ursache sei, darum uns Gott mit Krankheit oder dergleichen Zuständen zu beladen pflege." (Siehe Felix Bidembach's, weiland Hofpredigers zu Stuttgart, Manuale ministrorum ecclesiae, d. i. Handbuch für die jungen angehenden Kirchendiener. 1603. S. 647.)

Anmerkung.

Bei dem erstmaligen Besuche eines Kranken hat der Prediger sich natürlich zuerst an die Hausgenossen, die ihn empfangen, zu wenden und an dieselben nach Bezeugung seiner Theilnahme sogleich ein kurzes Wort der Ermahnung und nach Umständen des Trostes zu richten, unter Anderem auch zu dem Zwecke, damit auch die, welche mit dem Kranken zu thun haben, in die rechte für denselben förderliche Verfassung gesetzt werden. Tritt der Prediger hierauf zum Kranken selbst heran, so beginnt er den Verkehr mit demselben selbstverständlich ebenfalls zunächst mit einem Gruß, mit Versicherung seines Beileids und mit theilnehmender Erkundigung nach dem Befinden des Leidenden. Gottfried Olearius bemerkt hierüber: „Gleichwie der Geistliche bei seinem Eintritt zu einem Patienten insgemein von einem seiner Nächsten empfangen und angenommen wird, also muß bei diesen auch zuerst das Wort der Vermahnung und des Trostes zur Förderung ihrer guten Dispositionen, mit welchen sie auch ihres Theils dem Kranken zu statten kommen können, geführt werden. Solches muß aber mit dem Unterschied geschehen, welchen der gute und schlimme Wandel derselben, insoweit als er dem Pastor bekannt worden, an die Hand gibt. Wenn aber der Seelenarzt zu dem Kranken selbst kommt, so wird er den Anfang mit einem herzlichen Gruße machen, in welchem er entweder insgemein von dem, der ein Gott des Lebens, des Lichts, der Hilfe und des Trostes ist, den nöthigen Beistand zur Geduld, Genesung des Leibes und Heiligung der Seele anwünschen kann, oder er mag insonderheit seinen Gruß und Wunsch etwa nach den Umständen der Zeit einrichten, nur daß er sich hiermit nicht allzu lange aufhalte. Darauf kann er mit kurzer Bezeugung seines Mitleids und mit angestellter Nachfrage nach des Patienten Zustand ihm selbst Stoff zur Unterredung geben." (Collegium pastorale d. i. Anleitung zur geistlichen Seelencur. Leipzig 1718. 4. S. 839. ff.)

§ 32. b.

Eine zweite wichtige Regel ist, daß der Prediger, um die rechte seelsorgerische Behandlung des Patienten zu treffen, je nachdem ihm der Zustand desselben minder oder mehr bekannt ist, eine Exploration anstelle.

Anmerkung 1.

Mit Recht bemerkt Seidel: „Der Unterschied des äußerlichen und vornehmlich des inneren Zustandes der Kranken erfordert, daß ein Lehrer die Beschaffenheit eines jeden Kranken insbesondere erforsche und sein Amt mit gehöriger Klugheit an demselben verrichte. Man sieht leichtlich, daß es nicht angehe, einem jeden Kranken auf einerlei Art zu begegnen, und daß es nicht genug sei, daß der Prediger, wie an vielen Orten geschieht, dem Kranken etwas aus der Kirchenordnung vorliest, sondern daß ein Prediger sich hier als einen Arzt beweisen müsse, der die Krankheit eines jeden kennet und demselben die dagegen dienlichen Mittel zu verordnen weiß." (Pastoraltheologie. I, 13, 2.   S. 212. f.)

Anmerkung 2.

Olearius gibt den Rath, daß der Prediger bei seiner Exploration namentlich folgende sechs Stücke erforsche: „1. Ob der Kranke eine zulängliche Wissenschaft von dem Wege der Seligkeit erlangt habe, oder nicht. 2. Ob er auch seine Lebenszeit über in seiner Praxis nach diesem Wege, oder in öffentlichen Sünden unbußfertig bis an sein Siech- und Sterbebett dahingegangen; oder ob er zwar in einem äußerlich untadelhaften Leben gestanden, von dem man aber doch nicht recht versichert sein kann, daß es aus dem Grunde des Glaubens in wahrer Heiligung geführt worden. 3. In was für einem besonderen Beruf er sich befunden, und welchen Versuchungen er nach demselben insonderheit unterworfen gewesen sei; ingleichen, was er für göttliche Führungen, Gnaden- und Zorn-Gerichte bei solchem seinem Zustande habe erfahren und beobachten können. 4. Was es für eine Gestalt mit der Krankheit habe; ob und wann dieselbe viel Redens, Fragens und Antwort gestatte; ob sie es bald ausmachen, oder dem Patienten etwas Zeit gönnen möchte, für sich zu sorgen und sein Haus zu bestellen; ob sie ihm den Kopf offen und unverwirrt lasse, oder nicht, und ob also seine Reden und Bewegungen von seiner Krankheit oder von den vernünftigen Bewegungen seines Gemüths herrühren (welche Betrachtung insonderheit bei hitzigen Krankheiten anzustellen). 5. Die besonderen (natürlichen) Gemüths-Dispositionen des Patienten sind auch wohl in Acht zu nehmen (Temperament und Fassungsgabe). 6. Man hat auch zu bemerken, was demselben vor dem Tod ein Grauen erwecken könne." (A. a. O. S. 809. ff.)   Zu Nr. 2. ist noch zu bemerken, daß der Prediger auch zu untersuchen hat, ob der Kranke, wenn er die Kennzeichen eines noch Unbekehrten an sich trägt, selbstgerecht sei und in fleischlicher Sicherheit stecke, oder ob er in knechtischer Furcht stehe, und, wenn er die Kennzeichen eines wahren gläubigen Christen hat, ob er im Glauben stark, oder schwach, oder angefochten sei.   Besonders wichtig ist endlich namentlich in unseren Tagen, daß der Prediger erforsche, ob der Kranke etwa in Zweifel an der Wahrheit des Wortes Gottes oder doch gewisser Grundartikel des christlichen Glaubens stehe.

Anmerkung 3.

Die Untersuchung des Zustandes der Kranken darf selbstverständlich nicht in inquisitorischer Weise stattfinden, sondern sollte also geschehen, daß man theils aus dem Benehmen des Patienten sich das Nöthige selbst erschließt, theils denselben auf indirectem Wege dazu veranlaßt, seinen Zustand freiwillig selbst zu entdecken.   Bidembach schreibt daher nur: „Auch soll der Kirchendiener mit Fleiß Achtung geben auf die Reden, Geberden und alles Thun des Kranken; daraus er sich zum besten informiren kann und Gelegenheit nehmen, mit ihm zu conversiren." (A. a. O. S. 648.)

§ 32. c.

Eine dritte Regel ist, daß der Prediger für das dem Kranken nach seiner Beschaffenheit Nothwendigste, ohne welches alles andere fruchtlos sein würde, zuerst sorge.

Anmerkung.

Diese ebenso einfache als wichtige Regel gibt Olearius. Er schreibt: „Es bleibt die General-Regel, daß man das Nothwendigste und das, ohne welches die andern Verhandlungen fruchtlos sein würden, zuerst ergreife und vor allen Dingen damit zur Richtigkeit zu kommen suche; zum Exempel, daß man, wenn der Patient seiner Krankheit wegen sehr unleidlich, ungeduldig, unruhig und unachtsam ist, denselben zu einiger Stille, Gelassenheit und Aufmerksamkeit bringe, weil ohne dieses alles andere Reden und Predigen umsonst sein würde; daß man, wenn vermerkt wird, es fehle am nöthigen Unterricht desjenigen, was zur Buße, zum Glauben und zur Heiligung gehört, davon zuvörderst gründlichen Unterricht zu geben bemüht sei; daß man, wenn etwa in Betreff wesentlicher Stücke der Religion sich Zweifel ereignen, dieselben vor allen Dingen wegräume (wie denn die rechte Gewißheit, daß die Schrift Gottes Wort sei, bei vielen, ja wohl leider bei den meisten fehlt, denn die Opinion, so sie davon haben, ist keine feste innere Ueberzeugung; daher von dem göttlichen Ursprung und Ansehen der Schrift öfter, als wohl geschieht, gehandelt werden sollte); daß man, wenn die Erkenntniß in der Theorie gut, in der Praxis aber noch an der Erkenntniß seiner selbst und an rechtschaffener Buße es fehlet, hierzu die erste Anleitung gebe; daß, wenn an der Gnade Gottes in JEsu Christo aus diesen und jenen Ursachen Zweifel vorfallen sollten, diese Materie zuvörderst vorgenommen werde" u. s. f. (A. a. O. S. 848. f.)

§ 32. d.

Eine vierte Regel ist, daß der Prediger dem Kranken die ihm nöthige Seelenspeise nicht sowohl predigt-, als vielmehr gesprächs-weise darreiche, insonderheit Schwerkranken nicht viel vorpredige und, sind dieselben in großen Schmerzen, ihnen nur Sprüche der heiligen Schrift mit ganz kurzen Applicationen und mit untermischten passenden Liederversen, von Zeit zu Zeit pausirend, zurufe und kurze s. g. Stoßseufzer vorbete. Jedenfalls sollte der Prediger auch, namentlich in schweren Krankheiten oder wenn mit der leiblichen

Krankheit große Seelennoth verbunden ist, den Patienten nicht nur dringend zum Gebet ermahnen, sondern demselben auch auf seinen Zustand gerichtete Gebete vorsprechen oder doch, je nach Umständen,
eine brünstige Fürbitte für ihn an seinem Lager thun.

Anmerkung 1.

Bidembach schreibt: „Es ist auch auf die großen Schmerzen des
Kranken zu sehen, welche nicht allezeit viel reden lassen. Darum muß man
sie bei weniger Rede und Antwort bleiben lassen, damit sie nicht unwillig
oder gar zu matt gemacht werden. Und ist alsdann insonderheit vonnöthen,
daß man sich der Kürze befleißige.*) Denn dies war zu loben an Hiobs
Freunden, von denen geschrieben stehet Hiob 2, 13.: Sie redeten eine gute
Zeit nicht mit ihm, denn sie sahen, daß der Schmerz sehr groß war. — Mit
Zusprechung Trostes und Anderes ist nicht noth, auch nicht nützlich, daß
man gar zu viel dicta scripturae (Bibelsprüche) auf einmal zu-
sammenbringe und coacervire (häufe); denn sonst können es die
Schwachen nicht behalten und damit sich hernach nicht aufhalten oder erquicken. Darum ist dies zum allersprießlichsten, daß man ein dictum scripturae (darunter man eine Auswahl haben kann), drei oder vier, die stärksten
und daran der meiste Haft liegt, dem Kranken vorhalte, oder nach
Gelegenheit der Person (so sie einfältig und nicht scharfsinnig) ein wenig
explicire oder auf die Person accommodire; damit man sie solle eine
Zeitlang schaffen und es ihnen also einbilden lassen bis zu anderer Zeit.“
(Manual. S. 648. f.) Es ist selbstverständlich, daß der Prediger, wenn es
der Zustand des Kranken erlaubt, namentlich bei chronischen Krankheiten,
auch längere zusammenhängende Ansprachen an den Kranken halten, größere
Abschnitte der heiligen Schrift demselben vorlesen und auslegen (z. B. Joh.
5, 1—16. Jes. 38, 1—22. Hiob 33, 15—30. Luc. 15, 11—32., ganze
Psalmen, namentlich die Bußpsalmen, die sieben Briefe des HErrn an die
kleinasiatischen Gemeinden Offenb. 2. und 3. und dergleichen), den Inhalt
der zuletzt in dem öffentlichen Gottesdienste gehaltenen Predigt mittheilen,
respective ganz vorlesen ꝛc. könne, ja sollte. Bei chronischen Krankheiten,
wenn dieselben eine längere geistige Beschäftigung zulassen, hat der Prediger
auch darauf Bedacht zu nehmen, daß der Patient eine passende Lectüre
erhalte, wozu sich neben Bibel und Katechismus je nach Umständen u. a.
Luther's Volksbibliothek, das Concordienbuch, Fid's Lutherbuch und Mär-
tyrerbuch, Lassenii Trostreden, H. Müller's Erquickstunden und Liebeskuß,
Gotthold's zufällige Andachten, Gotthold's Siech- und Siegesbett, das

---

*) Ein Prediger darf es sich nicht befremden lassen und es nicht in jedem Falle für
ein übles Zeichen ansehen, wenn dem Patienten der geistliche Zuspruch sehr bald zu lang
zu werden scheint. Es kann dies leicht auch bei solchen der Fall sein, die sonst ein großes
Verlangen nach Gottes Wort haben.

„Lesebuch für evangelisch-lutherische Schulen" (St. Louis, 1862) und Aehnliches recht wohl eignet; auch der St. Louiser große und kleine Evangelischlutherische Gebetsschatz wäre zu empfehlen.

Anmerkung 2.

Damit es einem Prediger, auch wenn er schnell und unvermuthet zu einem Kranken gerufen wird, nicht an dem nöthigen Stoff fehle, ist es nöthig, daß er sich eine Sammlung von erwecklichen und tröstlichen Sprüchen und Liederversen für alle Arten von Seelenzuständen anlege und dieselbe seinem Gedächtniß wohl einpräge und, wenn er einen Krankenbesuch machen will, entweder auf dem Wege bei sich wiederhole oder, ehe er sich auf den Weg macht, schnell überlaufe. Eine reiche Sammlung dieser Art findet sich in dem größeren „Evangelisch-lutherischen Gebetsschatz. St. Louis, Mo., bei M. C. Barthel, General-Agenten der Synode von Missouri", S. 377—424. Auch ein Vorrath besonders erwecklicher oder tröstlicher Geschichten kann zuweilen am Krankenbette gut verwendet werden und vortreffliche Dienste leisten.

Anmerkung 3.

Was einem Kranken je nach seinem speciellen Seelenzustande, sowie je nach der Art seiner Krankheit (bei großen Schmerzen, bei Langwierigkeit der Krankheit, in hitzigen Fiebern, bei Gicht, bei Darmverschlingung und darauf folgendem Miserere, bei Krebsschäden, Schwindsucht, Wassersucht ꝛc., wenn sich der Patient die Krankheit selbst zugezogen hat, bei schmerzhaften und gefährlichen Operationen u. s. w.) aus Gottes Wort vorzuhalten ist, hierüber findet sich das reichste und vortrefflichste Material in „Gottfried Olearius' Collegium pastorale oder Anleitung zur geistlichen Seelen-Cur" (Leipzig 1718. 4.), sowie in „Nic. Haas' der getreue Seelenhirte" (St. Louis, Mo., 1868, bei F. Dette. Preis: $3.25.), endlich auch in Christoph Tim. Seidel's Pastoraltheologie, herausgegeben von F. E. Rambach, S. 211—229. — Hier sei nur dies bemerkt, daß der Prediger, selbst wenn er an dem Kranken die größte Unwissenheit und Verblendung über sich selbst, die gröbste Selbstgerechtigkeit und Unbußfertigkeit wahrnimmt, an der Möglichkeit, daß dem Kranken noch geholfen werden könne, nicht verzagen oder alsbald scheltend und polternd verfahren dürfe. Vielmehr muß er dann, um wahre Buße bei dem Kranken zu wirken, demselben in ruhigem Ernste die Geistlichkeit des Gesetzes zeigen, ein wie großer Ernst es damit Gott sei, darlegen und namentlich das dem Patienten aus dem göttlichen Gesetz vorhalten, worin derselbe einen Spiegel gerade seines Herzens und Lebens findet. Uebrigens darf der Prediger nicht vergessen, daß es viele selbst in groben Sünden scheinbar sicher dahin Lebende gibt, die auch nichts desto weniger nach ihrem Bekenntniß keine Sünder sein wollen, welche nur darum fortsündigen und sich so grob selbstgerecht aussprechen, weil sie in heimlicher Verzweiflung stecken und daher meinen, ihnen könne doch nicht geholfen werden, sie seien doch unrettbar verloren. Solchen ist nemlich troß des Uebermaßes ihrer Sünden nach Röm. 5, 20. der ganze Reichthum der freien göttlichen Gnade und Erbarmung in Christo zu zeigen. Dasselbe ist bei denen der Fall, die, ohne daß es jemand weiß, irgend ein furchtbares Verbrechen (Meineid, Mord, Ehebruch, Blutschande und dergleichen) auf ihrem Gewissen haben, und darum nicht zur Ruhe kommen. Merkt der Prediger an einem Patienten, daß derselbe für allen Trost verschlossen bleibt, so hat er zu vermuthen, daß die Ursache hiervon darin liege, daß der Kranke eine auf seinem Gewissen liegende That dem Triebe des Heiligen Geistes zuwider durchaus nicht bekennen will, und ihm Muth zu machen, daß er sein beschwertes Gewissen durch ein aufrichtiges Bekenntniß auch vor Menschen erleichtere. Ps. 32, 3—5. In diesem Falle hat der Prediger natürlich dafür zu sorgen, daß er mit dem Patienten allein gelassen werde.

§ 32. e.

Die fünfte Regel für Krankenbesuche gibt Bidembach in folgenden Worten: „Es ist nicht rathsam, die Kranken, deren Lebens und Sterbens halben man noch gar zweifelig, entweder gar zu verzagt zu machen und ihnen das Leben gleich alsbald allerdings abzusprechen, oder sie auch zu viel zu vertrösten und das Sterben gar zu weit zu machen; sondern dieweil unser Leben und Tod in Gottes Händen stehet, so ist am besten, dasselbe in suspenso (unentschieden) zu lassen, alles auf Gottes Willen zu stellen. Doch ist nicht unnöthig, auf begebenden Fall immer etwas mehr auf das Sterben zu incliniren, damit sich der Kranke desto mehr dazu gefaßt könne machen. Denn viele bilden sich ohne das immer nur die Hoffnung länger zu leben ein, und kann man sie schwerlich zu Sterbens-Gedanken gewöhnen." (A. a. O. S. 549. f.)

Anmerkung 1.

Man hat den Kranken zu erinnern, daß jede leibliche Krankheit nicht nur immer eine Arznei Gottes zu geistlicher Gesundheit, sondern auch ein Bote des Todes sei, selbst wenn derselbe nicht erfolgt (Jes. 38, 1. ff.), und daß man, je ernster man sich deswegen auf den Tod vorbereite, einen desto größeren Gewinn davon habe, auch wenn man leben bleibe.

Anmerkung 2.

Seidel bemerkt: „Es ist ein gemeines Vorurtheil unter den Predigern, daß, wenn sie den geringsten Anschein der Besserung an einem Patienten finden, sie weiter nicht verbunden wären, denselben zu besuchen. Ein gewissenhafter Lehrer wird bei Kranken, mit denen es sich zur Besserung anläßt, Folgendes beobachten: 1. Man bezeuget ihnen mit so vieler Liebe als Ernsthaftigkeit, daß die Verlängerung ihres Lebens von einer kurzen Dauer sei, daß Gott unfehlbar dabei die Absicht habe, sie von den ihnen anklebenden Unlauterkeiten noch mehr zu reinigen, und daß sie alle ihre Bemühungen auf diesen Endzweck zu richten hätten. 2. Man läßt sich von ihnen (namentlich wenn es vorher nicht recht um sie stand) zusagen, daß sie eine oder die andere sündliche Gewohnheit, die man bisher an ihnen bemerkt hat, wollen fahren lassen" u. s. w. (A. a. O. S. 223.)

Anmerkung 3.

Die Verabschiedung des Predigers vom Kranken geschieht in der Regel mit einem herzlichen Wunsch und mit dem Versprechen, wo möglich, baldiger Wiederkehr. Olearius bemerkt: „Dabei kann nach des Patienten Zustand ihm ein besonderer kurzer Gedenkspruch recommendirt werden, welcher ihn zu fernerer Meditation des Vorgetragenen aufmuntere." (A. a. O. S. 846.)

§ 33.

Begehren Kranke das heilige Abendmahl, so ist die Frage, ob ihnen dasselbe zu reichen sei, nach dem § 18 bereits Bemerkten zu entscheiden.*)

Anmerkung 1.

Zur Krankencommunion hat sich der Prediger selbst mit den Elementen zu versehen, derselben jederzeit die Beichthandlung mit Absolution unter Handauflegung vorausgehen zu lassen, den Tisch, auf welchem er die Consecration vollzieht, sauber zuzurichten („strata linteis mundis mensa, cui et cerei ardentes quandoque adduntur", Calvoer.), hierauf nach Umständen die in der Agende enthaltene Vermahnung an die Communicanten zu verlesen, zu consecriren und nach der Distribution eine betreffende Antiphone und Collecte zu lesen, hierauf mit dem Segen und dem Vaterunser, sowie zuletzt mit einer kurzen Ermahnung oder mit einem Wunsche zu schließen. Bidembach bemerkt: „Es bleibt billig dabei, daß, wo die Noth und Krankheit groß, daß selbige so langen Verzug nicht erleiden möchte, die Vermahnung zwar, das Gebet aber (nach geschehener Beicht und Absolution) und die Worte der Stiftung Christi nimmermehr sollen ausgelassen werden. Will der Kranke seine Beichte thun, wie er deren gewohnt, so ist er auch dabei zu lassen; oder es werde ihm die gewöhnliche Form vorgesprochen. Ehe dann die Absolution erfolgt, so wäre der Kranke mit wenig Worten zu erinnern, ob er sonst kein heimlich Anliegen in seinem Herzen hätte, oder

---

*) Die Rechtfertigung der Hauscommunion in Krankheitsfällen, welche Beza und andere Reformirte verwerfen, siehe bei J. Gerhard loc. de S. Coena, § 259. s.

irgend eine Beschwerde in seinem Gewissen, die ihn drücket; so er sich deßhalb beschwert befinde, sollte er seinem Herzen räumen und dasselbige dem verordneten Kirchendiener (im Allgemeinen oder speciell) anzeigen, damit er ferner berichtet werden könnte. Item, ist er zu erinnern, daß er in seinem Herzen keine Feindschaft, Neid oder Haß behalte, sondern dasselbe allerdings ablege nach der Vermahnung Christi Matth. 5, 23., und wie er Vergebung der Sünden begehre, also auch gegen seinen Nächsten gesinnet sei. Wenn sich der Kranke richtig erklärt, so erfolge darauf die Absolution. — Vor seinem Abschied soll der Kirchendiener dem Kranken eine feine kurze Erinnerung thun von dem sonderbaren herrlichen Trost, welchen der Kranke aus dieser Speise und sonderlich der Gegenwart des wahren Leibes und Blutes Christi haben möge, daß er nemlich zuvörderst der Vergebung seiner Sünden gewiß sein möge, sintemal den Leib und das Blut er im Abendmahl empfangen, welche Christus für ihn aufgeopfert und dargegeben habe. Item, daß er bei sich habe das rechte Viaticum und Wegzehrung auf der Reise zum ewigen Leben, wenn ihn ja Gott diesmal also zu ihm zu nehmen begehre. Und dieweil nun sein HErr Christus bei ihm sei, habe er sich gar nichts zu fürchten, sondern mit dem 23. Psalm zu sagen: Ob ich schon wanderte rc." (Manuale S. 655. ff.)

Anmerkung 2.

Bei Vollziehung der Hauscommunion sollte der Prediger wenigstens die Bäffchen (Ueberschlägel) umthun und dazu eigene Communiongeräthe gebrauchen.

§ 34.

Ein Prediger hat die Pflicht, auch diejenigen Glieder seiner Gemeinde zu besuchen, welche zwar nicht leiblich krank, aber sonst mit schwerem Unglück heimgesucht sind oder in besonderer Seelengefahr und -Noth sich befinden, in Gefahr des Abfalls zu einer falschen Religion, in schweren Anfechtungen des eigenen Herzens, der Welt und des Teufels stehen (mit Zweifeln an der göttlichen Wahrheit, mit Verzweiflung, mit gotteslästerlichen und Selbstmordgedanken), in gefährliche Prozesse verwickelt sind, in dringenden Verdacht eines schweren Verbrechens gerathen oder um desselben willen bereits in das Gefängniß geworfen sind, in Melancholie, Raserei rc. gefallen, leiblich vom Satan besessen sind u. dgl.

Anmerkung 1.

Vortreffliche Anleitung und reichlichen Stoff hierzu findet der Prediger in Olearius' Seelencur (S. 235—802.), in Nic. Haas' treuem Seelenhirten, sowie in Lassenius' betrübtem und getröstetem Ephraim, davon einen Auszug gibt die Schrift: „Zwei und achtzig kurze Trostreden an Angefochtene aller Art. St. Louis, Mo. Verlag von L. Volkening. 1861." 392 Seiten in 8. Besonders wichtig ist, was der erstgenannte davon sagt, was denen vorzuhalten sei, welche von gotteslästerlichen Gedanken, von der Sorge, die Sünde wider den Heiligen Geist begangen zu haben, und die mit Selbstmordgedanken angefochten sind.

Anmerkung 2.

Was insonderheit die vom Teufel **leiblich Besessenen** betrifft, so muß der Prediger wissen, daß leibliche Besessenheit selbst über fromme Kinder Gottes von Gott verhängt werden könne. J. W. Baier schreibt: „Zu den Wirkungen Satans gehört auch die leibliche Besessenheit, vermöge welcher Satan nach seinem Wesen in den Leibern der Menschen, nicht nur gottloser, sondern zuweilen auch frommer, wohnt und in denselben wirkt aus göttlicher Zulassung. Wenn nemlich Gott, entweder unmittelbar oder mittelbar (nemlich durch Menschen, entweder durch gute, z. B. Kirchendiener, wenn sie grobe Sünder durch den großen Bann ausschließen, 1 Kor. 5, 5. 1 Tim. 1, 20., oder durch böse, welche andren zu schaden trachten, z. B. vermittelst Bezauberungen und Verfluchungen) zuläßt, daß Menschen dem Satan unterworfen werden. Obgleich aber der Zweck dieser Besessenheit von Seiten **Satans** Schaden und Verderben theils der Besessenen selbst, theils anderer Menschen ist, so ist doch von Seiten **Gottes**, welcher dieselbe zuläßt und dadurch entweder schwerere Sünden (Verachtung des Wortes, fleischliche Sicherheit, Lästerungen, Conspiration mit dem Teufel zc.) mit seinem ernsten Gerichte heimsucht, oder Fromme durch leibliche Züchtigung straft und prüft, der Zweck Offenbarung seiner Macht, Gerechtigkeit und Güte, und der Menschen, wenn nicht der besessenen selbst, wenigstens anderer, nemlich der Augen- und Ohrenzeugen, Buße, Glaube und Seligkeit." (Compend. th. posit. P. I. c. 3. § 51.)

Quenstedt schreibt: „**Die eigentlichen Kennzeichen leiblicher Besessenheit** sind: 1. Kenntniß fremder Sprachen, sowie solcher Künste und Wissenschaften, welche die Besessenen nie vorher gelernt haben und, wenn sie befreit sind, nicht mehr können. 2. Kenntniß und Anzeige verborgener und anderwärts in ganz entfernten Gegenden geschehener, sowie zukünftiger Dinge. 3. Mehr als menschliche oder übernatürliche Kraft und Stärke. 4. Genaue Darstellung der Stimmen von Vögeln, Schaafen, Stieren u. s. w. ohne die dazu nöthige Disposition der Organe. Diesem ist noch beizufügen 5. Unfläthigkeit der Rede, 6. Ungeheuerlichkeit der Geberden, 7. grauenhaftes Geschrei (Mark. 5, 5.), 8. Verlästerung Gottes und Verhöhnung des Nächsten, 9. Wüthen und Toben sowohl wider den eigenen Leib, als gegen die Zuschauer, Matth. 8, 26. 17, 15. Mark. 5, 5. Apg. 19, 16. Aus diesen und ähnlichen Zeichen, welche jedoch nicht alle zugleich in jedem einzelnen Besessenen vorkommen, sondern bisweilen mehr, bisweilen weniger, kann die leibliche Besessenheit erkannt werden. Es wird jedoch eine besondere Vorsicht erfordert, damit man nicht die mit schweren Krankheiten Behafteten für Besessene halte." (Theolog. didacticopolem. P. I. c. 11. s. 1. fol. 652.)

Die rechte Behandlung leiblich Besessener betreffend, schreibt Luther: „Wir sollen jetzt nicht und können auch nicht die Teufel austreiben mit gewissen Ceremonieen und Worten, wie vorzeiten die Propheten, Christus und die Apostel gethan haben. Beten sollen wir im Namen JEsu Christi, die Kirche mit Ernst vermahnen zum Gebet, daß der liebe Gott und Vater unsers lieben HErrn JEsu Christi durch seine Barmherzigkeit den besessenen Menschen wolle erlösen. Geschieht nur solch Gebet im Glauben auf Christi Zusage Joh. 16, 23., so ist es stark und kräftig, daß der Teufel aus dem Menschen weichen muß; wie ich etliche Exempel erzählen könnte. Sonst können wir böse Geister nicht austreiben, vermögen es auch nicht zu thun. Die armen Leute vom Teufel besessen unter dem Pabstthum sind nicht durch Kunst, Worte und Geberde, welche die Beschwörer gebraucht haben, ihres bösen beschwerlichen Geistes los worden. Er läßt sich nicht mit schlechten Worten austreiben, als da sind: Fahre aus, du unreiner Geist! So habens auch die Beschwörer mit Ernst nicht gemeint. Die Kraft Gottes muß es thun und muß einer sein Leben daran setzen, daß ihm der Teufel bange genug machet. Ohne Schrecken gehets nicht ab. Der Teufel wird entweder ausgetrieben durch das Gebet der ganzen Kirche, also, daß alle Christen das Gebet zusammen setzen und knüpfen, das so stark und kräftig ist, daß es durch die Wolken dringet und erhöret wird; oder aber, der den argen Feind austreibt, muß im Geist hoch erleuchtet sein und einen starken beständigen Muth haben, so der Sachen gewiß ist, als Elias, Elisäus, Petrus, Paulus 2c. Daß aber der Teufel ausgefahren ist durch papistischer Mönche und Pfaffen Beschwören, und ein Zeichen nach sich gelassen, etwa Glasscheiben oder ein Fenster ausgestoßen oder ein Stück von der Mauer gerissen: das hat er gethan, die Leute zu äffen, die nicht anders wußten, er wäre ausgefahren, weil er den Besessenen ferner nicht plagte, alles der Meinung, daß er nachmals durch solch Spiegelfechten, aber gar auf eine andere Weise, nemlich geistlich, die Leute besitzen möchte und sie in ihrem Aberglauben stärken. Also begab sich's auch in St. Ciliax Kirche im Kloster zu Weimelburg, nicht weit von Eisleben gelegen, dahin eine große Wallfahrt und Zulauf war, daß ein Mönch, ein guter Zechbruder, einem besessenen Menschen gebot, daß er den Mund aufthäte, ihn zwei Finger ließe hinein legen und ihn doch nicht beißen sollte; das geschah also. Auch gebot er dem Teufel, daß er sollte ausfahren, wenn man St. Ciliax Glöcklein läuten würde; das thät der Schalk auch, auf daß er das arme Volk in dem Wahn und Irrthum stärkte, das Glöcklein wäre so heilig, daß der Teufel zu seinem Klang ausfahren müßte, und also den Glauben an Christum gar vertilgte." (XXII, 1104. ff.) Man vergleiche ferner den Brief Luthers an den Pfarrer Schulze in Belgern vom Jahre 1545, worin sich die Form eines Gebetes befindet, was der Pfarrer nebst dem Credo und Vaterunser mit Handauflegung wiederholt über einen Besessenen sprechen solle. (**XXI**, 1343. ff.)

So traurig es ist, wenn oft sogar Pastoren meinen, daß leibliche Arzeneien die einzigen Heilmittel für „Besessene" seien, weil sie dieselben nur für Melancholische halten, so ist doch nicht zu leugnen, daß es oft sehr wichtig ist, außer dem Gebet und Wort auch leibliche Arzeneien gegen Besessenheit zu gebrauchen. Hierüber schreibt D a n n h a u e r : „Da dieser Feind nur durch leibliche Werkzeuge wirken und die Menschen äffen kann, daher beginnt er mit zunehmendem und die Feuchtigkeiten im Menschen mehrendem Monde (was nicht abgeleugnet werden kann) seine Veränderungen in denselben. . . In der Urkirche wendete man einst einen wunderbaren Exorcismus an, welcher ein göttliches Charisma war, wie die Gabe, viele Sprachen zu reden. Wie aber diese heutzutage nicht auf außerordentliche Weise gegeben wird, so auch nicht ein solcher Exorcismus. Es sind aber der ordentlichen Heilmittel drei: 1. A r z e n e i ; denn wie jener Feind ohne Werkzeuge nicht wirken kann, er wirkt nehmlich hauptsächlich durch die Feuchtigkeit des menschlichen Körpers, so muß man ihm vorerst diese Werkzeuge nehmen, was einem Arzte zu überlassen, und worüber Brentius zu Apg. 19. nachzulesen ist. 2. G e b e t ; was mit der Bedingung geschehen muß: wenn es Gott so gefällig sei. Daher niemand sich vermessen darf, daß er die Austreibung des Teufels gewiß bewerkstelligen werde. 3. Auch der E x o r c i s m u s selbst ist anzuwenden, der allerdings auch seine Kraft hat. Aber hierbei ist ein heroischer Glaube nöthig, der auch heutzutage noch nicht ganz verschwunden ist. Was die Exorcisten im Pabstthum seien, ist bekannt, nemlich Zauberer, und ihre Exorcismen solche Zaubereien, bei welchen sie mit dem Satan unter Einer Decke spielen. Der Teufel stellt sich nur, als fliehe er, um Tausende von Seelen zu gewinnen; er gibt einen Heller um einen Gülden." (Theolog. casual. p. 304. 307—309.)

B a l d u i n erklärt u. a., daß auch einem Besessenen in freien Zeiten das heilige Abendmahl caeteris paribus gereicht werden könne. (Tractat. de cas. consc. p. 630. s.) F e c h t macht auch darauf aufmerksam, daß dem Besessenen, wenn er gläubig ist, in lichten Stunden vorzuhalten sei, daß die im Paroxysmus vom Satan durch ihn ausgeschäumten Lästerreden und dergleichen ihm nicht zugerechnet würden. (Instruct pastoral. p. 93.)

Der gründlichste Unterricht, wie Besessenheit zu erkennen, wie die Erscheinungen dabei zu beurtheilen und wie der Besessene zu behandeln sei, findet sich in B a l d u i n a. a. D. S. 615—648. und in L. H a r t m a n n ' s Pastorale ev. S. 1078—1093. Ein höchst merkwürdiges B e i s p i e l teuflischer Besitzung und des in diesem Falle beobachteten Verfahrens findet sich in: „C h r i s t i a n S c r i v e r , Das verlorne und wiedergefundene Schäflein (ein gewisser Peter Otte), 1672", wovon „Gotthold's Siech- und Siegesbett. Dresden 1835" einen guten Auszug enthält (Thl. 2. S. 126—137.).

Man vergleiche auch: „Nicol. Blumii historische Beschreibung von einem besessenen Studenten zu Pirna. Leipzig 1605." 4., abgedruckt in Löscher's Unschuldigen Nachrichten, Jahrgang 1716. Ein herrlicheres Beispiel eines glaubensfreudigen Kämpfers wider den Satan dürfte wohl kaum zu finden sein, als das dieses Nic. Blumius, eines sächsischen lutherischen Pfarrers, dem die Behandlung des besessenen Studenten von Polykarpus Leyser aufgetragen worden war.

§ 35.

Obgleich ein Prediger vor allem für die geistlichen Bedürfnisse der Glieder seiner Gemeinde zu sorgen hat, so gehört doch auch die Sorge für die leibliche Wohlfahrt, sonderlich für die nöthigen Lebensbedürfnisse der Armen, Kranken, Wittwen, Waisen, Gebrechlichen, Bedürftigen, Altersschwachen ꝛc. in den Kreis seiner Amtspflichten. Gal. 2, 9. 10. vgl. Apg. 6, 1. ff. 11, 30. 12, 25. 24, 17. Röm. 12, 8. 13. Jak. 1, 27. 1 Tim. 5, 10. 1 Thess. 4, 11. 12.

Anmerkung 1.

Es ist dies namentlich hierzulande ein überaus wichtiger Punct. Wie ein furchtbarer Krebsschaden fressen die geheimen Gesellschaften an dem Leibe der Kirche; Tausende und aber Tausende schließen sich denselben anfänglich zumeist allein darum an, sich für die Zeit des Mangels, der Krankheit und anderer Noth Unterstützung und Hilfe zu sichern, die Folge aber ist, daß sie endlich der Kirche gänzlich entfremdet werden und ihre geheime Gesellschaft für eine bessere Trägerin der wahren, weil thätigen, Religion ansehen, als die Kirche. Die Grundursache hiervon ist nun zwar Unglaube und Mangel christlicher Erkenntniß und eines geschärften Gewissens; allein eine Hauptursache ist zugleich, daß die christlichen Gemeinden nicht thun, was sie in Absicht auf diejenigen ihrer Glieder, welche sich in leiblicher Noth befinden, zu thun schuldig sind. Die Leute wissen, daß sie, wenn sie auch Glieder einer christlichen Gemeinde sind, darum doch in Mangel, Krankheit und anderen Nöthen verlassen sind; so schließen sie sich denn, unerweckt, wie sie sind, an Gesellschaften an, die ihnen gewisse Hilfe für die Zeit leiblicher Noth in Aussicht stellen. Wie sehr dies der Kirche und dem Worte Gottes zur Unehre gereicht, ist nicht auszusagen. Der Apostel schreibt den Christen zu Thessalonich: „Ringet darnach, daß ihr stille seid und das Eure schaffet und arbeitet mit euren eigenen Händen, wie wir euch geboten haben; auf daß ihr allezeit ehrbarlich wandelt gegen die, die draußen sind, und ihrer keines bedürfet." 1 Thess. 4, 11. 12. Gottes Wort will also, daß die Christen darnach trachten sollen, in eine Lage zu kommen, in welcher sie nicht genöthigt sind, die Mildthätigkeit derjenigen in Anspruch zu nehmen, „die draußen sind." Hedinger macht daher zu den Worten: „Daß ihr ihrer keines bedürfet", die Anmerkung: „Entweder der Leute selbst oder ihrer Güter, Hilfe und Zusprungs. Paulus will, sie sollten für sich arbeiten im Segen, daß sie den Gottlosen nicht dürften in die Hände sehen; welches ihnen zum Gespött, ihrem Glauben zum Aergerniß, ihrer Seele aber zur Verführung durch den Umgang gereichen würde." Es ist aber klar, wenn Christen gern arbeiten und so ihr eigenes Brod essen möchten, es aber nicht vermögen und darum genöthigt werden, die Mildthätigkeit der Ungläubigen anzusprechen, so tragen nicht sie, sondern die Gemeinde, deren Glieder sie sind, Schuld an dem damit der Welt gegebenen Aergerniß und an der Schande, welche damit auf das Evangelium kommt. Der Eifer einer Gemeinde gegen die geheimen Gesellschaften ist ein offenbar pharisäischer, wenn er nicht mit Eifer für genügende Versorgung ihrer Armen und Elenden verbunden ist. Eine christliche Gemeinde darf sich nicht darauf berufen, es gebe ja staatliche Armenkassen und Armenhäuser, zu deren Unterhaltung ja auch sie beitrage. Keine christliche Gemeinde sollte auf diesem Wege für ihre Armen sorgen lassen; der Staat sollte vielmehr sehen, daß er nicht dazu Steuern für die Armen mit Zwang auflegen müsse, um die armen Christen zu erhalten, sondern allein die, welche sonst von aller Welt verlassen wären. Die christliche Gemeinde sollte es für eine Schmach ansehen, für ihre Armen vom weltlichen Staate gesorgt zu sehen. In den sogenannten Staatskirchen, in welchen eine Verschmelzung der Kirche mit dem Staate stattfand, war es allerdings eine andere Sache. Da waren die Staats-Armeninstitute eigentlich die der Kirche. Hier, wo Kirche und Staat streng getrennt sind, sollte es sich die Kirche nicht nehmen lassen, selbst und allein für ihre Armen zu sorgen. Hat Gott schon der Kirche des Alten Bundes zugerufen: „Es soll allerdinge kein Bettler unter euch sein", 5 Mos. 15, 4., wie vielmehr gilt das der Kirche Neuen Testaments! Gereicht es Gott zu Unehren, wenn Christen unter Christen als Bettler umhergehen müssen, weil man ihnen nicht das Nöthige gibt und leiht, so daß Christus in ihnen betteln gehen muß, wie schimpflich muß es erst für den Christennamen sein, wenn Christen, weil ihre Brüder ihr Herz vor ihnen zuschließen, bei der lieblosen Welt betteln gehen müssen! Seidel schreibt: „Daß die Sorge für die Armen von den ersten Zeiten der Kirche an dem Predigtamte anvertraut gewesen sei und daß dasselbe die Anordnung und Aufsicht bei den Armenhäusern und Hospitälern gehabt habe, daran ist wohl kein Zweifel, wenn wir erwägen, daß in dem Codice Justiniano allemal von den Armen und Armenhäusern gehandelt wird unter dem Titel ‚Von den Bischöfen und Clericis'. Zu der Zeit der Reformation ist also, wie es billig ist, die Sorge für die Armen mit unter die bischöflichen Rechte der Landesherrn gerechnet und von diesen den geistlichen Gerichten mit übertragen worden. Diese Gerichte aber haben die Ordnung gemacht, daß von dem Prediger und der Obrigkeit jedes Ortes die für die Armen gesammelten Gelder und andere milde Stiftungen durch gewisse dazu bestellte Vorsteher sollen verwaltet werden, doch

dergestalt, daß die Armensachen mit den gemeinen Stadtsachen
niemals haben dürfen vermengt werden; auch die Inspection über
alle pia Corpora den Superintendenten und Consistoriis sind vorbehalten
worden." (Pastoraltheol. I, 11, § 1. S. 197 f.) So schreibt ferner Luther
über die Geschichte der Errichtung eines besonderen Almosenpfleger-Amtes in
der apostolischen Gemeinde zu Jerusalem (Apg. 6, 1. ff.): „In dieser Historie
sehet ihr erstlich, wie eine christliche Gemeine soll gestalt sein; dazu
sehet ihr ein recht Bild eines geistlichen Regiments, welches die Apostel hier
führen. Sie versehen die Seelen, gehen mit Predigen und mit Beten um,
verschaffen doch auch, daß der Leib versorget werde, werfen etliche
Männer auf, die da die Güter austheilen, wie ihr gehöret habt. Also versorget das christliche Regiment die Leute beide an Leib und
Seele, daß keiner keinen Mangel hat und alle reichlich gespeiset werden
und wohl versorget beide an Leib und Seele." (Kirchenpost. XI, 2754. ff.)

Anmerkung 2.

Daß die Sorge für die Armen zu den besonderen Amts-Pflichten
der Prediger gehöre, ist namentlich aus Gal. 2, 9. 10. und Apg. 6, 1. ff.
klar. So oft daher unsere alten Theologen die Amtsverrichtungen eines
Predigers aufzählen, führen sie auch die Sorge für die Armen mit darunter
auf. So schreibt z. B. J. Gerhard: „Es gibt im Allgemeinen sieben Verrichtungen oder Pflichten der Kirchendiener, wozu die übrigen bequem gerechnet
werden können: 1. die Verkündigung des göttlichen Wortes, 2. die Verwaltung der Sacramente, 3. die Fürbitte für die ihnen anvertraute Heerde, 4. ein
ehrbarer Lebenswandel, 5. die Handhabung der Kirchenzucht, 6. die Erhaltung
der Kirchengebräuche, 7. die Sorge für die Armen und die Besuchung
der Kranken." (Loc. th. de minister. ecclesiast. § 265.) Zu der merkwürdigen Stelle Gal. 2, 9. 10. bemerkt Luther: „Wenn ein treuer Hirt
oder Seelsorger sein Völklein mit der Predigt des Evangelii vor allen Dingen
versorgt hat, soll er ihm darnach kein Ding so fleißig anliegen
lassen, als daß die Armen auch mögen ernähret und erhalten
werden. Denn das fehlet nimmermehr, wo eine Kirche oder Gottes-Ge-
meinde ist, daselbst müssen gewißlich auch Arme sein, welche gemeiniglich
allein die rechtschaffenen Schüler oder Jünger des Evangelii sind; wie Christus selbst zeuget Matth. 11, 5.: ‚Den Armen wird das Evangelium geprediget'; und 1 Kor. 1, 27. 28.: ‚Was thöricht ist vor der Welt' 2c. Denn
böse Leute und der Teufel verfolgen die Kirche und Gemeinde Gottes und
machen viel armer Leute, welche denn hernachmals also verlassen werden, daß
sich ihrer will niemand annehmen, noch ichtes geben." (VIII, 1762.)
L. Hartmann schreibt: „Wie in einer Heerde die nothleidenden Schafe von
Seiten ihres Hirten größere und reichlichere Hilfe bedürfen (Ezech. 34, 4.),
so erfordern in den Parochieen elende Personen, dergleichen die Armen sind,
sonderlich wenn sie krank, Wittwen, Waisen und andere von aller Hilfe ver-

laſſene und von Anderen unterdrückte Menſchen ſind, die beſondere Hilfe und
Sorge ihrer Paſtoren und erwarten dieſelbe von ihnen mit vollem Rechte.
Denn obwohl die chriſtliche Liebe dieſe Pflicht auch von den Uebrigen erheiſcht,
ſo hat doch ſchuldigermaßen der Paſtor vor allen Anderen für die elenden
Perſonen väterliche Sorge zu tragen und darf ſich nicht überreden, es genüge,
daß ſie von den Vorſtehern des Gotteskaſtens Unterſtützung empfangen, ſondern er muß Seele und Gewiſſen der Armen in Acht nehmen, daß ſie nicht
wegen Mangels an ihren Lebensbedürfniſſen vom Evangelio abfallen, anderwärts hinziehen oder die Reicheren beneiden.   Daher muß der Paſtor nach
Pauli Beiſpiel auch häufige Ermahnungen thun zu Collecten für die Armen,
Gal. 2, 10. Wie darum Paulus die Korinther auf das Beiſpiel der Galater
hinweiſt, ſo feuert die Gewohnheit der einen Gemeinde die andere an, ſintemal
wir von Natur weniger gern das thun, was anderwärts nicht gebräuchlich
iſt, der Liebeseifer aber vieler Anderen der Trägheit ſteuert… Vor allem muß
daher der Paſtor fleißig nachforſchen, welche unter den Seinigen elende
Perſonen ſind, die es verdienen, daß man ſich ihrer erbarme… Zu dieſem
Zwecke muß der Paſtor ein von ihm und den Vorſtehern gefertigtes Verzeichniß der Armen haben und emſig nachſehen, ob jemand durch vorfallende
Krankheiten, durch Vertheuerung der Lebensmittel oder durch andere Unglücks-
fälle verarmt ſei, um dieſelben aus der Gemeinde-Armencaſſe und
aus eigenen Mitteln zu unterſtützen.   Dann ſorge er dafür, daß die
Vorſteher die Einkünfte, welche aus den Armen-Gütern gezogen werden, ſowie
die freiwilligen Gaben, welche an den Sonntagen in den Gottesdienſten, auf
Hochzeiten oder bei Begräbniſſen geſammelt werden, ſorgfältig einſammeln
und die collectirten Almoſen mit ſolcher Klugheit und Treue vertheilen, daß
ſie, ſo viel möglich, niemanden mangeln laſſe, oder hier irgend etwas von
partheiiſcher Liebe und Haß oder auch von Eigennutz geleitet (wenn etwa die
Armen dem Paſtor umſonſt Dienſte leiſten) thun.   Daher muß der Paſtor in
entſtehender Theuerung, wenn anſteckende Krankheiten graſſiren, oder wenn
aus anderen Urſachen ſchwerere Zeiten einfallen, die Seinen in Zeiten ermahnen, daß dieſelben darauf denken, für die Armen durchgreifender zu ſorgen.
Und damit der Paſtor ſein Anſehen und ſeine Treue bewahre und gegen alle
bewähre, muß er mit gegenſeitigem Conſens und Rath des Presbyteriums
dieſe Stücke ſeines Amtes ausführen und zu rechter Zeit Rechnung ablegen.
Wenn dann der Paſtor und die Almoſenpfleger, während ſie ſich redlicher
Verwaltung wohl bewußt ſind, mit Unrecht von manchen Armen, denen man
nie genug geben kann, oder auch von irgend anderen Leuten durchgezogen
und unſchuldiger Weiſe verleumdet werden, ſo müſſen ſie nicht das Geringſte
darum geben, noch in ihrem Amtseifer nachlaſſen, ſondern vielmehr denken,
wie es im Sprüchwort heißt: Wer am Wege baut, hat viele Meiſter." (Pastoral. ev. III, 54. p. 1023. sqq.)

Anmerkung 3.

Der Prediger sollte dafür sorgen, daß in seiner Gemeinde, namentlich wenn dieselbe volkreich ist, die Armenangelegenheiten gehörig ge-ordnet und zu rechter Verwaltung derselben bestimmte Almosenpfleger nach dem Beispiele der Gemeinde zu Jerusalem Apg. 6, 1. ff. angestellt und mit einer passenden Instruction versehen werden. Luther schreibt an dem bereits angeführten Orte: „Das ist ein recht fein Bild und Exempel, und wäre wohl gut, daß man es noch also anfinge, wenn Leute darnach wären, daß eine Stadt, als diese hier, getheilet würde in vier oder fünf Stücke, und man gäbe jeglichem Theile einen Prediger und etliche Diakonen, die dasselbige Theil mit Predigen versorgten und die Güter austheileten, be-suchten kranke Leute und sähen darauf, daß niemand Mangel litte. Wir haben aber nicht die Personen dazu, darum traue ich es nicht anzufahen, so lange, bis unser HErr Gott Christen macht.“ (XI, 2755.) Ueber die kirchlichen Aemter neben dem Amt des Wortes wird später ausführlicher zu handeln sich Gelegenheit finden.

Anmerkung 4.

Ueber die Personen, welche unter diejenigen zu rechnen sind, die von Gemeindewegen zu unterstützen und zu erhalten sind, und über die Beschaf-fenheit der Unterstützung theilen wir noch folgende Zeugnisse mit. Schon im Jahre 1520 schrieb Luther in seiner Schrift: „Von des christ-lichen Standes Besserung“ u. a. Folgendes: „Es ist wohl der größten Noth eine, daß alle Bettelei abgethan würde in aller Christenheit, es sollte je niemand betteln gehen unter den Christen; es wäre auch eine leichte Ordnung darob zu machen, wenn wir den Muth und Ernst dazu hätten, nemlich daß eine jegliche Stadt*) ihre armen Leute versorgte und keinen fremden Bettler zuließe, sie hießen, wie sie wollten, es wären Waldbrüder oder Bettelorden. Es könnte je eine jegliche Stadt die Ihren ernähren; und ob sie zu gering wäre, daß man auf den umliegenden Dörfern auch das Volk ermahnete, dazu zu geben. Müssen sie doch sonst so viel Landläufer und böse Buben unter des Bettlers Namen ernähren; so könnte man auch wissen, welche wahrhaftig arm wären oder nicht. So müßte da sein ein Verweser oder Vormund, der alle die Armen kennete, und was ihnen noth wäre, dem Rath oder Pfarrherren ansagte, oder wie das aufs beste möchte verordnet werden... Daß aber etliche meinen, es würden mit der Weise die Armen nicht wohl versorgt und nicht so große steinerne Häuser und Klöster gebaut, auch nicht so reichlich, das glaube ich fast wohl. Ists doch auch nicht noth. Wer arm will sein, soll nicht reich sein; will er aber reich sein, so greif er mit der Hand an den Pflug und suchs ihm selbst aus der Erden. Es ist genug,

---

*) Nach unseren Verhältnissen in der Freikirche wäre für „eine jegliche Stadt“ zu sagen „eine jegliche Gemeinde.“

daß ziemlich die Armen versorgt sein, dabei sie nicht Hungers sterben noch erfrieren. Es fügt sich nicht, daß Einer aufs Andern Arbeit müßig gehe, reich sei und wohllebe bei eines Andern Uebelleben, wie jetzt der verkehrte Mißbrauch geht, denn St. Paulus sagt 2 Thess. 3, 10.: Wer nicht arbeitet, soll auch nicht essen. Es ist niemand von der Andern Gütern zu leben von Gott verordnet, denn allein den predigenden und regierenden Priestern (wie Paulus 1 Kor. 9, 14.) um ihrer geistlichen Arbeit. Luk. 10, 7." (X, 367. f.) So schreibt ferner Porta: „Wenn gefragt wird, wem oder welchen Leuten man fürnehmlich geben soll, so hast du in heiliger Schrift hierauf Lehre und Unterrichts genugsam. Denn im 5. B. Mose Cap. 15. steht also: ‚Wenn deiner Brüder irgend einer arm ist in irgend einer Stadt in deinem Lande, das dir der HErr, dein Gott, geben wird.‘ Hie soll wohl gemerkt werden, daß Gott, der HErr, durch Mosen sagt: Wenn in deiner Stadt und deinem Lande einer arm wird, so sollt du deine Hand aufthun und ihm geben. Daher auch die Kirche singet: Thue auf deine milde Hand den Armen in deinem Land ꝛc. Denn damit will er uns die Armen sonderlich befohlen haben, die unter uns sind, als Kranke und Gebrechliche, oder die ihres Alters und Unvermöglichkeit halber ihr Brod nicht verdienen können, oder wenn irgends Hausarme, verdorbene Handwerksleute und Arbeiter, die das Ihre nicht versoffen, verfressen, verspielet oder muthwillig umbracht haben, oder etwa in Schaden und Unfall gerathen wegen sonderlichs Unglücks, auch wenn sie gleich arbeiten, nicht fortkommen können und derowegen Noth leiden müssen, vorhanden sein. Item, arme Wittwen, Waisen, arme fleißige Schüler, so von ihren Präceptoribus ein gutes Zeugniß haben, denen soll man fürnehmlich geben." (Pastorale Lutheri. Herausg. von Cramer. S. 1082. f.) Zwar soll freilich jeder einzelne Christ seine Mildthätigkeit gegen jedermann, auch gegen Fremde (auch Fremdgläubige) erweisen; aber erstlich soll er dies auch also thun, daß er hierbei „allermeist an des Glaubens Genossen" wohl thue; und zum andern ist zu bedenken, daß die Almosencasse der Gemeinde nicht sowohl zur Unterstützung der Armen überhaupt, als der Gemeinde-Armen errichtet ist, daher aus derselben in der Regel nur diese zu unterstützen sind.*)

Von dem Unterschied, welcher zwischen würdigen und unwürdigen Almosenpercipienten zu machen ist, handelt Hartmann a. a. O. p. 1026—34. gründlich und ausführlich, doch schreibt er: „Da ein Unterschied ist unter den Armen, sonderlich unter den Bettelnden, so ist allerdings Klugheit nöthig, daß man die Unwürdigen nicht in ihrer Bosheit stärke; weil wir aber keine

---

*) Nach Deyling erschien 1715 sogar ein Königlich-Churf. Mandat, welches unter Androhung einer Strafe von 10 Thalern den Predigern verbot, umherschweifenden Bettlern Zeugnisse und Empfehlungsbriefe auszustellen. (Institut. prud. pastoral. p. 714.) Jedenfalls ist es unrecht und eine sehr wohlfeile Barmherzigkeit, einen Menschen, der Unterstützung begehrt, ohne Prüfung nur eilends Anderen aufzuladen.

20

Herzenskündiger sind, so hat man sich vorzusehen, daß man einen nicht für
unwürdig achte, welcher würdig ist, daher es besser ist, Unwürdigen zu geben,
als von einem Würdigen sich zu wenden; ist mans nicht würdig, so ist mans
doch bedürftig."

Anmerkung 5.

λ Die Kranken betreffend, ist es des Predigers Pflicht, dafür zu sorgen,
daß denselben nicht nur, wenn sie arm sind, die nöthigen Mittel des Unterhalts dargereicht, sondern daß ihnen auch die nöthige ärztliche Behandlung,
Erquickung, Wartung und Pflege zu Theil werde; letzteres hat er unter Umständen auch denen zu verschaffen, welchen es zwar nicht an Mitteln, aber an
geeigneten Personen für Wartung, Pflege, Nachtwachen ꝛc. fehlt. In der
apostolischen Zeit scheint in manchen größeren Gemeinden zur Krankenpflege
ein besonderes Amt aufgerichtet worden zu sein. Calov schreibt über die
Worte: „Uebet jemand Barmherzigkeit, so thue er es mit Lust" (Röm. 12, 8.):
„Hier ist von dem Amt, welches die Kranken und andere Bedürftige betrifft,
die Rede. Die Barmherzigkeit Uebenden sind diejenigen, welche die Sorge für
die Kranken, Elenden, Vertriebenen haben. Obgleich dies nun im Allgemeinen
ebensowohl von denjenigen verstanden werden könnte, welche diese Sorge und
Barmherzigkeit privatim üben, wie von denjenigen, welche dafür bestimmt und
durch öffentliches Amt dazu verbunden seien, so ist hier doch eigentlich
von solchen kirchlichen Aemtern die Rede, dazu auch gottselige Wittwen gebraucht wurden, 1 Tim. 5, 9. Apg. 6, 1." (Bibl. illustr. ad l. c.)
Wo es kein solches Krankenpflegeramt gibt, da ist jedes christliche Gemeindeglied vermöge seiner Gliedschaft verpflichtet, vorkommenden Falles die Functionen dieses Amtes zu übernehmen oder doch dafür zu sorgen, daß dieselben
an seiner statt übernommen werden.

§ 36.

ϰ Wird der Prediger zu einem Sterbenden gerufen, so hat er den-
selben zwar auch seiner Sünden zu erinnern, vor allem aber (in welchem
Zustand er sich auch immerhin bisher befunden und wie er auch immerhin
gelebt haben möge) ihn zu Christo zu weisen, und ihm solche bekannte
Sprüche vorzuhalten und solche Liederverse und Stoßseufzer vorzusprechen,
welche zu Christo als dem einzigen und gewissen Helfer von Sünde, Tod,
Teufel und Hölle locken; ihn zu fragen, ob er sich für einen armen, von
Natur verlornen Sünder erkenne, und ob er seine Zuversicht allein auf
Christum setze, und daher auf ihn sterben wolle, — und wenn er dies
bejaht, ihn hierin tröstlich zu bestärken. Verliert er das Bewußtsein, so
vereinigt sich der Prediger mit den Anwesenden zu einer Fürbitte auf den
Knieen. Ist der Tod erfolgt, so segnet er den Entschlafenen mit Handauflegung (nach Seidel's Anweisung) etwa mit folgenden Worten ein:

„Gott Vater, was Du erschaffen, Gott Sohn, was Du erlöset, Gott Heiliger Geist, was Du geheiliget hast, das befehle ich Dir zu Deinen treuen Händen. Amen!" worauf zum Schluß das Vaterunser gesprochen werden mag.

Anmerkung 1.

Wie es in Absicht auf das heilige Abendmahl in Betreff bereits im Sterben Liegender zu halten sei, darüber siehe § 18, Anmerkung 2.

Anmerkung 2.

Der gottselige Mathesius schreibt: „Wer es (das heilige Abendmahl) bis dahin (bis in das Todesstündlein) sparet, den heiß ich nicht verzagen; denn der Schächer kam auch noch recht, ehe die Thür verschlossen ward, wiewohl er spät kam, Luk. 23. Aber eben mißlich und gefährlich trifft es zu, wenn einer erst anheben will, wenn die Augen gebrochen und die Zunge schon halb erstarret ist (wie man auch Exempel weiß, daß den Kranken die Seele ist ausgefahren, da die Hostia noch auf der Zungen gelegen ist). Der rechte Schächer aber kömmt ja spate, er versäumet aber nichts, denn er bekennet seine Sünde und strafet seinen Nächsten, und bekennet mit dem Munde JEsum Christum öffentlich, daß er ein König und Gottes Sohn und der einige Fürsprecher und Mittler ist, welcher der armen Sünder gedenkt im besten bei seinem himmlischen Vater. Wenn einer also thäte am letzten Ende, so wäre es eine andere Meinung. Augustinus saget: Poenitentia vera nunquam est sera, sed sera raro est vera, d. i.: Wahre Buße ist niemals eine zu späte, aber die späte ist selten eine wahre." (Postille. Nürnberg 1565. fol. 135.) Es ist ja freilich wahr, die Buße ist kein so geringfügiges Werk, das in nichts weiter bestünde, als in dem Lippenbekenntniß: „Gott, sei mir Sünder gnädig!" wie viele sichere Sünder meinen. Der wahre Glaube entsteht nicht durch das Evangelium in einem Herzen, es habe denn erst das Gesetz sein Werk gethan, des Herzens unaussprechliches Verderben aufgedeckt und es zerschlagen, erweicht und nach Gnade hungrig und durstig gemacht. Allein, hat man es mit einem schon im Sterben Liegenden zu thun, ist es daher unmöglich, mit ihm eine gründliche Exploration anzustellen, so ist und bleibt nichts übrig, als ihm nach kurzer Vorhaltung des Gesetzesspiegels vor allem das Lamm Gottes zu zeigen, das der Welt Sünde trägt. Ist der Sterbende noch zu retten, so kann es doch allein durch letzteres geschehen. So darf es denn daher auch der Diener Christi nicht unterlassen, es habe nun mit dem Sterbenden vorher gestanden, wie ihm wolle. Diese Erkenntniß war immer in der Christenheit, auch in den finstersten Zeiten derselben. Bekannt ist das Gespräch, welches sich in einer von Anselm von Canterbury, gestorben 1109, eigens für den Besuch am Krankenbett verfertigten Agende findet. Es lautet, wie folgt:

„Bruder, freuest du dich, daß du im Glauben sterben wirst? — Ja. —

Bekennest du, daß du nicht so wohl gelebt habest, wie du schuldig gewesen wärest? — Ja. — Hast du den Willen, dich zu bessern, wenn dir dazu Frist gegeben würde? — Ja. — Glaubst du, daß der HErr JEsus Christus, der Sohn Gottes, um deinetwillen gestorben ist? — Ja. — Glaubst du, daß du allein durch seinen Tod selig werden könnest? — Ja. — Sagest du ihm dafür von Herzen Dank? — Ja. — — So sage ihm denn, so lange deine Seele in dir ist, immer Dank, und allein auf diesen Tod setze dein ganzes Vertrauen. Diesem Tode überlasse dich gänzlich, mit diesem Tode bedecke dich gänzlich und in denselben hülle dich gänzlich ein.   Und wenn dich der HErr verurtheilen wollte, so sprich: HErr, ich werfe den Tod unseres HErrn JEsu Christi zwischen mich und Dich und Dein Gericht; auf andere Weise streite ich mit Dir nicht.   Wenn er sagte, daß du die Verdammniß verdient habest, so sprich: Ich werfe den Tod unseres HErrn JEsu Christi zwischen mich und was ich Böses verdient habe; das Verdienst seines so kostbaren Leidens bringe ich anstatt des Verdienstes dar, was ich hätte haben sollen und ach! nicht habe.   Er spreche ferner: Den Tod unseres HErrn JEsu Christi lege ich zwischen mich und Deinen Zorn.   Endlich sage er dreimal: HErr, in Deine Hände befehle ich meinen Geist.   Und die aus seinem Convent Dabeistehenden mögen antworten: HErr in Deine Hände befehlen wir seinen Geist.   Und so wird er in Frieden sterben und den Tod nicht sehen ewiglich." (Siehe Examen Concil. Trid. per M. Chemnitium scriptum.   Berolini, 1861. p. 164.)

Eine wahrhaft evangelische Anleitung zu einem seligen Sterben findet sich in „Dr. M. Luther's Sermon von Bereitung zum Sterben" vom Jahre 1519.   (Tom. X, 2292—2313.   Erlangen XXI, 253. ff.)

Gewiß zu beachten ist, was Quenstedt schreibt: „Der Prediger hat sich auch bei den Kranken nicht in die Verfügungen über die zeitlichen Güter zu mengen.   ‚Zwar ist es nicht ungehörig, dieselben zur Aufsetzung eines Testamentes zu ermahnen, undienlich aber, ihm (dem Sterbenden) dabei an die Hand zu gehen‘, wie Car. Regius lib. X, de orat. Christ. c. 2. wohl erinnert.   ‚Ein jeglicher, wie ihn der HErr berufen hat, also wandele er, 1 Kor. 7, 17. 20. 24.‘"   (Ethica pastoralis, p. 312. s.)

Anmerkung 3.

Darüber, wie diejenigen auf den Tod vorzubereiten seien, welche um ihrer Verbrechen willen zum Tode verurtheilt worden sind, siehe Porta's Pastorale Lutheri Cap. 18. § 10.   Felix Bidembach's Manuale ministrorum ecclesiae S. 744—766.   L. Hartmann's Pastorale evangel. p. 1320—1332.   (Auszug aus der Niedersächsischen Kirchenordnung.)   Seidel's Pastoraltheologie Th. I. Cap. 14. S. 230—244.   Besonders enthält das letztgenannte Buch viele vortreffliche specielle praktische Winke, zu welchen der Herausgeber der Auflage von 1769, F. E. Rambach, zum Theil recht werthvolle Zusätze hinzugefügt hat.   Seidel führt namentlich folgende

Regeln aus: 1. „Ein Prediger muß bei dem ersten Besuche des Delinquenten dahin sehen, daß er ihm eine gute Meinung von seiner Person beibringe." Er solle sich daher z. B. wohl hüten, den Gefangenen nach der Ursache seiner Gefangenschaft zu fragen.*) 2. „Er ist verbunden, dem Delinquenten eine hinlängliche Erkenntniß von dem Wege der Seligkeit beizubringen." 3. „Ein Prediger ist verbunden, dem zum Tode Verurtheilten die Gründe vorzustellen, welche ihn bewegen können, einen gewaltsamen und vor den Augen der Welt schändlichen Tod mit Freudigkeit**) auszustehen." 4. „Ein Prediger ist endlich verbunden, den zum Tode Verurtheilten bis auf die Gerichtsstätte zu begleiten und bis an den letzten Augenblick mit seinem Zurufe ihm beizustehen.

§ 37.

Zu den Amtspflichten eines Predigers in Absicht auf die einzelnen Glieder seiner Gemeinde gehört endlich auch die Sorge, daß die in dem HErrn Entschlafenen ein ordentliches, ehrliches und christliches Begräbniß erhalten. Vergleiche Matth. 14, 12. Apostelg. 8, 2. Matth. 26, 12. 13. Tob. 1, 19—21. Jes. 53, 9. Jer. 22, 18. 19.

Anmerkung 1.   *Luther*

Ein ehrliches, ordentliches und christlich-solennes Begräbniß ist, wenn es geschieht: am Tage, mit Glockengeläute (durch welches die christliche Leichenbegleitung zusammengerufen wird), mit Gesang, Gebet, Predigt göttlichen Wortes (durch Rede am Grabe, s. g. Abdankung oder Parentation am Altare, Leichenpredigt von der Canzel, wohl auch mit daran sich anschließender Verlesung des Lebenslaufs), mit dem Segen, unter christlicher Begleitung (etwa auch der Schuljugend mit ihrem Lehrer unter Vortragung des Crucifixes) u. s. w. Der Prediger richtet sich hierbei nach Gebrauch und Herkommen. Deyling schreibt: „Das Leichenbegängniß wird nach jedes Orts Gewohnheit mit Gesängen, Glockengeläute und anderen gebräuchlichen Ceremonieen angestellt, worin der Pfarrer nichts willkürlich ändern darf. Auf den Dörfern sind die Prediger nicht verpflichtet, dem Leichenzuge über den dritten Hof entgegen zu gehen und denselben zu begleiten, wenn dies nicht von ihnen in gebührender Weise („bello modo",) wozu Küstner erklärend hinzusetzt: „d. i. gegen Erlegung eines bestimmten Honorars") verlangt wird." (Institut. prud. past. III, 11, 20.)

---

*) Andere Theologen, wie Bidembach, rathen das Gegentheil, wollen nemlich, daß der Prediger diese Frage thue, um durch die Antwort den Seelenzustand des Gefangenen erschließen zu können.

**) Wohl mit Recht warnt Rambach davor, von einem um seiner Missethat willen Sterbenden die Sterbensfreudigkeit eines Märtyrers verlangen und hernach mit seiner Buße prangen zu wollen.

Anmerkung 2.

Was den bei dem Begräbniß in Absicht auf die Personen zu beobachtenden Unterschied betrifft, so schreibt hierüber Deyling: „Obgleich das Begräbniß der menschlichen Leichname an sich weder zu den heiligen, noch zu den religiösen Dingen, noch zum Gottesdienst gehört, so macht doch die Art und Weise des Begräbnisses bei den Christen, welche meistentheils durch Gesang, Predigt und Gebet in öffentlicher Kirchenversammlung zu geschehen pflegt, einen Theil der Liturgie und des öffentlichen Gottesdienstes aus. Die Art mit den Leichen umzugehen war einst eine sehr verschiedene je nach der Verschiedenheit der Sitten der gebildeten und ungebildeten Völker. Zwar war es sowohl bei den Griechen, als bei den Römern zu einer und derselben Zeit gebräuchlich, die Leichen zu beerdigen, es geschah dies aber seltener. Viel gebräuchlicher war die Verbrennung derselben. Die alten Christen befolgten die uralte und der heiligen Schrift gemäße Sitte, die Leichen zu beerdigen und hatten einen großen Abscheu davor, dieselben zu verbrennen. Diese Gewohnheit des Begrabens befolgt unsere Kirche mit Recht. Denn der aus einem Erdenkloß gebildete Leib soll nach dem Fall wieder zur Erde werden, 1 Mos. 3, 19. Daher es keinesweges nöthig oder nützlich ist, die Leichname einzubalsamiren, was bei den Juden und Christen sehr vielfach Sitte gewesen ist. Das Begräbniß theilt man in das ehrliche und unehrliche ein. Jenes ist entweder ein solennes oder weniger solennes. Das erstere geschieht öffentlich, am Tage und mit den gebräuchlichen Ceremonieen. Das letztere geschieht ohne die gewöhnliche Feierlichkeit, indem dieselbe entweder wegen Armuth, oder wegen Pestluft und Ansteckungsgefahr, oder wegen aus Melancholie begangener Selbstentleibung bald gänzlich unterlassen, bald gemindert wird. Der bloße letzte Wille des Verstorbenen genügt jedoch dazu nicht, daß der Pastor die gebräuchlichen und feierlichen Begräbniß-Ceremonieen unterlassen dürfte. Der Pastor hat auf alle Weise dafür Sorge zu tragen, daß die alten gottseligen Begräbniß-Ceremonieen nicht abgeschafft und die Leichen Nachts ohne die gewöhnlichen Gebräuche beigesetzt, sondern die Bestattungen in hergebrachter Weise ordentlich vollzogen werden und in den Dörfern aus jedem Hause der eine oder andere an den Leichenzug sich anschließe. Um Armuth willen ist Niemandem ein ehrliches Begräbniß zu verweigern, es gebührt sich vielmehr, die Armen ebenso wie die Reichen mit den ehrlichen und gebräuchlichen Ceremonieen öffentlich zu beerdigen. Diese Verrichtung der Humanität wird zu den Liebeswerken gerechnet und von Christo selbst belobt Matth. 26, 12. Im Gegentheil hat die Verweigerung eines ehrlichen Begräbnisses die Natur einer Strafe, die einem Unschuldigen durchaus nicht angethan werden darf. Daher müssen die Kirchendiener dafür Sorge tragen, daß die Armen, wenn sie mit dem Lob der Frömmigkeit aus der Welt gegangen sind, als Christi Glieder durch Anderer Freigebigkeit ein ehrliches Begräbniß erhalten. Auch muß der

Pfarrer und Schulmeister die Leichen der Armen gratis begleiten.*) Von einem ehrlichen Begräbniß dürfen auch weder die ohne
Taufe verstorbenen Kinder,**) noch die in den Sechs-Wochen
verstorbenen Frauen, noch diejenigen ausgeschlossen werden, welche ver-
unglückt, oder ermordet, oder auf öffentlicher Straße oder anderwärts
gefunden worden sind. In einem zweifelhaften Falle nemlich, wo es
nicht durch gewisse Indicien offenbar ist, daß der Verstorbene selbst Hand an
sich gelegt habe, nimmt man den günstigeren Fall an... Das unehrliche
Begräbniß ist entweder ein menschliches, oder ein Esels-Begräbniß (Jer. 22, 18. 19.). Jenes ist, wenn der menschliche Leichnam etweder
außerhalb des Gottesackers oder an einem besonderen Ort auf demselben von
dem ordentlichen Todtengräber vergraben wird; dieses aber geschieht vom
Scharfrichter an einem infamen Orte, der für die Leichname der Thiere und
Verbrecher bestimmt ist, auf dem Schind-Anger oder unter dem Galgen. Ein
solches unehrliches und Esels-Begräbniß pflegt nicht nur bös-
willigen Selbstmördern zuerkannt zu werden, sonderlich, wenn beschwerende
Umstände hinzukommen, sondern auch denjenigen, welche, eines Capital-
verbrechens überwiesen oder geständig, im Gefängniß vor erlittener Strafe
schuldbeladen und unbußfertig dahin gestorben sind oder sich selbst entleibt
haben.***) Ein unehrliches, jedoch menschliches Begräbniß,

---

*) In den Sächsischen Generalartikeln heißt es: „Dazu denn auch die Kirchendiener
angehalten werden sollen, daß bei der Begräbniß aller derer, so sich des hochwürdigen
Sacraments gebrauchen, eine kurze Leichenpredigt, den Armen und Unvermögenden umsonst gethan werde." Capitel 15.

**) In den Sächsischen Generalartikeln heißt es: „Dieweil auch große Ungleichheit
mit Begräbniß der ungetauften Kinder, oder so im Mutterleibe gelebt,
aber todt auf die Welt kommen, gehalten, daß etliche Pfarrer dieselben nicht mit
den Schülern wie die getauften Kinder zum Begräbniß begleiten, etliche auch nicht an die
Orte begraben wollen, da andere Christen begraben sein; dadurch den christlichen Eltern
nicht allein große Betrübniß gemacht, sondern oftmals die Mutter, als das schwächste
Werkzeug, in große Anfechtung gerathen; und aber der Christen Seligkeit nicht also an
die heilige Taufe gebunden, wann die christliche Mutter an den Kindern nichts versäumt,
noch an derselbigen unzeitigem Tod schuldig ist, sie aber durch das Gebet dem Allmächtigen
vermöge seiner Verheißung befohlen, da er gesagt: ‚Ich bin dein Gott und deines
Samens nach dir‘, daß sie darum verdammt werden sollten; wie denn ohne Zweifel viel
Kindlein im Alten Testament vor dem achten Tage gestorben, die nicht beschnitten und
gleichwohl ungezweifelt selig worden sind, der Ursach denn auch an solcher Kinder Seligkeit, die also durch das gläubige Gebet Gott befohlen, nicht zu zweifeln: so sollen hinfüro
die Pfarrer und Kirchendiener solche Kinder nicht weniger, als die andern, mit christlichen
Ceremonieen, nach jedes Orts Gebrauch, zur Begräbniß begleiten und bei anderen
Christen zur Erde bestätigen." Churf. Sächs. Kirchenordnung von 1580. fol. 321.

***) Von solchen Fällen heißt es in einem Rescript an die churfürstlichen Consistorien
im Jahre 1713: „Da denn die Consistoria mit denen, welchen die sepultura ecclesiastica von Rechtswegen versagt wird, so wenig zu thun haben, als es verboten ist, daß
die Clerici sich in die weltlichen Händel und sonderlich die causas sanguinis (Blut-
urtheile) nicht mengen." Deyling a. a. O. S. 729.

der ‚Todten-Bann‘ wird den Ketzern zuerkannt. So können die Leichen der Heiden, Türken, Juden, selbst nicht die der Socinianer, welche nicht unter die Zahl der Christen gehören,*) auf unsere Gottesäcker nicht zugelassen werden, welche die Gemeinschaft der wahren Christen auch nach dem Tode repräsentiren. So dürfen jedoch diejenigen, welche der päbstlichen oder reformirten Religion zugethan sind, nicht behandelt, noch von den öffentlichen Gottesäckern und von der Ehre des Begräbnisses ausgeschlossen werden. Denn obgleich die Päbstlichen die Protestanten als Ketzer vertrags-widrig von ihren Gottesäckern gänzlich ausschließen, so ahmen doch unsere Kirchen diese Strenge nicht nach und vergleichen nicht Gleiches mit Gleichem. In Chursachsen nemlich werden die Römisch-Katholischen und Calvinischen auf unseren Gottesäckern begraben, nur mit Weglassung der Ceremonieen, in der Stille.**) Dasselbe weniger ehrenvolle Begräbniß ist auch den Ge-bannten zuerkannt, welche ohne Buße aus diesem Leben abscheiden. Denn es ist durch heilige und alte Canons festgesetzt, daß wir mit dem, ‚mit welchem wir im Leben nicht Gemeinschaft pflegten, auch nicht, wenn er todt ist, Ge-meinschaft halten‘,***) und daß die eines kirchlichen Begräbnisses entbehren, welche vorher von der kirchlichen Gemeinschaft ausgeschlossen gewesen sind. Dahin werden auch die offenbaren Verächter des göttlichen Wortes und der Sacramente gerechnet, welche eines ehrlichen und kirchlichen Begräbnisses ebenfalls für unwürdig geachtet werden, wenn (nach geschehener Anzeige solcher Menschen, genauer Untersuchung der Sache und Beobachtung aller Stufen der Ermahnung) das Consistorium so entschieden hat†) und der Betreffende in Verachtung der Mittel des Heils halsstarrig verblieben ist. Das Urtheil des Pastors allein nemlich genügt, wenn der Mensch bei seinem Leben nicht verhört wurde, in einer Sache von so großer Wichtigkeit nicht. Derselben Strafe verfallen die eines Capital-Verbrechens Schul-digen, wenn sie mit unwidersprechlichen Indicien belastet im Gefängniß gestorben sind, sowie jene, welche in einem Duell umgekommen sind." (Institut. prud. pastoral. III. 10. § 1—13.)

Manche Prediger meinen, in jedem Falle der Aufforderung, einem Ver-storbenen eine Leichenpredigt zu halten, folgen zu müssen, da ja hiermit eine Gelegenheit gegeben werde, Gottes Wort zu predigen; sie bedenken aber nicht, daß ein Begräbniß mit christlichen Ceremonieen ein Privilegium allein der-jenigen ist, von denen man nach der Liebe glauben kann, daß sie im HErrn entschlafen sind, und daß Verächtern des göttlichen Wortes, die dies bis zu ihrem Tode geblieben sind, diese letzte Ehre nach Gottes Wort nicht zu er-

---

*) Den Socinianern sind selbstverständlich alle notorischen Ungläubigen gleich zu rechnen.

**) Ueber den Unterschied, der hierbei zu beobachten ist, vergleiche oben § 14. An-merkung 6., was daselbst aus den Wittenbergischen Consilien mitgetheilt ist.

***) „Quibus non communicavimus vivis, iis nec communicamus defunctis."

†) Die Stelle des Consistoriums nimmt in solchem Falle hier die Gemeinde ein.

weisen ist. Vergleiche Jer. 22, 18. 19. Matth. 8, 22. Zwar meint man gewöhnlich, dadurch seinem Gewissen genug zu thun, daß man in der Leichenpredigt des Verstorbenen entweder gar nicht oder als eines Unchristen Erwähnung thut; allein damit begeht man nicht nur einen Selbstwiderspruch, sondern erreicht auch in der Regel seinen Zweck nicht, sondern das gerade Gegentheil; anstatt Erweckung zur Buße wirkt man nur Erbitterung, oder die Leute sind so stumpfsinnig, daß sie damit zufrieden sind, dem unchristlich Dahingefahrenen noch ein christliches, ehrliches Begräbniß verschafft zu haben. Man vergleiche, was hierüber Hartmann in seinem Pastorale S. 1341—61 aus Johannes Aepinus' Schrift: „Grund und Ursachen, warum man die Gottlosen mit geistlichen Gesängen und Ceremonieen nicht soll begraben", anführt. *)

Anmerkung 3.

Der Prediger hat zwar das Exempel wahrer Gottseligkeit, welche in dem Verstorbenen öffentlich geleuchtet hat, oder den Fall einer unzweideutigen Bekehrung in den letzten Stunden in seinem Leichensermon zu benutzen, sich aber wohl zu hüten, daß er sich dabei nicht in den Verdacht der Schmeichelei, der Parteilichkeit, Unwahrhaftigkeit oder gar der Bestechung setze, oder in den Leuten den Gedanken erzeuge, als ob man, wenn die Leute nun todt seien, alles gut sein lasse, wodurch ein unersetzlicher Seelenschade angerichtet wird. Wir können nicht unterlassen, hier mitzutheilen, was der eifrige Dr. Heinrich Müller in seinen s. g. „Erquickungsstunden" unter der Ueberschrift „Leichpredigten = leichte Predigten" schreibt. Es ist Folgendes: „Leich-Predigten = leichte Predigten, sagte jener, denn es ist ein refrigerium (Labsal) dabei. Ich wollt's schier umkehren und sprechen: Leich-Predigten = schwere Predigten, denn sie beschweren Hand und Beutel mit Gold und Silber. O liebliche Beschwerden! sprichst du. So sei's denn so: Leich-Predigten = leichte Predigten! Gott erbarm sich's! Leichte sind sie, weil sie gehen bei vielen aus einem leichten Sinn. Ist es nicht eine Leichtsinnigkeit, daß du an Gottes Statt ein Lügner und falscher Zeuge bist, aus Finsterniß Licht, aus Lastern Tugenden machest; lobest, was lästerlich ist, und setzest den Teufel auf Gottes Stuhl? Der Todte muß gerühmet sein, wäre er gleich ein Auszug aller Laster in seinem Leben gewesen; sein Geiz muß Sparsamkeit, sein fleischlicher Zorn ein göttlicher Eifer, seine Unflätherei Kurzweil heißen. Er that Unrecht, so sprichst du, er hab gebetet. Was richtest du damit an? Deine leichten Predigten machen leichte, lose Leute, die hingegen sich als Säue in Unflath der Sünden herum wälzen, verlassen

---

*) Andreas Keßler schreibt: „Ist also der Eifer Herrn D. Conr. Beckers zu Güstrow im Herzogthum Mecklenburg zu loben, welcher sich hat ehe des Dienstes entsetzen lassen, denn verwilligen, daß eines hohen Potentaten Gesandter, so sich eines großen unmöglichen Trunks wider Vieler Warnen unterstanden, mit Ceremonieen begraben wurde." (Theol. cas. conscientiae. Wittenberg, 1658. 4. S. 192.

sich darauf, daß deine Leich-Predigt allen Koth abwischen werde. Wer wollte
Böses meiden, wenn es in Gutes kann verwandelt werden und Ruhm bringen
auch nach dem Tod? Glaube nur, daß einem treuen Diener JEsu die
Leich-Predigten die allerschwersten Predigten sein. Denn entweder sagt man
die Wahrheit, oder nicht; jenes bürdet Feindschaft auf den Rücken, dieses
Angst und Unruhe aufs Gewissen. Ich meines Orts wollte, daß entweder
keinem, oder allen, die es verdient, Leichpredigten gehalten würden.
Jacobus will, daß der Arme nicht weniger in der Gemeine gelten soll, als
der Reiche. Wer rühmt aber den Armen nach seinem Tod? Er begehret's
nicht, sprichst du. Warum, Lieber? Weil deine Begierde nach Geld nicht zu
sättigen ist. Dem Geld hältst du Leichpredigten, und nicht den Menschen.
Kupfern Geld, kupferne Seelenmessen. Mit einem Wort: wären unter den
Geistlichen keine Geizlinge, würde man der Leich- und Lügen-Predigten so
viel nicht haben. Sie gebühren nur denen, die in der Barmherzigkeit und
Geduld ein sonderbares Muster und Vorbild gewesen, daß man auf sie als
Vorgänger andere weiset und durch ihre Exempel andere aufmuntert; wie
vom Hiob St. Jacob spricht: Die Geduld Hiobs habt ihr gehört. Die
beste Glocke, so man uns im Tode nachläuten kann, ist diese, daß man von
uns rühme, was dort der Hauptmann von Christo rühmet: Fürwahr, dieser
war ein frommer Mann und Gottes Sohn. An diesem Nachrufen, mein
Christ, laß dir genügen." (Andacht 177.)

Anmerkung 4.

Der Prediger sollte darauf hinwirken, daß die Gemeinde selbst einen
Gottesacker sich erwerbe, dem Zwecke gemäß herrichte und wohl verwahren
lasse. Je größer die Barbarei ist, deren man sich namentlich hier in Betreff
der Begräbnißplätze schuldig macht, um so eifriger sollten hier christliche Gemeinden in Heilighaltung der Stätten sein, an welchen die Gebeine der in
Christo Entschlafenen ruhen und einer einstigen Auferstehung in Herrlichkeit
entgegenharren, 2 Kön. 23, 18. So schrieb Luther im Jahre 1539 an
den Bürgermeister zu Wittenberg, als man den dasigen Gottesacker unehrte:
„Lieber Herr Bürgermeister, nachdem des Mißbrauchs auf dem Kirchhofe je
länger je mehr wird, daß jedermann darauf legt, führet, stellet's und machet's
seines Gefallens; damit der lieben Todten (so in Christo getauft sind und
leben, und auf dem Kirchhofe der Auferstehung gewarten, als in ihrem Bett-
lein ruhend und schlafend, wie Jesaias 26. Capitel sagt) fast nicht viel mehr
geachtet wird, denn als lägen sie auf einem Schindeleich oder nicht weit vom
Galgen: so ist meine Bitte, ihr wollet verschaffen, daß solcher übriger Mißbrauch ausgeräumet werde und den Todten, deren ohne Zweifel viel in
Christo entschlafen, ein wenig größere Ehre und Ruhe gegönnet werde.
Denn wir können sie nicht alle ausgraben und weg thun, damit wir können
weichen solchem Mißbrauch, wolltens auch thun, wenn's möglich; sonst siehet's,
als halten wir nichts von den Todten, noch Auferstehung der Todten. Die

Braupfanne, wie von Alters her, mögen wir darauf wohl leiden, um Sicherheit willen; des andern aber wird gar zu viel, daß auch die Zimmerleute keine Predigt achten, ja, hauen und poltern mit ihrem Zeug, daß kein Wort in der Predigt mag gehöret werden; denken, es sei nöthiger und billiger, ein Zimmermannsbeil zu hören, denn Gottes Wort." (XIV, 1362.)

Auch darauf sollte der Prediger mit der Gemeinde sehen, daß die Grabschriften nichts Unbiblisches enthalten, und Niemandem sollte erlaubt sein, dergleichen machen zu lassen, ohne daß dieselben von geeigneten Personen geprüft und gutgeheißen wären.

Anmerkung 5.

Seidel macht die auch hier wohl zu beachtende Bemerkung: „Weil man Exempel hat, daß einige Personen in starken Ohnmachten gelegen und für todt gehalten worden, hernach aber wieder zu sich selbst gekommen sind, es auch überhaupt unanständig ist, mit der Beerdigung gar zu geschwinde zu verfahren: so ist der Prediger verbunden, dahin zu sehen, daß eine hinlängliche Zeit zwischen dem Absterben und dem Begräbnisse in Acht genommen werde." (Pastoraltheologie I, 23, 5.)

§ 38.

Der Prediger hat sich zu hüten, an denen, die noch zu einer anderen Pfarre gehören, Amtshandlungen zu verrichten, ohne des betreffenden Pfarrers Wissen und Willen, mag derselbe nun recht- oder irrgläubig sein (1 Petr. 5, 2. 4, 15. 2 Kor. 10, 15. 16. Apg. 20, 28. Röm. 10, 15.), vor allem an rechtmäßig Gebannten (Matth. 18, 17. 18.). Haben sich jedoch Christen um falscher Lehre oder tyrannischer Praxis willen von ihren Predigern und Gemeinden bereits ordentlich losgesagt, so kann der Prediger solche Christen, mögen dieselben auch immerhin in ungerechtem Banne liegen, nicht von sich stoßen (Joh. 6, 37. Matth. 11, 28. Joh. 16, 2. 3. 3 Joh. 10. Joh. 12, 42. 43. 9, 34—37.), welches letztere auch in Betreff Reisender gilt, sonderlich im Fall der Noth.

Anmerkung 1.

Gegen das Amtiren an Personen, die schon einen ordentlich berufenen Seelsorger haben, finden sich in Luthers Schriften viele ernste Zeugnisse. Derselbe schreibt u. a.: „Daß die Apostel auch zuerst in fremde Häuser gingen und predigten, deß hatten sie Befehl, und waren dazu berufen und gesandt, daß sie an allen Orten sollten predigen, wie Christus sprach Marc. 16, 15.: Gehet hin in alle Welt und prediget allen Creaturen. Aber darnach hat niemand mehr solchen gemeinen apostolischen Befehl, sondern ein jeder Bischof oder Pfarrherr hat sein bestimmt Kirchspiel oder Pfarre, welches St. Petrus 1 Petr. 5, 3. auch darum „Kleros" heißet, das ist, Theil, daß einem Jeglichen sein Theil Volks befohlen ist, wie St. Paulus Tito auch schreibet; darin kein Anderer oder Fremder ohne sein Wissen und Willen sich unterstehen soll seine Pfarrkinder zu lehren, weder heimlich noch öffentlich, und soll ihm auch bei Leib und Seel Niemand zuhören, sondern ansagen und melden seinem Pfarrherrn oder Obrigkeit. Und dieses soll man also feste halten, daß auch kein Prediger, wie fromm oder rechtschaffen er sei, in eines Papisten oder ketzerischen Pfarrherrn Volk zu predigen oder heimlich zu lehren sich unterstehen soll ohne desselbigen Pfarrherrn Wissen und Willen. Denn es ist ihm nicht befohlen. Was aber nicht befohlen ist, das soll man lassen anstehen; wir haben genug zu thun, so wir das Befohlene ausrichten wollen." (Auslegung des 82. Psalms vom Jahre 1530. V, 1060. f.) Unmittelbar zuvor hatte Luther gesagt: „Das sind die Diebe und Mörder, davon Christus Joh. 10, 8. sagt, die in fremde Kirchspiele fallen und in ein fremd Amt greifen, das ihnen nicht befohlen, sondern verboten ist."*) (S. 1059.) Vergleiche das zu § 4. Angemerkte.

Anmerkung 2.

Darüber, daß ein Prediger sonderlich sich hüten soll, in anderen Gemeinden rechtmäßig Gebannte aufzunehmen und so thatsächlich zu absolviren, schreibt L. Hartmann: „Ein von einer Ortsgemeinde Gebannter kann von einer anderen keinesweges als ein Glied der Gemeinde aufgenommen werden, wenn nicht die Gemeinde, die ihn gebannt hatte, versöhnt ist und dazu einstimmt. Denn ebendemselben gehört das Wiederaufnehmen, dem das Ausschließen zukam, und die haben über die Ursache der verweigerten Ausschließung zu urtheilen, welche die Gemeinschaft zu verweigern hatten, und ein Urtheilsspruch, der nicht von dem eigenen Richter gefällt ist, hat keine Gültigkeit. Dieses gehört zu dem Ernst der Kirchenzucht, damit so den Halsstarrigen jeder Weg abgeschnitten werde, auf dem sie öfters ihren Nacken der heilsamen Zucht zu entziehen suchen." (Pastoral. ev. p. 873. s.) Diejenigen, welche von anderen Gemeinden rechtmäßig Gebannte, noch ehe dieselben davon in zuständiger Weise absolvirt sind, annehmen, begehen damit eine überaus schwere Sünde. Außerdem, daß sie in ein fremdes Amt greifen, treten sie den göttlichen Bindeschlüssel mit Füßen, verachten sie die Gemeinde Gottes und das heilige Amt derselben, richten sie ein großes Aergerniß und eine Kirchen-Spaltung an, stürzen sie einen unbußfertigen Sünder in Verstockung und machen sich seiner Sünden theilhaftig, hindern

---

*) Daher setzt denn auch Petrus 1 Petr. 4, 15. diejenigen, welche „in ein fremdes Amt greifen", in Eine Linie mit den „Mördern, Dieben und Uebelthätern". — Darüber, daß auch in falschgläubigen Gemeinschaften das wahre Amt noch vorhanden ist und daß daher auch „ketzerische Pfarrherren" vermöge erhaltenen Berufs dasselbe haben, vgl. § 5.

und zerstören sie alle kirchliche Zucht und Ordnung und mißbrauchen sie die Gnadenmittel, indem sie wider Christi Verbot das Heiligthum den Hunden geben und ihre Perlen vor die Säue werfen. Wehe ihnen ewiglich, so sie nicht in Zeiten dafür Buße thun!

Anmerkung 3.

Ueber die Fälle, in welchen Fremde, aus anderen Gemeinden Kommende von einem Prediger nicht abzuweisen sind, lassen wir hier folgende Zeugnisse unserer Theologen folgen.

So schreibt Luther: „Ich lehrte auch noch das, man müsse die Pfarrgerechtsame nicht vermischen und die Leute aus einer Pfarre in die andere locken, wo alles gleichförmig gehalten wird. Denn was ist billiger? Aber ich billigte nie, daß wenn in einer das Sacrament" (natürlich unrechtmäßiger Weise) „versagt wird, dasselbe in einer fremden nicht zu begehren oder zu reichen erlaubt sei." (Briefe, gesammelt von Schütz, deutsch übersetzt. I, 336. f. Vgl. De Wette IV, 387.)

So schreibt ferner die Wittenbergische theologische Facultät im Jahre 1656: „In Summa, alles soll in der Kirche ehrlich und ordentlich zugehen nach der Ermahnung des Apostels Pauli, 1 Cor. 14, 40., nemlich also und dergestalt, daß sich ein jedweder Pfarrer seiner Pfarrkinder treulich annehme, die Pfarrkinder hingegen seine Stimme hören und in allen ziemlichen Sachen gebührliche Folge leisten. Allein dieses alles muß von wohlbestalten Kirchen und Predigtamt, außer der Verfolgung und dergleichen Fällen, verstanden werden... Weil aber aus eurer Frage erhellt, daß eure Gemeine durch päbstliche Tyrannei und Verfolgung ihres ordentlichen Seelsorgers beraubet, die ganze Kirche gleichsam zerstöret, daß einer hier, der andere dort in anderen Pfarren wegen der päbstischen Priester die Sacramente bei rechtschaffenen Predigern suchen müssen; in welchem Nothfall dann der Kirche freistehet, sich zu einem andern reinen Lehrer und Prediger zu halten und dessen Diensts zu gebrauchen, kein rechtschaffener Prediger auch befugt, einigen untadelhaftigen Menschen aus seiner Gemeinde zu stoßen, sondern einen jedweden anzunehmen, er komme gleich vom Abend oder Morgen, und die Sacramente zu reichen, wenn er nur ein rechtschaffener Christ ist und wahre Buße thut; maßen unser Heiland se!bst von sich sagt: Alles, was zu mir kommt, das stoße ich nicht hinaus." (Consil. Witeberg. II, 60. f.)

So schreibt Heshusius: „Wenn der Fall sich zuträgt, daß andere Leute, so in unsere Pfarre nicht gehören, sitzen aber entweder unter dem antichristischen Pabstthum oder unter falschen Lehrern, als Calvinisten, Synergisten, Majoristen, Adiaphoristen,*) Schwenkfeldianern, für

---

*) Da die drei letztgenannten irrigen Lehrer nichts desto weniger den lutherischen Namen trugen und Lutheraner sein wollten, so ist hieraus ersichtlich, daß Heshusius auch solche Christen aufgenommen wissen will, welche sich in nominell lutherischen Gemeinden

denen sich ein Christ hüten muß, oder werden von ihren tyrannischen
Pfarrern wider ihr Gewissen beschwert,*) oder sind sonst auf der
Reise, werden etwa mit einer Krankheit befallen, oder bedürfen sonst Trosts
und wollen ihr Gewissen durch den Brauch der Sacramente stärken, unsers
Dienstes begehren und bei uns die Sacramente suchen: auf solchen und dergleichen Fälle stehets uns Predigern frei, einem jeden Menschen, er komme
gleich vom Aufgang und Niedergang der Sonne (wofern er rechte Buße thut
und dem Evangelio gläubet), die Sacramente mitzutheilen, kraft des Spruchs
Joh. 16.: Der Heilige Geist wird die Welt strafen, das ist: das Reich
Christi und heilige Predigtamt strecket sich über der ganzen Welt Kreis und
ist an keinen Ort, noch Person, noch Zeit gebunden. Und daß die Christen,
so ihre Pfarrer, die da falsche Lehre und Lästerung ausgeben oder ihr Gewissen wider Gottes Wort beschweren wollen, meiden und die Sacramente in
anderen Pfarren bei rechtschaffenen Lehrern suchen, christlich handeln, erscheinet
aus den Worten Christi Matth. 7, 15., item Paulus Phil. 3, 2. Röm.
16, 17." (Dedekennus' Thesaurus. II, 438.)

Deyling endlich, nachdem er bezeugt hat, daß man kein von einem benachbarten rechtgläubigen Beichtvater abgehendes Beichtkind annehmen
dürfe, fährt hierauf fort: „Ausgenommen sind jene, welche aus einer fremden
Pfarrei kommen, in welcher die Kirchendiener andersgläubig sind,
z. B. Papisten. Wenn diese bußfertig sind und in der Nachbarschaft Absolution begehren, so ist sie ihnen nicht abzuschlagen. So nahm Christus einen
von den Pharisäern aus ihrer Gemeinschaft ausgeschlossenen Mann auf,
Joh. 9, 38. Ein Kirchendiener ist, wie der Apostel Paulus, ein Schuldner
Aller, Röm. 1, 14., welche nemlich aus Mangel Anderer seines Dienstes bedürfen. Den Elenden, welche sich eines falschen Predigtamtes entäußern
wollen, kann er weder die Predigt des Wortes, noch die Austheilung der Sacramente versagen. Auch sind nicht weniger von obiger Regel auszunehmen,
welche zwar aus einer andern Pfarrei, wo rechtgläubige Diener sind, kommen,
aber genöthigt sind, entweder um Kriegsdienstes oder um Handels-

---

finden, in denen aber Irrlehre im Schwange geht, wenn dieselben um dieser Irrlehre
willen von ihrer Gemeinde sich lossagen und ihre Zuflucht bei einer wirklich lutherischen
Gemeinde suchen.

*) Gewissenstyrannei, selbst von Seiten eines sonst recht lehrenden Predigers (z. B. in
Betreff der mit demselben auszuübenden Kirchenzucht rc.), gibt also nach Heshusius
den Tyrannisirten das Recht, sich von demselben zu trennen, und anderen Predigern, die
deßwegen Ausscheidenden anzunehmen. Dieses ist natürlich um so mehr der Fall, wenn
über den um Aufnahme Bittenden selbst durch seinen bisherigen Seelsorger ein falscher
Bann verhängt worden ist, vorausgesetzt, daß ersterer dies unwidersprechlich erweist.
Jedenfalls muß aber eine Gemeinde sammt ihrem Prediger, die von dem Gebannten
bezüchtigt wird, ihn ungerecht ausgeschlossen zu haben, bereit sein, dem Prediger, bei dem
sich der Gebannte zur Aufnahme meldet, Einsicht in das über die Kirchenzuchtsverhandlungen aufgesetzte Protocoll zu gewähren oder, wo es daran fehlt, die nöthigen Belege
herbei zu schaffen.

geschäfte oder um anderer Ursachen willen von Hause abwesend zu sein, und Zeugniß eines guten Lebenswandels haben. Diesen kann die Absolution, wenn sie dieselbe begehren und bußfertig sind, nicht verweigert werden, weil sie nicht aus Haß und Verachtung ihres Pastors, sondern aus Noth einen anderen Beichtvater suchen. Den übrigen Pfarrleuten wird ein solcher Wechsel nicht leicht und selbst nicht um Streitigkeiten willen, welche sie mit ihrem Pfarrer haben, erlaubt, wenn sie nicht schwere und langwierige und durch Schuld des Pastors entstandene sind und genährt werden. Wenn jedoch triftige Gründe angegeben werden, pflegt das Consistorium nach genommener Einsicht in die Streitsache und versuchter Versöhnung den Wechsel des Beichtvaters ein und ein anderes Mal oder eine Zeitlang nachzusehen, weil nicht geleugnet werden kann, daß das Bekenntniß der Sünden und das Offenbaren der innerlichen Gedanken ein großes Vertrauen zu jener Person voraussetzt, in deren Schooß wir unsern Seelenkummer ausschütten und von der wir Trost erwarten." (Institut. prud. pastoral. p. 442. s.) Küstner setzt hinzu: „Der beste Rath für den Pastor ist, daß er in dergleichen Streitigkeiten selbst erkläre, er wolle das Beichtkind nicht zwingen, von ihm die Absolution zu begehren, damit diese Handlung nicht mit beiderseitigem Widerwillen vollzogen werde." (L. c.)

Dr. Heinr. Müller erklärt in den seinen „Geistlichen Erquickstunden" beigefügten „theologischen Bedenken", daß ein bewährter Christ nicht gebunden sei, bei seinem offenbar scandalös lebenden (sonst orthodox predigenden) Seelsorger die Absolution zu suchen, sondern dieselbe „wohl bei einem andern suchen könne, damit er hierdurch beschämet und in seinem heillosen Wesen vernichtet werde." Ohne Zweifel kann ein Christ eben so wenig verbunden sein, bei einem Prediger zu bleiben, welcher, vielleicht trotz seiner Willigkeit dazu, schlechterdings nicht fähig ist, Gottes Wort recht zu predigen.

§ 39.

Der Prediger hat die Pflicht, seiner Gemeinde nicht nur als Lehrer die Gnadenmittel zu spenden, sondern auch, als Wächter, Bischof, Hirt, Vorsteher ꝛc. der Gemeinde, darauf zu sehen, daß in derselben dem Worte Gottes auch in allem Folge gegeben und also die in Gottes Wort gebotene christliche Zucht geübt werde. Matth. 18, 15—17. 7, 6. Offb. 2, 2. 14. 15. 20. 1 Tim. 1, 20. 3, 5. 5, 20. 1 Kor. 5, 1—5. 9—13. 2 Kor. 2, 6—11. 2 Thess. 3, 14. 15.

Anmerkung 1.

Allerdings kann die Kirchenzucht, namentlich was das Leben betrifft, zuweilen auch in einer rechtgläubigen Kirche, ohne daß dieselbe, wie die Donatisten meinten, dann aufhört, dies zu sein, in Verfall gerathen, wegen der Uebermacht, welche darin die Bösen erlangt haben, 1 Kor. 5, 1. 2.; ja, es können Umstände eintreten, in welchen es die Wohlfahrt der Kirche erfordert, auch einen verdienten Bann nicht zu vollziehen. Eine vollständig geübte Kirchenzucht ist kein nothwendiges Kennzeichen der wahren Kirche, laut dem „Es ist genug" der Augsburgischen Confession. Artikel 7.

Mit Recht wird als ein Irrthum der Schwenkfeldianer in der Concordienformel der Satz verworfen: „Daß keine rechte christliche Gemeine sei, da kein öffentlicher Ausschluß oder ordentlicher Proceß des Bannes gehalten werde." (Wiederholung. Artikel 12.)

Ludwig Hartmann, obwohl bitterlich klagend über den Verfall der Kirchenzucht, schreibt nichts destoweniger: „Die ohne Aufruhr nicht abgesondert werden können, sind nicht in den Bann zu thun. So will Augustinus (in der Schrift gegen Cresconius B. 3. Cap. 4.) einen ungerechten" (nemlich sonst recht lehrenden) „Kirchendiener, der nicht verborgen und einigen Guten offenbar ist, lieber mit Cyprian geduldet haben als Unkraut, als mit Erweckung einer aufrührerischen Partei von der Gemeinde getrennt sehen. Derselbe Augustinus konnte nicht einstimmen, daß alle in Africa dem Trunke Ergebenen in den Bann gethan würden, weil er sah, daß dieses Laster in ganz Africa verbreitet sei und daß daher, wenn alle dem Trunke Ergebenen in den Bann gethan würden, niemand oder wenige die Gemeinschaft der Kirche haben würden. Einige dulden wir, sagt er im Briefe an Vincentius, welche wir nicht ausschließen oder strafen können; wir verlassen nicht um der Spreu willen die Tenne des HErrn, noch verlassen wir um der Böcke willen, welche am Ende abzusondern sind, die Heerde Christi. So kann auch, wenn es an einem dazu geschickten Presbyterium fehlt oder das Volk in den gerechten Bann nicht einwilligt, dann der feierliche Proceß unterlassen werden; indessen muß doch ein treuer Kirchendiener darauf hinarbeiten und mit den übrigen Frommen und Gläubigen wachen, daß öffentliche Aergernisse gestraft und das Heilige nicht den Hunden oder Säuen vorgeworfen werde." (Pastoral. ev. p. 474.)

Noch im Jahre 1533 erklärten Luther, Jonas, Bugenhagen und Melanchthon, daß sie um der damaligen Verhältnisse willen Kirchenzucht nur durch Uebung der Beichtanmeldungen und der Suspension vom heiligen Abendmahle ausüben könnten. Sie schreiben in einem Bedenken über die im Ansbachischen und Nürnbergischen zu errichtende Kirchenordnung: „Wir haben keinen anderen Bann noch zur Zeit aufgerichtet, denn daß diejenigen, so in öffentlichen Lastern leben und nicht ablassen, nicht zu dem Sacrament des Leibes und Blutes Christi zugelassen werden; und das kann man damit erhalten, daß man bei uns niemand das heilige Sacrament reicht, er sei denn zuvor durch Pfarrer oder Diakon verhört. Wir können auch nicht achten, wie zu dieser Zeit ein anderer Bann sollte aufgerichtet werden; denn es fallen viel Sachen für, die zuvor einer cognitio (Untersuchung und Entscheidung durch ein ordentliches Gericht) bedürfen.

Nun können wir nicht sehen, wie die cognitio noch zur Zeit zu bestellen und zu ordnen sein sollte." (Briefe 2c., gesammelt von de Wette. Berlin, 1827. IV, 388.) Als auf einer Synode in Homburg eine ausführliche Bann-ordnung für Hessen entworfen und Luther zugesendet worden war, schrieb Luther an die Hessischen Theologen am 26. Juni 1533 u. a. Folgendes: „Euren Eifer für Christum und christliche Zucht habe ich mit großer Freude ersehen, aber in dieser so unruhigen und zur Annahme der Zucht noch nicht geschickten Zeit möchte ich eine so plötzliche Neuerung nicht anzurathen wagen. Man muß fürwahr die Bauern lassen ein wenig versaufen, und einem trun-kenen Mann soll ein Juder Heu weichen. Es wird sich selber schicken; denn wir's mit Gesetzen nicht mögen treiben. Die Sache ist groß, nicht an sich, sondern der Personen halber, welche uns nicht zu stillende Unruhen zu erwecken vermögen, die wir eine Wurzel in dürrem Erdreich und noch nicht bis zu Zweigen und Blättern aufgewachsen sind. Indessen möchte ich dies rathen, daß man nach und nach, wie wir hier thun, anfinge, diejenigen, welche des Bannes würdig erkannt werden, zuerst von der Communion abzu-weisen (das ist auch der wahre Bann, den man den kleinen nennt); dar-nach, nicht zu gestatten, daß sie bei der Taufe der Kinder Pathen seien." (A. a. O. S. 462.)

In einer neuen noch rohen Gemeinde sogleich das feierliche Bannverfahren einführen zu wollen, wäre daher ohne Zweifel nicht dem Sinne unserer Kirche gemäß. Auch hier muß sich der Prediger von dem Grundsatz leiten lassen: Salus populi suprema lex esto d. i. das Heil des Volks muß das höchste Gesetz sein.*) Vor gründlicher Belehrung über das Wesen der rechten Kirchenzucht eine Gemeinde zur Uebung derselben nöthigen wollen, heißt ernten wollen vor der Saat. Und wäre es nicht eine große Thorheit, lieber eine Gemeinde auf das Spiel zu setzen, lieber geschehen zu lassen, daß sie das reine Evangelium verliere, als etwas zu unterlassen, was nicht zu dem Wesen, sondern nur zu dem Wohlstand einer rechten Gemeinde gehört?

Anmerkung 2.

Diejenigen, welche auf Grund des Gesagten meinen, daß die lutherische Kirche die Kirchenzucht für etwas Gleichgiltiges halte, irren jedoch sehr. Daß die Kirchenzucht in den lutherischen Landeskirchen, namentlich was das Leben betrifft, an so vielen Orten darnieder gelegen hat, hat seinen Grund nicht darin, daß man den Grundsatz gehabt hätte, die Kirchenzucht sei nicht nothwendig zu dem rechten Zustand einer Kirche, sondern in den dieselbe hindernden Zeitumständen. So schreibt vielmehr z. B. Johann Fecht, welcher ganz mit Unrecht für einen einseitigen Verfechter der reinen Lehre gilt,

---

*) Auf Grund des moralischen Kanons: Praecepta negativa semper et ad sem-per, affirmativa semper, sed non ad semper obligant. Bald. Cas. p. 78. Dannh. Liber Consc. II, 317. Mus. tr. de eccl. I, 367. s.

der nichts nach gottseligem Leben und Zucht gefragt habe: „Das ganze
Gebäude der Kirche Christi ruht auf zwei Stützen, auf dem
Vortrag der gesunden Lehre und auf der Handhabung der
Kirchenzucht. Wie jene gleichsam das innere Leben der Kirche bewirkt,
so regiert diese das äußere... Je strenger die Alten in der letzteren waren,
um so viel nachlässiger sind wir in dieser letzten Zeit der Welt darin geworden. Und dieser Mangel an Zucht ist die Haupturſache des
Verfalls unserer Kirche. Dieser Mangel der Zucht hat schon mit
unserer Reformation seinen Anfang genommen. Denn weil dieselbe vorher
allein die Geistlichkeit, mit Ausschluß der übrigen Stände und zwar nach
ihrem Belieben, meist auch in eigenem Interesse, oft tyrannisch ausgeübt hat,
so sind wir in der Reformation in das andere Extrem gefallen und haben den
Predigern allein die Predigt des Wortes und, was zur Kirchenzucht
gehört, allein der Obrigkeit überlassen. So daß die letztere an den meisten
Orten etwas von ihrem Rechte zu verlieren meinte, wenn kirchliche Personen
entweder in den Consistorien oder auf irgend eine andere Weise eine Censur
ausgeübt hatten. Wo aber noch ein Schatten von Zucht geblieben war, da
waren die Hände der kirchlichen Personen, auch in den Consistorien, von den
politischen Herren so gebunden, daß nach und nach gar keine Zucht geübt
werden konnte. Rechtschaffene Theologen unserer Kirche haben
fort und fort über diesen unseren Mangel geklagt und die
Wiedereinführung einer strengeren Zucht begehrt. Dies hat
namentlich der Nürnberger Joh. Saubertus in einem besonderen Buch
im Jahre 1636 gethan, dem er den Titel gab ‚Zuchtbüchlein‘, in dessen erstem
Theile er die so hohe Nothwendigkeit dieser Zucht sowohl aus der heiligen
Schrift, als auch aus der steten Praxis der alten Kirche und aus der öffentlichen Lehre unserer symbolischen Bücher nachweist, im anderen Theile zwei
und fünfzig Einwände der Politiker wider diese Zucht wiederlegt, endlich in
der Vorrede beistimmende Zeugnisse damals lebender Theologen beifügt,
Christoph Schleupner's, Joh. Gerhard's, Joh. Schmid's,
J. Matth. Meyfart's, J. Meelführer's, Lorenz Lällus',
J. Valent. Andreä's, Geo. König's, J. Weber's u. s. w.
Dieses Büchlein haben alle gelobt, welche seit dieser Zeit über Kirchenzucht
geschrieben haben, insonderheit Dannhauer in seiner Gewissens-Theologie.“
(Instruct. pastoral. p. 164. sqq.) Es ist dies alles die lautere unbestreitbare
Wahrheit. So heißt es u. A. in der Apologie der Augsburgischen
Confession: „So wird auch von unseren Predigern allzeit daneben ge-
meldet, daß die sollen verbannet und ausgeschlossen werden, die in
öffentlichen Lastern leben, Hurerei, Ehebruch ꝛc.; item, so die heiligen Sacramente verachten.“ (Art. 11. Von der Beichte. fol. 68. b.) So heißt es
ferner in den Schmalkaldischen Artikeln: „Den großen Bann, wie es
der Pabst nennet, halten wir für eine lautere weltliche Strafe und gehet uns
Kirchendiener nichts an. Aber der kleine das ist der rechte christliche

Bann, daß man offenbarliche, halsstarrige Sünder nicht soll lassen zum Sacrament oder andere Gemeinschaft der Kirchen kommen, bis sie sich bessern und die Sünde meiden." (Th. III, Art. 9. fol. 148. b.) Luther schreibt: „Uns ist der Bann befohlen, daß, wenn jemand wider Gottes Gebot sündigt, und will nicht hören, daß man ihm seine Sünde binde... Es ist aber die Welt (Gottlob?) itzt so fromm, daß man des Bannens nicht darf, ob sie gleich mit Sünden überschwemmet ist. Denn sie steckt voll Geizes, Hasses, Neids, Betrugs, ja, voller Schande und Laster. Noch ist keine Sünde da, die man bannen könnte. Es heißt itzt alles redlich und ehrlich gehandelt, Nahrung gesucht, es muß alles Heiligkeit sein, und sind in's Teufels Namen alle fromm worden. Darum hat dieser unser Bann des Lebens halten nicht mehr statt. Wir können diesen Bann nicht aufrichten. Aber so wir nicht können die Sünde des Lebens bannen, so bannen wir doch die Sünde der Lehre. Den Bann haben wir dennoch behalten, daß wir sagen: Die Wiedertäufer, Sacramentirer und andere Ketzer soll man nicht hören; bannen und scheiden sie von uns. Dieses ist das nöthigste Stück. Denn wo die Lehre falsch ist, da kann dem Leben nicht geholfen werden. Wo aber die Lehre rein bleibt und erhalten wird, da kann man dem Leben und dem Sünder wohl rathen. Denn da hat man die Absolution und die Vergebung, wenn's zur Lehre kommt. Ist aber die Lehre hinweg, so geht man irre, und findet man weder Bannen nach Lösen. Da ist's denn alles verloren." (Zu Matth. 18, 18. Erl. Ausg. Bd. XLIV, 94. f.) Obgleich sich jedoch Luther außer Stand sah, die volle Kirchenzucht auch in Betreff des Lebens einzuführen, so wünschte er es doch von Herzen und hat er dies auch an unzähligen Stellen ausgesprochen. So schreibt er z. B. im Jahre 1543 an Anton Lauterbach: „Ihr thätet wohl daran und ließe mir's gefallen, so ihr den Bann wieder aufrichten könntet nach Weise und Exempel der ersten Kirche. Aber es würde den Hofjungherrn euer Fürnehmen sehr faul thun und sie hart verdrießen, als die nun des Zwanges entwohnet sind. Unser HErr Gott stehe euch bei und gebe sein Gedeihen dazu. Doch wäre solche Disciplin vonnöthen; denn der Muthwille, daß jedermann thut, was er nur will, nimmt zusehends überhand und wird durchaus eine lautere Schinderei." (LVI, 58. f.) Auch im „Unterricht für die Visitatoren" vom Jahre 1528 hatte Luther mit Melanchthon schon erklärt: „Es wäre auch gut, daß man die Strafe des rechten und christlichen Bannes, davon geschrieben stehet Matth. 18, 17. 18., nicht ließe abgehen." (Walch's Tom. X, 1965. f.) Ja, Luther schrieb einst im Jahre 1537 an die Schweizer: „Von dem Bann oder Schlüssel weiß ich mich nicht zu erinnern, ob jemals zwischen uns Streit und Zwietracht gewesen ist. Vielleicht ist es in diesem Stück baß bei euch gefasset, denn bei uns, und wird sich, wo es sonst vollkommen alles wird sein, zur Concordia hierinne nicht stoßen, noch säumen, ob Gott will, Amen." (XVII, 2598.) Auch die Wittenberger von Luther mit entworfene Consistorial-Ordnung enthält ein langes Register der Sünden, **um** welcher willen, wenn man darin beharre, der Bann folgen solle. Siehe Porta's Pastorale, herausgegeben von Cramer. S. 692. ff.*)

Ein arger Irrthum wäre es daher zu wähnen, weil zur Zeit der Reformation die Kirchenzucht nicht völlig in Schwang gebracht worden sei, so solle man auch jetzt nicht darauf bedacht sein, dieselbe wieder in Schwang zu bringen. Dannhauer schreibt hierüber: „Anfangs zur Zeit Lutheri und seiner Parastaten, da man nach der babylonischen Gefängniß wiederum angefangen zu bauen, hat man Schwert und Bauzeug zugleich haben müssen, wie Nehem. 4, 17.: ‚Mit der einen Hand thaten sie die Arbeit und mit der andern hielten sie die Waffen.' Anfangs konnte es nicht so sein; die Reformations-Helden hatten so viel zu thun mit der Reformation, daß sie die Aedification und Kirchenbau nicht so wohl fortführen konnten. Nun aber der Bau ausgeführt ist, so ist vonnöthen der καταρτισμός, das Flicken. Es wäre ja ein liederlicher Haushalter, welchem ein schön Haus geschenkt worden, der es nicht wollte im Bau erhalten, ließe ihm allenthalben in's Dach regnen, bessert's nicht und ließe es endlich gar einfallen. Also ist es schlimm gehauset, wenn man den eingerissenen Aergernissen nicht wehret und die Kirche nicht durch gute Zucht erhalten wollte. Aecker, die lange wüste gelegen, bauet man: warum sollte man nicht auch die gefallene Kirchendisciplin wieder aufrichten?" (Katechismus-Milch. X, 291.)

§ 40.

Die nöthige Grundlage einer wahren christlichen Kirchenzucht ist, daß die von Christo Matth. 18, 15—17. vorgeschriebene Ordnung der brüderlichen Bestrafung nicht nur von den einzelnen Gliedern der Gemeinde und von der Gemeinde im Ganzen, sondern auch von dem Prediger selbst in keiner Weise verletzt werde.

Anmerkung 1.

Darüber, daß die Ordnung der brüderlichen Bestrafung innerhalb der Gemeinde die nöthige Grundlage einer wahren christlichen Kirchenzucht

---

*) In den Tischreden Luther's findet sich folgende merkwürdige Erzählung: „Ein Bürger zu Wittenberg hatte ein Haus um 30 Gülden gekauft; da er's nun lange hatte inne gehabt und gebraucht, und nichts sonderlichs drein verbauet, denn vier Stuben mit Leimen gekleibet und getüncht, darnach wollte er's wieder um 400 Gülden verkaufen, schlug dieselben vier Gemache an und machte die Rechnung, da sie würden vermiethet, könnte man 20 Gülden daraus nehmen. Da sagte Dr. Martinus: Will der Tropf einen faulen Balken und gekleibte Dreckwand liegenden Gründen gleich achten? Will er so handeln, so werde ich ihn in Bann thun und excommuniciren, daß er sich der Sacramente und des Christenthums äußere und enthalte. Und denke nur nicht, daß er in Himmel gehöret. Es wäre mehr denn genug, wenn er es um anderthalb hundert Gülden verkaufte 2c. Wir müssen die Excommunication wieder aufrichten." (XXII, 955.) Was sollten wir jetzt thun, wenn wir schon eine solche Uebertheuerung, einen solchen Miethwucher mit dem Bann bedrohen wollten?

ist, schreibt Luther: „Was hindert denn jetzt zu unseren Zeiten den Bann? Nichts, denn daß niemand in diesem Stück thut, was einem Christen gebühret und zustehet. Du hast einen Nachbar, welches Leben und Wandel dir wohl bewußt und bekannt ist, deinem Pfarrherrn aber ist es entweder gar unbewußt, oder je nicht so wohl bewußt; denn wie kann er eines Jeglichen Leben insonderheit wissen, wie es ist? Darum, wenn du siehest, daß dein Nachbar durch unrechte Hantierung oder Handel reich wird; siehest, daß er Unzucht oder Ehebrecherei treibet, oder sein Gesinde unfleißig und nachläßig zeucht und regiert, so sollst du ihn erstlich vermahnen und christlich verwarnen, daß er wolle seiner Seligkeit wahrnehmen und Aergerniß meiden. Und o wie ein gar gut selig Werk hast du gethan, wenn du ihn also gewinnest! Aber, Lieber, wer thut es? Denn aufs erste ist die Wahrheit ein feindselig Ding; wer die Wahrheit saget, dem wird man gram; darum willst du lieber deines Nachbarn Freundschaft und Gunst behalten, sonderlich wenn er reich und gewaltig ist, denn daß du ihn wollest erzürnen und dir zum Feinde machen. Deßgleichen, wenn der andere, dritte, vierte Nachbar auch also thut, so fället mit der ersten Vermahnung auch die andere und dritte in Brunnen, dadurch der Nächste hätte können wieder auf den rechten Weg gebracht werden, so du nur mit Vermahnen thätest, was du schuldig und pflichtig bist." (Ueber Joel 3, 17. VI, 2404. f.) *)

Daß dem Bann die stufenweise brüderliche Bestrafung nach Christi Ordnung vorausgehen müsse, bezeugt auch unser Bekenntniß, wenn es darin heißt: „Das wäre aber die rechte Weise, wenn man die Ordnung nach dem Evangelio hielte Matth. 18., da Christus spricht: Sündiget dein Bruder an dir, so gehe hin und strafe ihn zwischen dir und ihm allein. Da hast du eine köstliche und feine Lehre, die Zunge wohl zu regieren, die wohl zu merken ist wider den leidigen Mißbrauch. Darnach richte dich nun, daß du nicht sobald den Nächsten anderswo austragest und ihm nachredest, sondern ihn heimlich vermahnest, daß er sich bessere. Deßgleichen auch, wenn dir ein Anderer etwas zu Ohren trägt, was dieser oder jener gethan hat: lehre ihn auch also, daß er hingehe und strafe ihn selbst, wo er's gesehen hat; wo nicht, daß er das Maul halte. Solches magst du auch lernen aus täglichem Hausregiment. Denn so thut der Herr im Haus: wenn er siehet, daß der Knecht nicht thut, was er soll, so spricht er ihm selbst zu; wo er aber so toll wäre, ließe den Knecht daheim sitzen, und ging heraus auf die Gassen, den Nachbarn über ihn zu klagen, würde er freilich müssen hören: Du Narr, was gehet's uns an? warum sagst du es ihm selbst nicht? Siehe, das wäre

---

*) In Deutschland war es vielfach auch die weltliche Obrigkeit, welche Kirchenzucht und Bann hinderte, wie sie dies denn dort noch bis diese Stunde thut. Hiervon schreibt Luther: „Wo sie (die Obrigkeit) der Kirchen Censur und Strafe hindert und will den Bann, wie denselben Christus eingesetzt und befohlen hat, nicht gestatten noch gehen lassen, fördert, hegt und hilft also zu Aergernissen: so wird sie aus Gottes Dienerin des leidigen Teufels in der Hölle leibeigener Knecht." (A. a. O. S. 2406.)

nun recht brüderlich gehandelt, daß dem Uebel gerathen würde und dein Nächster (dennoch) bei Ehren bliebe. Wie auch Christus daselbst sagt: Höret er dich, so hast du deinen Bruder gewonnen. Da hast du ein groß trefflich Werk gethan; denn meinest du, daß ein gering Ding sei, einen Bruder zu gewinnen? Laß alle Mönche und heilige Orden zu Haufe geschmelzt herfür treten, ob sie den Ruhm können aufbringen, daß sie einen Bruder gewonnen haben! Weiter lehret Christus: Will er dich aber nicht hören, so nimm noch einen oder zween zu dir, auf daß alle Sache bestehe auf zweier oder dreier Zeugen Munde; also, daß man je mit ihm selbst handle, den es belangt, und nicht hinter seinem Wissen ihm nachrede. Will aber solches nicht helfen, so trage es denn öffentlich für die Gemeine, es sei für weltlichem oder geistlichem Gerichte.*) Denn hier stehest du nicht allein, sondern hast jene Zeugen mit dir, durch welche du den Schuldigen überwinden kannst, darauf der Richter gründen, urtheilen und strafen kann. So kann man ordentlich und recht dazu kommen, daß man dem Bösen wehret oder bessert", d. i. daß man heilsame Kirchenzucht übt. (Gr. Katechismus, Auslegung des 8. Gebotes.)

Will also ein Prediger Christi Vorschrift gemäß in seiner Gemeinde auch christliche Kirchenzucht einführen, so muß er mit Einführung der christbrüderlichen Bestrafung beginnen.

Anmerkung 2.

Der Prediger darf Klagen über Privatsünden Anderer, die vor ihn gebracht werden, wenn diese Sünden nicht schon unter vier Augen und dann auch vor Zeugen fruchtlos gestraft worden sind, nicht annehmen; vielmehr hat er dem Kläger seine Offenbarmachung einer noch verborgenen und ungestraften Sünde und die damit begangene Uebertretung der göttlichen Ordnung zu verweisen und ihn zu Beobachtung derselben mit allem Ernste anzuhalten. Was Luther in Betreff jedes Christen in dem Citat der vorhergehenden Anmerkung sagt: „Wenn dir ein anderer etwas zu Ohren trägt, was dieser oder jener gethan hat: lehre ihn auch also, daß er hingehe und strafe ihn selbst, wo er's gesehen hat" — dies gilt in erhöhtem Grade auch von einem Pastor. Vor dem Pastor, als einer öffentlichen Person, gehören eben nur solche Sünden, von denen er entweder selbst Zeuge gewesen ist oder die in den dritten Grad brüderlicher Bestrafung fallen. Es gereicht dem Prediger zur Schande, wenn er Zuträgereien ein offenes Ohr leiht.**)

---

*) Luther redet hier gemäß der Verfassung der Kirche zu seiner Zeit, als „die rechte Art der evangelischen Ordnung", die Luther so sehr wünschte (X, 271.), noch nicht hatte eingeführt werden können.

**) Noch schimpflicher ist es freilich, wenn der Prediger das, was er durch Zuträgereien während der Woche erfahren hat, sogar am Sonntag auf die Kanzel bringt. Luther schreibt daher: „Welcher Geist diese Ordnung (Matth. 18.) nicht hält, der hat nichts Gutes vor." (XXI, 167.)

Vor allem hat jedoch der Prediger, was die Uebung der Kirchenzucht betrifft, zu bedenken, daß er in keinem Falle Macht hat, den Bann allein und ohne vorgängigen Proceß und Erkenntniß der Gemeinde an irgend einer Person zu vollziehen. Hier gilt ohne Zweifel das bekannte Axiom: Quicquid omnes tangit, maxime in re salutari, ab omnibus debet curari, d. i. Was Alle betrifft, muß auch, namentlich in Sachen der Seligkeit, von allen besorgt werden.*) Es ist schon wider alle Vernunft und Gerechtigkeit, daß Eine Person entscheide, in welchem Verhältniß ein Glied zum Ganzen und das Ganze zu einem Gliede stehen solle, namentlich wenn es sich um das glaubensbrüderliche Verhältniß handelt. Dazu wird in Gottes Wort ausdrücklich nicht allein der Prediger, sondern die ganze Gemeinde wegen Unterlassung des Bannes gestraft und ihr zugerufen: „Thut von euch selbst hinaus, wer da böse ist!" (1 Kor. 5, 1. 2. 13.) Ausführlicheres über diesen Gegenstand s. „Stimme unserer Kirche" rc. Th. II, These 9. C. Aus den vielen Zeugnissen, welche hierüber in dieser Schrift gesammelt sind, mögen hier nur die folgenden einen Platz finden.

So heißt es erstlich in den Schmalkaldischen Artikeln: „Die Officiale**) haben unleidlichen Muthwillen damit" (mit dem Bann) „getrieben und die Leute entweder aus Geiz oder anderm Muthwillen wohl geplagt und ohne alle vorgehende rechtliche Erkenntniß" (im lateinischen Text: sine ullo ordine judiciorum, d. i. ohne alle Ordnung der Gerichte) „gebannt. Was ist aber dies für eine Tyrannei, daß ein Official in einer Stadt die Macht soll haben, allein seinem Muthwillen nach ohne rechtliche Erkenntniß die Leute so mit dem Bann zu plagen und zu zwingen? . . Weil solche Beschuldigung sehr wichtig und schwer ist, soll ja ohne rechtliche und ordentliche Erkenntniß" (sine ordine judiciali, d. i. ohne gerichtliche Ordnung) „in dem Fall niemand verdammt werden." (Anhang: Von der Bischöfe Gewalt und Jurisdiction. fol. 158.) Der Bischof Deotrephes, welcher in eigener Machtvollkommenheit den Bann übte, erwies sich dadurch als ein Vorläufer des Antichrists schon in der apostolischen Zeit. 3 Joh. 9. 10.

Luther schreibt daher: „Du hörest hie (Matth. 18.), daß es müssen gewisse öffentliche Sünden sein gewisser bekannter Personen, da ein Bruder den andern sündigen sieht, dazu solche Sünde, die zuvor brüderlich gestraft und zuletzt öffentlich vor der Gemeine überzeuget sind; darum die Bullen und Bannbriefe, darinnen also stehet: ‚Excommunicamus ipso

---

*) Diesem Grundsatz gemäß schreibt der römische Bischof Leo I.: „Quae ad omnes pertinent, cum consensu omnium fieri debent", d. i. Was Alle betrifft muß mit Aller Zustimmung geschehen. „Qui praefuturus est omnibus, eligatur ab omnibus", d. i. Wer Allen (in einer Gemeinde) vorstehen soll, muß auch von Allen gewählt werden. (Epist. 95. Vgl. Gerhard's loc. de minist. § 286.)

**) Ein Official war ein Vicarius des Bischofs in weltlichen Gerichtsangelegenheiten.

facto, data sententia, trina tamen monitione praemissa; item: de plenitudine potestatis'.*) das heißt man auf deutsch einen Sch...bann. Ich
heiße es des Teufels Bann und nicht Gottes Bann, da man diese Leute
bannet mit frevler That, ehe sie öffentlich überzeuget sind vor der Gemeine
wider Christi Ordnung. Desgleichen sind alle die Banne, damit die Officialen und geistlichen Richthäuser gaukeln, und daß man über 10, 20, 30
Meilen Wegs die Leute mit einem Zettel vor einer Gemeine in Bann thut,
so sie doch in derselbigen Gemeinde und vor dem Pfarrherrn nie gestraft,
verklagt und überzeugt sind; sondern kommt daher eine Fledermaus
aus eines Officialen Winkel ohne Zeugen und ohne Gottes Befehl. Vor
solchem Sch...bann darfst du dich nicht fürchten. Will ein Bischof oder
Official jemand in Bann thun, so gehe oder schicke er hin in die Gemeine
oder vor den Pfarrherr, da derselbige soll in den Bann gethan werden, und
thu ihm, wie recht ist nach diesen Worten Christi. Und das alles sage ich
darum: denn die Gemeine, so solchen soll bännisch halten, soll
wissen und gewiß sein, wie er den Bann verdienet und drein kommen ist, wie
hier der Text Christi gibt; sonst möchte sie betrogen werden und einen Lügenbann annehmen, und damit dem Nächsten unrecht thun. Das wäre denn
die Schlüssel gelästert und Gott geschändet und die Liebe gegen den Nächsten
verkehret, welches einer christliche Gemeine nicht zu leiden ist. Denn-sie
gehöret auch dazu, wenn jemand bei ihr soll verbannet werden, spricht hie Christus, und ist nicht schuldig, des Officials Zettel,
noch des Bischofs Briefen zu gläuben, ja, sie ist schuldig, hie nicht zu gläuben; denn Menschen soll man nicht gläuben in Gottes Sachen.
So ist eine christliche Gemeine nicht des Officials Dienstmagd, noch des Bischofs Stockmeister, daß er möge zu ihr sagen: Da, Grete, da, Hans, halt
mir den oder den in Bann. Awe, ja, seid uns willkommen, lieber Official!
In weltlicher Oberkeit hätte solches wohl eine Meinung, aber hie, da
es die Seelen betrifft" („in re salutari" f. o.), „soll die Gemeine
auch mit Richter und Frau sein.**) St. Paulus war ein Apostel,
noch" (und dennoch) „wollte er den nicht in den Bann thun, der seine
Stiefmutter genommen hatte; er wollte die Gemeine auch dabei haben.
1 Kor. 5, 1. 5." (Schrift von den Schlüsseln vom J. 1530. XIX, 1181. f.)

Schließlich erinnern wir noch an folgende spätere Zeugnisse. J. Fecht
schreibt: „Das Endurtheil über den Bann ist keineswegs bei dem alleinigen Kirchendiener, sondern bei der ganzen Gemeinde, welche
entweder das Consistorium oder irgend ein anderer Convent, wie eben jedes

---

*) Deutsch: „Wir verdammen hiermit thatsächlich nach Fällung des Urtheils,
jedoch nach vorgängiger dreimaliger Ermahnung" (die aber eben wie zum Spott wohl
in der Bannbulle erwähnt wurde, aber nicht vorher wirklich geschehen war); „desgleichen:
aus unserer Machtvollkommenheit."

**) Luther nimmt hier der deutschen Sprache gemäß das Wort „Frau" in der Bedeutung „freie Hausherrin".

Orts Brauch ist, repräsentirt.*) Und zwar beweist dies die Stelle Matth. 18, 17. und das Beispiel Pauli, welcher den Blutschänder mit Consens der Korinthischen Gemeinde in den Bann that, 2 Kor. 2, 6. 1 Kor. 5, 4. Und in diesem Satz und Urtheil ist die ganze lutherische Kirche einstimmig und alle Theologen derselben, daher der Kirchendiener um so weniger Ursache hat, sich allein etwas in dieser Sache anzumaßen." (Instructio pastoral. c. 15, § 7, p. 169. f.) Endlich schreibt Val. Ernst Löscher: „In unserer Kirche hat noch niemand gesagt, daß Bann und Disciplin nur der Clerisei zukomme, sondern sie ist von Christo der Kirche anbefohlen; diese erkennt und decretirt und Christi Diener, als os ecclesiae" (Mund der Kirche), „kündigen solches den Sündern an und haben nach Christi Ordnung das exercitium clavis ligantis", d. i. die Ausübung oder Execution des Bindeschlüssels. · (Fortgesetzte Sammlung von alten und neuen theologischen Sachen. Jahrgang 1724. Seite 476.)

Anmerkung 3.

Ist die Sünde eines Gemeindegliedes so offenbar, daß die ganze Gemeinde dieselbe weiß, daher auch die ganze Gemeinde dadurch geärgert wird, so ist es nicht an sich nöthig, die Matth. 18. angegebenen Stufen der Ermahnung inne zu halten, da in diesem Falle eben die Gemeinde jene Person ist, von welcher der HErr sagt: „Sündiget dein Bruder an dir, so gehe hin, und strafe ihn zwischen dir und ihm allein." Matth. 19, 15.**) Wir lesen daher, daß auch Paulus, nachdem Petrus ein öffentliches, allen bekanntes Aergerniß gegeben hatte, nicht erst stufenweis, sondern sogleich „vor allen öffentlich" gestraft habe. Gal. 2, 13. 14. Von einem solchen Falle schreibt auch Paulus ausdrücklich: „Die da sündigen, die strafe vor allen, auf daß sich auch die andern fürchten." 1 Tim. 5, 20. Christian Kortholt spricht sich daher hierüber folgendermaßen aus: „Vor allem ist ein Unterschied zwischen verborgenen und offenbaren Sünden zu beobachten. Wir nennen aber verborgene Sünden nicht die, welche durchaus niemandem bekannt sind, denn die richtet Gott allein (Röm. 2, 16.), sondern welche

---

*) Selbstverständlich redet Fecht hier nur von solchen „Conventen", welche wirklich die ganze Gemeinde vertreten, nicht von einem s. g. Ministerium, welches, nur aus Predigern bestehend, auch allein einen Theil der Gemeinde, nämlich nicht die Zuhörerschaft, sondern allein die Lehrerschaft, vertritt. J. Gerhard schreibt daher: „Die Bischöfe oder Lehrenden allein können die Kirche nicht repräsentiren, da zur Definition derselben auch die Zuhörer gehören; aber ein Presbyterium kann die Kirche repräsentiren, zu welchem nicht allein jene gehören, die am Wort arbeiten, sondern auch Senioren, welche der Ausübung kirchlicher Geschäfte im Namen der ganzen Kirche vorgesetzt sind." (Loc. de minist. eccles. § 87.)

**) Augustinus schreibt daher: „Wenn du allein die Sünde weißest, dann hat er allein an dir gesündigt. Aber wenn er dir vor Vielen Unrecht gethan hat, so hat er auch an diesen gesündigt." (Serm. 16. de verbis D.)

wenigen bekannt und nicht mit einem öffentlichen Aergerniß Vieler verbunden sind; offenbare aber, welche öffentlich kund und daher mit Aergerniß Vieler verbunden sind. Was nun die verborgenen Sünden betrifft, so hat nicht weniger der Kirchendiener, als jeder aufrichtige Christ die Regel des Heilandes Matth. 18, 15. ff. zu beobachten. Aber offenbare Sünden sind öffentlich zu strafen. Augustinus sagt: ‚Vor allen ist zu strafen, was vor allen begangen wird.‘ Und dieses ist die Vorschrift des Apostels selbst, der seinen Timotheus also anredet: ‚Die da sündigen‘ (nemlich mit öffentlichem Aergerniß), ‚die strafe vor allen, auf daß sich auch die andern fürchten.‘ 1 Tim. 5, 20." (Pastor fidelis. Hamburgi 1696. p. 92. 96. f.) Es kann selbst Fälle geben, in denen es nicht nur nicht an sich nöthig ist, die verschiedenen Grade brüderlicher Bestrafung zu beobachten, sondern in denen es vielmehr nöthig ist, dieselben nicht zu beobachten. Davon schreibt Osiander: „Diese Grade haben bei schwereren Verbrechen, wie bei Mordthaten, Ehebrüchen u. dergl., nicht Statt. Denn wie abgeschmackt wäre es, einen Mörder nicht eher vor Gericht ziehen, als bis er zwei oder drei gemordet hätte. Auch Paulus hieß die Gemeinde den, welcher mit seiner Stiefmutter in Blutschande gelebt hatte, sogleich in den Bann thun, ohne vorherige Beobachtung der Ermahnungsstufen." (Paraphras. ad Matth. 18.)

Wie immer, so ist jedoch auch hier die Liebe das höchste Gesetz. Fordert es daher die Liebe zu dem Gefallenen, denselben trotzdem, daß sein Fall ein öffentlicher ist, zuerst privatim zu ermahnen, so würde der Gebrauch des Rechtes, den öffentlich Gefallenen auch sogleich öffentlich zu strafen, ein schweres Unrecht in sich schließen. Ganz richtig schreibt daher L. Hartmann: „Selbst öffentliche und jedermann kundbare Sünden sind nicht das erste Mal sogleich öffentlich zu strafen. Denn alle Bestrafungen sind so anzustellen, daß die Bestraften zu wahrer Erkenntniß ihrer Sünden und zu Rührung ihrer Herzen gebracht werden. Daher ist zuvor alles zu versuchen, was zum Heil und zur Sinnesänderung des Nächsten dient. Wenn du nun nach Beschaffenheit der Person das Vergehen sogleich vor die Oeffentlichkeit bringst, so wirst du durch diese Strenge und öffentliche Härte das Herz des Nächsten mehr verhärten, als bessern und das Geschwür erweichen, ‚aus Scham wird er seine Sünde zu vertheidigen anfangen, und den du bessern willst, den machst du schlechter‘, wie mit Recht Augustinus im 16. Sermon von den Worten des HErrn erinnert. ‚Wer da siehet, daß er ausgetragen wird, der wird sich alsobald dazu entschließen, seine Schuld zu leugnen, und so hilfst du der Sünde nicht nur nicht ab, sondern verdoppelst sie‘, wie Origenes zu 3 Mos. 3. schreibt." (Pastoral. ev. p. 856.)

Anmerkung 4.

Ueber die rechte Weise der brüderlichen Bestrafung stellt Hartmann folgende 18 Regeln auf: „1. Die Bestrafung des Nächsten ist so

anzustellen, daß sie zur Ehre Gottes und zum Heil des Nächsten gereiche, und daß daher der Nächste nicht um deßwillen vor der Welt dem Spott
und Hohn ausgesetzt, sondern es offenbar werde, daß der Ermahnende dies
nicht aus Bosheit, Haß und eitler Ehre thue. 2. Jede Bestrafung muß sich
auf gewisses Wissen einer begangenen Sünde gründen. 3. Der Bestrafende muß bei seiner Bestrafung immer die allgemeine und seine
eigene Schwachheit im Auge haben, und so sich auch selbst bestrafen.
4. Wer dem Nächsten einen Vorhalt thut, muß sich hüten, daß er nicht
selbst mit derselben oder einer ähnlichen Sünde befleckt sei. 5. Verborgene oder dir allein oder Wenigen bekannte Sünden sind nicht öffentlich,
sondern allein zwischen dir und dem Fehlenden zu bessern. 6. Welche daher
die verborgenen Sünden ihrer Brüder vor die Gemeinde bringen, ohne die
von Christo für solche brüderlichen Verhandlungen vorgeschriebenen Stufen
zu beobachten, die sind nicht anzuhören, sondern zu strafen und zu den Gesetzen der Liebe zurück zu rufen. 7. Selbst öffentliche und Allen bekannte
Sünden sind nicht das erste Mal sogleich öffentlich zu strafen." (Vgl. Anm. 3.)
„8. Der dem Nächsten gethane Vorhalt soll weder zu kalt und zu gelinde,
noch zu hart und zu ernst, sondern so temperirt und abgewogen sein,
daß der Bruder vermittelst desselben durch Erkenntniß seiner Sünden und
durch Erwägung des Zornes Gottes mit zerschlagenem Herzen zu wahrer
Buße geführt werde. 9. Bei der Bestrafung ist daher die Mittelstraße
einzuschlagen, so daß mit der Herbheit des Verweises sich die Milde des Geistes
vermische. 10. Der Bestrafende wird den Nächsten mit Frucht tadeln, wenn
er die Beschaffenheit und den Zustand dessen, den er tadeln will,
berücksichtigt. 11. Der Verweis ist nach Beschaffenheit der Sünde
einzurichten und derselben gemäß verschieden zu geben. 12. In der Bestrafung
des Nächsten ist auch auf Zeit und Ort Rücksicht zu nehmen. (Spr. 25, 11.
Sir. 22, 6. 1 Sam. 25, 36. 37.) 13. Wenn das Verbrechen, welches der
Nächste begangen hat, entweder der Kirche oder dem Staate zum
Schaden gereicht, oder auch Gefahr im Verzug liegt, überdies der,
welcher von der That weiß und dieselbe nicht entdeckt, des Verbrechens mit
schuldig erachtet wird, oder wenn endlich wenig Hoffnung ist, dasselbe zu
hindern, dann ist auf der Privatermahnung keinesweges zu bestehen, sondern
das Verbrechen, entweder mit gänzlicher Unterlassung oder doch nach einer
den Umständen entsprechenden Anwendung derselben, öffentlich bekannt zu
machen und gehörigen Orts anzuzeigen. 14. Wenn ein zu begehendes Verbrechen größer und schwerer ist, als der Verlust des guten Rufes
dessen, welcher die Absicht hat, das Böse zu vollbringen, dann ist dasselbe ohne
weiteres zu entdecken, sonderlich denen, welche es durch ihre Autorität und
Gewalt abwenden können. (Apost. 23, 13. 14.) 15. Wenn den Nächsten
seine Verirrung oder Verbrechen reut, oder wenn man ihn ohne irgend
einen Verweis sogleich bessern, oder endlich Andere, auf die man
mehr Rücksicht zu nehmen hat, durch ihn strafen würde, so ist ihm ent-

weder gar kein Verweis zu geben, oder wenigstens ein ganz gelinder.
16. Wenn es zweifellos offenbar ist, daß alle Strafe vergeblich sei und,
wie man sagt, tauben Ohren gepredigt werde, dann kann man der Bestrafung
und Ermahnung gänzlich überhoben sein. 17. Die Zeugen, welche zum
zweiten Grad der Ermahnung gebraucht werden, müssen wohl geschickt sein,
den Bruder zu gewinnen, und wenigstens dem zu Bestrafenden nicht verhaßt
sein; denn wenn man entweder Streitsüchtige oder solche, welche dem zu Bestrafenden verhaßt, oder auch, die nicht verschwiegen sind und die er nicht
leiden kann, dazu nimmt, so wird man nichts ausrichten, sondern der Ge-
strafte entweder aus Scham, oder aus Haß Sünde mit Sünde heilen wollen
und hartnäckig bleiben. Es können daher Verwandte oder bekannte vertraute
Freunde hinzu gezogen werden, vor denen sich derjenige, welcher gefehlt hat, nicht
schämt seine Sünde zu bekennen, und die ihn durch ihre Autorität zu Bekenntniß und Besserung in gebührender Weise bewegen können. 18. Alle
Stufen der Ermahnung sind, wenn es die Noth erfordert, einige Male zu
wiederholen, und so lange an dem zu Bekehrenden zu arbeiten, bis er sich
bessert, oder durch Verachtung aller Ermahnungen seine dauernde Halsstarrigkeit offenbar wird. Denn Christus zeigt Matth. 18. die Ordnung und
Stufen der Ermahnung, nicht wie vielmal sie geschehen solle. Daß
jede derselben mehrmals anzuwenden sei, erhellt schon aus dem 22. Vers dieses
Capitels, wo Christus lehrt, daß man dem sündigenden Bruder siebenzigmal
siebenmal vergeben müsse. Vgl. Luk. 17, 4." (Pastoral. ev. p. 853—862.
Man vergleiche die vortreffliche Ausführung dieser Canones daselbst.)

Darüber, wie die Bestrafung beschaffen sein müsse, schreibt Dann-
bauer: „Es ist ein jeder Christ als Bischof seines Nebenmenschen denselben
brüderlich zu strafen verbunden, 3 Mos. 19, 17. Matth. 18, 15. Allein es
ist vonnöthen: 1. Die Wahrheit, daß man zuvörderst der Sachen gewiß.
2. Die Klugheit, daß man die rechte Zeit wahrnehme. Es straft oft
einer seinen Nächsten zur Unzeit, und thäte weislicher, daß er schwiege, Sir.
20, 1. Wer einem will einen Sprießen aus dem Auge ziehen, der muß auch
gar zärtlich mit der Sache umgehen. Ebenso zart und fürsichtiglich
muß auch die Censur des Nächsten geführt werden. 3. Die Freundlichkeit. Der Gerechte schlage mich freundlich 2c., stehet dort im Psalmen
geschrieben, Ps. 141, 5. 4. Die Aufrichtigkeit, daß man keine unziem-
lichen Affecten oder ehrenrührerisches Gespräch bei solchem Werk erscheinen
lasse. 5. Die Epieikeia und Billigkeit, als welche einen kleinen Fehler nicht
so hoch aufmutzet und, wie man sagt, nicht aus einer Mücke einen Elephanten
macht. In zweifelhaften Fällen glaubet sie aus christlicher Liebe allezeit ehe das Gute, als das Böse; hält den Menschen eher für unschuldig,
als für schuldig. Entschuldige, sagt Bernhardus, des Nächsten Intention
und Meinung, kannst du das Werk nicht entschuldigen; sagend, es sei aus
Unwissenheit geschehen, er sei übereilt worden, es sei ihm ungefähr geschehen,
er sei sonst so böse nicht." (Katechismus-Milch. II, 352.)

Auch Kortholt sagt in Betreff der zwei ersten Ermahnungsstufen: „Daß diese Regel Christi von Bestrafung verborgener Sünden nicht sowohl von zwei nur so obenhin und gleichgiltig anzustellenden Ermahnungen zu verstehen sei, als vielmehr von einer zwiefachen Ordnungsvorschrift und Stufe, bei deren jeder eine Zeitlang zu verweilen sei, ehe man weiter schreitet, dies zeigt er selbst kurz darauf B. 22., indem er auf Petri Frage, wie oft dem sündigenden Bruder zu vergeben sei, antwortet: Nicht siebenmal, sondern siebenzigmal siebenmal." (Pastor fidel. p. 94. f.) Wer daher meint, daß er der Regel Christi Matth. 18. Genüge geleistet habe, wenn er nur beweisen könne, daß der, welcher sich versündigt hatte, dreimal vor seiner endlich erfolgten Ausschließung ohne Erfolg seiner Sünde erinnert worden sei, mag dabei nun wider die Liebe noch so eilig, oberflächlich, rücksichtslos verfahren worden sein, der ist in einem großen Irrthum.   Auch hier gilt: Summum jus summa injuria.

§ 41.

Solche, welche nach einem öffentlichen schweren Fall in Sünden oder Irrthum sich entweder sogleich, oder doch nach erfahrener letzter Ermahnung durch die Gemeinde, bußfertig zeigen, sind zwar nicht in den Bann zu thun, haben aber das von ihnen gegebene Aergerniß durch öffentliche Abbitte oder sogenannte Kirchenbuße möglichst zu tilgen und sich so mit der geärgerten Gemeinde zu versöhnen. Matth. 18, 15.   5, 23. 24.   Luk. 17, 3. 4.

Anmerkung 1.

Da ein öffentlicher Fall in Sünde zugleich eine Sünde an der ganzen Gemeinde ist, wie ein nicht öffentlicher, der allein vor Einzelnen geschieht, nach Matth. 18, 15. eine Sünde an diesen ist, so ist, wie in diesem andern Falle, also auch im ersteren eine Versöhnung durch Deprecation nöthig, und zwar eine öffentliche.   Soll der, welcher seine Gabe auf dem Altar opfern will und allda eindenken wird, daß ein einzelner Bruder, an dem er sich versündigt hat, etwas wider ihn habe, nach Matth. 5, 23. 24. allda vor dem Altar seine Gabe lassen und zuvor hingehen und sich mit diesem einzelnen Bruder versöhnen, so ist eine solche Versöhnung mit einer ganzen Gemeinde ohne Zweifel ebenso Pflicht und von gleicher Nothwendigkeit, wenn ein Christ eindenken wird, daß eine ganze beleidigte und geärgerte Gemeinde etwas wider ihn habe.   Diese Versöhnung mit der ganzen Gemeinde oder sogenannte öffentliche Kirchenbuße ist also nicht darum nöthig, weil in der Kirche wie im Staate der Mensch seine Sünden durch Erleidung einer entsprechenden Strafe abbüßen und dafür Genugthuung leisten müßte, sondern theils, damit das durch den Sündenfall eines Bruders gestörte Vertrauens-Verhältniß zu seinen Brüdern wiederhergestellt, theils

damit das öffentlich gegebene Aergerniß möglichst abgethan werde. Würden
diejenigen Glieder der Gemeinde, welche öffentlich schwer gesündigt haben,
wenn sie nur heimlich Gott ihre Sünde bekannt und dafür Buße gethan
haben, ohne Weiteres vom Prediger absolvirt, communicirt und wie andere
rechtschaffen wandelnde Glieder behandelt werden, so könnte dies nicht anders,
als höchst verderblich, wirken; die Gemeinde stünde dann als eine Gesellschaft
von Menschen da, in welcher die Glieder ohne Buße in Sünden und Schanden
leben, und doch Glieder bleiben könnten. Wie ein öffentlich Sündigender
nach Gottes Wort öffentlich zu strafen ist, 1 Tim. 5, 20., so muß er auch
nach Gottes Wort, will er für einen Bußfertigen, also wieder für einen
Bruder angesehen sein und die Vergebung der ganzen Gemeinschaft haben,
auch öffentlich seine Buße zu erkennen geben und zum nöthigen Anzeichen, daß er sich „gebessert" habe, nach Luk. 17, 3. 4. auch öffentlich ausdrücklich erklären: „Es reuet mich."

Daß dies nicht eine Strafe im eigentlichen Sinne sei, selbst wenn der
Deprecirende schon im Bann war, hierüber schreibt Nikolaus Rebhahn,
Generalsuperintendent zu Eisenach, gestorben 1626, in seinem Büchlein „Von
der Kirchenbuße" folgendermaßen: „Wo mehr nicht geschieht, als ein öffentlich Bekenntniß ihrer Sünden, Abbittung und Versöhnung mit der geärgerten
und beleidigten Kirche, so ist es eigentlich keine Strafe, sondern ein Werk des
fünften Gebots im Gesetz Gottes, eine Handlung und eine Tugend, nicht ein
Erleiden oder eine Strafe. Wiewohl zufälligerweise eine Strafe daraus
wird, indem der, welcher sich zu versöhnen hat, leidet, daß er mit Tauf- und
Zunamen öffentlich vor der Gemeinde genannt und seine Verbrechung (als
damit er Aergerniß angerichtet, Gottes Zorn, zeitliche und ewige Strafe verdienet habe) öffentlich angeregt wird, welches ihn im Herzen beißt und wehe
thut, wie es denn mancher (gleichwohl aus Unverstand) für eine größere
Schande und härtere Strafe achtet, als daß ihm zuvor Absolution und
Sacrament versagt worden ist. Und weil in weltlichen Gerichtshändeln
dies für eine Art oder Stück der Strafe geachtet wird, wenn einer dem andern,
den er beleidigt hat, öffentliche Abbittung vor der Obrigkeit thun muß, so mag
auch die Abbittung, welche in der Kirche geschieht, unserthalben etlicher-
maßen eine Kirchen-Strafe sein und bleiben; wie wir auch darum desto
mehr drüber halten sollen als über einem Nerv der Kirchenzucht und damit
andere desto mehr sich fürchten und vor der Sünde sich hüten. Es ist aber
die Versöhnung ein Stück der Kirchenzucht, da ein getaufter Christ (der seinem
Taufbund, göttlichem Gesetz und Christenthum zuwider einen öffentlichen
groben Sündenfall begangen, damit die Kirche betrübt und ein gemein Aergerniß angerichtet hat, solches aber mit bußfertigem Herzen erkennt) sich hierauf
selbst anklagt, Gott und seiner Kirche für sich selbst oder durch den Mund
des ordentlichen Kirchendieners seine Sünde öffentlich bekennt und männiglich
bittet, daß man dieselbe um Gottes willen und aus christlicher Liebe vergeben
und ihn in die Gemeinschaft und zum Mitglied der Kirche wieder aufnehmen

wolle; verheißt auch, daß er forthin durch Gottes Gnade fein Leben beßern
wolle; darauf der Kirchendiener die Zuhörer ermahnet, der Bitte statt zu
geben, und daß männiglich für solchen und dergleichen Sünden sich hüten
folle; welches alles zu dem Ende gerichtet ist, damit dem Aergerniß gesteuert
werde, auch der Delinquent und andere daher Ursache nehmen, sich zu fürchten,
in wahrer Furcht Gottes ein christliches, stilles Leben zu führen und die Sünde
möglichsten Fleißes zu meiden.   Erscheinet demnach hieraus, daß dies Stück
der Kirchenzucht, wenn ein öffentlicher Sünder wieder in die Gemeinschaft
der Kirche aufgenommen wird, in sich halte, so viel des Sünders Person anlangt, ein öffentliches Bekenntniß der Sünden, zufällig eine öffentliche
Strafe der Sünden, und eine öffentliche Abbittung gegen die geärgerte
Kirche." (Citirt in Hartmann's Pastoral. ev. p. 852. f.)

Anmerkung 2.

Auf die Frage, von wem eine öffentliche Abbitte oder sogenannte Kirchenbuße zu fordern fei, antwortet Rebhahn a. a. D. folgendermaßen: „Es
gehören aber gleichwohl hierher unter diese Kirchenzucht (der öffentlichen
Versöhnung durch Abbitte) nicht alle öffentlichen Sünden, sondern
allein diejenigen, welche auch die anderen Eigenschaften an sich haben, daß es
sind enormia et atrocia peccata seu lapsus graviores cum publico scan-
dalo conjuncti, grobe, schreckliche, ärgerliche Sündenfälle.
Dieweil wir ein verderbt, sündlich Fleisch und Blut haben, welches wider
den Geist gelüstet, so geschieht nunmehro, daß täglich allerlei Schwachheiten,
Gebrechlichkeiten und Mängel sich an uns ereignen; wir gedenken, reden, thun
und lassen täglich, das wir nicht sollen: bald entfährt einem ein Schwur,
auch wohl ein Fluch, oder ein ungebührlich Wort; er versäumet die Predigt,
kommt etwas nachlässig zum Beichtstuhl und Sacrament, thut nicht allemal,
was Eltern und Oberherrn wollen, ist in seinem Beruf nicht so fleißig, als
er billig sein sollte, geberdet sich etwas unziemlich, wird zu Zorn bewogen,
mit einem Trunk übereilet, und was des Dinges mehr ist; welches zwar an
ihnen selbst und vor Gott auch schwere Sünden sind, und wenn Gott deswegen mit uns ins Gericht gehen und nach seiner strengen Gerechtigkeit handeln sollte, hätten wir damit nicht allein zeitliche, sondern auch ewige Strafe
verdient; darum wir täglich unsern HErrn Gott um Verzeihung unserer
Sünden anzurufen schuldig sind.   Demnach aber solche Fälle nicht aus vor-
sätzlicher Bosheit und halsstarrig geschehen, auch nicht ein gemein öffentlich
groß Aergerniß damit angerichtet wird, oder, da je etwas fürläuft, durch
desselben Menschen Wohlverhalten und andere Tugenden solches wiederum
gedämpfet wird: so gebühret sich nicht, einen solchen Sünder stracks zur
öffentlichen Kirchenbuße, Bekenntniß, Abbitte und Versöhnung anzuhalten.
Wie es denn auch nicht geschehen könnte, sintemal man sonst alle Tage
einen großen Zettel voll solcher Personen anzeigen müßte, auch zuletzt eine
Gewohnheit daraus werden würde, daß man's gar nicht mehr achtete.

Sondern, wie gemeldet, was ungewöhnliche, grobe, abscheuliche Fälle sind, die aus Muthwillen und Bosheit geschehen und darinnen man eine geraume Zeit verharret ist, oder wenn es schon nicht lange gewähret hat, dennoch durch eine einige That viel frommer Christen Herzen und in denselbigen der Heilige Geist betrübet worden, ein offenbarlich Aergerniß angerichtet worden ist, daran andere sich stoßen, dadurch auch verleitet und verführt werden, zu gedenken, was dem hingeht, das hab ich auch Macht, was ihm recht ist, das ist mir billig 2c.: gegen solche Sünder soll man dies Stück der Kirchenzucht billig gebrauchen.   Hieher gehören nun die, so excommunicirt gewesen und hernach sich wieder bekehren, oder wenn sie schon nicht ausgeschlossen gewesen sind, dennoch öffentlich Aergerniß gegeben haben, als, die Zauberei getrieben haben und deſſen öffentlich geständig ſind, die von der wahren Religion abgefallen ſind, dieselbe gelästert und verfolgt haben, die greulich fluchen und Gott lästern, entweder vor der ganzen Gemeinde oder im Beisein vieler Leute, die eine geraume Zeit, in etlichen Jahren zur Kirche, zum Beichtstuhl und Tisch des HErrn sich nicht gefunden haben, Todtschläger, Hurer, Ehebrecher, Blutschänder und Trunkenbolde, so nicht thun, denn daß sie sich täglich voll saufen, im Luder liegen, Weib und Kindern das Ihre verthun, item Diebe, bekannte öffentliche Wucherer, meineidige Leute und dergleichen.   Von denen heißt es: Rufe getrost, schone nicht (Jes. 58.) und die da ſündigen, die ſtrafe vor allen, 1 Tim. 5." (Hartmann's Pastorale ev. S. 925—29.)   In Betreff solcher Verlobter, welche vor der kirchlichen oder bürgerlichen Einsegnung mit einander ehelich gelebt haben, schreibt Johann Gerhard: „Einige leugnen entschieden, daß solche ſündigen, jedoch wird richtiger dafür gehalten, daß solche gegen ein Kirchengeſetz, das nach heilsamem Rath eingeführt worden, gegen die öffentliche Ehrbarkeit und gegen das sehr löbliche Vorbild gottseliger Eheleute ſündigen... Aus dieser Behauptung fließt das Porisma: daß denen mit Recht Kirchenbuße oder öffentliche Abbitte auferlegt werde, welche auf diese Weiſe gegen die Kirche gesündigt und Anderen ein Aergerniß gegeben haben... Jedoch sind die Kirchendiener zu ermahnen, daß ſie, wenn solchen Verlobten Kirchenbuße und Abbitte aufzulegen ist, mit Vorsicht und Mäßigung verfahren und ihren Zuhörern die Beschaffenheit dieser Sünde recht auslegen, daß ſie nemlich zwar nicht für Hurerei gehalten werden dürfe, aber für ein Vergehen wider ehrbare Kirchengeſetze mit öffentlichem Aergerniß." (Loc. de conjugio § 475. 476.)

Anmerkung 3.

Daß in den beschriebenen Fällen, wenn nemlich ein Gefallener ſich alsobald bußfertig zeigt, nicht nur kein Bann, sondern auch keine Suspenſion Statt haben könne, bezeugt mit Recht Hartmann.   Derselbe schreibt: „In öffentlichen notorischen Verbrechen ist der wahrhaft bußfertige Sünder anzunehmen, nicht aber lange zu suspendiren.   Denn auch hier hat das

Paulinische: ‚Auf daß er nicht in allzu große Traurigkeit versinke‘, Statt, 2 Kor. 2, 6. Und so ist es nicht gerathen, die Absolution entweder zur Strafe oder zur Probe des Bußfertigen eine Zeitlang aufzuschieben, indem die Vortheile, die dieser Verzug zu haben scheint, größere Nachtheile mit sich führen können. Es hat auch keinen Grund in der Schrift; sondern Gefallene, welche bußfertig sind, ohne Noth längere Zeit zu suspendiren, ist eine Art Gewissensmarter; Nathan wenigstens hat den bußfertigen David nicht erst lange suspendirt, sondern ihm sogleich Vergebung der Sünden angekündigt.“ (L. c. p. 864.) Bei wiederholtem Fall in habituelle Trunksucht, Lügenhaftigkeit und dergleichen dürfte am ersten eine zeitweilige Suspension zur Prüfung der Aufrichtigkeit der anscheinlichen Buße und um Verhütung schweren Aergernisses willen am Ort sein. Apostelg. 8, 18—24.

Anmerkung 4.

Es entsteht hier die Frage, ob eine Person wegen eines an einem anderen Orte begangenen Verbrechens vom heiligen Abendmahl abgewiesen werden müsse, bis sie öffentlich Abbitte gethan habe? Auf diese Frage antwortet der lutherische Kirchenrechtslehrer Benedict Carpzov in seiner Jurisprudentia ecclesiastica Folgendes: „Es geschieht sehr oft, daß die, welche von dem Dorf oder der Stadt, wo sie sich eines Verbrechens schuldig gemacht haben, anderwärtshin ziehen und daselbst sich niederlassen, zur heiligen Communion zugelassen zu werden bitten, welchen dann das anderwärts begangene und durch öffentliche Abbitte nicht gesühnte Verbrechen entgegengehalten wird; wobei streitig zu werden pflegt, ob sie wegen des anderwärts begangenen Verbrechens von dem Gebrauch des heiligen Abendmahls abgewiesen werden müssen, bis sie sich der öffentlichen Abbitte unterzogen haben. Und es scheint dies auf den ersten Anblick bejaht werden zu müssen; denn wenn die öffentliche Abbitte zu den Gattungen der Strafen gerechnet wird, so steht allerdings nichts entgegen, dem Schuldigen dieselbe wegen eines anderwärts begangenen Verbrechens aufzuerlegen... Mag sich dies aber auch so verhalten, so kann doch dies auf öffentliche Abbitte nicht angewendet werden, wie Nik. Rebhahn wohl bemerkt, der dafür hält, daß um eines anderwärts begangenen Verbrechens willen den Schuldigen dieselbe keinesweges aufzuerlegen sei. (S. Bericht von öffentlicher Kirchenbuße, Cap. 10, S. 138. 139.) Und wir bleiben bei der Entscheidung desselben: 1. Denn obgleich in gewisser Rücksicht und zufällig in Ansehung der Gebräuche und Ceremonien, durch die der gute Name der Schuldigen bei dem Volke einigermaßen befleckt wird, die öffentliche Abbitte eine Strafe genannt wird, so ist sie doch an sich und ihrer Natur nach eine solche nicht, sondern vielmehr eine Uebung des fünften Gebotes, eine Handlung und Tugend, nicht ein Leiden oder eine Strafe; nicht mehr, als die Versöhnung mit dem Nächsten selbst, die nur ein unsinniger Mensch eine Strafe nennen wird. (S. Rebhahn a. a. O. Cap. 2, S. 7.) Daher wird auch von den Strafsachen verkehrt auf den Act der öffentlichen

22

Abbitte geschlossen. 2. Und da allein um öffentlicher Verbrechen willen die kirchliche Abbitte auferlegt zu werden pflegt und auferlegt werden soll, so sehe ich nicht, mit welchem Rechte der Schuldige wegen eines anderwärts begangenen Verbrechens damit beschwert werden möge; denn ein Verbrechen kann kein öffentliches genannt werden, welches, weil es anderwärts begangen wurde, an dem Orte, wo der Schuldige sich aufhält, nicht bekannt geworden oder nur den Allerwenigsten zur Kenntniß gekommen ist und da für ein heimliches Verbrechen gehalten wird. Wohl bemerkt daher Rebhahn: „„Unter die heimlichen Sünden gehören endlich auch diejenigen, so außerhalb der Gemeinde geschehen. Wenn einer an einem andern Orte eine grobe öffentliche Mißhandlung und Uebelthat begehet, wendet sich von dannen hinweg an einen andern Ort, da man nichts von seiner Verbrechung weiß 2c.““ Und darnach: „„Denn, wie Augustinus schreibt: Wo das Böse vorfällt, da soll es sterben.““ Cap. 10, S. 139. 3. Auch kann ein Aergerniß, was in der That allein der öffentlichen Abbitte Ursache gibt, aus einem anderwärts begangenen Verbrechen nicht leicht entstehen, wenn es nemlich den meisten unbekannt ist; wo daher die Ursache derselben aufhört, hört auch die Abbitte selbst auf. Wenn nun aber doch ein anderwärts begangenes so bekannt geworden wäre, daß davon ein Aergerniß in der Gemeinde gefürchtet werden müßte, so wäre mein Rath, daß das Volk nur öffentlich von der Canzel, ohne öffentliche Abbitte des Schuldigen, der erfolgten Buße desselben versichert und, daß es kein Aergerniß nehmen möge, ermahnt würde; womit nicht nur jedem Bedenken begegnet wird, sondern auch die Pfarrleute zur Gottseligkeit und zu einem christlichen Leben gereizt werden. So rescribirt daher das Oberconsistorium an den Superintendenten zu Oschatz den 18. Mai 1625: „„Wir haben Euren benebst des Pfarrers zu Borna eingeschickten Bericht, Marien, Paul S. zu N. Tochter, Kirchenbuße betreffend, verlesen hören. Wann sie dann dieser Oerter nicht, sondern allhier zu Dresden verbrochen: als werdet Ihr gedachten Pfarrer bescheiden, daß er bei solcher Beschaffenheit die Delinquentin mit der Kirchenbuße verschonen soll 2c.““ Ferner heißt es in einem Rescript an den Superintendenten zu Leisnig den 19. November 1619: „„Wir haben Euern eingeschickten Bericht, in Sachen Johann K. von Leipzig betreffend, verlesen hören. Wann dann daraus so viel zu befinden, daß er zu Leisnig nicht delinquiret und daher kein Scandalum in dieser Gemeinde begangen, so tragen wir, ihn von der Communion abzustoßen oder zu einer Deprecation zwingen zu lassen, noch zur Zeit billig Bedenken.““ (A. a. D. S. 820. 821.) — Noch weniger ist es erforderlich, daß, wenn der Gefallene anderswohin zieht, die schon einmal geschehene Deprecation an dem anderen Orte wiederholt werde. Hierüber schreibt derselbe Carpzov: „Es kann auch geschehen, daß der Schuldige nach geschehener öffentlicher Abbitte wegen eines begangenen Verbrechens anderswohin zieht und sich da aufhält, wobei der Zweifel entsteht, ob die Kirchenbuße im neuen Aufenthaltsorte nicht wiederholt werden müsse. Denn es wird nicht leicht Jemand leugnen, daß auch aus einem anderwärts begangenen Verbrechen, wenn es bekannt wird, ein Aergerniß entstehe. Aber die öffentliche Abbitte darf nicht zu weit ausgedehnt, viel weniger, wenn sie schon einmal geleistet worden, wiederholt und verdoppelt werden, wie Nikolaus Rebhahn im „„Bericht von öffentlicher Kirchenbuße"" Cap. 10. S. 138. richtig schließt, mit diesen Worten: „„Wenn einer an einem andern Orte eine grobe öffentliche Mißhandlung und Uebelthat begehet, wendet sich von dannen hinweg an einen andern Ort, da man nicht von seiner Verbrechung weiß, und bringet dem Ministerio Zeugniß, daß er mit der Kirche, darinnen er das Aergerniß angerichtet hat, versöhnet sei, so kann man ihn wohl am andern Ort zulassen und darf seines Falles nicht öffentlich gedenken. Wann es aber je lautbar und wollte Aergerniß und üble Nachrede daraus erwachsen, könnte nur öffentlich angezeiget werden, daß diese Person mit der Kirchen, die sie beleidiget hätte, allbereit versöhnet wäre, derwegen sich Niemand daran stoßen sollte."" Das ist ganz richtig: 1. weil der Schuldige, wenn die Abbitte einmal geschehen ist, schon mit der ganzen Kirche Christi versöhnt ist; wozu ist es daher nöthig, daß er aufs neue dem Abscheu des Volkes ausgesetzt und daß an jedem Orte die Abbitte insonderheit gefordert werde? Sintemal zwecklose Acte zu vermeiden sind. 2. Auch kann der Einwurf nicht gemacht werden, es sei um des Aergernisses willen nöthig; da, wenn die Beseitigung desselben an einem Orte geschehen ist, sich dies auch auf andere Orte erstreckt. Denn sobald die geschehene öffentliche Buße bekannt wird, so ist die Sache beigelegt und niemand darf das Verharren des Schuldigen in solchem Verbrechen argwöhnen. 3. Auch darum, weil die öffentliche Abbitte für eine Strafe gehalten wird, darf nie eine Verdoppelung derselben zugelassen werden, weil es unbillig sein würde, um eines und desselben Verbrechens willen jemanden mit doppelter Strafe zu belegen. Das Oberconsistorium rescribirte daher dem Superintendenten zu Annaberg den 6. November 1616 also: „„Wir haben aus Eurem Bericht vernommen, daß H. H. von E. Marien, Hansen R. zum Fenichsberg Eheweib, ungeachtet, daß sie allbereit zu D. publice depreciret, nunmehr auch zu D. zur öffentlichen Deprecation anhalten lassen wolle. Wann dann nicht Herkommen (ist), daß einer Person an zweien unterschiedlichen Orten die öffentliche Abbitte auferlegt werde, als begehren anstatt höchstgedachten unseres gnädigsten Herrn wir hiermit, ihr wollet den Pfarrer zu D. bescheiden, daß er gemeldetes R. Weib mit keiner ferneren Deprecation belegen solle 2c."" Ferner heißt es auf Requisition des Caspar S. zu T. den 21. Sept. 1613 folgendermaßen: „„Hat sich eure Tochter Anna mit Joh. E. kurz verwichener Zeit in ein Ehegelöbniß eingelassen; es haben sich aber diese beiden verlobten Personen vor der Hochzeit und Trauung zusammengefunden und fleischlich mit einander zugehalten, daher es geschehen, daß bemeldete euere Tochter im dritten Monat nach der Hochzeit in einem andern Dorfe, A. genannt, dahin sie ihrer Geschäfte und Nahrung nachgegangen, einkommen, eines Kindes genesen, und daselbst taufen lassen, auch die Sechswochen auf solchem Dorfe gehalten, und nach denselben auf Begehren des Pfarrers die daselbst gewöhnliche Kirchenbuße thun müssen: ob nun wohl anitzo, nachdem sie wiederum nach Hause kommen, der Pfarrer zu T. ihr gleichfalls die öffentliche Kirchenbuße auferlegen, sie auch, ehe und zuvor dieselbe von ihr geschehen, zum Gebrauche des heiligen Abendmahls nicht zulassen will; dieweil sie dennoch vorgedachtermaßen zu A. allbereit Kirchenbuße gethan, so bleibt sie nunmehr zu T. damit billig verschonet, B. R. W.""" (von Rechtes wegen.)   S. a. a. O. Seite 821. 822.

Anmerkung 5.

Die Form der Abbitte richtet sich theils nach der Schwere des Aergernisses, theils nach der Beschaffenheit des Gefallenen und nach der Stufe der Erkenntniß, auf welcher die Gemeinde steht.   Die Abbitte kann daher je nach Umständen entweder persönlich von dem Gefallenen selbst vor dem Altare, oder durch den Prediger von der Canzel, oder das eine oder andere in der Gemeindeversammlung, oder vor einem Ausschuß (z. B. bei Frauen), mündlich oder schriftlich u. s. w. geschehen. Als im Jahre 1539 ein Bürgerssohn in Wittenberg in Mord gefallen war, that Luther eine Vermahnung, worin es u. a. heißt: „Weil es eine öffentliche That ist, so muß die Versöhnung auch öffentlich sein, sonst taugt es nicht. So er Kundschaft vom Rath bringt (daß die Sache vertragen ist) und darüber Vergebung der Sünden bittet, so soll er öffentlich vor dem Altar niederknien, und soll der Pfarrherr sagen, er sei absolvirt; denn es ist die ganze Kirche beleidigt." (XXII, 961. f.) Als einst ein Gemeindeglied das heilige Abendmahl nehmen wollte, spie ein anderer, der von ihm beleidigt war, vor ihm öffentlich in der Kirche aus und sprach, daß es Alle hören konnten: „Du Schelm bist nicht werth, daß dich die Erde tragen soll; gehe hin, daß du den Teufel empfahest." Ueber diesen Fall begehrte ein Prediger Rath von einem Gliede des Ministeriums zu Hamburg, welches mit Approbation des letzteren darauf den 13. October 1614 u. A. erwiederte: „Diese öffentliche Sünde ist nicht unter die gemeinen öffentlichen Sünden, sondern unter die gröbsten, als ein sonderlicher Greuel und hohe Lästerung Gottes, zu schätzen. Im Fall auch schon die öffentliche Buße nicht im Gebrauch wäre, müßte doch dieses Aergerniß ohne das, meines und Anderer Erachtens, öffentlich ausgesühnet und der Gemeinde abgebeten werden, sowohl des gar erschreklichen Greuels halben, so in den abscheulichen Worten steckte, als auch, daß es (das Aergerniß) vor dem Angesichte der ganzen Gemeinde öffentlich geschehen ist. So lange er sich dessen verweigert, bezeugt er, daß ihm seine Buße kein Ernst sei; wie könnte er denn also wissentlich zugelassen werden? Hiergegen wüßte ich nichts, wie etwa gelinder mit einem solchen Delinquenten könnte gefahren werden, besondern (es sei denn), da man ja erhebliche Ursache hierzu hätte, möchte er nächst der Versöhnung mit seinem Widerpart für etlichen den fürnehmsten Ständen und Gliedern der Kirche im Namen der ganzen Gemeinde (einem

Ausschuß) herzlich depreciren, und der Herr (Pfarrer) zeigte denn dasselbe der ganzen Kirche öffentlich an. Welche Gelindigkeit ich doch
nicht leicht fürnehmen wollte." (Dedekennus' Thesaurus II, 462. f.)

Vor allem ist hier Vorsicht nöthig, daß die Gefallenen nicht die s. g.
öffentliche Kirchenbuße für etwas ansehen, was die wahre Herzensbuße ersetze,
während doch jene nur ein äußerliches Zeugniß von dem Vorhandensein der
letzteren sein soll und ohne diese ein leeres Gaukelspiel ist. Um so sorgfältiger
ist dabei alles möglichst abzusondern, was den Gedanken erzeugen könnte, als
sei die Kirchenbuße eine die Schuld abbüßende Strafe. In der Apologie
der Augsburgischen Confession heißt es daher: „Von der äußerlichen Ceremonie
der öffentlichen Buße ist auch das Wort Satisfactio oder Genugthuung herkommen. Denn die Väter wollten diejenigen, so in öffentlichen Lastern erfunden, nicht wieder annehmen ohne eine Strafe. Und dieses hatte viele
Ursache. Denn es dienet zu einem Exempel, daß öffentliche Laster gestraft
würden, wie auch die Glosse im Decret sagt; so war es auch ungeschickt, daß
man diejenigen, so in offene Laster gefallen waren, sollte bald unversucht zu
dem Sacrament zulassen. Dieselbigen Ceremonien alle sind nun
unlängst abkommen, und ist nicht noth, daß man sie aufrichte, denn sie thun gar nichts zu der Versöhnung für Gott. Auch ist es
der Väter Meinung in keinem Wege gewest, daß die Menschen dadurch sollten
Vergebung der Sünden erlangen, wiewohl solche äußerliche Ceremonien
leichtlich die Unerfahrenen dahin bringen, daß sie meinen, sie helfen etwas zur
Seligkeit." (Art. 12.) Mit diesen letzteren Worten deutet die Apologie
offenbar an, daß die Erneuerung der strengen Bußzucht der alten Kirche
nicht nur nicht nöthig sei, sondern selbst gefährlich und schädlich sein würde.
Heshusius schreibt daher: „Da der Bruder solche Vermahnung annimmt, soll man ihm weiter keine Strafe auflegen. Denn das Amt des
Evangelii suchet keine Bezahlung für die Sünde, sondern nur die Besserung;
wo es die erlangt, ist's zufrieden; und Christus sagt: Hört er dich, so hast
du deinen Bruder gewonnen; will nicht, daß man ihm etwas auflege,... wie
im heillosen Pabstthum geschehen. Denn das Predigtamt suchet mehr nicht,
denn Besserung des Menschen, und hat Macht und Befehl, die Sünde umsonst
und ohne Abtrag zu vergeben, zu erlassen und aufzulösen. Es haben wohl
die Bischöfe in der alten Kirche etliche Ceremonien verordnet und den öffentlichen Sündern, als den Mördern, Ehebrechern, etwas auferlegt, das man
Correctiones, Züchtigungen, aber hernach im Pabstthum mit Unverstand
Satisfactiones, Genugthuungen für die Sünde, hat genennet. Als, ein
Mörder mußte etliche Tage in der Kirche stehen im Trauerkleid mit einem
Schwert in der Hand, ein Ehebrecher mit der Ruthe, und mußten also mit
solchem Zeichen ihre Sünde bekennen und den andern zum Exempel da stehen.
Aber da ist für allen Dingen zu wissen, daß solche Strafen oder Züchtigungen
(die man unverschämt Satisfactiones hat genennet) in keinem Wege Ver-
gebung der Sünden verdienen. Auch ist zu wissen, daß solche Züchtigungen

nicht nöthig sind in der Kirche, auch vom HErrn Christo und den Aposteln nicht eingesetzt: auf daß die Lehre des Evangelii nicht werde verdunkelt... Ich achte für meine Einfalt, es sei besser und hab weniger Jahr, sonderlich wo nicht große Zeichen einer heuchlischen Buße am Sünder gespüret werden, daß man gar keine öffentliche Züchtigung (z. B. Suspension) auflege denen, die der Vermahnung Raum geben und Besserung zusagen. Denn wie will's ein Pfarrherr, der dem Sünder zu Trost von Gott gesetzt ist, verantworten, daß er einem Bußfertigen (der Besserung zugesagt, und von dem man hoffen kann, daß er's von Herzen meinet, was er redet) etwas auflegen darf, das ihm Gottes helles Wort nicht auflegt? So ist auch das weltliche Regiment dazu verordnet, daß es mit leiblicher Strafe an Ehre, Geld und am Leib die Anderen von Sünden soll abschrecken." (Vom Amt und Gewalt der Pfarrherren. Erfurt 1561. S. 1. 2. 3.)

§ 42.

✗ In den Bann gethan werden kann nur: wer 1. noch am Leben und zurechnungsfähig ist; 2. sich einen Bruder (Schwester) nennen läßt oder so genannt sein will (1 Kor. 5, 11.); 3. ein communicirendes Gemeindeglied (1 Kor. 5, 13.); 5. nur wer eine offenbare, ärgerliche Sünde wider Gottes Gebot begangen hat (1 Kor. 5, 11.), oder einen Grundirrthum hegt und dessen klar überwiesen ist (Tit. 3, 10. 11. Röm. 16, 17. 2 Joh. 9—11.); 5. trotz aller Vermahnung oder Bestrafung sich in seiner Sünde oder in seinem Irrthum verstockt und verhärtet hat und so als ein unverbesserlicher Unchrist offenbar geworden ist (Matth. 18, 17. Tit. 3, 10. 11.); endlich 6. welchen die Gemeinde (oder deren dazu bestellte Vertreter) einstimmig für des Bannes würdig oder „in den Bann" erklärt hat. (1 Kor. 5, 1—5. Matth. 18, 17.) Nicht vollziehbar ist daher der Bann: 1. an bereits verstorbenen und an unzurechnungsfähigen Personen (Wahnsinnigen, Blödsinnigen, leiblich Besessenen 2c.), sowie an Kindern (Ephes. 6, 4. Deut. 21, 18—21.); 2. die nicht Glieder der Gemeinde sind (1 Kor. 5, 13.); 3. welche, selbst nicht mehr Brüder sein wollend, die Gemeinde selbst verlassen, und sich so, je nach Umständen, selbst in den Bann gethan haben (1 Joh. 2, 19.); 4. deren Sünde oder Irrthum nicht offenbar oder doch nicht so offenbar ist, daß ihnen und der Gemeinde dieselben klar erwiesen werden können (Joh. 13, 21. ff. Tit. 3, 10. 11.); 5. deren Sünde oder Irrthum nur der menschlichen Gebrechlichkeit und Schwachheit auch eines Christen angehört (Gal. 6, 2. Jak. 3, 2.); 6. deren Sünde keine Uebertretung göttlichen Gesetzes und deren Irrthum kein das Fundament des Glaubens umstoßender ist (Röm. 14, 1. ff.); 7. die noch nicht nach göttlicher Ordnung von ihrem Irrthum oder von ihrer Sünde fruchtlos überzeugt, ermahnt und gestraft, und noch nicht so als halsstarrige und unverbesserliche Irrgeister oder Sünder offenbar geworden sind (Matth. 18, 15—17. 2 Thess. 3, 14. 15. vergl. Tit. 3, 10. 11.); 8. über deren Bannwürdigkeit sich die Gemeinde nicht einigen kann (1 Kor. 5, 13.); endlich 9. nicht an ganzen Gemeinden (Gal 1, 2. vergl. 5, 4. 2 Sam. 15, 11.).

✠ Anmerkung 1.

Auf die Frage: „Wer ist gewissenhafterweise der Kirchenzucht zu unterwerfen?" antwortet Dannhauer: „1. Der sich einen Bruder nennen läßt, (1 Kor. 5, 11.); 2. der seines Verstandes mächtig ist; 3. der ein Glied der sichtbaren Kirche ist; 4. der noch am Leben ist; 5. der ein unbußfertiger Sünder ist. Der Mensch selbst aber, der gesündigt hat, ohne daß es sich auf seine Nachkommenschaft erstreckt (Hesek. 18, 4.: Welche Seele sündiget, die soll sterben.). Der Bruder, nicht die Brüderschaft, nicht eine ganze Gemeinde von Brüdern; was die letzte Spitze der Kirchenzucht betrifft, nemlich den Bann. Denn dies hieße nicht nur eine Gemeinschaft aus der Gemeinschaft herauswerfen, was unmöglich ist, sondern auch den Weizen mit dem Unkraut ausgäten, da es keine sichtbare Particularkirche gibt, in welcher nicht die unsichtbare verborgen läge. Aber 1. ein jeder Bruder, der höchste, wie der niedrigste, denn es heißt: Welchem ihr die Sünden behaltet, denen sind sie behalten, Joh. 20, 23. Und: So jemand ist, der sich läßt einen Bruder nennen, 1 Kor. 5, 11. Auf diejenigen, welche nur die Tauben mit der Kirchenzucht angreifen, die Adler aber nicht anzurühren wagen, paßt, was J. Valentin Andreä geschrieben hat in seinem Apologus S. 146. Dahin gehört daher auch der Bischof und Vorgesetzte der Kirche, auch der Patriarch, auch der Pabst, auch der König und jeder, der sonst in einer christlichen Republik der höchste ist. 2. Ein Bruder, der seines Verstandes mächtig ist; ein Wahnsinniger aber oder ein leiblich Besessener ist kein Gegenstand dieses (Binde-) Schlüssels, weil er das, was er thut, nicht aus eigenem Antrieb thut, sondern von seinem schwarzen Gaste getrieben. 3. Ein Bruder, der ein Glied der sichtbaren Kirche ist; sei es, daß er schon von der unsichtbaren ausgeschlossen ist, ein Christ aus dem Taufbund der Wurzel nach, wenn auch nicht aus dem wahren Glauben dem Wesen nach. Hingegen hat dieser Schlüssel es nicht mit dem zu thun, welcher Glied einer fremden Gemeinschaft geworden ist, z. B. ein erklärter Abtrünniger und Feind, ein überführter Ketzer, ein unheilbarer Sünder in den Heiligen Geist; dergleichen Sünder, wenn er von uns ausgegangen ist sowohl der Gesinnung, als dem Orte nach, nicht mehr Bruder ist, und eben deswegen, weil er von uns ausgegangen ist und sich in

Feindes Land befindet, nicht mehr von uns kirchlich in den
Bann gethan zu werden fähig, sondern zu meiden, Tit. 3, 10.,
nicht zu dulden, und für einen Feind zu halten und als solcher zu behandeln ist. ‚Daher‘, sagt Hieronymus zu Tit. 3, 10., ‚heißt
ein Ketzer derjenige, der sich selbst verurtheilt hat, weil ein Hurer, ein Ehebrecher, ein Mörder und andere Laster durch die Priester aus der Kirche vertrieben werden, die Ketzer aber selbst das Urtheil über sich fällen, indem sie
aus freien Stücken von der Kirche weichen‘, welches Weichen die Verurtheilung des eigenen Gewissens zu sein scheint.   Anders ist es mit einem Schis-
matiker, der ‚spenstisch‘ ist (wie Luther redet), der sich noch innerhalb der
Grenzen der Kirche befindet.   Ich habe von dem Ketzer geredet, nachdem er
von uns ausgegangen ist, denn vor dem Ausgehen ist er zu vermahnen (Tit.
3, 11.) und zu strafen.   4. Ein Bruder, der noch am Leben ist.   Beide
Schlüssel erstrecken sich gleich weit; sowie die Absolution bei einem Verstorbenen eigentlich nicht statt hat, so auch nicht der Bann.   Auch sind die
in Sünde Gestorbenen nicht unbedacht zu verdammen, da uns das, was die
göttliche Gnade in dem letzten Kampfe und Athemzug in ihnen gewirkt habe,
nicht bekannt sein kann.   Petro genügte es von Judas gesagt zu haben: Er
ging an seinen Ort.   5. Ein Bruder, der ein unbußfertiger Sünder
ist, hinter sich gehend, halsstarrig.   Ich sage, ein Sünder.   Wie dem Unschuldigen und Gerechten kein Gesetz gegeben ist, so auch keine Zucht.   Der
That nach war auch Christus und seine Apostel den Verfluchungen unterworfen, nicht so dem Rechte nach.   Ich sage, ein unbußfertiger, nemlich
derjenigen Sünden überführt, deren kurz zuvor Erwähnung gethan worden,
1 Kor. 5, 11.   Hierher gehören diejenigen, welche durch schändliche Dinge
infam sind oder keinen ehrlichen Namen haben, welche von Buße nichts wissen
wollen, Kuppler, öffentliche Huren, Comödianten, mörderische Zweikämpfer,
die aus dergleichen Sünden ein Handwerk machen.   Dazu sind noch zu nehmen die Unversöhnlichen, die in unauslöschlichen Flammen des Zornes und
Hasses entbrannt sind (Matth. 5, 23. 24.), sowie die, die sich nicht strafen
lassen wollen, die, wie Avianus redet, ‚kein demüthig Wort aus ihrem Halse
gehen lassen, fangen an in der Beichte mit dem Pfarrer zu zanken, als wenn
sie sich zu ihm auf die Bierbank gesetzt.   Kommen auch nicht darum zur
Beicht, daß sie Hunger und Durst hätten nach der heilwärtigen Absolution
und Leib und Blut des HErrn Christi, sondern wollen allein den Pfarrer
versuchen, ob er sie auch wolle von der Beichte abstoßen, wie sie es feindlich
zu nennen pflegen, auf daß sie hernach bei der Obrigkeit Klag-Artikel daraus
machen; welcher ihr gottloser Sinn daher zu vermerken, dieweil sie sich sonst
nicht bringen um den Beichtstuhl, jetzt aber in entstandener Uneinigkeit kommt
sie es an.   Alsdann halte ich für recht, daß man ihnen die Absolution nicht
mittheile, bis sie sich mit ihrem Seelsorger vertragen.‘“   (Liber conscientiae. I, 1127—38.)   Vergleiche das Zeugniß aus den Schmalk. Artikeln
und Luthers oben § 40. Anm. 2.

Anmerkung 2.

Auf die Frage: „Welche Sünden sind der Kirchenzucht unterworfen?" antwortet Dannhauer: „Im Allgemeinen die Sünden ‚an dir‘, das heißt entweder wider dich, indem sie dich durch ein Unrecht beleidigen, welches, wenn es geringfügiger ist, als der Streit über den ersten Rang im aposto-lischen Collegium, Matth. 18, 1., und jede andere Uneinigkeit unter Ein-zelnen, Freunden, Familiengliedern, Eheleuten, Collegen, Nachbarn u. f. w., der allgemeinen und außergerichtlichen Bestrafung zugehört; oder vor dir, öffentlich vor deinen Augen, vor deinen Ohren, wodurch du zum Bösen ent-weder gereizt oder verführt werden könntest. Also ausbrechende, nicht inwendig bleibende Sünden verfallen dieser Ruthe, die überweisbar sind, die gestraft werden können, aus Gewissensüberzeugung notorische, ärger-liche und ansteckende, ungestraft begangene, Deut. 27, 15., welche ent-weder im weltlichen Gericht straflos ausgehen, dergleichen die Korinthische Blutschande war, in deren Bestrafung die Obrigkeit ihrem Amte nicht nach-kam, oder die nur äußerlich und oberflächlich, nicht innerlich und in dem Grunde des Gewissens getroffen werden. Fehlt es an solcher notorischen und öffentlichen Ueberweisung, so hat die Censur ebenso wenig Platz, wie bei dem Verräther Judas, als er noch nicht offenbar geworden war, welcher noch zum letzten Sacrament zugelassen wurde. Die Schmalkaldischen Artikel sagen ausdrücklich: Nota crimina, so in öffentlichen Lastern liegen, pag. 352.." Hierauf thut Dannhauer die Frage: „Wie nun, wenn einem unvorsichtigen Zuchtübenden nicht das Recht fehlt, aber der Erweis; wenn er in seinem Gewissen ganz gewiß wäre, daß eine gewisse Person Ehebruch begangen habe, ja wenn er ihn selbst auf dem Diebstahl ertappt hätte, es fehl-ten aber Zeugen, dieser aber wider den Censor einen Injurienproceß anhängig machte, überdies Widerruf, Abbitte und entweder eine Geld- oder eine Leibes-strafe forderte?" und antwortet: „Ein Zeuge ist kein Zeuge, Num. 35, 30. Es ist daher der Bestrafende (nach Hülsemann von der Bestrafung S. 315.) gehalten, nach dem Urtheil des Richters nicht nur die unverdienten Strafen zu leiden, sondern auch den Widerruf und die Abbitte, die er wider sein Gewissen nicht leisten darf, durch jede auferlegte Bußen zu erkaufen. Denn Sünde, dergleichen eine Lüge ist, und einen Widerruf eines wirklich geschehenen Wortes oder Werkes zu begehen, ist um keines zu vermeidenden zeitlichen Uebels willen erlaubt. 1 Petr. 3, 15—17. 4, 15." Dannhauer fährt fort: „Insonderheit Sünden, die entweder in Gottes Wort ausdrücklich als der Zucht unterworfen genannt werden, als daß man die Privatbestrafung nicht leidet und von sich weis't Matth. 18, 17., was einem gröberen Verbrechen gleich zu achten ist, wenn die Person auch die Auctorität der Gemeinde für nichts achtet, unordentliches Wesen (ἀταξία), Zertrennung und Aergerniß neben der Lehre; oder solche, die zwar nicht als solche genannt werden, aber um gleicher Geltung willen darunter mitbegriffen sind (implicita per aequivalentiam). Denn

es ist die Gewohnheit des göttlichen Gesetzes, in der vornehmsten Art der
Handlung anzuzeigen, was in anderen Dingen, jedoch mit Beachtung des
Gleichmaßes, zu befolgen sei.   Namentlich gehört hieher: 1. Gottlosigkeit, hündische und säuische Verachtung des Wortes und Verabsäumung der
Sacramente, solcher Menschen, welche entweder die Perle anbellen und nach
dem, der sie ihnen reicht, beißen, wie die Hunde, oder sie zertreten, wie die
Säue Matth. 7, 6. vergl. 2 Petr. 2, 21., welche nemlich ihren Wohlthäter
anfallen wie die Molossischen Hunde den Aktäon, Herodes, Porphyrius, Ju-
lianus, Hymenäus, Alexander, 1 Tim. 1, 20. 2 Tim. 4, 14., oder die nichts
begehren, als Eicheln, sich damit zu mästen, nichts suchen, als Koth, sich darin
zu wälzen und zu schlafen und so im Schmutz ihr Leben hinbringen.   Wenn
solche Verachtung in Halsstarrigkeit ausläuft, verdient sie Ausrottung aus
dem Volke Gottes. Gen. 17, 14. — 2. Ketzerei, wenn sie noch nicht gänzlich von der äußerlichen Gemeinschaft flüchtig geworden, noch nicht bis zur
äußersten Verhärtung gediehen, sondern mit dem Wahne übertüncht ist, als
ob ihre oder die gegentheilige Meinung nicht wider den Glaubensgrund an-
stoße; mit welcher Meinung behaftet einst Meletius, Bischof von Thebais,
zwar erst die Irrthümer des Arius dem Petrus von Alexandrien entdeckte und
widerlegte, jedoch denselben nicht ausgeschlossen haben wollte.   Wenn einer
in solcher Meinung sich verhärtet und keine Zeichen gegentheiligen Mißfallens
von sich gegeben hat, so verfällt er der Kirchenzucht.   Derselben können auch
die Nikodemisten, die Heuchler, die Libellatiker nicht entfliehen, welche heutzutage unter dem Pabstthum die Nothwendigkeit zu beichten mit Geld ab-
kaufen, indem sie einen Sicherheitsbrief nehmen. 3. Zauberei, Aberglauben, eitle Beobachtung.   Daher wurde Aquila, vorher jüdischer
Proselyt, nachher Christ und Bibelausleger, weil er hartnäckig der Stern-
deuterei beflissen war, aus der Kirche gestoßen. 4. Synkretismus, bestehe er nun in Gemeinschaft mit Irrglauben (welchen Synkretismus
das Concil von Laodicäa dem Bann übergibt: daß man mit Ketzern oder
Schismatikern nicht beten solle, siehe Canon 32. und 33.   Solche Sichemsche
Samaritaner zu hassen, bekennt Syrach 50, 28., das heißt, wie Mathesius es erklärt, er pronuntiire und verkündige sie hiemit in den Bann); oder
bestehe er in bürgerlich-ehelicher Gemeinschaft, vermöge welcher sich
ein Christ mit einem jüdischen, türkischen, heidnischen Weibe vermischt.*) Tertullian sagt in seiner Epistel ad uxorem, daß auch diese von aller Gemeinschaft der Brüderschaft nach dem Briefe des Apostels fern zu halten sind,
indem derselbe sagt: Mit einem solchen sollt ihr auch nicht essen. 5. Gotteslästerung, Meineid, Sabbathsschändung. 6. Halsstarrige Wider-
setzlichkeit gegen die dreifache Hierarchie, nemlich gegen die Eltern, gegen
die Herren und Frauen, und Rebellion gegen die Obrigkeit; Hurenhandel,

---

*) Dieser Fall dürfte nur in früheren Zeiten unter anderen Verhältnissen so ärger-
lich gewesen sein, daß er der Kirchenzucht bis zum Bann unterwarf.

Menschenraub durch heimliche Verlobung, unversöhnliche Feindschaft, besonders zwischen Eheleuten, Ehescheidung ohne rechten Grund, Duell, nagender
Wucher, ungerecht habsüchtiger und filziger Geiz, eine beißige Zunge, Ver-
fertigung eines Pasquills und Verbreitung desselben, unnatürliche Lustvoll-
heit, Ehebruch, Blutschande, bekannte Sodomiterei, Schlemmerei Luk. 15, 13.,
wüstes unordentliches Wesen 1 Pet. 4, 4., die Mutter der Trunkenheit, die
Großmutter des Verderbens; und daher alle Verhärtung, Verblendung, geistliche Besessenheit des Satans." (A. a. O. S. 1122—26.)

Anmerkung 3.

Ist es zwar der großen Majorität der Gemeinde aus Gottes Wort klar,
daß ein Sünder in den Bann zu thun sei, protestirt aber ein Glied dagegen, jedoch ohne triftige Gründe seiner Weigerung, in den Bann zu
willigen, anzugeben und angeben zu können, etwa entweder offenbar aus
Geringachtung des Wortes und Befehls Gottes, oder aus offenbarer Parteilichkeit für den Sünder, oder aus purem Eigensinn und Muthwillen und
dergleichen, so ist der Protest Einlegende vor Vollziehung des Bannes in
Zucht zu nehmen, und der Bann nicht eher auszuführen, als bis durch
Beseitigung des Einspruchs (sei es, daß der Protestirende seinen Protest zurück-
zieht, oder daß derselbe sich halsstarrig zeigt und als ein offenbar gewordener
Unchrist ausgeschlossen werden mußte) Einstimmigkeit erzielt ist. Da nemlich nach Gottes Wort der Bann Sache der Gemeinde ist, so kann derselbe
durch eine bloße Majorität der Glieder, wenn auch eine noch so große, nicht
rechtmäßig vollzogen werden; und da Christus den Bann geboten hat und
der Apostel die Korinther wegen Unterlassung des Bannes in einem offenbaren Falle ernstlich straft 1 Kor. 5, 1—13, so begeht derjenige eine offenbare
und ärgerliche Sünde wider göttliches Gebot, welcher trotz aller Belehrung,
Ueberweisung und Ermahnung sich der Vollziehung des Bannes in einem
offenbaren Falle hartnäckig widersetzt, und verfällt daher damit selbst der
Kirchenzucht.

Anders ist es, wenn die Gemeinde oder manche Glieder
derselben von der Bannwürdigkeit eines Sünders aus Gottes
Wort nicht überzeugt werden können. Daß dies nicht möglich ist,
ist ein Thatbeweis, daß dieser Fall kein solcher sei, in welchem zum Banne
geschritten werden kann. Die moralische Ueberzeugung weder des
Predigers noch einer Majorität der Glieder der Gemeinde kann hier entscheiden. Ganz richtig schreibt Ph. J. Spener in einem Falle, da „einer
etwas von Kirchengütern mit Unrecht hinterhalten hatte, dazu aber Recht zu
haben meinte", wie folgt: „Ich halte zwar des Mannes Procedur in der
Sache ganz unrecht und der übrigen Mitglieder Klage gerecht gegen ihn; es
ist aber doch eine nützliche Sache, daß eine solche praeconcepta opinio (vor-
gefaßte Meinung) bei demselben sei, daß er Recht zu haben meint; um
welcherlei in Unwissenheit begehender, obwohl unbilligen That, die Aus-

schließung nicht vorgenommen werden kann, als die allein durch offenbare Bosheit und Laster verdient wird". (Theologische Bedenken. Theil IV, S. 275.) An einer anderen Stelle schreibt derselbe: „Es mag der Prediger etwas für Sünde oder Aergerniß halten, das nicht nur der Andere wahrhaftig nicht dafür erkennt und nicht aus Bosheit solches begangen hat, sondern daß auch andere Unpartheiische die Sache nicht unrecht oder je so schwer nicht finden, als sie dem Prediger in seinem Eifer vorkommen war. Also, da dieser eine Sache für Sünde hält, der andere nicht, sind sie darinnen gleichsam Partheien, und muß ein Dritter darüber richten; der Prediger aber darf um seiner Meinung willen, die doch ungewiß ist, ihm auf sein ernstliches Anhalten und übrige Bußbezeugung ihm dasjenige nicht vorenthalten, wozu er sonst sein gegründetes Recht als ein Glied der Kirche hat. Welches auch der Weisheit unseres Heilandes allerdings gemäß ist, daß er das Urtheil, wem die Gnadengüter gehören, bei jeder Gemeinde, nicht in Eines Menschen, aber auch nicht in eines Standes Befinden gesetzt hat, als womit derselben nicht wohl gerathen wäre, nachdem wir Prediger uns nicht nur von boshaftigen Affecten können einnehmen lassen, und also unserer Gewalt in der Ausschließung leicht gegen Unschuldige aus Feindschaft mißbrauchen würden, sondern auch die Besten aus uns menschlichen Irrthümern unterworfen sind und zuweilen einen, zwar ihrerseits gutgemeinten, aber nicht genug gegründeten Eifer in einer Sache fassen können, womit sie demnach, wenn die Vollziehung in ihrer Hand stünde, den Andern unrecht thäten. Daher ist's eine weise Ordnung, daß, da sie die Gnadenschätze auszutheilen haben, dennoch die Erkenntniß" (das letzte Urtheil), „wem sie allein gegeben werden sollen, nicht ihnen allein zukommen, sondern die Gemeinde oder deren Ausschuß dazu zu reden haben müsse. In welcher Ordnung niemandem so leicht Unrecht geschehen kann. . . In diesen Sachen hat sich denn auch der Prediger, der einen solchen communicirt, den er seiner Meinung nach unwürdig zu sein sorget, nicht eben Sünde zu fürchten; denn ob er in seinem Gewissen nicht versichert ist, daß dieser Mensch bußfertig sei, kann er doch und soll in seinem Gewissen diese Versicherung haben, daß es seines Amtes sei, denjenigen auf Begehren die Gnadenschätze widerfahren zu lassen, die noch unter die Hausgenossen Gottes gehören und darunter geduldet werden, hingegen niemand, als aus Erkenntniß deren, vor die es gehört, auszuschließen. Genießt also jener das heilige Abendmahl unwürdig, so sündiget derselbe, der dasjenige, so ihm nicht nützlich, ihm abnöthigt, nicht er, welcher sein Amt nach den vorgeschriebenen Regeln thut. Und wie nach der Regel: De occultis non judicat ecclesia (Ueber Verborgenes richtet die Kirche nicht), die ganze Kirche unschuldig ist, da sie Personen zuläßt, deren Unwürdigkeit verborgen ist, also ist er auch unschuldig in der Zulassung derjenigen, deren Unwürdigkeit nicht erweislich oder noch nicht erwiesen ist; da ja unser HErr den Judas zugelassen, dessen schreckliche Bosheit er wohl sah, auch schon Andern solche zu offenbaren angefangen hatte, weil sie gleichwohl noch nicht ausgebrochen war." (A. a. O. Theil I, Art. IV. S. 297. f.) An einer anderen Stelle schreibt derselbe: „Wo es Sünden sind, die der Prediger in seinem Gewissen für Sünde halt, aber die Sache nicht aus Gottes Wort also demonstriren kann, daß das Gewissen des Andern überzeugt oder ihm alle Entschuldigung benommen werden mag; wie z. E. ob diese oder jene Kleider-Art, Tracht u. s. f. für eine unchristliche Pracht oder ärgerliche Leichtfertigkeit zu halten sei, ob diese oder jene Ergötzlichkeit an einem Christen passirt werden könne u. dergl., wohin diejenigen Sünden insgesammt gehören, wo die Frage ist von Sachen, die an sich selbst Mitteldinge sind, aber zu Anderer Aergerniß gebraucht mögen werden, und aber es dann zum Disputat kommt, ob es wahrhaftig ein Aergerniß sei oder nicht: da, achte ich, müsse man mit großer Behutsamkeit gehen, daß man der Sache weder zu viel, noch zu wenig thue. Nach meiner Meinung mag und soll der Beichtvater der Person dasjenige vor Augen stellen, was er an derselben sündlich hält, und seine Ursachen anführen, ob dieselbe in ihrem Gewissen der Sünden auch überzeugt und zur Erkenntniß gebracht werden möchte. Findet sie sich in dem gerührt und erkennet's für eine Sünde, so ist's eine Sache, wie mit andern auch, da die Sünden bekanntlich (eingestanden) sind. Findet sie sich aber nicht überzeugt, sondern hält es nicht für unrecht, für eine sündliche Pracht, Aergerniß u. dergl., mit Bezeugung, daß sie sich in ihrem Gewissen deswegen sicher wisse und z. E. die Sache nicht aus einem solchen Herzen thue, wie sie beschuldigt wird: so sollte es zwar billig sein, daß eine solche Person eben um ihres Predigers willen, der sich daran stößet, dasjenige unterlassen und ablegen sollte, was sie sonst nicht für unrecht achtete, aber darinnen ihre Liebe und Ehrerbietung billig erweise (wie man auch darauf endlich dringen mag); aber man darf nicht auf gleiche Art gegen dieselbe gehen, wie gegen diejenigen, wo man die Sünden klar in der Schrift ausgedrückt zeigen kann, da sie nichts Scheinbares dagegen einzuwenden habe. Sondern da achtete ich genug, der Beichtvater bezeugte sein Leidwesen über dieses, daß sie es nicht begreifen könne, maße sich aber keine bloße Herrschaft über das Gewissen an, und nach genugsamer Erinnerung ihres Gewissens und Warnung über die Gefahr, da ihr Herz so bewandt wäre, wie er's aus dem Aeußerlichen abnehmen müßte, sie aber anders von sich zeiget: lasse er sie zum Genuß der Güter, die er keinem versagen kann, deren Sünde nicht zur Ueberzeugung des Gewissens aus Gottes Wort hat können erwiesen werden." (A. a. O. IV, 63.)*)

---

*) Im Vorhergehenden hatte Spener schon bemerkt: „Es steht aber solche Gewalt (des Urtheils) der Prediger nicht in einer Jurisdiction und eigenen Gericht über die Beichtkinder, sondern in der Predigt Gesetzes und Evangelii, daß sie die Gewissen informire, was zu der Tüchtigkeit zu der heiligen Communion erfordert werde, und wie sie solches an ihnen finden oder nicht; daher sie die Conclusion mehr logice, als judicialiter, auf sie machen, ob sie, so viel es der Prediger erkennen kann, solche Tüchtigkeit haben oder nicht." (S. 61.)

So oft es sich um eine Sünde handelt, um welcher willen schließlich der Sündigende nicht in den Bann gethan werden könnte, sollte sich der Prediger auch hüten, deswegen ein Kirchenzuchtsverfahren einzuleiten und absolut ein Buß-Bekenntniß zu fordern; denn weigert sich dessen der, welcher gesündigt hat, und muß der Prediger dann dennoch das weitere Kirchenzuchtsverfahren fallen lassen, so ist aus übel nur ärger geworden. In solchen Fällen genügt es, daß der Prediger den, von dessen Sünde er selbst überzeugt ist, ermahne und strafe, und zwar, wenn ein öffentliches Aergerniß vorliegt, dies auch öffentlich thue, ohne jedoch auf ein öffentliches Bekenntniß dessen, der gesündigt hat, dabei zu dringen oder zu warten. Wir finden ja, daß, während die Apostel in gewissen Sündenfällen auf Kirchenzucht und Bann bringen (1 Kor. 5.), in anderen es bei bloßer Ermahnung und Bestrafung bewenden lassen. 1 Kor. 6, 1—8. vergl. 1 Tim. 5, 20. Es ist dies eine nicht zu übersehende Regel, ohne deren Beobachtung die Kirchenzucht überspannt und das ganze christliche Gemeindeleben wider das Evangelium in ein Leben unter steter Kirchenzucht, also unter dem Gesetz, verwandelt wird.

Anmerkung 4.

Ist ein Kirchenzuchtsfall auch nur einigermaßen unklar, oder kann doch der Prediger die sonst willige, dem Worte Gottes sich nie bewußt widersetzende Gemeinde über einen ihm selbst durchaus klaren Fall nicht zu einstimmigem Beschluß bringen, so fordert es die Gewissenhaftigkeit und Vorsicht, zur Beurtheilung des Falles andere, etwa benachbarte oder sonst erfahrene Kirchendiener hinzuzuziehen. Die Antworten auf Fragen in solchen Fällen, welche in den Sammlungen theologischer Bedenken sich vorfinden, an denen unsere Kirche so reich ist — ich erinnere nur an die Wittenbergischen Consilien und den Thesaurus consiliorum von Dedekennus —, zeigen, wie es in unserer Kirche in ihren besten Zeiten Brauch war, daß man sich in allen schwierigen Kirchenzuchtsfällen, ehe man zum Bann schritt, an bekannte erfahrungsreiche Theologen, Stadtministerien und theologische Collegien um Rath wandte. Zwar haben wir Lutheraner streng festzuhalten an der Erklärung unserer Kirche: „Weil nun die Bischöfe solche Jurisdiction (den Bann) als Tyrannen an sich gebracht und schändlich gemißbraucht haben, dazu sonst gute Ursachen sind, ihnen nicht zu gehorchen, so ist's recht, daß man diese geraubte Jurisdiction auch wieder von ihnen nehme und sie den Pfarr-herrn, welchen sie aus Christi Befehl gehört, zustelle, und trachte, daß sie ordentlicher Weise" („legitime", mit Zuziehung der Gemeinde), „den Leuten zur Besserung des Lebens und zu Mehrung der Ehre Gottes gebraucht werde." (Schmalkaldische Artikel, Anhang 2. fol. 158.) Allein dadurch, daß sich Prediger und Gemeinde in jedem einigermaßen schwierigen Falle Rath holen, ja, daß sie in jedem Falle die Mitwirkung von Brüdern außerhalb der Local-Gemeinde suchen, geben sie das ihnen zustehende

Recht nicht auf, sondern bethätigen sie nur die Gewissenhaftigkeit, mit welcher jeder Fall zu behandeln ist, in welchem einem vormaligen Gliede der Gemeinde die Rechte der Brüderschaft genommen werden sollen.

Es geschieht nicht selten, daß, wenn die Gemeinde sich versammelt, um die letzte Ermahnung an einem in Kirchenzucht Stehenden zu vollziehen, derselbe nicht erschienen ist, und sich später damit entschuldigt, er habe nicht gewußt, daß er erscheinen sollte. Die Citation zur letzten Ermahnung sollte daher immer schriftlich geschehen, dieselbe durch eine dazu bestimmte Person dem Betreffenden selbst eingehändigt und von dem so Citirten Erklärung verlangt werden, ob er erscheinen wolle oder nicht, damit die Gemeinde, wenn sie sich versammelt, handeln könne. Will der Citirte erklärtermaßen schlechterdings nicht erscheinen, so ist er zwar nicht in den Bann zu thun, da an ihm die dazu nöthige letzte Ermahnung nach Matth. 18, 17. nicht vollzogen werden kann, er sich auch schon selbst von der Gemeinde ausgeschlossen hat, er ist dann aber für eine Person, die sich selbst von der Gemeinde und der Brüderschaft ausgeschlossen hat, öffentlich von der Canzel zu erklären und nun gleich denen, die draußen sind, zu behandeln. 1 Joh. 2, 19. Bei dieser öffentlichen Erklärung sollte jedoch nur dann der Ausdruck gebraucht werden, daß sich der Betreffende selbst in den Bann gethan habe, wenn der Grund der über ihn verhängten Kirchenzucht eine offenbare Todsünde war. Von Personen, die sich selbst in den Bann thun, sagt Luther: „Unsere Wucherer, Säufer, Schwelger, Hurentreiber, Lästerer und Spötter dürfen wir nicht in den Bann thun, sie thun sich selbst in Bann, ja, sind allbereit darinne bis über die Ohren; sie verachten das Wort Gottes, kommen in keine Kirche, hören keine Predigten, gehen nicht zum Sacrament. Nun wohlan, wollen sie keine Christen sein, so seien sie Heiden... So soll ihnen der Pfarrer auch keine Absolution sprechen, ihnen keine Sacramente reichen, sie sollen zu keiner Taufe kommen noch stehen, zu keiner ehrlichen Hochzeit, auch zu keinem Begräbniß; sollen sich also halten wie die Heiden unter uns; das sie auch gern thun. Und wenn sie sterben wollen, soll kein Pfarrherr, kein Capellan zu ihnen kommen; und wenn sie gestorben sind.., da soll kein Schüler, kein Capellan zu kommen; weil sie wollen Heiden sein, wollen wir sie auch als Heiden halten." (Tischreden. **XXII.** 974. f.) Luther schrieb ferner an den Rath der Stadt Nürnberg im Jahr 1532: „Darum laß mans dabei bleiben, daß man denjenigen, so in öffentlichen Lastern liegen und bleiben, das heilige Sacrament nicht reiche. Und obwohl die Welt jetzund so roh und wild ist, daß sie selbst nicht sehr eilet zum Sacramente und Kirchen, derhalben dieses für keine Straf möcht angesehen werden; wo sich nun Jemand selbst also excommunicirt, laß man's gehen... Aber dennoch sollen die Prediger mit allem Ernst in Predigen solch heidnisch Wesen und Leben strafen mit Erzählung göttlicher Dräuung." (Erlanger Ausg. Bd. **LIV,** S. 317. f.) — Erscheint auch derjenige nicht, welcher erscheinen

zu wollen erklärt hatte, so ist derselbe darum keinesweges ohne weiteres als
ein Sichselbst-ausschließender anzusehen und dafür zu erklären, auch nicht
auf Grund des Gerüchts, daß er wirklich nicht habe kommen wollen, sondern
vor weiteren Schritten der Grund seines Nichterscheinens zu untersuchen und
nach Befund zu verfahren.

Anmerkung 5.

Der in einer rechtmäßigen Gemeindeversammlung gefaßte Beschluß,
daß eine Person in den Bann zu thun sei, sollte immer erst dann, wenn er
in der nächsten Versammlung Bestätigung erhalten, als ein nun erst
definitiver Gemeindebeschluß in Vollzug gesetzt werden, u. A. darum, damit
niemand aus Schuld der gerade Versammelten wider Wissen oder Wollen
der abwesenden Glieder von der Gemeinschaft Aller ausgeschlossen werde.
Geschieht das Letztere, so wird damit eine schreiende Ungerechtigkeit gegen diese
Glieder der Gemeinde begangen, welche man der Gelegenheit, für oder gegen
den Bann zu stimmen, beraubte; und da nach Gottes Wort die Gewalt des
Bannes oder der Ausschließung aus der Gemeinde eine Gewalt der ganzen
Gemeinde ist (Matth. 18, 17.   1 Kor. 5, 2. 4. 13.), so ist ein durch eine
bloße Majorität mit Ausschluß der Minorität vollzogener, nicht einstimmig,
selbst ohne stillschweigenden Consens aller Glieder beschlossener Bann unrechtmäßig und ungiltig.   Johann Gerhard schreibt daher: „Der große
Bann darf nur mit Wissen und Bestätigung der ganzen Gemeinde geschehen.
1 Kor. 5, 4. 2 Kor. 2, 6. Die wichtigsten Handlungen in der Kirche dürfen
nicht ohne die Zustimmung des ganzen kirchlichen Körpers unternommen
werden, und, wie Pabst Leo schreibt: ‚Was Alle betrifft, muß mit Zustimmung Aller geschehen.‘ Was kann aber wichtiger sein und was betrifft
mehr den Leib der Kirche, als das Abschneiden eines Gliedes vom Leibe?
Und wenn die ganze Gemeinde sich eines vertraulichen Umgangs mit dem
Gebannten enthalten soll, so ist es ja schlechterdings nöthig, daß der Bann
in der Versammlung des ganzen Haufens und mit stillschweigender Bestätigung desselben vorgenommen werde." (Loc. th. de minister. eccl. § 286.)
Calov bemerkt zu der Stelle 1 Kor. 5, 5.: „Der Apostel nennt sich zwar
dem Leibe nach abwesend, aber dem Geiste nach gegenwärtig, und die Gemeinde im Namen JEsu Christi zugleich mit seinem Geiste versammelt;
wo Grotius ohne allen Grund nicht alle Christen, sondern
die besten versteht, denn welche dann zu versammeln und welche für die
besten zu achten seien, wäre ungewiß gewesen... Doch sendet die Gemeinde
dabei auch nicht allein Gebete zu Gott, sondern sie fällt auch ein richter-
liches, im Himmel giltiges Urtheil." (Bibl. illustrat. ad l. c.)
Darüber, daß nach Gottes Wort der Bann wohl allein durch den Prediger
executirt, aber von der ganzen Gemeinde beschlossen werden müsse, vergleiche
oben § 40. Anmerkung 2.

Anmerkung 6.

Ueber die Beschaffenheit der schlüßlichen Bannverkündigung von
der Canzel herab schreibt F. Balduin: „Der Superintendent oder Pastor
erkläre von der Canzel, daß dieser Mensch einigemal über ein notorisches
Vergehen (welches mit Namen zu nennen ist) ermahnt worden sei
und dennoch hartnäckig darin beharre. Da nun dies nicht ohne großes
Aergerniß der Gemeinde und nicht ohne die augenscheinlichste Gefahr des
göttlichen Zornes geschehe, so sei in der öffentlichen Versammlung derjenigen,
welche zu dieser Angelegenheit deputirt gewesen seien“ (das ist hier in der
Gemeindeversammlung), „beschlossen worden, daß ein solcher von der Gemeinschaft der Kirche als ein faules Glied ausgestoßen, von dem Gebrauch
des heiligen Abendmahls, von der Pathenschaft, von den Hochzeiten und allem
Umgang ehrbarer Menschen abgewiesen werde, bis er sein Vergehen erkenne
und ernste Buße thue. Die Gemeinde werde daher ermahnt, daß sie sich von
einem solchen Menschen, als einem faulen Gliede, gänzlich thue, zu keinem
Umgang ihn zulasse, sondern für ein abgeschnittenes Glied halte... Dabei
sollte mit Mitleiden für den elenden Menschen gebeten werden, daß ihn Gott
zur Erkenntniß seiner Sünde zurückführe und eine ernste Buße in ihm
wirke, damit sein Geist selig werde.“ (Tractatus de casib. conscient.
p. 1129. f.)

In den Sächsischen Generalartikeln findet sich unter No. XI. folgendes
Bannformular: „Ihr Lieben in Christo, dieser (vel diese) N.“ (hier
ist der ganze Name des zu Excommunicirenden zu nennen) „ist im Laster der
Gotteslästerung (vel Trunkenheit, vel alterius generis) bisher eine lange
Zeit verhaft gewesen, und wiewohl vielfältige Ermahnung und Strafen,
(beide) durch Gottes Wort (und weltliche Obrigkeit) an ihm (vel ihr) versuchet: so hat doch ihn (vel sie) solches alles nicht zur rechten christlichen
Besserung bewegen wollen. Damit nun nicht durch ein räudiges Schaf
eine ganze Heerde verderbet und das böse ärgerliche Exempel gemeiner christlicher Versammlung schädlich und nachtheilig sei; daß auch Gottes Zorn
und Strafe verhütet werde: so haben die Verordneten zu Verrichtung der
Kirchensachen“ (hier muß es heißen, so hat die versammelte Gemeinde) „diesen
(vel diese) N. bis auf seine (oder ihre) öffentliche, beweisliche Besserung von
der christlichen Kirchen abgesondert und von dem Gebrauch des heiligen
Abendmahls unsers lieben HErrn JEsu Christi als unwürdig ausgeschlossen,
daß er (oder sie) auch zu keinem Gevattern in Kindstaufe gebraucht und zu
keiner christlichen Versammlung (außerhalb der Predigt Gottes Worts) zugelassen werde. Der allmächtige, barmherzige Gott wolle ihm (oder ihr) seine
(oder ihre) Sünde zu erkennen geben, rechte Reue in ihm (oder ihr) schaffen
und zur Besserung des Lebens erwecken.“ (Des Durchlaucht. — Herrn
Augusten — Ordnung. 1580. fol. 311. f.)

Anmerkung 7.

Ueber das Verhalten gegen einen Gebannten von Seiten der Gemeindeglieder schreibt Bálduin: „Was den Umgang des Gebannten mit anderen Frommen betrifft, so darf sich das Verbot desselben nicht weiter erstrecken, als die (allgemeine) christliche Liebe zuläßt. Daher hat man sich zwar des vertrauten Umgangs mit Gebannten zu enthalten, daß es nicht den Schein gewinne, als ob man die Kirchenzucht verachte oder sich fremder Sünden theilhaftig mache; daher uns verboten ist, mit ihnen etwas zu schaffen zu haben 1 Kor. 5, 9. 2 Theff. 3, 15.; jedoch soll man das Wohlwollen gegen sie nicht ablegen, sondern Mitleiden mit ihrem Elend tragen, sie ermahnen, und (nach Umständen) trösten und für ihre Bekehrung beten und uns daher in allem nach ihrer Seligkeit begierig erzeigen. Auch hebt der Bann den bürgerlichen Verkehr, Contracte und Handel, mit dem Gebannten nicht auf; wie im Pabstthum der Unterthaneneid und der Gehorsam der Kinder aufgelös't wird, wenn die Obrigkeit oder der Vater in den Bann gethan worden ist; sondern weil der Bann nur den Verbrecher trifft, nicht aber seine Freunde und Verwandten, daher sind die Unterthanen der Obrigkeit, die Kinder den Eltern, das Weib dem Manne, auch wenn er im Bann ist, Gehorsam schuldig und können sich ihres Dienstes gebrauchen, so oft es die Noth erfordert. Denn der Bann bewirkt keine Scheidung derer, welche Gott und die Natur verbunden hat, sondern allein eine Trennung von einer Particularkirche in kirchlichen Dingen, bis wahre Buße erfolgt." (L. c. S. 1130. f.) In den Tischreden Luther's heißt es daher: „Ich fürchte auf unserm Theil, unsere Pfarrherrn werden zu kühne sein und in die leiblichen Dinge, nach dem Gut greifen, wie der Pabst; wenn er einen excommunicirte und in den Bann thäte, und er lehrte sich nicht daran, so sagte er: Ey, wir müssen ihm auch den Markt rc. verbieten, daß er nicht kaufe oder verkaufe. Das ist der Teufel, wenn man zu weit greifen will." (XXII, 975.) Ein klares Princip stellt Hartmann auf. Er schreibt: „Es kann hier ein doppelter Umgang verstanden werden; der eine ist ein nothwendiger, als zwischen Eheleuten, Eltern und anderen, welche nach dem Rechte der Natur und durch andere Mittel an einander gebunden und sich verpflichtet sind; der andere ist ein nicht nothwendiger und möglicher, der nicht sowohl aus Noth, als um Vertraulichkeit, Vergnügens und Nutzens willen, zur Bezeugung freundschaftlichen Verhältnisses angestellt wird... Jener erstere nothwendige wird durch den Bann nicht aufgehoben und verboten... Der andere nicht nothwendige und mögliche Umgang ist, wo kein solches Band vorhanden ist, zu fliehen, damit der Bann nicht durch Trotz befestigt werde; so verbieten Paulus Röm. 16, 17. 1 Kor. 5, 11. 2 Theff. 3, 14. und Johannes 2 Ep. V. 10. zu grüßen." (Pastoral. ev. p. 872. f.) Das Grüßen betreffend, so ist damit selbstverständlich nicht der Gruß gemeint, der unter Umständen durch die Gesetze der Höflichkeit gefordert ist, sondern der brüderliche, Vertrautheit aussprechende. So wenig übrigens der bürgerliche

Verkehr mit Gebannten an sich unrecht ist, so wird doch nach Hartmann ein gewissenhafter Christ auch hierin Vorsicht beweisen und z. B. nicht leicht einen Gebannten zu seinem Geschäftstheilhaber wählen.

Auf die Frage: „Was hat der Pastor während der Zeit des bestehenden Bannes zu thun?" antwortet zwar Brochmand: „Er wird den Gebannten öfters besuchen und ihn zu ernster Buße dringend ermahnen, um ihn aus dem Rachen des Teufels zu reißen." (System. th. II, f. 1028. s.) Dieser Rath scheint sich jedoch mehr auf landeskirchliche Verhältnisse zu gründen, denn wenn es 2 Theff. 3, 15. heißt: „Doch haltet ihn nicht als einen Feind, sondern vermahnet ihn als einen Bruder", so ist dies doch wohl nicht auf die Zeit während des Bannes, sondern vor demselben zu beziehen.

Anmerkung 8.

Schlüßlich sei noch bemerkt, daß über keine Verhandlungen der Gemeinde genauer protokollirt werden sollte, als über solche, welche Kirchenzuchtsfälle betreffen. Die Gemeinde sollte allezeit aus ihrem Protokoll die Richtigkeit ihres Verfahrens in jedem vorgekommenen Bannfall nachweisen können, da ohne diesen Nachweis andere Gemeinden nicht in der Lage sind, den Bann auf alle Fälle respectiren zu können oder zu müssen.

§ 43.

Bittet eine in den Bann gethane Person bei dem Prediger um Absolution und Wiederaufnahme in die Gemeinde, so hat der Prediger diese Bitte letzterer mitzutheilen. Erklärt sich die Gemeinde hierauf durch das bußfertige Bekenntniß und Bezeigen des Wiederkehrenden einstimmig für befriedigt und für mit demselben ausgesöhnt, so hat der Prediger die infolge dessen beschlossene Wiederaufnahme durch öffentliche Bekanntmachung der geschehenen Wiederkehr und Versöhnung, respective durch Absolution, in der öffentlichen gottesdienstlichen Versammlung und durch Communicirung des im Bann Gewesenen zu vollziehen. 2 Kor. 2, 6—11.

Anmerkung 1.

Daß dies alles einst in den apostolischen Gemeinden so geschah, weis't Martin Chemnitz aus 2 Kor. 2, 6—11., wie folgt, nach: „Wenn man aus der That selbst merkte, daß solche Gebannte göttlich betrübt waren, die Größe der Sünde erkannten, vor Gottes Zorn sich fürchteten, und ernstlich um Vergebung und Versöhnung mit Gott und der Gemeinde baten, damit sie wieder in die Gemeinschaft der Kirche aufgenommen würden: dann wendete die Gemeinde, da sie sah, daß sie den mit der Zucht gesuchten Zweck erreicht habe, eine solche Milde an, daß der, welcher schon göttlich traurig war, nicht durch zu große Strenge entweder in Verzweiflung, oder in Verhärtung oder in Verstockung gestürzt würde, daß er nemlich nicht, wie Paulus sagt, in allzugroße Traurigkeit versänke, oder vom Satan übervortheilt würde, 2 Kor. 2, 7... Weil daher die Korinthische Gemeinde gegen jenen Blutschänder darum, daß sein Herz sicher und unbußfertig gewesen war, die Strenge der Zucht angewendet hatte und sah, daß durch die Wirkung des Heiligen Geistes, was durch die Zucht gesucht wird, bei ihm gewirkt worden sei, daß er nemlich die Größe seiner Sünde erkannte, durch die Erkenntniß und Empfindung des Zornes Gottes betrübt war, und mit brünstigem Glauben demüthig und ernstlich Gottes Gnade suchte, und darum bat, daß er durch das Amt des Wortes von Sünden losgesprochen würde: daher meinte die Gemeinde, daß jener Gefallene wieder aufzunehmen, die Vergebung ihm aus dem Evangelio anzukündigen und die Lossprechung von Sünden durch die Schlüssel des Himmelreichs mitzutheilen sei. Weil aber das begangene Verbrechen überaus groß war, und sie vorher von dem Apostel wegen zu leichtfertigen Verfahrens gegen jenen Gefallenen scharf getadelt worden waren, so berichteten sie die Sache an den Apostel, und fragten ihn, was in solchem Falle zu thun sei. Und da sich's so, wie wir auseinandergesetzt, verhielt, billigte Paulus der Korinther Rath und Urtheil, und antwortete: ‚Es ist genug, daß derselbe von Vielen also gestraft ist,‘ nemlich von der ganzen Gemeinde; daher ihr, wie ihr ihn vorher, da er sicher und unbußfertig war, angeklagt, gestraft und durch Behaltung der Sünden gebunden habt, so ihn nun auch, da er zur Sinnesänderung gebracht ist, um so vielmehr im Gegentheil trösten und die Sünde ihm schenken oder vergeben sollet, auf daß er nicht in allzugroße Traurigkeit versinke. Und hernach thut er einen andern Grund hinzu: ‚Auf daß wir nicht übervortheilt werden vom Satan, denn uns ist nicht unbewußt, was er im Sinn hat.‘ Und zur Bestätigung des Urtheils der Korinther setzt Paulus diese Worte hinzu: ‚Welchem ihr etwas vergebet, dem vergebe ich auch;‘ und, sein Beispiel in Betreff der Aufnahme von Gefallenen anführend, fügt er hinzu: ‚Denn auch ich, so ich etwas vergebe Jemanden, das vergebe ich um euretwillen, an Christi Statt;‘ weil derselbe nemlich Matth. 18. verheißen hat: ‚Wo zween oder drei versammelt sind in meinem Namen, da bin ich mitten unter ihnen; was ihr daher auf Erden lösen werdet, soll auch im Himmel los sein.‘ Paulus ermahnt daher, daß sie, wie jener Blutschänder vorher durch öffentliches Urtheil der Gemeinde gebannt und dem Satan übergeben, d. i. durch die gemeinsamen Stimmen der Gemeinde erklärt worden war, daß er nicht ein Glied Christi, sondern des Satans sei — so nun hinwiederum die Wiederaufnahme und Wiederversöhnung desselben durch öffentliche Autorität der Gemeinde und ihre gemeinsame Stimme bestätigten. Denn dieses sollen die Worte Pauli ausdrücken: ‚Darum ermahne ich euch, daß ihr die Liebe‘, mit welcher ihr die Bußfertigen umfassen sollt, ‚an ihm‘ durch eure öffentliche Abstimmung ‚beweiset‘ und bestätiget. Denn das griechische Wort $\varkappa\upsilon\rho o\tilde{\upsilon}\nu$ bedeutet etwas wie durch gemeinsames Stimmen und mit öffentlicher Autorität gut-

heißen, bestätigen und giltig machen und halten. Daß dies
der Sinn jener Paulinischen Stelle ist, zeigen deutlich die Umstände, der Zusammenhang und die Geschichte selbst, welche ich daher hier etwas weitläuf-
tiger habe behandeln wollen. Denn sie ist, wie man gewöhnlich redet, der
eigentliche Sitz der Lehre von der Kirchenzucht, nemlich vom Bann, von
öffentlicher Buße und von öffentlicher Absolution und Wiederaufnahme der
Gefallenen, wie sie zur Zeit der Apostel beschaffen gewesen sei, in welcher Absicht, aus welchem Grunde, zu welchem Zwecke, und mit welcher Lindigkeit sie
angestellt, beobachtet und gebraucht worden sei. Und das Concilium zu
Trient hätte darauf bedacht sein sollen, daß solche apostolische Zucht, welche
der Kirche nützlich und heilsam, und zu diesen Zeiten durchaus nothwendig
wäre, wieder hergestellt würde." (Examen Concil. Trident. Loc. de in-
dulgentiis, p. m. 75—78.)

Anmerkung 2.

Die sächsischen Generalartikel enthalten über die Wiederaufnahme
Folgendes: „Da nun die excommunicirte Person eine christliche Probe thun
und ein züchtig, gehorsam Leben von der Zeit der auferlegten Kirchenstrafe
bis auf die nächstfolgende Visitation führen und um Gnade bitten würde, so
soll deshalben der specialis Superintendens sammt dem Pfarrer des Orts,
auch Amtmann und Gericht unsere Verordneten im Consistorio schriftlich
berichten; alsdann sollen unsere Consistorialen den Excommunicirten (doch
abermals mit Vorwissen und Verwilligung) der Kirchenstrafe wiederum öffentlich ledig erkennen und dem Pfarrer desselben Orts Befehl zukommen lassen,
daß er den Excommunicirten wiederum öffentlich in der Kirche ungefährlich
auf folgende Weise oder wie jeder Zeit der Verhandlung und Besserung nach
befohlen wird, absolviren und den nächsten Sonntag nach Empfahung des
Befehls der Kirchen reconciliiren. Nemlich: ‚Ihr Geliebten in Christo,
nachdem bis anhero dieser N. eine Zeitlang von wegen seiner Mißhandlung
aus der heiligen christlichen Kirchen als ein unnütz Glied abgesondert, von
dem hochwürdigen Sacrament des heiligen Abendmahls, auch andern etlichen
Kirchenversammlungen ausgeschlossen gewesen; und aber seithero aus Gottes
Gnade in dieser Strafe sich gehorsamlich, geduldig, christlich gehalten, auch
versprochen, er wolle fürohin durch Gottes Gnade ein unärgerlich, christlich
Leben führen: so haben die Verordneten des Consistorii' (d. i., die Gemeinde)
‚nach empfangenem Bericht und Kundschaft erkennet, daß der gemeldte N.
seiner Kirchenstrafe zu diesem Mal vorgangener Sachen halb erlediget und
wiederum zu der christlichen Empfahung des hochwürdigen Sakraments des
Abendmahls, auch andere christliche Kirchenversammlungen zugelassen werde.
Und sollet hierauf ihr alle ermahnet sein, fleißig zu bitten, daß der allmächtige,
barmherzige Gott diesem N. und uns allen unsere Sünd gnädiglich durch
JEsum Christum vergeben und mit dem Heiligen Geiste begaben wolle, daß
wir bis in unsern Tod ein christlich, züchtig Leben führen, durch unsern

HErrn JEsum Christum. Amen.' Darauf soll der Pfarrer dem Excommunicirten, so vor Angesicht der Gemeine niederkniet, die öffentliche Beichte und alsbald auch die Absolution fürsprechen und den Actum ecclesiae mit dem gewöhnlichen Gesang beschließen." (K. O. des Churfürsten August, fol. 312. f.) Zwar wird hier der Aufnahmeproceß den Verhältnissen einer Staatskirche gemäß dargestellt, der Prediger innerhalb einer vom Staate unabhängigen Gemeinde wird jedoch leicht erkennen, wie dies mutatis mutandis seine Anwendung auch auf seine Verhältnisse finde.

Anmerkung 3.

Sonstige „Kirchenstrafen", wie sie z. B. im vierten Jahrhundert üblich waren, sind den zur Buße gekommenen Gebannten schlechterdings nicht aufzulegen. In den lutherischen Staatskirchen wurden zwar auch in besserer Zeit selbst den Bußfertigen gewisse Strafen aufgelegt, es geschah dies aber mit dem klaren Bewußtsein, daß dies keine Handlung der Kirche selbst sei. In den von den lutherischen Fürsten bestätigten Kirchenordnungen unterschieden sie selbst genau, was darin wirklich Kirchenordnung war und was darin rein weltlich obrigkeitliches Gesetz war. In Churfürst August's Kirchenordnung von 1580 heißt es daher unter Anderem: „Wann die Obrigkeit .... einem Uebelthäter Gnade erzeigen würde, und gleichwohl um des großen Aergernisses willen vonnöthen, daß es nicht ohne öffentliche Straf hingehen, auch ohne rechtschaffene Reue und Erkenntniß seiner Sünde ein solcher ärgerlicher Mensch zur Gemeinschaft der hochwürdigen Sacramente nicht zugelassen werden soll, und die Obrigkeit ihm deshalb Andern zum Abscheu und Exempel auch eine äußerliche Strafe auferlegt, daß er vor der Kirchenthür mit einem weißen Stab, oder dergleichen, etliche Sonntage nach einander stehen müssen: soll dieses nicht für eine Kirchenstraf gerechnet, sondern, wie es in der Wahrheit ist, für eine weltliche Straf der Obrigkeit gehalten werden, wie die Apologia der Augsburgischen Confession offenbarlich bezeuget; damit die Kirchendiener nichts zu schaffen und derhalben auch in der Kirchen, da man den Leuten nicht leibliche Strafen anthut, sondern Gottes Wort predigt und die hochwürdigen Sacramente austheilt, nicht verrichtet werden soll. Denn der Kirchendiener Gewalt sich weiter nicht erstreckt; denn wie sie Befehlich haben, den Unbußfertigen ihre Sünden zu behalten, also sind sie auch hinwiederum schuldig, einen jeden bußfertigen Sünder, so seine Sünden erkennet, auf sein Bekenntniß zu absolviren." (S. 307.) Vergleiche oben § 41, Anmerkung 5.

Anmerkung 4.

Wie mit Gebannten zu verfahren sei, welche plötzlich in Todesnoth gerathen und den Pastor zu sich rufen, darüber vergleiche oben § 18, Anm. 5. am Schluß. — Ueber das Begräbniß im Bann Verstorbener vergleiche oben § 37, Anmerkung 2.

§ 44.

Da hier in America die Kirche vom Staate unabhängig baſteht, ſo hat der Prediger um ſo mehr die Pflicht, darauf hinzuwirken, daß in ſeiner Gemeinde das Vorſteheramt ihm zur Hilfe, zu deſto beſſerer Hand= habung der Kirchenzucht, zu Erhaltung guter Ordnung innerhalb und außerhalb der öffentlichen gottesdienſtlichen oder ſonſtigen Verſammlungen, zu gewiſſenhafter und angemeſſener Verwaltung der Kirchengüter, zur Aufſicht über die Schule, u. dergl., aufgerichtet, gottſeligen und mit den dazu nöthigen Gaben ausgerüſteten Männern übertragen und von den= ſelben recht geführt werde. 1 Tim. 5, 17. Röm. 12, 8. 1 Kor. 12, 28.

Anmerkung 1.

Daß es ſolche Gemeindevorſteher, Laien-Presbyter (Senioren) oder -Aelteſte, Regierer, in der apoſtoliſchen Zeit gegeben habe, darüber laſſen die angeführten Schriftſtellen außer allem Zweifel. Ihr Amt war allerdings ebenſowenig, wie das der Diakonen, ein von Gott neben dem Predigtamt urſprünglich mit geſtiftetes, aber ein, wie das Diakonat, in chriſtlich-kirchlicher Freiheit vom Predigtamt abgezweigtes Hilfsamt, welchem gewiſſe Functionen deſſelben zugetheilt worden waren. Vortrefflich ſetzt dies M a r t i n C h e m = n i ß in ſeinem Examen Concilii Tridentini, P. II. Loc 13. Sect. 2. de septem ordinibus f. m. 574. sqq. auseinander, wo er das Laienpresbyterat eine A m t s ſ t u f e nennt, nicht in epiſkopaliſtiſchem Sinne, ſondern, indem er nur Ein von Gott geſtiftetes Kirchenamt anerkennt, im Sinne eines vermöge kirchlichen Ordnungsrechts aufgerichteten Hilfsamtes für das Amt $\chi\alpha\tau'$ $\dot{\epsilon}\xi$-$o\chi\dot{\eta}\nu$. Es iſt dies die conſtante Lehre der rechtgläubigen Lehrer unſerer Kirche. So ſchreibt z. B. J o h a n n G e r h a r d: „In der apoſtoliſchen und urſprüng= lichen Kirche gab es z w e i G a t t u n g e n v o n P r e s b y t e r n, welche man lateiniſch S e n i o r e n nennt, wie aus 1 Tim. 5, 17. geſchloſſen wird. Denn einige verwalteten das Lehramt, oder, wie der Apoſtel daſelbſt redet, arbeiteten im Wort und in der Lehre, welche Biſchöfe, Paſtoren ꝛc. genannt wurden; andere aber waren nur f ü r d i e S i t t e n c e n ſ u r u n d E r h a l t u n g d e r K i r c h e n z u c h t vorgeſetzt, da die noch heidniſche Obrigkeit die Lehrenden in der Kirche in dieſem Stücke nicht unterſtützte;*) dieſe wurden R e g i e r e r und V o r ſ t e h e r genannt, wie aus 1 Kor. 12, 28. Röm. 12, 8. geſchloſſen wird. A m b r o ſ i u s ſchreibt zu 1 Tim. 5. zu Anfang: ‚Auch die Synagoge und hernach die Kirche hat S e n i o r e n gehabt, ohne deren Rath nichts in der Kirche vorgenommen wurde, und ich weiß nicht, durch welche Nachläſſigkeit

---

*) Aus dieſer Bemerkung geht hervor, warum gerade in der lutheriſchen Kirche, wo die Obrigkeit lutheriſchen Bekenntniſſes war, das Inſtitut der Gemeindevorſteher faſt nur ausnahmsweiſe ſich findet. Zugleich liegt aber auch hierin ein Wink für uns hier in America, wo die Obrigkeit unſeres Bekenntniſſes nicht iſt, daß hier das Bedürfniß mit= regierender Vorſteher um ſo mehr hervortritt.

dieses abgekommen ist, als etwa durch die Trägheit, oder vielmehr durch den Stolz der Lehrer, indem sie allein etwas gelten wollen.' Beide Gattungen trugen gemeinschaftlich den Namen Vorsteher, 1 Tim. 5, 17., und Vorge-setzte, Apost. 15, 22. Ebr. 13, 7. 17. 24. Aus Beiden zugleich war jenes heilige Collegium gesammelt, welches Paulus das Presbyterium nennt, 1 Tim. 4, 14.: ‚Laß nicht aus der Acht die Gabe, die dir gegeben ist durch . die Weissagung mit Handauflegung der Aeltesten' (des Presbyteriums).‟ (Loc. de ministerio § 232.) Caspar Erasmus Brochmand, luthe-rischer Bischof von Seeland in Copenhagen, gest. 1652, rettet die Stelle 1 Tim. 5, 17. gegen Adrian de Saravia und Thomas Erastus, beiderseits Reformirte, welche leugneten, daß darin von Laien- oder, wie er redet, von politischen Aeltesten die Rede sei, in ausführlichem Nachweis. S. System. univ. th. Tom. II, c. 4. q. 5. f. 383.*)

Zwar wollen manche selbst dieses leugnen, daß es in der nachapostolischen Zeit dergleichen Laien-Presbyter gegeben habe;**) allein folgende Stellen setzen dies außer Zweifel. Ambrosius (†397), oder wer es ist, dessen be-zügliche Schrift unter Ambrosius' Namen uns geblieben ist, schreibt, wie schon bemerkt: „Durchaus bei allen Völkern ist das Greisenalter ehrwürdig, daher denn auch die Synagoge (jüdische Kirche) und darnach die (christliche) Kirche Senioren gehabt hat, ohne deren Rath nichts in der Kirche vor-genommen wurde. Aus welcher Nachlässigkeit dies abgekommen ist, weiß ich nicht, außer daß es etwa durch die Trägheit oder vielmehr durch den Stolz der Lehrer geschehen ist, indem sie allein etwas gelten wollen.‟***) Es ist klar, daß hier nicht von den klerikalischen Presbytern die Rede sein kann, da dieses göttliche Institut und dessen Zuziehung zu dem Kirchenrath nie und nirgends „abgekommen" ist. Bischof Optatus von Mileve (lebte um 368) schreibt, daß Mensurius, Bischof von Carthago, als selbiger zur Zeit der Diocletianischen Verfolgung seine Gemeinde zu verlassen gezwungen war, die Ornamente und Gefäße den treuen Senioren (Fidelibus Senioribus)

---

*) Schon Brochmand hat alle die Einwürfe widerlegt, welche u. a. Dr. Gue-ricke, hierin Rotbe folgend, in seiner Kirchengeschichte (8. Auflage, Bd. I, S. 157.) erhebt. Im 4. Jahrgang von „Lehre und Wehre" haben wir bereits Zeugnisse für das Vorhandensein von Laien-Aeltesten in der apostolischen Zeit außer den oben genannten auch von Quenstedt, Calov, Weinrich, Quistorp, Glassius, Arcularius, Dannhauer, Hier. Kromayer mitgetheilt und auf ähnliche Zeugnisse von Aeg. Hunnius, Bebel, Bal-buin, Weller und Hemming hingewiesen. S. 55. f. 82—86.

**) S. Guericke a. a. O. und in seiner Archäologie (2. Aufl. S. 60. f.), wo der-selbe die nicht wegzuleugnenden „Senioren" für Leute erklärt, die in der Kirche nur Aeußerlichkeiten zu besorgen hatten, wie die s. g. Gemeindevorsteher in den (früheren) Landeskirchen.

***) „Apud omnes utique gentes honorabilis est senectus; unde et Synagoga et postea Ecclesia seniores habuit, quorum sine consilio nihil agebatur in Eccle-sia. Quod qua negligentia obsoleverit nescio, nisi forte doctorum desidia aut magis superbia, dum soli volunt aliquid videri." (Comm. in 1 Tim. 5.)

übergeben habe. (Lib. I. de schismate Donatistarum p. 41. Vgl. Jos. Binghami Origines s. Antiquit. eccl. I, 294.) Optatus theilt einen Brief des Bischofs Fortis mit, darin heißt es: „Ihr alle, Bischöfe, Presbyter, Diakonen, Senioren, wisset ze."[*) Ferner in einem Briefe des Purpurius: „Nehmet dazu die Mittkleriker und die Senioren des Volkes, die der Kirche dienenden Männer, und diese mögen mit Fleiß darnach forschen, was jene für Streitigkeiten seien."[**) Derselbe Purpurius beginnt einen Brief mit den Worten: „Bischof Purpurius den Klerikern und Senioren der Cirtenser in dem HErrn ewiges Heil."[***) Auch Augustinus († 430) gibt Zeugniß, daß in seiner Gemeinde Aelteste waren, welche nicht zum Klerus gehörten, indem er in dem 37. Brief also schreibt: „Den geliebtesten Brüdern, dem Klerus, den Senioren und dem ganzen Volke der Gemeinde zu Hippo, der ich diene in der Liebe Christi, Augustinus, Heil in dem HErrn."[†) Ferner lesen wir: „Silvanus von Cirta ist ein Traditor und ein Dieb der Armengelder, was ihr alle, Bischöfe, Presbyter und Diakonen und Senioren, wisset."[††)

Daß das Institut der Laien-Aeltesten mit dem Aufkommen des Pabstthums aus der Kirche verschwand, ist nicht nur nicht zu leugnen, sondern auch selbstverständlich. Wenn man dasselbe aber neuerlich vielfach für ein Schiboleth der Reformirten Kirche erklärt, und behauptet hat, daß es hingegen dem Geiste und der Lehre der lutherischen Kirche fremd und zuwider sei, so ist das ein Irrthum.[†††) Auch der sel. Rudelbach macht darauf aufmerksam. Er schreibt: „Es war Luther wie Melanchthon durchaus einleuchtend, daß die synodale Verfassung mit den freien Gemeinde-Organen, welche sie voraussetzt, am liebsten einen permanenten Regierungs-Organismus zur Seite (welcher die wesentliche Bedeutung der Bischöfe), sowohl die zweckdienlichste als die eigenthümliche Verfassung der evangelischen (lutherischen) Kirche sein müßte. Dieses müssen wir schon hier scharf be-

---

*) „Omnes vos, Episcopi, Presbyteri, Diacones, Seniores, scitis" etc. (p. 168.)

**) „Adhibete Conclericos et Seniores plebis, ecclesiasticos viros, et inquirant diligenter, quae sint istae dissensiones." (p. 169.)

***) „Purpurius episcopus Clericis et Senioribus Cirtensium in Domino aeternam salutem." (l. c.)

†) „Dilectissimis fratribus, clero, senioribus et universae plebi ecclesiae Hipponensis, cui servio in dilectione Christi, Augustinus in Domino." (Opp. Ed. Erasm. Basil. Tom. II, fol. 655.)

††) „Silvanus a Cirta traditor est et fur rerum pauperum, quod omnes vos Episcopi, Presbyteri et Diaconi et Seniores scitis." (Contra Cresconium. Lib. III, c. 29. Tom. VII. fol. 261.)

†††) So schreibt u. a. Guericke: „Den Presbyterat in seiner Isolirtheit.. hält nur die reformirte Kirche fest, selbst, nach Calvins Vorgange, mit Behauptung einer apostolischen Existenz jener förmlich zwiefachen Presbyterclasse und demgemäß mit ihrer kirchlichen Nachbildung." (Archäologie, S. 61.)

tonen, weil in der letzten Zeit eine Betrachtung sich hervorgedrängt hat, als ob das presbyteriale Element schlechterdings nicht lutherisch, sondern eigenthümlich, wesentlich reformirt sei — eine Behauptung, die ebenso durch die eignen klaren Zeugnisse der Reformatoren, als durch die Natur der Sache widerlegt wird." (Abhandlungen über „Staatskirchenthum und Religionsfreiheit" in der Rudelbach-Guericke'schen Zeitschr. von 1850. S. 396. f.)

Was die Stellung unserer Kirche zu dem Institut des Laienpresbyteriums betrifft, so möge hier, was hierüber bereits im Jahre 1858 in „Lehre und Wehre" gesagt worden ist, noch einmal Platz finden:

So unwidersprechlich es ist, daß innerhalb unserer Kirche das Recht anerkannt ist, gewisse die Regierung der Kirche betreffende Verrichtungen des Amtes s. g. eigens dazu bestellten Laienältesten, welche mit dem Prediger das Presbyterium einer Specialgemeinde bilden, zu übertragen, so kann jedoch allerdings nicht in Abrede gestellt werden, daß dieses Institut innerhalb unserer Kirche nur hie und da ins Leben gerufen worden ist. Da in den meisten lutherischen Ländern Kirche und Staat in der innigen Verbindung blieb, in welche beide durch die Umstände in der Zeit der Reformation gekommen waren, so wurden die die Kirchenregierung und Disciplin betreffenden Angelegenheiten meist lediglich von dem obrigkeitlichen und s. g. geistlichen Stande, nemlich von den aus Personen allein dieser Stände zusammengesetzten Consistorien,*) besorgt. Obgleich jedoch, wie Rudelbach

---

*) Es ist jedoch ein Irrthum, wenn man meint, daß die Consistorien bereits zu Luthers Zeiten oder gar auf dessen Anordnung jene richterliche und gesetzgebende Gewalt gehabt haben, die sie später erhielten und behielten. Löscher gibt in seinen „Unschuldigen Nachrichten" eine chronikenartige Geschichte der Chursächsischen Kirchenordnung. Darin heißt es unter dem Jahre 1539: „Damals ist auch das erste Sächsische Consistorium zu Wittenberg geordnet worden, wiewohl es keine Jurisdiction hatte." Unter dem Jahre 1543 heißt es dann weiter: „Zu Leipzig ward ein Consistorium, jedoch ohne Jurisdiction, angeordnet, darinnen, wie in dem Wittenbergischen, sich jedermann informiren lassen konnte." Erst unter dem Jahre 1555, also lange nach Luthers Tode, heißt es: „Churfürst August ordnete drei Consistoria, zu Leipzig, Wittenberg und Meißen, nebst einiger Jurisdiction." Unter 1580 heißt es endlich: „Das Consistorium zu Meißen ist nach Dresden verlegt und zum Oberconsistorio gemacht worden." (Jahrgang 1703. S. 24. 25. 26.) Löscher leitet daher die den Consistorien gegebene Gewalt lediglich von der fürstlichen Gewalt ab. Er schreibt: „Wohl ist es richtig, daß das Consistorium allein von Fürsten dependirt, was die Jurisdiction und förmliche Einrichtung anlangt; aber das Presbyterium, sowohl was das Amt des Heiligen Geistes, als die Christen- und Gewissenspflicht der Kirchenmitglieder betrifft, dependirt nicht vom Fürsten als Fürsten, sondern von Christo und seiner Gemeinde... Es ist allerdings ein großer Unterschied zwischen den Presbyteriis und Consistoriis, denn hier haben freilich die Regenten, nachdem sie die Kirche in ihren Schooß aufgenommen hat, dem Kirchenregiment ein obrigkeitliches Gewicht beigelegt, und sind nunmehr die Presbyteria mit weltlichen Jurisdiction in so weit verbunden, da vorhin das Kirchenregiment allein durch die innerliche Gewalt des Heiligen Geistes und

(Zeitschrift von 1840 S. 11.) richtig bemerkt, „die Grundbestimmung der Consistorien war, das Laienpresbyterium mit der Aufsicht der Lehre und der Begrenzung der Zucht darzustellen," — so finden wir doch in einigen lutherischen Kirchen Laienpresbyterien und Synoden mit Ausschluß von Consistorien. Der erstere Fall fand in den belgisch-lutherischen, der andere in der Hamburgischen statt. Dies meldet u. a. Pfaff in seinem berühmten kirchenrechtlichen Werke,[*] wo wir Folgendes lesen: „Es geschah, daß mit stillschweigendem Consens des christlichen Volkes und allerdings ohne Widerspruch der neuen Lehrer der gereinigten Kirche den Fürsten und der weltlichen Obrigkeit die Collegialrechte übergeben wurde und darnach durch die Religionsfriedens-Schlüsse das staatliche Siegel erhielten, so daß sie, damit befestigt, von der Gemeinde nicht mehr (?) zurückgenommen werden konnten. Und dies ist beinahe allenthalben in den Kirchen geschehen, welche sich von der Römischen getrennt haben, namentlich in den Deutschen; außer daß die Collegialrechte und die Direction der Kirchen hie und da Laien-Presbytern, jedoch ohne völligen Ausschluß der Lehrer der Kirche, übergeben worden sind... Dies findet sich in Belgien sowohl in den Reformirten und Presbyterianischen, als auch selbst in unseren, nemlich belgischen, und in der hamburgischen Kirche, wo die Laien-Presbyter mit dem Klerus die Collegial-Rechte ausüben." Eine Art Laienpresbyterium wurde u. a. auch schon im Jahre 1523 zu Leißnig im Churfürstenthum Sachsen angerichtet, dessen Pflichten und Befugnisse in der „Ordnung eines gemeinen Kastens der Gemeine zu Leißnig" beschrieben sind, die Luther selbst herausgegeben, mit einer Vorrede versehen und dringend zur Nachahmung empfohlen hat. (Siehe Luther's Werke Halle'sche Ausg. Tom. 10. S. 1148. ff. Erlanger Ausg. Bd. 22. S. 105. ff.) Dieser Gemeindevorstand bestand aus 10 Personen, 2 aus dem Adel, 2 aus dem Rath, 3 aus der Bürgerschaft und 3 aus den Bauern (da mehrere Dorfschaften mit zur Stadtparochie gehörten); derselbe hatte es zwar hauptsächlich mit der Verwaltung des Gemeindeeigenthums und der Bausachen und mit der Pfarrbesoldung zu thun, doch war ihm, außer anderen mehr die innere Gemeinderegierung betreffenden Gegenständen, selbst die Macht der Berufung und Entsetzung der Lehrer in den Schulen „nach Rath und Gutansehen des erwählten Seelsorgers und eines Predigers und anderer göttlicher Schrift Gelehrten" übergeben. Die Versammlungen dieses Vorstandes geschahen allsonntäglich auf dem Pfarrhofe mit Anschluß an die während des Jahres dreimal stattfindenden Versammlungen der Gemeinde, welcher das Presbyterium in allem verantwortlich war, und die bei Berufung und Entsetzung der Prediger ihre „christliche Freiheit nicht anders,

---

durch die allen Societäten eigenen Einrichtungen geführt wurde." (A. a. O. Jahrg. 1724. S. 486. 487.)

[*] Siehe Christoph Matthäus Pfaff's Schrift: De originibus juris ecclesiastici. Tubingae, 1719. 4. Seite 183. und 188.

denn nach Aussetzung und Verordnung göttlicher biblischer Schrift handeln, üben und brauchen" wolle.

Ein anderes merkwürdiges Beispiel eines Presbyteriums, in welchem Laien Beisitzer waren, innerhalb der lutherischen Kirche findet sich in „Daniel Greser's Historie und Beschreibung seines Lebens. Dresden 1587." Dieser Greser war 1504 zu Weilburg in der Grafschaft Nassau-Saarbrück geboren, wurde römischer Priester, kam aber zur Erkenntniß der Wahrheit, wurde hierauf Pastor zu Gießen und endlich wegen seiner weitbekannten Gelehrsamkeit, Gottseligkeit und Eifers für die reine Lehre von Herzog Moritz von Sachsen nach Dresden zur Verwaltung der dasigen Superintendentur berufen. Dieses Amt verwaltete Greser nicht nur mit großem Eifer und Segen, sondern wirkte auch namentlich auf vielen Kirchenconventen für die Kirche im Ganzen mit gesegnetem Erfolg und starb endlich in hohem Alter im Jahre 1591. Auch bei Churfürst August stand er in so hohen Ehren, daß derselbe ihn bei der Taufe eines seiner Prinzen im Jahr 1569 zum Pathen erwählte und ihn daher auch beständig sowohl mündlich als schriftlich nicht anders als „Herr Gevatter" titulirte. Nikolaus Selnecker war sein Schwiegersohn. Dieser Greser schreibt in seiner angezogenen Selbstbiographie:

„Weil ich zu Gießen Pfarrer war, habe ich zu Ziegenhelm eine Formam Excommunicationis und wie man einen Kirchenrath anrichten solle, bedenken helfen ꝛc. Dieser Ordnung habe ich auf Befehl Landgraf Philipp zu Hessen den Senatum ecclesiasticum angerichtet und habe die ganze christliche Gemeinde den Senatum per suffragia wählen lassen und sind also 8 Personen, alte, ehrliche, gottselige und tapfere Männer erwählt worden, so diesem Amte ihrem Gewissen nach mit Ernst und Fleiß obliegen sollten, welches sie denn treulich zu thun zugesaget. Bin derhalben ich mit dem Kirchenrath einig worden, daß wir alle 4 Wochen in der Pfarr zusammenkommen wollten auf einen gewissen Tag, welcher der Bettag genannt würde; und auf diesen Bettag ward in der Kirchen die Litaney von mir vor dem Altar selbst gesungen, also daß mir allewege der Chor und die Gemeine gleichstimmig darauf antwortete, da sich denn das Volk sehr fleißig hielt und andächtig sich erzeigte; und nachdem das Amt in der Kirchen allenthalben verbracht war, so gingen die Senatores Senatus ecclesiastici mit mir heim in die Pfarr. Was denn ein jeder für (öffentliche?) Sünden, Gebrechen und böse Fehler wußten, so geschehen waren, die zeigte ein jeder an nach seinem Gewissen. Die aber angegeben wurden, denen schickte man den Kastenknecht, daß sie mußten fürstehen, und alsdann wurden sie von ihrem ärgerlichen Leben abzustehen von dem Senatus ecclesiasticus vermahnt, mit Bedräuung, wo sie sich nicht bessern würden, sollten sie für der ganzen christlichen Gemeinde renuncirt und publicirt werden. Und durch dieses Vermahnen ist eine solche Zucht und Furcht in das Volk gebracht, daß sich die Irrenden gebessert und Gott Lob und Dank es niemals einer öffentlichen Renunciation noch Bannes von nöthen gehabt." (Citirt in: „J. Jacobi's Versäumte Buße", S. 153.) Auch Löscher sagt in einer Recension der Lebensbeschreibung Greser's: „Vor allem aber ist lesenswürdig, was von einem Kirchen-Senatu aus Predigern und ansehnlichen Zuhörern gemeldet wird." (Unsch. Nachrr. Jahrg. 1709. S. 807.) Eine ähnliche Einrichtung scheint auch in Braunschweig zu Chemnitz'ens Zeiten bestanden zu haben. Denn als hier M. Bergius im Jahre 1581, nachdem er zwei Jahre vorher die Concordienformel mit unterschrieben hatte, diese Unterschrift revocirte und dieses Bekenntniß vieler Irrthümer beschuldigte, da wurde, nach Chemnitz'ens Bericht, folgende Procedur vorgenommen: „Weil die Sache befunden, daß sie in beschwerliche Weitläuftigkeit gerathen würde, hat man das Mittel, so vermöge unserer Kirchenordnung etlichemal in gleichen Fällen gebraucht, vornehmen müssen, und ist also den 2. August zusammen gekommen ein ganz Ehrbarer Kirchenrath, zum andern die von der Gemeine zu solchen Sachen Verordneten und tertio das ganze Ministerium." (Ebend. 1728. S. 216.)

Aus der Geschichte der böhmischen Brüder von Rieger ersehen wir, daß der für die Kirchenzucht so ernstlich eifernde originelle Johann Valentin Andreä eine „Cynosura oeconomiae ecclesiasticae" geschrieben hat, die er aus den seit der Reformation bis zu seiner Zeit erlassenen die Kirchenregierung betreffenden Fürstlichen Rescripten und Synodaldecreten ausgezogen hatte. Diese Privatschrift hat Herzog Eberhard III. im Jahre 1639 in der Würtembergischen Kirche unter dem Namen Cynosura ecclesiastica eingeführt und in die allgemeine Kirchenordnung aufgenommen. Darin ist auch eine Art Gemeindepresbyterium mit Laien-Aeltesten anbefohlen, nur daß dabei nicht sowohl der Haus-, als der obrigkeitliche Stand neben dem Ministerium vertreten war. Es heißt darin u. A.: „Die vor wenig Jahren angestellten, wohlangesehenen Kirchenconvente sollen aller Orten beständig observirt und wo nicht eben wöchentlich, jedoch wenigstens monatlich einmal gehalten werden und dadurch den vorlaufenden Sünden und Lastern, soviel möglich, gewehrt werden. Jedes Ortes Pfarrer und Beamte sind Directores bei dergleichen Kirchenconventen, und zwar jeglicher in dem, so seines Amtes. Assessores sind vom Gericht oder Rath mit beider Belieben zu nehmen, wenigstens zwei, ein Presbyterium zu formiren. Protokollist kann sein Pastor, Diakonus, Schulmeister, oder sonst eine taugliche Person. — Speciales (Superintendenten sollens weder in Städten noch Dörfern keineswegs abgehen lassen, sondern ex officio steif darob halten und die eifrige Anstalt machen, daß dieselben aller Orten observirt; wo es bisher unterlassen, annoch unfehlbar angestellt, doch daß man inter praescriptos terminos verbleibe und keine politischen für weltliche Amtleute und Gerichte allein gehörige Händel einmische, sondern allein darauf sehe, daß christliche Zucht, Ehrbarkeit und Gottseligkeit gepflanzt und erhalten werden möchte. Materia conventus sind Kirchen- und Schul-,

Spital- und Waisensachen.   Tabula prima: göttlicher Majestät Ehr befördern, wahre Lehr und Glauben erhalten; die Sacramente recht
austheilen, Unordnungen dabei abzuschaffen, nicht so spät zur Kirche kommen, darin nicht schwätzen, lachen, zanken, immerfort schlafen; segensprechen,
fluchen, schwören, Entheiligung des Sabbaths und Gottes Worts; die Jugend fleißig in die Schule zu schicken und in der Pietät zu unterrichten.
Tabula secunda: Respect und Gehorsam gegen die Eltern, Prediger und
Obrigkeit gehandhabt; Friede und Einigkeit in den Gemeinen soviren; ärger-
liches Zusammenschlupfen junger Leute, Spielhäuser, Fressen, Saufen ꝛc.
abzuschaffen. — Forma processus: Dieweil es ein heiliges und zur Seligkeit angesehenes Werk, als soll der Minister pio voto (mit Gebet) den
Anfang machen; die nothwendigste und älteste Sache aus dem Protokoll
zuerst vornehmen, — das Delictum abwesend des Delinquenten berath-
schlagen; wie solches ihm vorzuhalten, nochmals proponiren; dessen Verantwortung vernehmen; der Amtmann die Vota colligiren ꝛc., alsdann der
Kirchendiener sein Amt thun und die Sünde aus Gottes Wort remonstriren —
letztlich das Protokoll ablesen." (Corp. Jur. Ev. eccles. von Moser.
Züllichau 1738. II, S. 517—20. — Von diesen Kirchencensuren gibt
Ph. David Burk in seinen „Sammlungen zur Pastoraltheologie" noch
weiteren Bericht, I, 420. 486. II, 798—826.)

Eine fernere Notiz über Laienpresbyter auch innerhalb der evangelisch-
lutherischen Kirche findet sich in dem größeren Werke: „Allgemeines biblisches
Lexicon von Daniel Schneider, Superintendent zu Erbach. Frankfurt,
1730." Fol. Daselbst heißt es unter dem Titel „Eltister" u. A. wie folgt:
„In den lutherischen Gemeinden, sonderlich im Reich,*) in Hessen und
der Gegenden mehr, hat man ebenfalls wohl eine Art Kirchen-Seniors
oder Eltiste, die auch öfters auf ihre ganze Lebenszeit bei solcherlei Verrichtung bleiben, nachdem sie einmal dazu gezogen worden sind, und denen
zukommt für gute Zucht sorgen zu helfen, auch was dawider läuft, zu Besserung gehörigen Orts anzuzeigen." Schneider theilt hierauf eine Aeltesten-
ordnung mit, wie sie in der Herrschaft des lutherischen Grafen Friedrich Ernst
zu Solms und Tecklenburg eingeführt war. Die Ordnung hat viel Aehn-
lichkeit mit der Cynosura der Würtembergischen Kirche. Merkwürdig ist der
11. und 12. Punct, die also lauten: „Dafern es sich auch wider Verhoffen
zutragen würde, daß die Pfarrherren und Schulbedienten ein und anderen
Orts selbst ihr Amt nicht thäten, wie sie sollten, so sollen die Seniores auch
auf deren Amt in Kirchen und Schulen gute Acht geben und insonderheit es
sogleich im Consistorio anzeigen, wenn die Pfarrherren in Besuchung der
Kranken säum- und nachlässig erfunden würden, wie dann auch auf die
Schulordnung zu halten, und dahin zu sehen, daß die Eltern ihre Kinder
nicht muthwillig von der Schule abhalten. — Ingleichen sollen die Seniores,

---

*) „Reich" im engeren Sinne = der oberrheinische, bayrische, schwäbische und
fränkische Kreis.

falls ſie etwas Anſtößiges und Aergerliches gegen diejenigen, welche zum heiligen Abendmahl gehen wollen, wüßten, ſolches den Pfarrherren anzeigen." — —

Daß das Inſtitut der Laienälteſten in Gemäßheit der eigenthümlichen Americaniſchen Verhältniſſe hier von jeher im Schwange war, iſt bekannt. In dem für die Geſchichte der Americaniſch-lutheriſchen Kirche ſo wichtigen Werk: „Nachrichten von den vereinigten deutſchen evang.-luth. Gemeinen in America. Mit einer Vorrede von D. J. L. Schulze. Halle, 1787", 4., findet ſich u. A. eine von Dr. Heinrich Melchior Mühlenberg entworfene Gemeindeordnung für die deutſche evang.-luth. Gemeinde an der St. Michaelis-Kirche zu Philadelphia, vom Jahre 1762. Darin heißt es u. A., daß ſchon im Jahre 1743 eine „Anzahl treugeſinnter und hilfreicher Glieder zu Aelteſten beſtellt worden" ſeien, nun aber ſei „eine vollſtändige, den hieſigen Landes-Umſtänden gemäße chriſtliche Kirchenordnung und Zucht verlanget" worden. Von den „regierenden Aelteſten" heißt es darin: „Ihre Pflichten ſind u. A. folgende: 1. ſie ſollen durch Gottes Gnade trachten, ſowohl ihren eigenen Häuſern, als auch der Gemeine mit chriſtlichem Leben und Wandel vorzuſtehen; 2. nebſt den Lehrern dafür zu ſorgen, daß die evangeliſche Lehre und chriſtliche Zucht in der Gemeine erhalten und fortgepflanzt; 3. daß die Schulden . . vermindert und abgelegt; 4. daß die Arbeiter am Worte Gottes in der Gemeine ſich nach Chriſti Befehl halten; 5. daß die Rechnung von aller Einnahme, ſo in dieſer Gemeinde vorfället, wie auch von aller Ausgabe rechtmäßig geführt ꝛc. werde; 6. ſollen ſie den Schul-Examinibus, ſowie auch den jährlichen Synodalverſammlungen durch etliche vom Kirchenrathe aus ihrem Mittel erwählte Deputirte mit beiwohnen, und alle übrigen nöthigen Sachen, die zum Beſten und Wohlſtande der Gemeinde dienen, mit befördern helfen." Neben dieſen „regierenden Aelteſten" fungirten noch „Vorſteher", welche mehr den Charakter von Diakonen hatten. (S. a. a. D. S. 962. ff.) —

Anmerkung 2.

Die Erforderniſſe zu Uebernahme des Vorſteheramtes liegen in denjenigen, welche Gottes Wort an die Diakonen ſtellt Apoſtelg. 6, 3. 1 Tim. 3, 8—12. Dieſelben hat daher der Prediger nach dem Vorgange der Apoſtel vor jeder Vorſteherwahl der Gemeinde auszulegen und vorzuhalten, und ſo darauf hinzuwirken, daß zu dieſem Amte tüchtige Männer erwählt werden. Da ſolche Vorſteher nicht „abgeſondert" werden (Apoſtelg. 13, 2.), ſondern in ihrem weltlichen Beruf bleiben und gewöhnlich nur auf einen kürzeren Termin gewählt werden, ſo ſind ſie nicht, wie die Diakonen und Presbyter, zu ordiniren, Apoſtelg. 6, 1—4.; ſie können jedoch, namentlich wenn ſolches Herkommens iſt, mit einer gewiſſen Feierlichkeit durch den Prediger im Namen der Gemeinde in ihr Amt öffentlich eingewieſen und dazu verpflichtet werden.

Anmerkung 3.

Der Prediger hat dafür zu sorgen, daß die Gemeinde den Vorstehern eine schriftliche Instruction gebe, in welcher der Umfang und die Grenzen ihrer Pflichten genau angegeben sind; wobei namentlich zu berücksichtigen ist, daß die Vorsteher nicht versucht werden, dem Pastor in seinem Amte hindernd in den Weg zu treten, in das Amt des Wortes oder in das Hausvateramt einzugreifen, oder die Regeln der brüderlichen Bestrafung (Matth. 18, 15—17.) zu verletzen.

Anmerkung 4.

Wenigstens allmonatlich einmal sollten sich sämmtliche Vorsteher versammeln und sich über das berathen, was der Gemeinde noth thut. In der von Luther herausgegebenen Leißniger Ordnung eines gemeinen Kastens heißt es: „Alle Sonntage im Jahre .. sollen die zehn Vorsteher in unserm gemeinen Pfarrhofe oder im Rathhause beisammen sein und allda ihrer Vormundschaft fleißig pflegen und gegenwärtig sein; alle sämmtlich rathschlagen und handeln, damit die Ehre Gottes und die Liebe des Nebenchristenmenschen in ganghaftiger Uebung erhalten und zu Besserung angeschickt werden möge, und sollen solche ihre Rathschläge in aufrichtiger treuer Geheime gehalten und unordentlicher Weise nicht geoffenbaret werden. Ob etliche aus ihnen nicht allezeit entgegen (zugegen) und redlicher Ursache verhindert wären, soll gleichwohl der mehre Theil zu handeln und verfahren Macht haben." (X, 1162.) Der Pfarrer der Gemeinde hat die Versammlungen mit einem Gebet zu eröffnen und, weil er das Amt des Worts trägt, welches für alle Aemter maßgebend ist, billig den Vorsitz zu übernehmen. Wie denn Luther schreibt: „Das Amt, zu predigen das Evangelium, ist das höchste unter allen, denn es ist das rechte apostolische Amt, das den Grund legt allen andern Aemtern, welchen allen zugehöret, auf das erste zu bauen." (X, 1862.) Absolut sollte jedoch der Prediger auch hier nicht auf den Vorsitz bringen. (Hierüber im nächsten Abschnitt von den Gemeindeversammlungen mehr.)

Anmerkung 5.

Besonders streng sollte darauf gesehen werden, daß die Vorsteher mit dem Kirchengut gewissenhaft umgehen und daher in ihrer Instruction auch dazu verpflichtet sein, nicht nur zu bestimmten Zeiten öffentlich Rechnung abzulegen, sondern auch der unangemeldeten Revision durch von der Gemeinde bestimmte Revisoren sich zu unterwerfen. 2 Kor. 8, 20. 21. Neben den Vorstehern sind auch ein Küster (Kirchner), sowie Trustees für das unbewegliche Eigenthum der Gemeinde als deren Vertreter vor dem weltlichen Gericht zu bestellen, wenn nicht diese Aemter mit dem Vorsteheramt überhaupt, wie die des Schatzmeisters, Schreibers, Schulaufsehers ꝛc., verbunden werden.

§ 45.

Da nach Gottes Wort die Gemeinde innerhalb ihres Kreises das höchste Gericht ist, Matth. 18, 17. Kol. 4, 17., und der Prediger die constitutive Kirchengewalt nur in Gemeinschaft mit der Gemeinde hat, Matth. 20, 25. 26. 23, 8. 1 Pet. 5, 1—3. 2 Kor. 8, 8.: so hat der Prediger dafür zu sorgen, daß theils regelmäßige, theils nach jeweiligem Bedürfniß auch außerordentliche Gemeindeversammlungen zu Berathung und Vollziehung dessen, was zu ihrer Regierung erforderlich ist, in christlicher Ordnung abgehalten werden, Matth. 18, 17. 1 Kor. 5, 4. 2 Kor. 2, 6. Apostg. 6, 2. 15, 1—4. 30. 21, 17—22. 1 Tim. 5, 20.

Anmerkung 1.

Daß nach Gottes Wort und der Lehre unserer Kirche „der Prediger keine Herrschaft in der Kirche habe, und daher auch kein Recht, neue Gesetze zu machen und die Mitteldinge und Ceremonien in der Kirche willkürlich einzurichten", daß die constitutive Macht vielmehr Sache der ganzen Kirche oder Gemeinde sei, darüber vergleiche die Schrift: „Die Stimme unserer Kirche in der Frage von Kirche und Amt" (Erlangen bei A. Deichert. 1852. 2. Ausg. 1865.), Theil II, Thesis IX. B., woraus hier nur folgende Zeugnisse Platz finden mögen.

So heißt es in der Augsburgischen Confession: „Denselben Gewalt der Schlüssel oder Bischöfen übet und treibet man allein mit der Lehre und Predigt Gottes Worts und mit Handreichung der Sacramente." (Art. 28.)

So heißt es ferner in der Apologie: „Auch ziehen sie diesen Spruch Ebr. 13.: ‚Gehorchet den, die euch fürgehen.' Dieser Spruch fordert, daß man solle gehorsam sein dem Evangelio. Denn er gibt den Bischöfen nicht eine eigene Herrschaft und Herren-Gewalt außer dem Evangelio." (Art. 7. der Mißbr.)

So heißt es in den Schmalkaldischen Artikeln: „1 Kor. 3, 6. macht Paulus alle Kirchendiener gleich, und lehrt, daß die Kirche mehr sei, denn die Diener (ecclesiam esse supra ministros)... Denn so spricht er: ‚Es ist alles euer, es sei Paulus, oder Apollo, oder Kephas', d. i. es darf weder Peter noch andere Diener des Worts ihnen zumessen einige Gewalt oder Oberkeit über die Kirchen. Niemand soll die Kirchen beschweren mit eignen Satzungen, sondern hie soll es heißen, daß keines Gewalt noch Ansehen mehr gelte, denn das Wort Gottes."*) (Anhang I.)

Ebendaselbst: „Christus gibt das höchste und letzte Gericht der Kirchen, da er spricht: ‚Sags der Kirchen'." (Ib.)

---

*) Wenn nemlich in der Kirche Einer mehr Gewalt hätte, als der andere, obgleich alle das Wort Gottes haben, so müßte das Wort Jenes über Gottes Wort sein.

Luther schreibt daher: „Darum sage ich, weder der Pabst, noch Bischof, noch einiger Mensch hat Gewalt, eine Sylbe zu setzen über einen Christenmenschen, es geschehe denn mit seinem Willen, und was anders geschieht, das geschiehet aus einem tyrannischen Geist." (XIX, 83.)

Derselbe: „Wir haben Einen Herrn, der ist Christus, der unsere Seelen regiert. Die Bischöfe sollen nichts thun, denn daß sie weiden. Da hat nun St Peter (1 Pet. 5, 3.) mit einem Wort umgestoßen und verdammt alles Regiment, das jetzt der Pabst führet, und schleußt klar, daß sie nicht Macht haben, ein Wort zu gebieten, sondern daß sie allein Knechte sollen sein, und sagen: Das sagt dein HErr Christus, darum sollst du das thun." (IX, 821.)

Derselbe: „Unter den Christen soll und kann keine Oberkeit sein, sondern ein jeglicher ist zugleich dem andern unterthan; wie Paulus sagt Röm. 12, 10. 16. und Petrus 1 Pet. 1, 5... Was sind denn die Priester und Bischöfe? Antwort: Ihr Regiment ist nicht eine Oberkeit oder Gewalt, sondern ein Dienst und Amt; denn sie nicht höher und besser vor anderen Christen sind. Darum sollen sie auch kein Gesetz noch Gebot über andere legen ohne derselben Willen und Urlaub: sondern ihr Regieren ist nichts anders, den Gottes Wort treiben, damit sie Christen führen, und Ketzerei überwinden." (X, 465. f.)

Derselbe: „Ein Bischof, als Bischof, hat keine Macht, seiner Kirche einige Satzung oder Ceremonie aufzulegen, ohne Einwilligung der Kirchen in klaren Worten, oder auf stillschweigende Art. Weil die Kirche frei und eine Herrscherin (Frau) ist, und die Bischöfe nicht über den Glauben der Kirchen herrschen, noch sie wider Willen beschweren und belästigen dürfen. Denn sie sind nur Diener und Haushalter, nicht aber Herren der Kirchen. Wenn aber die Kirche, als ein Leib mit dem Bischofe, einstimmt, so können sie sich mit einander auflegen, was sie wollen, wenn nur die Gottseligkeit nicht darunter leidet; können auch wieder dergleichen nach Belieben lassen. Aber solche Gewalt suchen die Bischöfe nicht, sie wollen herrschen und alles frei haben. Das müssen wir nicht einräumen, noch auf einige Art theil nehmen an diesem Unrecht oder Unterdrückung der Kirchen und der Wahrheit... Aber mit den Maccabäern ist es klar, daß sie ihre Kirchweihe nicht allein angeordnet, sondern mit des ganzen Volks Einwilligung. Eben solche Einstimmung hätte sie können aufheben, obwohl viel von weltlicher Ordnung dabei, ja dieselbe gar weltlich gewesen; weil nemlich die Maccabäer herrschten; der Schluß aber ist mit dem Volke geschehen. Darum können wir den Bischöfen weder durch kirchliches, noch weltliches Recht die Macht einräumen, der Kirchen etwas zu befehlen, wenn es noch so recht und gottselig wäre, denn es muß nichts Böses geschehen, daß Gutes daraus erfolge. Wollten sie auch mit Gewalt fahren, und dazu zwingen, so müssen wir nicht gehorchen, noch drein willigen, sondern eher sterben: den Unterscheid dieser zwo Regimente zu erhalten, d. i. für den Willen und das Gesetz Gottes, wider die Gottlosigkeit und Kirchenräubereien." (Antwort an Melanchthon in Augsburg auf die ihm zugeschickten Fragen von den Menschensatzungen, vom Jahr 1530. XVI, 1207—9.)

Endlich stellt Luther den wichtigen allgemeinen Grundsatz auf: „Das geistliche Regiment ist allein auf die Sünde gestellet.   Wo die Sünde angehet, da soll dieses Regiment auch angehen, und sonst nicht." (XIII, 1186.)

Gerhard schreibt: „Einige theilen die Predigtamts-Gewalt (potestas ordinis) in zwei besondere Stücke ein, nemlich in die dogmatische . . und in die constitutive, welche letztere eine Gewalt der Kirche ist, in äußerlichen und Mitteldingen Vorschriften und Regeln für Ordnung und Ehrbarkeit, und bestimmte Gebräuche festzusetzen und zur Förderung der Uebereinstimmung der Glieder der Kirche im äußerlichen Gottesdienst einzurichten oder abzuschaffen, wie es die Nothdurft oder der Nutzen der Kirche erfordert. Aber diese Gewalten gehören der ganzen Kirche, sind aber nicht dem geistlichen Stande insonderheit eigen, obgleich wir gern zugeben, daß die ersten und hauptsächlichsten Stücke jener Gewalt dem Kirchenamt zustehen." (Loc. de minister. eccles. § 193.)

Dannhauer schreibt: „Die Pastoren sind Diener der Gemeinde, welcher die letzte Entscheidung zu überlassen ist." (Hodosoph. p. 179.)

Der ausgezeichnete Leipziger Theolog Joh. Benedict Carpzov setzt in seiner vortrefflichen Einleitung zu den symbolischen Büchern unserer Kirche zu den Worten der Augsburgischen Confession: „Die Bischöfe oder Pfarrherrn mögen Ordnung machen" u. s. w. (Art. 28.), Folgendes hinzu: „Es ist darauf zu achten, wenn die Augsburgische Confession an dieser Stelle das Recht Ceremonien zu ordnen den Bischöfen zuläßt, daß dies geschehe: 1. nach Beschaffenheit jener Zeit, wo ihnen dies aus menschlichem Rechte auch zukam, wie der Abschnitt, der sich mit den Worten anfängt: ‚Daß aber die Bischöfe sonst' (außer dem, was ihnen nach göttlichem Rechte zusteht) ‚Gewalt und Gerichtszwang haben' ꝛc., erwähnt hatte; 2. daß damit dem Rechte der ganzen Kirche nichts vergeben werde, wie dies die Augsburgische Confession nicht undeutlich anzeigt."*) Weiter oben hatte Carpzov zu jenen Worten der Augsburgischen

---

*) Es ist nemlich wohl darauf zu achten, daß unsere Väter den Bischöfen an der angezogenen Stelle zwar zugestehen, Ordnungen machen zu können, daß sie aber dies keinesweges unter den Stücken mit aufzählen, welche den Bischöfen nach göttlichem Rechte gebühren. In diesem Register ist von einer Macht, Ordnungen zu machen, kein Wort die Rede. Von den Ordnungen heißt es hernach nur, daß die Pfarrherrn solche machen mögen [liceat], und daß es der christlichen Versammlung gebühre [conveniat], solche Ordnung „um der Liebe und Friedens willen" zu halten, damit in der

Confession schon hinzugesetzt: „Dieses alles schließt jedoch die Einstimmung der Kirche nicht aus, sondern schließt sie vielmehr
ein, so, daß hier die Bischöfe immer die Uebereinstimmung der Kirche mit
ihnen haben und solche Ordnungen nicht ohne den Consens oder wider Willen
der Kirche gemacht werden dürfen." (Isagog. in libb. symbol. p. 750. 745.)

Wir erlauben uns, hier noch auf einen längeren Artikel über die Frage
hinzuweisen: „Können Prediger ihren Gemeinden oder einzelnen Gliedern
derselben etwas befehlen, was nicht schon in Gottes Wort befohlen ist?"
welcher sich im „Lutheraner" findet. Siehe Jahrgang XVI, S. 75—108.

Anmerkung 2.

Da unsere Kirche im alten Vaterlande die sogenannte Consistorial-
verfassung hatte und daher die Collegialrechte von den aus obrigkeitlichen
Personen und Theologen bestehenden Consistorien im Namen der Landesherrn ausgeübt wurden, so ist vielfach die Meinung herrschend geworden, als
ob die Ausübung jener Rechte unmittelbar durch die Gemeinde selbst in gewissen lediglich zu diesem Zwecke angestellten geschlossenen Gemeinde-Ver-
sammlungen unlutherisch sei. Selbst hier in America, wo die Kirche vom
Staate unabhängig ist, werden daher in den lutherischen Gemeinden die
Collegialrechte zumeist von aus Predigern und Laien bestehenden Presbyterien, ja, von Ministerien, deren Glieder nur Pastoren sind, ausgeübt,
indem man meint, daß die Presbyterien, ja, die Ministerien den deutschen
Consistorien, als dem echt lutherischen Verfassungs-Institut, entsprechen.
Es ist dies jedoch ein Irrthum. Das sogenannte Episkopalsystem ist so-
wenig, wie das Territorialsystem, die ursprüngliche lutherische Verfassungs-
theorie. Die erste Verfassung unserer deutsch-lutherischen Kirche war Luther'n
und seinen Mitarbeitern nur ein Nothbehelf und ein Provisorium. Sie
waren weit davon entfernt, die Landesherrn für die Kirchenregenten ex officio
anzusehen, vielmehr betrachteten sie dieselben als „Nothbischöfe" und ihre
kirchenregimentliche Thätigkeit als ein Werk der brüderlichen Liebe. Wie der
Reiche der Kirche mit seinem Gelde, der Künstler mit seiner Kunst aus Liebe
dient, ohne deswegen ein Recht vor anderen in der Kirche zu beanspruchen,
so sollten die Fürsten mit ihrer Macht dienen nicht auf Grund eines ihnen vor
anderen in der Kirche zustehenden Rechtes, sondern einer auf ihnen ruhenden
Liebespflicht. Zwar hat Luther selbst mit seinen Collegen den Churfürsten
von Sachsen aufgefordert, eine Kirchenvisitation in seinem Gebiete anstellen
zu lassen, aber nicht, daß er dies kraft seines fürstlichen, sondern seines Liebes-
berufes als Christ und Glied der Kirche thue; er, Luther, sagt nemlich in der
Vorrede zu dem Unterricht der churfächsischen Visitatoren vom Jahre 1528:

Kirche keine Unordnung und wüstes Wesen sei. Dürfte aber so geredet werden, wenn es
sich hier um ein göttliches Gebot handelte? Dürfte man dann sagen, es sei den Bischöfen
und Pfarrherrn erlaubt [liceat] und es wäre den Christen schicklich [conveniat], dasselbe „um der Liebe und Friedens willen" zu halten?!

„Weil unser keiner dazu" (zur Anstellung einer Kirchenvisitation) „berufen oder gewissen Befehl hatte und St. Petrus nicht will in der Christenheit etwas schaffen lassen, man sei denn gewiß, daß Gottes Geschäft sei, 1 Pet. 1, 11., hat sich keiner vor dem andern dürfen unterwinden. Da haben wir des Gewissen wollen spielen und zur Liebe Amt (welches allen Christen gemein und geboten) uns gehalten, und demüthiglich mit unterthäniger fleißiger Bitte angelanget den Durchlauchtigsten Hochgebornen Fürsten und Herrn, Herrn Johannes, ... als des Landes Fürsten und unsere **g e w i s s e** weltliche Obrigkeit, von Gott verordnet, daß S. Churf. Gnaden **a u s   c h r i s t l i c h e r Liebe** (denn **s i e   n a c h   w e l t l i c h e r   O b r i g k e i t   n i c h t   s c h u l d i g   s i n d**) und um Gottes willen, dem Evangelio zu gut und den elenden Christen in Sr. Churf. Gn. Landen zu Nutz und Heil, gnädiglich wollen etliche tüchtige Personen zu solchem Amte fordern und ordnen." (X, 1906.) In demselben Sinne schrieb Luther am 25. März 1539, als wieder Visitation gehalten wurde, an die Visitatoren: „Sollt man mit solcher Unlust" (Absetzung eines unversöhnlichen und stolzen Predigers) „unsern gnädigsten Herrn, **d e r   o h n e das   a l s   u n s e r   e i n i g e r   N o t h b i s c h o f**, weil sonst kein Bischof **u n s   h e l f e n   w i l l**, bemühen ohne Noth: möchts geachtet werden, als wolltet ihr, als denen es befohlen, nichts dazu thun, und alles auf E. K. F. G. Hals schieben." (Erlang. A. Bd. **LV**, 223.) Man vergleiche Luther's Erklärung, als Melanchthon im Jahre 1530 dadurch, daß die Bischöfe zugleich Fürsten waren, sich darin hatte unsicher machen lassen, daß den Bischöfen die constitutive Macht abzusprechen sei. S. Luther's Werke. Hall. A. Bd. **XVI**, 1207. f. Was aber die auch auf Luther's Rath aufgerichteten Consistorien betrifft, so ist wohl zu beachten, daß dieselben, so lange Luther lebte, ohne Jurisdiction und nur ein berathender Körper waren. (S. Löscher's Unschuldige Nachrichten. Jahrgang 1703. S. 24—26.) Ja, als es schon zu Luther's Lebzeiten mit den Consistorien dahinaus gehen wollte, daß darin der obrigkeitliche Stand als solcher die Kirche durch seine Juristen regierte, erklärte Luther: „**W i r   m ü s s e n   d a s   C o n s i s t o r i u m   z e r r e i ß e n**, denn wir wollen kurzum die Juristen und den Pabst*) nicht darinnen haben." (XXII, 2210.)

Daß auch **L u t h e r** Gemeindeversammlungen zum Zwecke der Ausübung der Collegialrechte da voraussetzte, wo die „rechte Art der evangelischen Ordnung" stattfinde, dies spricht er deutlich in seiner Schrift: „Deutsche Messe und Ordnung des Gottesdienstes" vom Jahre 1526 aus. Er schreibt daselbst: „Es ist **d r e i e r l e i** Unterschied Gottesdienst und der Messe.**) **E r s t l i c h** eine lateinische... Zum **a n d e r n** ist die deutsche Messe und Gottesdienst, davon wir jetzt handeln; welche um der einfältigen Laien willen ge-

---

*) Luther nennt hier darum den Pabst, weil die juristischen Glieder des Consistoriums nach dem jus canonicum des Pabstes Recht sprechen wollten.

**) Unter Messe versteht hier Luther jede geordnete öffentliche Zusammenkunft zum Gebrauch der Gnadenmittel mit gemeinschaftlichem Gebet, Lob und Dank.

ordnet werden sollen. Aber diese zwo Weisen müssen wir also gehen und ge= schehen lassen, daß sie öffentlich in den Kirchen vor allem Volk gehalten werden, darunter viel sind, die noch nicht glauben oder Christen sind, sondern das mehrere Theil da stehet und gaffet, daß sie auch etwas neues sehen; gerade als wenn wir mitten unter den Türken oder Heiden auf einem freien Platz oder Felde Gottesdienst hielten. Denn hie ist noch keine geordnete und gewisse Versammlung, darinnen man könnte nach dem Evangelio die Christen regieren, sondern ist eine öffentliche Reizung zum Glauben und zum Christenthum. Aber die dritte Weise, so die rechte Art der evangelischen Ordnung haben sollte, müßte nicht so öffentlich auf dem Platz geschehen unter allerlei Volk, sondern diejenigen, so mit Ernst Christen wollten sein und das Evangelium mit Hand und Mund bekennen, müßten mit Namen sich ein= zeichnen und etwa in einem Hause allein sich versammeln zum Gebet, zu lesen, zu taufen, das Sacrament zu empfahen und andere christliche Werke zu üben. In dieser Ordnung könnte man die, so sich nicht christlich hielten, kennen, strafen, bessern, ausstoßen oder in den Bann thun nach der Regel Christi Matth. 18, 15. ff. Hie könnte man auch ein gemein Almosen den Christen auflegen, das man williglich gäbe und austheilete unter die Armen nach dem Exempel St. Pauli 2 Kor. 9, 1. 2. 12. Hie dürft's nicht viel und großes Gesänges. Hie könnte man auch eine kurze feine Weise mit der Taufe und Sacrament halten und alles auf's Wort und Gebet und die Liebe richten. Hie müßte man einen guten kurzen Catechismum haben über den Glauben, zehen Gebote und Vater Unser.*) Kürzlich, wenn man die Leute und Personen hätte, die mit Ernst Christen zu sein begehrten, die Ordnung und Weise wären bald gemacht. Aber ich kann und mag noch nicht eine solche Gemeinde oder Versammlung ordnen oder an= richten. Denn ich habe noch nicht Leute und Personen dazu; so sehe ich auch nicht viel, die dazu bringen. Kömmts aber, daß ich's thun muß und dazu gedrungen werde, daß ich's aus gutem Gewissen nicht lassen kann, so will ich das Meine gern dazu thun und das beste, so ich vermag, helfen. Indeß will ich's bei den gesagten zwo Weisen lassen bleiben und öffentlich unter dem Volk solchen Gottesdienst, die Jugend zu üben und die andern zum Glauben zu rufen und zu reizen, neben der Predigt helfen fördern, bis daß die Christen, so mit Ernst das Wort meinen, sich selbst finden und an= halten, auf daß nicht eine Rotterei daraus werde, so ich's aus meinem Kopf treiben wollte. Denn wir Deutschen sind ein wild, roh, tobend Volk, mit dem nicht leichtlich ist etwas anzufangen, es treibe denn die höchste Noth." (X, 270—272.) Als daher in demselben Jahre 1526 auf einer Synode

---

*) Was Luther hier von den kurzen Gesängen, der Tauf= und Abendmahls=Form und einem kurzen Catechismus sagt, das ist wenige Jahre darnach in der lutherischen Kirche in Ausführung gebracht worden.

zu Homburg in Hessen eine Reformationsordnung für die lutherischen Gemeinden in Hessen entworfen wurde, nach welcher unter Anderem auch dergleichen Gemeindeversammlungen zur Besorgung der Gemeindeangelegenheiten angeordnet waren, setzte Luther daran nichts aus, als daß es zu solcher Ordnung noch nicht Zeit sei. Jene Homberger Synode hatte nemlich u. A. Folgendes geordnet: „Daß in jeder Pfarrei, nachdem das Wort des HErrn eine Zeitlang in derselben gepredigt sein wird, jeden Sonntag entweder unmittelbar nach dem Abendmahl oder nach dem Essen, eine Zusammenkunft der Gläubigen an einem geeigneten Orte gehalten werde, an welcher alle Männer, die es mit dem Dienst Christi wohl meinen und die zur Zahl der Heiligen gehören, sich betheiligen sollen, um gemeinschaftlich mit dem Bischof alles, was in der Kirchengemeinde gerade zu verhandeln ist, auf Grund des Wortes Gottes zu erledigen." (Philipp's des Großmüthigen hessische Kirchen-Reformationsordnung. Herausgegeben von Credner. Gießen, 1852. S. 76.) Was Luther einst abhielt, diese Ordnung durchzuführen, nemlich der gemischte Zustand der Gemeinden, welcher dann Rotterei zur Folge haben würde, kann uns hier nicht abhalten, diese „rechte evangelische Ordnung" einzuführen, da hier in Folge der gestatteten Religionsfreiheit die „Rotterei" schon eingetreten ist und derselben gerade durch jene „rechte evangelische Ordnung" nächst der Predigt des Evangeliums aufs beste gesteuert werden kann. — Man vergleiche noch Luther's Schreiben an Hausmann von 1527, woraus bereits die betreffende Stelle unter § 11, Anmerkung 4. c. mitgetheilt worden ist. Siehe **XXI, 167.** f. vergleiche 841. 847.

Anmerkung 3.

Zu thätigem Antheil am Reden, Berathen, Abstimmen und Beschließen in solchen Gemeindeversammlungen sollten, da dies ein Recht der ganzen Gemeinde ist, alle erwachsenen (etwa die bürgerlich mündig gewordenen) männlichen Gemeindeglieder das Recht haben. Vergleiche Matth. 18, 17. 18. Apostelg. 1, 15. 23—26. 15, 5. 12. 13. 22. 23. 1 Kor. 5, 2. 6, 2. 10, 15. 12, 7. 2 Kor. 2, 6—8. 2 Theff. 3, 15. Ausgeschlossen von der Ausübung dieses Rechtes sind die Jugend (1 Pet. 5, 5.) und die Gemeindeglieder weiblichen Geschlechtes (1 Kor. 14, 34. 35.). Johann Gerhard schreibt daher: „Aus Apostelg. 15, 22. wird geschlossen, daß nicht allein die Apostel, sondern auch die Presbyter bei dieser Kirchenversammlung gegenwärtig gewesen seien, ja, daß die ganze Gemeinde mit den Aposteln und Presbytern eine entscheidende Stimme gehabt habe." (Confess. cathol. f. 683.) Wenn der Apostel Paulus sagt, daß der Blutschänder in der Gemeinde zu Korinth in der Versammlung derselben in den Bann zu thun sei, so erklärte dies zwar der Arminianer Grotius so, daß er „von den besten" unter den Christen gerichtet und gebannt werden solle, aber Calov verwirft, wie schon bemerkt, mit Recht diese von dem klaren Worte der Schrift abgehende Auslegung und schreibt zu jener Stelle 1 Kor. 5, 2.: „Grundloser Weise versteht hier Grotius nicht alle Christen, sondern die besten. Denn welche dann zu versammeln wären und welche für die besten zu achten wären, wäre im Dunkeln gewesen." (Biblia illustrata ad l. c.)

Anmerkung 4.

Die äußerliche Leitung der Versammlung kommt selbstverständlich denjenigen zu, welche überhaupt der Gemeinde vorstehen oder die das Amt der äußerlichen Regierung, als ein vom Predigtamte abgezweigtes Hilfsamt (vgl. § 44.), insonderheit zu verwalten haben. Apostelg. 15, 6. 1 Tim. 5, 17. Röm. 12, 8. 1 Kor. 12, 28. („Regierer".) Der Leiter (Moderator, Vor-sitzer) der Versammlung hat namentlich auf Folgendes zu sehen: 1. Daß niemand zu reden sich heraus nehme, welcher nicht ein stimmberechtigtes Ge-meindeglied ist oder dem doch nicht für den gegenwärtigen Fall auf Ersuchen eines Gliedes dazu die Erlaubniß durch Gemeindebeschluß gegeben worden ist. 2. Daß immer nur Einer rede und keiner dem andern in die Rede falle. (1 Kor. 14, 30.) 3. Daß jeder, welcher reden will, aufstehe und (außer bei Vollziehung der dritten Stufe der Ermahnung) immer zum Vorsitzer gewendet spreche. 3. Daß einerseits niemand in Zorn und Leidenschaft rede oder persönlich beleidigende Ausdrücke gebrauche (1 Kor. 11, 16. Röm. 12, 10.), und daß andererseits jeder Muth bekomme zu reden, daß daher die, welche nur aus Ungeschicktheit Verkehrtes vorbringen, nicht darum höhnisch durch-gezogen und zum Gegenstande des Gelächters gemacht werden. 5. Daß niemand ohne Noth die Versammlung vor Schluß derselben verlasse, oder gar, wenn es nicht nach seinem Kopfe geht, mit Zeichen des Unwillens davon laufe. 6. Daß, ehe über eine Frage abgestimmt wird, der Gemeinde erst darüber zu berathen Gelegenheit gegeben werde. 7. Daß, wenn ein Glied Abfrage und Abstimmung begehrt, die Gemeinde in der Regel erst darüber zu entscheiden aufgefordert werde, ob nun abgefragt, resp. abgestimmt, werden könne und solle. 8. Daß die Abfrage genau und bestimmt und zwar, wo möglich, also formulirt werde, daß darauf Ja oder Nein geantwortet werden könne. 9. Daß, wenn der geringste Zweifel obwaltet, ob die Zustimmenden oder die Dagegenstimmenden in der Majorität sind, erst die Zustimmenden und dann die Dagegenstimmenden aufzustehen ersucht und das numerische Verhältniß derselben zu einander durch Zählung ermittelt werde.

Anmerkung 5.

Sachen der Lehre und des Gewissens können nur nach Gottes Wort und dem Bekenntniß der Kirche mit Einstimmigkeit erledigt werden. Jes. 8, 20. Wird, wenn es sich um Sachen dieser Art handelt, abgestimmt, so darf dies nicht geschehen, um hier die Stimmenmehrheit entscheiden zu lassen, sondern um auf dem Wege der Abstimmung in Erfahrung zu bringen, ob alle das Rechte erkannt haben und demselben zustimmen. So schrieb daher einst im Jahre 1556 Melanchthon in einem ihm von Maximilian II., nachmaligem Kaiser, abgeforderten Bedenken: „Also kann oft geschehen, daß der Haufe unrechter Lehrer viel größer ist, denn das Häuflein rechter Lehrer; dennoch bleibet das Häuflein rechter Lehrer und ihrer Kirchen die wahrhaftige Kirche Gottes und bleibet darin reiner Verstand ohne Sophisterei. Aus diesem allem folgt, daß man nicht nach dem mehrern Theil, auch nicht nach der Hoheit der Personen, Pabst oder Bischof, soll richten, sondern nach Gottes Wort. In weltlichen Gerichten ist's also, daß die hohe Obrigkeit und das mehrere Theil Gewalt haben, in zweifelhaftigen Sachen eine Erklärung zu machen, und die Erklärung ist kräftig von Amts wegen; aber in Glaubenssachen ist's nicht also. Denn die Hoheit der Person und das mehrere Theil hat nicht Macht, einen neuen oder anderen Gott zu setzen, wie Nabuchdonosor machen wollte. Und muß Gottes Wort Richter sein; das ist an ihm selbst gewiß und nicht ungewiß, wie die Weltweisen vorgeben. Daß man aber spricht: wenn das mehrere Theil und die Hoheit der Person nicht gilt, so wird alles ungewiß und ist kein Ende der Spaltungen, — darauf ist zu antworten: Wiewohl diese Gegenrede in weltlichen Sachen statt hat, so kann sie doch nicht gelten in Glaubenssachen. Denn dieses ist öffentlich, daß keine Creatur Macht hat, einen neuen oder anderen Gott zu machen. Und ob man dagegen spricht: Es könne leichtlich ein jeder seinen eigenen und besonderen Verstand fassen, — dagegen ist dieses zu reden: Gottesfürchtige und verständige Leute merken, was Sophisterei ist." (Consil. theol. Witebergensia. Frankfurt a. M. 1664. fol. 75. f.) Ein Gemeindeglied, welches, aus Gottes Wort und dem Bekenntniß der Kirche überwiesen, demselben nicht zustimmen, nicht weichen, sich nicht unterwerfen will, verwirkt damit sein Stimmrecht und verfällt der Kirchenzucht.

Alle Adiaphora (res indifferentes, Mitteldinge) werden hingegen durch Stimmenmehrheit erledigt. Zwar soll hiermit nicht gesagt werden, daß in indifferenten Dingen durch Majorität Beschlossenes von gleicher Verbindlichkeit für das Gewissen jedes Gemeindegliedes sei, wie das mit Einstimmigkeit auf Grund göttlichen Wortes Beschlossene; aber weil in den Dingen, welche Gottes Wort nicht festsetzt und die doch geordnet werden müssen, auf keinem anderen Wege zu einem Abschluß zu kommen ist, als daß sich die Minorität der Majorität fügt, so gilt hier von den durch die Majorität gemachten Ordnungen, was die Augsburgische Confession von den Ordnungen sagt, welche zu jener Zeit die Bischöfe kraft menschlichen Rechtes und Herkommens machten: „Was soll man denn halten vom Sonntag und dergleichen anderen Kirchenordnungen und Ceremonien? Darzu geben die Unsern diese Antwort: daß die Bischöfe oder Pfarrherrn mögen Ordnung machen, damit es ordentlich in der Kirche zugehe... Solche Ordnung gebühret der christlichen Versammlung um der Liebe und Friedens willen zu halten und den Bischöfen und Pfarrherrn in diesen Fällen gehorsam zu sein, und dieselben sofern zu halten, daß einer den andern nicht

ärgere; damit in der Kirche keine Unordnung und wüstes Wesen sei."
(Art. 28.) So wenig aber ein Christ christlich handelt, wenn er eigensinnig
als ein Sonderling sich der Majorität in Dingen, die das Gewissen nicht
berühren, nicht gleichförmig machen will (1 Pet. 5, 5. 1 Kor. 10, 33.), so
hat doch eine Gemeinde in ihrer Majorität noch weniger Recht, die Beobachtung ihrer Anordnungen um schuldigen Gehorsams willen von der
Minorität zu fordern. Daher es in der Augsburgischen Confession unmittelbar nach den eben citirten Worten weiter heißt: „Doch also, daß die Gewissen nicht beschweret werden, daß man's für solche Dinge halte, die noth
sein sollten zur Seligkeit, und es dafür achte, daß sie Sünde thäten, wenn sie
dieselben ohne der andern Aergerniß brechen." So schreibt auch Luther:
„Also soll man in allerlei andern äußerlichen Satzungen der Dinge, so an
ihnen selbst frei und nicht wider den Glauben noch die Liebe sind, den Unterscheid haben: daß man sie halte aus Liebe und Freiheit zu Willen den andern,
bei denen man ist, daß man sich mit jenen reime und füge; wenn sie aber
dringen, man müsse und solle es bei Gehorsam halten, als nöthig zur
Seligkeit, da soll man alles lassen und das Widerspiel thun, zu beweisen, daß
nichts noth ist einem Christen, denn nur Glaube und Liebe,*) das andere alles
frei der Liebe gelassen, nachdem es fordert die Gesellschaft" 2c. (XII, 117. f.)
Hiermit stimmt denn auch Gerhard. Er schreibt: „Die wahre Kirche besiehlt nicht, Mitteldinge zu thun oder zu unterlassen um ihres Gebotes
willen, sondern nur um der Ordnung und Wohlanständigkeit willen, daß
Ordnung gehalten und Aergerniß gemieden werde; so lange daher dies nicht
verletzt wird, läßt sie die Gewissen frei und macht ihnen weder einen Scrupel,
noch legt sie ihnen eine Nothwendigkeit auf." (Confess. cath. fol. 627.)
Die Beobachtung der durch Majoritätsbeschluß angeordneten Dinge muß eine
Gemeinde namentlich dann dem guten Willen der Minorität oder Einzelner
anheim stellen, wenn der Majoritätsbeschluß gewisse Leistungen und nicht
nur das sich Fügen in eine äußere Ordnung fordert. 2 Kor. 8, 7. 8. Wäre
zu befürchten, daß durch rücksichtslose Ausführung eines Majoritätsbeschlusses
trotz Freigebung der Minorität Uneinigkeit oder gar Spaltung entstehen
würde, so sollte der Pastor die Majorität dazu zu vermögen suchen, daß dieselbe um der Minorität willen den Beschluß cassire. 1 Kor. 16, 14.

Bei Gleichheit der Stimmen möchte nicht zu rathen sein, daß der
Pastor oder Vorsitzer durch seine Stimme den Ausschlag gebe, sondern daß die
Sache noch einmal discutirt und dadurch das Stimmenverhältniß verändert
oder, so durchaus keine Mehrheit der Stimmen für das eine oder andere zu
erzielen wäre, die Sache aufgegeben werde.

---

*) Man sieht daraus, daß Mitteldinge nicht nur dann als zur Seligkeit nöthig ver-
langt werden, wenn man dieses ausdrücklich dabei lehrt, sondern auch allemal dann, wenn
das schuldige Halten derselben aus dem schuldigen Gehorsam und nicht allein aus der
freien Liebe abgeleitet wird; es geschehe dies nun von einem einzelnen Prediger, von
einem Ministerium, von einer Synode, oder von einer ganzen Gemeinde oder Kirche.

Anmerkung 6.

Zur Giltigkeit einer Gemeindeversammlung gehört, daß dieselbe in einer von der Gemeinde zu bestimmenden legitimen Weise vorher öffentlich angesagt und daß eine ebenfalls von der Gemeinde zu bestimmende zur Bildung eines Quorums erforderliche Anzahl von Gemeindegliedern erschienen sei. Wer dann nicht erschienen ist, begibt sich damit für diesen Fall selbst seines Stimmrechts.*) Es ist aber eben darum immer eine möglichst für alle Glieder bequeme Zeit zur Abhaltung der Versammlung auszuwählen, die Zeit des Anfangs und Schlusses derselben vorher zu bestimmen und genau inne zu halten; so oft es aber nöthig erscheint, die Dauer einer Sitzung über den festgesetzten Zeittermin hinaus auszudehnen, sollte dies immer nur nach darüber von den Gegenwärtigen gefaßtem einstimmigen Beschlusse geschehen.

Anmerkung 7.

Um Liebe und Friedens willen ist es rathsam, daß wichtige Beschlüsse in Betreff aufschieblicher Dinge erst dann die Giltigkeit eines Gemeindebeschlusses erhalten, wenn sie in der unmittelbar darauf folgenden Versammlung dadurch, daß niemand dagegen protestirt, bestätigt worden sind.

Anmerkung 8.

Das Wesentliche der Verhandlungen sollte von einem dazu bestellten Schreiber zu Protokoll genommen, am Schlusse der jedesmaligen Versammlung vorgelesen, über die Richtigkeit der Darstellung abgestimmt, dieselbe je nach Befinden corrigirt und zu Anfang der nächsten Versammlung wieder vorgelesen werden. Apostelg. 15, 23—31. Besonders genau abgefaßt sollte das Protokoll bei Kirchenzuchtsverhandlungen sein, so daß man auch nach Jahren aus demselben die Richtigkeit des dabei beobachteten Verfahrens documentarisch und durch die ganze Gemeinde beglaubigt nachweisen könne.

Anmerkung 9.

Da das öffentliche Beten ein Stück des öffentlichen Predigtamtes ist, so beginnt und beschließt der Prediger jede Versammlung mit einem Gebete; im Fall seiner Abwesenheit lies't eine dazu bestimmte Person, etwa der Schullehrer oder ein Vorsteher, ein für solche Fälle ausgewähltes Gebet vor. Balduin schreibt: „In den öffentlichen Gebeten ist der Kirchendiener im Beten der Mund der Gemeinde, in deren Namen er dann zu Gott redet, sowie er im Predigen Gottes Mund ist, in dessen Namen er zum Volk redet." (Tract. de cas. consc. p. 247.)

---

*) Ueber die Pflicht die Gemeindeversammlungen zu besuchen, siehe die Ansprache im „Lutheraner" Jahrgang 3. Nr. 21.

§ 46.

Wie es dem Prediger nicht allein zukommt, eine Person aus der Gemeinde auszuschließen (vergl. § 40. Anm. 2.), so kommt es ihm auch nicht allein zu, neue Glieder aufzunehmen. Die Entscheidung hierüber kommt vielmehr der ganzen Gemeinde, dem Prediger mit den Zuhörern, zu. Als Erforderniß zur Aufnahme ist unter anderen nicht sowohl die Gewißheit, daß der Aufzunehmende ein wahrer, bekehrter, wiedergeborner Christ sei, als vielmehr, daß er sich weder in Lehre noch Leben als einen Unchristen oder Irrgeist erweise, anzunehmen. Apostelg. 8, 13. ff.*)

Anmerkung 1.

Dazu, daß Jemand in die Gemeinde aufgenommen werden könne, gehört vor allem Folgendes: 1. daß er getauft sei, Ephes. 5, 25. 26. 1 Kor. 12, 13.; 2. daß er, wenn er zu den Erwachsenen gehört, den Glauben bekenne, daß die heilige Schrift Alten und Neuen Testamentes Gottes Wort und daß die in den Bekenntnissen der evangelisch-lutherischen Kirche, namentlich in dem kleinen Katechismus Lutheri und in der ungeänderten Augsburgischen Confession (welche letzteren Bekenntnisse [mindestens den Katechismus] die Aufzunehmenden ihrem Inhalte nach kennen müssen), enthaltene Lehre die reine christliche Lehre sei, Gal. 2, 4. 5. Ephes. 4, 3—6. 2 Kor. 6, 14—18. 2 Joh. 10. 11.; 3. daß er ein Glied der evangelisch-lutherischen Kirche sein wolle, Matth. 10, 32. 33. 2 Tim. 1, 8.; 4. daß er einen christlichen unärgerlichen Wandel führe, 1 Kor. 5, 9—13. Matth. 7, 6.; und 5. daß er nicht in dem gerechten Bann einer anderen Gemeinde liege, Matth. 18, 17. 18. 2 Tim. 4, 14. 15.

Ueber das Minimum der Anforderungen, welche an eine Gemeinde im Ganzen zu stellen seien, um dieselbe annehmen zu können, vergl. § 6, Anm. 9.

Anmerkung 2.

Was das bei der Aufnahme neuer Gemeindeglieder zu beobachtende Verfahren betrifft, so sollten die, welche aufgenommen zu werden begehren, sich sowohl bei einem Vorsteher, als auch bei dem Pfarrer zu melden haben, der erstere die äußerlichen Umstände und den äußerlichen Wandel des sich Meldenden erkunden, sowie denselben mit der äußeren Ordnung der Gemeinde (resp. unter Vorlegung der etwa vorhandenen schriftlich aufgezeichneten Gemeindeconstitution) bekannt machen, und letzterer denselben namentlich in seinem Christenthum, Glauben und Bekenntniß prüfen. In recht geordneten Gemeinden sollten alle Unbekannten oder Ununterrichteten vor ihrer Aufnahme einen Lehrcursus in den Hauptstücken der reinen

---

*) Arcularius, Lenäus, die Weimarsche Bibel u. a. behaupten wohl nicht mit Unrecht, daß Simon's, des Zauberers, Bekehrung und Glaube nicht rechtschaffen gewesen sei.

Lehre bei dem Pfarrer absolviren und erst nachdem dies geschehen, die Gemeinde aufgefordert werden, über die Aufnahme desselben zu berathen und zu beschließen, die Aufnahme selbst aber sollte, wenn der Eintretende stimmfähig wird, durch Namensunterschrift desselben unter die Gemeindeordnung in öffentlicher Versammlung, mit Anschluß einer Ansprache von Seiten des Pfarrers, schlüßlich vollzogen werden. Der Name derjenigen, welche nicht unter die stimmfähigen Glieder aufgenommen werden, der Frauenspersonen und der noch nicht mündigen, ist nach von der Gemeinde beschlossener Aufnahme derselben von einem eigens dazu Beauftragten in die Gemeindeglieder-Liste einzutragen. War der sich Meldende schon Glied einer anderen anerkannt recht stehenden Gemeinde, so sollte von ihm ein Entlassungszeugniß verlangt, aber, wenn dasselbe ein empfehlendes ist, er auf Grund desselben ohne jenen vorgängigen Unterricht aufgenommen werden. Vergl. 3 Joh. 8. 9. 10. Apostelg. 18, 27.

Anmerkung 3.

Melden sich vormalige Glieder falscher Kirchen und Religionen zum Eintritt in die Gemeinde, so muß denselben zwar der Prediger mit aller Liebe und Freundlichkeit entgegen kommen, doch ist vorerst die Lauterkeit ihrer Absicht hierbei, so viel möglich, wiewohl mit aller Vorsicht, zu untersuchen, und sind dieselben hierauf in der reinen Lehre unserer Kirche gründlich zu unterrichten. Vgl. Hartmann's Pastorale ev. p. 1166. f. Unumgänglich nöthig ist, solchen Convertiten oder Proselyten 1. aus den von ihren irrigen Gemeinschaften selbst anerkannten Schriften die groben Irrthümer derselben und wie diese Irrthümer den Grund des rechtfertigenden, seligmachenden Glaubens umstoßen, klar nachzuweisen, und 2. die Gegenbeweise ihnen aus Gottes Wort und zwar also einzuprägen, daß sie jene Irrthümer aus der Schrift selbst nachweisen und widerlegen, sowie die entgegenstehende Wahrheit daraus selbst begründen und vertheidigen lernen. Es ist daher gut, wenn der Pastor mit einem Exemplar des Catechismus Romanus (oder irgend eines bei den Römischen für echt katholisch geltenden), des Tridentinums, des Heidelberger Katechismus und anderer Bekenntnißschriften betreffender Secten, sowie mit einer approbirten römisch-katholischen Uebersetzung wenigstens des neuen Testamentes versehen ist. Auch sollte der Prediger populäre Schriften zur Widerlegung der Irrthümer der Secten zur Hand haben, damit er sie solchen Personen, welche er zum Uebertritt vorzubereiten hat, zu ihrem privaten Studium in die Hände geben könne. Dazu eignen sich u. a. folgende:

Evangelisches Handbüchlein, darinnen unwiderleglich aus einiger heiligen Schrift erwiesen wird, wie der genannten Lutherischen Glaube recht katholisch, der Päbstler Lehre aber im Grunde irrig und wider das helle Wort Gottes sei. Verfertigt durch Matthias Hoe von Hoenegg. Neue Auflage. Dresden bei J. Naumann, 1871.

Polemischer Katechismus von M. J. Frisch. Leipzig 1768.
Neu herausgegeben unter dem Titel: Die Bibel und der Pabst oder
Unterricht über den Unterschied zwischen der evangelisch-lutherischen und der
römisch-katholischen Lehre. Leipzig bei R. F. Köhler, 1845.

Kurzer Bericht von dem Unterschied der wahren evangelisch-lutherischen und der reformirten Lehre. Von Dr. Hektor Gottfried Masius.
Copenhagen, 1691. Neu aufgelegt zu St. Louis, Mo., bei L. Volkening,
1868.

Anmerkung 4.

Zwar kann es unter Umständen von großem Nutzen sein, wenn namentlich aus dem Pabstthum Uebertretende sich in öffentlicher gottes-
dienstlicher Versammlung von dem Antichrist, seiner Synagoge und deren
Greueln öffentlich lossagen und ein Bekenntniß des reinen evangelisch-lutherischen Glaubens thun, und darauf von dem Prediger feierlich aufgenommen und eingesegnet werden; doch ist dies nicht als conditio
sine qua non der Aufnahme zu fordern. L. Hartmann will für den das
erste Mal innerhalb einer lutherischen Gemeinde communicirenden Convertiten
aus dem Pabstthum nur ein Gebet gethan haben und auch dieses soll nach
ihm ohne Nennung des Namens geschehen. (S. Pastorale ev. p. 1174.)
Jedenfalls genügt es, wenn der Uebertretende in der Gemeindeversammlung erscheint und da sein Bekenntniß thut, und wenn etwa an dem Sonntag, an welchem derselbe das erste Mal als Lutheraner communicirt, dies
nach der Predigt von der Canzel angezeigt und die Gemeinde um ihre Fürbitte ersucht werde. Aus anderen irrgläubigen Gemeinschaften Kommende
können, wenn es nicht besondere Umstände anders fordern, ihren Eintritt wie
alle anderen Eintretenden vollziehen. Anders ist es bewandt in Betreff von
Socinianern, Unitariern, Swedenborgianern, Mormonen und Aehnlichen,
welche, wie Heiden, Juden, Muhamedaner, nicht ohne Taufe aufgenommen
werden können. Fresenius theilt in seinen Pastoralsammlungen Bd. XXII,
S. 289—442 zwei interessante gehaltreiche Reden mit, welche bei Gelegenheit der Taufe eines vormaligen Socinianers und einer gebornen Türkin gehalten worden sind, die erste im Jahre 1755 von J. J. D. Zimmermann in
Hamburg, die andere im Jahre 1756 von A. Seyboth in Windsheim.

§ 47.

Der Prediger sollte es sich nicht zur Aufgabe machen, eine neue Gemeinde sogleich zur Entwerfung, Unterschreibung und Beobachtung einer
möglichst vollständigen Gemeindeconstitution zu veranlassen. Dieselbe sollte namentlich Anfangs nur das Allernothwendigste enthalten, und
das, was sich in dem Gemeindeleben bereits durch längeren Brauch und
Uebung bewährt hat und wodurch sich dieselbe den in demselben größeren

kirchlichen Verbande befindlichen Gemeinden möglichst conformirt, von
Zeit zu Zeit hinzugefügt werden. Keine darin gemachte Bestimmung,
die etwas betrifft, was in Gottes Wort weder geboten noch verboten ist,
sollte unabänderlich sein, sondern jederzeit durch eine bedeutendere
Stimmenmehrheit oder mindestens durch einstimmigen Beschluß in christlicher Ordnung verändert oder aufgehoben werden können.

Anmerkung 1.

So schreibt Luther im Jahre 1534 an Nicolaus Hausmann, damals
Prediger in Dessau: „Eure Kirchenordnung las ich, und sagte dem Magister
Forchemius meine Meinung, diese nemlich, daß deren Druck und öffentliche
Bekanntmachung noch nicht rathsam zu sein scheint. Denn auch uns reuets
schon lange, daß wir unsre Ordnung bekannt machten und dadurch allen
andern ein Beispiel gaben, auch mit ihren herauszurücken. So wuchs in's
Unendliche sowohl die Verschiedenheit, als auch die Menge der Ceremonien,
daß wir bald der Papisten Meere und Wälder übertreffen werden. Ich rieth
also vielmehr, daß das schriftliche Exemplar noch zurückbehalten und den
Pfarrern Artikelweis schlechthin angezeigt würde, was und wie viel sie
für diese Zeit zu thun hätten ..., damit auf solche Art die Disciplin
nach und nach durch den Gebrauch und die wirkliche Ausübung ohne mündliche oder schriftliche Ueberlieferung oder vielmehr Impostur festgesetzt würde.
Dann ist mein Rath, daß man die Gebräuche unserer hier eingeführten oder
der benachbarten Gemeinden aufs möglichste beibehalten möge, damit wir
nicht den Papisten und Secten den Mund öffnen, zu bellen und zu lästern,
und diese Verschiedenheiten als Uneinigkeiten unter uns herumzutragen.‟
(Luther's Briefe nach der Sammlung von Schütze übersetzt. II, 40. 41.)
Acht Tage später schreibt Luther an denselben über denselben Gegenstand:
„Ich hatte darüber mein Wohlgefallen, daß Ihr schriebet, Ihr hättet nicht
im Sinne gehabt, Eure aufgesetzte Kirchenordnung durch den Druck bekannt
zu machen. Denn so wird sich's geben, daß mit der Zeit die Praxis
selbst alles besser ordnet. Dergleichen Beobachtungen pflegen besser nach geschehener Ausübung aufgezeichnet, als vor
derselben verordnet zu werden. Denn das Gesetz befiehlt manches,
was in der Folge nicht beobachtet wird; die Agende aber zeichnet auf,
was beobachtet wurde.‟ (A. a. O. S. 44.) Als Luther'n die im Jahre
1526 auf der Synode zu Homburg in Hessen entworfene Kirchenordnung zugesendet worden war, antwortete derselbe hierauf dem Landgrafen Philipp
u. A. Folgendes: „Mein treuer und unterthäniger Rath ist, daß Eure
Fürstliche Gnaden nicht gestatte, noch zur Zeit diese Ordnung auszulassen
durch den Druck, denn ich bisher und kann auch noch nicht so kühne sein,
so einen Haufen Gesetze mit so mächtigen Worten bei uns vorzunehmen.
Das wäre meine Meinung, wie Mose mit seinen Gesetzen gethan hat, welche

er fast das mehrere Theil, als schon im Brauch ganghaftig unter dem Volk von Alters vorgekommen, hat genommen, aufgeschrieben und geordnet; also auch Eure Fürstliche Gnaden zuerst die Pfarren und Schulen mit guten Personen versorgt und versucht zuvor mit mündlichem Befehl oder auf Zettel gezeichnet und das alles aufs kürzeste und wenigste, was sie thun sollten. Und welches noch viel besser wäre, daß der Pfarrherren zuerst einer, drei, sechs, neune unter einander anfingen, eine einträchtige Weise in einem oder drei, fünf, sechs Stücken, bis in Uebung und Schwang käme, und darnach weiter und mehr, wie sich die Sache wohl selbst werde geben und zwingen, bis so lange alle Pfarrer hinach folgen. Alsdann könnt man's in ein klein Büchlein fassen; denn ich wohl weiß, hab's auch wohl erfahren, daß, wenn Gesetze zu frühe vor dem Brauch und Uebung gestellet werden, selten wohl gerathen; die Leute sind nicht darnach geschickt, wie die meinen, so da sitzen bei sich selbst und malens mit Worten und Gedanken ab, wie es gehen sollte. Fürschreiben und Nachthun ist weit von einander. Und die Erfahrung wird's geben, daß dieser Ordnung viel Stücke würden sich ändern müssen, etliche der Oberkeit alleine bleiben. Wenn aber etliche Stücke in Schwang und Brauch kommen, so ist dann leicht dazu thun und sie zu ordnen. Es ist fürwahr Gesetz machen ein groß, herrlich, weitläuftig Ding und ohne Gottes Geist wird nichts Gutes daraus. Darum ist mit Furcht und Demuth vor Gott zuzufahren und diese Maß zu halten: kurz und gut, wenig und wohl, sachte und immer an. Darnach wenn sie einwurzeln, wird des Zuthuns selbst mehr folgen, denn vonnöthen ist." (Erlanger Ausg. LVI, S. 170. 171.) An einer anderen Stelle spricht sich Luther über diesen Gegenstand also aus: „Je weniger Gesetze eine Republik hat, durch welche sie regiert wird, desto glückseliger ist sie. Aber da in unserer Kirche allein das Gesetz der Liebe zu ihrer sonderbaren Glückseligkeit eingeführt war, so ist sie, nachdem solches nunmehro erloschen, anstatt dieses einigen Gesetzes durch den großen Zorn des allmächtigen Gottes mit so vielen Gesetzen überladen, daß man vor großer Menge nur die Titel derselben kaum auswendig lernen kann." (Walch's Ausg. IX, 375.) Es ist daher ein großer Irrthum, wenn junge unerfahrene Prediger meinen, etwas Großes ausgerichtet zu haben, wenn sie ihre Gemeinde dazu bewogen haben, eine bis in das Einzelne ausgeführte Constitution anderer Gemeinden anzunehmen.

Anmerkung 2.

Die Grundlage zu einer Gemeindeconstitution ist bereits oben § 6. Anm. 9. mitgetheilt worden. Hier sei nur noch Folgendes bemerkt. Jedenfalls dürfte die Aufnahme der Bestimmung in die Constitution angemessen sein, daß bei etwa entstehenden Trennungen das Kirchengut denjenigen verbleiben solle, welche nicht nur bei dem lutherischen Namen, sondern auch bei dem lutherischen Bekenntniß thatsächlich verbleiben würden, wenn derselben auch nur zwei wären, jedoch also, daß auch diese das Kirchengut nur zu kirchlichen Zwecken zu verwenden Macht haben sollen. Ebenso gehört in die Gemeindeordnung, daß die Gemeinde in ihrem eigenen Kreise das letzte und oberste Gericht nach Matth. 18, 17. bilde, daher denn alle ihre Beamten, auch die Vorsteher und Trustees, in allem ihr verantwortlich seien und von ihr in christlicher Ordnung von ihrem Amte entfernt werden können, daß aber auch alle Entscheidungen und Beschlüsse der Gemeinde, welche Gottes Wort oder dem Bekenntnisse entgegen sein möchten, im Voraus für null und nichtig erklärt sein.   Unter Umständen sollte der Prediger auch dafür sorgen, daß die Gemeinde ihre Constitution (oder die Grundzüge zu einer solchen) gerichtlich recorden oder, wo dies möglich, sich selbst samt ihrer Constitution staatlich incorporiren lasse, jedenfalls, daß der Deed der Kirche der Constitution der Gemeinde entsprechend formulirt werde.

Anmerkung 3.

Ein Prediger sollte sich nicht nur mit einigen der besten älteren lutherischen Kirchenordnungen, sondern auch mit einigen guten, bereits erprobten americanischen Gemeindeordnungen für vom Staate unabhängige rechtgläubige Gemeinden versehen, daraus das für seine Gemeinde sich Eignende ausziehen und nach Umständen in Vorschlag bringen.

§ 48.

Ein rechtschaffener Prediger soll nach Gottes Wort nicht allein auf die ihm anvertraute Heerde und auf die Lehre, sondern auch auf sich selbst Acht geben, Apostelg. 20, 28. 1 Tim. 4, 16., nicht nur in seinem ganzen öffentlichen und Privat-Leben unsträflich und untadelig, 1 Tim. 3, 2. Tit. 1, 7., sondern auch in allem ein Vorbild der Heerde sein, 1 Pet. 5, 1—4.; er sollte nicht nur niemandem ein Aergerniß geben, auf daß sein Amt nicht verlästert werde, 2 Kor. 6, 3., sondern auch die Lehre in allen Stücken zieren, Tit. 2, 10.; auch sollte nicht nur er selbst darnach trachten, daß an ihm die Tugenden eines rechtschaffenen Dieners Gottes, wie sie in Gottes Wort 1 Tim. 3, 1—10. Tit. 1, 6—9. 2, 7. 8. aufgezählt werden, hervorleuchten, sondern daß auch sein ganzes Haus mit allen seinen Gliedern, Weib, Kindern und Gesinde, das Muster einer wahrhaft christlichen Familie darstelle, 1 Tim. 3, 4. 5. (vgl. 1 Sam. 2.) Pf. 101, 6. 7., daher er schon bei der Wahl eines Ehegemahls dieses wichtige Erforderniß eines Dieners JEsu Christi zu berücksichtigen hat.

Anmerkung 1.

Was der Apostel mit den Worten „unsträflich, untadelig" anzeigen wolle, deutet er selbst mit Aufzählung der Tugenden, mit denen ein Bischof geschmückt, und mit Angabe der Sünden, von denen er frei sein solle,

25

an. Offenbar soll nemlich hiernach mit jenen Worten nicht gesagt sein, daß
derjenige unfähig sei, ein Bischof zu werden und zu sein, welcher nicht von
allen Sünden, auch der Schwachheit, frei oder der doch nicht, wie einst ein
Saulus und ein Luther, vor seiner Erleuchtung wider Gottes Wort und
Kirche gekämpft und in Verwirrung des Gewissens mit Werken, die wider
Gottes Wort sind, Gott zu dienen gemeint hat, sondern nur, daß derjenige,
welcher vor der Welt sträflich, bürgerlich schändend gelebt und in Lastern
wie Trunkenheit, Diebstahl, Hurerei u. dergl., gelebt hat, weder in das Amt
gesetzt, noch darin geduldet werden solle. Luther schreibt darüber: „Der
heilige Paulus befiehlet, man solle einen solchen zum Bischof in der Gemeine
Gottes setzen, der unsträflich sei und einen untadelhaften Wandel
führe. Nicht, daß irgend ein Mensch könnte ohne alle Sünde leben;
sondern, daß er ohne Beschuldigungen einhergehen oder ehrbarlich wandeln
soll. Denn das griechische Wort ἀνέγκλητος bedeutet so viel als ohne Tadel
oder einen solchen Menschen, den kein Mensch irgend eines Verbrechens
beschuldigen oder überführen kann. Welches er an mehreren Orten deutlich
erkläret, darinnen er lehret, daß alle Gläubigen vorsichtiglich wandeln sollen,
das ist, daß sie ehrbar leben, damit sie nicht den Widersachern Gelegenheit
geben zu schelten, zu lästern und zu schmähen. So stellten sich Samuel und
Moses untadelhaft vor dem Volke dar, indem sie sich rühmen konnten, daß sie
niemandem einen Ochsen oder Esel genommen, auch niemanden verläumdet
haben. Demnach ist's offenbar, daß Paulus von dergleichen Beschuldigungen
rede, die einen auch vor der Welt tadelhaftig machen. Dergleichen er
auch selbst zum Exempel anführet, nemlich: wenn er seinem Haus nicht wohl
vorstehe, seine Kinder nicht züchtige und strafe, wenn er ein Weinsäufer,
stolz und aufgeblasen, geizig, grausam ꝛc. sei." (XIX, 2180. f.) Auch
Quenstedt schreibt daher: „Unsträflich (ἀνεπίληπτος 1 Tim. 3, 2.) ist,
welchen niemand um eines schweren Verbrechens willen mit Recht strafen
kann. Untadelig (ἀνέγκλητος Tit. 1, 6., welches Wort der Gerichtssprache
entnommen ist) bezeichnet eigentlich denjenigen, welcher nichts begangen hat,
um dessentwillen er gerichtlich verklagt werden könne, oder wer von einer
sträflichen Schuld frei ist, welchem kein Verbrechen mit Recht vorgeworfen
werden kann... Der Heidenapostel sagt nicht: Ein Bischof muß sündlos
(ἀναμάρτητος) sein d. i. so beschaffen, daß er gar keine Sünde habe, sonst
müßten nicht Menschen, sondern Engel der Kirche vorgesetzt werden. Denn
‚so wir sagen, wir haben keine Sünde, so verführen wir uns selbst, und die
Wahrheit ist nicht in uns‘, 1 Joh. 1, 8. Man liest wohl von einem Menschen, der da ‚meidete das Böse‘, Hiob 1, 1., der ‚untadelig‘ war, Luk. 1, 6.;
von keinem aber wird gelesen, daß er ‚ohne Sünde‘ war, außer von dem einen
Menschen- und Gottes-Sohn, Christus JEsus." (Ethica pastoralis.
Witeb. 1697. p. 190. s.) Mit Recht rühmet es daher Luther, daß Gott
oft gerade solche Personen zu seinen gesegnetsten Werkzeugen als Prediger
des Evangeliums mache, die, obwohl vor der Welt unsträflich, doch nach ihrer

Kindheit ohne Gott dahin gelebt haben, ja, vor Gott die größten Sünder gewesen sind und sich erst später zu Gott bekehrt haben. Er schreibt: „So thut es Gott auch darum, daß er solche arme Sünder dazu erwählet, wie St. Paulus und wir gewesen sind, daß er der Klügler Vermessenheit und Dünkel wehre. Denn er will nicht solche sichere, vermessene Geister dazu haben, sondern solche Leute, die zuvor wohl durch die Rolle gezogen, versucht und gebrochen sind, und solches wissen und bekennen müssen, daß sie böse Buben gewesen sind, wie St. Paulus gewesen war, und mit solchen Sünden beladen, die rechte große Sünden heißen vor Gott, als Gottes und des HErrn Christi Feinde; auf daß sie in der Demuth bleiben und nicht sich vermessen noch rühmen können (wie jene unversuchten Geister thun), sie sein so fromm, heilig, gelehrt gewesen, daß sie Gott dazu erwählet habe; sondern daß Er allezeit den Ruhm und Trotz behalte, daß er zu ihnen könne sagen, wenn sie auch wollten stolz werden: Lieber, was habt ihr, darauf ihr wollt pochen? Oder wider wen wollt ihr stolziren? Wisset ihr nicht, was ihr für Leute gewesen seid und beide, wider mich und die Christenheit, gethan und vieler Leute Blut auf euren Hals geladen habt? Oder wollt ihr vergessen, was ich euch für Gnade und Barmherzigkeit erzeigt habe? Also will er den Knittel dem Hunde an Hals gebunden haben, auf daß ein jeglicher hinter sich sehe und denke, in welchem Stank und Unflath er gesteckt sei, so wird er des Stolzes und Vermessens wohl vergessen." (VIII, 1191. f.)*)

_____

*) Nachdem Gerhard nachgewiesen hat, daß Unbescholtenheit eine nach Gottes Wort erforderliche Eigenschaft eines Bischofs sei, antwortet er auf die Frage: „Ob diejenigen, welche in ein schweres Verbrechen fallen, nachdem sie Buße gethan haben, mit kirchlichen Aemtern bekleidet oder wieder in dieselben zurück gerufen werden können", u. a. Folgendes: „Eine sorgfältige und genaue Erwägung der Umstände wird es offenbar machen, was in solchen Fällen zu thun sei. Vor allem ist der Nothfall von der ordentlichen Regel zu unterscheiden. Wenn man andere taugliche Kirchendiener haben kann, sind die, welche sich eines schweren Vergehens schuldig gemacht haben, auch nach gethaner Buße keineswegs weder zu wählen, noch wieder zu berufen; ist dies aber nicht der Fall, so ist es besser, solche zuzulassen, als daß die Kirche ohne die nöthigen Diener sei." (Loc. de minister. ecclesiast. § 277.) Auch Dannhauer antwortet auf die Frage: „Kann jemand berufen oder wieder berufen werden, der sich notorisch ehemals mit einem Verbrechen befleckt hat (also nicht unsträflich und untadelig ist) und öffentlich in Kirchenzucht stand, aber bußfertig ist?" u. A. Folgendes: „Ordentlicher Weise keineswegs. Die Strenge der Kirchenzucht steht dem entgegen, die aus Besorgniß des Aergernisses nicht leicht zu mildern ist, damit nicht manche, auf solches Beispiel sich stützend, sich ähnliche Sünden erlauben... Daher ist das Verfahren des Constantinus Copronymus nicht zu billigen, welcher den Patriarchen Anastasius, der einen Aufruhr angestiftet hatte, zum Spott rücklings auf einem Esel sitzend durch die Stadt reiten ließ, aber hernach, als er über sein Verbrechen Buße gethan hatte, die Kirche wieder regieren und den Gottesdienst halten ließ. Zwar ist der gefallene Petrus wieder eingesetzt worden, aber sein Abfall war kein bürgerliches Verbrechen, welches ihn infam machte, noch wurde Petrus von der weltlichen Obrigkeit für infam erklärt; Christus aber ist nicht gekommen, zu richten, sondern selig zu machen. Noth und Gott ist jedoch hier

Anmerkung 2.

Darüber, für wie wichtig unsere treuen Väter neben reiner Lehre das unsträfliche Leben eines Predigers zu gesegneter Amtsführung angesehen haben, mögen hier folgende Zeugnisse Platz finden:

So schreibt Luther: „Die zwei Stück soll ein jeglicher Prediger beweisen: aufs erste, ein unschuldig Leben, damit er trotzen könne, und niemand Ursache habe, die Lehre zu lästern; zum andern, unsträfliche Lehre, daß er niemand verführe, die ihm folgen; und also auf beiden Seiten recht bestehe: mit dem guten Leben wider die Feinde, die viel mehr auf das Leben, denn auf die Lehre, sehen und um des Lebens willen die Lehre verachten; mit der Lehre bei den Freunden, die viel mehr auf die Lehre achten, denn auf das Leben, und um der Lehre willen auch das Leben tragen." (XI, 776.)

Derselbe: „Wo das Leben nicht gut ist, ist's dennoch seltsam, daß einer recht predige; er muß je immer wider sich selbst predigen, welches er schwerlich thut ohne Zusatz und Nebenlehren." (XI, 111.)

Derselbe: „Die Prediger und Apostel führen die armen Gewissen zu Gott; das geschieht nun durch dreierlei Weise: mit Predigen, mit gutem Leben und durch Fürbitte. Mit dem Wort bringet man sie zu Gott; das gute Leben dienet dahin, daß das Wort desto mächtiger sei in seiner Kraft.

---

auszunehmen! Außer der Ordnung mag es erlaubt sein, von der Regel ein wenig abzusehen, wenn nemlich auf der einen Seite große Noth, auf der anderen eine gewisse Hoffnung, daß daraus eine größere Frucht zu ziehen sei, vorhanden ist... Daher einst nach Onesimus auch Origenes, Hieronymus und Augustinus, obgleich früher mit Sünden befleckt, von der Würde des Amtes nicht ausgeschlossen worden sind.. Christo, dem HErrn der Kirche, ist zur Berufung von gewissen Personen (dem Flüchtling Jonas, dem Räuber Paulus, dem abtrünnigen Flucher Petrus) in die kirchlichen Aemter weder die Hand gebunden, noch ist dies zur Nachahmung zu mißbrauchen. Wie Christus allein seine Gaben nach dem Falle wieder geben kann, so behält er sich auch das Recht, in die Würden wieder einzusetzen, vor." (Liber conscientiae. Argentorati 1679. Tom. I, 989. s.) Quenstedt, der diese Stelle ebenfalls citirt, setzt hinzu: „Daher es offenbar ist, daß solchen Menschen nicht leicht, nemlich nicht außer dem Nothfall, und ich setze hinzu, auch nicht da, wo das Aergerniß gegeben worden, die Verwaltung des Wortes und der Sacramente zu übertragen sei." (Ethica pastoral. p. 204.) — Luther empfahl Simon Hafritz zur Anstellung als Prediger, obgleich derselbe sich früher von der Münzerischen Bewegung hatte mit hinreißen lassen. Er schrieb im Jahre 1533 über denselben an den Fürsten von Anhalt: „Ob er wohl etwan geirret zu Münzers Zeit, so ist er doch wohl gepanzerfegt, daß ich meine, er solle genug gebüßet haben." (Erlanger, deutscher Band LVI, S. 191. Vergleiche Luthers mildes Urtheil über Hafritz in einem Empfehlungsbrief an Spalatin in Walch's Ausg. XXI, 1250.) Selbst einen solchen Prediger, welcher in die Sünde wider das sechste Gebot gefallen war, empfahl die theologische Facultät zu Wittenberg im Jahre 1689 zur Wiedereinsetzung in das Amt, da derselbe sich vorher 36 Jahre lang unsträflich gehalten hatte und eine ernste Buße zu erkennen gab, jedoch vorausgesetzt, daß die Gemeinde sich nicht daran ärgern, sondern ihm vergeben und ihn gern wieder zu ihrem Seelsorger annehmen würde. (S. Wittenbergische Consilien. III, 134. f.)

Aber das Wort führet von ihm selbst herzu, ob es gleich von einem Sünder gepredigt wird. Aber dennoch ist das gute Leben eine Schärfe und eine Förderung des Evangelii; das böse Leben machet es stumpf. Zum dritten daß sie bitten für das Volk, fordert sie auch beide, zu gläuben und zu wirken. Nun wenn das Wort also dahergehet in dreien Stücken, so kann es nicht fehlen, es muß Frucht schaffen, wie Gott im Jesaia C. 55, 11. sagt: Mein Wort, das von meinem Munde ausgehet, wird nicht zu mir leer wieder heimkommen." (XI, 2047.)

Johann Gerhard: „Obgleich die Wirksamkeit des Wortes und der Sacramente keinesweges von der Würdigkeit oder Unwürdigkeit des Kirchendieners abhängt, so erhellt doch aus der Sache selbst, daß dem Laufe der himmlischen Lehre und der Fruchtbarkeit des Wortes keine geringe Hemmung und Hinderung durch die Gottlosigkeit der Kirchendiener entgegen gestellt werde. Das Lehransehen geht verloren, wenn die Stimme nicht durch die That unterstützt wird. Welche recht lehren, und gottlos leben, die reißen, was sie durch reine Lehre bauen, durch schlechte Sitten wieder nieder; mit der Stimme bauen sie den Himmel, mit dem Leben aber die Hölle; die Zunge weihen sie Gott, die Seele dem Teufel; sie sind den Wegsäulen gleich, die andern den Weg z.igen, den sie selbst nicht betreten; sie sind den Zimmerleuten ähnlich, welche Noah in der Erbauung der Arche hilfreiche Hand leisteten, denn, indem sie andern die Arche bauten, in welcher diese vor der Fluth bewahrt wurden, kamen sie selbst in der Fluth um." (Loc. de ministerio ecclesiast. § 275. vergl. §§ 276—284.)

Quenstedt: „Schärft ein Schlemmer und Prasser die Mäßigkeit ein, empfiehlt ein Geiziger die Freigebigkeit, ein Unzüchtiger die Keuschheit, ein Dieb und Räuber die Gerechtigkeit, ein weltlich gesinnter, irreligiöser, gottloser Mensch, ein Spötter die Frömmigkeit, die Religion, die Gewissenhaftigkeit — wird ein solcher nicht hören müssen: Entweder laß dein Lehren, oder lehre auch mit deinen Sitten, damit du nicht zwar mit Worten lockest, mit deinen Werken aber abstoßest!? Leiste selbst mit der That, was man thun soll, so wirst du nicht vieler Worte bedürfen. Wer seine Worte nicht durch eigene That beweis't, verringert die Glaubwürdigkeit derselben. Und wenn er die Beredtsamkeit eines Cicero hätte, so würde er doch mit seinen Predigten nichts ausrichten; vielmehr würde er, so viel er von Glauben und Frömmigkeit durch seine wohlgesetzte Rede den Herzen einpflanzte, ebenso viel durch sein übles Leben wieder ausreuten. Hingegen wer ebenso mit seinem Leben, wie mit seiner Stimme, lehrt, lehrt doppelt. Sehr wohl schreibt Prosper (gest. nach 460) in seinem ersten Buche de vita contempl. C. 15.: „Kein Prediger kann zu denen, welche seine Ermahnung verachten, sagen: Bedenket das künftige Gericht! wenn er es selbst nicht bedenkt; noch zu den Liebhabern der Welt: Habt nicht lieb die Welt! wenn ihn selbst die Weltliebe ergötzt; noch zu den Ehrsüchtigen: Laßt alle Ehrbegierde fahren! wenn ihn selbst verderbliche Ehrbegierde treibt; noch zu den Trunkenbolden: Hütet euch vor

Trunkenheit! wenn er selbst sich vollsäuft. Ein Schlemmer kann vor den Seinen die Enthaltsamkeit nicht loben, die er selbst mit Füßen tritt; ein dem Laster der Habgier Ergebener kann den Habgierigen die Geldliebe nicht ausreden; ein Unversöhnlicher wird nimmer vermögen, getrennte Gemüther mit priesterlicher Friedfertigkeit zu versöhnen; der muß sich schämen, den Richtern Gerechtigkeit zu predigen, die er selbst dadurch, daß er die Person des Mächtigen ansieht, verletzt; der nimmt sich nicht der Unterdrückten an, der bei seiner Hoch- und Geringachtung der Menschen die Person ansieht. Kurz, alles Gute, was er selbst nicht thut, wird er auch Andern nicht gebieten, und alles, was er selbst begeht, wird er auch Andern nicht verbieten, weil er die nöthige Autorität zum Lehren dadurch, daß er selbst das Gegentheil thut, entweder verliert, oder mindert.‘ So weit Prosper. Hieronymus gibt die gute Erinnerung: ‚Deine Werke dürfen deine Predigt nicht beschämen, damit, wenn du in der Kirche redest, nicht jedermann heimlich entgegne: Warum thust du also, was du sagst, nicht selbst?‘ Wieder und immer wieder ermahne ich daher künftige Prediger, daß sie Chrysostomus' goldenen Ausspruch (Homil. 43. in Matth.) fleißig merken und sich nicht vergeblich gesagt sein lassen: ‚Durch gutes Leben und gutes Lehren unterrichtest du das Volk, wie es leben müsse, aber durch gutes Lehren und schlechtes Leben unterrichtest du Gott, wie er dich verdammen müsse.‘" (Ethica pastoralis p. 94. sqq.)

Anmerkung 3.

Ein Prediger muß bedenken, daß er als eine Person, auf welche alle sehen, sich um des so leicht entstehenden Aergernisses willen nicht nur vor allen wirklichen Sünden, sondern auch vor allem, was auch nur einen bösen Schein hat, mit besonderer Vorsicht zu hüten habe. Es sei hier namentlich erinnert an den Schein der Weltliebe, der Liebe zu einem bequemen Leben, der Trägheit und Arbeitsscheu, der Leckerhaftigkeit, der Unmäßigkeit im Essen und Trinken, der Leichtfertigkeit, des Eigennutzes, der Kargheit, des Geizes, des Wuchers, des Zornes, der Unversöhnlichkeit, der Streitsucht, der Unverträglichkeit, der Unzuverlässigkeit und Unwahrhaftigkeit, des Stolzes und Vornehmthuerei, eines argwöhnischen Wesens, der Härte, des Mangels an Verschwiegenheit, des Hörens auf Ohrenbläserei und Klatscherei, der Parteilichkeit, der Ungeduld und des Murrens im Creuz u. dergl. Ein Prediger muß aus Rücksicht auf sein Amt, aus Liebe zu den Seelen, namentlich zu den Schwachen, mehr, als gemeine Christen, den Gebrauch seiner christlichen Freiheit einschränken und daher selbst das gänzlich meiden, was er zwar andern nicht schlechterdings verbieten kann, was aber von Andern für etwas wenigstens einem Diener Gottes Unanständiges oder für etwas andern offenbaren Eitelkeiten der Welt Gleichstehendes angesehen wird, wenn dem auch nicht so wäre. Prunk und Pracht in Betreff seiner häuslichen Einrichtung muß von seinem Hause fern sein und er auch den Seinen nicht erlauben, der Mode in ihrer Kleidung zu fröhnen, öffentliche Vergnügungsplätze, Bälle,

Theater, Concerte (geistliche ausgenommen), Trinkhäuser, Circusse u. dergl. zu besuchen, Romane, weltliche schlechte Zeitungen u. dergl. zu lesen. Zwar sollte selbst der ärmste Prediger das Aeußerste thun, durch seinen Anzug nicht seinen Beruf zu verleugnen und sich nicht verächtlich zu machen, aber ebenso alle Eitelkeit hierin auf das sorgfältigste meiden. Der Prediger sollte, so lange es die Ehre Gottes und die Liebe des Nächsten erlaubt, nie klagbar werden, natürlich am wenigsten gegen seine Gemeinde, wenn sie ihm auch seinen versprochenen Gehalt vorenthält oder ein Glied ihn sonst übervortheilt. Luther schreibt von einer hurischen und diebischen Magd, die er in seinem Hause gehabt hatte, ohne ihre Bosheit zu merken: „Wenn ich nicht ein Diener des Wortes Gottes wäre, hätte ich sie längst in ein Zuchthaus bringen lassen." (XXI, 1497.) Schlüßlich möge hier noch Folgendes aus Seidel's Pastoral-theologie Platz finden: „Die Apostel des HErrn haben keinem Stande solche nachdrückliche Verhaltungsregeln vorgeschrieben, als dem Lehramte. 1 Tim. 3. Tit. 1. Wenn wir alles zusammenfassen, was den Inhalt der apostolischen Ermahnungen ausmacht, so kommt es auf folgende Stücke an: 1. Ein Prediger muß sich seiner Gemeinde zu einem Vorbilde und Exempel der Nachfolge vorstellen, und daher niemals etwas begehen, welches er seiner Gemeinde als unrecht vorgestellt hat; er bringt sie sonst gewiß auf die Gedanken, daß es mit seiner Lehre nicht richtig sein müsse, und daß er nur deswegen predige, damit er sein Brod verdiene. 2. Ein Prediger muß sich (vielfach) auch derjenigen Dinge enthalten, deren Gebrauch an und für sich selbst unsündlich ist. Alles (Karten-) Spielen, es mag Namen haben, wie es will, ist einem Prediger unanständig und bringt den Zuhörern schlechte Begriffe von ihm bei. Diejenigen, welche in Gesellschaften einen Prediger dazu zu bereden suchen, sind oftmals die schlimmsten und suchen ihn nur in Versuchung zu führen. Alles Scherzen ist einem Prediger unanständig, zumal wenn darin nicht Maße gehalten wird. Einige Leute sehen solche Prediger als ihre Harlekins oder Possenreißer an, und geben zu allerhand lustigen Unterredungen Gelegenheit. Wer sich mit ihnen einmal eingelassen hat, verliert gewiß seine Hochachtung. Ein gewissenhafter Prediger wird sich daher so viel als möglich eingezogen halten, weitläuftige und allzu lustige Gesellschaften gern vermeiden, oder, wenn er denselben ja beiwohnen muß, durch eine unverstellte Ernsthaftigkeit seine Hochachtung zu erhalten wissen.*) Insonderheit wird ein Prediger sich hüten, im Getränke die Maße zu über-schreiten, weil keine schändlichere Creatur ist, als ein besoffener Prediger, und

---

*) Ganz recht schreibt Quenstedt: „Kirchendiener sind von der Theilnahme an ehrbaren und mäßigen Gastmählern, auch von Hochzeitsmählern keinesweges abzuhalten. Denn dies wäre der Handlungsweise Christi selbst, welcher sowohl bei anderen Gast-mählern, als auch bei dem Hochzeitsmahl zu Cana in Galiläa mit seiner Mutter und seinen Jüngern zugegen war, und der Praxis der Patriarchen, der Apostel und anderer Geliebten Gottes, ja, auch der Lehre Christi Luk. 14, 10.: ‚Wenn du geladen wirst, so gehe hin', schnurstracks entgegen." (Ethica pastoral. p. 297.)

wer es nur einmal darin versehen hat, der behält in seinem ganzen Leben einen Schandfleck.   Alle Liebe zur Eitelkeit und äußerlichen Pracht ist einem Prediger unanständig und bringt den Zuhörern einen schlechten Begriff von seiner Gemüthsfassung bei.   Ein Lehrer wird sich also in der Verleugnung seiner selbst, der Welt und des vergänglichen Wesens derselben stets üben. 3. Ein Prediger muß alle seine Handlungen darnach einrichten, daß seine Gemeinde erkennt, er habe den einigen und wahrhaftigen Endzweck, sie selig zu machen.   Wer nur darauf denkt, wie er etwas von zeitlichen Gütern sammeln oder seiner Gemächlichkeit nachhängen möge, der beraubt sich des Vertrauens seiner Gemeinde sehr bald.*)   4. Ein Prediger muß sich mit allem Ernste davor hüten, daß er niemandem ein Aergerniß geben möge und daher in einer beständigen Prüfung aller seiner Worte, Geberden und Werke stehen, damit in denselben nichts Strafbares gefunden werde." (A. a. O. S. 330. ff.)   Siehe den vortrefflichen Artikel von Th. Brohm: „Von der einem Prediger höchst nöthigen Vorsicht in seinem Wandel", in „Lehre und Wehre", Jahrgang V, S. 108—115.

Anmerkung 4.

Ein Prediger hat es nicht nur für eine heilige Pflicht zu erkennen, daß er täglich seiner ganzen Gemeinde und sonderlich der geistlich und leiblich Elenden in brünstiger Fürbitte vor Gott gedenke, Apostelg. 6, 4. Phil. 1, 3—11., sondern auch ernstlich darauf zu halten, daß die Gemeinde an seiner eigenen Familie treuen Eifer im Hausgottesdienst gewahre.

Anmerkung 5.

Ein das Leben eines Predigers betreffendes Hauptstück ist endlich das Fortstudium.   Denn sollen alle Christen wachsen in Erkenntniß und nicht Kinder bleiben am Verständniß, Kol. 1, 11. 2 Pet. 3, 18. 1 Kor. 14, 20.,

---

*) F. E. Rambach macht in der Vorrede zu Seidel's Pastoraltheologie zu den Worten des Apostels: „Es soll aber ein Bischof nicht unehrliche Hantierung treiben", die Bemerkung: „Im allgemeinen Verstande heißt das unstreitig so viel, es solle ein Lehrer um seines Vortheils willen nichts Ungerechtes thun, weder rauben, noch Wucher und Uebersatz treiben 2c.   Allein in diesem Verstande würde Paulus nichts von einem Lehrer verlangen, das nicht von allen Christen gefordert würde, ja, das selbst von einigen Gesetzgebern und Weltweisen der Heiden wäre vorgeschrieben worden.   Es ist daher sehr zu vermuthen, daß der Apostel etwas mehreres mit dieser Vorschrift verlangt. Es gibt nemlich Vortheile und Gewinnste, die allen andern Christen in allerlei Ständen erlaubt und rechtmäßig sind, deren sich aber ein Lehrer nicht bedienen kann, ohne seinem Amte einen Vorwurf zu machen... Es würde allezeit für einen Lehrer etwas Unanständiges sein, wenn er vor Gericht einen Prozeß führen, oder den Patienten Recepte verschreiben, oder als ein Soldat auf die Wache ziehen wollte.   Ebenso wenig schickt sich die Beschäftigung mit Handel und Verkehr, oder auch die Betreibung einer Profession für ihn; es sei denn, daß er sonst kein Mittel zur Erhaltung seines Lebens habe.   In dieser letzten Bedürfniß war Paulus." (A. a. O. S. 53. f.)

so ist dies ohne Zweifel einem Diener des Worts noch ungleich mehr nöthig; daher denn auch der Apostel dem jungen Timotheus mit großem Ernst zuruft: „Halte an mit Lesen!" 1 Tim. 4, 13.*). Es ist traurig, wenn der praktische Prediger das Interesse an Theologie verliert, und verbauert. Luther sagt in der Randglosse zu Sir. 39, 1.: „Ein Pfarrherr oder Prediger soll studiren und unter allerlei Büchern sich üben, so gibt ihm Gott auch Verstand; aber Bauchpfaffen läßt er ledig." Vgl. Sir. 38, 25.—39, 15.

§ 49.

Ist es jedes Christen Pflicht, fleißig zu sein, zu halten die Einigkeit im Geist durch das Band des Friedens (Ephes. 4, 3.), so liegt diese Pflicht einem Diener der Kirche ohne Zweifel in doppelt hohem Grade ob. Er hat daher innig brüderliche Gemeinschaft mit seinen Collegen und Amtsnachbarn, auch respective mit seinem Schullehrer, eifrig zu pflegen, an den ihm etwa zugänglichen Local- und Districts-Conferenzen regen und thätigen Antheil zu nehmen, sich an eine Synode, so bald er dazu Gelegenheit hat, anzuschließen, die Sitzungen derselben nie ohne die dringendste Noth versäumen und, so viel ihm Gott dazu Gnade gibt, mit zu helfen, daß dieselben fruchtbar seien. Er hat überhaupt die Zwecke der Synodalverbindung nach allen seinen Kräften zu fördern und auch in seiner Gemeinde Sinn und Eifer für das gemeine Wohl der Kirche zu wecken, z. B. für Gründung und Erhaltung von Gelehrtenschulen, Prediger- und Schullehrer-Seminarien, für Gewinnung von Zöglingen, für Unterstützung armer Schüler und Studenten, für Bibelverbreitung, für innere und äußere Mission, für Errichtung und Versorgung von Kranken- und Waisenhäusern u. dgl. Auch hat der Prediger, wenn ihm Gott dazu Gaben verliehen, an den Zeitschriften seiner Synode mit zu arbeiten, oder doch das Interesse für dieselben, ihr Verständniß und ihre Circulation unter seinen Gemeindegliedern möglichst zu fördern, und endlich gute Bücher in jede Familie zu bringen.

Anmerkung 1.

Basilius schreibt gewiß mit Recht: „Der linken Hand ist die rechte nicht so nöthig, als der Kirche die Eintracht nöthig ist."**) Zu dieser Eintracht der Kirche gehört aber vor allem die Einigkeit der Diener derselben. Hievon lesen wir in Luther's Tischreden: „Im Jenner des 40. Jahres

---

*) Es sei erlaubt, hier auf eine Pastoralpredigt über diesen Text hinzuweisen, welche das Thema behandelt: „Pauli an jeden Diener der Kirche gerichtete Ermahnung: ‚Halte an mit Lesen!'" „Lutheraner" Jahrgang XVII, No. 6.

**) „Non tam sinistrae opus est dextera, quam ecclesiae opus est concordia."

ward Dr. Martin eine Supplication überantwortet von einem Pfarrherrn, der klagte über den Ungehorsam seines Capellans. Da sprach Dr. Martin Luther: Ach, lieber HErr Gott, wie feind ist uns der Teufel! Der macht auch unter den Dienern des Worts Uneinigkeit, daß einer den andern hasset. Er zündet immer ein Feuer nach dem andern an. Ach, laßt uns löschen mit Beten, Versöhnen und Durch-die-Finger-Sehen, daß einer dem andern etwas zu gute halte! Laß gleich sein, daß wir im Leben und Wandel nicht einig sind und der die, jener eine andere Weise hat und wunderlich ist: das muß man lassen gehen und geschehen (doch hats auch seine Maße). Denn man wird's doch nicht alles können zu Bolzen drehen und schnurgleich machen, was die Sitten und das Leben belanget. Wenn man nur in der rechten reinen Lehre einig ist; da muß auch nicht ein Meitlein unreines und falsch sein, sondern muß alles rein und erlesen sein, wie von einer Taube. Da gilt keine Geduld, noch Uebersehen, noch Liebe; denn ein wenig Sauerteig verderbet den ganzen Teig, spricht St. Paulus, 1 Kor. 5, 6." (XXII, 820. f.) Zu einer andern Zeit sprach Luther: „Ich weiß kein größer Donum, das wir haben, denn Concordiam Docentium (Eintracht der Lehrenden), daß hin und wieder in den Fürstenthümern und in den Reichsstädten man mit uns gleichförmig lehret. Wenn ich gleich das Donum hätte, daß ich Todte könnte auferwecken, was wäre es, wenn die anderen Prediger alle wider mich lehreten? Ich wollte für diesen Consens nicht das türkische Kaiserthum nehmen." (S. 1005.) So schreibt endlich der alte gottselige Mathesius: „Es gibt der Kirche ein gutes Gerücht, wenn man sagt, die Lehrer und Diaconi in einer Stadt sind fein einig mit einander und gehen mit einander freundlich um und reden Gutes von einander auf der Canzel und in den Häusern; das gibt dem Evangelio einen guten Namen bei Fremden und Einheimischen und befördert das Wort und bringet es fort; das thut dem ganzen Kirchspiel wohl, gibt gute Exempel, macht gut Geblüte, das stärket Herz, Leib und Seele, das erquicket Mark und Gebeine. Darum sollte billig unter Amtsbrüdern die höchste Vertraulichkeit sein." (Citirt von Gabriel Terne in seiner Schrift: „In Pastoralibus sich wohl präparirender Studiosus theologiae. Leipzig, 1739." IV, 118. f.) So lieb also einem Prediger die Ehre Christi, die Förderung seines Evangeliums und Reiches und die eigene Seligkeit ist, so bereit sollte er sein, die Last seiner Amtsgenossen zu tragen (Gal. 6, 2.) und lieber alles über sich ergehen, als zwischen sich und denselben eine bittere Wurzel aufwachsen zu lassen, die den Frieden stört. Ebr. 12, 14. 15.

Anmerkung 2.

So wichtig für den Bau des Reiches Gottes ein inniges Verhältniß der Prediger unter einander ist, so wichtig ist hierzu auch ein einträchtiges Zusammenarbeiten des Predigers mit seinem Schullehrer. Ein so schweres Creuz es für einen Prediger ist und so sehr das Werk Gottes dadurch nothwendig gehindert wird, wenn er seinen Schullehrer gegen sich hat, eine so herrliche Stütze hat er an ihm, wenn er mit ihm in wahrer Einigkeit des Geistes an Einem Joche zieht. Der Prediger sollte daher nie vergessen, daß auch der Schullehrer zu den Kirchendienern gehört, ein von seinem Amte abgezweigtes Hilfsamt verwaltet und in dieser Beziehung ebenfalls sein College ist;*) der Prediger sollte daher auch alles thun, was er vermag, mit seinem christlichen Schullehrer in einem innig brüderlichen und collegialischen Verhältnisse zu stehen.

Anmerkung 3.

Pastoralconferenzen sind kein modernes oder specifisch americanisches Institut. Dergleichen Versammlungen der Pastoren zu gegenseitiger Förderung in der Erkenntniß und in der Amtstreue hat es in der lutherischen Kirche auch in früherer Zeit gegeben. Um hier nur an Ein Beispiel zu erinnern, so hat einst der Stadtrath von Hamburg zu Aepinus' Zeiten solche Conferenzen für das ganze ihm untergebene Ministerium kirchenordnungsmäßig eingerichtet. Hierüber spricht sich der alte Superintendent Johannes Freder (gestorben 1562) in einer an den Hamburger Stadtrath gerichteten Vorrede zu Aepinus' Auslegung des 15. Psalms in plattdeutscher Sprache folgendermaßen aus: „Die in Eurer Stadt erstlich verordnet haben, daß zu etlichen Malen in der Woche in heilliger Schrift lateinisch gelesen und auch zu etlichen Malen im Jahre von schweren und nutzbaren Puncten der Schrift disputirt werden sollte, die sind ohne Zweifel kluge, hochverständige, weise Leute, auch auf Förderung göttlicher Ehre, auf Erhaltung christlicher Religion und auf Eurer ganzen gemeinen Stadt Bestes und Wohlfahrt ganz beflissen und geneigt gewesen. Daß die Lehre möge rein und lauter bleiben, und daß die Lehrer unter sich eins sein, und Gottes Wort rechtschaffen und vorsichtiglich handeln, dazu ist kein Ding in einer Stadt, darin mancherlei Leute, Opinionen, Willen, Anschläge und Vornehmen sind, so dienstlich und förderlich, als daß darin solche Lectionen und Disputationen geschehen mögen, als in Eurer löblichen Stadt gestiftet sind. Denn die, welche noch jung oder neulich in solch Amt gekommen oder die in ihren jungen Jahren versäumt sind, werden dadurch gereizt und angehalten, daß sie desto fleißiger studiren und ihr Ding desto gewisser und gründlicher lernen, die vielleicht sonst wohl hingingen, sich mit dem Studiren nicht allzu hart kränken und selten über ein Buch kommen würden; wie denn wohl etliche gefunden werden, beide in den Dörfern und Städten, die da meinen, daß es nicht nöthig sei, daß sie mit vielem Studiren und Lesen sich den Kopf zerbrechen oder etwas mehr lernen; halten dafür, es sei genug, wenn sie nur über ihr Evangelium studiren oder davon eine Stunde reden können. Es ist

---

*) Vergleiche das auch in Pamphletform erschienene vortreffliche Referat von Prof. Selle: „Das Amt des Pastors als Schulaufseher."

aber nicht genug, daß man eine Stunde auf dem Predigtstuhl hinbringen, laut rufen und heftig auf die Papisten schelten kann (was wohl unterweilen von Nöthen ist, aber zu seiner Zeit und an seinem Ort, auch zu guter, nützlicher Maßen). Auch ist es nicht genug, daß man die Schrift häufig vor den Unverständigen allegiren und anziehen kann. Auch ist nicht genug, daß man eine glatte, polirte Zunge habe und etwas Lächerliches und Kurzweiliges zu Markte bringen könne. · Sondern wenn einer ein Diener Christi sein und solchem hohen Amte recht vorstehen und einer christlichen Gemeinde fruchtbarlich und wohl dienen will, derselbe muß aller Puncte der christlichen Lehre ein gut gewiß Fundament haben und alles wohl und gründlich verstehen, also, daß er richtig andern Leuten seine Lehre könne vor- und einbilden und von einem jeglichen Dinge zu seiner Zeit nach aller Gelegenheit bescheidentlich, ordentlich, vorsichtiglich und nutzbarlich reden; und daß er auch könne allen falschen, irrigen Lehrern begegnen und sie zu dämpfen stark genug sei; als denn der Heilige Geist durch den Apostel Paulus lehrt 1 Tim. 3, 2., daß ein Diener Christi didacticus „lehrhaftig" sein soll, d. i., geschickt und tüchtig, auch andere Leute zu lehren und zu unterrichten, und 2 Tim. 2, 2. 15.: ‚befleißige dich Gott zu erzeigen einen rechtschaffenen und unsträflichen Arbeiter, der da recht theile das Wort der Wahrheit‘, und Tit. 1, 9. sagt er, daß ein Diener Christi ‚halten soll ob dem Wort, das gewiß ist und lehren kann, auf daß er mächtig sei zu ermahnen durch die heilsame Lehre und zu strafen die Widersprecher‘. Es sind wohl etliche von Natur glattzungig, auch spitzig von Kopf, haben auch wohl den Text der Bibel gelesen, daß sie viele Schrift citiren und die Capitel eines jeden Stücks gewiß anziehen können, haben wohl etwas erfahren und versucht, aber so sie nicht einen Grund in den Wissenschaften haben gelegt und sich im Schreiben und Disputiren fleißig geübt haben, so sie auch mit Studiren, Meditiren und Lesen nicht fleißig und stets anhalten, so können sie doch nicht allezeit von allen Sachen gründlich, richtig, bescheidentlich und recht reden und richten, können auch in Zeit der Noth der Kirchen nichts dienen noch förderlich sein. Sie können sich in wichtige und verworrene Händel nicht richten noch heraus helfen, können auch rechten schweren Fällen (deren sich in der Kirchen täglich viel und mannigfaltig zutragen) nicht rathen. Dieweil man auch nicht viele wichtige Sachen unter Handen gehabt hat, so läßt man sich auch wohl, wenn man selbstvermessen ist und sich mit niemanden vergleicht, oft bedünken, daß man sehr gelehrt sei, und meint, daß man aller Sachen mächtig und dazu geschickt sei und von allem Dinge guten Grund und Bescheid wisse: aber wenn etwas großes und wichtiges vorfällt, wenn man sich mit einem listigen, geschwinden Widerpart soll einlassen, wenn man nicht von gemeinen und leichten Dingen, sondern von schweren, mannigfaltigen, ernstlichen und hohen Sachen handeln soll, so verschwindet denn dieselbe inwendige vermeinte Kunst und Klugheit, so weiß man kaum drei Worte zur Sache recht und bescheidentlich zu reden. Es geschieht auch gemeiniglich, daß die Leute, so im Reden eine Gabe haben, und doch nicht wohl gegründet sind, die Klügsten und Gelehrtesten zu sein sich bedünken lassen und auf dem, das ihnen gefällt und was sie zuerst fassen, hart und fest halten und beharren, wenn es gleich im Grunde unrecht und falsch ist; wollen niemandem weichen, sich von Anderen nicht eines Besseren belehren noch weisen lassen, sondern allein über andere regieren, auch einen jeden meistern und überklügeln, vermessen sich viel, unterstehen sich großer Händel, brechen hervor, unterwinden sich oft dessen, das sie nicht ausführen können, da sie denn stürzen und liegen bleiben müssen, ja, verstören oft Land und Leute, stiften viel Unglücks und thun greulichen, großen Schaden in der Kirchen. Wie wir denn dies nicht allein an den Exempeln vor unseren Zeiten, an Arius, Apollinaris, Samosatenus, Donatus, Pelagius, Manichäus, Mahomet und dergleichen verfluchten schädlichen Ketzern und Feinden Christi, sondern auch zu unseren Zeiten an den Wiedertäufern, an den Münsterschen und anderen Schwärmern und Verführern leider allzuviel mit großem Herzeleid und Wehmuth, auch mit erbärmlichem, großem Schaden der Religion und gemeinen Friedens gesehen und erfahren haben. Damit man aber auf solchen falschen, fährlichen und schädlichen Wahn und selbstgewachsene vermeinte Klugheit nicht gerathe, damit man sich nicht zu viel vermesse, damit man wisse, wie weit sich unsere Kunst erstrecke oder aufhöre, wie viel uns noch abgehe und fehle, wenn wir auch unser Bestes gethan und keinen Fleiß gespart haben: dazu hilft und dient sehr viel und sonderlich solche löbliche und christliche Stiftung, daß solche lateinische Lectionen und Disputationen in der Heiligen Schrift geschehen, wie in Eurer löblichen Stadt geschieht; aus welchen Lectionen und Disputationen jeder männiglich oft hört, was ihm noch fehle und abgehe, daß er noch nicht alles wisse, sondern allezeit genug zu lernen habe. Auch werden viele hiermit angeleitet, daß man sie an der Stelle der Abgehenden mit der Zeit gebrauchen kann, die sonst wohl in ihrer Nachläßigkeit verkommen, so hin gehen und sich des Studirens wenig annehmen würden, daß sie sich nirgendzu in der Kirchen hätten gebrauchen lassen. Wiewohl auch sonst niemand ist, der nicht einen Nutzen daraus ziehen könnte. Denn niemand kann zu Hause bei sich so viel in einer Stunde über die Materie, die da mit Lesen oder Disputiren gehandelt wird, studiren oder lesen, als er hier während einer Stunde hören mag. Aber sonderlich ist es dazu dienstbar und gut, wie gesagt, daß die Prediger recht und rein lehren und allenthalben, so viel als die Hauptpuncte der wahren Religion betrifft, unter einander übereinstimmen, wie Gottlob! noch bis anher in Eurer Stadt geschehen, weil das Evangelium darin recht geprediget und solche Lectionen und Disputationen gehalten worden sind." (Eine vthlegginge D. Joannis Epini aver die Vöffteinden Psalm. Gedruckt tho Hamborch Anno 1583. A iii.)

Anmerkung 4.

Daß eine kirchenregimentliche Verbindung mehrerer Gemeinden zu Einem größeren kirchlichen Körper, z. B. vermittelst einer Synode mit Visitations-

gewalt, eines sogenannten Ober-Kirchencollegiums, eines Consistoriums,
eines Bischofs ꝛc. nicht göttlichen, sondern nur menschlichen Rechtens, und
daher nicht absolut nothwendig sei, hierüber kann allerdings kein Zweifel sein,
da sich in Gottes Wort dafür kein Gebot befindet. Daher heißt es in unserer
Concordienformel: „Demnach glauben, lehren und bekennen wir, daß
die Gemeine Gottes jedes Orts und jeder Zeit derselbigen Gelegenheit nach
guten Fug, Gewalt und Macht habe, dieselbigen (Mittelbinge) ohne Leichtfertigkeit und Aergerniß, ordentlicher und gebührlicher Weise zu ändern,
zu mindern und zu mehren." (Wiederholung. Art. 10.) Auch Johannes
Wigand, der bekannte samländische Bischof, gestorben 1587, schreibt: „Jede
Kirche an jedem Ort, das ist, der ganze Haufe, sowohl, wie wir sie jetzt
nennen, der Laien, als auch der Geistlichen, zusammen, hat die Macht, tüchtige Kirchendiener zu wählen, zu berufen und zu ordiniren und falsche Lehrer
oder solche, welche der Erbauung der Kirche durch ihr schändliches Leben
schädlich sind, abzusetzen und zu fliehen. Dies ist klar aus den Zeugnissen
von der Gewalt der Schlüssel, denn die Schlüssel sind der ganzen Kirche
gegeben." (Centur. I, p. 803.) Daß eine Ortsgemeinde, um alle Kirchenrechte zu haben und ausüben zu können, mit anderen Gemeinden äußerlich
verbunden sein und mit ihnen unter Einem Kirchenregiment stehen müsse,
also von anderen Gemeinden abhängig sei, ist ein Irrthum, auf welchen das
Pabstthum gegründet ist. Luther schreibt daher in seiner Schrift wider
das Pabstthum vom Teufel gestift: „Wir wissen, daß in der Christenheit
also gethan ist, daß alle Kirchen gleich sind, und nicht mehr denn eine
einige Kirche Christi in der Welt ist, wie wir beten: Ich gläube Eine heilige
christliche Kirche. Ursache ist diese: denn es sei eine Kirche, wo sie kann in
der ganzen Welt, so hat sie kein ander Evangelium oder heilige Schrift, keine
andere Taufe und Sacrament, keinen andern Glauben und Geist, keinen
andern Christum und Gott, kein ander Vater Unser und Gebet, keine andere
Hoffnung und ewiges Leben, denn wir hie in unserer Kirche zu Wittenberg
haben, und sind ihre Bischöfe unsern Bischöfen oder Pfarrherrn
und Predigern gleich, keines des andern Herr noch Knecht;
haben einerlei Sinn und Herz, und alles, was zur Kirche gehört, ist
alles gleich; ohne daß, wie 1 Kor. 12, 8. ff. und Röm. 12, 6. sagt, ein
Prediger oder auch wohl ein Christ stärkern Glaubens sein kann, andere
und mehr Gaben hat, denn der andere; als, einer kann besser die Schrift
auslegen, dieser besser regieren, dieser besser die Geister richten, dieser besser
trösten, dieser mehr Sprachen haben, und so fortan; aber solche Gaben machen
keine Ungleichheit noch Herrschaft in der Kirchen, ja, sie machen wohl keinen
Christen, Matth. 7, 22. 23., sondern müssen zuvor Christen sein." (Vom
Jahre 1545. XVII, 1398.) Ferner sprach Luther schon bei der Leipziger
Disputation: „Die Kirche würde wohl stehen bleiben, wenn schon der Dorfpfarrer zugleich Bischof, Erzbischof und Pabst wäre" (das heißt, wenn er
keinen Prediger über sich hätte) „und sie blos durch Eintracht, wie Cyprianus

sagt und der Brauch der ersten Kirchen gewesen ist, an einander hingen".
(XV, 1299.) Die Gerichtsbarkeit, welche Personen außerhalb der Ortsgemeinde über dieselbe und deren Pastoren haben, ist nur menschlichen Rechts.
Dies bezeugt Calov mit folgenden Worten: „Im Alten Testament gab es
eine gewisse kirchliche Gerichtsbarkeit, z. B. Aarons über die Priester und
Leviten und Thürhüter, aber im Neuen Testament geben wir keine kirchliche
zu, die göttlichen Rechtes sei, außer die allgemeine, daß alles ordentlich
und ehrlich in der Kirche zugehe. Jedoch nach menschlichem und auf Uebereinkommen beruhendem (positivem) Rechte übte der Landesherr eine Gerichtsbarkeit entweder blos durch Consistorien oder auch durch Superintendenten
aus, dergleichen etwa in Creta Titus war, oder auf welche andere Weise man
es für gut befinden mag, wenn nur die Schicklichkeit der Ordnung nicht verletzt wird... Zu diesem Zweck sind in wohl verfaßten Kirchen Consistorien
verordnet, vor welchem das Urtheil über die Amts- und Kirchen-, sowie die
Ehesachen, die Untersuchung der Ausschreitungen der Diener des Wortes,
die Besuchung und Beaufsichtigung der Gemeinden ec. gehört." (System.
VIII, 288.) Veit Ludwig von Seckendorf, der berühmte Verfasser
des unvergleichlichen Werkes: Historia Lutheranismi d. i. Geschichte des
Lutherthums, schreibt: „Also ist am sichersten, daß man bei dem Grunde
bleibe, den Christus selbst damit gegeben, daß er vermeint: Wo zwei oder
drei (geschweige denn eine größere Gemeine) in seinem Namen versammelt
sein, so wolle er mitten unter ihnen sein, Matth. 18, 20., woraus denn folgt,
daß auch eine solche Versammlung und Gemeine an und vor sich selbst
Macht habe, alles dasjenige zu thun und zu bestellen, was zur Uebung ihres
Gottesdienstes, dabei Christus seine gnädige Gegenwart versprochen, erfordert
wird, indem eine solche Versammlung, ob sie gleich eine innerliche Gemeinschaft und Gleichheit des Bekenntnisses oder der Religion mit andern Christen
hat, dennoch äußerlich aus Nothwendigkeit und Schuldigkeit
an Niemand anders gewiesen wird, sondern hat Christum in
seinem Wort und Sacramenten bei sich, sowohl als die andern; und also
muß auch das eigentliche und gewisse Recht des Berufs zum Gottesdienst und
Predigtamt ein Stücke sein, so von der Kirche und Gemeinde herkommt, die
eine oder mehr geschickte Personen zu Presbyteris oder Aeltesten und Vorstehern in der Lehre zu erwählen befugt sei; da nun in einer Gemeinde schon
Priester vorhanden, so gehören sie zuvörderst mit zu dem Beruf und Bestellung
der übrigen, sowohl als die Obrigkeitsperson, und kann davon kein Stand
ausgeschlossen werden. Wenn nun noch heutiges Tages zum Exempel in
Indien oder auf einer jetzo unbekannten Insel eine Gemeine durch einen
etwa dahin schiffenden Christen zum Christenthum bekehrt würde, so folget
aus dem, was bisher angeführt worden und die Theologi weiter zu behaupten wissen, daß eine solche Commune das Predigtamt und Ministerium
nach Gottes Wort selbst bestellen könnte, und ob sie wohl damit im Haupt-
werk ein Glied der allgemeinen, in der Lehre einstimmenden Christenheit würde,

so wäre sie doch eben praecise nicht verbunden, ihre Priester
zur Ordination oder Weihe vor einen Bischof oder in ein Consistorium oder
Ministerium zu schicken, wenn es zumal der Weitentlegenheit oder Gefahr
halben nicht sein könnte; weniger sich in äußerlichen Kirchensachen
von fremden Orten regieren zu lassen, und hielte dennoch die Gemeinschaft durch die Gleichheit der Lehre und Glaubens mit allen Christen
ohne Dependenz im Kirchenregiment; wiewohl auch keine Sünde
oder Ketzerei wäre, wenn sie sich an eine gewisse Kirche und Direction halten
wollte, wie etliche solche Independenten in England meinen, und die
Freiheit zu hoch spannen.*)   Wir haben Exempel, daß unsere Religionsverwandten in sehr weit entlegenen Ländern, als in der Moskau, da auch etliche
hundert Meilen keine Kirchen unserer Confession zu finden, eine Gemeinde
und einen öffentlichen Gottesdienst haben; desgleichen sind unter türkischer
Gewalt in Ungarn viele Gemeinden, die ihre Pfarrer und Exercitia reli-
gionis (Religions-Ausübungen) haben; von diesen kann man nicht
begehren, daß sie nothwendig ein Glied der äußerlichen
Kirche in andern Ländern sein und sich unter einen gewissen
Superintendenten oder Consistorium begeben müßten, sondern
es hat eine solche Gemeinde ihr völliges Recht zur Bestellung des Ministerii
und der Minister.   Der Pfarrer, den sie bestellen, thut in solcher Gemeinde
Alles, was ein Bischof oder Superintendens in einer großen Diöcese zu verrichten hat; denn die Größe und Anzahl thut nichts zur Vermehrung oder
Verringerung des Amtes an sich selbst.   Also sind z. E. die wenigen Jünger
zu Epheso, die Anfangs Apollo unterwiesen und Paulus taufen ließ, an der
Zahl zwölf (Act. 19, 7.), sowohl eine Gemeine Christi gewesen, und wenn
sich deren Zahl nicht vermehrt hätte, so hätte diese kleine Commune eben das
Recht gehabt, so die größeren hernachmals hatten, von deren Aeltesten Paulus
sagt, daß sie der Heilige Geist gesetzt habe, zu weiden ıc., Act. 20, 28., und
weiset sie nicht nach Jerusalem an Petrum oder an sich selbst, sondern allein
auf seine Lehre, dadurch er ihnen allen Rath Gottes verkündigt hat."
(Christenstaat III, 11. §3, 5.)   Heßhusius (gestorben zu Helmstädt 1588)
schreibt: „Ein geringes Häuflein von 10 oder 20 Personen, das Christum
recht bekennet, hat eben so große Gewalt im Reiche Christi, als eine Kirche
von vielen tausend Personen."   (Vom Amt und Gewalt der Pfarrherrn.
Herausgegeben von Dr. Schütz. Leipzig. 1854. S. 65.)   Die Magde-
burgischen Centurien sagen von dem Verhältniß der Gemeinden zu einander
in der apostolischen Zeit: „Die angeseheneren Kirchen hatten nicht mehr Recht,
als jede von den kleinsten in jeder Provinz, im Lehren, in Verwaltung der

---

*) Nicht jene reine lutherische Lehre, daß jede christliche Gemeinde an sich selbstständig
und unabhängig ist, ist also im üblen, historischen Sinne eine independentistische,
wie man sie jetzt oft schilt; sondern die, daß jede christliche Gemeinde unabhängig sein
und bleiben solle.   Jene wahrt für wichtige Gewissensfälle die christliche Freiheit, diese
greift dieselbe an und verstößt wider die Liebe.

Sacramente, in der Bestellung der Aemter, in dem Richten der wahren und falschen Lehrsätze und in ähnlichen, allen einzelnen Kirchen gebotenen Verrichtungen." (Ed. Baumgarten. I, p. 943.)

Nichts desto weniger würde jedoch ein Prediger, welcher, auf seiner Freiheit bestehend, mit seiner Gemeinde unabhängig bleiben wollte, obgleich ihm Gelegenheit geboten wäre, sich an eine rechtgläubige Synode anzuschließen, damit wider den Zweck seines Amtes, wider die Wohlfahrt seiner Gemeinde und wider seine Pflicht gegen die Kirche im Ganzen handeln und sich als ein Separatist offenbaren. Für die Heilsamkeit des Zusammenhaltens der Gemeinden und Kirchendiener unter einander legt unser Bekenntniß folgendes Zeugniß ab: „Darum kann die Kirche nimmermehr baß regiert und erhalten werden, denn daß wir alle unter Einem Haupt, Christo, leben und die Bischöfe, alle gleich nach dem Amt (ob sie wohl ungleich nach den Gaben), fleißig zusammenhalten in einträchtiger Lehre, Glauben, Sacramenten, Gebeten und Werken der Liebe rc.; wie St. Hieronymus schreibet, daß die Priester zu Alexandria sämmtlich und ingemein die Kirche regierten, und die Apostel auch gethan und hernach alle Bischöfe in der ganzen Christenheit, bis der Pabst seinen Kopf über alle erhub." (Schmalkaldische Artikel II, 4.) Weiter unten heißt es in derselben symbolischen Schrift: „Darnach sagt Hieronymus weiter: daß aber einer allein erwählt wird" (aus den Presbytern oder Pastoren), „der andere unter ihm habe, ist geschehen, daß man damit die Zertrennung wehret, daß nicht einer hie, der andere dort eine Kirche an sich zöge und die Gemeine also zerrissen würde. Denn zu Alexandria (sagt er) von Marco, dem Evangelisten, an bis auf Heraklam und Dionysium haben allezeit die Presbyteri einen aus ihnen erwählt und höher gehalten und Episcopum (einen Bischof) genennet, gleichwie ein Kriegsvolk einen zum Hauptmann erwählet." (Schmalkaldische Artikel 2. Anhang.) Als daher einst im Jahr 1614 ein Prediger von seiner Obrigkeit gedrungen werden sollte, mit seiner Gemeinde aus dem Verbande einer Synode zu treten, und derselbe sich bei einem Prediger in Hamburg deswegen Rath erbat, so antwortete ihm dieser mit Approbation des ganzen hamburgischen Ministeriums: „Belangend eure Synode rathe ich getreulich, trennet euch bei Leibe von derselben nicht, und höret nicht auf, eure geliebte Obrigkeit zu erbitten, daß sie hierinnen ihre gefaßte Meinung von eurem Absondern aus der Synode christlich ändern wolle. Sintemal eine solche löbliche Kirchen-Vereinigung in gefährlichen Zeiten, wann der Teufel falsche Lehre und andere Ungelegenheit erregen will, gar großen Nutzen hat und im HErrn viel vermag. Sollte eure Kirche von den andern jetzund getrennt werden, stünde sie künftig in vorfallender Noth alleine und würde vielleicht für eine abtrünnige dazu gescholten, aus welchem leichtlich viel Böses erwachsen könnte, darüber die Nachkömmlinge euch, die ihr jetzt solches verursachet, vermaledeien möchten. Die Sachen, welche eure liebe Obrigkeit

26

zu dieser Meinung bewogen haben, können sie gleichwohl für sich behalten und, wo es nöthig wäre, deshalb protestiren. Alsdenn könntet ihr der Synode Rath und Bedenken suchen." (Dedekennus' Thesaurus. II, 464.) So schreibt ferner der Leipziger Theolog Hülsemann: „Es ist von dem größten Nutzen und gewissermaßen eine moralische Nothwendigkeit, daß, wie es in den einzelnen Kirchen, zur Erhaltung der einzelnen, Presbyterien gibt, also auch Synoden bestehen aus mehreren Kirchen, mögen sie nun zu einer oder mehreren Provinzen und Reichen gehören, zur Erhaltung mehrerer Particular-kirchen in Einigkeit des Bekenntnisses und Ehrbarkeit der Sitten." (Breviar. c. 18. th. 1. p. 532.) So ernstlich unsere Theologen es festgehalten haben, daß alle Diener des Wortes an sich gleiche Gewalt haben und daß daher die sogenannten Bischöfe nicht nach göttlichem Rechte über den anderen Dienern des Wortes stehen, so haben sie doch immer zugestanden, daß es heilsam und in vieler Beziehung auch nöthig sei, daß unter den Kirchendienern eine Ueber- und Unterordnung stattfinde. So schreibt Johann Gerhard: „Wir mißbilligen aufs ernstlichste die Anarchie derjenigen, welche die Ordnung des Kirchenamtes aufheben, da es eine Quelle der Zwietracht und alles Uebels ist; wir behalten aber in unsern Kirchen die Ordnung unter den Kirchen-dienern bei und halten dafür, daß dieselbe beizubehalten sei, so daß einige Bischöfe, andere Presbyter (Pfarrer), andere Diakonen 2c. sind. . . . Die Einrichtung einer Ordnung unter den Kirchendienern befördert die Ein-trächtigkeit und Einheit, verhindert Zerrüttungen, die von der Eigenliebe und Ehrsucht niedrigerer Kirchendiener zu fürchten sind, und schränkt die Ver-wegenheit derjenigen ein, welche den Frieden der Kirche stören wollen. Aus der Ordnung und den Stufen der Kirchendiener erwächst überdem der Vor-theil, daß diejenigen in geringeren Aemtern versucht werden können, welche zu höheren zu erheben sind, 1 Tim. 3, 13." (Loc. de min. eccl. § 205.) Ferner schreibt Balthasar Meißner: „Weil die Unterscheidung der Amtsstufen zu den Mitteldingen gehört und in christlicher Freiheit steht, daher lassen wir jeder Kirche ihre Freiheit, die verschiedenen Stufen ihrer Kirchen-diener entweder beizubehalten, oder abzuschaffen, wenn man nur die Schwachen berücksichtigt und niemand geärgert wird. Auch ist darauf zu sehen, daß dies ordentlich und ehrlich geschehe und zur Erbauung, wie der heilige Apostel Paulus weislich 1 Kor. 14, 26. erinnert. Wir aber . . . lassen uns nicht davon abbringen, unsere Bischöfe oder, wie sie andere lieber nennen wollen, Superintendenten zu behalten, und werden sie bis ans Ende der Welt be-halten, und zwar um des großen Nutzens willen. Denn wenn die Zuhörer über die Nachlässigkeit und Trägheit ihres Pastors im Lehren oder über einen anderen Fehler zu klagen haben, dann können diese Zuhörer sich an den Bischof wenden, welchem jener Pastor untergeben ist, den Pastor anklagen und ihre Anklage begründen, und dieser kann hernach, wenn die Sache ver-nommen und entschieden ist, so er schuldig ist, die gerechte Strafe seiner Nach-lässigkeit leiden, damit ihm darnach die ihm anvertrauten Schafe mehr am

Herzen liegen, als vorher." (Colleg. adiaphorist. Disp. 10. S. 9. 10.)
So schreibt endlich Luther in seinem „Unterricht der Visitatoren" vom
Jahre 1528 und 1538: „Wie ein göttlich, heilsam Werk es sei, die Pfarren
und christlichen Gemeinen durch verständige, geschickte Leute zu besuchen, zeigen
uns genugsam an beide, Neu und Alt Testament. Denn also lesen wir, daß
St. Petrus umherzog im jüdischen Lande, Act. 9, (32.), und St. Paulus
mit Barnaba, Apostelg. 15, (36.), auch aufs neu durchzogen alle Ort, da
sie geprediget hatten. Und in allen Episteln zeigt er, wie er sorgfältig sei
für alle Gemeinen und Pfarren, schreibet Briefe, sendet seine Jünger, lauft
auch selber. Gleichwie auch die Aposteln, Apostelg. 8, (14.), da sie höreten,
wie Samaria hätte das Wort angenommen, sandten sie Petron und Johannem zu ihnen. Und im Alten Testament lesen wir auch, wie Samuel jetzt
zu Rama, jetzt zu Nobe, jetzt zu Galgal, und so fortan, nicht aus Lust zu
spazieren, sondern aus Liebe und Pflicht seines Amtes, dazu aus Noth und
Durst des Volkes umherzog; wie denn auch Elias und Elisäus thäten, als
wir in der Könige Bücher lesen. Welches Werk auch Christus selbst aufs
fleißigste vor allen gethan; also daß er auch deshalben nicht einen Ort behielt auf Erden, da er sein Haupt hinleget, der sein eigen wäre (Matth. 8, 20.).
Auch noch in Mutterleibe solches anfing, da er mit seiner Mutter über das
Gebirge ging und St. Johannem heimsuchte (Luk. 1, 39.). Welche Exempel
auch die alten Väter, die heiligen Bischöfe, vorzeiten mit Fleiß getrieben
haben... Wer kann erzählen, wie nütze und noth solch Amt in der Christenheit sei? Am Schaden mag mans merken, der daraus kommen ist, sint der
Zeit es gefallen und verkehret ist. Ist doch keine Lehre noch Stand recht oder
rein blieben, sondern dagegen so viel greulicher Rotten und Secten aufkommen,
als die Stift und Klöster sind, dadurch die christliche Kirche gar untergedrückt
gewesen, Glaube verloschen, Liebe in Zank und Krieg verwandelt, Evangelion
unter die Bank gesteckt, eitel Menschenwerk, Lehre und Träume anstatt des
Evangelii regieret haben. Da hatte freilich der Teufel gut machen, weil er
solch Amt darnieder und unter sich bracht und eitel geistliche Larven und
Mönchkälber aufgerichtet hatte, daß ihm niemand widerstund; so es doch
große Mühe hat, wenn gleich das Amt recht und fleißig im Schwange gehet,
wie Paulus klaget zu'n Thessalonichern, Korinthern und Galatern, daß
auch die Apostel selbst alle Hände voll damit zu schicken hatten. Was sollten
denn die müßigen faulen Bäuche hie Nutz schaffen! Demnach, so uns jetzt
das Evangelion durch überreiche, unaussprechliche Gnade Gottes barmherzig-
lich wiederkommen und helle wieder aufgangen ist, dadurch wir gesehen, wie
die Christenheit verwirret, zerstreuet und zerrissen: hätten wir auch dasselbige rechte Bischof- und Besuchamt, als aufs höchste vonnöthen, gerne
wieder angerichtet gesehen; aber weil unser keiner dazu berufen oder gewissen
Befehl hatte, und St. Petrus nicht will etwas in der Christenheit schaffen
lassen, man sei denn gewiß, daß es Gottes Geschäft sei (1 Pet. 4, 11.), hat
sich keiner vor dem andern dürfen unterwinden. Da haben wir des Ge-

wissen wollen spielen, und zur Liebe Amt (welches allen Christen gemein und geboten,) uns gehalten, und demüthiglich mit unterthäniger fleißiger Bitte angelanget den Durchlauchtigsten, Hochgebornen Fürsten und Herrn, Herrn Johannes,.. als des Landes Fürsten und unser gewisse weltliche Obrigkeit, von Gott verordnet: daß Se. Churfürstl. Gnaden aus christlicher Liebe (denn sie nach weltlicher Obrigkeit nicht schuldig sind,) und um Gottes willen, dem Evangelio zu gut und den elenden Christen in Sr. Churfürstl. Gnaden Landen zu Nutz und Heil gnädiglich wollten etliche tüchtige Personen zu solchem Amt fordern und ordnen. Welches denn Se. Churfürstl. Gnaden also gnädiglich durch Gottes Wohlgefallen gethan und angerichtet haben... Wiewohl wir solches (den Unterricht der Visitatoren) nicht als strenge Gebot können lassen ausgehen, auf daß wir nicht neue päbstliche Decretales aufwerfen, sondern als eine Historien oder Geschichte, dazu als ein Zeugniß und Bekenntniß unsers Glaubens, so hoffen wir doch, alle fromme, friedsame Pfarrherren, welchen das Evangelion mit Ernst gefället, und Lust haben, einmüthiglich und gleich mit uns zu halten, wie St. Paulus lehret Phil. 2, 2., daß wir thun sollen, werden solchen unsers Landesfürsten und gnädigsten Herrn Fleiß, dazu unsere Liebe und Wohlmeinen nicht undankbarlich noch stolziglich verachten, sondern sich williglich, ohne Zwang, nach der Liebe Art, solcher Visitation unterwerfen und sammt uns derselbigen friedlich geleben, bis daß Gott der Heilige Geist Besseres durch sie oder durch uns ansahe. Wo aber etliche sich muthwillig dawider setzen würden und ohne guten Grund ein sonderliches wollten machen, wie man denn wilde Köpfe findet, die aus lauter Bosheit nicht können etwas Gemeines oder Gleiches tragen, sondern ungleich und eigensinnig sein ist ihr Herz und Leben: müssen wir dieselben sich lassen von uns, wie die Spreu von der Tennen, sondern und um ihretwillen unser Gleiches nicht lassen... Aber Gott, der Vater aller Barmherzigkeit, gebe uns durch Christum JEsum, seinen lieben Sohn, den Geist der Einigkeit und der Kraft, zu thun seinen Willen. Denn ob wir gleich aufs allerfeinest einträchtig sind, haben wir dennoch alle Hände voll zu thun, daß wir Gutes thun und bestehen in göttlicher Kraft: was sollte denn werden, wo wir uneins und ungleich untereinander sein wollten? Der Teufel ist nicht fromm noch gut worden bis daher, wirds auch nimmermehr. Darum laßt uns wachen und sorgfältig sein, die geistliche Einigkeit (wie Paulus lehret) zu halten im Bande der Liebe und des Friedens, Amen." (Erlanger Ausg. XXIII, 3—10.)

Anmerkung 5.

Zwar hat der Prediger darauf hinzuwirken, daß sich auch seine Gemeinde an die Synode anschließe, doch ist hierbei große Vorsicht anzuwenden, die Gemeinde erst über die Bedeutung einer Synode zu unterrichten und ihr Zeit zu laſſen, damit ſie nicht meine, es handle ſich hierbei nur darum, ihr Laſten aufzubürden, ihr ihre Freiheit zu ſchmälern, ihr ihr Kircheneigenthum aus den Händen zu ſpielen und das Joch einer ſ. g. geiſt-lichen Obrigkeit ihr auch hier aufzuladen. Vielmehr iſt ihr zu zeigen, daß es ſich hierbei lediglich um ihre eigene Wohlfahrt und um die Pflicht, für ihre Kinder und für die Nachkommen und für das Reich Gottes im All-gemeinen zu ſorgen, handle, und endlich daß eine rechte Synode nur ein be-rathender, helfender, nicht ein die einzelnen Gemeinden beherrſchender Körper ſein wolle.

§ 50.

Bei der Entſcheidung der Frage, ob ein Prediger ſich verſetzen laſſen oder eine ihm angetragene andere Stelle annehmen ſolle, kommt es namentlich auf die Beachtung folgender fünf Regeln an: 1. Der Prediger warte ruhig auf eine an ihn etwa ergehende Wegberufung und ſuche nie ſelbſt wegzukommen, am wenigſten, um ein höheres Salar, oder eine angenehmere, oder eine leichtere Stellung zu erlangen. Jer. 23, 21. — 2. Er weiche nicht um der Böſen in ſeiner Gemeinde willen, die ihm das Leben ſauer machen, Röm. 12, 21., es wäre denn, daß es ſich lediglich um ſeine gebrechliche Perſon handelte und daher durch einen anderen rechtgläubigen Prediger das ausgerichtet werden könnte, was ihm wegen des perſönlichen Mißverhältniſſes, in das er etwa zu dem größten Theile ſeiner Gemeindeglieder gerathen iſt, ſchlechterdings nicht möglich wäre. 2 Kor. 13, 10. — 3. Es muß vor Menſchenaugen klar ſein, daß das ihm angetragene neue Amt nicht nur ein an ſich wichtigeres ſei, ſondern daß auch gerade er in demſelben ſeine Gaben zu größerem Nutzen der Kirche verwenden könnte, als wenn er bliebe. 1 Kor 12, 7. — 4. Er entſcheide nicht leicht ſelbſt, ſondern überlaſſe die Entſcheidung ſo-wohl ſeiner gegenwärtigen, als der ihn wegberufenden Gemeinde, ſowie einigen erfahrenen Gottesgelehrten. Spr. 12, 15. — 5. Er verlaſſe ſeine Gemeinde nicht ohne deren ausdrückliche Einwilligung, es wäre denn, daß dieſelbe vor jedermann offenkundig aus purer Halsſtarrigkeit und in Nichtachtung der Wohlfahrt der Kirche ihren Conſens abſolut verweigerte.

Anmerkung 1.

Um der Wichtigkeit der Sache willen theilen wir hier einen längeren Ab-ſchnitt aus dem „Pastorale evangelicum" Dr. J. Ludw. Hartmann's (Superintendenten zu Rotenburg im Würtembergiſchen, geſtorben 1684) mit, der bereits im vierten Jahrgang unſerer Zeitſchrift „Lehre und Wehre" in einer von Herrn Rector G. Schick in Fort Wayne, Ind., beſorgten Ueber-ſetzung erſchienen iſt. Es iſt folgender:

Wenn man fragt: ob ein Diener am Worte sein Amt und seine Gemeinde, der er zuerst seine Arbeit gewidmet hat, im Falle eines ordentlichen Berufes mit gutem Gewissen verlassen und zu einer andern übergehen könne; so ist vorerst zu erinnern, daß zwei Extreme vorsichtig zu vermeiden sind.

Denn es gibt solche, welche sich durch das Zuviel versündigen, indem sie sogleich ihre Stelle verändern und eifrig nach einem neuen Neste suchen. Nach der Weise der Speculanten haben sie ihre Pfarreien wie Pferde, jedes Amt ergreifen sie begierig in der Hoffnung auf Vortheil und irdischen Gewinn, wie Geier die Leichen. Gegen sie redet Mathesius mit Ernst in der neunten Predigt über das Leben Christi: „Viel Miethling, Freyer und Höckler gibt's in der Welt, aber wenig treuer Hirten, denn das mehrer Theil suchet das seinige, wenig aber was Christi ist ꝛc. Ein Pfarrherr aber, der oft ändert und wechselt mit den Pfarren, der weiß seine Strafe nicht."

Daher begehren viele entweder aus Ehrgeiz nach höhern Aemtern, oder sie trachten aus Habsucht und um schändlichen Gewinnes willen nach fetteren Pfründen, oder sie suchen aus verkehrter Zärtlichkeit gegen ihre Frauen neue Stellen, oder sie wünschen aus unbeständiger Leichtfertigkeit den Ort so oft zu verändern als sie können. Andere werden aus Besorgniß für sich und ihre Angelegenheiten, wenn Uebelstände zu gefährlich überhand nehmen oder die Mißgunst des Volkes zu heftig wird, ihres Amtes überdrüssig und denken auf Veränderung.

Auf der andern Seite gibt es solche, welche durch das Zuwenig sich versündigen, und es durchaus für unerlaubt halten, daß ein Diener der Kirche von einer Stelle an eine andere versetzt werde. Daher hört man entgegengesetzte Meinungen, so oft Veränderungen der Art vorkommen. Denn einige halten in guter Meinung den ersten ordentlichen Beruf vor, andere bestehen darauf, daß es allein Gott bekannt sei, wo aus der Saat der Predigt eine reichere Ernte und Erbauung zu hoffen sei.

Ja, meistens weiß der neue, erst berufene Prediger selbst sich nicht zu halten, daß er nicht in mannigfache Klippen ängstlicher Sorgen gerathe, von denen er leicht so eingeengt wird, daß er keinen Ausweg sieht. Denn bald denkt er an diese oder jene Unannehmlichkeit des neu angetragenen Amtes, bald an die Last unablässiger Arbeit, bald darauf an die besondere Lage der Seinigen, wenn er hier oder dort wäre, und nicht einmal blos, daß er treffliche Gönner und Freunde verlassen muß, welche er in seiner gegenwärtigen Stellung hat.

Aber wer könnte alle diese Winkelzüge durchgehen? Namentlich weil die Bekannten und Freunde, welche man hat, nicht feiern und der Teufel nicht ganz schweigt und verstummt, indem jene den Wegzug abrathen und das Herz muthlos, unschlüssig und unlustig machen, dieser aber, weil er sieht, daß ihm und seinem Reiche anderswo durch unsere Arbeit unter Gottes gnädigem Beistande größerer Schaden zugefügt werden wird, schafft Verzug auf Verzug, wirft durch geheimes Einflüstern neuen Aufschub, Hindernisse, Fesseln,

Lockungen zum Bösen in den Weg und läßt nichts unversucht, was nur dienen kann, Gottes Werk zu hindern und den Zugang zu höherer Wirksamkeit zu verschließen.

Damit wir nun die Mittelstraße gehen und denen beistehen, welche allein die Ehre Gottes und das Wohl der Kirche im Auge haben und um einer bedürftigeren und zahlreicheren Gemeinde ihr Pfund mit reicheren Zinsen auf Wucher zu geben, einen an sie gelangten rechtmäßigen Beruf, der nicht durch Bitten von Verwandten (Eltern, Schwiegervater, Gattin ꝛc.) abgedrungen, nicht durch Geschenke erbettelt, der weder auf bloße Gunst anderer sich gründet, noch durch irgend welche andere Künste und Ränke erlangt ist, annehmen: so wollen wir einiges bemerken, welches für die vorliegende Sache von großem Werthe sein wird. Denn wenn auch ein Pastor nicht nach eigenem Willen hingehen kann und darf, wohin er will: so kann doch die Kirche, wenn es das allgemeine Beste erfordert, einen Pastor hierhin oder dorthin versetzen, da das Wohl eines jeden einzelnen Theiles der Kirche in dem allgemeinen Besten Aller eingeschlossen ist.

Und zuerst ist es von selber klar, daß hier nicht von denen die Rede ist, welche blos den Pastoren helfen und nur eine Zeit lang einer Gemeinde dienen, um daselbst ihre Fähigkeiten auszubilden. Allein von dem Pastor, der die Sorge für eine Gemeinde im HErrn übernommen hat, dem auch die Heerde als ihrem Hirten anhängt, ist hier die Rede. Wir meinen daher einen ordentlich berufenen Pastor, der treulich sein Amt versieht und mit der zur Amtsführung nothwendigen Tüchtigkeit noch hinlänglich ausgerüstet ist, worin auch das eingeschlossen ist, was entweder zum inneren Beruf des berufenen Dieners am Wort gehört, nemlich Fähigkeit und Willen, der Ehre Gottes und dem Heile der Menschen zu dienen, oder was sich auf den äußeren Beruf der berufenden Gemeinde bezieht, was eben so viel Stücke sind, nemlich Wille zu behalten und Fähigkeit zu erhalten.

Sodann ist die Lage der besondern Kirchen verschieden; indem einige Ruhe haben und nicht die Wuth der Ketzer und die Verfolgungen der Tyrannen noch die Landplagen des Kriegs oder der Pest fühlen; andere sind unter dem Druck und müssen entweder alle diese Uebel oder das eine oder andere insbesondere schmecken. So haben auch einige Kirchen einen so reichlichen Ueberfluß an Lehrenden, daß sie die Entfernung eines einzigen ohne offenbare Gefahr gleichmüthig ertragen. Andere haben an verdienstvollen und tüchtigen Männern einen traurigen Mangel und sind in solcher Armuth und Dürftigkeit, daß, wenn jene weggehen, sogleich alles Unglück zu fürchten ist. Es gibt solche, welche längst die schönste Blüthe und Kraft nicht blos der reinen Lehre, sondern auch der kirchlichen Zucht in Bezug auf Ordnung und Aufsicht erlangt haben. Andere dagegen sind erst einzurichten und entbehren diesen rechten Schmuck oder bedürfen wenigstens einen großen Zuwachs desselben. Man sieht ferner solche, welche Willen und Freudigkeit haben, ihre Prediger zu behalten und Fähigkeit, sie zu erhalten, andern fehlt entweder beides oder eins von beiden. Auch finden sich einige, welche dem größten und vorzüglichsten Theile ihrer Glieder nach willig sind und auf das Wort ihrer Pastoren hören, andere setzen den Unrath der gottlosesten Säue von der Heerde Epikur's in die Welt, von denen keine Bekehrung zu hoffen steht, welche Gott verwerfen, das Wort für nichts achten, die Sacramente gering schätzen, die Prediger verachten, der Unzucht dienen, dem Trunk sich ergeben, nach Wucher und Raub trachten und auf jeden gräulichen und abscheulichen Frevel sinnen und denken. Von den erstern ist nicht sowohl die Rede, als von den letztern.

Wenn daher ein Beruf in jeder Hinsicht auf rechtmäßige und daher gottgefällige Weise kommt, durch diejenigen, welchen das Berufungsrecht zusteht, und gottesfürchtige und gelehrte Männer nach den inbrünstigsten Gebeten dazu rathen: so sollte man denselben Beruf, namentlich wenn er wider alle Hoffnung und Erwartung ausgestellt worden ist, nicht ohne Bedacht ablehnen, namentlich wenn auch das beobachtet worden ist, was den Vorstehern *) der Kirche, die zu berufen haben, obliegt.

Denn diesen muß 1. am Herzen liegen, daß sie niemand versetzen, ohne vorher pflichtgemäß erwogen zu haben, ob für das Wohl der berufenden Gemeinde nicht in anderer Weise gesorgt werden könne; denn es darf keine Heerde um ihren Hirten betrogen werden, wenn auf irgend welche Weise der ihres Pastors beraubten Gemeinde Hilfe geschafft werden kann. Es ist eine bedenkliche Sache und nicht ohne hinreichenden Grund zu versuchen, daß ein Pastor von seiner Gemeinde geschieden werde. Ich gestehe zu, daß das allgemeine Beste der Kirche dem besondern vorgeht, aber nur, wenn es die unvermeidliche Nothwendigkeit fordert.

2. Die Versetzenden müssen dafür Sorge tragen, daß die Gemeinde, deren Pastor sie anderswohin senden, keinen merklichen Schaden leide. Wenn dies der Fall ist, wird vielleicht nichts damit gewonnen für das, was sie vorgeben, nemlich das allgemeine Beste der Kirche. Auch ist dies nicht von Gott, daß sie der Noth der einen Gemeinde zum Schaden einer andern, der sie keinen Ersatz bieten, abhelfen.

3. Welche einen Pastor anderswohin versetzen wollen, die sollen sorgfältig nachforschen, ob der, welcher versetzt werden soll, nicht sich selbst suche. Es ist zuzusehen, ob in der That eine (rechte) Ursache zu der Versetzung, welche nachgesucht wird, da ist, oder ob eine andere dahinter steckt. Für die umherziehenden Leviten hat Gott gesorgt, wenn sie nur mit ganzem Verlangen der Seele, der Kirche zu nützen, herzukommen.

---

*) Der Verfasser hat die Verhältnisse der deutschen Staatskirche im Auge, wo die Versetzung und Beförderung der Prediger in den Händen der landesherrlichen Consistorien ist. Da hier die Macht der deutschen Consistorien in den Händen der beiden Stände liegt, aus welchen hier lediglich die Kirche, mit Ausschluß des obrigkeitlichen Standes, besteht, nemlich Prediger und Zuhörer, so mögen diese die folgenden Worte treuer Ermahnung beherzigen.   Der Uebersetzer.

Darum darf man nicht wegziehen, so lange die Gründe des ersten Berufes bleiben; aber es kann dennoch Einer nach dem Urtheil anderer Gemeinden mit Uebereinstimmung derjenigen Gemeinde, der er als Pastor verbunden ist, zu größerer Frucht allgemeiner Erbauung versetzt werden.

Denn wenn wider Erwarten ein vollständiger Beruf ertheilt wird (es ist nemlich nicht jede von einer Gemeinde ausgesprochene Forderung sogleich vollständig von Gott, wovon sie nur in manchen Fällen eine vorläufige Andeutung ist) und der Berufene in seinem Gewissen überzeugt ist, daß es ein ordentlicher (denn wo das Gewissen schwankt, da ist es gefährlich, die Gemeinde zu verlassen), zu reicherem Fruchttragen gleichsam von oben zugeschickt ist, und außerdem andere, welche um Rath gebeten sind, das Vorhaben des Wegziehens weder mißbilligen noch auf stärkere Gründe fallen, und endlich die Obrigkeit selbst mit der Gemeinde in Frieden die Entlassung bewilligt: so sehe ich nicht, warum man das neue Amt ablehnen dürfe.

Zur Entscheidung besonderer Fälle will ich einiges beifügen:

1. Wenn diejenigen, welche an der Spitze stehen, bemerken, daß die Amtsverwaltung eines Predigers ganz unnützlich sein wird, so können sie ihn versetzen, wenn es wahrscheinlich ist, daß dieselbe anderswo nützlicher sein wird. Unnützlich gleichsam pflegt aber die Amtsverwaltung zu werden, entweder wegen gegebenen Aergernisses, wenn er dieser Gemeinde zum Aergerniß ist, was an einem andern Orte der Fall nicht wäre; oder wenn er sein Ansehen ganz verloren hat und seine Person geringe geachtet ist; oder wegen der Ungleichheit der Gaben im Verhältniß zur Gemeinde; oder wegen Feindschaft, welche kaum auszusöhnen ist, wie lange Erfahrung gelehrt hat. Wenn man daher sieht, daß die Herzen eines großen Theiles entfremdet sind, so daß sie die Arbeit des Pastors von sich stoßen und seine Ermahnungen allzu wenig ehrerbietig aufnehmen, oder ein unversöhnlicher Groll da wäre, so wäre es besser, ihn an einen andern Ort zu versetzen, als daß er zur Schmach des Amtes, das er verwaltet, von den Seinen verachtet werde.

2. Wenn wegen der Ungesundheit des Klima's ein kränklicher Pastor der Verwaltung des Amtes durchaus nicht gewachsen ist, so kann ihn die Kirche, sobald sich eine Gelegenheit darbietet, an einen, zu seiner körperlichen Schwachheit passenden Ort versetzen; so jedoch müssen die Vorsteher seine Versetzung bestimmen, daß sie zuerst längere Zeit warten, ob seine Gesundheit wieder hergestellt werden kann, und vorher muß das Urtheil der Aerzte eingeholt werden.

Wir unterlassen es, hier Belege für unsere Meinungen zusammenzustellen, damit wir nicht schon Gesagtes wiederholen. Wer will, der schlage nach Keßler's Theol. cas. consc. p. 56., Georg König's cas. consc. p. 738. seq., Brochmand's System. Theol. II., de Ministerio c. 3, cas. 8.

Wir haben gezeigt, wie ein ordentlich berufener Diener der Kirche aus einer Parochie in eine andere übergehen könne, indem wir unterschieden haben zwischen einem Wechsel, der auf eigne Wagniß gesucht, und einem solchen, der durch rechtmäßige Autorität geschehen ist, welchen letzteren wir allein billigen; zwischen einem Wechsel, den man gesucht und um den man sich beworben hat, und einem von freien Stücken angebotenen, der auf rechtskräftigen Gründen, nicht auf Ehrgeiz oder eignem Vortheil beruht; zwischen Zuhörern, welche ihren Pastor lieben, und welche ihn nicht lieben; zwischen der dem Berufe vorhergehenden Verhandlung, und dem Berufe selbst.

1. Dies wird aber nicht nur belegt durch den verschiedenen Lohn, wovon 1 Tim. 3, 13. gehandelt wird, sondern auch durch die verschiedenen Gaben Röm. 12., 1 Cor. 6. und die verschiedenen Talente Matth. 25., vornehmlich weil Gott die Widerspenstigen straft Matth. 25., und wenn man ein Bischofs-amt begehren darf, 1 Tim. 3., man es noch viel mehr annehmen darf, sobald es angeboten wird.

2. Dazu kommt nun die apostolische Praxis, wenn Paulus den Timotheus und Titus, die wie wir mittelbar berufen waren, wegen des größeren Nutzens der Kirche von einem Orte an einen andern versetzt hat, Apostelg. 17, 15. 1 Thess. 2, 2. Apostelg. 18, 5. 1 Kor. 4, 17. 1 Tim. 1, 3. Fügen wir noch aus dem kanonischen Recht den Consensus der alten Kirche hinzu, aus dem Briefe des römischen Bischofs Anterus, der im dritten Jahrhundert gelebt hat. Er sagt: „Wisset, daß Versetzungen der Bischöfe geschehen dürfen, wie es der gemeinsame Nutzen und das gemeinsame Bedürfniß erfordert, aber nicht wie es der Wille und die Herrschsucht eines jeden wünscht. Der heilige Petrus, unser Lehrer und der erste unter den Aposteln, ist von Antiochien des Nutzens wegen nach Rom versetzt worden, damit er dort mehr nützen könnte.*) Auch Eusebius wurde nach apostolischer Autorität aus einer kleinen Stadt nach Alexandrien versetzt. Felix wurde aus der Stadt, wo er ordinirt worden war, durch Wahl des Volkes wegen seiner Recht-schaffenheit in Lehre und Leben nach dem gemeinsamen Rathe der Bischöfe und übrigen Geistlichen und Gemeinden nach Ephesus versetzt. Denn es läuft niemand von einer Gemeinde zur andern, der es nicht nach seinem Gelüsten oder durch Bewerbung thut, sondern der wegen eines Nutzens und Bedürfnisses durch die Ermahnung anderer und den Rath würdiger Leute versetzt wird. Und es wird nicht aus einer kleineren Gemeinde an eine größere (auf unrechtmäßige Weise) versetzt, wer dies nicht aus Ehrgeiz und Eigenwillen gethan hat, sondern weil er entweder mit Gewalt aus seinem Amte verjagt oder durch Noth gezwungen oder um der Wichtigkeit des Ortes oder der Gemeinde willen, nicht stolz, sondern in Demuth von andern versetzt und eingeführt worden ist. Denn der Mensch sieht in's Angesicht, Gott aber in's Herz. Es wechselt also keiner seine Stelle, der nicht seinen

---

*) Wenn es auch sehr unsicher, ja unwahrscheinlich ist, daß Petrus jemals Bischof zu Rom war, so zeigt doch obige Stelle, wie gewiß die Kirche des dritten Jahrhunderts in ihrer Ueberzeugung war, daß Prediger von einer Gemeinde an eine andere versetzt werden dürften.   Der Uebersetzer.

Sinn wechselt. Und es wechselt keiner die Gemeinde, der nicht nach seinem Willen, sondern nach dem Rath und der Wahl der andern gewechselt wird."

3. Beides hat der Brief des Pelagius II., um das Jahr 580, der gleichfalls im Corpus juris canonici enthalten ist: „Wisse, geliebtester Bruder, etwas anderes ist es, wenn der Grund Noth und Nutzen, etwas anderes, wenn es Anmaßung und Eigenwillen ist. Denn der wechselt nicht die Stelle, der den Sinn nicht wechselt, d. h. der nicht aus Geiz oder Herrschsucht oder Eigenwillen oder eigenem Behagen aus einer Gemeinde in eine andere zieht, sondern um der Noth und des Nutzens willen. Denn der Nutzen der meisten ist wichtiger zu halten, als der Wille oder der Nutzen eines einzelnen. Und es ist etwas anderes wechseln und etwas anderes gewechselt werden."

4. Und was will der 27. Canon des dritten oder vielmehr des vierten Concils zu Carthago, welches gegen den Anfang des fünften Jahrhunderts gehalten worden ist, anderes, wie er im kanonischen Rechte angeführt wird: „Ein Bischof soll nicht durch Bewerbung von einem geringeren Orte an einen bedeutenderen übergehen, und auch kein Geistlicher niederen Standes. Wenn es in der That der Nutzen der Kirche fordert, so soll der Beschluß der Geistlichen und der Laien in Betreff seiner den Bischöfen überreicht und er in Gegenwart der Synode versetzt werden, nachdem man nichts desto weniger einen andern an seine Stelle hat wählen lassen. Geistliche niederen Standes und andere Kirchendiener können mit Erlaubniß ihrer Bischöfe zu andern Gemeinden hinziehen." Ferner: „Wenn ein Bischof in seiner Gemeinde verfolgt werden sollte, so soll er zu einer andern Gemeinde fliehen und in sie aufgenommen werden. Wenn er aber des Nutzens wegen versetzt werden sollte, so soll er dies nicht für sich allein thun, sondern wenn die Brüder ihn auffordern, soll er es mit der Billigung dieses heiligen Stuhles thun. Doch soll es nicht um der Bewerbung willen, sondern wegen des Nutzens oder der Noth geschehen. Dies gilt nicht blos von den Bischöfen, sondern von allen Dienern der Kirche, damit nemlich niemand in die Stelle eines andern, so lange dieser lebt, einschleiche. *)

5. Wohlbekannt ist das Beispiel des O r i g e n e s, der zu Alexandrien, dann zu Cäsarea und zu Antiochien lehrte, des P o l y k a r p, der Bischof von Smyrna und dann von Antiochien war, des G r e g o r v o n N a z i a n z,

---

*) Allerdings finden sich in den citirten Stellen des canonischen Rechts schon die Keime der Hierarchie, während nach lutherischem, allein Gottes Wort gemäßem Grundsatz in letzter Instanz nur das durch Gottes Wort erleuchtete Gewissen zu entscheiden hat, ob ein Beruf göttlich sei oder nicht. Der Lutheraner Hartmann will darum durch seine Citate aus dem canonischen Recht nur beweisen, daß nach der Ansicht der Kirche jener Zeiten, wenn Noth oder Nutzen der Kirche es forderte, was nicht blos dem Gewissen des einzelnen, sondern auch dem seiner erfahreneren Brüder offenbar sein sollte, die sonst unauflösliche Verbindung eines Pastors mit seiner Gemeinde gelöst und durch Versetzung eine Verbindung mit einer neuen eingegangen werden durfte. Der Uebersetzer.

der Bischof von Sasima, dann von Nazianz und zuletzt von Constantinopel
war. Wichtig ist der Brief Alexander's, der in Betreff dieser Sache an
Dracontius geschrieben und sehr viele Beispiele angeführt hat: „Ich bin
verlegen", beginnt er, „was ich schreiben soll, ob ich dich anklagen soll als
einen, der sich weigert, oder als einen, der sich aus Menschendienerei und
Furcht vor den Juden versteckt. Aber mag es aus dieser Ursache oder anders-
woher kommen, es ist nicht ohne Schuld, was du thust, o Dracontius."
Dazu kommen die Beispiele des vorigen (sechzehnten) Jahrhunderts, des
Justus Jonas, Mörlin, Selnecker, Heshusius u. a.

6. Indem wir dies zusammenstellen, ist uns nicht unbekannt, daß
einige Canones vorhanden sind, die uns scheinbar entgegen stehen. Wir
wollen sie mit aller Treue anführen und uns mit ihnen auseinandersetzen.
Es wird nemlich von denen, welche anderer Ansicht sind, der dreizehnte
apostolische Canon angeführt: „Es soll einem Bischof, der seine Parochie
verlassen hat, nicht erlaubt sein, sich in eine andere einzudrängen, obgleich er
dazu von Mehreren aufgefordert wird; es sei denn, daß irgend ein ver-
nünftiger Grund vorhanden sei, welcher mit Gewalt dazu treibt, daß dies
geschehe: nemlich wenn denen, welche dort ansäßig sind, einiger Gewinn
und Nutzen durch das Wort der Gottseligkeit gebracht werden könnte.
Jedoch auch dies nicht durch eigenen Willen, sondern durch das Urtheil und
die dringende Ermahnung vieler Bischöfe." Ebenso der fünfzehnte Canon
des Nicenischen Concils: „Es darf kein Bischof noch Geistlicher der übrigen
Stände von einer Gemeinde in eine andere wegziehen; kein Bischof, kein
Presbyter, kein Diakonus soll übergehen. Wenn aber Einer, nach der Bestimmung des heiligen und großen Concils, so etwas zu thun unternimmt
und sich mit einer derartigen Sache befaßt: so soll diese Handlung durchaus
für nichtig gehalten und er soll der Gemeinde wieder zurückgegeben werden,
deren ordinirter Bischof, Presbyter oder Diakonus er gewesen ist."

7. Canones dieser Art findet man auch im Concil von Sardica, Canon
1 und 2, von Chalcedon, Canon 5, im dritten von Carthago, Canon 38 2c.
Namentlich aber ist der dritte Canon des Concils von Antiochien bekannt,
da so verordnet wird: „Wenn ein Presbyter, Diakonus oder irgend ein
Geistlicher seine Gemeinde zu verlassen und zu einer anderen überzugehen für
gut befunden hat, und dort, wo er hingezogen ist, allmählig für immer zu
bleiben sucht: für den schickt es sich nicht, daß er ferner das geistliche Amt
verwalte, zumal wenn er von seinem Bischof zur Rückkehr ermahnt worden
ist. Wenn er nach der Aufforderung seines Bischofs nicht Gehorsam leistet,
sondern im Ungehorsam beharrt, soll er gänzlich von seinem Amte abgesetzt
werden, und nie wieder Hoffnung haben, wieder eingesetzt zu werden. Wenn
aber ein anderer Bischof einen wegen dieser Verschuldung Abgesetzten aufnimmt, so verdient er damit die Strafe der Zurechtweisung von der allgemeinen Synode, als Einer, der die Ordnungen der Kirche zerreißt."
Man nehme noch das 59. und 60. Capitel des dritten Buchs vom Leben

Constantin's hinzu, wo der Kaiser den Eusebius lobt, weil er mit seinem Amt und Bisthum zufrieden war und daselbst bleiben wollte, und deshalb das ihm angetragene Bisthum Antiochien nicht angenommen hatte.

8. Doch freilich, wenn man derartige Canons recht ansieht, wird man sogleich finden, daß sie nicht verbieten, daß Pastoren, deren frommer Eifer, Gelehrsamkeit und besondere Gaben im Laufe der Zeit offenbar werden, wegen des allgemeinen Besten von einem geringern oder weniger wichtigen Orte an einen höheren und wichtigeren versetzt werden; sonst wäre Zwiespalt und Widerspruch mit den andern oben aus dem Corpus Canonicum ange-führten Canones beabsichtigt: sondern es wird nach der Auslegung Oßian-der's nur untersagt, daß Jemand die ihm anvertraute Gemeinde verlasse und aus Ehrgeiz und Habsucht durch schlechte Mittel ohne ordentlichen Beruf sich bei einer anderen Gemeinde eindränge, besonders wenn viel Verwirrung und Aufregung zu fürchten ist, was jener erste Nicenische Canon in seinem Eingange auf's klarste andeutet. Eusebius hat recht gethan, daß er das Bisthum Antiochien ausgeschlagen hat, nicht als ob es ihm durchaus nicht erlaubt gewesen wäre, zu einer andern Gemeinde hinzu-ziehen, sondern weil dort Eustachius auf die ungerechteste Weise seines Amtes entsetzt worden war, welche Geschichte Sozomemus I., 18. und Nikephorus VIII, 45. ausführlich erzählt haben. Er konnte mit gutem Gewissen nicht dessen Nachfolger werden. Denn wo die Entfernung des früheren nicht rechtmäßig ist, da kann auch die Einsetzung des Nachfolgenden nicht rechtmäßig sein.

9. Daher sehe jeder Diener der Kirche dies als ihm gesagt an: Du mußt deinen Beruf so ansehen, daß du von allen Wegberufungen alle deine Gedanken abwendest. Du kannst anderswo besser leben, aber Gott hat dich an eine Gemeinde gebunden, die dich nur kärglich ernährt; anderswo würdest du mehr geehrt werden, aber Gott hat dir eben einen Ort angewiesen, wo du in Niedrigkeit leben sollst; anderswo ist eine gesundere oder lieblichere Gegend, aber hier ist dir dein Aufenthalt verordnet. Du möchtest mit gebildeteren Leuten zu thun haben, es verletzt dich ihre Undankbarkeit, Stolz oder Roh-heit, du findest endlich gar kein Gefallen an der Volksart und Sitte: gleich-wohl mußt du dich bekämpfen und deinen entgegenstehenden Wünschen Ge-walt anthun, daß du die Pflicht, die dir zugetheilt ist, erfüllest. Denn du bist nicht frei oder selbstständig. Wie in der jüdischen Kirche die Leviten, wenn sie auf ihrem Posten ihr Amt ausrichteten, dies nicht unabhängig, sondern pflichtgemäß thaten; die aber verpflichtet waren, nicht nach ihrem freien Willen umherziehen konnten, sondern nach gewisser Nothwendigkeit und mit Hinzuziehung der Erkenntniß, Uebereinstimmung und Entscheidung der Kirche, wo sie wirkten: so ziemt es sich auch nicht für fromme Knechte Gottes, umherzuschweifen, sondern auf ihrem Posten zu bleiben, es sei denn, daß es ihnen durch eigene oder öffentliche Noth, mit der gewissen Entscheidung und Uebereinstimmung derjenigen, denen sie verbunden sind, zur Pflicht wird,

wegzugehen. Denn aus dieser Zügellosigkeit pflegt Verderben für sie selbst und vielfältige Gefahr für die Kirche zu entstehen; wie dagegen stilles und gewissenhaftes Bleiben die reichste Frucht für beide Theile zu bringen pflegt.

10. Etwaige Einwürfe beantwortet trefflich das Collegium Academiae Jenensis bei Dedekennus, Bd. 1, S. 533: [Einwurf]: „Daß die Sprüche Jer. 3., Matth. 9., 1 Kön. 13. von der unmittelbaren Berufung handeln, womit sich andere nicht zu behelfen. Antwort: Es ist gewiß, daß die mittelbare Berufung, wenn sie ihre Erfordernisse hat und behält, gleich so wohl göttlich als die erste, und Gott rufet auch denen, die er also berufen hat, zu: Du sollst gehen, wohin ich dich sende. Wenn nun hier jemand widerstreben wollte, so würde er Gottes Befehl sich widersetzig machen, der durch ordentlichen Beruf (durch Mittel geschehen) ihm befohlen: Du sollst gehen, wohin ich dich sende.

11. Zum andern möchte eingewendet werden: Der Pfarrer besitze jetzo einen rechtmäßigen, göttlichen und ordentlichen Beruf, welchen er ohne Ursache nicht verlassen, noch sich Neuerung solle gelüsten lassen. Aber hierauf ist leicht zu antworten: daß der andere ordentliche Beruf den vorigen aufhebe. Denn sonsten hätte der Pfarrer mit gutem Gewissen denjenigen Pfarrdienst vor etlichen Jahren nicht annehmen können, weil er vorher an einem andern Orte auch schon im Kirchendienst gewesen.

Wir wollen hierauf aus Bidembach's von den Tübinger Theologen approbirten Theologischen Bedenken antworten: „Dieweil der Beruf, so durch Mittel geschieht, von denen, so in einem göttlichen Amt sitzen, ein göttlicher Beruf ist, will folgen, daß ein Prediger (welcher allbereit im Amte), wenn er solchergestalt durch eine christliche Obrigkeit und Gemeinde anderswo berufen wird, und er bei Prüfung seiner Person Qualificirung befindet, daß er tüchtig und nach Nothdurft zu dem aufgetragenen Amte geschickt sei, er solchen Beruf für göttlich achten, demselben folgen und bei Leibe nicht schlechthin verachten solle, wofern er anders nicht dem Heiligen Geiste, der ihn rufet, widerstreben will oder sonderliche Ursachen einzuwenden hätte. — Es liegt Predigern ob, wenn über alles Verhoffen ein solcher Beruf zuhanden kommt, daß sie ein Auge auf Gott haben, der Sache in Gottesfurcht fleißig nachsinnen, ihr Gewissen und fromme Leute zu Rath nehmen und bei Leibe Gott nicht widerstreben, der am besten, als ein allwissender HErr, erkennt und weiß, an welchem Orte ihm ein jeder am nützlichsten sein könne. — Einem Prediger, den Gott rufet und nicht folgen will, dem dräuet Gott schrecklich, welches daselbst mit Sprüchen, Matth. 25, 30., 1 Kor. 9, 17. und Exempeln des Mose, 2 Mos. 4, 11., des Propheten, 1 Kön. 13, 24., des Jeremiah, Jer. 1, 17., und des Jonah, Jon. 1, 4., bewiesen wird. — Es ist auch dies gewiß, daß ein Prediger, welcher wider seinen Beruf handelt, sich ein unruhig Gewissen zuziehen kann. Denn sobald ihm ein Unglück zustößet, prediget ihm sein eigen Herz: Dies ist Gottes gerechtes Gericht, Er hat dir gewiesen einen Weg, diesem Unglück zu entgehen, welchen du verachtet hast; du hast dir das Zeitliche lieber sein lassen, denn seiner Kirchen Ehre und seines Wortes Fortpflanzung, darum strafet dich jetzo Gott ꝛc."

12. Wir fügen ferner bei aus S. 535: „Es möchte eingewendet werden, Gott allein sei es bewußt, ob der Pfarrer größern oder kleineren Nutzen in dem neuen Berufe schaffen werde, und hätten sich die Theologen nicht um den Effect und Nutzen ihres Berufes, sondern um ordentlichen Beruf zu bekümmern. Derowegen er den größeren Nutzen bei der Hof-Präbicatur nicht zu urgiren hätte.

Hierauf antworten wir: I. Es ist freilich Gott allein eigentlich und gewiß bewußt, an welchem Orte ein Prediger größeren Nutzen schaffen werde: aber daraus folgt noch lange nicht, daß ein Prediger, in Vergleichung seiner jetzigen und neuen Vocation nicht sollte die Umstände aller beider Berufe vernünftig erwägen, und in Acht nehmen, wo er verhoffentlich bei der Kirche größeren Nutzen schaffen werde, denn sonsten würde keine Nachrichtung mehr haben, welchen Beruf er dem andern sollte vorziehen.

Viel besser redet hiervon das oft gedachte Theologische Bedenken: ‚Es soll ein berufener Prediger nicht blind zufahren und einen jeden Beruf mit blindem Ungestüm um mehrer Besoldung, größerer Ehre und gewünschter Ruhe willen annehmen, mit Einwendung: Gott wolle es schlecht so haben; sondern er soll seinen gegenwärtigen Beruf mit dem neuen aufgetragenen fleißig vergleichen, nicht dem Einkommen und der Ehre und äußerlichen Annehmlichkeiten, sondern nach den officiis vocationis, das ist, nach den Diensten seines Berufs sehen, er soll wohl zusehen, welche Gemeinde seiner am meisten bedürfe, und an welchem Orte er unserem Gott größeren Nutzen schaffen könne.

Befindet er nun, daß bei dem neuen Beruf des Reiches Gottes Erbauung und Erweiterung mehr als im vorigen könne fortgesetzt werden, so soll er folgen und gute Acht haben, daß er sein Pfund, so ihm von Gott anvertrauet, nicht vergrabe um guter Tage und Einkommens willen.‘

II. Eben aus dem ordentlichen, regelmäßigen Beruf hat man guter Maßen abzunehmen, an welchem Orte man Gott wohl am meisten dienen könne.

Davon redet abermal obgedachtes Bedenken, so von den Tübinger Theologen approbiret: ‚Wenn Gott der HErr manchem eine Gabe vor andern mitgetheilet, so will er, daß nicht nur ein Ort allein derselbigen gebrauchen, sondern auch vielmehr andere deren fruchtbarlich genießen sollen, und nachdem er vermerket, daß einer an diesem, der andere an einem anderen Orte mehr Nutzen schaffen kann, darnach richtet er auch seinen Beruf (nota) und sendet ihn, sonderlich wenn er nach seiner Allwissenheit vermerket, daß er nunmehr nach vieler Uebung, etwas Höheres zu verrichten nicht undienstlich sein möchte.‘

13. Wenn daher nun gefragt wird: woraus denn zu schließen ist, daß ein Beruf göttlich sei? so lautet die Antwort: dazu hilft brünstiges Gebet,

wodurch das Herz zur Erkennung des Willens Gottes gelenkt wird, sorgfältige Vergleichung aller Verhältnisse und namentlich Erwägung des größeren Nutzens, Prüfung des eigenen Charakters und Gaben, auch das Urtheil und die sorgsame Ueberlegung gelehrter und frommer Freunde, welches alles Gott heutiges Tages als heilsame Mittel anzuwenden pflegt, nachdem jener unmittelbare Trieb und jene völlig deutliche, von jedem Zweifel freie Art der Berufung aufgehört hat, wodurch er einst die Patriarchen, Propheten und Apostel in seinen Dienst genommen hat.

Und am meisten Gewicht hat es, wenn namentlich die ganze Kirche und dringend beruft, wie es sein sollte. Hier verdienen die Worte der Schmalkaldischen Artikel von der Bischöfe Gewalt und Jurisdiction angeführt zu werden, welche unter anderem sagen: ‚Wo die Kirche ist, da ist je der Befehl das Evangelium zu predigen. Darum müssen die Kirchen die Gewalt behalten, daß sie Kirchendiener fordern, wählen und ordiniren. Und solche Gewalt ist ein Geschenk welches der Kirchen eigentlich von Gott gegeben und von keiner menschlichen Gewalt der Kirchen kann genommen werden, wie St. Paulus zeuget, Ephes. 4., da er sagt: Er ist in die Höhe gefahren und hat Gaben gegeben den Menschen. Und unter solchen Gaben, die der Kirche eigen sind, zählet er Pfarrherrn und Lehrer, und hänget daran, daß solche gegeben worden zur Erbauung des Leibes Christi. Darum folget, wo eine rechte Kirche ist, daß da auch die Macht sei, Kirchendiener zu wählen und ordiniren.‘ Und gleich darauf: ‚Solches wird auch durch den Spruch Petri bekräftigt, da er spricht: Ihr seid das königliche Priesterthum. Diese Worte betreffen eigentlich die rechte Kirche, welche, weil sie allein das Priesterthum hat, muß sie auch die Macht haben, Kirchendiener zu wählen und zu ordiniren. Solches zeugt auch der gemeine Brauch der Kirchen. Denn vor Zeiten wählte das Volk Pfarrherrn und Bischöfe; dazu kam der Bischof am selben Ort oder in der Nähe gesessen, und bestätiget den gewählten Bischof durch Auflegung der Hände‘ ꝛc. Und abermal ebendaselbst: ‚Hieraus stehet man, daß die Kirche Macht hat, Kirchendiener zu wählen und zu ordiniren.‘

14. Es entsteht aber hieraus ein neues Bedenken: ob die frühere Gemeinde Gewissenshalber verbunden sei, den Berufenen zu der Gemeinde zu entlassen, wo größerer Nutzen zu hoffen ist? Wir entnehmen die bejahende Antwort aus der angeführten Stelle:

‚I. So der Pfarrherr Gewissens halber schuldig ist, die neue Vocation als einen rechtmäßigen göttlichen und zu der Kirche größerem Nutzen gerichteten Beruf anzunehmen, so folget, daß sie ihn auch billig nicht sollen wider Gottes Willen aufhalten.

Zuvörderst auch II. damit es nicht das Ansehen gewinnen möge, als wollten sie sich einer absoluten Herrschaft über die Kirchendiener anmaßen, sondern vielmehr sich schuldig erkennen, den ordentlichen göttlichen Vocationen der Prediger den freien Weg zu lassen.

III. Weil die Patrone (Repräsentanten der Gemeinde, die das Berufs-
recht haben) vor diesem gerne gesehen, daß die Fürstliche Herrschaft ihren
Pfarrherrn zu seinem jetzigen Kirchendienst entlassen hat, sollen sie billig
hochgedachtem Fürsten (als Verwalter des Kirchenregiments, welches bei uns
hier allein in den Händen der Gemeinde liegt) auf vorhergehende Vocation
denselben unverweigerlich wiederum folgen lassen, nach der Regel Christi,
Matth. 7, 12.: **Was ihr wollet, daß euch die Menschen thun
sollen, das thut ihr ihnen auch.**

IV. Weil die Erfahrung bezeugt, wie es gerathen, wenn Prediger über
anderweit ergangene Vocation abgehalten worden, daß sie entweder nicht
lang gelebet, oder sonst in Ungelegenheiten kommen, wie solches mit vielen
Exempeln zu beweisen. Hierwider möchten die Patrone (Repräsentanten
der Gemeinde) einwenden:

I. Daß sie diesen ihren Pfarrherrn mit großer Mühe und Kosten auf-
gebracht, und daher ihn zu entlassen nicht schuldig. — Aber wenn solches
gelten sollte, so würde kein Pfarrherr von seinem ersten Kirchendienst sich
begeben können, dieweil fast keines Pfarrherrn Aufzug ohne Kosten geschieht.
Zudem haben sie ihn eben vom selben fürstlichen Hause (als welchem in Deutschland die Verwaltung des Kirchenregiments zusteht, welche hier in den
Händen der Gemeinde liegt) erlangt, von welchem er jetzo gefordert wird.
Ist derowegen billig, daß sie ihn in Gunsten entlassen, zu geschweigen jetzo
dessen, daß mit Beten und treuer Verrichtung seines Amts solche Kosten der
Pfarrherr allbereits reichlich vergolten, 1 Kor. 9, 11.: **So wir euch das
Geistliche säen, ist's ein großes Ding, ob wir euer Leibliches
ernten?**

II. Daß man eines solchen Mannes dessen Orts, da man mit andern
Religionsverwandten grenzt, wohl bedürftig, auch solche Qualitäten bei ihm
befunden, daß, da er dessen Orts länger verbleiben sollte, man noch größere
Nutzung zur Erbauung und Fortpflanzung der reinen Religion und anderes
Guten verhoffe.

Antwort: Daß Gott der HErr einen solchen Mann vor diesem durch
ordentliche Mittel oder Vocation an diesem Pfarrer ihnen gegeben, haben sie,
die Patrone, mit Dank gegen Gott zu erkennen, aber jetzt wider die ordentliche, anderweit ergangene Vocation ihn nicht weiter aufzuhalten, sintemal
dieses ein großes Stück der Dankbarkeit für die göttlichen Gaben zu rechnen,
wenn man derselben, so lange sie uns Gott gönnet, mit Dank und rechtmäßig gebraucht; wenn er sie aber zurückfordert, mit Geduld dieselben
dem lieben Gott wiederum lässet folgen. So ist auch die Hand des HErrn
noch unverkürzt; derselbe treue Gott, welcher diesen Mann ihnen gegeben,
ist noch heute so reich und kann dergleichen, ja auch noch besseren geben,
wenn man nur nicht ein Mißtrauen auf ihn setzet, sondern seiner Vorsehung in Vocationssachen und Bestellung seiner Kirchen den ordentlichen
Lauf lässet.

27

Und wie ſollte man ihm thun, wenn Gott der HErr dieſen ihren Pfarrer durch den zeitlichen Tod abforderte, müßte man gleichwohl ſeiner Güte trauen, er werde wiederum eine andere tüchtige Perſon ſenden. Nun aber iſt es Ein HErr und Ein Gott, der treue Prediger durch den Tod ins Himmelreich oder durch ordentliche Vocation an einen andern Ort fordert.'

15. Aber es muß auch dies Bedenken gehoben werden: Was muß der Paſtor thun, wenn er von der Gemeinde ſeine Entlaſſung nicht erlangen kann? Hier ſtimmen wir wieder mit der Entſcheidung der Jenaer Theologiſchen Facultät, l. c. S. 439: ‚So der Pfarrer in ſeinem Gewiſſen überzeuget, daß I. dieſe neue Vocation rechtmäßiger göttlicher Beruf ſei; II. darinnen er verhoffe etlich größeren Nutzen bei der Kirche Gottes zu ſchaffen, III. und ſein vertrautes Pfund beſſer anwenden könne, IV. beſindet auch, daß auf vorhergehendes Gebet und erholten Rath anderer verſtändiger und gewiſſenhafter Perſonen ſein Herz zur neuen Vocation ihn trägt: ſo hat er den Schluß leicht zu machen, daß I. zu ſchuldigem Gehorſam gegen Gott, den HErrn der Ernte, II. Erhaltung eines ruhigen friedſamen Gewiſſens, III. zur Verhütung künftiger ſchwerer Gedanken und Anfechtung, IV. zur Vermeidung ungleicher Nachrede, als wenn er um Vermehrung der Beſoldung den göttlichen Beruf hintan geſetzet, V. zur Beſtätigung Theologiſcher Freiheit, damit er nicht zu einem gemietheten Diener ſich mache und allen künftigen Beförderungen durch dies Mittel den Weg ihm verſperren laſſe: er dieſer ordentlichen Vocation zu folgen und ſeine Entlaſſung zu urgiren guten Fug, Macht und Recht habe, auch geſtalter Sachen nach verpflichtet ſei. Darum er endlich den Ausſchlag nehmen muß aus dem apoſtoliſchen Spruch, Apoſtelg. 5, 9.: Man muß Gott mehr gehorchen, als den Menſchen. Jedoch verſehen wir uns gänzlich, es werden die Patrone in Betrachtung der oben angezogenen Motive und Umſtände ihn vielmehr in Gunſten entlaſſen, damit er künftig Urſach habe, für ſeine Obrigkeit deſto fleißiger hinfort zu beten und ſolche günſtige Affection deſto dankbarer zu rühmen; zweifeln auch nicht, der Pfarrer werde allen höchſtmöglichſten Fleiß anwenden und alle tauglichen Mittel zur Hand nehmen, um ſolche günſtige Entlaſſung von den Patronen zu erlangen.'

Hierwider wird eingewendet: Es werde dem Pfarrer ſchwer zu verantworten fürfallen, ſo er eine ſeufzende und wieder zurückrufende chriſtliche Gemeinde ohne einige erhebliche Urſache verlaſſen würde. Aber hierauf antwortet das theologiſche oft angezogene, von den Tübinger Theologen approbirte Bedenken: ‚Gleichwie in allen andern Werken Gottes menſchliche Vernunft zu grübeln pflegt, alſo thut ſie auch bei dem Handel des Berufs eines frommen Predigers. Denn hie ruhet der Berufenen eigen Herz und Gedanken nicht, und will die Vernunft ſtark am Irdiſchen hangen, ſiehet bald auf Gunſt und Freundſchaft derer, bei denen ſie lebet ꝛc. Bei ſolchem Eingeben erinnert ſich ein frommer Prediger, daß er Gott mehr, denn der Welt und alles, was darinnen iſt, verbunden iſt. Denn er rühmt ſich ja

Gottes Diener und Legaten und hält sein Amt für Gottes Amt. Wie er nun Gottes ist mit seinem Amt, also soll er auch auf Gott fürnehmlich sehen. Und wie er sonst in seinem ganzen heiligen Amt nicht Menschen, sondern Gott zu Gefallen lebet, hierbei der Welt Gunst und Ungunst nicht ansehen soll, also bei seinem Beruf erwäget er billiger, ob er göttlich und christlich sei. Befindet er dies und ist in seinem Herzen überzeugt, so muß er Gott hie auch mehr gehorchen, denn allem menschlichen Eingeben und fleischlichen Gedanken. Gott hat aller Menschen Herzen in seiner Hand, kann uns und den Unsrigen andere treue Freunde und Förderer erwecken.'"

16. Es ist also nicht der Fall, daß Einen die Thränen der Zuhörer zurückhalten sollen, weil auch Paulus sich durch dieselben nicht hindern ließ, Apostelg. 20, 7. Es gereicht daher die Wegnahme eines treuen Predigers der früheren Gemeinde zur Zurechtweisung für die Guten, zur Strafe für die Bösen und zur Warnung beider, wodurch alle zu dem Segen gelangen sollen, daß sie theilhaftig werden der göttlichen Verheißung Jes. 30, 20. 21.: Der HErr wird deinen Lehrer nicht mehr lassen wegfliehen, sondern deine Augen werden deinen Lehrer sehen, und deine Ohren werden hören das Wort hinter dir sagen also her: dies ist der Weg, denselben gehet; sonst weder zur Rechten noch zur Linken.

„Es soll", sagen die Jenaer Theologen in der citirten Stelle, „diese Abforderung ihres Pfarrers die Zuhörer vielmehr zum Gebet anmahnen, daß sie aus rechtem bußfertigen und thränenden Herzen Gott um einen andern tüchtigen Lehrer anrufen, als daß sie umgekehrter Weise deswegen den Weg einer ordentlichen Vocation hindern wollten. Ueber das sind solche Thränen der Zuhörer ein öffentliches Zeugniß, daß der Pfarrer sich bei ihnen wohl und also verhalten, daß er tüchtig und würdig zu höheren Diensten befördert zu werden."

17. Im Vorbeigehen glauben wir auch dies erinnern zu müssen aus S. 541: „Niemand soll dafür halten, man sei in solcher Vocation zuwider dem Gebot Gottes: Laß dich nicht gelüsten. Denn ja bewußt, daß dies Gesetz von einer verbotenen, bösen, sündlichen Lust handele, und kann demnach so wenig wider den ordentlichen Beruf eines Kirchendieners gezogen werden, als wenn man aus demselben beweisen wollte, es sei unrecht, daß man des Nächsten Kind ordentlicher Weise zur Ehe begehre. Auch hätten vermöge desselben Gebots die Patrone vor diesem ihren jetzigen Pfarrer auch nicht dürfen von einer andern Kirche begehren und fordern. Zudem so ist ein Pfarrer nicht ein leibeigener Diener der weltlichen Obrigkeit (der Gemeinde), sondern ein Diener Christi und seiner Kirche.

Wenn demnach Gott der HErr durch ordentlichen Beruf derer, so Macht und Recht haben, in der Kirche zu berufen, ihn an andere Derter erfordert, ist's nicht für eine verbotene Lust, sondern vielmehr für ein hohes göttliches Werk zu achten, seine göttliche Vorsehung in Regierung und Erbauung der

Kirche zu erkennen und seinem göttlichen Willen allerseits gehorsamlich zu folgen."

18. Uebrigens gehört hierher, was der selige Dannhauer in seiner Theologia Conscientiae II. S. 986 sagt: „Ein Prediger, welcher begehrt wird, darf von der Gemeinde, zu welcher er öffentlich hingeholt werden muß, nicht der Gemeinde, von welcher er nicht heimlich weggerufen werden darf, ohne Wissen und Willen des Landesherrn, in dessen Gebiet die Gemeinde liegt, heimlich entzogen werden. *) Gesetzt, es sei der, welcher berufen wird, durch die Bedingung einer Unterstützung oder eines Stipendiums an die berufende Gemeinde gebunden, so muß er doch öffentlich zurückgefordert werden, unbeschadet jedoch der Ehre Gottes und des Wohls der Kirche; die zweite Tafel weicht der ersten.   Wenn z. B. der verlangte Prediger der Gemeinde, von welcher er berufen wird, nützlicher sein könnte, als der Gemeinde, zu welcher er berufen wird.   Wenn diese das ihr sonst Zukommende entbehren könnte, dann weicht das Gewissen der berufenden von der Strenge ihres Rechts; wenn aber nicht, dann entläßt das Gewissen derjenigen, von wo hinweg die Berufung geschieht, den Berufenen mit Recht."

19. Kurz: man muß sorgfältig Versuchung von Berufung unterscheiden, welche letztere aus einer fehlerfreien Ursache oder aus dem Einklang aller Ursachen zu Stande kommt: wenn der, welcher beruft, ein Recht zu berufen hat; wenn der, welcher berufen wird, berufbar ist, wenn frei von bindenden Fesseln; wenn die Berufung gottgefällig geschehen und lieblich, ohne Verletzung des Gebotes, daß man fremdes Gut nicht begehren soll. Erbeten werden soll der, welcher berufen wird, von dem, welcher ein Recht an ihn hat, nicht geraubt; wenn ferner die Noth drängt, entweder eine sehr große oder unbedingte, die vom Himmel her verhängt und mit Gefahr für das allgemeine Beste verknüpft ist, wo man Gott nachgeben und geringere Bande auflösen muß (denn Mose hat nicht gesündiget, obgleich er ein Pflegsohn der Thermutis war und Wohlthaten aus Aegypten empfing, als er entfloh und die Gemeinschaft mit Christo höher achtete als die Schätze Aegyptens), oder wenn es zur größeren Ehre Gottes und Frucht für die Kirche dient, nach recht geschätztem Verhältnisse des Arbeitsfeldes und der Kräfte.   Denn was ist das für ein Verhältniß, wenn ein großes Licht auf die Erleuchtung eines kleinen Zimmers beschränkt ist? oder Jonas auf eine kleine Stadt Judäa's, der zur Erleuchtung Ninive's gleichsam geboren und geschaffen war?

Wenn es sich so mit der Vocation verhält, so muß man sie ohne Zweifel annehmen und Gott nicht davon laufen, damit er nicht im Zorn sein Angesicht einem zukehre, was den flüchtigen Jonas betroffen hat.   So gehorchte der Heidenapostel, als er von einem Engel (der macedonische Sprache, Manier,

---

*) Bei uns würde diese Forderung erfüllt, wenn von der berufenden Gemeinde brüderliche Mittheilung in Betreff der Vocation an die Gemeinde, von welcher ein Prediger oder Lehrer weggerufen wird, geschieht.   Der Uebersetzer.

Haltung und Kleidung hatte,) zur Hilfe gerufen wurde, damit Paulus von Tarsus das Reich, welches Paulus Aemilius durch Waffengewalt dem römischen Joche unterworfen hatte, durch das Wort der Herrschaft Christi unterwerfe. So besucht derselbe im Geiste gebundene Apostel Jerusalem mit dem gesteigertsten und heftigsten innern Kampfe. Wer den Löwen draußen fürchtet, verletzt schwer sein Gewissen, Sprüche 22, 13., wo Luther in der Randglosse sagt: „Das sind Prediger, Regenten, Gesind, die den Fuchs nicht beißen, gehen nicht durch Dick und Dünne."

20. Wir haben noch das andere Extrem hinzuzufügen: denn es sündigen nicht blos durch Zuwenig diejenigen, welche die Versetzung der Prediger des Worts ganz mißbilligen, sondern auch im Gegentheil durch Zuviel diejenigen, welche hin- und herlaufen und aus Unzufriedenheit mit ihrer Stelle, diesem Spiegel des Hochmuths, eine höhere zu erlangen suchen, nur von Ehrgeiz oder Habsucht getrieben, ohne die Noth der Kirche und den Zwang des Berufs zu erwarten. Daraus folgen denn auch meistens geringe Resultate, und ihren Gemeinden erwächst mehr Nachtheil, als Vortheil, daraus.

Dann sollen auch diejenigen sich dies gesagt sein lassen, welche schneller wechseln, als sie gewechselt werden, indem sie auf den Tod anderer warten, ja sogar mit Anrechten sich versorgen, uneingedenk jenes Ausspruches Cato's, den sie vielleicht einst in der Schule gelernt haben: „Auf eines andern Tod setz' deine Hoffnung nicht." Denn das heißt sich selbst berufen und aus Ehrgeiz die Würdigkeit zu einer höhern Stufe feil bieten. So that Aaron nicht, welcher sich die Ehre nicht raubte, sondern sie durch Beruf empfing, Hebr. 5., so thaten in früheren Zeiten treue Knechte Gottes nicht, welche wider ihren Willen zum Lehramt oder zu höheren Würden genöthigt wurden.

21. Wer daher sein Gewissen in Acht nehmen will, der lasse sich von einer mittelmäßigen Stelle wegen einer Schaufel voll Gerste oder einer Handvoll Ehre nicht nach einer vermeintlich größeren versetzen, sondern er forsche nur fleißig und befolge in dieser schwierigen Angelegenheit, was die apostolische Praxis befiehlt und der Nutzen der Kirche und das Heil der Zuhörer zuläßt. Wer gottselig und redlich ist, wird seine Gemeinde aufrichtig lieben und sie, so lange er kann, versorgen und nicht verlassen, außer wenn die Vocation eine nöthigende Kraft hat.

Kurz, wer durch ausgezeichnete Gelehrsamkeit, Eifer und Frömmigkeit andere übertrifft und mit vorzüglichen Gaben ausgerüstet ist, der ist zu einer höhern Stufe und Stelle zu erheben, damit das rechte Verhältniß bewahrt werde; auch diejenigen, welche mit Mangel kämpfen und geringes Einkommen haben, während sie thun, was ihr Amt erfordert und andere durch Gottseligkeit des Wandels übertreffen, mögen, wenn sie fähig sind, mit rechtmäßigem Grunde an eine andere Gemeinde versetzt werden, damit ihrem Mangel abgeholfen werde, namentlich wenn sie Kinder zu ernähren haben. Die Uebrigen, welche keine gewichtigen und triftigen Gründe haben, während sie ihre Zuhörer verlassen, mögen zusehen, was sie thun.

O daß den Gemeinden die Versetzung der Prediger immer so heilsam wäre, als sie häufig ist! Nicht ohne Grund war früher eine Strafe für diejenigen bestimmt, welche ihre Stelle zu ändern sich unterwanden, um für ihren Vortheil zu sorgen: „Wer sich um eine fremde Kanzel bewirbt, soll gar keine haben;" und: „Von beiden soll er vertrieben werden."

Nebenbei ist zu bemerken, wenn jemandem zu gleicher Zeit zwei Berufe angetragen werden, und gefragt wird, welcher den Vorzug haben soll: daß da zwar keine bestimmte Regel gegeben werden könne, sondern daß man auf den Rath anderer und seines eigenen Gewissens hören müsse. Jedoch wer sein Gewissen in Acht nehmen will, wird auf dreierlei gewissenhaft Rücksicht nehmen: 1. die Autorität seiner Vorgesetzten; 2. seine Verpflichtung gegen irgendwelche Gemeinde; 3. den Nutzen und die Erbauung der Kirche.

22. Es kommt auch dies Bedenken vor: wenn jemand aus einer fettern Parochie in eine magerere, wo jedoch eine größere Menge Zuhörer ist, berufen wird, ob er dann gehalten ist, Folge zu leisten? Auf's treffendste, wie immer, antwortet Dannhauer: „Er wird sicherer und edler handeln, wenn er Folge leistet wegen der eben angeführten Gründe; wenn jedoch die Gemeinde, welche ihn beruft, seiner ohne Nachtheil entbehren kann und die Gemeinde, von welcher er wegberufen wird, ihn ungern entläßt, so darf ihm die Ablehnung nicht zum Fehler angerechnet werden."*)

Auf die Frage, ob es einem Prediger schlechterdings nicht erlaubt sei, von einer Gemeinde zu einer anderen überzugehen, antwortet Ch. Kortholt, daß es allerdings unter Umständen erlaubt sei, und beweist dies, wie folgt: „Denn wie der HErr der Ernte Macht hat, seine Diener zu berufen, so auch, sie von einem Ort auf einen anderen zu versetzen; und es ist nicht zu zweifeln, daß es nach dem Willen dieses HErrn geschehe, wenn nur alles rechtmäßig vollzogen wird, so die Kirche auf diese Weise die Diener des Wortes versetzt. Denn 1. spricht der Apostel, von den Diakonen handelnd 1 Tim. 3, 13.: Welche aber wohl dienen, die erwerben ihnen selbst eine gute Stufe; was er nicht sagen würde, wenn nicht die, welche in geringeren Aemtern treu dienen, zu größeren erhoben werden könnten. 2. Warum sollten diejenigen, welche, mit ausgezeichneten Gaben ausgerüstet, in geringen Verhältnissen eine Zeitlang der Kirche vorstehen, nicht volkreicheren Gemeinden vorgesetzt werden können, da dies zu größerem Vortheil der Kirche geschehen würde? 3. Und wenn eine solche Versetzung kirchlicher Personen für ganz unerlaubt anzusehen wäre, so würden wir ja zu Superintendenten ꝛc. und zu Pastoren der größten Gemeinden kaum andere haben, als Jünglinge, die vorher keine kirchlichen Aemter verwaltet haben, was durchaus ungeeignet wäre. Indessen wird damit die Leichtfertigkeit derjenigen nicht gebilligt, welche ohne bringende Noth und ohne ganz augenscheinlichen Nutzen der Kirche ihren Sitz öfters ändern, und (wie Seneca von den

---

*) Pastorale ev. Lib. IV, c. 2. 3. p. 1380—1384. 1386—1398.

Kranken sagt) die Veränderungen als Heilmittel gebrauchen, indem sie ihre Stellen verlassen, entweder wegen größeren und reichlicheren Soldes, oder um Arbeiten, die sie leisten können, los zu werden, oder um höhere Ehre zu erlangen, und auf was sonst für zeitliche Vortheile hier gesehen zu werden pflegt. Denn solche machen aus der Gottseligkeit ein Gewerbe (was der Apostel 1 Tim. 6, 5. verbietet). Von ihnen sagt Matthesius artig: „Mancher thut wie die Sonnenkrämer; wo die Sonne scheint und da er denket Gold zu lösen, da bindet er seinen Knapsack auf; gehet ein trübes Wölklein herein und die Waare will auf einer andern Kirchweihe mehr gelten, so bindet er wieder ein und fähret auf; Gott gebe, es bleibe Mutter oder Braut, daran der Sohn Gottes so viel gewendet hat, wo sie will.‘“ (Pastor fidelis, p. 57—60.)

Was die wegberufende Gemeinde betrifft, so schreibt die theologische Facultät zu Wittenberg im Jahre 1634: „Das Urtheil, ob und wo ein Prediger, so in Diensten ist, größeren Nußen schaffen könne, steht nicht allein in des Predigers Judicium, welcher zwar von der Zuhörer Menge und Capacität, nicht aber von seiner, die doch auch zu Schaffung größern Nußens erfordert wird, urtheilen mag; auch nicht in des vocirenden Theils; wie denn auch nicht in des entlassenden Theils; sondern in deren gesammtem und des Presbyterii vernünftigem Gutachten. Und dann, wenn die Wahrscheinlichkeit größeren Nußens auf Seiten des Predigers und der Zuhörer ausführlich gemacht ist, so muß dennoch die Entlassung eines in Pflicht begriffenen Predigers entweder (und billig) mit vorausgehender Einstimmung (es wollte denn dieselbe ohne genugsame Ursachen, davon andere Vernünftige zu urtheilen, versagt werden), oder aber ja mit folgender Approbation der Kirche, welcher sich der Prediger verpflichtet hat, geschehen.“ (Consilia Witebergens. II, 59.) So schreibt ferner über denselben Punct das Braunschweiger Ministerium im Jahre 1578 unter Martin Chemnißens Vorsiß: „Wie der Kirche und Gemeine Consens und Wille vonnöthen ist, wenn einer rechtmäßig berufen wird, also kann auch ohne der Kirche Consens und Willen keine Verlassung der Kirche geschehen und vorgenommen werden. Es sind unter unserm Mittel Etzlichen auch oft andere Berufungen ohne ihr Suchen fürgefallen, auch an solche Orte, da dem lieben Gott viel hätte können gedient werden; weil aber diese Kirche ihren Consens und Willen zu angestellter Aenderung und Verlassung aus erheblichen Ursachen nicht hat können noch wollen geben, haben die, so anderswohin vocirt worden, auf ihr Gewissen nicht wollen noch können nehmen, diese Kirche (welcher sie, was Amtssachen anlanget, keine erhebliche Schuld geben können) zu verlassen. So könnten wir auch wohl Exempel anzeigen, daß etlichen, so ihre Kirchen ohne derselben Willen stracks alsbald verlassen, allerlei Ungelegenheit auch mit Beschwerung ihres Gewissens hernach zugestanden... So befinden wir auch in dem zurück rufenden Schreiben, daß gleich als eine Bedingung daran gehängt wird, wenn seine, Herrn N., Kirche solche Vocation nicht streiten würde. Derhalben wissen wir hierinne nichts anderes zu rathen, denn wie wir selbst, wenn's uns anginge, thun wollten, daß nehmlich Herr N. wiederum nach Thüringen schreibe" (dahin er versetzt werden sollte), „daß seine Kirche aus guten christlichen Ursachen ihn nicht verlassen (d. i. entlassen) wollte; und weil er ihnen keine erhebliche Schuld zu geben wisse, könne er auf sein Gewissen nicht nehmen, seine Kirche ohne und wider ihren Willen zu verlassen. Da sie aber bei den Junkern und bei der Gemeine zu N. mit Anziehung beweglicher, erheblicher Ursachen anhalten würden und wollten, daß es mit gutem Willen zugehen möchte (wie er sich denn auch versehe, daß seine jetzige Kirche auf Befindung erheblicher Ursachen sich nicht würde widersetzig erzeigen, Gottes Werk an andern Orten zu hindern): so könnte er dann Gottes Willen daraus spüren und vernehmen, und entweder mit. Bleiben oder mit Wegziehen sich also erzeigen, daß es mit gutem Gewissen und ohne Aergerniß geschehen möchte." (Dedekennus' Thesaurus, II, 543. 544.) — Die schuldige Einwilligung der Gemeinde betreffend, wenn ihr Prediger wegberufen wird, schreibt die theologische Facultät zu Jena unter Joh. Gerhard's Vorsitz im Jahre 1617: „Ob zwar der Fürwitz derer nicht zu loben, welche ohne ordentlichen Beruf, ohne Nothwendigkeit, ohne größern Nutz der Kirche und ohne erhebliche Ursachen ihre Kirchendienste oft verändern: so ist doch auch im Gegentheil derer Meinung keineswegs zu billigen, welche dafür halten, daß ein berufener Kirchendiener seine vorige Stelle, darinne er Anfangs von Gott gesetzt, mit gutem Gewissen nicht könne verlassen und einen andern Beruf annehmen. Sintemal das Widerspiel aus Gottes Wort, 1 Tim. 3, 13., aus bewährten Exempeln, des Timothei und Titi in der ersten apostolischen, als auch anderer frommer Bischöfe und Kirchendiener in der uralten Kirche, aus vielen Kirchengesetzen der alten Concilien und Väter, und andern unbeweglichen Gründen zu erweisen. Die andere Frage betreffend, ob die Junker" (die als Kirchenpatrone im Namen der Gemeinde das Berufungsrecht hatten) „mit gutem Gewissen ihren Pfarrherrn aufhalten können, oder ob sie nicht vielmehr ihn in Gunst zu entlassen Gewissens halber schuldig sein: hat dieselbe ihre Entscheidung aus der ersten Frage. Denn 1. so der Pfarrer Gewissens halber schuldig ist, die neue Vocation als einen rechtmäßigen, göttlichen und zu der Kirche größerem Nutz gerichteten Beruf anzunehmen, so folget, daß sie ihn auch billig nicht sollen wider Gottes Willen aufhalten. Zuvörderst auch 2., damit es nicht das Ansehen gewinnen möge, als wollten sie sich einer unbedingten Herrschaft über die Kirchendiener anmaßen; sondern vielmehr sich schuldig erkennen, den ordentlichen göttlichen Vocationen der Prediger den freien Weg zu lassen. 3. Weil die Junker vor diesem gerne gesehen, daß die Fürstliche Herrschaft ihren Pfarrer zu seinem jetzigen Kirchendienst entlassen hat, sollen sie billig hochgedachten Fürsten auf vorgehende Vocation denselben unweigerlich wiederum folgen lassen, nach der

Regel Christi Matth. 7, 12.: Was ihr wollet, das euch die Menschen thun sollen, das thut ihr ihnen auch. 4. Weil die Erfahrung bezeugt, wie es gerathen, wenn Prediger über anderweit ergangene
Vocation abgehalten worden, daß sie entweder nicht lange gelebt oder sonst
in Ungelegenheit gekommen, wie solches mit vielen Exempeln zu beweisen."
(Dedekennus' Thesaurus, II, 537.)

Anmerkung 2.

Darüber, daß ein Prediger seine Gemeinde nicht um der Bösen
willen, die in derselben sind, verlaffen dürfe, mögen folgende Zeugniffe hier
Platz finden.

So schreibt Luther im Jahre 1527 an Joh. Draco in Waltershausen:
„Ich rathe auf alle Weise, daß ihr euch das Böse nicht überwinden laffet,
den Ort zu verändern; sondern daß ihr nach Pauli Rath das Böse mit
Gutem überwindet. Gedenket doch, daß ihr nicht um der Bösen willen"
(die es bleiben wollen) „dahin gesetzt seid, sondern um der wenigen Frommen
willen. Und wenn ihr die verließet wegen der Bösen, was für einen Stachel
des Todes stießet ihr da in euer Gewiffen? Wenn ihr nicht dort wäret,
müßtet ihr doch um der Guten willen zulaufen und der Bösen nicht achten.
Wollt ihr etwa allein ohne Verfolger, eine Rose ohne Dornen, ein Kind
Gottes ohne Satan sein, und lieber andere Gottlose, als diese, haben? Man
muß das Vertrauen haben, daß Gott auch aus dieser Versuchung Frucht
schaffen und ihr endlich die gewinnen werdet, welche euch reuen würde verlaffen zu haben. Der HErr wird euch ernähren, das glaubet.. Eure heiligen
Bräuche und Ceremonien gefallen mir ganz wohl; nur denket nicht, daß ihr
an allen den Eurigen lauter fromme und ruhige Leute haben werdet; sondern
danket vielmehr, wenn euch etwa ihrer drei lieben und gerne haben, die andern
aber haffen und verfolgen. Wie viel hat Christus an seinem so großen Volk
gehabt, die ihm angehangen? Kaum die Geringsten, Schlechtesten und Uebrigen
von demselben ganzen Israel und auserwählten Volke Gottes." (**XXI**, 1028.)
In demselben Jahre schrieb Luther an Clemens Ursinus in Brüce: „Was
ihr mich fraget, lieber Clemens, das widerrathe ich allerdings, daß ihr nemlich
eure Stelle verlaffet, es sei denn, daß man euch zwinge, wie auch Christus der
Juden Trägheit lange geduldet hat. Das heißt alsdann den Staub recht
abschütteln, wenn wir gezwungen verjagt werden. Wer weiß, ob nicht etliche
noch glauben werden?" (**XXI**, 1030.) Auf die Frage zweier Prediger
endlich: „Ob sie ihre Kirche laffen und den Feinden des Evangelii weichen
sollen", antwortet Luther im Jahre 1530 Folgendes: „Ich habe eure
Schrift, an mich gethan, gelesen, lieben Herrn, darin ihr meines Raths begehret, ob ihr weichen sollt und Raum geben den Feinden des Evangelii bei
euch, die sich doch als Freunde stellen. Darauf ist kurz meine Antwort
und Meinung, daß ihr ja beileib noch zur Zeit nicht weichet, daß es nicht ein
Ansehen habe, daß ihr als Miethlinge eure Schafe verlaffet. Darum fahret

beide fort in eurem Amte, euch von eurer Kirche befohlen. Leidet alles, was euch zu leiden ist, bis so lange sie euch mit Gewalt absetzen oder aus Befehl der Obrigkeit vertreiben; sonst sollet ihr dem grimmigen Wüthen des Satans mit nichten weichen. Ihr seid nicht allein, die solches leiden. Diese heimliche Verfolgung, so von falschen Brüdern geschieht, trifft und drückt uns alle unter unsern frommen Oberherrn, nicht unter den Tyrannen und Feinden des Worts. Weil wir jetzund von auswendigen, öffentlichen Feinden des Worts, Gott Lob! nicht verfolget werden, und doch die Art des Evangelii ist, daß es ohne Verfolgung nicht sein, viel weniger wachsen und ausgebreitet kann werden, so mögen wir diese heimliche Verfolgung, von unsern Hausgenossen uns zugefüget, leiden. Es will und muß doch gelitten sein, es komme nun von Feinden oder Freunden. Drum seid stark und nehmt dies euer Creuz auf euch und folget Christo, dem HErrn, so werdet ihr Ruhe finden für eure Seele. Christus, der HErr, der aller gottseligen Creuzherrn Herzog und Tröster ist, erhalte und stärke euch mit seinem freudigen Geist." (X, 1890. f.)

Auch Brochmand antwortet nach Dunte auf die Frage: „Ob ein Diener des Worts mit gutem Gewissen um der Untreue seiner Collegen oder um der Bosheit seiner Zuhörer willen sein Amt aufgeben könne", Folgendes: „1. Christus hat es ausdrücklich vorausgesagt, daß seine Diener mit diesen und ähnlichen Trübsalen kämpfen müssen. Matth. 10, 16.: ‚Siehe, Ich sende euch wie Schafe mitten unter die Wölfe.' Vers 22.: ‚Und müssen gehasset werden von jedermann um meines Namens willen.' Vergleiche Joh. 15, 19. f. — 2. Christus und die Apostel haben dies erfahren, und doch haben sie darum das Amt nicht aufgegeben. Der Berräther Judas und viele aus den Jüngern verließen ihn; wie viel hat Paulus von den falschen Brüdern erleiden müssen! Vergleiche 2 Kor. 11. — 3. Jonas mag zum Beispiel dafür dienen, daß die, welche aus Furcht vor Ungelegenheiten und Gefahren das Amt niederlegen, in die allergrößten Ungelegenheiten und in das größte Elend gerathen. Eine andere Sache ist es, wenn der ganze ihm anvertraute Haufe so boshaft ist, daß er ihn nicht hören, noch ihm gehorchen will; dann kann er aus seinem Amte scheiden. Diese Behauptung gründet sich auf das Beispiel Christi Luk. 4, 28. ff. Matth. 14, 13. Joh. 8, 59., und der Apostel Apostelg. 8, 1. 13, 51., auch auf Christi klare Worte Matth. 10, 14." (Decisiones mille et sex. S. 646.)

Auf die Frage: „Ob einem Kirchendiener erlaubt sei, zur Zeit der Verfolgung zu fliehen", antwortet J. Gerhard: „Tertullian mißbilligt es schlechterdings, aber Christi Rath zeigt das Gegentheil Matth. 10, 23.: ‚Wenn sie euch aber in einer Stadt verfolgen, so fliehet in eine andere;' ferner das Beispiel Christi Matth. 2, 13. 12, 15. Joh. 8, 59. Luk. 4, 30., des Apostels Paulus Apostelg. 9, 25. 2 Kor. 11, 33., des Polykarpus und Athanasius. Es ist daher ein Unterschied zu machen zwischen besonderen Verfolgungen, in welchen es nur auf die Person des Kirchendieners abgesehen ist, und den

allgemeinen Berfolgungen der ganzen Kirche; in jenen erklären wir die Flucht
für erlaubt, in diesen nur in gewisser Rücksicht. Denn es ist ferner zu unterscheiden zwischen den Zuständen der Kirche. Zuweilen nemlich flieht der
Kirchendiener mit Zustimmung, ja, auf Zurathen seiner Zuhörer so, daß
unterdessen die Kirche, welcher er vorgesetzt war, an anderen tüchtigen Lehrern
keinen Mangel hat, was wir für erlaubt ansehen; zuweilen aber flieht er so,
daß den Zuhörern, die seine Flucht weder rathen, noch in dieselbe einwilligen,
ein Aergerniß, den Feinden aber Veranlassung zu Lästerungen und Gelegenheit den Schafen nachzustellen gegeben wird, was wir für unerlaubt achten."
(Loc. theol. de minister. eccl. § 291.)

Anmerkung 3.

Daß ein Prediger weichen sollte, wenn es offenbar ist, daß nicht seine
Lehre, sondern seine gebrechliche Person den Anstoß bilde und daß daher sein
Bleiben den Fortgang des Werkes Gottes nur aufhalte, während ein anderer
dasselbe an seiner Stelle voraussichtlich fördern würde, dies bezeugt Martin
Chemnitz, wenn er schreibt: „Wenn es allein auf den Pastor abgesehen
ist, wider den die Feinde der Wahrheit um gewisser Ursachen willen, die sie
haben, sonderlich verbittert sind, und so das Abtreten desselben der Kirche
Friede und Ruhe wiedergeben könnte: dann sündigt der Diener des Wortes
ohne Zweifel gegen die Regeln der Liebe, wenn er merkte, daß es hauptsächlich
auf seine Person abgesehen sei, die Kirche aber Frieden genießen könnte, und
daß andere vorhanden seien, welche der Erbauung der Kirche in seinem Ab-
wesen dienen könnten, er selbst aber durchaus nicht weichen wollte, nur um
nicht zur Ertragung der Mühseligkeiten des Exils genöthigt zu sein." (Siehe
Evangelische Harmonie, Cap. 72., zu Matth. 10, 23.)   In gleichem Sinn
schreibt Spener: „Wo einer bei einer großen Gemeinde gestanden, da er
aber nichts gefunden zu erbauen, sondern eine stete Widersetzung, sonderlich
wo es ein Widerwille besonders gegen seine Person und einige
Art seiner Gaben wäre; es käme aber eine Berufung zu einer auch
kleineren Gemeinde, von der eine mehrere Folgsamkeit zu hoffen: würde ich
nicht viel Bedenken haben, den göttlichen Finger darin zu erkennen, das
Gegentheil aber bei umgekehrten Umständen." (Theol. Bedenken. I, 509.)

Anmerkung 4.

Ein bereits im Amte befindlicher Prediger sollte sich nie dazu hergeben,
eine Probe- oder Wahlpredigt zu halten. Thut er dies, so setzt er sich
in die Gefahr, wenn er auf diesem Wege in ein anderes Amt kommt, also
selbst darnach gelaufen ist, der Rechtmäßigkeit seines Berufs stets ungewiß zu
sein, gibt jedenfalls den ärgerlichen Schein eines Miethlingssinnes und macht
sich, wenn er die begehrte Beförderung nicht erlangt, seiner Gemeinde, die ihn
behalten muß, verächtlich.

Anmerkung 5.

Ein Prediger soll auch die Stelle eines mit Unrecht Vertriebenen, die diesem ja noch vor Gott gehört, nicht annehmen. Als im Jahre
1531 in Zwickau ein Prediger verjagt worden war, schrieb daher Luther an
den dortigen Pfarrer Nikol. Hausmann u. A. Folgendes: „Ihr wisset, daß
Ihr der Kirchen zu Zwickau rechter berufener, beide vom Rath und der Gemeine angenommener Pfarrherr und Seelsorger seid, also daß Ihr an jenem
Tage Rechenschaft müsset geben für dieselbe Euch befohlene Kirche, und schuldig
seid, so lange Ihr lebet, sie mit reiner Lehre zu versorgen, für sie mit Ernst zu
beten, sorgen, wachen und Euer Leben in allerlei Noth und Gefahr, so vorfallen mögen, als Pestilenz und andere Krankheiten, wie sie nur heißen, zu
wagen und lassen, und vorne an der Spitzen zu stehen wider die Pforten der
Hölle und alles, was einem frommen, treuen Pastor und Seelsorger Amts-
halben gebührt zu thun, leiden und ausstehen. Welches fürwahr alles schwere,
große, ja göttliche Werke sind; wie Ihr denn bisher, Gottlob! fleißig und
treulich gethan habt. Weil aber jetzt Euer Rath, vom bösen Geist getrieben,
den Prediger zu St. Catharina verstößet, von keinem Richter weder verklaget
noch überweiset einiger Unthat; sondern solches aus eigener Gewalt und
Frevel als rasende Leute und rechte Kirchenräuber (nicht leiblicher Güter,
sondern des Amtes und Ehre des Heiligen Geistes,) vornehmen und in einerlei
Sache zugleich Part und Richter sein, will sich in keinem Weg leiden, daß
Ihr dazu sollet stille schweigen oder darein bewilligen, auf daß Ihr Euch
dieses fremden Kirchenraubes nicht theilhaftig machet, noch schuldig werdet
der unbilligen und schmählichen Gewalt, an dem verstoßenen Bruder begangen.
Wäre er aber sträflich gewest und hätte verschuldet, daß Ursache wäre gewest,
ihn vom Amte abzusetzen, sollte solches mit Recht auch mit Eurem Wissen und
Rath, als des Pfarrherrn, vorgenommen sein. Noch ärger aber ists, daß sie
einen Anderen an des Verstoßenen Statt ausstellen ohne Euer Erlaub, ja
wider Euren Willen und also aus gleicher eigener Gewalt und Unrecht, nun
auch an Euch geübt, denselben eindringen. Hier, lieber Herr und Freund, seid
gewarnet um Christi willen, daß Ihr Euch wohl fürsehet (denn es fürwahr
nicht eine schlechte, geringe Sache ist), daß Ihr Euch mit den Kirchenräubern
nicht verschuldet und ein Theil des Fluchs nicht auch über Euch gehe. Fraget
Ihr nu, was Euch hierin zu thun sei? Ich zwar weiß nicht viel zu rathen,
doch setze ich für gut an, ermahne Euch auch treulich, daß Ihr bei der Sache
thut, wie ich ihm thun wollte. Erstlich sollt Ihr den unberufenen und eingedrungenen Prediger vor Euch in Gegenwart der andern Eurer Gehülfen
fordern und ihm gütlich, doch mit einem Ernst, vorhalten des Raths Frevel
und Thurst; und weiter ihm anzeigen, daß er durch Euch (dem die Kirche
befohlen) nicht berufen sei, derhalben als ein Dieb und Mörder, und gleichwohl in derselben Eurer Kirche lehre und regiere, für welche Ihr müsset
Rechenschaft geben. Solle derhalben wissen, daß er sich mit Gewalt eindringe
und raube Euer Pfarramt ohne Euer Wissen und Bewilligung. Derhalben

Ihr ihn vermahnt, daß er von solchem Raub abstehe; oder soll zusehen, mit
was Gewissen er solchem geraubten Amte könne fürstehen? Denn Euch die
Kirche vertraut und befohlen. Derhalben ohne Euern Willen Niemand gebühren will, darin weder Lehre noch Regieramt zu üben. Kehrt er sich nu
an diese Vermahnung nicht, so sonderlich in Beisein weniger Personen mit
ihm vorgenommen ist, so zeiget ihm an: Ihr wollet eben solches, so Ihr ihm
insonderheit fürgehalten, auch einem ehrbaren Rath anzeigen. Das thut auf
diese Weise: fordert sie entweder zu Euch oder gehet zu ihnen. Aufs Erste
fraget sie, ob sie Euch für ihren Pastor und der Kirchen zu Zwickau Seelsorger
erkennen? Sagen sie ja, so haltet ihnen mit ernstlichen Worten für das Amt
und Gefahr eines treuen Pastors, und wie Ihr müsset Rechenschaft geben für
dieselbe Eure Kirche, und was es für Mühe, Sorge und Arbeit koste, das
ganze Leben über für sie sorgen und stehen in aller Noth zur Pestilenzzeit oder
anderen Krankheiten, die vorfallen können, wie droben zum Theil angezogen.
Weil Ihr aber mit solcher saurer schwerer Arbeit Eures Amts keines bessern
Lohnes sollt gewärtig sein, denn daß sie Euch einen Prediger (von dem Ihr
nicht wisset, wie es eine Gelegenheit um ihn habe seiner Lehre und Lebens halben), Euch ungefragt, ja wider Euren Willen eindringen, den vorigen aber
hinter Euch, ohne einige Erkenntniß des Rechtens, schmählich und böslich verstoßen, so wollt Ihr für ihnen bezeuget haben, daß Ihr in diesen ihren Thurst
und Frevel nie bewilliget habt, noch jetzt drein bewilliget, und nimmermehr
drein bewilligen wollet. Sollet sie auch daneben vermahnen, daß sie wohl
mögen zusehen, wen sie hören, weil er nicht berufen, sondern mit Gewalt eingedrungen wird, und derhalben als ein Dieb komme und Räuber göttlichen
Amts. Bezeuget auch, Ihr wollet entschuldiget und rein sein vom Blut
derer, die solche Gewalt und Beraubung Eures Amts fürnehmen, darein bewilligen und bestätigen. — Daß Ihr solches thun sollt, fordert die Noth,
damit Ihr Euch nicht theilhaftig macht fremder Sünde. Bewegt sie solche
Vermahnung zwischen Euch und ihnen allein nicht, so zeiget ihnen an, Ihr
wollet solches auch dem Volke öffentlich von der Kanzel unangezeigt nicht
lassen. Wie Ihr auch thun sollt mit diesen oder dergleichen Worten: ‚Lieben
Leute, ihr wisset, daß ich euer Pfarrherr bin, und muß für euch Rechenschaft
geben, und alle Tage mein Leib und Leben für euch wagen wider Teufel und
alle Gefahr der Seelen; darum ich auch soll und muß die Predigt versorgen
in dieser Stadt. Nu habt ihr einen Prediger verjaget, ehe er vor Gericht
überwunden, und ohne mein Zuthun, da ich doch sollte fürnehmst
dazu thun; und über das einen andern in mein Amt, ohne meinen Willen
eingesetzt, damit mir mein Pfarramt genommen. Nu, weil ich euer Pfarrherr bin und sein muß, will ich nicht davon fliehen, noch sie übergeben, bis
ich mit Recht davon gesetzt werde. Kann auch indeß nicht davon fliehen, oder
sie übergeben; sondern das will ich thun, wie Christus lehret Matth. 5, 40.
Luk. 6, 29.: wenn der Mantel genommen wird, soll ich den Rock dazu lassen
fahren, und sollen allen Raub und Gewalt leiden. Also will ich jetzt auch

thun, und bedinge hiemit, daß diese Pfarre meine sei, und mir befohlen ist das
Predigtamt zu versorgen und bestellen; will solch Amt auch nicht lassen übergeben. Aber weil es mir mit Gewalt genommen und abgedrungen wird,
will ich's leiden und mir lassen geraubet und genommen sein, und also eine
Zeitlang weichen von hinnen, bis mir's Gott wieder einräumet; will indeß
zusehen, wer so thürstig sein will, der sich in meine genommene und geraubte
Pfarre setzen darf und mit was Gewissen er mein Amt besitzen möge.' Wenn
Ihr sie auf diese Weise gesegnet habt, so weichet eine Zeitlang entweder hieher
zu uns, oder anderswohin. Denn die argen Leute wollen dazu noch rühmen
und lästern uns vor dem Landesfürsten, als wollten wir in ihre weltliche
Oberkeit greifen, schelten uns damit Aufrührer und aufs allerhöchste, so
jemand zu schelten ist, da sie doch wissen, daß sie daran unrecht thun und
lügen. Sie sind sacrilegi, nicht wie die, so man aufs Rad stößt um ge-
stohlen Kirchengut, welches wir leiden können, sie auch derhalben wohl ungestraft lassen; sondern solche sacrilegi sind sie, die dem Heiligen Geiste sein
Amt und Ehre rauben und sich selbst zum Heiligen Geist machen, weil sie
ihres Gefallens Prediger ab- und einsetzen, selbst Pfarrherr wollen sein und
das Predigtamt bestellen; so lernen sie das Evangelium. Ich habe Euch
treulich meinen Rath mitgetheilet: Gott gebe einen starken Muth, solchem
nachzukommen, so würde es, ob Gott will, ohne Frucht nicht abgehen. Denn
ich hierin nichts mit Unfug oder Gewalt fürnehme, sondern rathe, alles in
der Güte mit Demuth (doch auch mit rechtem Ernst) und aus Noth des Gewissens anzufahen und zu thun. Wenn Ihr also Euren Abschied genommen,
möchte N. (Cordatus) auch protestiren, so es ihm gefiele, daß er an meuchlings
entwendeter und geraubter Kirchen, darin ordentlich berufene Personen mit
Gewalt des Predigtamts entsetzt wären, nicht predigen wolle, auf daß er nicht
auch mit fremdem Kirchenraube und Sünden beschweret würde. Dies könnte
vielleicht ein Weg sein, den Bann und Interdict wieder anzurichten, denn so
sich jemand an Eure Stätte würde eindringen, so will ich sein Gewissen mit
meinem Schreiben so schrecken, daß ich hoffe, er soll nicht leichtlich da bleiben."
(Schrift: Vermahnung an einen Pfarrherrn, daß er zu unbilligem Absetzen
eines Predigers [ohne sein Mitwirken] nicht stille schweigen solle, vom Jahre
1531. X, 1892—97.)

Auf die Frage: „Ob einer, der in eines unschuldig abgesetzten Predigers
Stelle berufen wird und dieselbe rebus sic stantibus (unter solchen Umständen)
annimmt, einen christlichen Beruf habe", antwortet Mörlin: „1. Ist die
Enturlaubung des Vorigen unrichtig, so ist die Wahl des Eingedrungenen
zu verunbilligen. 2. Wie keinen ehrlichen göttlichen Titel und Beruf derjenige hat, der in gestohlene, geraubte Güter wird eingesetzt, davon wider
Recht mit Gewalt ein armer unschuldiger Mann ist ausgedrungen, also
hat der in die Kirche Eingedrungene keinen rechten Beruf, ehe zu Recht ausgeführt, daß der Vorige mit Recht entsetzt. Einwand: Es ist ein Unterschied
unter einem Hausvater, so seiner Güter ein Erbherr, und einem berufenen

Prediger, der allein ein bestallter Diener ist zum Amt. Antwort: 1. So pflegen bisweilen, die zu Rathe sitzen in Städten, zu reden, der Prediger habe sein Amt von ihnen, denn sie gäben ihm den Lohn und hätten Fug und Macht, ihn (wie ein jeder Herr seinen Knecht) abzusetzen; und sehen also solche Leute den Beruf des Predigers an nicht anders, als ein Gedinge, das man mit einem Kuh- oder Säuhirten macht. 2. Gott ist ja vielmehr der natürliche Erbherr zu seinem Predigtamt, als ein Hausvater zu seinen Gütern; der hat seine Diener eingesetzt und will sie unverdrungen haben; und fället also Gott in seine Jurisdiktion und Eigenthum, der einen solchen Prediger ausbringt. 3. Es litte, sagt Dr. Luther, kein gar geringer Hausvater nicht, daß man ihm seinen unschuldigen, wohlverdienten Diener wider seinen Willen entsetzte und ihm in seiner Haushaltung einen andern an seine Stätte ordnete: wie kommt denn der arme Christus hiezu, daß er's allein muß leiden? Heißt das nicht os ponere in coelum (wider Gott streiten), so weiß ich nicht, was es heiße." (Decisiones mille et sex casuum. Durch L. Dunte. S. 667. f.) *)

Anmerkung 6.

Ein Prediger ist nach Gottes Wort nicht ein Herr seiner Gemeinde, sondern ihr Diener und ihr verantwortlich (2 Kor. 1, 24. 4, 5. 1 Kor. 3, 5. Kol. 4, 17.); er hat daher kein Recht, (etwa aus Zorn oder zur Erholung) ohne Noth, eigenmächtig einen Gottesdienst ausfallen zu lassen, die Vorstands- und Gemeindeversammlungen nicht zu besuchen oder zu verlassen, eine Taufe, ein Begräbniß zu verweigern rc. Thut er dies, so verwirkt er sein Amt. Dunte theilt folgendes theologisches Bedenken des Ministeriums zu Riga mit: „Frage: Ob's recht sei, daß, weil ein Prediger der ganzen Gemeine sein Amt versagt und etliche Sonntage es anstehen lassen, ungeachtet sie ihn zu unterschiedlichen Malen gebeten, er wolle sein Amt in der Kirche verrichten und unterdessen mit dem Verbrecher (der ihn höchst betrübet) seinem Willen nach verfahren, ihn zu keiner Gevatterschaft, Beichtstuhl, Abendmahl vor Leistung schuldiger Genugthuung lassen, — ob's recht sei, daß einen solchen die Gemeinde abgedankt? Antwort: Wenn ein Prediger seine Bestallung und Beruf empfangen, so soll er ihm nicht einbilden, daß er möge seines Gefallens in der Kirche gebaren und das Amt der Gemeine versagen, wenn er will. Sondern er muß die Gemeine Gottes über sich erheben, und gedenken, daß er sei ein Diener der Gemeine Gottes, wie solches

---

*) Mit Rücksicht auf die landeskirchlichen Verhältnisse antwortet J. Fecht auf die Frage: „Ob jemand mit unverletztem Gewissen einem Entsetzten im Amte folgen könne", gewiß richtig: „Wenn die Entsetzung notorisch ungerecht wäre oder wenn sie von einer fremdgläubigen Obrigkeit geschehen ist, von welcher kein Widerruf gehofft werden kann, und also Gefahr ist, daß sie einen Fremdgläubigen an seine (des Berufenen) Stelle setze, dann kann man, ohne ein Unrecht zu begehen, dem Entsetzten im Amte folgen, damit die Gemeinden nicht gänzlich eines Hirten entbehren müssen." (Instructio pastoral. p. 33.)

St. Paulus herrlich ausführet mit diesen Worten: ‚Es ist alles euer, es sei Paulus oder Apollo, es sei Kephas oder die Welt, es sei das Leben oder der Tod, es sei das Gegenwärtige oder das Zukünftige: alles ist euer; ihr aber seid Christi, Christus aber ist Gottes.‘ 1 Kor. 3, 22. 23. Da denn St. Paulus die Gemeine Gottes setzt über den Prediger, gleichwie er Gott setzt über Christum, was sein Amt anlangt. Solcher Gemeine Gottes ist nun ein Prediger schuldig zu dienen und sein vertrautes Amt abzuwarten. Denn es heißt: ‚Wehe mir, wenn ich das Evangelium nicht predigte!‘ 1 Kor. 9, 16. Wenn denn ein Prediger solch Amt nicht mehr will bedienen, so hat die Gemeine, als welche höher und größer ist, denn der Prediger, Macht, einen anderen an seine Stätte zu setzen." (A. a. O. S. 666. f.)

Auch sollte der Prediger nicht zu häufig und ohne Noth für sich predigen lassen, eingedenk des apostolischen Worts: „Hat Jemand ein Amt, so warte er des Amtes." Röm. 12, 7. Noch weniger ist natürlich dem Prediger erlaubt, solchen Personen seine Canzel zu öffnen, welche die Gemeinde nicht hören mag.

Anmerkung 7.

Auf die Frage: „Ob ein Prediger, der in seinem Kirchenamte ordentlicher Weise sitzt, sich von demselben mit gutem Gewissen abgeben und einen Schuldienst annehmen möge", antwortet die Jenaische theologische Facultät nach Dunte: „1. Wenn jemand befände, daß er mit genugsamen Gaben die Gemeine zu lehren nicht ausgerüstet, oder daß es seiner Gesundheit Zustand nicht länger ertragen könnte, oder da ein besonderes Odium gegen seine Person in den Zuhörern, oder daß er zur Schularbeit tüchtiger, dazu auch ordentlichen Beruf bekäme, könnte derselbe sich zu dem angetragenen Schulamt begeben; in Betrachtung der gar nahen Verwandtschaft zwischen Kirchen und Schulen, weil eine Schule anders nichts ist, als eine kleine Kirche, und eine Kirche eine große Schule; daher die vornehmen Lehrer Samuel, Elisäus, ja auch Christus Schule gehalten im Lehramt. Von Dr. Luther wird in seinen Tischreden gemeldet, daß er oft hat pflegen zu sagen: wenn ich nicht ein Prediger wäre, wollte ich mich zu keinem Amte lieber, als zum Schuldienst, brauchen lassen, halte auch dafür, daß die Schulmeister mehr Nutz in der Schule schaffen, als wir Prediger in der Kirche, denn sie haben mit kleinen Reiserchen zu thun, welche sich lassen beugen und lenken, aber wir Prediger haben an großen, starken und ungelenken Bäumen zu arbeiten. 2. Da aber jemand mit genugsamen Gaben die Gemeine Gottes zu lehren und derselben fürzustehen ausgerüstet, würde auch von seinen anbefohlenen Zuhörern geliebet und gehöret, derselbe soll aus seinem ordentlichen Beruf um besserer Ruhe und größeren Einkommens willen nicht schreiten." (A. a. O. S. 645. f.) Aehnlich antwortet Balduin in seinem Tractatus de casibus conscientiae, p. 1026. s.

Anmerkung 8.

Auf die Frage: „Ob derjenige, welcher rechtmäßig zu einem Kirchendiener eingesetzt ist, sein Amt treu verwaltet und mit Fähigkeit dasselbe auszurichten noch hinreichend ausgerüstet ist und von seiner Gemeinde noch länger begehrt wird, mit unverletztem Gewissen sein Amt niederlegen könne, entweder weil er der Arbeit und Mühe überdrüssig ist, oder weil er reichlich hat, was er zu seiner und der Seinigen Unterhaltung bedarf, oder auch weil er durch andere fleischliche Ursachen zu freiwilliger Amtsniederlegung bewogen wird", antwortet Christian Kortholt: „Diese Frage verneinen die rechtgläubigen Theologen und begründen ihre Verneinung: 1. mit den Zeugnissen der Schrift 1 Kor. 7, 20. Matth. 10, 22. Luk. 9, 62. — 2. Mit aus derselben Quelle genommenen Beispielen, wo wir lesen, daß die Propheten und Apostel ihr Amt nicht eher verlassen haben, als bis sie ihren Lauf vollendet hatten, wie der Apostel von sich bekennt 2 Tim. 4, 7. — 3. Die Vernunft lehrt, daß, da es eine unerlaubte und verbotene Sache ist, sich selbst zu berufen und in das Amt einzubringen, es einem Kirchendiener auch nicht frei stehe, das einmal übernommene Amt willkürlich niederzulegen und zu verlassen." (Pastor fidelis, p. 62. s.) Aehnlich redet Deyling und setzt sodann hinzu: „Mit Recht wird jedoch ausgenommen der Fall des Verlustes des Gedächtnisses oder einer unheilbaren Krankheit, wenn ein Kirchendiener dadurch zur Amtsverwaltung unfähig wird, auch die Amtsniederlegung wegen unversöhnlichen Hasses der Zuhörer oder anderer Verfolger und wegen fortwährender Verweigerung des Gehalts, so daß der arme Kirchendiener nichts findet, womit er sich und seine Familie ernähren könne." (Institution. prud. pastoral. p. 762.) Irre werden an der rechten Lehre, die der Prediger vorzutragen heilig gelobt hat, ist, wenn es nicht eine nur vorübergehende Anfechtung ist, selbstverständlich ein zur Amtsniederlegung nöthigender Grund. „Auch alle Prediger sollen also gewiß sein", schreibt Luther, „daß sie sagen können: Gott spricht's; das ist Gottes Wort; und wenn ich das Wort Gottes predige, so ist's so viel, als ich schwüre. Wer nun deß nicht gewiß ist, und nicht sagen kann: Gott redet's! der mag das Predigen wohl anstehen lassen, denn er wird nichts Gutes schaffen." (VI, 1404.)

Alphabetisches Sachregister.